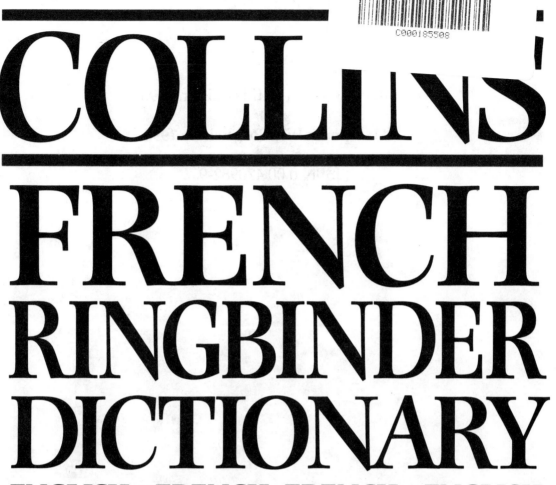

COLLINS

FRENCH RINGBINDER DICTIONARY

ENGLISH ◆ FRENCH FRENCH ◆ ENGLISH

HarperCollins*Publishers*

First published in this edition 1996

ISBN 0 00 470982-9

Typeset by Mortons Word Processing Ltd, Scarborough

Printed and bound in Great Britain by
Caledonian International Manufacturing Ltd,
Glasgow, G64

INTRODUCTION

We are delighted you have decided to buy the Collins French Ringbinder Dictionary and hope you will enjoy and benefit from using it at school, at home or at work.

This introduction gives you a few tips on how to get the most out of your dictionary — not simply from its comprehensive wordlist but also from the information provided in each entry. This will help you to read and understand modern French, as well as communicate and express yourself in the language.

USING YOUR COLLINS FRENCH RINGBINDER DICTIONARY

A wealth of information is presented in the dictionary, using various typefaces, sizes of type, symbols, abbreviations and brackets. The conventions and symbols used are explained in the following sections. The list of abbreviations used in the dictionary is shown on the inside cover.

Headwords

The words you look up in a dictionary — "headwords" — are listed alphabetically. They are printed in **bold type** for rapid identification. The two headwords appearing at the top of each page indicate the first and last word dealt with on the page in question.

Information about the usage or form of certain headwords is given in brackets after the phonetic spelling. This usually appears in abbreviated form and in italics (e.g. (*fam*), (*COMM*)).

Where appropriate, words related to headwords are grouped in the same entry (**ronger, rongeur; accept, acceptance**) in a slightly smaller bold type than the headword.

Common expressions in which the headword appears are shown in a different bold roman type (e.g. **avoir du retard**).

Phonetic spellings

The phonetic spelling of each headword (indicating its pronunciation) is given in square brackets immediately after the headword (e.g. **fumer** [fyme]; **knead** [ni:d]). A list of these symbols is given on page iv.

Translations

Headword translations are given in ordinary type and, where more than one meaning or usage exists, these are separated by a semi-colon. You will often find other words in italics in brackets before the translations. These offer suggested contexts in which the headword might appear (e.g. **rough** (*voice*) or (*weather*)) or provide synonyms (e.g. **rough** (*violent*)).

"Key" words

Special status is given to certain French and English words which are considered as "key" words in each language. They may, for example, occur very frequently or have several types of usage (e.g. **vouloir, plus; get, that**). A combination of lozenges and numbers helps you to distinguish different parts of speech and different meanings. Further helpful information is provided in brackets and in italics in the relevant language for the user.

Grammatical information

Parts of speech are given in abbreviated form in italics after the phonetic spellings of headwords (e.g. *vt, adv, conj*).

Genders of French nouns are indicated as follows: *nm* for a masculine and *nf* for a feminine noun. Feminine and irregular plural forms of nouns are also shown (**directeur, trice; cheval, aux**).

Adjectives are given in both masculine and feminine forms where these forms are different (e.g. **noir, e**). Clear information is provided where adjectives have an irregular feminine or plural form (e.g. **net, nette**).

Note on trademarks

Words which we have reason to believe constitute trademarks have been designated as such. However, neither the presence nor the absence of such designation should be regarded as affecting the legal status of any trademark.

CONTENTS

PHONETICS

CONSONNES		CONSONANTS
NB. **p, b, t, d, k, g** sont suivis d'une aspiration en anglais.		NB. **p, b, t, d, k, g** are not aspirated in French.
poupée	p	puppy
bombe	b	baby
tente thermal	t	tent
dinde	d	daddy
coq qui képi	k	cork kiss chord
gag bague	g	gag guess
sale ce nation	s	so rice kiss
zéro rose	z	cousin buzz
tache chat	ʃ	sheep sugar
gilet juge	ʒ	pleasure beige
	tʃ	church
	dʒ	judge general
fer phare	f	farm raffle
valve	v	very rev
	θ	thin maths
	ð	that other
lent salle	l	little ball
rare rentrer	ʀ	
	r	rat rare
maman femme	m	mummy comb
non nonne	n	no ran
agneau vigne	ɲ	
	ŋ	singing bank
hop!	h	hat reheat
yeux paille pied	j	yet
nouer oui	w	wall bewail
huile lui	ɥ	
	x	loch

DIVERS		MISCELLANEOUS
pour l'anglais: le r final se prononce en liaison devant une voyelle	*	in French wordlist: no liaison
pour l'anglais: précède la syllabe accentuée	ˈ	in French transcription: no liaison

VOYELLES		VOWELS
NB. La mise en équivalence de certains sons n'indique qu'une ressemblance approximative.		NB. The pairing of some vowel sounds only indicates approximate equivalence.
ici vie lyre	i iː	heel bead
	ɪ	hit pity
jouer été	e	
lait jouet merci	ɛ	set tent
plat amour	a æ	bat apple
bas pâte	ɑ ɑː	after car calm
	ʌ	fun cousin
le premier	ə	over above
beurre peur	œ	
peu deux	ø əː	urn fern work
or homme	ɔ	wash pot
mot eau gauche	o ɔː	born cork
genou roue	u	full soot
	uː	boon lewd
rue urne	y	

DIPHTONGUES		DIPHTHONGS
	ɪə	beer tier
	ɛə	tear fair there
	eɪ	date plaice day
	aɪ	life buy cry
	au	owl foul now
	əu	low no
	ɔɪ	boil boy oily
	uə	poor tour

NASALES		NASAL VOWELS
matin plein	ɛ̃	
brun	œ̃	
sang an dans	ɑ̃	
non pont	ɔ̃	

ENGLISH - FRENCH
ANGLAIS - FRANÇAIS
A

A [eɪ] *n* (*MUS*) la *m*

KEYWORD

a [eɪ, ə] (*before vowel or silent h: an*) *indef art* 1 un(e); ~ **book** un livre; **an apple** une pomme; **she's ~ doctor** elle est médecin
2 (*instead of the number 'one'*) un(e); ~ **year ago** il y a un an; ~ **hundred/ thousand** *etc* **pounds** cent/mille *etc* livres
3 (*in expressing ratios, prices etc*): **3 ~ day/week** 3 par jour/semaine; **10 km ~n hour** 10 km à l'heure; **30p ~ kilo** 30p le kilo

A.A. *n abbr* = **Alcoholics Anonymous**; (*BRIT*: = *Automobile Association*) ≈ TCF *m*
A.A.A. (*US*) *n abbr* (= *American Automobile Association*) ≈ TCF *m*
aback [ə'bæk] *adv*: **to be taken ~** être stupéfait(e), être décontenancé(e)
abandon [ə'bændən] *vt* abandonner ◆ *n*: **with ~** avec désinvolture
abate [ə'beɪt] *vi* s'apaiser, se calmer
abbey ['æbɪ] *n* abbaye *f*
abbot ['æbət] *n* père supérieur
abbreviation [əbriːvɪ'eɪʃən] *n* abréviation *f*
abdicate ['æbdɪkeɪt] *vt, vi* abdiquer
abdomen ['æbdəmən] *n* abdomen *m*
abduct [æb'dʌkt] *vt* enlever
aberration [æbə'reɪʃən] *n* anomalie *f*
abet [ə'bet] *vt see* **aid**
abeyance [ə'beɪəns] *n*: **in ~** (*law*) tombé(e) en désuétude; (*matter*) en suspens
abide [ə'baɪd] *vt*: **I can't ~ it/him** je ne peux pas le souffrir *or* supporter; **~ by** *vt fus* observer, respecter
ability [ə'bɪlɪtɪ] *n* compétence *f*; capacité *f*; (*skill*) talent *m*
abject ['æbdʒekt] *adj* (*poverty*) sordide; (*apology*) plat(e)
ablaze [ə'bleɪz] *adj* en feu, en flammes
able ['eɪbl] *adj* capable, compétent(e); **to be ~ to do sth** être capable de faire qch, pouvoir faire qch; **~-bodied** *adj* robuste; **ably** ['eɪblɪ] *adv* avec compétence *or* talent, habilement
abnormal [æb'nɔːməl] *adj* anormal(e)
aboard [ə'bɔːd] *adv* à bord ◆ *prep* à bord de
abode [ə'bəud] *n* (*LAW*): **of no fixed ~** sans domicile fixe
abolish [ə'bɒlɪʃ] *vt* abolir
aborigine [æbə'rɪdʒɪniː] *n* aborigène *m/f*
abort [ə'bɔːt] *vt* faire avorter; **~ion** [ə'bɔːʃən] *n* avortement *m*; **to have an ~ion** se faire avorter; **~ive** *adj* manqué(e)
abound [ə'baund] *vi* abonder; **to ~ in** *or* **with** abonder en, regorger de

KEYWORD

about [ə'baut] *adv* 1 (*approximately*) environ, à peu près; ~ **a hundred/ thousand** *etc* environ cent/mille *etc*, une centaine/un millier *etc*; **it takes ~ 10 hours** ça prend environ *or* à peu près 10 heures; **at ~ 2 o'clock** vers 2 heures; **I've just ~ finished** j'ai presque fini
2 (*referring to place*) çà et là, de côté et d'autre; **to run ~** courir çà et là; **to walk ~** se promener, aller et venir
3: **to be ~ to do sth** être sur le point de faire qch
◆ *prep* 1 (*relating to*) au sujet de, à propos de; **a book ~ London** un livre sur Londres; **what is it ~?** de quoi s'agit-il?; **we talked ~ it** nous en avons parlé; **what** *or* **how ~ doing this?** et si nous faisions ceci?
2 (*referring to place*) dans; **to walk ~ the town** se promener dans la ville

about-face [ə'baut'feɪs] *n* demi-tour *m*
about-turn [ə'baut'tɜːn] *n* (*MIL*) demi-tour *m*; (*fig*) volte-face *f*
above [ə'bʌv] *adv* au-dessus ◆ *prep* au-dessus de; (*more*) plus de; **mentioned ~** mentionné ci-dessus; **~ all** par-dessus tout, surtout; **~board** *adj* franc(franche); honnête
abrasive [ə'breɪzɪv] *adj* abrasif(ive); (*fig*) caustique, agressif(ive)
abreast [ə'brest] *adv* de front; **to keep ~ of** se tenir au courant de
abridge [ə'brɪdʒ] *vt* abréger
abroad [ə'brɔːd] *adv* à l'étranger
abrupt [ə'brʌpt] *adj* (*steep, blunt*) abrupt(e); (*sudden, gruff*) brusque; **~ly** *adv* (*speak, end*) brusquement
abscess ['æbsɪs] *n* abcès *m*
abscond [əb'skɒnd] *vi* disparaître, s'enfuir
absence ['æbsəns] *n* absence *f*
absent ['æbsənt] *adj* absent(e); **~ee** [æbsən'tiː] *n* absent(e); (*habitual*) absentéiste *m/f*; **~-minded** *adj* distrait(e)
absolute ['æbsəluːt] *adj* absolu(e); **~ly** [æbsə'luːtlɪ] *adv* absolument
absolve [əb'zɒlv] *vt*: **to ~ sb (from)** (*blame, responsibility, sin*) absoudre qn (de)
absorb [əb'zɔːb] *vt* absorber; **to be ~ed in a book** être plongé(e) dans un livre; **~ent cotton** (*US*) *n* coton *m* hydrophile; **absorption** [əb'zɔːpʃən] *n* absorption *f*; (*fig*) concentration *f*
abstain [əb'steɪn] *vi*: **to ~ (from)** s'abstenir (de)
abstract ['æbstrækt] *adj* abstrait(e)
absurd [əb'sɜːd] *adj* absurde
abuse [*n* ə'bjuːs, *vb* ə'bjuːz] *n* abus *m*; (*insults*) insultes *fpl*, injures *fpl* ◆ *vt* abuser de; (*insult*) insulter; **abusive** [ə'bjuːsɪv] *adj* grossier(ère), injurieux(euse)
abysmal [ə'bɪzməl] *adj* exécrable; (*ignorance etc*) sans bornes
abyss [ə'bɪs] *n* abîme *m*, gouffre *m*
AC *abbr* (= *alternating current*) courant alternatif
academic [ækə'demɪk] *adj* universitaire; (*person: scholarly*) intellectuel(le); (*pej: issue*) oiseux(euse), purement théorique ◆ *n* universitaire *m/f*; **~ year** *n* année *f* universitaire
academy [ə'kædəmɪ] *n* (*learned body*) académie *f*; (*school*) collège *m*; **~ of music** conservatoire *m*
accelerate [æk'seləreɪt] *vt, vi* accélérer; **accelerator** [ək'seləreɪtə*] *n* accélérateur *m*
accent ['æksent] *n* accent *m*
accept [ək'sept] *vt* accepter; **~able** *adj* acceptable; **~ance** *n* acceptation *f*
access ['ækses] *n* accès *m*; (*JUR: in divorce*) droit *m* de visite; **~ible** [æk'sesɪbl] *adj* accessible
accessory [æk'sesərɪ] *n* accessoire *m*; (*LAW*): **~ to** complice de
accident ['æksɪdənt] *n* accident *m*; (*chance*) hasard *m*; **by ~** accidentellement; par hasard; **~al** [æksɪ'dentl] *adj* accidentel(le); **~ally** [æksɪ'dentəlɪ] *adv* accidentellement; **~-prone** *adj* sujet(te) aux accidents
acclaim [ə'kleɪm] *n* acclamations *fpl* ◆ *vt* acclamer
accommodate [ə'kɒmədeɪt] *vt* loger, recevoir; (*oblige, help*) obliger; (*car etc*) contenir; **accommodating** [ə'kɒmədeɪtɪŋ] *adj* obligeant(e), arrangeant(e); **accommodation** [əkɒmə'deɪʃən] (*US* **~s**) *n* logement *m*
accompany [ə'kʌmpənɪ] *vt* accompagner
accomplice [ə'kʌmplɪs] *n* complice *m/f*
accomplish [ə'kʌmplɪʃ] *vt* accomplir; **~ment** *n* accomplissement *m*; réussite *f*; (*skill: gen pl*) talent *m*
accord [ə'kɔːd] *n* accord *m* ◆ *vt* accorder; **of his own ~** de son plein gré; **~ance** *n*: **in ~ance with** conformément à; **~ing**: **~ing to** *prep* selon; **~ingly** *adv* en conséquence
accordion [ə'kɔːdɪən] *n* accordéon *m*
accost [ə'kɒst] *vt* aborder
account [ə'kaunt] *n* (*COMM*) compte *m*; (*report*) compte rendu; récit *m*; **~s** *npl* (*COMM*) comptabilité *f*, comptes; **of no ~** sans importance; **on ~** en acompte; **on no ~** en aucun cas; **on ~ of** à cause de; **to take into ~, take ~ of** tenir compte de; **~ for** *vt fus* expliquer, rendre compte de; **~able** *adj*: **~able (to)** responsable (devant); **~ancy** [ə'kauntənsɪ] *n* comptabilité *f*; **~ant** [ə'kauntənt] *n* comptable *m/f*; **~ number** *n* (*at bank etc*) numéro *m* de compte
accrued interest [əkruːd] *n* intérêt *m* cumulé
accumulate [ə'kjuːmjuleɪt] *vt* accumuler, amasser ◆ *vi* s'accumuler, s'amasser
accuracy ['ækjurəsɪ] *n* exactitude *f*, précision *f*
accurate ['ækjurɪt] *adj* exact(e), précis(e); **~ly** *adv* avec précision
accusation [ækjuː'zeɪʃən] *n* accusation *f*
accuse [ə'kjuːz] *vt*: **to ~ sb (of sth)** accuser qn (de qch); **~d** *n*: **the ~d** l'accusé(e)
accustom [ə'kʌstəm] *vt* accoutumer, habituer; **~ed** *adj* (*usual*) habituel(le); (*in the habit*): **~ed to** habitué(e) *or* accoutumé(e) à
ace [eɪs] *n* as *m*
ache [eɪk] *n* mal *m*, douleur *f* ◆ *vi* (*yearn*): **to ~ to do sth** mourir d'envie de faire qch; **my head ~s** j'ai mal à la tête
achieve [ə'tʃiːv] *vt* (*aim*) atteindre; (*victory, success*) remporter, obtenir; **~ment** *n* exploit *m*, réussite *f*
acid ['æsɪd] *adj* acide ◆ *n* acide *m*; **~ rain** *n* pluies *fpl* acides
acknowledge [ək'nɒlɪdʒ] *vt* (*letter: also*: **~ receipt of**) accuser réception de; (*fact*) reconnaître; **~ment** *n* (*of letter*) accusé *m* de réception
acne ['æknɪ] *n* acné *m*
acorn ['eɪkɔːn] *n* gland *m*
acoustic [ə'kuːstɪk] *adj* acoustique; **~s** *n, npl* acoustique *f*
acquaint [ə'kweɪnt] *vt*: **to ~ sb with sth** mettre qn au courant de qch; **to be ~ed with** connaître; **~ance** *n* connaissance *f*
acquiesce [ækwɪ'es] *vi*: **to ~ to** acquiescer *or* consentir à
acquire [ə'kwaɪə*] *vt* acquérir
acquit [ə'kwɪt] *vt* acquitter; **to ~ o.s. well** bien se comporter, s'en tirer très honorablement
acre ['eɪkə*] *n* acre *f* (= *4047 m²*)
acrid ['ækrɪd] *adj* âcre
acrobat ['ækrəbæt] *n* acrobate *m/f*
across [ə'krɒs] *prep* (*on the other side*) de l'autre côté de; (*crosswise*) en travers de ◆ *adv* de l'autre côté; en travers; **to run/swim ~** traverser en courant/à la nage; **~ from** en face de
acrylic [ə'krɪlɪk] *adj* acrylique
act [ækt] *n* acte *m*, action *f*; (*of play*) acte; (*in music-hall etc*) numéro *m*; (*LAW*) loi *f* ◆ *vi* agir; (*THEATRE*) jouer; (*pretend*) jouer la comédie ◆ *vt* (*part*) jouer, tenir; **in the ~ of** en train de; **to ~ as** servir de; **~ing** *adj* suppléant(e), par intérim ◆ *n* (*activity*): **to do some ~ing** faire du théâtre (*or* du cinéma)
action ['ækʃən] *n* action *f*; (*MIL*) combat(s) *m(pl)*; (*LAW*) procès *m*, action en justice; **out of ~** hors de combat; (*machine*) hors d'usage; **to take ~** agir, prendre des mesures; **~ replay** *n* (*TV*) ralenti *m*
activate ['æktɪveɪt] *vt* (*mechanism*) actionner, faire fonctionner
active ['æktɪv] *adj* actif(ive); (*volcano*) en activité; **~ly** *adv* activement
activity [æk'tɪvɪtɪ] *n* activité *f*
actor ['æktə*] *n* acteur *m*
actress ['æktrɪs] *n* actrice *f*
actual ['æktjuəl] *adj* réel(le), véritable; **~ly** *adv* (*really*) réellement, véritablement; (*in fact*) en fait
acumen ['ækjumən] *n* perspicacité *f*
acute [ə'kjuːt] *adj* aigu(ë); (*mind, observer*) pénétrant(e), perspicace
ad [æd] *n abbr* = **advertisement**
A.D. *adv abbr* (= *anno Domini*) ap. J.-C.
adamant ['ædəmənt] *adj* inflexible
adapt [ə'dæpt] *vt* adapter ◆ *vi*: **to ~ (to)** s'adapter (à); **~able** *adj* (*device*) adaptable; (*person*) qui s'adapte facilement; **~er, ~or** *n* (*ELEC*) adapteur *m*, adaptateur *m*
add [æd] *vt* ajouter; (*figures: also*: **to ~ up**) additionner ◆ *vi*: **to ~ to** (*increase*) ajouter à, accroître
adder ['ædə*] *n* vipère *f*
addict ['ædɪkt] *n* intoxiqué(e); (*fig*) fanatique *m/f*; **~ed** [ə'dɪktɪd] *adj*: **to be ~ed to** (*drugs, drink etc*) être adonné(e) à; (*fig: football etc*) être un(e) fanatique de; **~ion** [ə'dɪkʃən] *n* (*MED*) dépendance *f*; **~ive** *adj* qui crée une dépendance
addition [ə'dɪʃən] *n* addition *f*; (*thing added*) ajout *m*; **in ~** de plus; de surcroît; **in ~ to** en plus de; **~al** *adj* supplémentaire
additive ['ædɪtɪv] *n* additif *m*
address [ə'dres] *n* adresse *f*; (*talk*) discours *m*, allocution *f* ◆ *vt* adresser; (*speak to*) s'adresser à; **to ~ (o.s. to) a problem** s'attaquer à un problème
adept ['ædept] *adj*: **~ at** expert(e) à *or* en
adequate ['ædɪkwɪt] *adj* adéquat(e); suffisant(e)
adhere [əd'hɪə*] *vi*: **to ~ to** adhérer à; (*fig: rule, decision*) se tenir à
adhesive [əd'hiːzɪv] *n* adhésif *m*; **~ tape** *n* (*BRIT*) ruban adhésif; (*US: MED*) sparadrap *m*
ad hoc [æd'hɒk] *adj* improvisé(e), ad hoc
adjective ['ædʒəktɪv] *n* adjectif *m*
adjoining [ə'dʒɔɪnɪŋ] *adj* voisin(e), adjacent(e), attenant(e)
adjourn [ə'dʒɜːn] *vt* ajourner ◆ *vi* suspendre la séance; lever la séance; clore la session
adjust [ə'dʒʌst] *vt* ajuster, régler; rajuster ◆ *vi*: **to ~ (to)** s'adapter (à); **~able** *adj* réglable; **~ment** *n* (*PSYCH*) adaptation *f*; (*to machine*) ajustage *m*, réglage *m*; (*of prices, wages*) rajustement *m*
ad-lib [æd'lɪb] *vt, vi* improviser; **ad lib** *adv* à volonté, à loisir
administer [əd'mɪnɪstə*] *vt* administrer; (*justice*) rendre
administration [ədmɪnɪs'treɪʃən] *n* administration *f*
administrative [əd'mɪnɪstrətɪv] *adj* administratif(ive)
admiral ['ædmərəl] *n* amiral *m*; **A~ty** ['ædmərəltɪ] (*BRIT*) *n* (*also*: *A~ty Board*): **the A~ty** ministère *m* de la Marine
admire [əd'maɪə*] *vt* admirer
admission [əd'mɪʃən] *n* admission *f*; (*to exhibition, night club etc*) entrée *f*; (*confession*) aveu *m*
admit [əd'mɪt] *vt* laisser entrer; admettre; (*agree*) reconnaître, admettre; **~ to** *vt fus* reconnaître, avouer; **~tance** *n* admission *f*, (droit *m* d')entrée *f*; **~tedly** *adv* il faut en convenir
admonish [əd'mɒnɪʃ] *vt* donner un avertissement à; réprimander
ad nauseam [æd'nɔːsɪæm] *adv* (*repeat, talk*) à n'en plus finir
ado [ə'duː] *n*: **without (any) more ~** sans plus de cérémonies
adolescence [ædə'lesns] *n* adolescence *f*; **adolescent** [ædə'lesnt] *adj, n* adolescent(e)
adopt [ə'dɒpt] *vt* adopter; **~ed** *adj* adoptif(ive), adopté(e); **~ion** [ə'dɒpʃən] *n* adoption *f*
adore [ə'dɔː*] *vt* adorer
adorn [ə'dɔːn] *vt* orner
Adriatic (Sea) [eɪdrɪ'ætɪk-] *n* Adriatique *f*
adrift [ə'drɪft] *adv* à la dérive
adult ['ædʌlt] *n* adulte *m/f* ◆ *adj* adulte; (*literature, education*) pour adultes
adultery [ə'dʌltərɪ] *n* adultère *m*
advance [əd'vɑːns] *n* avance *f* ◆ *adj*: **~ booking** réservation *f* ◆ *vt* avancer ◆ *vi* avancer, s'avancer; **~ notice** avertissement *m*; **to make ~s (to sb)** faire des propositions (à qn); (*amorously*) faire des avances (à qn); **in ~** à l'avance, d'avance; **~d** *adj* avancé(e); (*SCOL: studies*) supérieur(e)
advantage [əd'vɑːntɪdʒ] *n* (*also TENNIS*) avantage *m*; **to take ~ of** (*person*) exploiter
advent ['ædvent] *n* avènement *m*, venue *f*; **A~** Avent *m*
adventure [əd'ventʃə*] *n* aventure *f*
adverb ['ædvɜːb] *n* adverbe *m*
adverse ['ædvɜːs] *adj* défavorable, contraire
advert ['ædvɜːt] (*BRIT*) *n abbr* = **advertisement**
advertise ['ædvətaɪz] *vi(vt)* faire de la publicité (pour); mettre une annonce (pour vendre); **to ~ for** (*staff, accommodation*) faire paraître une annonce pour trouver; **~ment** [əd'vɜːtɪsmənt] *n* (*COMM*) réclame *f*, publicité *f*; (*in classified ads*) annonce *f*; **~r** ['ædvətaɪzə*] *n* (*in newspaper etc*) annonceur *m*; **advertising** ['ædvətaɪzɪŋ] *n* publicité *f*
advice [əd'vaɪs] *n* conseils *mpl*; (*notification*) avis *m*; **piece of ~** conseil; **to take legal ~** consulter un avocat
advisable [əd'vaɪzəbl] *adj* conseillé(e), indiqué(e)
advise [əd'vaɪz] *vt* conseiller; **to ~ sb of sth** aviser *or* informer qn de qch; **to ~ against sth/doing sth** déconseiller qch/conseiller de ne pas faire qch; **~dly** [əd'vaɪzədlɪ] *adv* (*deliberately*) délibérément; **~r** *n* conseiller(ère); **advisor** *n* = **adviser**; **advisory** [əd'vaɪzərɪ] *adj* consultatif(ive)
advocate [*vb* 'ædvəkeɪt, *n* 'ædvəkət] *n* (*upholder*) défenseur *m*, avocat(e), partisan(e); (*LAW*) avocat(e) ◆ *vt* recommander, prôner
aerial ['ɛərɪəl] *n* antenne *f* ◆ *adj* aérien(ne)
aerobics [ɛər'əubɪks] *n* aérobic *f*
aeroplane ['ɛərəpleɪn] (*BRIT*) *n* avion *m*
aerosol ['ɛərəsɒl] *n* aérosol *m*
aesthetic [ɪs'θetɪk] *adj* esthétique
afar [ə'fɑː*] *adv*: **from ~** de loin
affair [ə'fɛə*] *n* affaire *f*; (*also*: *love ~*) liaison *f*; aventure *f*
affect [ə'fekt] *vt* affecter; (*disease*) atteindre; **~ed** *adj* affecté(e)
affection [ə'fekʃən] *n* affection *f*; **~ate** [ə'fekʃənɪt] *adj* affectueux(euse)

affinity [ə'fɪnɪtɪ] *n* (*bond, rapport*): **to have an ~ with/for** avoir une affinité avec/pour; (*resemblance*): **to have an ~ with** avoir une ressemblance avec
afflict [ə'flɪkt] *vt* affliger
affluence ['æfluəns] *n* abondance *f*, opulence *f*
affluent ['æfluənt] *adj* (*person, family, surroundings*) aisé(e), riche; **the ~ society** la société d'abondance
afford [ə'fɔːd] *vt* se permettre; avoir les moyens d'acheter *or* d'entretenir; (*provide*) fournir, procurer
afield [ə'fiːld] *adv*: **(from) far ~** (de) loin
afloat [ə'fləut] *adj, adv* à flot; **to stay ~** surnager
afoot [ə'fut] *adv*: **there is something ~** il se prépare quelque chose
afraid [ə'freɪd] *adj* effrayé(e); **to be ~ of** *or* **to** avoir peur de; **I am ~ that ...** je suis désolé(e), mais ...; **I am ~ so/not** hélas oui/non
afresh [ə'freʃ] *adv* de nouveau
Africa ['æfrɪkə] *n* Afrique *f*; **~n** *adj* africain(e) ◆ *n* Africain(e)
aft [ɑːft] *adv* à l'arrière, vers l'arrière
after ['ɑːftə*] *prep, adv* après ◆ *conj* après que, après avoir *or* être *+pp*; **what/who are you ~?** que/qui cherchez-vous?; **~ he left/having done** après qu'il fut parti/après avoir fait; **ask ~ him** demandez de ses nouvelles; **to name sb ~ sb** donner à qn le nom de qn; **twenty ~ eight** (*US*) huit heures vingt; **~ all** après tout; **~ you!** après vous, Monsieur (*or* Madame *etc*); **~-effects** *npl* (*of disaster, radiation, drink etc*) répercussions *fpl*; (*of illness*) séquelles *fpl*, suites *fpl*; **~math** *n* conséquences *fpl*, suites *fpl*; **~noon** *n* après-midi *m or f*; **~s** (*inf*) *n* (*dessert*) dessert *m*; **~-sales service** (*BRIT*) *n* (*for car, washing machine etc*) service *m* après-vente; **~-shave (lotion)** *n* after-shave *m*; **~thought** *n*: **I had an ~thought** il m'est venu une idée après coup; **~wards** (*US* **~ward**) *adv* après
again [ə'gen] *adv* de nouveau; encore (une fois); **to do sth ~** refaire qch; **not ... ~** ne ... plus; **~ and ~** à plusieurs reprises
against [ə'genst] *prep* contre; (*compared to*) par rapport à
age [eɪdʒ] *n* âge *m* ◆ *vt, vi* vieillir; **it's been ~s since** ça fait une éternité que ... ne; **he is 20 years of ~** il a 20 ans; **to come of ~** atteindre sa majorité; **~d**[1] *adj*: **~d 10** âgé(e) de 10 ans; **~d**[2] ['eɪdʒɪd] *npl*: **the ~d** les personnes âgées; **~ group** *n* tranche *f* d'âge; **~ limit** *n* limite *f* d'âge
agency ['eɪdʒənsɪ] *n* agence *f*; (*government body*) organisme *m*, office *m*
agenda [ə'dʒendə] *n* ordre *m* du jour
agent ['eɪdʒənt] *n* agent *m*, représentant *m*; (*firm*) concessionnaire *m*
aggravate ['ægrəveɪt] *vt* aggraver; (*annoy*) exaspérer
aggregate ['ægrɪgɪt] *n* ensemble *m*, total *m*
aggressive [ə'gresɪv] *adj* agressif(ive)
aggrieved [ə'griːvd] *adj* chagriné(e), affligé(e)
aghast [ə'gɑːst] *adj* consterné(e), atterré(e)
agitate ['ædʒɪteɪt] *vt* (*person*) agiter, émouvoir, troubler ◆ *vi*: **to ~ for/against** faire campagne pour/contre
AGM *n abbr* (= *annual general meeting*) AG *f*, assemblée générale
ago [ə'gəu] *adv*: **2 days ~** il y a deux jours; **not long ~** il n'y a pas longtemps; **how long ~?** il y a combien de temps (de cela)?
agog [ə'gɔg] *adj* en émoi
agonizing ['ægənaɪzɪŋ] *adj* angoissant(e); déchirant(e)
agony ['ægənɪ] *n* (*pain*) douleur *f* atroce; **to be in ~** souffrir le martyre
agree [ə'griː] *vt* (*price*) convenir de ◆ *vi*: **to ~ with** (*person*) être d'accord avec; (*statements etc*) concorder avec; (*LING*) s'accorder avec; **to ~ to do** accepter de *or* consentir à faire; **to ~ to sth** consentir à qch; **to ~ that** (*admit*) convenir *or* reconnaître que; **garlic doesn't ~ with me** je ne supporte pas l'ail; **~able** *adj* agréable; (*willing*) consentant(e), d'accord; **~d** *adj* (*time, place*) convenu(e); **~ment** *n* accord *m*; **in ~ment** d'accord
agricultural [ægrɪ'kʌltʃərəl] *adj* agricole
agriculture ['ægrɪkʌltʃə*] *n* agriculture *f*
aground [ə'graund] *adv*: **to run ~** échouer, s'échouer
ahead [ə'hed] *adv* (*in front: of position, place*) devant; (: *at the head*) en avant; (*look, plan, think*) en avant; **~ of** devant; (*fig: schedule etc*) en avance sur; **~ of time** en avance; **go right** *or* **straight ~** allez tout droit; **go ~!** (*fig: permission*) allez-y!
aid [eɪd] *n* aide *f*; (*device*) appareil *m* ◆ *vt* aider; **in ~ of** en faveur de; **to ~ and abet** (*LAW*) se faire le complice de; *see also* **hearing**
aide [eɪd] *n* (*person*) aide *mf*, assistant(e)
AIDS [eɪdz] *n abbr* (= *acquired immune deficiency syndrome*) SIDA *m*
ailing ['eɪlɪŋ] *adj* malade
ailment ['eɪlmənt] *n* affection *f*
aim [eɪm] *vt*: **to ~ sth (at)** (*gun, camera*) braquer *or* pointer qch (sur); (*missile*) lancer qch (à *or* contre *or* en direction de); (*blow*) allonger qch (à); (*remark*) destiner *or* adresser qch (à) ◆ *vi* (*also*: *to take ~*) viser ◆ *n* but *m*; (*skill*): **his ~ is bad** il vise mal; **to ~ at** viser; (*fig*) viser (à); **to ~ to do** avoir l'intention de faire; **~less** *adj* sans but
ain't [eɪnt] (*inf*) = **am not; aren't; isn't**
air [ɛə*] *n* air *m* ◆ *vt* (*room, bed, clothes*) aérer; (*grievances, views, ideas*) exposer, faire connaître ◆ *cpd* (*currents, attack etc*) aérien(ne); **to throw sth into the ~** jeter qch en l'air; **by ~** (*travel*) par avion; **to be on the ~** (*RADIO, TV: programme*) être diffusé(e); (: *station*) diffuser; **~bed** *n* matelas *m* pneumatique; **~borne** *adj* en vol; **~-conditioned** *adj* climatisé(e); **~ conditioning** *n* climatisation *f*; **~craft** *n inv* avion *m*; **~craft carrier** *n* porte-avions *m inv*; **~field** *n* terrain *m* d'aviation; **A~ Force** *n* armée *f* de l'air; **~ freshener** *n* désodorisant *m*; **~gun** *n* fusil *m* à air comprimé; **~ hostess** *n* (*BRIT*) hôtesse *f* de l'air; **~ letter** *n* (*BRIT*) aérogramme *m*; **~lift** *n* pont aérien; **~line** *n* ligne aérienne, compagnie *f* d'aviation; **~liner** *n* avion *m* de ligne; **~mail** *n*: **by ~mail** par avion; **~plane** *n* (*US*) avion *m*; **~port** *n* aéroport *m*; **~ raid** *n* attaque *or* raid aérien(ne); **~sick** *adj*: **to be ~sick** avoir le mal de l'air; **~ terminal** *n* aérogare *f*; **~tight** *adj* hermétique; **~-traffic controller** *n* aiguilleur *m* du ciel; **~y** *adj* bien aéré(e); (*manners*) dégagé(e)
aisle [aɪl] *n* (*of church*) allée centrale; nef latérale; (*of theatre etc*) couloir *m*, passage *m*, allée
ajar [ə'dʒɑː*] *adj* entrouvert(e)
akin [ə'kɪn] *adj*: **~ to** (*similar*) qui tient de *or* ressemble à
alarm [ə'lɑːm] *n* alarme *f* ◆ *vt* alarmer; **~ call** *n* coup de fil *m* pour réveiller; **~ clock** *n* réveille-matin *m inv*, réveil *m*
alas [ə'læs] *excl* hélas!
albeit [ɔːl'biːɪt] *conj* (*although*) bien que *+sub*, encore que *+sub*
album ['ælbəm] *n* album *m*
alcohol ['ælkəhɔl] *n* alcool *m*; **~ic** [ælkə'hɔlɪk] *adj* alcoolique ◆ *n* alcoolique *m/f*; **A~ics Anonymous** Alcooliques anonymes
ale [eɪl] *n* bière *f*
alert [ə'lɜːt] *adj* alerte, vif(vive); vigilant(e) ◆ *n* alerte *f* ◆ *vt* alerter; **on the ~** sur le qui-vive; (*MIL*) en état d'alerte
algebra ['ældʒɪbrə] *n* algèbre *m*
Algeria [æl'dʒɪərɪə] *n* Algérie *f*
alias ['eɪlɪəs] *adv* alias ◆ *n* faux nom, nom d'emprunt; (*writer*) pseudonyme *m*
alibi ['ælɪbaɪ] *n* alibi *m*
alien ['eɪlɪən] *n* étranger(ère); (*from outer space*) extraterrestre *mf* ◆ *adj*: **~ (to)** étranger(ère) (à); **~ate** *vt* aliéner; s'aliéner
alight [ə'laɪt] *adj, adv* en feu ◆ *vi* mettre pied à terre; (*passenger*) descendre; (*bird*) se poser
alike [ə'laɪk] *adj* semblable, pareil(le) ◆ *adv* de même; **to look ~** se ressembler
alimony ['ælɪmənɪ] *n* (*payment*) pension *f* alimentaire
alive [ə'laɪv] *adj* vivant(e); (*lively*) plein(e) de vie

KEYWORD

all [ɔːl] *adj* (*singular*) tout(e); (*plural*) tous(toutes); **~ day** tout le jour; **~ night** toute la nuit; **~ men** tous les hommes; **~ five** tous les cinq; **~ the food** toute la nourriture; **~ the books** tous les livres; **~ the time** tout le temps; **~ his life** toute sa vie
◆ *pron* 1 tout; **I ate it ~, I ate ~ of it** j'ai tout mangé; **~ of us went** nous y sommes tous allés; **~ of the boys went** tous les garçons y sont allés
2 (*in phrases*): **above ~** surtout, par-dessus tout; **after ~** après tout; **at ~: not at ~** (*in answer to question*) pas du tout; (*in answer to thanks*) je vous en prie!; **I'm not at ~ tired** je ne suis pas du tout fatigué(e); **anything at ~ will do** n'importe quoi fera l'affaire; **~ in ~** tout bien considéré, en fin de compte
◆ *adv*: **~ alone** tout(e) seul(e); **it's not as hard as ~ that** ce n'est pas si difficile que ça; **~ the more/the better** d'autant plus/mieux; **~ but** presque, pratiquement; **the score is 2 ~** le score est 2 partout

allay [ə'leɪ] *vt* (*fears*) apaiser, calmer
allege [ə'ledʒ] *vt* alléguer, prétendre; **~dly** [ə'ledʒɪdlɪ] *adv* à ce que l'on prétend, paraît-il
allegiance [ə'liːdʒəns] *n* allégeance *f*, fidélité *f*, obéissance *f*
allergic [ə'lɜːdʒɪk] *adj*: **~ to** allergique à; **allergy** ['ælədʒɪ] *n* allergie *f*
alleviate [ə'liːvɪeɪt] *vt* soulager, adoucir
alley ['ælɪ] *n* ruelle *f*
alliance [ə'laɪəns] *n* alliance *f*
allied ['ælaɪd] *adj* allié(e)
all-in ['ɔːlɪn] (*BRIT*) *adj* (*also adv*: *charge*) tout compris; **~ wrestling** *n* lutte *f* libre
all-night ['ɔːl'naɪt] *adj* ouvert(e) *or* qui dure toute la nuit
allocate ['æləkeɪt] *vt* (*share out*) répartir, distribuer; (*duties*): **to ~ sth to** assigner *or* attribuer qch à; (*sum, time*): **to ~ sth to** allouer qch à
allot [ə'lɔt] *vt*: **to ~ (to)** (*money*) répartir (entre), distribuer (à); (*time*) allouer (à); **~ment** *n* (*share*) part *f*; (*garden*) lopin *m* de terre (*loué à la municipalité*)
all-out ['ɔːl'aut] *adj* (*effort etc*) total(e) ◆ *adv*: **all out** à fond
allow [ə'lau] *vt* (*practice, behaviour*) permettre, autoriser; (*sum to spend etc*) accorder; allouer; (*sum, time estimated*) compter, prévoir; (*claim, goal*) admettre; (*concede*): **to ~ that** convenir que; **to ~ sb to do** permettre à qn de faire, autoriser qn à faire; **he is ~ed to ...** on lui permet de ...; **~ for** *vt fus* tenir compte de; **~ance** *n* (*money received*) allocation *f*; subside *m*; indemnité *f*; (*TAX*) somme *f* déductible du revenu imposable, abattement *m*; **to make ~ances for** tenir compte de
alloy ['ælɔɪ] *n* alliage *m*
all: **~ right** *adv* (*feel, work*) bien; (*as answer*) d'accord; **~-rounder** *n*: **to be a good ~-rounder** être doué(e) en tout; **~-time** *adj* (*record*) sans précédent, absolu(e)
allude [ə'luːd] *vi*: **to ~ to** faire allusion à
alluring [ə'ljuərɪŋ] *adj* séduisant(e)
ally [*n* 'ælaɪ, *vb* ə'laɪ] *n* allié *m* ◆ *vt*: **to ~ o.s. with** s'allier avec
almighty [ɔːl'maɪtɪ] *adj* tout-puissant; (*tremendous*) énorme
almond ['ɑːmənd] *n* amande *f*
almost ['ɔːlməust] *adv* presque
alms [ɑːmz] *npl* aumône *f*
aloft [ə'lɔft] *adv* en l'air
alone [ə'ləun] *adj, adv* seul(e); **to leave sb ~** laisser qn tranquille; **to leave sth ~** ne pas toucher à qch; **let ~ ...** sans parler de ...; encore moins ...
along [ə'lɔŋ] *prep* le long de ◆ *adv*: **is he coming ~ with us?** vient-il avec nous?; **he was hopping/limping ~** il avançait en sautillant/boitant; **~ with** (*together with: person*) en compagnie de; (: *thing*) avec, en plus de; **all ~** (*all the time*) depuis le début; **~side** *prep* le long de; à côté de ◆ *adv* bord à bord
aloof [ə'luːf] *adj* distant(e) ◆ *adv*: **to stand ~** se tenir à distance *or* à l'écart
aloud [ə'laud] *adv* à haute voix
alphabet ['ælfəbet] *n* alphabet *m*; **~ical** [ælfə'betɪkl] *adj* alphabétique
alpine ['ælpaɪn] *adj* alpin(e), alpestre
Alps [ælps] *npl*: **the ~** les Alpes *fpl*
already [ɔːl'redɪ] *adv* déjà
alright ['ɔːl'raɪt] (*BRIT*) *adv* = **all right**
Alsatian [æl'seɪʃən] (*BRIT*) *n* (*dog*) berger allemand
also ['ɔːlsəu] *adv* aussi
altar ['ɔltə*] *n* autel *m*
alter ['ɔltə*] *vt, vi* changer
alternate [*adj* ɔl'tɜːnɪt, *vb* 'ɔltɜːneɪt] *adj* alterné(e), alternant(e), alternatif(ive) ◆ *vi* alterner; **on ~ days** un jour sur deux, tous les deux jours; **alternating current** *n* courant alternatif
alternative [ɔl'tɜːnətɪv] *adj* (*solutions*) possible, au choix; (*plan*) autre, de rechange; (*lifestyle, medicine*) parallèle ◆ *n* (*choice*) alternative *f*; (*other possibility*) solution *f* de remplacement *or* de rechange, autre possibilité *f*; **an ~ comedian** un nouveau comique; **~ly** *adv*: **~ly one could** une autre *or* l'autre solution serait de, on pourrait aussi
alternator ['ɔltɜːneɪtə*] *n* (*AUT*) alternateur *m*
although [ɔːl'ðəu] *conj* bien que *+sub*
altitude ['æltɪtjuːd] *n* altitude *f*
alto ['æltəu] *n* (*female*) contralto *m*; (*male*) haute-contre *f*
altogether [ɔːltə'geðə*] *adv* entièrement, tout à fait; (*on the whole*) tout compte fait; (*in all*) en tout
aluminium [ælju'mɪnɪəm] (*BRIT*), **aluminum** [ə'luːmɪnəm] (*US*) *n* aluminium *m*
always ['ɔːlweɪz] *adv* toujours
Alzheimer's (disease) [ælts'haɪməz] *n* maladie *f* d'Alzheimer
am [æm] *vb see* **be**
a.m. *adv abbr* (= *ante meridiem*) du matin
amalgamate [ə'mælgəmeɪt] *vt, vi* fusionner
amateur ['æmətɜː*] *n* amateur *m*; **~ish** (*pej*) *adj* d'amateur
amaze [ə'meɪz] *vt* stupéfier; **to be ~d (at)** être stupéfait(e) (de); **~ment** *n* stupéfaction *f*, stupeur *f*; **amazing** [ə'meɪzɪŋ] *adj* étonnant(e); exceptionnel(le)
ambassador [æm'bæsədə*] *n* ambassadeur *m*
amber ['æmbə*] *n* ambre *m*; **at ~** (*BRIT*: *AUT*) à l'orange
ambiguous [æm'bɪgjuəs] *adj* ambigu(ë)
ambition [æm'bɪʃən] *n* ambition *f*
ambitious [æm'bɪʃəs] *adj* ambitieux(euse)
amble ['æmbl] *vi* (*also*: *to ~ along*) aller d'un pas tranquille
ambulance ['æmbjuləns] *n* ambulance *f*
ambush ['æmbuʃ] *n* embuscade *f* ◆ *vt* tendre une embuscade à
amenable [ə'miːnəbl] *adj*: **~ to** (*advice etc*) disposé(e) à écouter
amend [ə'mend] *vt* (*law*) amender; (*text*) corriger; **to make ~s** réparer ses torts, faire amende honorable
amenities [ə'miːnɪtɪz] *npl* aménagements *mpl*, équipements *mpl*
America [ə'merɪkə] *n* Amérique *f*; **~n** *adj* américain(e) ◆ *n* Américain(e)
amiable ['eɪmɪəbl] *adj* aimable, affable
amicable ['æmɪkəbl] *adj* amical(e); (*JUR*) à l'amiable
amid(st) [ə'mɪd(st)] *prep* parmi, au milieu de
amiss [ə'mɪs] *adj, adv*: **there's something ~** il y a quelque chose qui ne va pas *or* qui cloche; **to take sth ~** prendre qch mal *or* de travers
ammonia [ə'məunɪə] *n* (*gas*) ammoniac *m*; (*liquid*) ammoniaque *f*
ammunition [æmju'nɪʃən] *n* munitions *fpl*
amok [ə'mɔk] *adv*: **to run ~** être pris(e) d'un accès de folie furieuse
among(st) [ə'mʌŋ(st)] *prep* parmi, entre
amorous ['æmərəs] *adj* amoureux(euse)
amount [ə'maunt] *n* (*sum*) somme *f*, montant *m*; (*quantity*) quantité *f*, nombre *m* ◆ *vi*: **to ~ to** (*total*) s'élever à; (*be same as*) équivaloir à, revenir à
amp(ere) ['æmp(ɛə*)] *n* ampère *m*
ample ['æmpl] *adj* ample; spacieux(euse); (*enough*): **this is ~** c'est largement suffisant; **to have ~ time/room** avoir bien assez de temps/place
amplifier ['æmplɪfaɪə*] *n* amplificateur *m*
amuse [ə'mjuːz] *vt* amuser, divertir; **~ment** *n* amusement *m*; **~ment arcade** *n* salle *f* de jeu
an [æn] *indef art see* **a**
anaemic [ə'niːmɪk] (*US* **anemic**) *adj* anémique
anaesthetic [ænɪs'θetɪk] *n* anesthésique *m*
analog(ue) ['ænəlɔg] *adj* (*watch, computer*) analogique
analyse ['ænəlaɪz] (*US* **analyze**) *vt* analyser; **analysis** [ə'nælɪsɪs] (*pl* **analyses**) *n* analyse *f*; **analyst** ['ænəlɪst] *n* (*POL etc*) spécialiste *m/f*; (*US*) psychanalyste *m/f*
analyze ['ænəlaɪz] (*US*) *vt* = **analyse**
anarchist ['ænəkɪst] *n* anarchiste *m/f*
anarchy ['ænəkɪ] *n* anarchie *f*
anatomy [ə'nætəmɪ] *n* anatomie *f*
ancestor ['ænsɪstə*] *n* ancêtre *m*, aïeul *m*
anchor ['æŋkə*] *n* ancre *f* ◆ *vi* (*also*: *to drop ~*) jeter l'ancre, mouiller ◆ *vt* mettre à l'ancre; (*fig*): **to ~ sth to** fixer qch à; **to weigh ~** lever l'ancre
anchovy ['æntʃəvɪ] *n* anchois *m*
ancient ['eɪnʃənt] *adj* ancien(ne), antique; (*person*) d'un âge vénérable; (*car*) antédiluvien(ne)
ancillary [æn'sɪlərɪ] *adj* auxiliaire
and [ænd] *conj* et; **~ so on** et ainsi de suite; **try ~ come** tâchez de venir; **he talked ~ talked** il n'a pas arrêté de parler; **better ~ better** de mieux en mieux
anew [ə'njuː] *adv* à nouveau
angel ['eɪndʒəl] *n* ange *m*
anger ['æŋgə*] *n* colère *f*
angina [æn'dʒaɪnə] *n* angine *f* de poitrine
angle ['æŋgl] *n* angle *m*; **from their ~** de leur point de vue
angler ['æŋglə*] *n* pêcheur(euse) à la ligne
Anglican ['æŋglɪkən] *adj, n* anglican(e)
angling ['æŋglɪŋ] *n* pêche *f* à la ligne
Anglo- ['æŋgləu] *prefix* anglo(-)
angrily ['æŋgrɪlɪ] *adv* avec colère
angry ['æŋgrɪ] *adj* en colère, furieux(euse); (*wound*) enflammé(e); **to be ~ with sb/at sth** être furieux contre qn/de qch; **to get ~** se fâcher, se mettre en colère
anguish ['æŋgwɪʃ] *n* (*physical*) supplice *m*; (*mental*) angoisse *f*
angular ['æŋgjulə*] *adj* anguleux(euse)
animal ['ænɪməl] *n* animal *m* ◆ *adj* animal(e)
animate [*vb* 'ænɪmeɪt, *adj* 'ænɪmət] *adj* animé(e), vivant(e); **~d** *adj* animé(e)
aniseed ['ænɪsiːd] *n* anis *m*
ankle ['æŋkl] *n* cheville *f*; **~ sock** *n* socquette *f*
annex [*n* 'æneks, *vb* ə'neks] *n* (*also*: *BRIT*:

~*e*) annexe *f* ◆ *vt* annexer

anniversary [ænɪ'vɜːsərɪ] *n* anniversaire *m*

announce [ə'nauns] *vt* annoncer; (*birth, death*) faire part de; **~ment** *n* annonce *f*; (*for births etc: in newspaper*) avis *m* de faire-part; (*: letter, card*) faire-part *m*; **~r** *n* (*RADIO, TV: between programmes*) speaker(ine)

annoy [ə'nɔɪ] *vt* agacer, ennuyer, contrarier; **don't get ~ed!** ne vous fâchez pas!; **~ance** *n* mécontentement *m*, contrariété *f*; **~ing** *adj* agaçant(e), contrariant(e)

annual ['ænjuəl] *adj* annuel(le) ◆ *n* (*BOT*) plante annuelle; (*children's book*) album *m*

annul [ə'nʌl] *vt* annuler

annum ['ænəm] *n see* **per**

anonymous [ə'nɒnɪməs] *adj* anonyme

anorak ['ænəræk] *n* anorak *m*

another [ə'nʌðə*] *adj*: **~ book** (*one more*) un autre livre, encore un livre, un livre de plus; (*a different one*) un autre livre ◆ *pron* un(e) autre, encore un(e), un(e) de plus; *see also* **one**

answer ['ɑːnsə*] *n* réponse *f*; (*to problem*) solution *f* ◆ *vi* répondre ◆ *vt* (*reply to*) répondre à; (*problem*) résoudre; (*prayer*) exaucer; **in ~ to your letter** en réponse à votre lettre; **to ~ the phone** répondre (au téléphone); **to ~ the bell** *or* **the door** aller *or* venir ouvrir (la porte); **~ back** *vi* répondre, répliquer; **~ for** *vt fus* (*person*) répondre de, se porter garant de; (*crime, one's actions*) être responsable de; **~ to** *vt fus* (*description*) répondre *or* correspondre à; **~able** *adj*: **~able (to sb/for sth)** responsable (devant qn/de qch); **~ing machine** *n* répondeur *m* automatique

ant [ænt] *n* fourmi *f*

antagonism [æn'tægənɪzəm] *n* antagonisme *m*

antagonize [æn'tægənaɪz] *vt* éveiller l'hostilité de, contrarier

Antarctic [ænt'ɑːktɪk] *n*: **the ~** l'Antarctique *m*

antenatal [æntɪ'neɪtl] *adj* prénatal(e); **~ clinic** *n* service *m* de consultation prénatale

anthem ['ænθəm] *n*: **national ~** hymne national

anti: **~-aircraft** [æntɪ'ɛəkrɑːft] *adj* (*missile*) anti-aérien(ne); **~biotic** ['æntɪbaɪ'ɒtɪk] *n* antibiotique *m*; **~body** ['æntɪbɒdɪ] *n* anticorps *m*

anticipate [æn'tɪsɪpeɪt] *vt* s'attendre à; prévoir; (*wishes, request*) aller au devant de, devancer

anticipation [æntɪsɪ'peɪʃən] *n* attente *f*; **with ~** impatiemment

anticlimax ['æntɪ'klaɪmæks] *n* déception *f*, douche froide (*col*)

anticlockwise ['æntɪ'klɒkwaɪz] *adj, adv* dans le sens inverse des aiguilles d'une montre

antics ['æntɪks] *npl* singeries *fpl*

antifreeze ['æntɪfriːz] *n* antigel *m*

antihistamine [æntɪ'hɪstəmiːn] *n* antihistaminique *m*

antiquated ['æntɪkweɪtɪd] *adj* vieilli(e), suranné(e), vieillot(te)

antique [æn'tiːk] *n* objet *m* d'art ancien, meuble ancien *or* d'époque, antiquité *f* ◆ *adj* ancien(ne); **~ dealer** *n* antiquaire *m*; **~ shop** *n* magasin *m* d'antiquités

anti: **~-Semitism** [æntɪ'semɪtɪzəm] *n* antisémitisme *m*; **~-septic** [æntɪ'septɪk] *n* antiseptique *m*; **~-social** [æntɪ'səuʃl] *adj* peu liant(e), sauvage, insociable; (*against society*) antisocial(e)

antlers ['æntləz] *npl* bois *mpl*, ramure *f*

anvil ['ænvɪl] *n* enclume *f*

anxiety [æŋ'zaɪətɪ] *n* anxiété *f*; (*keenness*): **~ to do** grand désir *or* impatience *f* de faire

anxious ['æŋkʃəs] *adj* anxieux(euse), angoissé(e); (*worrying: time, situation*) inquiétant(e); (*keen*): **~ to do/that** qui tient beaucoup à faire/à ce que; impatient(e) de faire/que

KEYWORD

any ['enɪ] *adj* 1 (*in questions etc: singular*) du, de l', de la; (*in questions etc: plural*) des; **have you ~ butter/children/ink?** avez-vous du beurre/des enfants/de l'encre?

2 (*with negative*) de, d'; **I haven't ~ money/books** je n'ai pas d'argent/de livres

3 (*no matter which*) n'importe quel(le); **choose ~ book you like** vous pouvez choisir n'importe quel livre

4 (*in phrases*): **in ~ case** de toute façon; **~ day now** d'un jour à l'autre; **at ~ moment** à tout moment, d'un instant à l'autre; **at ~ rate** en tout cas

◆ *pron* 1 (*in questions etc*) en; **have you got ~?** est-ce que vous en avez?; **can ~ of you sing?** est-ce que parmi vous il y en a qui chantent?

2 (*with negative*) en; **I haven't ~ (of them)** je n'en ai pas, je n'en ai aucun

3 (*no matter which one(s)*) n'importe lequel (*or* laquelle); **take ~ of those books (you like)** vous pouvez prendre n'importe lequel de ces livres

◆ *adv* 1 (*in questions etc*): **do you want ~ more soup/sandwiches?** voulez-vous encore de la soupe/des sandwichs?; **are you feeling ~ better?** est-ce que vous vous sentez mieux?

2 (*with negative*): **I can't hear him ~ more** je ne l'entends plus; **don't wait ~ longer** n'attendez pas plus longtemps

any: **~body** ['enɪbɒdɪ] *pron* n'importe qui; (*in interrogative sentences*) quelqu'un; (*in negative sentences*): **I don't see ~body** je ne vois personne; **~how** *adv* (*at any rate*) de toute façon, quand même; (*haphazard*) n'importe comment; **~one** [-wʌn] *pron* = **anybody**; **~thing** *pron* n'importe quoi, quelque chose, ne ... rien; **~way** *adv* de toute façon; **~where** *adv* n'importe où, quelque part; **I don't see him ~where** je ne le vois nulle part

apart [ə'pɑːt] *adv* (*to one side*) à part; de côté; à l'écart; (*separately*) séparément; **10 miles ~** à 10 miles l'un de l'autre; **to take ~** démonter; **~ from** à part, excepté

apartheid [ə'pɑːteɪt] *n* apartheid *m*

apartment [ə'pɑːtmənt] *n* (*US*) appartement *m*, logement *m*; (*room*) chambre *f*; **~ building** (*US*) *n* immeuble *m*; maison divisée en appartements

ape [eɪp] *n* (grand) singe ◆ *vt* singer

apéritif [ə'perɪtiːf] *n* apéritif *m*

aperture ['æpətjuə*] *n* orifice *m*, ouverture *f*; (*PHOT*) ouverture (du diaphragme)

apex ['eɪpeks] *n* sommet *m*

apiece [ə'piːs] *adv* chacun(e)

apologetic [əpɒlə'dʒetɪk] *adj* (*tone, letter*) d'excuse; (*person*): **to be ~** s'excuser

apologize [ə'pɒlədʒaɪz] *vi*: **to ~ (for sth to sb)** s'excuser (de qch auprès de qn), présenter des excuses (à qn pour qch)

apology [ə'pɒlədʒɪ] *n* excuses *fpl*

apostrophe [ə'pɒstrəfɪ] *n* apostrophe *f*

appal [ə'pɔːl] *vt* consterner; **~ling** [ə'pɔːlɪŋ] *adj* épouvantable; (*stupidity*) consternant(e)

apparatus [æpə'reɪtəs] *n* appareil *m*, dispositif *m*; (*in gymnasium*) agrès *mpl*; (*of government*) dispositif *m*

apparel [ə'pærəl] (*US*) *n* habillement *m*

apparent [ə'pærənt] *adj* apparent(e); **~ly** *adv* apparemment

appeal [ə'piːl] *vi* (*LAW*) faire *or* interjeter appel ◆ *n* appel *m*; (*request*) prière *f*; appel *m*; (*charm*) attrait *m*, charme *m*; **to ~ for** lancer un appel pour; **to ~ to** (*beg*) faire appel à; (*be attractive*) plaire à; **it doesn't ~ to me** cela ne m'attire pas; **~ing** *adj* (*attractive*) attrayant(e)

appear [ə'pɪə*] *vi* apparaître, se montrer; (*LAW*) comparaître; (*publication*) paraître, sortir, être publié(e); (*seem*) paraître, sembler; **it would ~ that** il semble que; **to ~ in Hamlet** jouer dans Hamlet; **to ~ on TV** passer à la télé; **~ance** *n* apparition *f*; parution *f*; (*look, aspect*) apparence *f*, aspect *m*

appease [ə'piːz] *vt* apaiser, calmer

appendicitis [əpendɪ'saɪtɪs] *n* appendicite *f*; **appendix** [ə'pendɪks] (*pl* **appendices**) *n* appendice *m*

appetite ['æpɪtaɪt] *n* appétit *m*

appetizer ['æpətaɪzə*] *n* amuse-gueule *m*; (*drink*) apéritif *m*

applaud [ə'plɔːd] *vt, vi* applaudir

applause [ə'plɔːz] *n* applaudissements *mpl*

apple ['æpl] *n* pomme *f*; **~ tree** *n* pommier *m*

appliance [ə'plaɪəns] *n* appareil *m*

applicable [ə'plɪkəbl] *adj* (*relevant*): **to be ~ to** valoir pour

applicant ['æplɪkənt] *n*: **~ (for)** candidat(e) (à)

application [æplɪ'keɪʃən] *n* application *f*; (*for a job, a grant etc*) demande *f*; candidature *f*; **~ form** *n* formulaire *m* de demande

applied [ə'plaɪd] *adj* appliqué(e)

apply [ə'plaɪ] *vt* (*paint, ointment*): **to ~ (to)** appliquer (sur); (*law etc*): **to ~ (to)** appliquer (à) ◆ *vi*: **to ~ to** (*be suitable for, relevant to*) s'appliquer à; (*ask*) s'adresser à; **to ~ (for)** (*permit, grant*) faire une demande (en vue d'obtenir); (*job*) poser sa candidature (pour), faire une demande d'emploi (concernant); **to ~ o.s. to** s'appliquer à

appoint [ə'pɔɪnt] *vt* nommer, engager; **~ed** *adj*: **at the ~ed time** à l'heure dite; **~ment** *n* nomination *f*; (*meeting*) rendez-vous *m*; **to make an ~ment (with)** prendre rendez-vous (avec)

appraisal [ə'preɪzl] *n* évaluation *f*

appreciate [ə'priːʃɪeɪt] *vt* (*like*) apprécier; (*be grateful for*) être reconnaissant(e) de; (*understand*) comprendre; se rendre compte de ◆ *vi* (*FINANCE*) prendre de la valeur

appreciation [əpriːʃɪ'eɪʃən] *n* appréciation *f*; (*gratitude*) reconnaissance *f*; (*COMM*) hausse *f*, valorisation *f*

appreciative [ə'priːʃɪətɪv] *adj* (*person*) sensible; (*comment*) élogieux(euse)

apprehensive [æprɪ'hensɪv] *adj* inquiet(ète), appréhensif(ive)

apprentice [ə'prentɪs] *n* apprenti *m*; **~ship** *n* apprentissage *m*

approach [ə'prəutʃ] *vi* approcher ◆ *vt* (*come near*) approcher de; (*ask, apply to*) s'adresser à; (*situation, problem*) aborder ◆ *n* approche *f*; (*access*) accès *m*; **~able** *adj* accessible

appropriate [*adj* ə'prəuprɪət, *vb* ə'prəuprɪeɪt] *adj* (*moment, remark*) opportun(e); (*tool etc*) approprié(e) ◆ *vt* (*take*) s'approprier

approval [ə'pruːvəl] *n* approbation *f*; **on ~** (*COMM*) à l'examen

approve [ə'pruːv] *vt* approuver; **~ of** *vt fus* approuver

approximate [*adj* ə'prɒksɪmɪt, *vb* ə'prɒksɪmeɪt] *adj* approximatif(ive) ◆ *vt* se rapprocher de, être proche de; **~ly** *adv* approximativement

apricot ['eɪprɪkɒt] *n* abricot *m*

April ['eɪprəl] *n* avril *m*; **~ Fool's Day** le premier avril

apron ['eɪprən] *n* tablier *m*

apt [æpt] *adj* (*suitable*) approprié(e); (*likely*): **~ to do** susceptible de faire; qui a tendance à faire

Aquarius [ə'kwɛərɪəs] *n* le Verseau

Arab ['ærəb] *adj* arabe ◆ *n* Arabe *m/f*; **~ian** [ə'reɪbɪən] *adj* arabe; **~ic** ['ærəbɪk] *adj* arabe ◆ *n* arabe *m*

arbitrary ['ɑːbɪtrərɪ] *adj* arbitraire

arbitration [ɑːbɪ'treɪʃən] *n* arbitrage *m*

arcade [ɑː'keɪd] *n* arcade *f*; (*passage with shops*) passage *m*, galerie marchande

arch [ɑːtʃ] *n* arc *m*; (*of foot*) cambrure *f*, voûte *f* plantaire ◆ *vt* arquer, cambrer

archaeologist [ɑːkɪ'ɒlədʒɪst] *n* archéologue *m/f*; **archaeology** [ɑːkɪ'ɒlədʒɪ] *n* archéologie *f*

archbishop [ɑːtʃ'bɪʃəp] *n* archevêque *m*

archenemy ['ɑːtʃ'enəmɪ] *n* ennemi *m* de toujours *or* juré

archeology *etc* (*US*) = **archaeology** *etc*

archery ['ɑːtʃərɪ] *n* tir *m* à l'arc

architect ['ɑːkɪtekt] *n* architecte *m*; **~ure** *n* architecture *f*

archives ['ɑːkaɪvz] *npl* archives *fpl*

Arctic ['ɑːktɪk] *adj* arctique ◆ *n*: **the ~** l'Arctique *m*

ardent ['ɑːdənt] *adj* fervent(e)

are [ɑː*] *vb see* **be**

area ['ɛərɪə] *n* (*GEOM*) superficie *f*; (*zone*) région *f*; (*: smaller*) secteur *m*, partie *f*; (*in room*) coin *m*; (*knowledge, research*) domaine *m*

aren't [ɑːnt] = **are not**

Argentina [ɑːdʒən'tiːnə] *n* Argentine *f*; **Argentinian** [ɑːdʒən'tɪnɪən] *adj* argentin(e) ◆ *n* Argentin(e)

arguably ['ɑːgjuəblɪ] *adv*: **it is ~** ... on peut soutenir que c'est ...

argue ['ɑːgjuː] *vi* (*quarrel*) se disputer; (*reason*) argumenter; **to ~ that** objecter *or* alléguer que

argument ['ɑːgjumənt] *n* (*reasons*) argument *m*; (*quarrel*) dispute *f*; **~ative** [ɑːgju'mentətɪv] *adj* ergoteur(euse), raisonneur(euse)

Aries ['ɛəriːz] *n* le Bélier

arise [ə'raɪz] (*pt* **arose**, *pp* **arisen**) *vi* survenir, se présenter

aristocrat ['ærɪstəkræt] *n* aristocrate *m/f*

arithmetic [ə'rɪθmətɪk] *n* arithmétique *f*

ark [ɑːk] *n*: **Noah's A~** l'Arche *f* de Noé

arm [ɑːm] *n* bras *m* ◆ *vt* armer; **~s** *npl* (*weapons, HERALDRY*) armes *fpl*; **~ in ~** bras dessus bras dessous

armaments ['ɑːməmənts] *npl* armement *m*

arm: **~chair** *n* fauteuil *m*; **~ed** *adj* armé(e); **~ed robbery** *n* vol *m* à main armée

armour ['ɑːmə*] (*US* **armor**) *n* armure *f*; (*MIL: tanks*) blindés *mpl*; **~ed car** *n* véhicule blindé

armpit ['ɑːmpɪt] *n* aisselle *f*

armrest ['ɑːmrest] *n* accoudoir *m*

army ['ɑːmɪ] *n* armée *f*

aroma [ə'rəumə] *n* arôme *m*

arose [ə'rəuz] *pt of* **arise**

around [ə'raund] *adv* autour; (*nearby*) dans les parages ◆ *prep* autour de; (*near*) près de; (*fig: about*) environ; (*: date, time*) vers

arouse [ə'rauz] *vt* (*sleeper*) éveiller; (*curiosity, passions*) éveiller, susciter; (*anger*) exciter

arrange [ə'reɪndʒ] *vt* arranger; **to ~ to do sth** prévoir de faire qch; **~ment** *n* arrangement *m*; **~ments** *npl* (*plans etc*) arrangements *mpl*, dispositions *fpl*

array [ə'reɪ] *n*: **~ of** déploiement *m or* étalage *m* de

arrears [ə'rɪəz] *npl* arriéré *m*; **to be in ~ with one's rent** devoir un arriéré de loyer

arrest [ə'rest] *vt* arrêter; (*sb's attention*) retenir, attirer ◆ *n* arrestation *f*; **under ~** en état d'arrestation

arrival [ə'raɪvəl] *n* arrivée *f*; **new ~** nouveau venu, nouvelle venue; (*baby*) nouveau-né(e)

arrive [ə'raɪv] *vi* arriver

arrogant ['ærəgənt] *adj* arrogant(e)

arrow ['ærəu] *n* flèche *f*

arse [ɑːs] (*BRIT: inf!*) *n* cul *m* (*!*)

arson ['ɑːsn] *n* incendie criminel

art [ɑːt] *n* art *m*; **A~s** *npl* (*SCOL*) les lettres *fpl*

artery ['ɑːtərɪ] *n* artère *f*

artful ['ɑːtful] *adj* astucieux(euse), rusé(e)

art gallery *n* musée *m* d'art; (*small and private*) galerie *f* de peinture

arthritis [ɑː'θraɪtɪs] *n* arthrite *f*

artichoke ['ɑːtɪtʃəuk] *n* (*also: globe ~*) artichaut *m*; (*: Jerusalem ~*) topinambour *m*

article ['ɑːtɪkl] *n* article *m*; **~s** *npl* (*BRIT: LAW: training*) ≈ stage *m*; **~ of clothing** vêtement *m*

articulate [*adj* ɑː'tɪkjulɪt, *vb* ɑː'tɪkjuleɪt] *adj* (*person*) qui s'exprime bien; (*speech*) bien articulé(e), prononcé(e) clairement ◆ *vt* exprimer; **~d lorry** (*BRIT*) *n* (camion *m*) semi-remorque *m*

artificial [ɑːtɪ'fɪʃəl] *adj* artificiel(le)

artist ['ɑːtɪst] *n* artiste *m/f*; **~ic** [ɑː'tɪstɪk] *adj* artistique; **~ry** *n* art *m*, talent *m*

art school *n* ≈ école *f* des beaux-arts

KEYWORD

as [æz] *conj* 1 (*referring to time*) comme, alors que; à mesure que; **he came in ~ I was leaving** il est arrivé comme je partais; **~ the years went by** à mesure que les années passaient; **~ from tomorrow** à partir de demain

2 (*in comparisons*): **~ big ~** aussi grand que; **twice ~ big ~** deux fois plus grand que; **~ much** *or* **many ~** autant que; **~ much money/many books** autant d'argent/de livres que; **~ soon ~** dès que

3 (*since, because*) comme, puisque; **~ he had to be home by 10 ...** comme il *or* puisqu'il devait être de retour avant 10h ...

4 (*referring to manner, way*) comme; **do ~ you wish** faites comme vous voudrez

5 (*concerning*): **~ for** *or* **to that** quant à cela, pour ce qui est de cela

6: **~ if** *or* **though** comme si; **he looked ~ if he was ill** il avait l'air d'être malade; *see also* **long**; **such**; **well**

◆ *prep*: **he works ~ a driver** il travaille comme chauffeur; **~ chairman of the company, he ...** en tant que président de la compagnie, il ...; **dressed up ~ a cowboy** déguisé en cowboy; **he gave me it ~ a present** il me l'a offert, il m'en a fait cadeau

a.s.a.p. *abbr* (= *as soon as possible*) dès que possible

asbestos [æz'bestəs] *n* amiante *f*

ascend [ə'send] *vt* gravir; (*throne*) monter sur

ascent [ə'sent] *n* ascension *f*

ascertain [æsə'teɪn] *vt* vérifier

ascribe [ə'skraɪb] *vt*: **to ~ sth to** attribuer qch à

ash [æʃ] *n* (*dust*) cendre *f*; (*also: ~ tree*) frêne *m*

ashamed [ə'ʃeɪmd] *adj* honteux(euse), confus(e); **to be ~ of** avoir honte de

ashen ['æʃən] *adj* (*pale*) cendreux(euse), blême

ashore [ə'ʃɔː*] *adv* à terre

ashtray ['æʃtreɪ] *n* cendrier *m*

Ash Wednesday *n* mercredi *m* des cendres

Asia ['eɪʃə] *n* Asie *f*; **~n** *n* Asiatique *m/f* ◆ *adj* asiatique

aside [ə'saɪd] *adv* de côté; à l'écart ◆ *n* aparté *m*

ask [ɑːsk] *vt* demander; (*invite*) inviter; **to ~ sb sth/to do sth** demander qch à qn/à qn de faire qch; **to ~ sb about sth** questionner qn sur qch; se renseigner auprès de qn sur qch; **to ~ (sb) a question** poser une question (à qn); **to ~ sb out to dinner** inviter qn au restaurant; **~ after** *vt fus* demander des nouvelles de; **~ for** *vt fus* demander; (*trouble*) chercher

askance [əs'kɑːns] *adv*: **to look ~ at sb** regarder qn de travers *or* d'un œil désapprobateur

asking price ['ɑːskɪŋ] *n*: **the ~** le prix de départ

asleep [ə'sliːp] *adj* endormi(e); **to fall ~** s'endormir

asparagus [əs'pærəgəs] *n* asperges *fpl*

aspect ['æspekt] *n* aspect *m*; (*direction in which a building etc faces*) orientation *f*, exposition *f*

aspersions [əs'pɜːʃənz] *npl*: **to cast ~ on**

dénigrer

aspire [əs'paɪə*] *vi*: **to ~ to** aspirer à

aspirin ['æsprɪn] *n* aspirine *f*

ass [æs] *n* âne *m*; (*inf*) imbécile *m/f*; (*US: inf!*) cul *m* (*!*)

assailant [ə'seɪlənt] *n* agresseur *m*; assaillant *m*

assassinate [ə'sæsɪneɪt] *vt* assassiner; **assassination** [əsæsɪ'neɪʃən] *n* assassinat *m*

assault [ə'sɔːlt] *n* (*MIL*) assaut *m*; (*gen: attack*) agression *f* ◆ *vt* attaquer; (*sexually*) violenter

assemble [ə'sembl] *vt* assembler ◆ *vi* s'assembler, se rassembler

assembly [ə'semblɪ] *n* assemblée *f*, réunion *f*; (*institution*) assemblée; (*construction*) assemblage *m*; **~ line** *n* chaîne *f* de montage

assent [ə'sent] *n* assentiment *m*, consentement *m*

assert [ə'sɜːt] *vt* affirmer, déclarer; (*one's authority*) faire valoir; (*one's innocence*) protester de

assess [ə'ses] *vt* évaluer; (*tax, payment*) établir *or* fixer le montant de; (*property etc: for tax*) calculer la valeur imposable de; (*person*) juger la valeur de; **~ment** *n* évaluation *f*, fixation *f*, calcul *m* de la valeur imposable de, jugement *m*; **~or** *n* expert *m* (*impôt et assurance*)

asset ['æset] *n* avantage *m*, atout *m*; **~s** *npl* (*FINANCE*) capital *m*; avoir(s) *m(pl)*; actif *m*

assign [ə'saɪn] *vt* (*date*) fixer; (*task*) assigner à; (*resources*) affecter à; **~ment** [ə'saɪnmənt] *n* tâche *f*, mission *f*

assist [ə'sɪst] *vt* aider, assister; **~ance** *n* aide *f*, assistance *f*; **~ant** *n* assistant(e), adjoint(e); (*BRIT: also: shop ~ant*) vendeur(euse)

associate [*adj, n* ə'səʊʃɪɪt, *vb* ə'səʊʃɪeɪt] *adj, n* associé(e) ◆ *vt* associer ◆ *vi*: **to ~ with sb** fréquenter qn; **association** [əsəʊsɪ'eɪʃən] *n* association *f*

assorted [ə'sɔːtɪd] *adj* assorti(e)

assortment [ə'sɔːtmənt] *n* assortiment *m*

assume [ə'sjuːm] *vt* supposer; (*responsibilities etc*) assumer; (*attitude, name*) prendre, adopter; **~d name** *n* nom *m* d'emprunt; **assumption** [ə'sʌmpʃən] *n* supposition *f*, hypothèse *f*; (*of power*) assomption *f*, prise *f*

assurance [ə'ʃʊərəns] *n* assurance *f*

assure [ə'ʃʊə*] *vt* assurer

asthma ['æsmə] *n* asthme *m*

astonish [əs'tɒnɪʃ] *vt* étonner, stupéfier; **~ment** *n* étonnement *m*

astound [əs'taʊnd] *vt* stupéfier, sidérer

astray [əs'treɪ] *adv*: **to go ~** s'égarer; (*fig*) quitter le droit chemin; **to lead ~** détourner du droit chemin

astride [əs'traɪd] *prep* à cheval sur

astrology [əs'trɒlədʒɪ] *n* astrologie *f*

astronaut ['æstrənɔːt] *n* astronaute *m/f*

astronomy [əs'trɒnəmɪ] *n* astronomie *f*

astute [əs'tjuːt] *adj* astucieux(euse)

asylum [ə'saɪləm] *n* asile *m*

KEYWORD

at [æt] *prep* [1] (*referring to position, direction*) à; **~ the top** au sommet; **~ home/school** à la maison *or* chez soi/à l'école; **~ the baker's** à la boulangerie, chez le boulanger; **to look ~ sth** regarder qch

[2] (*referring to time*): **~ 4 o'clock** à 4 heures; **~ Christmas** à Noël; **~ night** la nuit; **~ times** par moments, parfois

[3] (*referring to rates, speed etc*) à; **~ £1 a kilo** une livre le kilo; **two ~ a time** deux à la fois; **~ 50 km/h** à 50 km/h

[4] (*referring to manner*): **~ a stroke** d'un seul coup; **~ peace** en paix

[5] (*referring to activity*): **to be ~ work** être à l'œuvre, travailler; **to play ~ cowboys** jouer aux cowboys; **to be good ~ sth** être bon en qch

[6] (*referring to cause*): **shocked/surprised/annoyed ~ sth** choqué par/étonné de/agacé par qch; **I went ~ his suggestion** j'y suis allé sur son conseil

ate [et, eɪt] *pt of* **eat**

atheist ['eɪθɪɪst] *n* athée *m/f*

Athens ['æθɪnz] *n* Athènes

athlete ['æθliːt] *n* athlète *m/f*

athletic [æθ'letɪk] *adj* athlétique; **~s** *n* athlétisme *m*

Atlantic [ət'læntɪk] *adj* atlantique ◆ *n*: **the ~ (Ocean)** l'Atlantique *m*, l'océan *m* Atlantique

atlas ['ætləs] *n* atlas *m*

atmosphere ['ætməsfɪə*] *n* atmosphère *f*

atom ['ætəm] *n* atome *m*; **~ic** [ə'tɒmɪk] *adj* atomique; **~(ic) bomb** *n* bombe *f* atomique; **~izer** ['ætəmaɪzə*] *n* atomiseur *m*

atone [ə'təʊn] *vi*: **to ~ for** expier, racheter

atrocious [ə'trəʊʃəs] *adj* (*very bad*) atroce, exécrable

attach [ə'tætʃ] *vt* attacher; (*document, letter*) joindre; **to be ~ed to sb/sth** être attaché à qn/qch

attaché case [ə'tæʃeɪ-] *n* mallette *f*, attaché-case *m*

attachment [ə'tætʃmənt] *n* (*tool*) accessoire *m*; (*love*): **~ (to)** affection *f* (pour), attachement *m* (à)

attack [ə'tæk] *vt* attaquer; (*task etc*) s'attaquer à ◆ *n* attaque *f*; (*also: heart ~*) crise *f* cardiaque

attain [ə'teɪn] *vt* (*also: to ~ to*) parvenir à, atteindre; (*: knowledge*) acquérir; **~ments** *npl* connaissances *fpl*, résultats *mpl*

attempt [ə'tempt] *n* tentative *f* ◆ *vt* essayer, tenter; **to make an ~ on sb's life** attenter à la vie de qn; **~ed** *adj*: **~ed murder/suicide** tentative *f* de meurtre/suicide

attend [ə'tend] *vt* (*course*) suivre; (*meeting, talk*) assister à; (*school, church*) aller à, fréquenter; (*patient*) soigner, s'occuper de; **~ to** *vt fus* (*needs, affairs etc*) s'occuper de; (*customer, patient*) s'occuper de; **~ance** *n* (*being present*) présence *f*; (*people present*) assistance *f*; **~ant** *n* employé(e) ◆ *adj* (*dangers*) inhérent(e), concomitant(e)

attention [ə'tenʃən] *n* attention *f*; **~!** (*MIL*) garde-à-vous!; **for the ~ of** (*ADMIN*) à l'attention de

attentive [ə'tentɪv] *adj* attentif(ive); (*kind*) prévenant(e)

attest [ə'test] *vi*: **to ~ to** (*demonstrate*) démontrer; (*confirm*) témoigner

attic ['ætɪk] *n* grenier *m*

attitude ['ætɪtjuːd] *n* attitude *f*, pose *f*, maintien *m*

attorney [ə'tɜːnɪ] *n* (*US: lawyer*) avoué *m*; **A~ General** *n* (*BRIT*) ≈ procureur général; (*US*) ≈ garde *m* des Sceaux, ministre *m* de la Justice

attract [ə'trækt] *vt* attirer; **~ion** [ə'trækʃən] *n* (*gen pl: pleasant things*) attraction *f*, attrait *m*; (*PHYSICS*) attraction *f*; (*fig: towards sb or sth*) attirance *f*; **~ive** *adj* attrayant(e); (*person*) séduisant(e)

attribute [*n* 'ætrɪbjuːt, *vb* ə'trɪbjuːt] *n* attribut *m* ◆ *vt*: **to ~ sth to** attribuer qch à

attrition [ə'trɪʃən] *n*: **war of ~** guerre *f* d'usure

aubergine ['əʊbəʒiːn] *n* aubergine *f*

auction ['ɔːkʃən] *n* (*also: sale by ~*) vente *f* aux enchères ◆ *vt* (*: to sell by ~*) vendre aux enchères; (*: to put up for ~*) mettre aux enchères; **~eer** [ɔːkʃə'nɪə*] *n* commissaire-priseur *m*

audience ['ɔːdɪəns] *n* (*people*) assistance *f*; public *m*; spectateurs *mpl*; (*interview*) audience *f*

audiovisual ['ɔːdɪəʊ'vɪzjʊəl] *adj* audiovisuel(le); **~ aids** *npl* supports *or* moyens audiovisuels

audit ['ɔːdɪt] *vt* vérifier

audition [ɔː'dɪʃən] *n* audition *f*

auditor ['ɔːdɪtə*] *n* vérificateur *m* des comptes

augur ['ɔːgə*] *vi*: **it ~s well** c'est bon signe *or* de bon augure

August ['ɔːgəst] *n* août *m*

aunt [ɑːnt] *n* tante *f*; **~ie** *n dimin of* **aunt**; **~y** *n dimin of* **aunt**

au pair ['əʊ'pɛə*] *n* (*also: ~ girl*) jeune fille *f* au pair

auspicious [ɔːs'pɪʃəs] *adj* de bon augure, propice

Australia [ɒs'treɪlɪə] *n* Australie *f*; **~n** *adj* australien(ne) ◆ *n* Australien(ne)

Austria ['ɒstrɪə] *n* Autriche *f*; **~n** *adj* autrichien(ne) ◆ *n* Autrichien(ne)

authentic [ɔː'θentɪk] *adj* authentique

author ['ɔːθə*] *n* auteur *m*

authoritarian [ɔːθɒrɪ'tɛərɪən] *adj* autoritaire

authoritative [ɔː'θɒrɪtətɪv] *adj* (*account*) digne de foi; (*study, treatise*) qui fait autorité; (*person, manner*) autoritaire

authority [ɔː'θɒrɪtɪ] *n* autorité *f*; (*permission*) autorisation (formelle); **the authorities** *npl* (*ruling body*) les autorités *fpl*, l'administration *f*

authorize ['ɔːθəraɪz] *vt* autoriser

auto ['ɔːtəʊ] (*US*) *n* auto *f*, voiture *f*

auto: **~biography** [ɔːtəbaɪ'ɒgrəfɪ] *n* autobiographie *f*; **~graph** ['ɔːtəgrɑːf] *n* autographe *m* ◆ *vt* signer, dédicacer; **~mated** ['ɔːtəmeɪtɪd] *adj* automatisé(e), automatique; **~matic** [ɔːtə'mætɪk] *adj* automatique ◆ *n* (*gun*) automatique *m*; (*washing machine*) machine *f* à laver automatique; (*BRIT: AUT*) voiture *f* à transmission automatique; **~matically** *adv* automatiquement; **~mation** [ɔːtə'meɪʃən] *n* automatisation *f* (électronique); **~mobile** ['ɔːtəməbiːl] (*US*) *n* automobile *f*; **~nomy** [ɔː'tɒnəmɪ] *n* autonomie *f*

autumn ['ɔːtəm] *n* automne *m*; **in ~** en automne

auxiliary [ɔːg'zɪlɪərɪ] *adj* auxiliaire ◆ *n* auxiliaire *m/f*

avail [ə'veɪl] *vt*: **to ~ o.s. of** profiter de ◆ *n*: **to no ~** sans résultat, en vain, en pure perte

availability [əveɪlə'bɪlɪtɪ] *n* disponibilité *f*

available [ə'veɪləbl] *adj* disponible

avalanche ['ævəlɑːnʃ] *n* avalanche *f*

Ave *abbr* = **avenue**

avenge [ə'vendʒ] *vt* venger

avenue ['ævənjuː] *n* avenue *f*; (*fig*) moyen *m*

average ['ævərɪdʒ] *n* moyenne *f*; (*fig*) moyen *m* ◆ *adj* moyen(ne) ◆ *vt* (*a certain figure*) atteindre *or* faire *etc* en moyenne; **on ~** en moyenne; **~ out** *vi*: **to ~ out at** représenter en moyenne, donner une moyenne de

averse [ə'vɜːs] *adj*: **to be ~ to sth/doing sth** éprouver une forte répugnance envers qch/à faire qch

avert [ə'vɜːt] *vt* prévenir, écarter; (*one's eyes*) détourner

aviary ['eɪvɪərɪ] *n* volière *f*

avocado [ævə'kɑːdəʊ] *n* (*also: BRIT: ~ pear*) avocat *m*

avoid [ə'vɔɪd] *vt* éviter

await [ə'weɪt] *vt* attendre

awake [ə'weɪk] (*pt* **awoke**, *pp* **awoken**) *adj* éveillé(e) ◆ *vt* éveiller ◆ *vi* s'éveiller; **~ to** (*dangers, possibilities*) conscient(e) de; **to be ~** être réveillé(e); **he was still ~** il ne dormait pas encore; **~ning** *n* réveil *m*

award [ə'wɔːd] *n* récompense *f*, prix *m*; (*LAW: damages*) dommages-intérêts *mpl* ◆ *vt* (*prize*) décerner; (*LAW: damages*) accorder

aware [ə'wɛə*] *adj*: **~ (of)** (*conscious*) conscient(e) (de); (*informed*) au courant (de); **to become ~ of/that** prendre conscience de/que; se rendre compte de/que; **~ness** *n* conscience *f*, connaissance *f*

awash [ə'wɒʃ] *adj*: **~ (with)** inondé(e) (de)

away [ə'weɪ] *adj, adv* (au) loin; absent(e); **two kilometres ~** à (une distance de) deux kilomètres, à deux kilomètres de distance; **two hours ~ by car** à deux heures de voiture *or* de route; **the holiday was two weeks ~** il restait deux semaines jusqu'aux vacances; **~ from** loin de; **he's ~ for a week** il est parti (pour) une semaine; **to pedal/work/laugh ~** être en train de pédaler/travailler/rire; **to fade ~** (*sound*) s'affaiblir; (*colour*) s'estomper; **to wither ~** (*plant*) se dessécher; **to take ~** emporter; (*subtract*) enlever; **~ game** *n* (*SPORT*) match *m* à l'extérieur

awe [ɔː] *n* respect mêlé de crainte; **~-inspiring** *adj* impressionnant(e); **~some** *adj* impressionnant(e)

awful ['ɔːful] *adj* affreux(euse); **an ~ lot (of)** un nombre incroyable (de); **~ly** *adv* (*very*) terriblement, vraiment

awhile [ə'waɪl] *adv* un moment, quelque temps

awkward ['ɔːkwəd] *adj* (*clumsy*) gauche, maladroit(e); (*inconvenient*) peu pratique; (*embarrassing*) gênant(e), délicat(e)

awning ['ɔːnɪŋ] *n* (*of tent*) auvent *m*; (*of shop*) store *m*; (*of hotel etc*) marquise *f*

awoke [ə'wəʊk] *pt of* **awake**; **~n** [ə'wəʊkən] *pp of* **awake**

awry [ə'raɪ] *adj, adv* de travers; **to go ~** mal tourner

axe [æks] (*US* **ax**) *n* hache *f* ◆ *vt* (*project etc*) abandonner; (*jobs*) supprimer; **axes** ['æksɪz] *npl of* **axe**

axis ['æksɪs, *pl* -siːz] (*pl* **axes**) *n* axe *m*

axle ['æksl] *n* (*also: ~-tree: AUT*) essieu *m*

ay(e) [aɪ] *excl* (*yes*) oui

B

B [biː] *n* (*MUS*) si *m*

B.A. *abbr* = **Bachelor of Arts**

babble ['bæbl] *vi* bredouiller; (*baby, stream*) gazouiller

baby ['beɪbɪ] *n* bébé *m*; (*US: inf: darling*): **come on, ~!** viens ma belle/mon gars!; **~ carriage** (*US*) *n* voiture *f* d'enfant; **~-sit** *vi* garder les enfants; **~-sitter** *n* baby-sitter *m/f*

bachelor ['bætʃələ*] *n* célibataire *m*; **B~ of Arts/Science** ≈ licencié(e) ès *or* en lettres/sciences

back [bæk] *n* (*of person, horse, book*) dos *m*; (*of hand*) dos, revers *m*; (*of house*) derrière *m*; (*of car, train*) arrière *m*; (*of chair*) dossier *m*; (*of page*) verso *m*; (*of room, audience*) fond *m*; (*FOOTBALL*) arrière *m* ◆ *vt* (*candidate: also: ~ up*) soutenir, appuyer; (*horse: at races*) parier *or* miser sur; (*car*) (faire) reculer ◆ *vi* (*also: ~ up*) reculer; (*: car etc*) faire marche arrière ◆ *adj* (*in compounds*) de derrière, à l'arrière ◆ *adv* (*not forward*) en arrière; (*returned*): **he's ~** il est rentré, il est de retour; (*restitution*): **throw the ball ~** renvoie la balle; (*again*): **he called ~** il a rappelé; **~ seat/wheels** (*AUT*) sièges *mpl*/roues *fpl* arrières; **~ payments/rent** arriéré *m* de paiements/loyer; **he ran ~** il est revenu en courant; **~ down** *vi* rabattre de ses prétentions; **~ out** *vi* (*of promise*) se dédire; **~ up** *vt* (*candidate etc*) soutenir, appuyer; (*COMPUT*) sauvegarder; **~bencher** (*BRIT*) *n membre du parlement sans portefeuille*; **~bone** *n* colonne vertébrale, épine dorsale; **~cloth** (*BRIT*) *n* toile *f* de fond; **~date** *vt* (*letter*) antidater; **~dated pay rise** augmentation *f* avec effet rétroactif; **~drop** *n* = **backcloth**; **~fire** *vi* (*AUT*) pétarader; (*plans*) mal tourner; **~ground** *n* arrière-plan *m*; (*of events*) situation *f*, conjoncture *f*; (*basic knowledge*) éléments *mpl* de base; (*experience*) formation *f*; **family ~ground** milieu familial; **~hand** *n* (*TENNIS: also: ~hand stroke*) revers *m*; **~hander** (*BRIT*) *n* (*bribe*) pot-de-vin *m*; **~ing** *n* (*fig*) soutien *m*, appui *m*; **~lash** *n* contre-coup *m*, répercussion *f*; **~log** *n*: **~log of work** travail *m* en retard; **~ number** *n* (*of magazine etc*) vieux numéro; **~pack** *n* sac *m* à dos; **~ pay** *n* rappel *m* de salaire; **~side** (*inf*) *n* derrière *m*, postérieur *m*; **~stage** *adv* derrière la scène, dans la coulisse; **~stroke** *n* dos crawlé; **~up** *adj* (*train, plane*) supplémentaire, de réserve; (*COMPUT*) de sauvegarde ◆ *n* (*support*) appui *m*, soutien *m*; (*also: ~up disk/file*) sauvegarde *f*; **~ward** *adj* (*movement*) en arrière; (*person, country*) arriéré(e); attardé(e); **~wards** *adv* (*move, go*) en arrière; (*read a list*) à l'envers, à rebours; (*fall*) à la renverse; (*walk*) à reculons; **~water** *n* (*fig*) coin reculé; bled perdu (*péj*); **~yard** *n* arrière-cour *f*

bacon ['beɪkən] *n* bacon *m*, lard *m*

bacteria [bæk'tɪərɪə] *npl* bactéries *fpl*

bad [bæd] *adj* mauvais(e); (*child*) vilain(e); (*mistake, accident etc*) grave; (*meat, food*) gâté(e), avarié(e); **his ~ leg** sa jambe malade; **to go ~** (*meat, food*) se gâter

bade [bæd] *pt of* **bid**

badge [bædʒ] *n* insigne *m*; (*of policeman*) plaque *f*

badger ['bædʒə*] *n* blaireau *m*

badly ['bædlɪ] *adv* (*work, dress etc*) mal; **~ wounded** grièvement blessé; **he needs it ~** il en a absolument besoin; **~ off** *adj, adv* dans la gêne

badminton ['bædmɪntən] *n* badminton *m*

bad-tempered ['bæd'tempəd] *adj* (*person: by nature*) ayant mauvais caractère; (*: on one occasion*) de mauvaise humeur

baffle ['bæfl] *vt* (*puzzle*) déconcerter

bag [bæg] *n* sac *m* ◆ *vt* (*inf: take*) empocher; s'approprier; **~s of** (*inf: lots of*) des masses de; **~gage** *n* bagages *mpl*; **~gy** *adj* avachi(e), qui fait des poches; **~pipes** *npl* cornemuse *f*

bail [beɪl] *n* (*payment*) caution *f*; (*release*) mise *f* en liberté sous caution ◆ *vt* (*prisoner: also: grant ~ to*) mettre en liberté sous caution; (*boat: also: ~ out*) écoper; **on ~** (*prisoner*) sous caution; *see also* **bale**; **~ out** *vt* (*prisoner*) payer la caution de

bailiff ['beɪlɪf] *n* (*BRIT*) ≈ huissier *m*; (*US*) ≈ huissier-audiencier *m*

bait [beɪt] *n* appât *m* ◆ *vt* appâter; (*fig: tease*) tourmenter

bake [beɪk] *vt* (faire) cuire au four ◆ *vi* (*bread etc*) cuire (au four); (*make cakes etc*) faire de la pâtisserie; **~d beans** *npl* haricots blancs à la sauce tomate; **~r** *n* boulanger *m*; **~ry** *n* boulangerie *f*; boulangerie industrielle; **baking** *n* cuisson *f*; **baking powder** *n* levure *f* (chimique)

balance ['bæləns] *n* équilibre *m*; (*COMM: sum*) solde *m*; (*remainder*) reste *m*; (*scales*) balance *f* ◆ *vt* mettre *or* faire tenir en équilibre; (*pros and cons*) peser; (*budget*) équilibrer; (*account*) balancer; **~ of trade/payments** balance commerciale/des comptes *or* paiements; **~d** *adj* (*personality, diet*) équilibré(e); (*report*) objectif(ive); **~ sheet** *n* bilan *m*

balcony ['bælkənɪ] *n* balcon *m*; (*in theatre*) deuxième balcon

bald [bɔːld] *adj* chauve; (*tyre*) lisse

bale [beɪl] *n* balle *f*, ballot *m*; **~ out** *vi* (*of a plane*) sauter en parachute

ball [bɔːl] *n* boule *f*; (*football*) ballon *m*; (*for tennis, golf*) balle *f*; (*of wool*) pelote *f*; (*of string*) bobine *f*; (*dance*) bal *m*; **to play ~ (with sb)** (*fig*) coopérer (avec qn)

ballast ['bæləst] *n* lest *m*

ball bearings *npl* roulement *m* à billes

ballerina [bælə'riːnə] *n* ballerine *f*

ballet ['bæleɪ] *n* ballet *m*; (*art*) danse *f* (classique); **~ dancer** *n* danseur(euse) *m/f* de ballet

balloon [bə'luːn] *n* ballon *m*; (*in comic strip*) bulle *f*

ballot ['bælət] *n* scrutin *m*; **~ paper** *n* bulletin *m* de vote

ballpoint (pen) ['bɔːlpɔɪnt-] *n* stylo *m* à bille

ballroom ['bɔːlrum] *n* salle *f* de bal

balm [bɑːm] *n* baume *m*

ban [bæn] *n* interdiction *f* ◆ *vt* interdire

banana [bəˈnɑːnə] *n* banane *f*

band [bænd] *n* bande *f*; (*at a dance*) orchestre *m*; (*MIL*) musique *f*, fanfare *f*; ~ **together** *vi* se liguer

bandage [ˈbændɪdʒ] *n* bandage *m*, pansement *m* ◆ *vt* bander

Bandaid [ˈbændeɪd] (*US* ®) *n* pansement adhésif

bandwagon [ˈbændwægən] *n*: **to jump on the** ~ (*fig*) monter dans *or* prendre le train en marche

bandy [ˈbændɪ] *vt* (*jokes, insults, ideas*) échanger

bandy-legged [ˈbændɪˈlegɪd] *adj* aux jambes arquées

bang [bæŋ] *n* détonation *f*; (*of door*) claquement *m*; (*blow*) coup (violent) ◆ *vt* frapper (violemment); (*door*) claquer ◆ *vi* détoner; claquer ◆ *excl* pan!

bangs [bæŋz] (*US*) *npl* (*fringe*) frange *f*

banish [ˈbænɪʃ] *vt* bannir

banister(s) [ˈbænɪstə(z)] *n(pl)* rampe *f* (d'escalier)

bank [bæŋk] *n* banque *f*; (*of river, lake*) bord *m*, rive *f*; (*of earth*) talus *m*, remblai *m* ◆ *vi* (*AVIAT*) virer sur l'aile; ~ **on** *vt fus* miser *or* tabler sur; ~ **account** *n* compte *m* en banque; ~ **card** *n* carte *f* d'identité bancaire; ~**er** *n* banquier *m*; ~**er's card** (*BRIT*) *n* = **bank card**; ~ **holiday** (*BRIT*) *n* jour férié (*les banques sont fermées*); ~**ing** *n* opérations *fpl* bancaires; profession *f* de banquier; ~**note** *n* billet *m* de banque; ~ **rate** *n* taux *m* de l'escompte

bankrupt [ˈbæŋkrʌpt] *adj* en faillite; **to go** ~ faire faillite; ~**cy** *n* faillite *f*

bank statement *n* relevé *m* de compte

banner [ˈbænə*] *n* bannière *f*

bannister(s) [ˈbænɪstə(z)] *n(pl)* = **banister(s)**

banns [bænz] *npl* bans *mpl*

baptism [ˈbæptɪzəm] *n* baptême *m*

bar [bɑː*] *n* (*pub*) bar *m*; (*counter: in pub*) comptoir *m*, bar; (*rod: of metal etc*) barre *f*; (*on window etc*) barreau *m*; (*of chocolate*) tablette *f*, plaque *f*; (*fig*) obstacle *m*; (*prohibition*) mesure *f* d'exclusion; (*MUS*) mesure *f* ◆ *vt* (*road*) barrer; (*window*) munir de barreaux; (*person*) exclure; (*activity*) interdire; ~ **of soap** savonnette *f*; **the B**~ (*LAW*) le barreau; **behind** ~**s** (*prisoner*) sous les verrous; ~ **none** sans exception

barbaric [bɑːˈbærɪk] *adj* barbare

barbecue [ˈbɑːbɪkjuː] *n* barbecue *m*

barbed wire [ˈbɑːbd-] *n* fil *m* de fer barbelé

barber [ˈbɑːbə*] *n* coiffeur *m* (pour hommes)

bar code *n* (*on goods*) code *m* à barres

bare [beə*] *adj* nu(e) ◆ *vt* mettre à nu, dénuder; (*teeth*) montrer; **the** ~ **necessities** le strict nécessaire; ~**back** *adv* à cru, sans selle; ~**faced** *adj* impudent(e), effronté(e); ~**foot** *adj, adv* nu-pieds, (les) pieds nus; ~**ly** *adv* à peine

bargain [ˈbɑːgɪn] *n* (*transaction*) marché *m*; (*good buy*) affaire *f*, occasion *f* ◆ *vi* (*haggle*) marchander; (*negotiate*): **to** ~ **(with sb)** négocier (avec qn), traiter (avec qn); **into the** ~ par-dessus le marché; ~ **for** *vt fus*: **he got more than he** ~**ed for** il ne s'attendait pas à un coup pareil

barge [bɑːdʒ] *n* péniche *f*; ~ **in** *vi* (*walk in*) faire irruption; (*interrupt talk*) intervenir mal à propos

bark [bɑːk] *n* (*of tree*) écorce *f*; (*of dog*) aboiement *m* ◆ *vi* aboyer

barley [ˈbɑːlɪ] *n* orge *f*; ~ **sugar** *n* sucre *m* d'orge

barmaid [ˈbɑːmeɪd] *n* serveuse *f* (*de bar*), barmaid *f*

barman [ˈbɑːmən] (*irreg*) *n* barman *m*

barn [bɑːn] *n* grange *f*

barometer [bəˈrɒmɪtə*] *n* baromètre *m*

baron [ˈbærən] *n* baron *m*; ~**ess** *n* baronne *f*

barracks [ˈbærəks] *npl* caserne *f*

barrage [ˈbærɑːʒ] *n* (*MIL*) tir *m* de barrage; (*dam*) barrage *m*; (*fig*) pluie *f*

barrel [ˈbærəl] *n* tonneau *m*; (*of oil*) baril *m*; (*of gun*) canon *m*

barren [ˈbærən] *adj* stérile

barricade [bærɪˈkeɪd] *n* barricade *f*

barrier [ˈbærɪə*] *n* barrière *f*; (*fig: to progress etc*) obstacle *m*

barring [ˈbɑːrɪŋ] *prep* sauf

barrister [ˈbærɪstə*] (*BRIT*) *n* avocat (plaidant)

barrow [ˈbærəu] *n* (*wheel*~) charrette *f* à bras

bartender [ˈbɑːtendə*] (*US*) *n* barman *m*

barter [ˈbɑːtə*] *vt*: **to** ~ **sth for** échanger qch contre

base [beɪs] *n* base *f*; (*of tree, post*) pied *m* ◆ *vt*: **to** ~ **sth on** baser *or* fonder qch sur ◆ *adj* vil(e), bas(se)

baseball [ˈbeɪsbɔːl] *n* base-ball *m*

basement [ˈbeɪsmənt] *n* sous-sol *m*

bases[1] [ˈbeɪsɪz] *npl of* **base**

bases[2] [ˈbeɪsiːz] *npl of* **basis**

bash [bæʃ] (*inf*) *vt* frapper, cogner

bashful [ˈbæʃful] *adj* timide; modeste

basic [ˈbeɪsɪk] *adj* fondamental(e), de base; (*minimal*) rudimentaire; ~**ally** *adv* fondamentalement, à la base; (*in fact*) en fait, au fond; ~**s** *npl*: **the** ~**s** l'essentiel *m*

basil [ˈbæzl] *n* basilic *m*

basin [ˈbeɪsn] *n* (*vessel, also GEO*) cuvette *f*, bassin *m*; (*also: wash*~) lavabo *m*

basis [ˈbeɪsɪs] (*pl* **bases**) *n* base *f*; **on a trial** ~ à titre d'essai; **on a part-time** ~ à temps partiel

bask [bɑːsk] *vi*: **to** ~ **in the sun** se chauffer au soleil

basket [ˈbɑːskɪt] *n* corbeille *f*; (*with handle*) panier *m*; ~**ball** *n* basket-ball *m*

bass [beɪs] *n* (*MUS*) basse *f*

bassoon [bəˈsuːn] *n* (*MUS*) basson *m*

bastard [ˈbɑːstəd] *n* enfant naturel(le), bâtard(e); (*inf!*) salaud *m* (*!*)

bat [bæt] *n* chauve-souris *f*; (*for baseball etc*) batte *f*; (*BRIT: for table tennis*) raquette *f* ◆ *vt*: **he didn't** ~ **an eyelid** il n'a pas sourcillé *or* bronché

batch [bætʃ] *n* (*of bread*) fournée *f*; (*of papers*) liasse *f*

bated [ˈbeɪtɪd] *adj*: **with** ~ **breath** en retenant son souffle

bath [bɑːθ, *pl* bɑːðz] *n* bain *m*; (~*tub*) baignoire *f* ◆ *vt* baigner, donner un bain à; **to have a** ~ prendre un bain; *see also* **baths**

bathe [beɪð] *vi* se baigner ◆ *vt* (*wound*) laver

bathing [ˈbeɪðɪŋ] *n* baignade *f*; ~ **cap** *n* bonnet *m* de bain; ~ **costume** (*US* ~ **suit**) *n* maillot *m* (de bain)

bath: ~**robe** *n* peignoir *m* de bain; ~**room** *n* salle *f* de bains; ~**s** [bɑːðz] *npl* (*also: swimming* ~) piscine *f*; ~ **towel** *n* serviette *f* de bain

baton [ˈbætən] *n* bâton *m*; (*MUS*) baguette *f*; (*club*) matraque *f*

batter [ˈbætə*] *vt* battre ◆ *n* pâte *f* à frire; ~**ed** *adj* (*hat, pan*) cabossé(e)

battery [ˈbætərɪ] *n* batterie *f*; (*of torch*) pile *f*

battle [ˈbætl] *n* bataille *f*, combat *m* ◆ *vi* se battre, lutter; ~**field** *n* champ *m* de bataille; ~**ship** *n* cuirassé *m*

bawdy [ˈbɔːdɪ] *adj* paillard(e)

bawl [bɔːl] *vi* hurler; (*child*) brailler

bay [beɪ] *n* (*of sea*) baie *f*; **to hold sb at** ~ tenir qn à distance *or* en échec; ~ **leaf** *n* laurier *m*; ~ **window** *n* baie vitrée

bazaar [bəˈzɑː*] *n* bazar *m*; vente *f* de charité

B & B *n abbr* = **bed and breakfast**

BBC *n abbr* (= *British Broadcasting Corporation*) *office de la radiodiffusion et télévision britannique*

B.C. *adv abbr* (= *before Christ*) av. J.-C.

KEYWORD

be [biː] (*pt* **was, were,** *pp* **been**) *aux vb* 1 (*with present participle: forming continuous tenses*): **what are you doing?** que faites-vous?; **they're coming tomorrow** ils viennent demain; **I've been waiting for you for 2 hours** je t'attends depuis 2 heures

2 (*with pp: forming passives*) être; **to** ~ **killed** être tué(e); **he was nowhere to** ~ **seen** on ne le voyait nulle part

3 (*in tag questions*): **it was fun, wasn't it?** c'était drôle, n'est-ce-pas?; **she's back, is she?** elle est rentrée, n'est-ce pas *or* alors?

4 (+*to +infinitive*): **the house is to** ~ **sold** la maison doit être vendue; **he's not to open it** il ne doit pas l'ouvrir

◆ *vb + complement* 1 (*gen*) être; **I'm English** je suis anglais(e); **I'm tired** je suis fatigué(e); **I'm hot/cold** j'ai chaud/froid; **he's a doctor** il est médecin; **2 and 2 are 4** 2 et 2 font 4

2 (*of health*) aller; **how are you?** comment allez-vous?; **he's fine now** il va bien maintenant; **he's very ill** il est très malade

3 (*of age*) avoir; **how old are you?** quel âge avez-vous?; **I'm sixteen (years old)** j'ai seize ans

4 (*cost*) coûter; **how much was the meal?** combien a coûté le repas?; **that'll** ~ **£5, please** ça fera 5 livres, s'il vous plaît

◆ *vi* 1 (*exist, occur etc*) être, exister; **the prettiest girl that ever was** la fille la plus jolie qui ait jamais existé; ~ **that as it may** quoi qu'il en soit; **so** ~ **it** soit

2 (*referring to place*) être, se trouver; **I won't** ~ **here tomorrow** je ne serai pas là demain; **Edinburgh is in Scotland** Édimbourg est *or* se trouve en Écosse

3 (*referring to movement*) aller; **where have you been?** où êtes-vous allé(s)?

◆ *impers vb* 1 (*referring to time, distance*) être; **it's 5 o'clock** il est 5 heures; **it's the 28th of April** c'est le 28 avril; **it's 10 km to the village** le village est à 10 km

2 (*referring to the weather*) faire; **it's too hot/cold** il fait trop chaud/froid; **it's windy** il y a du vent

3 (*emphatic*): **it's me/the postman** c'est moi/le facteur

beach [biːtʃ] *n* plage *f* ◆ *vt* échouer

beacon [ˈbiːkən] *n* (*lighthouse*) fanal *m*; (*marker*) balise *f*

bead [biːd] *n* perle *f*

beak [biːk] *n* bec *m*

beaker [ˈbiːkə*] *n* gobelet *m*

beam [biːm] *n* poutre *f*; (*of light*) rayon *m* ◆ *vi* rayonner

bean [biːn] *n* haricot *m*; (*of coffee*) grain *m*; **runner** ~ haricot *m* (à rames); **broad** ~ fève *f*; ~**sprouts** *npl* germes *mpl* de soja

bear [beə*] (*pt* **bore,** *pp* **borne**) *n* ours *m* ◆ *vt* porter; (*endure*) supporter ◆ *vi*: **to** ~ **right/left** obliquer à droite/gauche, se diriger vers la droite/gauche; ~ **out** *vt* corroborer, confirmer; ~ **up** *vi* (*person*) tenir le coup

beard [bɪəd] *n* barbe *f*; ~**ed** *adj* barbu(e)

bearer [ˈbeərə*] *n* porteur *m*; (*of passport*) titulaire *m/f*

bearing [ˈbeərɪŋ] *n* maintien *m*, allure *f*; (*connection*) rapport *m*; ~**s** *npl* (*also: ball* ~*s*) roulement *m* (à billes); **to take a** ~ faire le point

beast [biːst] *n* bête *f*; (*inf: person*) brute *f*; ~**ly** *adj* infect(e)

beat [biːt] (*pt* **beat,** *pp* **beaten**) *n* battement *m*; (*MUS*) temps *m*, mesure *f*; (*of policeman*) ronde *f* ◆ *vt, vi* battre; **off the** ~**en track** hors des chemins *or* sentiers battus; ~ **it!** (*inf*) fiche(-moi) le camp!; ~ **off** *vt* repousser; ~ **up** *vt* (*inf: person*) tabasser; (*eggs*) battre; ~**ing** *n* raclée *f*

beautiful [ˈbjuːtɪful] *adj* beau(belle); ~**ly** *adv* admirablement

beauty [ˈbjuːtɪ] *n* beauté *f*; ~ **salon** *n* institut *m* de beauté; ~ **spot** (*BRIT*) *n* (*TOURISM*) site naturel (d'une grande beauté)

beaver [ˈbiːvə*] *n* castor *m*

became [bɪˈkeɪm] *pt of* **become**

because [bɪˈkɒz] *conj* parce que; ~ **of** *prep* à cause de

beck [bek] *n*: **to be at sb's** ~ **and call** être à l'entière disposition de qn

beckon [ˈbekən] *vt* (*also:* ~ *to*) faire signe (de venir) à

become [bɪˈkʌm] (*irreg: like* **come**) *vi* devenir; **to** ~ **fat/thin** grossir/maigrir

becoming [bɪˈkʌmɪŋ] *adj* (*behaviour*) convenable, bienséant(e); (*clothes*) seyant(e)

bed [bed] *n* lit *m*; (*of flowers*) parterre *m*; (*of coal, clay*) couche *f*; (*of sea*) fond *m*; **to go to** ~ aller se coucher; ~ **and breakfast** *n* (*terms*) chambre et petit déjeuner; (*place*) ≈ chambre *f* d'hôte; ~**clothes** *npl* couvertures *fpl* et draps *mpl*; ~**ding** *n* literie *f*

bedraggled [bɪˈdrægld] *adj* (*person, clothes*) débraillé(e); (*hair: wet*) trempé(e)

bed: ~**ridden** *adj* cloué(e) au lit; ~**room** *n* chambre *f* (à coucher); ~**side** *n*: **at sb's** ~**side** au chevet de qn; ~**sit(ter)** (*BRIT*) *n* chambre meublée, studio *m*; ~**spread** *n* couvre-lit *m*, dessus-de-lit *m inv*; ~**time** *n* heure *f* du coucher

bee [biː] *n* abeille *f*

beech [biːtʃ] *n* hêtre *m*

beef [biːf] *n* boeuf *m*; **roast** ~ rosbif *m*; ~**burger** *n* hamburger *m*; ~**eater** *n* *hallebardier de la Tour de Londres*

beehive [ˈbiːhaɪv] *n* ruche *f*

beeline [ˈbiːlaɪn] *n*: **to make a** ~ **for** se diriger tout droit vers

been [biːn] *pp of* **be**

beer [bɪə*] *n* bière *f*

beet [biːt] *n* (*vegetable*) betterave *f*; (*US: also: red* ~) betterave (potagère)

beetle [ˈbiːtl] *n* scarabée *m*

beetroot [ˈbiːtruːt] (*BRIT*) *n* betterave *f*

before [bɪˈfɔː*] *prep* (*in time*) avant; (*in space*) devant ◆ *conj* avant que +*sub*; avant de ◆ *adv* avant; devant; ~ **going** avant de partir; ~ **she goes** avant qu'elle ne parte; **the week** ~ la semaine précédente *or* d'avant; **I've seen it** ~ je l'ai déjà vu; ~**hand** *adv* au préalable, à l'avance

beg [beg] *vi* mendier ◆ *vt* mendier; (*forgiveness, mercy etc*) demander; (*entreat*) supplier; *see also* **pardon**

began [bɪˈgæn] *pt of* **begin**

beggar [ˈbegə*] *n* mendiant(e)

begin [bɪˈgɪn] (*pt* **began,** *pp* **begun**) *vt, vi* commencer; **to** ~ **doing** *or* **to do sth** commencer à *or* de faire qch; ~**ner** *n* débutant(e); ~**ning** *n* commencement *m*, début *m*

behalf [bɪˈhɑːf] *n*: **on** ~ **of,** (*US*) **in** ~ **of** (*representing*) de la part de; (*for benefit of*) pour le compte de; **on my/his** ~ pour moi/lui

behave [bɪˈheɪv] *vi* se conduire, se comporter; (*well: also:* ~ *o.s.*) se conduire bien *or* comme il faut

behaviour [bɪˈheɪvjə*] (*US* **behavior**) *n* comportement *m*, conduite *f*

behead [bɪˈhed] *vt* décapiter

beheld [bɪˈheld] *pt, pp of* **behold**

behind [bɪˈhaɪnd] *prep* derrière; (*time, progress*) en retard sur; (*work, studies*) en retard dans ◆ *adv* derrière ◆ *n* derrière *m*; **to be** ~ **(schedule)** avoir du retard; ~ **the scenes** dans les coulisses

behold [bɪˈhəuld] (*irreg: like* **hold**) *vt* apercevoir, voir

beige [beɪʒ] *adj* beige

Beijing [ˈbeɪˈdʒɪŋ] *n* Bei-jing, Pékin

being [ˈbiːɪŋ] *n* être *m*

Beirut [beɪˈruːt] *n* Beyrouth

belated [bɪˈleɪtɪd] *adj* tardif(ive)

belch [beltʃ] *vi* avoir un renvoi, roter ◆ *vt* (*also:* ~ *out: smoke etc*) vomir, cracher

belfry [ˈbelfrɪ] *n* beffroi *m*

Belgian [ˈbeldʒən] *adj* belge, de Belgique ◆ *n* Belge *m/f*

Belgium [ˈbeldʒəm] *n* Belgique *f*

belie [bɪˈlaɪ] *vt* démentir

belief [bɪˈliːf] *n* (*opinion*) conviction *f*; (*trust, faith*) foi *f*

believe [bɪˈliːv] *vt, vi* croire; **to** ~ **in** (*God*) croire en; (*method, ghosts*) croire à; ~**r** *n* (*in idea, activity*): ~**r in** partisan(e) de; (*REL*) croyant(e)

belittle [bɪˈlɪtl] *vt* déprécier, rabaisser

bell [bel] *n* cloche *f*; (*small*) clochette *f*, grelot *m*; (*on door*) sonnette *f*; (*electric*) sonnerie *f*

belligerent [bɪˈlɪdʒərənt] *adj* (*person, attitude*) agressif(ive)

bellow [ˈbeləu] *vi* (*bull*) meugler; (*person*) brailler

belly [ˈbelɪ] *n* ventre *m*

belong [bɪˈlɒŋ] *vi*: **to** ~ **to** appartenir à; (*club etc*) faire partie de; **this book** ~**s here** ce livre va ici; ~**ings** *npl* affaires *fpl*, possessions *fpl*

beloved [bɪˈlʌvɪd] *adj* (bien-)aimé(e)

below [bɪˈləu] *prep* sous, au-dessous de ◆ *adv* en dessous; **see** ~ voir plus bas *or* plus loin *or* ci-dessous

belt [belt] *n* ceinture *f*; (*of land*) région *f*; (*TECH*) courroie *f* ◆ *vt* (*thrash*) donner une raclée à; ~**way** (*US*) *n* (*AUT*) route *f* de ceinture; (*: motorway*) périphérique *m*

bemused [bɪˈmjuːzd] *adj* stupéfié(e)

bench [bentʃ] *n* (*gen, also BRIT: POL*) banc *m*; (*in workshop*) établi *m*; **the B**~ (*LAW: judge*) le juge; (*: judges collectively*) la magistrature, la Cour

bend [bend] (*pt, pp* **bent**) *vt* courber; (*leg, arm*) plier ◆ *vi* se courber ◆ *n* (*BRIT: in road*) virage *m*, tournant *m*; (*in pipe, river*) coude *m*; ~ **down** *vi* se baisser; ~ **over** *vi* se pencher

beneath [bɪˈniːθ] *prep* sous, au-dessous de; (*unworthy of*) indigne de ◆ *adv* dessous, au-dessous, en bas

benefactor [ˈbenɪfæktə*] *n* bienfaiteur *m*

beneficial [benɪˈfɪʃl] *adj* salutaire; avantageux(euse); ~ **to the health** bon(ne) pour la santé

benefit [ˈbenɪfɪt] *n* avantage *m*, profit *m*; (*allowance of money*) allocation *f* ◆ *vt* faire du bien à, profiter à ◆ *vi*: **he'll** ~ **from it** cela lui fera du bien, il y gagnera *or* s'en trouvera bien

Benelux [ˈbenɪlʌks] *n* Bénélux *m*

benevolent [bɪˈnevələnt] *adj* bienveillant(e); (*organization*) bénévole

benign [bɪˈnaɪn] *adj* (*person, smile*) bienveillant(e), affable; (*MED*) bénin(igne)

bent [bent] *pt, pp of* **bend** ◆ *n* inclination *f*, penchant *m*; **to be** ~ **on** être résolu(e) à

bequest [bɪˈkwest] *n* legs *m*

bereaved [bɪˈriːvd] *n*: **the** ~ la famille du disparu

beret [ˈbereɪ] *n* béret *m*

Berlin [bɜːˈlɪn] *n* Berlin

berm [bɜːm] (*US*) *n* (*AUT*) accotement *m*

berry [ˈberɪ] *n* baie *f*

berserk [bəˈsɜːk] *adj*: **to go** ~ (*madman, crowd*) se déchaîner

berth [bɜːθ] *n* (*bed*) couchette *f*; (*for ship*) poste *m* d'amarrage, mouillage *m* ◆ *vi* (*in harbour*) venir à quai; (*at anchor*) mouiller

beseech [bɪˈsiːtʃ] (*pt, pp* **besought**) *vt* implorer, supplier

beset [bɪˈset] (*pt, pp* **beset**) *vt* assaillir

beside [bɪˈsaɪd] *prep* à côté de; **to be** ~ **o.s. (with anger)** être hors de soi; **that's** ~ **the point** cela n'a rien à voir; ~**s** [-z] *adv* en outre, de plus; (*in any case*) d'ailleurs ◆ *prep* (*as well as*) en plus de

besiege [bɪˈsiːdʒ] *vt* (*town*) assiéger; (*fig*) assaillir

besought [bɪˈsɔːt] *pt, pp of* **beseech**

best [best] *adj* meilleur(e) ◆ *adv* le mieux; **the** ~ **part of** (*quantity*) le plus clair de, la plus grande partie de; **at** ~ au mieux; **to make the** ~ **of sth** s'accommoder de qch (du mieux que l'on peut); **to do one's** ~ faire de son mieux; **to the** ~ **of my knowledge** pour autant que je sache; **to the** ~ **of my ability** du mieux que je pourrai; ~ **man** *n* garçon *m* d'honneur

bestow [bɪ'stəu] *vt*: **to ~ sth on sb** accorder qch à qn; (*title*) conférer qch à qn

bet [bɛt] (*pt, pp* **bet** *or* **betted**) *n* pari *m* ◆ *vt, vi* parier

betray [bɪ'treɪ] *vt* trahir; **~al** *n* trahison *f*

better ['bɛtə*] *adj* meilleur(e) ◆ *adv* mieux ◆ *vt* améliorer ◆ *n*: **to get the ~ of** triompher de, l'emporter sur; **you had ~ do it** vous feriez mieux de le faire; **he thought ~ of it** il s'est ravisé; **to get ~** aller mieux; s'améliorer; **~ off** *adj* plus à l'aise financièrement; (*fig*): **you'd be ~ off this way** vous vous en trouveriez mieux ainsi

betting ['bɛtɪŋ] *n* paris *mpl*; **~ shop** (*BRIT*) *n* bureau *m* de paris

between [bɪ'twiːn] *prep* entre ◆ *adv*: **(in) ~** au milieu; dans l'intervalle; (*in time*) dans l'intervalle

beverage ['bɛvərɪdʒ] *n* boisson *f* (*gén sans alcool*)

beware [bɪ'wɛə*] *vi*: **to ~ (of)** prendre garde (à); **"~ of the dog"** "(attention) chien méchant"

bewildered [bɪ'wɪldəd] *adj* dérouté(e), ahuri(e)

beyond [bɪ'jɔnd] *prep* (*in space, time*) au-delà de; (*exceeding*) au-dessus de ◆ *adv* au-delà; **~ doubt** hors de doute; **~ repair** irréparable

bias ['baɪəs] *n* (*prejudice*) préjugé *m*, parti pris; **~(s)ed** *adj* partial(e), montrant un parti pris

bib [bɪb] *n* bavoir *m*, bavette *f*

Bible ['baɪbl] *n* Bible *f*

bicarbonate of soda [baɪ'kɑːbənɪt-] *n* bicarbonate *m* de soude

bicker ['bɪkə*] *vi* se chamailler

bicycle ['baɪsɪkl] *n* bicyclette *f*

bid [bɪd] (*pt* **bid** *or* **bade**, *pp* **bid(den)**) *n* offre *f*; (*at auction*) enchère *f*; (*attempt*) tentative *f* ◆ *vi* faire une enchère *or* offre ◆ *vt* faire une enchère *or* offre de; **to ~ sb good day** souhaiter le bonjour à qn; **~der** *n*: **the highest ~der** le plus offrant; **~ding** *n* enchères *fpl*

bide [baɪd] *vt*: **to ~ one's time** attendre son heure

bifocals [baɪ'fəuklz] *npl* verres *mpl* à double foyer, lunettes bifocales

big [bɪg] *adj* grand(e); gros(se)

bigheaded ['bɪg'hɛdɪd] *adj* prétentieux(euse)

bigot ['bɪgət] *n* fanatique *m/f*, sectaire *m/f*; **~ed** *adj* fanatique, sectaire; **~ry** *n* fanatisme *m*, sectarisme *m*

big top *n* grand chapiteau

bike [baɪk] *n* vélo *m*, bécane *f*

bikini [bɪ'kiːnɪ] *n* bikini *m*

bilingual [baɪ'lɪŋgwəl] *adj* bilingue

bill [bɪl] *n* note *f*, facture *f*; (*POL*) projet *m* de loi; (*US: banknote*) billet *m* (de banque); (*of bird*) bec *m*; (*THEATRE*): **on the ~** à l'affiche; **"post no ~s"** "défense d'afficher"; **to fit** *or* **fill the ~** (*fig*) faire l'affaire; **~board** *n* panneau *m* d'affichage

billet ['bɪlɪt] *n* cantonnement *m* (chez l'habitant)

billfold ['bɪlfəuld] (*US*) *n* portefeuille *m*

billiards ['bɪljədz] *n* (jeu *m* de) billard *m*

billion ['bɪljən] *n* (*BRIT*) billion *m* (*million de millions*); (*US*) milliard *m*

bin [bɪn] *n* boîte *f*; (*also: dust~*) poubelle *f*; (*for coal*) coffre *m*

bind [baɪnd] (*pt, pp* **bound**) *vt* attacher; (*book*) relier; (*oblige*) obliger, contraindre ◆ *n* (*inf: nuisance*) scie *f*; **~ing** *adj* (*contract*) constituant une obligation

binge [bɪndʒ] (*inf*) *n*: **to go on a/the ~** (*inf*) aller faire la bringue

bingo ['bɪŋgəu] *n jeu de loto pratiqué dans des établissements publics*

binoculars [bɪ'nɔkjuləz] *npl* jumelles *fpl*

bio... *prefix*: **~chemistry** *n* biochimie *f*; **~graphy** *n* biographie *f*; **~logical** *adj* biologique; **~logy** *n* biologie *f*

birch [bəːtʃ] *n* bouleau *m*

bird [bəːd] *n* oiseau *m*; (*BRIT: inf: girl*) nana *f*; **~'s-eye view** *n* vue *f* à vol d'oiseau; (*fig*) vue d'ensemble *or* générale; **~-watcher** *n* ornithologue *m/f* amateur

Biro ['baɪrəu] (®) *n* stylo *m* à bille

birth [bəːθ] *n* naissance *f*; **to give ~ to** (*subj: woman*) donner naissance à; (*: animal*) mettre bas; **~ certificate** *n* acte *m* de naissance; **~ control** *n* (*policy*) limitation *f* des naissances; (*method*) méthode(s) contraceptive(s); **~day** *n* anniversaire *m* ◆ *cpd* d'anniversaire; **~place** *n* lieu *m* de naissance; (*fig*) berceau *m*; **~ rate** *n* (taux *m* de) natalité *f*

biscuit ['bɪskɪt] *n* (*BRIT*) biscuit *m*; (*US*) petit pain au lait

bisect [baɪ'sɛkt] *vt* couper *or* diviser en deux

bishop ['bɪʃəp] *n* évêque *m*; (*CHESS*) fou *m*

bit [bɪt] *pt of* **bite** ◆ *n* morceau *m*; (*of tool*) mèche *f*; (*of horse*) mors *m*; (*COMPUT*) élément *m* binaire; **a ~ of** un peu de; **a ~ mad** un peu fou; **~ by ~** petit à petit

bitch [bɪtʃ] *n* (*dog*) chienne *f*; (*inf!*) salope *f* (*!*), garce *f*

bite [baɪt] (*pt* **bit**, *pp* **bitten**) *vt, vi* mordre; (*insect*) piquer ◆ *n* (*insect ~*) piqûre *f*; (*mouthful*) bouchée *f*; **let's have a ~ (to eat)** (*inf*) mangeons un morceau; **to ~ one's nails** se ronger les ongles

bitter ['bɪtə*] *adj* amer(ère); (*weather, wind*) glacial(e); (*criticism*) cinglant(e); (*struggle*) acharné(e) ◆ *n* (*BRIT: beer*) bière *f* (*forte*); **~ness** *n* amertume *f*; (*taste*) goût amer

blab [blæb] *vi* jaser, trop parler

black [blæk] *adj* noir(e) ◆ *n* (*colour*) noir *m*; (*person*): **B~** noir(e) ◆ *vt* (*BRIT: INDUSTRY*) boycotter; **to give sb a ~ eye** pocher l'œil à qn, faire un œil au beurre noir à qn; **~ and blue** couvert(e) de bleus; **to be in the ~** (*in credit*) être créditeur(trice); **~berry** *n* mûre *f*; **~bird** *n* merle *m*; **~board** *n* tableau noir; **~ coffee** *n* café noir; **~currant** *n* cassis *m*; **~en** *vt* noircir; **~ ice** *n* verglas *m*; **~leg** (*BRIT*) *n* briseur *m* de grève, jaune *m*; **~list** *n* liste noire; **~mail** *n* chantage *m* ◆ *vt* faire chanter, soumettre au chantage; **~ market** *n* marché noir; **~out** *n* panne *f* d'électricité; (*TV etc*) interruption *f* d'émission; (*fainting*) syncope *f*; **B~ Sea** *n*: **the B~ Sea** la mer Noire; **~ sheep** *n* brebis galeuse; **~smith** *n* forgeron *m*; **~ spot** *n* (*AUT*) point noir

bladder ['blædə*] *n* vessie *f*

blade [bleɪd] *n* lame *f*; (*of propeller*) pale *f*; **~ of grass** brin *m* d'herbe

blame [bleɪm] *n* faute *f*, blâme *m* ◆ *vt*: **to ~ sb/sth for sth** attribuer à qn/qch la responsabilité de qch; reprocher qch à qn/qch; **who's to ~?** qui est le fautif *or* coupable *or* responsable?; **~less** *adj* irréprochable

bland [blænd] *adj* (*taste, food*) doux(douce), fade

blank [blæŋk] *adj* blanc(blanche); (*look*) sans expression, dénué(e) d'expression ◆ *n* espace *m* vide, blanc *m*; (*cartridge*) cartouche *f* à blanc; **his mind was a ~** il avait la tête vide; **~ cheque** *n* chèque *m* en blanc

blanket ['blæŋkɪt] *n* couverture *f*; (*of snow, cloud*) couche *f*

blare [blɛə*] *vi* beugler

blast [blɑːst] *n* souffle *m*; (*of explosive*) explosion *f* ◆ *vt* faire sauter *or* exploser; **~-off** *n* (*SPACE*) lancement *m*

blatant ['bleɪtənt] *adj* flagrant(e), criant(e)

blaze [bleɪz] *n* (*fire*) incendie *m*; (*fig*) flamboiement *m* ◆ *vi* (*fire*) flamber; (*fig: eyes*) flamboyer; (*: guns*) crépiter ◆ *vt*: **to ~ a trail** (*fig*) montrer la voie

blazer ['bleɪzə*] *n* blazer *m*

bleach [bliːtʃ] *n* (*also: household ~*) eau *f* de Javel ◆ *vt* (*linen etc*) blanchir; **~ed** *adj* (*hair*) oxygéné(e), décoloré(e); **~ers** ['bliːtʃəz] (*US*) *npl* (*SPORT*) gradins *mpl* (*en plein soleil*)

bleak [bliːk] *adj* morne; (*countryside*) désolé(e)

bleary-eyed ['blɪərɪ'aɪd] *adj* aux yeux pleins de sommeil

bleat [bliːt] *vi* bêler

bleed [bliːd] (*pt, pp* **bled**) *vt, vi* saigner; **my nose is ~ing** je saigne du nez

bleeper ['bliːpə*] *n* (*device*) bip *m*

blemish ['blɛmɪʃ] *n* défaut *m*; (*on fruit, reputation*) tache *f*

blend [blɛnd] *n* mélange *m* ◆ *vt* mélanger ◆ *vi* (*colours etc: also: ~ in*) se mélanger, se fondre

bless [blɛs] (*pt, pp* **blessed** *or* **blest**) *vt* bénir; **~ you!** (*after sneeze*) à vos souhaits!; **~ing** *n* bénédiction *f*; (*godsend*) bienfait *m*

blew [bluː] *pt of* **blow**

blight [blaɪt] *vt* (*hopes etc*) anéantir; (*life*) briser

blimey ['blaɪmɪ] (*BRIT: inf*) *excl* mince alors!

blind [blaɪnd] *adj* aveugle ◆ *n* (*for window*) store *m* ◆ *vt* aveugler; **~ alley** *n* impasse *f*; **~ corner** (*BRIT*) *n* virage *m* sans visibilité; **~fold** *n* bandeau *m* ◆ *adj, adv* les yeux bandés ◆ *vt* bander les yeux à; **~ly** *adv* aveuglément; **~ness** *n* cécité *f*; **~ spot** *n* (*AUT etc*) angle mort; **that is her ~ spot** (*fig*) elle refuse d'y voir clair sur ce point

blink [blɪŋk] *vi* cligner des yeux; (*light*) clignoter; **~ers** *npl* œillères *fpl*

bliss [blɪs] *n* félicité *f*, bonheur *m* sans mélange

blister ['blɪstə*] *n* (*on skin*) ampoule *f*, cloque *f*; (*on paintwork, rubber*) boursouflure *f* ◆ *vi* (*paint*) se boursoufler, se cloquer

blithely ['blaɪðlɪ] *adv* (*unconcernedly*) tranquillement

blizzard ['blɪzəd] *n* blizzard *m*, tempête *f* de neige

bloated ['bləutɪd] *adj* (*face*) bouffi(e); (*stomach, person*) gonflé(e)

blob [blɔb] *n* (*drop*) goutte *f*; (*stain, spot*) tache *f*

block [blɔk] *n* bloc *m*; (*in pipes*) obstruction *f*; (*toy*) cube *m*; (*of buildings*) pâté *m* (de maisons) ◆ *vt* bloquer; (*fig*) faire obstacle à; **mental ~** trou *m* de mémoire; **~ade** *n* blocus *m*; **~age** *n* obstruction *f*; **~buster** *n* (*film, book*) grand succès; **~ letters** *npl* majuscules *fpl*; **~ of flats** (*BRIT*) *n* immeuble (locatif)

bloke [bləuk] (*BRIT: inf*) *n* type *m*

blond(e) [blɔnd] *adj, n* blond(e)

blood [blʌd] *n* sang *m*; **~ donor** *n* donneur(euse) de sang; **~ group** *n* groupe sanguin; **~hound** *n* limier *m*; **~ poisoning** *n* empoisonnement *m* du sang; **~ pressure** *n* tension *f* (artérielle); **~shed** *n* effusion *f* de sang, carnage *m*; **~shot** *adj*: **~shot eyes** yeux injectés de sang; **~stream** *n* sang *m*, système sanguin; **~ test** *n* prise *f* de sang; **~thirsty** *adj* sanguinaire; **~ vessel** *n* vaisseau sanguin; **~y** *adj* sanglant(e); (*nose*) en sang; (*BRIT: inf!*): **this ~y ...** ce foutu ... (*!*), ce putain de ... (*!*); **~y strong/good** vachement *or* sacrément fort/bon; **~y-minded** (*BRIT: inf*) *adj* contrariant(e), obstiné(e)

bloom [bluːm] *n* fleur *f* ◆ *vi* être en fleur

blossom ['blɔsəm] *n* fleur(s) *f(pl)* ◆ *vi* être en fleurs; (*fig*) s'épanouir; **to ~ into** devenir

blot [blɔt] *n* tache *f* ◆ *vt* tacher; **~ out** *vt* (*memories*) effacer; (*view*) cacher, masquer

blotchy ['blɔtʃɪ] *adj* (*complexion*) couvert(e) de marbrures

blotting paper ['blɔtɪŋ-] *n* buvard *m*

blouse [blauz] *n* chemisier *m*, corsage *m*

blow [bləu] (*pt* **blew**, *pp* **blown**) *n* coup *m* ◆ *vi* souffler ◆ *vt* souffler; (*fuse*) faire sauter; (*instrument*) jouer de; **to ~ one's nose** se moucher; **to ~ a whistle** siffler; **~ away** *vt* chasser, faire s'envoler; **~ down** *vt* faire tomber, renverser; **~ off** *vt* emporter; **~ out** *vi* (*fire, flame*) s'éteindre; **~ over** *vi* s'apaiser; **~ up** *vt* faire sauter; (*tyre*) gonfler; (*PHOT*) agrandir ◆ *vi* exploser, sauter; **~-dry** *n* brushing *m*; **~lamp** (*BRIT*) *n* chalumeau *m*; **~-out** *n* (*of tyre*) éclatement *m*; **~-torch** *n* = **blowlamp**

blue [bluː] *adj* bleu(e); (*fig*) triste; **~s** *n* (*MUS*): **the ~s** le blues; **~ film/joke** film *m*/histoire *f* pornographique; **to come out of the ~** (*fig*) être complètement inattendu; **~bell** *n* jacinthe *f* des bois; **~bottle** *n* mouche *f* à viande; **~print** *n* (*fig*) projet *m*, plan directeur

bluff [blʌf] *vi* bluffer ◆ *n* bluff *m*; **to call sb's ~** mettre qn au défi d'exécuter ses menaces

blunder ['blʌndə*] *n* gaffe *f*, bévue *f* ◆ *vi* faire une gaffe *or* une bévue

blunt [blʌnt] *adj* (*person*) brusque, ne mâchant pas ses mots; (*knife*) émoussé(e), peu tranchant(e); (*pencil*) mal taillé

blur [bləː*] *n* tache *or* masse floue *or* confuse ◆ *vt* brouiller

blurb [bləːb] *n* notice *f* publicitaire; (*for book*) texte *m* de présentation

blurt out [bləːt-] *vt* (*reveal*) lâcher

blush [blʌʃ] *vi* rougir ◆ *n* rougeur *f*

blustery ['blʌstərɪ] *adj* (*weather*) à bourrasques

boar [bɔː*] *n* sanglier *m*

board [bɔːd] *n* planche *f*; (*on wall*) panneau *m*; (*for chess*) échiquier *m*; (*cardboard*) carton *m*; (*committee*) conseil *m*, comité *m*; (*in firm*) conseil d'administration; (*NAUT, AVIAT*): **on ~** à bord ◆ *vt* (*ship*) monter à bord de; (*train*) monter dans; **full ~** (*BRIT*) pension complète; **half ~** demi-pension *f*; **~ and lodging** chambre *f* avec pension; **which goes by the ~** (*fig*) qu'on laisse tomber, qu'on abandonne; **~ up** *vt* (*door, window*) boucher; **~er** *n* (*SCOL*) interne *m/f*, pensionnaire; **~ing card** *n* = **boarding pass**; **~ing house** *n* pension *f*; **~ing pass** *n* (*AVIAT, NAUT*) carte *f* d'embarquement; **~ing school** *n* internat *m*, pensionnat *m*; **~ room** *n* salle *f* du conseil d'administration

boast [bəust] *vi*: **to ~ (about** *or* **of)** se vanter (de)

boat [bəut] *n* bateau *m*; (*small*) canot *m*; barque *f*; **~er** *n* (*hat*) canotier *m*

bob [bɔb] *vi* (*boat, cork on water: also: ~ up and down*) danser, se balancer

bobby ['bɔbɪ] (*BRIT: inf*) *n* ≈ agent *m* (de police)

bobsleigh ['bɔbsleɪ] *n* bob *m*

bode [bəud] *vi*: **to ~ well/ill (for)** être de bon/mauvais augure (pour)

bodily ['bɔdɪlɪ] *adj* corporel(le) ◆ *adv* dans ses bras

body ['bɔdɪ] *n* corps *m*; (*of car*) carrosserie *f*; (*of plane*) fuselage *m*; (*fig: society*) organe *m*, organisme *m*; (*: quantity*) ensemble *m*, masse *f*; (*of wine*) corps; **~-building** *n* culturisme *m*; **~guard** *n* garde *m* du corps; **~work** *n* carrosserie *f*

bog [bɔg] *n* tourbière *f* ◆ *vt*: **to get ~ged down** (*fig*) s'enliser

boggle ['bɔgl] *vi*: **the mind ~s** c'est incroyable, on en reste sidéré

bogus ['bəugəs] *adj* bidon *inv*; fantôme

boil [bɔɪl] *vt* (faire) bouillir ◆ *vi* bouillir ◆ *n* (*MED*) furoncle *m*; **to come to the** (*BRIT*) **~** *or* **a** (*US*) **~** bouillir; **~ down to** *vt fus* (*fig*) se réduire *or* ramener à; **~ over** *vi* déborder; **~ed egg** *n* œuf *m* à la coque; **~ed potatoes** *npl* pommes *fpl* à l'anglaise *or* à l'eau; **~er** *n* chaudière *f*; **~ing point** *n* point *m* d'ébullition

boisterous ['bɔɪstərəs] *adj* bruyant(e), tapageur(euse)

bold [bəuld] *adj* hardi(e), audacieux(euse); (*pej*) effronté(e); (*outline, colour*) franc(franche), tranché(e), marqué(e); (*pattern*) grand(e)

bollard ['bɔləd] (*BRIT*) *n* (*AUT*) borne lumineuse *or* de signalisation

bolster ['bəulstə*]: **~ up** *vt* soutenir

bolt [bəult] *n* (*lock*) verrou *m*; (*with nut*) boulon *m* ◆ *adv*: **~ upright** droit(e) comme un piquet ◆ *vt* verrouiller; (*TECH: also: ~ on, ~ together*) boulonner; (*food*) engloutir ◆ *vi* (*horse*) s'emballer

bomb [bɔm] *n* bombe *f* ◆ *vt* bombarder

bombastic [bɔm'bæstɪk] *adj* pompeux(euse)

bomb: ~ disposal unit *n* section *f* de déminage; **~er** *n* (*AVIAT*) bombardier *m*; **~shell** *n* (*fig*) bombe *f*

bona fide ['bəunə'faɪdɪ] *adj* (*traveller*) véritable

bond [bɔnd] *n* lien *m*; (*binding promise*) engagement *m*, obligation *f*; (*COMM*) obligation; **in ~** (*of goods*) en douane

bondage ['bɔndɪdʒ] *n* esclavage *m*

bone [bəun] *n* os *m*; (*of fish*) arête *f* ◆ *vt* désosser; ôter les arêtes de; **~ idle** *adj* fainéant(e)

bonfire ['bɔnfaɪə*] *n* feu *m* (de joie); (*for rubbish*) feu

bonnet ['bɔnɪt] *n* bonnet *m*; (*BRIT: of car*) capot *m*

bonus ['bəunəs] *n* prime *f*, gratification *f*

bony ['bəunɪ] *adj* (*arm, face, MED: tissue*) osseux(euse); (*meat*) plein(e) d'os; (*fish*) plein d'arêtes

boo [buː] *excl* hou!, peuh! ◆ *vt* huer

booby trap ['buːbɪ-] *n* engin piégé

book [buk] *n* livre *m*; (*of stamps, tickets*) carnet *m* ◆ *vt* (*ticket*) prendre; (*seat, room*) réserver; (*driver*) dresser un procès-verbal à; (*football player*) prendre le nom de; **~s** *npl* (*accounts*) comptes *mpl*, comptabilité *f*; **~case** *n* bibliothèque *f* (*meuble*); **~ing office** (*BRIT*) *n* bureau *m* de location; **~-keeping** *n* comptabilité *f*; **~let** *n* brochure *f*; **~maker** *n* bookmaker *m*; **~seller** *n* libraire *m/f*; **~shop** *n* librairie *f*; **~store** *n* librairie *f*

boom [buːm] *n* (*noise*) grondement *m*; (*in prices, population*) forte augmentation ◆ *vi* gronder; prospérer

boon [buːn] *n* bénédiction *f*, grand avantage

boost [buːst] *n* stimulant *m*, remontant *m* ◆ *vt* stimuler; **~er** *n* (*MED*) rappel *m*

boot [buːt] *n* botte *f*; (*for hiking*) chaussure *f* (de marche); (*for football etc*) soulier *m*; (*BRIT: of car*) coffre *m* ◆ *vt* (*COMPUT*) amorcer, initialiser; **to ~** (*in addition*) par-dessus le marché

booth [buːð] *n* (*at fair*) baraque (foraine); (*telephone etc*) cabine *f*; (*also: voting ~*) isoloir *m*

booty ['buːtɪ] *n* butin *m*

booze [buːz] (*inf*) *n* boissons *fpl* alcooliques, alcool *m*

border ['bɔːdə*] *n* bordure *f*; bord *m*; (*of a country*) frontière *f* ◆ *vt* border; (*also: ~ on: country*) être limitrophe de; **B~s** *n* (*GEOG*): **the B~s** *la région frontière entre l'Écosse et l'Angleterre*; **~ on** *vt fus* être voisin(e) de, toucher à; **~line** *n* (*fig*) ligne *f* de démarcation; **~line case** *n* cas *m* limite

bore [bɔː*] *pt of* **bear** ◆ *vt* (*hole*) percer; (*oil well, tunnel*) creuser; (*person*) ennuyer, raser ◆ *n* raseur(euse); (*of gun*) calibre *m*; **to be ~d** s'ennuyer; **~dom** *n* ennui *m*; **boring** *adj* ennuyeux(euse)

born [bɔːn] *adj*: **to be ~** naître; **I was ~ in 1960** je suis né en 1960

borne [bɔːn] *pp of* **bear**

borough ['bʌrə] *n* municipalité *f*

borrow ['bɔrəu] *vt*: **to ~ sth (from sb)** emprunter qch (à qn)

Bosnia (and) Herzegovina ['bɔznɪə (ənd) hɜːtsəgəu'viːnə] *n* Bosnie-Herzégovine *f*

bosom ['buzəm] *n* poitrine *f*; (*fig*) sein *m*; **~ friend** *n* ami(e) intime

boss [bɔs] *n* patron(ne) ◆ *vt* (*also: ~ around/about*) commander; **~y** *adj* autoritaire

bosun ['bəusn] *n* maître *m* d'équipage

botany ['bɔtənɪ] *n* botanique *f*

botch [bɔtʃ] *vt* (*also: ~ up*) saboter, bâcler

both [bəuθ] *adj* les deux, l'un(e) et l'autre

♦ *pron*: ~ **(of them)** les deux, tous(toutes) (les) deux, l'un(e) et l'autre; **they sell ~ the fabric and the finished curtains** ils vendent (et) le tissu et les rideaux (finis), ils vendent à la fois le tissu et les rideaux (finis); ~ **of us went, we ~ went** nous y sommes allés (tous) les deux

bother ['bɒðə*] *vt* (*worry*) tracasser; (*disturb*) déranger ♦ *vi* (*also*: ~ *o.s.*) se tracasser, se faire du souci ♦ *n*: **it is a ~ to have to do** c'est vraiment ennuyeux d'avoir à faire; **it's no ~** aucun problème; **to ~ doing** prendre la peine de faire

bottle ['bɒtl] *n* bouteille *f*; (*baby's*) biberon *m* ♦ *vt* mettre en bouteille(s); ~ **up** *vt* refouler, contenir; ~ **bank** *n* conteneur *m* à verre; ~**neck** *n* étranglement *m*; ~**-opener** *n* ouvre-bouteille *m*

bottom ['bɒtəm] *n* (*of container, sea etc*) fond *m*; (*buttocks*) derrière *m*; (*of page, list*) bas *m* ♦ *adj* du fond; du bas; **the ~ of the class** le dernier de la classe; ~**less** *adj* (*funds*) inépuisable

bough [baʊ] *n* branche *f*, rameau *m*

bought [bɔːt] *pt, pp of* **buy**

boulder ['bəʊldə*] *n* gros rocher

bounce [baʊns] *vi* (*ball*) rebondir; (*cheque*) être refusé(e) (*étant sans provision*) ♦ *vt* faire rebondir ♦ *n* (*rebound*) rebond *m*; ~**r** (*inf*) *n* (*at dance, club*) videur *m*

bound [baʊnd] *pt, pp of* **bind** ♦ *n* (*gen pl*) limite *f*; (*leap*) bond *m* ♦ *vi* (*leap*) bondir ♦ *vt* (*limit*) borner ♦ *adj*: **to be ~ to do sth** (*obliged*) être obligé(e) *or* avoir obligation de faire qch; **he's ~ to fail** (*likely*) il est sûr d'échouer, son échec est inévitable *or* assuré; ~ **by** (*law, regulation*) engagé(e) par; ~ **for** à destination de; **out of ~s** dont l'accès est interdit

boundary ['baʊndərɪ] *n* frontière *f*

boundless ['baʊndlɪs] *adj* sans bornes

bout [baʊt] *n* période *f*; (*of malaria etc*) accès *m*, crise *f*, attaque *f*; (*BOXING etc*) combat *m*, match *m*

bow¹ [bəʊ] *n* nœud *m*; (*weapon*) arc *m*; (*MUS*) archet *m*

bow² [baʊ] *n* (*with body*) révérence *f*, inclination *f* (du buste *or* corps); (*NAUT*: *also*: ~*s*) proue *f* ♦ *vi* faire une révérence, s'incliner; (*yield*): **to ~ to** *or* **before** s'incliner devant, se soumettre à

bowels ['baʊəlz] *npl* intestins *mpl*; (*fig*) entrailles *fpl*

bowl [bəʊl] *n* (*for eating*) bol *m*; (*ball*) boule *f* ♦ *vi* (*CRICKET, BASEBALL*) lancer (la balle)

bow-legged ['bəʊ'legɪd] *adj* aux jambes arquées

bowler ['bəʊlə*] *n* (*CRICKET, BASEBALL*) lanceur *m* (de la balle); (*BRIT*: *also*: ~ *hat*) (chapeau *m*) melon *m*

bowling ['bəʊlɪŋ] *n* (*game*) jeu *m* de boules; jeu *m* de quilles; ~ **alley** *n* bowling *m*; ~ **green** *n* terrain *m* de boules (*gazonné et carré*)

bowls [bəʊlz] *n* (*game*) (jeu *m* de) boules *fpl*

bow tie ['bəʊ-] *n* nœud *m* papillon

box [bɒks] *n* boîte *f*; (*also*: *cardboard* ~) carton *m*; (*THEATRE*) loge *f* ♦ *vt* mettre en boîte; (*SPORT*) boxer avec ♦ *vi* boxer, faire de la boxe; ~**er** *n* (*person*) boxeur *m*; ~**ing** *n* (*SPORT*) boxe *f*; **B~ing Day** (*BRIT*) *n* le lendemain de Noël; ~**ing gloves** *npl* gants *mpl* de boxe; ~**ing ring** *n* ring *m*; ~ **office** *n* bureau *m* de location; ~**room** *n* débarras *m*; chambrette *f*

boy [bɔɪ] *n* garçon *m*

boycott ['bɔɪkɒt] *n* boycottage *m* ♦ *vt* boycotter

boyfriend ['bɔɪfrend] *n* (petit) ami

boyish ['bɔɪɪʃ] *adj* (*behaviour*) de garçon; (*girl*) garçonnier(ière)

BR *abbr* = **British Rail**

bra [brɑː] *n* soutien-gorge *m*

brace [breɪs] *n* (*on teeth*) appareil *m* (dentaire); (*tool*) vilbrequin *m* ♦ *vt* (*knees, shoulders*) appuyer; ~**s** *npl* (*BRIT*: *for trousers*) bretelles *fpl*; **to ~ o.s.** (*lit*) s'arc-bouter; (*fig*) se préparer mentalement

bracelet ['breɪslɪt] *n* bracelet *m*

bracing ['breɪsɪŋ] *adj* tonifiant(e), tonique

bracket ['brækɪt] *n* (*TECH*) tasseau *m*, support *m*; (*group*) classe *f*, tranche *f*; (*also*: *brace* ~) accolade *f*; (: *round* ~) parenthèse *f*; (: *square* ~) crochet *m* ♦ *vt* mettre entre parenthèse(s); (*fig*: *also*: ~ *together*) regrouper

brag [bræg] *vi* se vanter

braid [breɪd] *n* (*trimming*) galon *m*; (*of hair*) tresse *f*

brain [breɪn] *n* cerveau *m*; ~**s** *npl* (*intellect, CULIN*) cervelle *f*; **he's got ~s** il est intelligent; ~**child** *n* invention personnelle; ~**wash** *vt* faire subir un lavage de cerveau à; ~**wave** *n* idée géniale; ~**y** *adj* intelligent(e), doué(e)

braise [breɪz] *vt* braiser

brake [breɪk] *n* (*on vehicle, also fig*) frein *m* ♦ *vi* freiner; ~ **fluid** *n* liquide *m* de freins; ~ **light** *n* feu *m* de stop

bran [bræn] *n* son *m*

branch [brɑːntʃ] *n* branche *f*; (*COMM*) succursale *f* ♦ *vi* bifurquer; ~ **out** *vi* (*fig*): **to ~ out into** étendre ses activités à

brand [brænd] *n* marque (commerciale) ♦ *vt* (*cattle*) marquer (au fer rouge); ~**-new** *adj* tout(e) neuf(neuve), flambant neuf(neuve)

brandy ['brændɪ] *n* cognac *m*, fine *f*

brash [bræʃ] *adj* effronté(e)

brass [brɑːs] *n* cuivre *m* (jaune), laiton *m*; **the ~** (*MUS*) les cuivres; ~ **band** *n* fanfare *f*

brassière ['bræsɪə*] *n* soutien-gorge *m*

brat [bræt] (*pej*) *n* mioche *m/f*, môme *m/f*

brave [breɪv] *adj* courageux(euse), brave ♦ *n* guerrier indien ♦ *vt* braver, affronter; ~**ry** *n* bravoure *f*, courage *m*

brawl [brɔːl] *n* rixe *f*, bagarre *f*

bray [breɪ] *vi* braire

brazen ['breɪzn] *adj* impudent(e), effronté(e) ♦ *vt*: **to ~ it out** payer d'effronterie, crâner

brazier ['breɪzɪə*] *n* brasero *m*

Brazil [brə'zɪl] *n* Brésil *m*

breach [briːtʃ] *vt* ouvrir une brèche dans ♦ *n* (*gap*) brèche *f*; (*breaking*): ~ **of contract** rupture *f* de contrat; ~ **of the peace** attentat *m* à l'ordre public

bread [bred] *n* pain *m*; ~ **and butter** *n* tartines (beurrées); (*fig*) subsistance *f*; ~**bin** (*BRIT*) *n* boîte *f* à pain; (*bigger*) huche *f* à pain; ~**box** (*US*) *n* = ~**bin**; ~**crumbs** *npl* miettes *fpl* de pain; (*CULIN*) chapelure *f*, panure *f*; ~**line** *n*: **to be on the ~line** être sans le sou *or* dans l'indigence

breadth [bretθ] *n* largeur *f*; (*fig*) ampleur *f*

breadwinner ['bredwɪnə*] *n* soutien *m* de famille

break [breɪk] (*pt* **broke**, *pp* **broken**) *vt* casser, briser; (*promise*) rompre; (*law*) violer ♦ *vi* (se) casser, se briser; (*weather*) tourner; (*story, news*) se répandre; (*day*) se lever ♦ *n* (*gap*) brèche *f*; (*fracture*) cassure *f*; (*pause, interval*) interruption *f*, arrêt *m*; (: *short*) pause *f*; (: *at school*) récréation *f*; (*chance*) chance *f*, occasion *f* favorable; **to ~ one's leg** *etc* se casser la jambe *etc*; **to ~ a record** battre un record; **to ~ the news to sb** annoncer la nouvelle à qn; ~ **even** rentrer dans ses frais; ~ **free** *or* **loose** se dégager, s'échapper; ~ **open** (*door etc*) forcer, fracturer; ~ **down** *vt* (*figures, data*) décomposer, analyser ♦ *vi* s'effondrer; (*MED*) faire une dépression (nerveuse); (*AUT*) tomber en panne; ~ **in** *vt* (*horse etc*) dresser ♦ *vi* (*burglar*) entrer par effraction; (*interrupt*) interrompre; ~ **into** *vt fus* (*house*) s'introduire *or* pénétrer par effraction dans; ~ **off** *vi* (*speaker*) s'interrompre; (*branch*) se rompre; ~ **out** *vi* éclater, se déclarer; (*prisoner*) s'évader; **to ~ out in spots** *or* **a rash** avoir une éruption de boutons; ~ **up** *vi* (*ship*) se disloquer; (*crowd, meeting*) se disperser, se séparer; (*marriage*) se briser; (*SCOL*) entrer en vacances ♦ *vt* casser; (*fight etc*) interrompre, faire cesser; ~**age** *n* casse *f*; ~**down** *n* (*AUT*) panne *f*; (*in communications, marriage*) rupture *f*; (*MED*: *also*: *nervous* ~) dépression (nerveuse); (*of statistics*) ventilation *f*; ~**down van** (*BRIT*) *n* dépanneuse *f*; ~**er** *n* brisant *m*

breakfast ['brekfəst] *n* petit déjeuner

break: ~**-in** *n* cambriolage *m*; ~**ing and entering** *n* (*LAW*) effraction *f*; ~**through** *n* percée *f*; ~**water** *n* brise-lames *m inv*, digue *f*

breast [brest] *n* (*of woman*) sein *m*; (*chest, of meat*) poitrine *f*; ~**-feed** (*irreg*: *like* **feed**) *vt, vi* allaiter; ~**stroke** *n* brasse *f*

breath [breθ] *n* haleine *f*; **out of ~** à bout de souffle, essoufflé(e)

Breathalyser ['breθəlaɪzə*] (®) *n* Alcootest *m* (®)

breathe [briːð] *vt, vi* respirer; ~ **in** *vt, vi* aspirer, inspirer; ~ **out** *vt, vi* expirer; ~**r** *n* moment *m* de repos *or* de répit; **breathing** ['briːðɪŋ] *n* respiration *f*; **breathing space** *n* (*fig*) (moment *m* de) répit *m*

breathless ['breθlɪs] *adj* essoufflé(e), haletant(e); oppressé(e)

breathtaking ['breθteɪkɪŋ] *adj* stupéfiant(e), à vous couper le souffle

breed [briːd] (*pt, pp* **bred**) *vt* élever, faire l'élevage de ♦ *vi* se reproduire ♦ *n* race *f*, variété *f*; ~**ing** *n* (*upbringing*) éducation *f*

breeze [briːz] *n* brise *f*; **breezy** ['briːzɪ] *adj* frais(fraîche); aéré(e); (*manner etc*) désinvolte, jovial(e)

brevity ['brevɪtɪ] *n* brièveté *f*

brew [bruː] *vt* (*tea*) faire infuser; (*beer*) brasser ♦ *vi* (*fig*) se préparer, couver; ~**ery** *n* brasserie *f* (*fabrique*)

bribe [braɪb] *n* pot-de-vin *m* ♦ *vt* acheter; soudoyer; ~**ry** *n* corruption *f*

brick [brɪk] *n* brique *f*; ~**layer** *n* maçon *m*

bridal ['braɪdl] *adj* nuptial(e)

bride [braɪd] *n* mariée *f*, épouse *f*; ~**groom** *n* marié *m*, époux *m*; ~**smaid** *n* demoiselle *f* d'honneur

bridge [brɪdʒ] *n* pont *m*; (*NAUT*) passerelle *f* (de commandement); (*of nose*) arête *f*; (*CARDS, DENTISTRY*) bridge *m* ♦ *vt* (*fig*: *gap, gulf*) combler

bridle ['braɪdl] *n* bride *f*; ~ **path** *n* piste *or* allée cavalière

brief [briːf] *adj* bref(brève) ♦ *n* (*LAW*) dossier *m*, cause *f*; (*gen*) tâche *f* ♦ *vt* mettre au courant; ~**s** *npl* (*undergarment*) slip *m*; ~**case** *n* serviette *f*; porte-documents *m inv*; ~**ly** *adv* brièvement

bright [braɪt] *adj* brillant(e); (*room, weather*) clair(e); (*clever*: *person, idea*) intelligent(e); (*cheerful*: *colour, person*) vif(vive)

brighten (*also* ~ **up**) *vt* (*room*) éclaircir, égayer; (*event*) égayer ♦ *vi* s'éclaircir; (*person*) retrouver un peu de sa gaieté; (*face*) s'éclairer; (*prospects*) s'améliorer

brilliance ['brɪljəns] *n* éclat *m*

brilliant ['brɪljənt] *adj* brillant(e); (*sunshine, light*) éclatant(e); (*inf*: *holiday etc*) super

brim [brɪm] *n* bord *m*

brine [braɪn] *n* (*CULIN*) saumure *f*

bring [brɪŋ] (*pt, pp* **brought**) *vt* apporter; (*person*) amener; ~ **about** *vt* provoquer, entraîner; ~ **back** *vt* rapporter; ramener; (*restore*: *hanging*) réinstaurer; ~ **down** *vt* (*price*) faire baisser; (*enemy plane*) descendre; (*government*) faire tomber; ~ **forward** *vt* avancer; ~ **off** *vt* (*task, plan*) réussir, mener à bien; ~ **out** *vt* (*meaning*) faire ressortir; (*book*) publier; (*object*) sortir; ~ **round** *vt* (*unconscious person*) ranimer; ~ **to** *vt* = ~ **round**; ~ **up** *vt* (*child*) élever; (*carry up*) monter; (*question*) soulever; (*food*: *vomit*) vomir, rendre

brink [brɪŋk] *n* bord *m*

brisk [brɪsk] *adj* vif(vive)

bristle ['brɪsl] *n* poil *m* ♦ *vi* se hérisser

Britain ['brɪtən] *n* (*also*: *Great* ~) Grande-Bretagne *f*

British ['brɪtɪʃ] *adj* britannique ♦ *npl*: **the ~** les Britanniques *mpl*; ~ **Isles** *npl*: **the ~ Isles** les Iles *fpl* Britanniques; ~ **Rail** *n* *compagnie ferroviaire britannique*

Briton ['brɪtən] *n* Britannique *m/f*

Brittany ['brɪtənɪ] *n* Bretagne *f*

brittle ['brɪtl] *adj* cassant(e), fragile

broach [brəʊtʃ] *vt* (*subject*) aborder

broad [brɔːd] *adj* large; (*general*: *outlines*) grand(e); (: *distinction*) général(e); (*accent*) prononcé(e); **in ~ daylight** en plein jour; ~**cast** (*pt, pp* ~**cast**) *n* émission *f* ♦ *vt* radiodiffuser; téléviser ♦ *vi* émettre; ~**en** *vt* élargir ♦ *vi* s'élargir; **to ~en one's mind** élargir ses horizons; ~**ly** *adv* en gros, généralement; ~**-minded** *adj* large d'esprit

broccoli ['brɒkəlɪ] *n* brocoli *m*

brochure ['brəʊʃʊə*] *n* prospectus *m*, dépliant *m*

broil [brɔɪl] *vt* griller

broke [brəʊk] *pt of* **break** ♦ *adj* (*inf*) fauché(e)

broken ['brəʊkən] *pp of* **break** ♦ *adj* cassé(e); (*machine*: *also*: ~ *down*) fichu(e); **in ~ English/French** dans un anglais/français approximatif *or* hésitant; ~ **leg** *etc* jambe *etc* cassée; ~**-hearted** *adj* (ayant) le cœur brisé

broker ['brəʊkə*] *n* courtier *m*

brolly ['brɒlɪ] (*BRIT*: *inf*) *n* pépin *m*, parapluie *m*

bronchitis [brɒŋ'kaɪtɪs] *n* bronchite *f*

bronze [brɒnz] *n* bronze *m*

brooch [brəʊtʃ] *n* broche *f*

brood [bruːd] *n* couvée *f* ♦ *vi* (*person*) méditer (sombrement), ruminer

broom [bruːm] *n* balai *m*; (*BOT*) genêt *m*; ~**stick** *n* manche *m* à balai

Bros. *abbr* = **Brothers**

broth [brɒθ] *n* bouillon *m* de viande et de légumes

brothel ['brɒθl] *n* maison close, bordel *m*

brother ['brʌðə*] *n* frère *m*; ~**-in-law** *n* beau-frère *m*

brought [brɔːt] *pt, pp of* **bring**

brow [braʊ] *n* front *m*; (*eye*~) sourcil *m*; (*of hill*) sommet *m*

brown [braʊn] *adj* brun(e), marron *inv*; (*hair*) châtain *inv*; brun; (*eyes*) marron *inv*; (*tanned*) bronzé(e) ♦ *n* (*colour*) brun *m* ♦ *vt* (*CULIN*) faire dorer; ~ **bread** *n* pain *m* bis; **B~ie** ['braʊnɪ] *n* (*also*: ~ *Guide*) jeannette *f*, éclaireuse (cadette); ~**ie** ['braʊnɪ] (*US*) *n* (*cake*) gâteau *m* au chocolat et aux noix; ~ **paper** *n* papier *m* d'emballage; ~ **sugar** *n* cassonade *f*

browse [braʊz] *vi* (*among books*) bouquiner, feuilleter les livres; **to ~ through a book** feuilleter un livre

bruise [bruːz] *n* bleu *m*, contusion *f* ♦ *vt* contusionner, meurtrir

brunette [bruː'net] *n* (femme) brune

brunt [brʌnt] *n*: **the ~ of** (*attack, criticism etc*) le plus gros de

brush [brʌʃ] *n* brosse *f*; (*painting*) pinceau *m*; (*shaving*) blaireau *m*; (*quarrel*) accrochage *m*, prise *f* de bec ♦ *vt* brosser; (*also*: ~ *against*) effleurer, frôler; ~ **aside** *vt* écarter, balayer; ~ **up** *vt* (*knowledge*) rafraîchir, réviser; ~**wood** *n* broussailles *fpl*, taillis *m*

Brussels ['brʌslz] *n* Bruxelles; ~ **sprout** *n* chou *m* de Bruxelles

brutal ['bruːtl] *adj* brutal(e)

brute [bruːt] *n* brute *f* ♦ *adj*: **by ~ force** par la force

BSc *abbr* = **Bachelor of Science**

bubble ['bʌbl] *n* bulle *f* ♦ *vi* bouillonner, faire des bulles; (*sparkle*) pétiller; ~ **bath** *n* bain moussant; ~ **gum** *n* bubblegum *m*

buck [bʌk] *n* mâle *m* (*d'un lapin, daim etc*); (*US*: *inf*) dollar *m* ♦ *vi* ruer, lancer une ruade; **to pass the ~ (to sb)** se décharger de la responsabilité (sur qn); ~ **up** *vi* (*cheer up*) reprendre du poil de la bête, se remonter

bucket ['bʌkɪt] *n* seau *m*

buckle ['bʌkl] *n* boucle *f* ♦ *vt* (*belt etc*) boucler, attacher ♦ *vi* (*warp*) tordre, gauchir; (: *wheel*) se voiler; se déformer

bud [bʌd] *n* bourgeon *m*; (*of flower*) bouton *m* ♦ *vi* bourgeonner; (*flower*) éclore

Buddhism ['bʊdɪzəm] *n* bouddhisme *m*

budding ['bʌdɪŋ] *adj* (*poet etc*) en herbe; (*passion etc*) naissant(e)

buddy ['bʌdɪ] (*US*) *n* copain *m*

budge [bʌdʒ] *vt* faire bouger; (*fig*: *person*) faire changer d'avis ♦ *vi* bouger; changer d'avis

budgerigar ['bʌdʒərɪgɑː*] (*BRIT*) *n* perruche *f*

budget ['bʌdʒɪt] *n* budget *m* ♦ *vi*: **to ~ for sth** inscrire qch au budget

budgie ['bʌdʒɪ] (*BRIT*) *n* = **budgerigar**

buff [bʌf] *adj* (couleur *f*) chamois *m* ♦ *n* (*inf*: *enthusiast*) mordu(e)

buffalo ['bʌfələʊ] (*pl* ~ *or* ~**es**) *n* buffle *m*; (*US*) bison *m*

buffer ['bʌfə*] *n* tampon *m*; (*COMPUT*) mémoire *f* tampon

buffet¹ ['bʌfɪt] *vt* secouer, ébranler

buffet² ['bufeɪ] *n* (*food, BRIT*: *bar*) buffet *m*; ~ **car** (*BRIT*) *n* (*RAIL*) voiture-buffet *f*

bug [bʌg] *n* (*insect*) punaise *f*; (: *gen*) insecte *m*, bestiole *f*; (*fig*: *germ*) virus *m*, microbe *m*; (*COMPUT*) erreur *f*; (*fig*: *spy device*) dispositif *m* d'écoute (électronique) ♦ *vt* garnir de dispositifs d'écoute; (*inf*: *annoy*) embêter

bugle ['bjuːgl] *n* clairon *m*

build [bɪld] (*pt, pp* **built**) *n* (*of person*) carrure *f*, charpente *f* ♦ *vt* construire, bâtir; ~ **up** *vt* accumuler, amasser; accroître; ~**er** *n* entrepreneur *m*; ~**ing** *n* (*trade*) construction *f*; (*house, structure*) bâtiment *m*, construction; (*offices, flats*) immeuble *m*; ~**ing society** (*BRIT*) *n* société *f* de crédit immobilier

built [bɪlt] *pt, pp of* **build**; ~**-in** *adj* (*cupboard, oven*) encastré(e); (*device*) incorporé(e); intégré(e); ~**-up area** *n* zone urbanisée

bulb [bʌlb] *n* (*BOT*) bulbe *m*, oignon *m*; (*ELEC*) ampoule *f*

bulge [bʌldʒ] *n* renflement *m*, gonflement *m* ♦ *vi* (*pocket, file etc*) être plein(e) à craquer; (*cheeks*) être gonflé(e)

bulk [bʌlk] *n* masse *f*, volume *m*; (*of person*) corpulence *f*; **in ~** (*COMM*) en vrac; **the ~ of** la plus grande *or* grosse partie de; ~**y** *adj* volumineux(euse), encombrant(e)

bull [bʊl] *n* taureau *m*; (*male elephant/whale*) mâle *m*; ~**dog** *n* bouledogue *m*

bulldozer ['bʊldəʊzə*] *n* bulldozer *m*

bullet ['bʊlɪt] *n* balle *f* (*de fusil etc*)

bulletin ['bʊlɪtɪn] *n* bulletin *m*, communiqué *m*; (*news* ~) (bulletin d')informations *fpl*

bulletproof ['bʊlɪtpruːf] *adj* (*car*) blindé(e); (*vest etc*) pare-balles *inv*

bullfight ['bʊlfaɪt] *n* corrida *f*, course *f* de taureaux; ~**er** *n* torero *m*; ~**ing** *n* tauromachie *f*

bullion ['bʊlɪən] *n* or *m or* argent *m* en lingots

bull: ~**ock** ['bʊlək] *n* bœuf *m*; ~**ring** ['bʊlrɪŋ] *n* arènes *fpl*; ~**'s-eye** ['bʊlzaɪ] *n* centre *m* (*de la cible*)

bully ['bʊlɪ] *n* brute *f*, tyran *m* ♦ *vt* tyranniser, rudoyer

bum [bʌm] *n* (*inf*: *backside*) derrière *m*; (*esp US*: *tramp*) vagabond(e), traîne-savates *m/f inv*

bumblebee ['bʌmblbiː] *n* bourdon *m*

bump [bʌmp] *n* (*in car*: *minor accident*) accrochage *m*; (*jolt*) cahot *m*; (*on road etc, on head*) bosse *f* ♦ *vt* heurter, cogner; ~ **into** *vt fus* rentrer dans, tamponner; (*meet*) tomber sur; ~**er** *n* pare-chocs *m inv* ♦ *adj*: ~**er crop/harvest** récolte/moisson exceptionnelle; ~**er cars** *npl* autos tamponneuses

bumpy ['bʌmpɪ] *adj* cahoteux(euse)

bun [bʌn] *n* petit pain au lait; (*of hair*) chignon *m*

bunch [bʌntʃ] *n* (*of flowers*) bouquet *m*; (*of*

keys) trousseau *m*; (*of bananas*) régime *m*; (*of people*) groupe *m*; **~es** *npl* (*in hair*) couettes *fpl*; **~ of grapes** grappe *f* de raisin

bundle ['bʌndl] *n* paquet *m* ◆ *vt* (*also*: **~ up**) faire un paquet de; (*put*): **to ~ sth/sb into** fourrer *or* enfourner qch/qn dans

bungalow ['bʌŋgələu] *n* bungalow *m*

bungle ['bʌŋgl] *vt* bâcler, gâcher

bunion ['bʌnjən] *n* oignon *m* (*au pied*)

bunk [bʌŋk] *n* couchette *f*; **~ beds** *npl* lits superposés

bunker ['bʌŋkə*] *n* (*coal store*) soute *f* à charbon; (*MIL, GOLF*) bunker *m*

bunny ['bʌnɪ] *n* (*also*: **~ rabbit**) Jeannot *m* lapin

bunting ['bʌntɪŋ] *n* pavoisement *m*, drapeaux *mpl*

buoy [bɔɪ] *n* bouée *f*; **~ up** *vt* faire flotter; (*fig*) soutenir, épauler; **~ant** *adj* capable de flotter; (*carefree*) gai(e), plein(e) d'entrain; (*economy*) ferme, actif

burden ['bɜ:dn] *n* fardeau *m* ◆ *vt* (*trouble*) accabler, surcharger

bureau ['bjuərəu] (*pl* **~x**) *n* (*BRIT*: *writing desk*) bureau *m*, secrétaire *m*; (*US*: *chest of drawers*) commode *f*; (*office*) bureau, office *m*; **~cracy** [bju'rɔkrəsɪ] *n* bureaucratie *f*

burglar ['bɜ:glə*] *n* cambrioleur *m*; **~ alarm** *n* sonnerie *f* d'alarme; **~y** *n* cambriolage *m*

Burgundy ['bɜ:gəndɪ] *n* Bourgogne *f*

burial ['berɪəl] *n* enterrement *m*

burly ['bɜ:lɪ] *adj* de forte carrure, costaud(e)

Burma ['bɜ:mə] *n* Birmanie *f*

burn [bɜ:n] (*pt, pp* **burned** *or* **burnt**) *vt, vi* brûler ◆ *n* brûlure *f*; **~ down** *vt* incendier, détruire par le feu; **~er** *n* brûleur *m*; **~ing** *adj* brûlant(e); (*house*) en flammes; (*ambition*) dévorant(e)

burrow ['bʌrəu] *n* terrier *m* ◆ *vt* creuser

bursary ['bɜ:sərɪ] (*BRIT*) *n* bourse *f* (d'études)

burst [bɜ:st] (*pt, pp* **burst**) *vt* crever; faire éclater; (*subj*: *river*: *banks etc*) rompre ◆ *vi* éclater; (*tyre*) crever ◆ *n* (*of gunfire*) rafale *f* (de tir); (*also*: **~ pipe**) rupture *f*; fuite *f*; **a ~ of enthusiasm/energy** un accès d'enthousiasme/d'énergie; **to ~ into flames** s'enflammer soudainement; **to ~ out laughing** éclater de rire; **to ~ into tears** fondre en larmes; **to be ~ing with** être plein (à craquer) de; (*fig*) être débordant(e) de; **~ into** *vt fus* (*room etc*) faire irruption dans

bury ['berɪ] *vt* enterrer

bus [bʌs, *pl* '-ɪz] (*pl* **~es**) *n* autobus *m*

bush [buʃ] *n* buisson *m*; (*scrubland*) brousse *f*; **to beat about the ~** tourner autour du pot; **~y** ['buʃɪ] *adj* broussailleux(euse), touffu(e)

busily ['bɪzɪlɪ] *adv* activement

business ['bɪznɪs] *n* (*matter, firm*) affaire *f*; (*trading*) affaires *fpl*; (*job, duty*) travail *m*; **to be away on ~** être en déplacement d'affaires; **it's none of my ~** cela ne me regarde pas, ce ne sont pas mes affaires; **he means ~** il ne plaisante pas, il est sérieux; **~like** *adj* sérieux(euse); efficace; **~man** (*irreg*) *n* homme *m* d'affaires; **~ trip** *n* voyage *m* d'affaires; **~woman** (*irreg*) *n* femme *f* d'affaires

busker ['bʌskə*] (*BRIT*) *n* musicien ambulant

bus stop *n* arrêt *m* d'autobus

bust [bʌst] *n* buste *m*; (*measurement*) tour *m* de poitrine ◆ *adj* (*inf*: *broken*) fichu(e), fini(e); **to go ~** faire faillite

bustle ['bʌsl] *n* remue-ménage *m*, affairement *m* ◆ *vi* s'affairer, se démener; **bustling** *adj* (*town*) bruyant(e), affairé(e)

busy ['bɪzɪ] *adj* occupé(e); (*shop, street*) très fréquenté(e) ◆ *vt*: **to ~ o.s.** s'occuper; **~body** *n* mouche *f* du coche, âme *f* charitable; **~ signal** (*US*) *n* (*TEL*) tonalité *f* occupé inv

KEYWORD

but [bʌt] *conj* mais; **I'd love to come, ~ I'm busy** j'aimerais venir mais je suis occupé

◆ *prep* (*apart from, except*) sauf, excepté; **we've had nothing ~ trouble** nous n'avons eu que des ennuis; **no-one ~ him can do it** lui seul peut le faire; **~ for you/your help** sans toi/ton aide; **anything ~ that** tout sauf *or* excepté ça, tout mais pas ça

◆ *adv* (*just, only*) ne ... que; **she's ~ a child** elle n'est qu'une enfant; **had I ~ known** si seulement j'avais su; **all ~ finished** pratiquement terminé

butcher ['butʃə*] *n* boucher *m* ◆ *vt* massacrer; (*cattle etc for meat*) tuer; **~'s (shop)** *n* boucherie *f*

butler ['bʌtlə*] *n* maître *m* d'hôtel

butt [bʌt] *n* (*large barrel*) gros tonneau; (*of gun*) crosse *f*; (*of cigarette*) mégot *m*; (*BRIT*: *fig*: *target*) cible *f* ◆ *vt* donner un coup de tête à; **~ in** *vi* (*interrupt*) s'immiscer dans la conversation

butter ['bʌtə*] *n* beurre *m* ◆ *vt* beurrer; **~cup** *n* bouton *m* d'or; **~fly** *n* papillon *m*; (*SWIMMING*: *also*: **~fly stroke**) brasse *f* papillon

buttocks ['bʌtəks] *npl* fesses *fpl*

button ['bʌtn] *n* bouton *m*; (*US*: *badge*) pin *m* ◆ *vt* (*also*: **~ up**) boutonner ◆ *vi* se boutonner

buttress ['bʌtrɪs] *n* contrefort *m*

buxom ['bʌksəm] *adj* aux formes avantageuses *or* épanouies

buy [baɪ] (*pt, pp* **bought**) *vt* acheter ◆ *n* achat *m*; **to ~ sb sth/sth from sb** acheter qch à qn; **to ~ sb a drink** offrir un verre *or* à boire à qn; **~er** *n* acheteur(euse)

buzz [bʌz] *n* bourdonnement *m*; (*inf*: *phone call*): **to give sb a ~** passer un coup de fil à qn ◆ *vi* bourdonner; **~er** ['bʌzə*] *n* timbre *m* électrique; **~ word** (*inf*) *n* mot *m* à la mode

KEYWORD

by [baɪ] *prep* 1 (*referring to cause, agent*) par, de; **killed ~ lightning** tué par la foudre; **surrounded ~ a fence** entouré d'une barrière; **a painting ~ Picasso** un tableau de Picasso

2 (*referring to method, manner, means*): **~ bus/car** en autobus/voiture; **~ train** par le *or* en train; **to pay ~ cheque** payer par chque; **~ saving hard, he ...** à force d'économiser, il ...

3 (*via, through*) par; **we came ~ Dover** nous sommes venus par Douvres

4 (*close to, past*) à côté de; **the house ~ the school** la maison à côté de l'école; **a holiday ~ the sea** des vacances au bord de la mer; **she sat ~ his bed** elle était assise à son chevet; **she went ~ me** elle est passée à côté de moi; **I go ~ the post office every day** je passe devant la poste tous les jours

5 (*with time*: *not later than*) avant; (: *during*): **~ daylight** à la lumière du jour; **~ night** la nuit, de nuit; **~ 4 o'clock** avant 4 heures; **~ this time tomorrow** d'ici demain à la même heure; **~ the time I got here it was too late** lorsque je suis arrivé c'était déjà trop tard

6 (*amount*) à; **~ the kilo/metre** au kilo/au mètre; **paid ~ the hour** payé à l'heure

7 (*MATH, MEASURE*): **to divide/multiply ~ 3** diviser/multiplier par 3; **a room 3 metres ~ 4** une pièce de 3 mètres sur 4; **it's broader ~ a metre** c'est plus large d'un mètre; **one ~ one** un à un; **little ~ little** petit à petit, peu à peu

8 (*according to*) d'après, selon; **it's 3 o'clock ~ my watch** il est 3 heures d'après ma montre; **it's all right ~ me** je n'ai rien contre

9: **(all) ~ oneself** *etc* tout(e) seul(e)

10: **~ the way** au fait, à propos

◆ *adv* 1 *see* **go**; **pass** *etc*

2: **~ and ~** un peu plus tard, bientôt; **~ and large** dans l'ensemble

bye(-bye) ['baɪ('baɪ)] *excl* au revoir!, salut!

by(e)-law ['baɪlɔ:] *n* arrêté municipal

by: **~-election** (*BRIT*) *n* élection (législative) partielle; **~gone** *adj* passé(e) ◆ *n*: **let ~gones be ~gones** passons l'éponge, oublions le passé; **~pass** *n* (route *f* de) contournement *m*; (*MED*) pontage *m* ◆ *vt* éviter; **~-product** *n* sous-produit *m*, dérivé *m*; (*fig*) conséquence *f* secondaire, retombée *f*; **~stander** ['baɪstændə*] *n* spectateur(trice), badaud(e)

byte [baɪt] *n* (*COMPUT*) octet *m*

byword ['baɪwɜ:d] *n*: **to be a ~ for** être synonyme de (*fig*)

by-your-leave ['baɪjɔ:'li:v] *n*: **without so much as a ~** sans même demander la permission

C

C [si:] *n* (*MUS*) do *m*

CA *abbr* = **chartered accountant**

cab [kæb] *n* taxi *m*; (*of train, truck*) cabine *f*

cabaret ['kæbəreɪ] *n* (*show*) spectacle *m* de cabaret

cabbage ['kæbɪdʒ] *n* chou *m*

cabin ['kæbɪn] *n* (*house*) cabane *f*, hutte *f*; (*on ship*) cabine *f*; (*on plane*) compartiment *m*; **~ cruiser** *n* cruiser *m*

cabinet ['kæbɪnɪt] *n* (*POL*) cabinet *m*; (*furniture*) petit meuble à tiroirs et rayons; (*also*: *display* **~**) vitrine *f*, petite armoire vitrée

cable ['keɪbl] *n* câble *m* ◆ *vt* câbler, télégraphier; **~-car** *n* téléphérique *m*; **~ television** *n* télévision *f* par câble

cache [kæʃ] *n* stock *m*

cackle ['kækl] *vi* caqueter

cactus ['kæktəs, *pl* -taɪ] (*pl* **cacti**) *n* cactus *m*

cadet [kə'det] *n* (*MIL*) élève *m* officier

cadge [kædʒ] (*inf*) *vt*: **to ~ (from** *or* **off)** se faire donner (par)

café ['kæfɪ] *n* ≈ café(-restaurant) *m* (*sans alcool*)

cage [keɪdʒ] *n* cage *f*

cagey ['keɪdʒɪ] (*inf*) *adj* réticent(e); méfiant(e)

cagoule [kə'gu:l] *n* K-way *m* (®)

cajole [kə'dʒəul] *vt* couvrir de flatteries *or* de gentillesses

cake [keɪk] *n* gâteau *m*; **~ of soap** savonnette *f*; **~d** *adj*: **~d with** raidi(e) par, couvert(e) d'une croûte de

calculate ['kælkjuleɪt] *vt* calculer; (*estimate*: *chances, effect*) évaluer; **calculation** [kælkju'leɪʃən] *n* calcul *m*; **calculator** *n* machine *f* à calculer, calculatrice *f*; (*pocket*) calculette *f*

calendar ['kælɪndə*] *n* calendrier *m*; **~ year** *n* année civile

calf [kɑ:f] (*pl* **calves**) *n* (*of cow*) veau *m*; (*of other animals*) petit *m*; (*also*: **~skin**) veau *m*, vachette *f*; (*ANAT*) mollet *m*

calibre ['kælɪbə*] (*US* **caliber**) *n* calibre *m*

call [kɔ:l] *vt* appeler; (*meeting*) convoquer ◆ *vi* appeler; (*visit*: *also*: **~ in, ~ round**) passer ◆ *n* (*shout*) appel *m*, cri *m*; (*also*: *telephone* **~**) coup *m* de téléphone; (*visit*) visite *f*; **she's ~ed Suzanne** elle s'appelle Suzanne; **to be on ~** être de permanence; **~ back** *vi* (*return*) repasser; (*TEL*) rappeler; **~ for** *vt fus* (*demand*) demander; (*fetch*) passer prendre; **~ off** *vt* annuler; **~ on** *vt fus* (*visit*) rendre visite à, passer voir; (*request*): **to ~ on sb to do** inviter qn à faire; **~ out** *vi* pousser un cri *or* des cris; **~ up** *vt* (*MIL*) appeler, mobiliser; (*TEL*) appeler; **~box** (*BRIT*) *n* (*TEL*) cabine *f* téléphonique; **~er** *n* (*TEL*) personne *f* qui appelle; (*visitor*) visiteur *m*; **~ girl** *n* call-girl *f*; **~-in** (*US*) *n* (*RADIO, TV*: *phone-in*) programme *m* à ligne ouverte; **~ing** *n* vocation *f*; (*trade, occupation*) état *m*; **~ing card** (*US*) *n* carte *f* de visite

callous ['kæləs] *adj* dur(e), insensible

calm [kɑ:m] *adj* calme ◆ *n* calme *m* ◆ *vt* calmer, apaiser; **~ down** *vi* se calmer ◆ *vt* calmer, apaiser

Calor gas ['kælə-] (®) *n* butane *m*, butagaz *m* (®)

calorie ['kælərɪ] *n* calorie *f*

calves [kɑ:vz] *npl of* **calf**

camber ['kæmbə*] *n* (*of road*) bombement *m*

Cambodia [kæm'bəudjə] *n* Cambodge *m*

camcorder ['kæmkɔ:də*] *n* caméscope *m*

came [keɪm] *pt of* **come**

camel ['kæməl] *n* chameau *m*

camera ['kæmərə] *n* (*PHOT*) appareil-photo *m*; (*also*: *cine-*~, *movie* **~**) caméra *f*; **in ~** à huis clos; **~man** (*irreg*) *n* caméraman *m*

camouflage ['kæməflɑ:ʒ] *n* camouflage *m* ◆ *vt* camoufler

camp [kæmp] *n* camp *m* ◆ *vi* camper ◆ *adj* (*man*) efféminé(e)

campaign [kæm'peɪn] *n* (*MIL, POL etc*) campagne *f* ◆ *vi* faire campagne

camp: **~bed** (*BRIT*) *n* lit *m* de camp; **~er** *n* campeur(euse); (*vehicle*) camping-car *m*; **~ing** *n* camping *m*; **to go ~ing** faire du camping; **~site** ['kæmpsaɪt] *n* campement *m*, (terrain *m* de) camping *m*

campus ['kæmpəs] *n* campus *m*

can[1] [kæn] *n* (*of milk, oil, water*) bidon *m*; (*tin*) boîte *f* de conserve ◆ *vt* mettre en conserve

KEYWORD

can[2] [kæn] (*negative* **cannot, can't**; *conditional and pt* **could**) *aux vb* 1 (*be able to*) pouvoir; **you ~ do it if you try** vous pouvez le faire si vous essayez; **I ~'t hear you** je ne t'entends pas

2 (*know how to*) savoir; **I ~ swim/play tennis/drive** je sais nager/jouer au tennis/conduire; **~ you speak French?** parlez-vous français?

3 (*may*) pouvoir; **~ I use your phone?** puis-je me servir de votre téléphone?

4 (*expressing disbelief, puzzlement etc*): **it ~'t be true!** ce n'est pas possible!; **what CAN he want?** qu'est-ce qu'il peut bien vouloir?

5 (*expressing possibility, suggestion etc*): **he could be in the library** il est peut-être dans la bibliothèque; **she could have been delayed** il se peut qu'elle ait été retardée

Canada ['kænədə] *n* Canada *m*; **Canadian** [kə'neɪdɪən] *adj* canadien(ne) ◆ *n* Canadien(ne)

canal [kə'næl] *n* canal *m*

canary [kə'nɛərɪ] *n* canari *m*, serin *m*

cancel ['kænsəl] *vt* annuler; (*train*) supprimer; (*party, appointment*) décommander; (*cross out*) barrer, rayer; **~lation** [kænsə'leɪʃən] *n* annulation *f*; suppression *f*

cancer ['kænsə*] *n* (*MED*) cancer *m*; **C~** (*ASTROLOGY*) le Cancer

candid ['kændɪd] *adj* (très) franc(franche), sincère

candidate ['kændɪdeɪt] *n* candidat(e)

candle ['kændl] *n* bougie *f*; (*of tallow*) chandelle *f*; (*in church*) cierge *m*; **~light** *n*: **by ~light** à la lumière d'une bougie; (*dinner*) aux chandelles; **~stick** *n* (*also*: **~ holder**) bougeoir *m*; (*bigger, ornate*) chandelier *m*

candour ['kændə*] (*US* **candor**) *n* (grande) franchise *or* sincérité

candy ['kændɪ] *n* sucre candi; (*US*) bonbon *m*; **~-floss** (*BRIT*) *n* barbe *f* à papa

cane [keɪn] *n* canne *f*; (*for furniture, baskets etc*) rotin *m* ◆ *vt* (*BRIT*: *SCOL*) administrer des coups de bâton à

canister ['kænɪstə*] *n* boîte *f*; (*of gas, pressurized substance*) bombe *f*

cannabis ['kænəbɪs] *n* (*drug*) cannabis *m*

canned [kænd] *adj* (*food*) en boîte, en conserve

cannon ['kænən] (*pl* **~** *or* **~s**) *n* (*gun*) canon *m*

cannot ['kænɔt] = **can not**

canoe [kə'nu:] *n* pirogue *f*; (*SPORT*) canoë *m*

canon ['kænən] *n* (*clergyman*) chanoine *m*; (*standard*) canon *m*

can-opener [-'əupnə*] *n* ouvre-boîte *m*

canopy ['kænəpɪ] *n* baldaquin *m*; dais *m*

can't [kɑ:nt] = **cannot**

cantankerous [kæn'tæŋkərəs] *adj* querelleur(euse), acariâtre

canteen [kæn'ti:n] *n* cantine *f*; (*BRIT*: *of cutlery*) ménagère *f*

canter ['kæntə*] *vi* (*horse*) aller au petit galop

canvas ['kænvəs] *n* toile *f*

canvass ['kænvəs] *vi* (*POL*): **to ~ for** faire campagne pour ◆ *vt* (*investigate*: *opinions etc*) sonder

canyon ['kænjən] *n* cañon *m*, gorge (profonde)

cap [kæp] *n* casquette *f*; (*of pen*) capuchon *m*; (*of bottle*) capsule *f*; (*contraceptive*: *also*: *Dutch* **~**) diaphragme *m*; (*for toy gun*) amorce *f* ◆ *vt* (*outdo*) surpasser; (*put limit on*) plafonner

capability [keɪpə'bɪlɪtɪ] *n* aptitude *f*, capacité *f*

capable ['keɪpəbl] *adj* capable

capacity [kə'pæsɪtɪ] *n* capacité *f*; (*capability*) aptitude *f*; (*of factory*) rendement *m*

cape [keɪp] *n* (*garment*) cape *f*; (*GEO*) cap *m*

caper ['keɪpə*] *n* (*CULIN*: *gen*: **~s**) câpre *f*; (*prank*) farce *f*

capital ['kæpɪtl] *n* (*also*: **~ city**) capitale *f*; (*money*) capital *m*; (*also*: **~ letter**) majuscule *f*; **~ gains tax** *n* (*COMM*) impôt *m* sur les plus-values; **~ism** *n* capitalisme *m*; **~ist** *adj* capitaliste ◆ *n* capitaliste *m/f*; **~ize** *vi*: **to ~ize on** tirer parti de; **~ punishment** *n* peine capitale

Capricorn ['kæprɪkɔ:n] *n* (*ASTROLOGY*) le Capricorne

capsize [kæp'saɪz] *vt* faire chavirer ◆ *vi* chavirer

capsule ['kæpsju:l] *n* capsule *f*

captain ['kæptɪn] *n* capitaine *m*

caption ['kæpʃən] *n* légende *f*

captive ['kæptɪv] *adj, n* captif(ive)

capture ['kæptʃə*] *vt* capturer, prendre; (*attention*) capter; (*COMPUT*) saisir ◆ *n* capture *f*; (*data* **~**) saisie *f* de données

car [kɑ:*] *n* voiture *f*, auto *f*; (*RAIL*) wagon *m*, voiture

caramel ['kærəməl] *n* caramel *m*

caravan ['kærəvæn] *n* caravane *f*; **~ site** (*BRIT*) *n* camping *m* pour caravanes

carbohydrate [kɑ:bəu'haɪdreɪt] *n* hydrate *m* de carbone; (*food*) féculent *m*

carbon ['kɑ:bən] *n* carbone *m*; **~ dioxide** *n* gaz *m* carbonique; **~ monoxide** *n* oxyde *m* de carbone; **~ paper** *n* papier *m* carbone

carburettor [kɑ:bju'retə*] (*US* **carburetor**) *n* carburateur *m*

card [kɑ:d] *n* carte *f*; (*material*) carton *m*; **~board** *n* carton *m*; **~ game** *n* jeu *m* de cartes

cardiac ['kɑ:dɪæk] *adj* cardiaque

cardigan ['kɑ:dɪgən] *n* cardigan *m*

cardinal ['kɑ:dɪnl] *adj* cardinal(e) ◆ *n* cardinal *m*

card index *n* fichier *m*

care [kɛə*] *n* soin *m*, attention *f*; (*worry*) souci *m*; (*charge*) charge *f*, garde *f* ◆ *vi*: **to ~ about** se soucier de, s'intéresser à; (*person*) être attaché(e) à; **~ of** chez, aux bons soins de; **in sb's ~** à la garde de qn, confié(e) à qn; **to take ~ (to do)** faire attention (à faire); **to take ~ of** s'occuper de; **I don't ~** ça m'est bien égal; **I couldn't ~ less** je m'en fiche complètement (*inf*); **~ for** *vt fus* s'occuper de; (*like*) aimer

career [kə'rɪə*] *n* carrière *f* ◆ *vi* (*also*: **~ along**) aller à toute allure; **~ woman** (*irreg*) *n* femme ambitieuse

care: ~free ['kɛəfriː] *adj* sans souci, insouciant(e); **~ful** ['kɛəful] *adj* (*thorough*) soigneux(euse); (*cautious*) prudent(e); **(be) ~ful!** (fais) attention!; **~fully** *adv* avec soin, soigneusement; prudemment; **~less** ['kɛəlɪs] *adj* négligent(e); (*heedless*) insouciant(e); **~r** [kɛərə*] *n* (*MED*) aide *f*

caress [kə'res] *n* caresse *f* ♦ *vt* caresser

caretaker ['kɛəteɪkə*] *n* gardien(ne), concierge *m/f*

car-ferry ['kɑːferɪ] *n* (*on sea*) ferry(-boat) *m*

cargo ['kɑːgəu] (*pl* **~es**) *n* cargaison *f*, chargement *m*

car hire *n* location *f* de voitures

Caribbean [kærɪ'biːən] *adj*: **the ~ (Sea)** la mer des Antilles *or* Caraïbes

caring ['kɛərɪŋ] *adj* (*person*) bienveillant(e); (*society, organization*) humanitaire

carnal ['kɑːnl] *adj* charnel(le)

carnation [kɑː'neɪʃən] *n* œillet *m*

carnival ['kɑːnɪvəl] *n* (*public celebration*) carnaval *m*; (*US*: *funfair*) fête foraine

carol ['kærl] *n*: **(Christmas)** ~ chant *m* de Noël

carp [kɑːp] *n* (*fish*) carpe *f*; ~ **at** *vt fus* critiquer

car park (*BRIT*) *n* parking *m*, parc *m* de stationnement

carpenter ['kɑːpɪntə*] *n* charpentier *m*; **carpentry** ['kɑːpɪntrɪ] *n* menuiserie *f*

carpet ['kɑːpɪt] *n* tapis *m* ♦ *vt* recouvrir d'un tapis; ~ **slippers** *npl* pantoufles *fpl*; ~ **sweeper** *n* balai *m* mécanique

car phone *n* (*TEL*) téléphone *m* de voiture

carriage ['kærɪdʒ] *n* voiture *f*; (*of goods*) transport *m*; (: *cost*) port *m*; **~way** (*BRIT*) *n* (*part of road*) chaussée *f*

carrier ['kærɪə*] *n* transporteur *m*, camionneur *m*; (*company*) entreprise *f* de transport; (*MED*) porteur(euse); ~ **bag** (*BRIT*) *n* sac *m* (en papier *or* en plastique)

carrot ['kærət] *n* carotte *f*

carry ['kærɪ] *vt* (*subj*: *person*) porter; (: *vehicle*) transporter; (*involve*: *responsibilities etc*) comporter, impliquer ♦ *vi* (*sound*) porter; **to get carried away** (*fig*) s'emballer, s'enthousiasmer; ~ **on** *vi*: **to ~ on with sth/doing** continuer qch/de faire ♦ *vt* poursuivre; ~ **out** *vt* (*orders*) exécuter; (*investigation*) mener; **~cot** (*BRIT*) *n* porte-bébé *m*; **~-on** (*inf*) *n* (*fuss*) histoires *fpl*

cart [kɑːt] *n* charrette *f* ♦ *vt* (*inf*) transporter, trimballer (*inf*)

carton ['kɑːtən] *n* (*box*) carton *m*; (*of yogurt*) pot *m*; (*of cigarettes*) cartouche *f*

cartoon [kɑː'tuːn] *n* (*PRESS*) dessin *m* (humoristique), caricature *f*; (*BRIT*: *comic strip*) bande dessinée; (*CINEMA*) dessin animé

cartridge ['kɑːtrɪdʒ] *n* cartouche *f*

carve [kɑːv] *vt* (*meat*) découper; (*wood, stone*) tailler, sculpter; ~ **up** *vt* découper; (*fig*: *country*) morceler; **carving** ['kɑːvɪŋ] *n* sculpture *f*; **carving knife** *n* couteau *m* à découper

car wash *n* station *f* de lavage (de voitures)

case [keɪs] *n* cas *m*; (*LAW*) affaire *f*, procès *m*; (*box*) caisse *f*, boîte *f*, étui *m*; (*BRIT*: *also*: *suit~*) valise *f*; **in ~ of** en cas de; **in ~ he ...** au cas où il ...; **just in ~** à tout hasard; **in any ~** en tout cas, de toute façon

cash [kæʃ] *n* argent *m*; (*COMM*) argent liquide, espèces *fpl* ♦ *vt* encaisser; **to pay (in) ~** payer comptant; ~ **on delivery** payable *or* paiement à la livraison; **~-book** *n* livre *m* de caisse; ~ **card** (*BRIT*) *n* carte *f* de retrait; ~ **desk** (*BRIT*) *n* caisse *f*; ~ **dispenser** (*BRIT*) *n* distributeur *m* automatique de billets, billeterie *f*

cashew [kæ'ʃuː] *n* (*also*: ~ *nut*) noix *f* de cajou

cashier [kæ'ʃɪə*] *n* caissier(ère)

cashmere ['kæʃmɪə*] *n* cachemire *m*

cash register *n* caisse (enregistreuse)

casing ['keɪsɪŋ] *n* revêtement (protecteur), enveloppe (protectrice)

casino [kə'siːnəu] *n* casino *m*

casket ['kɑːskɪt] *n* coffret *m*; (*US*: *coffin*) cercueil *m*

casserole ['kæsərəul] *n* (*container*) cocotte *f*; (*food*) ragoût *m* (en cocotte)

cassette [kæ'set] *n* cassette *f*, musicassette *f*; ~ **player** *n* lecteur *m* de cassettes; ~ **recorder** *n* magnétophone *m* à cassettes

cast [kɑːst] (*pt, pp* **cast**) *vt* (*throw*) jeter; (*shed*) perdre; se dépouiller de; (*statue*) mouler; (*THEATRE*): **to ~ sb as Hamlet** attribuer à qn le rôle de Hamlet ♦ *n* (*THEATRE*) distribution *f*; (*also*: *plaster ~*) plâtre *m*; **to ~ one's vote** voter; ~ **off** *vi* (*NAUT*) larguer les amarres; (*KNITTING*) arrêter les mailles; ~ **on** *vi* (*KNITTING*) monter les mailles

castaway ['kɑːstəweɪ] *n* naufragé(e)

caster sugar ['kɑːstə-] (*BRIT*) *n* sucre *m* semoule

casting vote ['kɑːstɪŋ-] (*BRIT*) *n* voix prépondérante (*pour départager*)

cast iron *n* fonte *f*

castle ['kɑːsl] *n* château (fort); (*CHESS*) tour *f*

castor ['kɑːstə*] *n* (*wheel*) roulette *f*; ~ **oil** *n* huile *f* de ricin

castrate [kæs'treɪt] *vt* châtrer

casual ['kæʒjul] *adj* (*by chance*) de hasard, fait(e) au hasard, fortuit(e); (*irregular*: *work etc*) temporaire; (*unconcerned*) désinvolte; **~ly** *adv* avec désinvolture, négligemment; (*dress*) décontracté

casualty ['kæʒjultɪ] *n* accidenté(e), blessé(e); (*dead*) victime *f*, mort(e); (*MED*: *department*) urgences *fpl*

casual wear *n* vêtements *mpl* décontractés

cat [kæt] *n* chat *m*

catalogue ['kætəlɒg] (*US* **catalog**) *n* catalogue *m* ♦ *vt* cataloguer

catalyst ['kætəlɪst] *n* catalyseur *m*

catalytic converter [kætə'lɪtɪk kən'vɜːtə*] *n* pot *m* catalytique

catapult ['kætəpʌlt] (*BRIT*) *n* (*sling*) lance-pierres *m inv*, fronde *m*

catarrh [kə'tɑː*] *n* rhume *m* chronique, catarrhe *m*

catastrophe [kə'tæstrəfɪ] *n* catastrophe *f*

catch [kætʃ] (*pt, pp* **caught**) *vt* attraper; (*person*: *by surprise*) prendre, surprendre; (*understand, hear*) saisir ♦ *vi* (*fire*) prendre; (*become trapped*) se prendre, s'accrocher ♦ *n* prise *f*; (*trick*) attrape *f*; (*of lock*) loquet *m*; **to ~ sb's attention** *or* **eye** attirer l'attention de qn; **to ~ one's breath** retenir son souffle; **to ~ fire** prendre feu; **to ~ sight of** apercevoir; ~ **on** *vi* saisir; (*grow popular*) prendre; ~ **up** *vi* se rattraper, combler son retard ♦ *vt* (*also*: ~ *up with*) rattraper; **~ing** *adj* (*MED*) contagieux(euse); **~ment area** ['kætʃmənt-] (*BRIT*) *n* (*SCOL*) secteur *m* de recrutement; (*of hospital*) circonscription hospitalière; ~ **phrase** *n* slogan *m*; expression *f* (à la mode); **~y** *adj* (*tune*) facile à retenir

category ['kætɪgərɪ] *n* catégorie *f*

cater ['keɪtə*] *vi* (*provide food*): **to ~ (for)** préparer des repas (pour), se charger de la restauration (pour); ~ **for** (*BRIT*) *vt fus* (*needs*) satisfaire, pourvoir à; (*readers, consumers*) s'adresser à, pourvoir aux besoins de; **~er** *n* traiteur *m*; fournisseur *m*; **~ing** *n* restauration *f*; approvisionnement *m*, ravitaillement *m*

caterpillar ['kætəpɪlə*] *n* chenille *f*; ~ **track** ® *n* chenille *f*

cathedral [kə'θiːdrəl] *n* cathédrale *f*

catholic ['kæθəlɪk] *adj* (*tastes*) éclectique, varié(e); **C~** *adj* catholique ♦ *n* catholique *m/f*

Catseye ['kætsaɪ] (®: *BRIT*) *n* (*AUT*) catadioptre *m*

cattle ['kætl] *npl* bétail *m*

catty ['kætɪ] *adj* méchant(e)

caucus ['kɔːkəs] *n* (*POL*: *group*) comité local d'un parti politique; (*US*: *POL*) comité électoral (pour désigner des candidats)

caught [kɔːt] *pt, pp of* **catch**

cauliflower ['kɒlɪflauə*] *n* chou-fleur *m*

cause [kɔːz] *n* cause *f* ♦ *vt* causer

caution ['kɔːʃən] *n* prudence *f*; (*warning*) avertissement *m* ♦ *vt* avertir, donner un avertissement à

cautious ['kɔːʃəs] *adj* prudent(e)

cavalry ['kævəlrɪ] *n* cavalerie *f*

cave [keɪv] *n* caverne *f*, grotte *f*; ~ **in** *vi* (*roof etc*) s'effondrer; **~man** (*irreg*) *n* homme *m* des cavernes

caviar(e) ['kævɪɑː*] *n* caviar *m*

cavort [kə'vɔːt] *vi* cabrioler, faire des cabrioles

CB *n abbr* (= *Citizens' Band (Radio)*) CB *f*

CBI *n abbr* (= *Confederation of British Industries*) *groupement du patronat*

cc *abbr* = **carbon copy; cubic centimetres**

CD *n abbr* (= *compact disc (player)*) CD *m*; **~-ROM** *n abbr* (= *compact disc read-only memory*) CD-ROM *m*

cease [siːs] *vt, vi* cesser; **~fire** *n* cessez-le-feu *m*; **~less** *adj* incessant(e), continuel(le)

cedar ['siːdə*] *n* cèdre *m*

ceiling ['siːlɪŋ] *n* plafond *m*

celebrate ['selɪbreɪt] *vt, vi* célébrer; **~d** *adj* célèbre; **celebration** [selɪ'breɪʃən] *n* célébration *f*

celery ['selərɪ] *n* céleri *m* (à côtes)

cell [sel] *n* cellule *f*; (*ELEC*) élément *m* (*de pile*)

cellar ['selə*] *n* cave *f*

cello *n* violoncelle *m*

cellphone [sel'fəun] *n* téléphone *m* cellulaire

Celt [kelt, selt] *n* Celte *m/f*; **~ic** ['keltɪk, 'seltɪk] *adj* celte

cement [sɪ'ment] *n* ciment *m*; ~ **mixer** *n* bétonnière *f*

cemetery ['semɪtrɪ] *n* cimetière *m*

censor ['sensə*] *n* censeur *m* ♦ *vt* censurer; **~ship** *n* censure *f*

censure ['senʃə*] *vt* blâmer, critiquer

census ['sensəs] *n* recensement *m*

cent [sent] *n* (*US etc*: *coin*) cent *m* (= *un centième du dollar*); *see also* **per**

centenary [sen'tiːnərɪ] *n* centenaire *m*

center ['sentə*] (*US*) *n* = **centre**

centigrade ['sentɪgreɪd] *adj* centigrade

centimetre ['sentɪmiːtə*] (*US* **centimeter**) *n* centimètre *m*

centipede ['sentɪpiːd] *n* mille-pattes *m inv*

central ['sentrəl] *adj* central(e); **C~ America** *n* Amérique centrale; ~ **heating** *n* chauffage central; ~ **reservation** (*BRIT*) *n* (*AUT*) terre-plein central

centre ['sentə*] (*US* **center**) *n* centre *m* ♦ *vt* centrer; **~-forward** *n* (*SPORT*) avant-centre *m*; **~-half** *n* (*SPORT*) demi-centre *m*

century ['sentjurɪ] *n* siècle *m*; **20th** ~ XXe siècle

ceramic [sɪ'ræmɪk] *adj* céramique

cereal ['sɪərɪəl] *n* céréale *f*

ceremony ['serɪmənɪ] *n* cérémonie *f*; **to stand on** ~ faire des façons

certain ['sɜːtən] *adj* certain(e); **for ~** certainement, sûrement; **~ly** *adv* certainement; **~ty** *n* certitude *f*

certificate [sə'tɪfɪkɪt] *n* certificat *m*

certified mail ['sɜːtɪfaɪd-] (*US*) *n*: **by ~** en recommandé, avec avis de réception

certified public accountant (*US*) *n* expert-comptable *m*

certify ['sɜːtɪfaɪ] *vt* certifier; (*award diploma to*) conférer un diplôme *etc* à; (*declare insane*) déclarer malade mental(e)

cervical ['sɜːvɪkl] *adj*: ~ **cancer** cancer *m* du col de l'utérus; ~ **smear** frottis vaginal

cervix ['sɜːvɪks] *n* col *m* de l'utérus

cf. *abbr* (= *compare*) cf., voir

CFC *n abbr* (= *chlorofluorocarbon*) CFC *m* (*gen pl*)

ch. *abbr* (= *chapter*) chap.

chafe [tʃeɪf] *vt* irriter, frotter contre

chain [tʃeɪn] *n* chaîne *f* ♦ *vt* (*also*: ~ *up*) enchaîner, attacher (avec une chaîne); ~ **reaction** *n* réaction *f* en chaîne; **~-smoke** *vi* fumer cigarette sur cigarette; ~ **store** *n* magasin *m* à succursales multiples

chair [tʃɛə*] *n* chaise *f*; (*arm~*) fauteuil *m*; (*of university*) chaire *f*; (*of meeting, committee*) présidence *f* ♦ *vt* (*meeting*) présider; **~lift** *n* télésiège *m*; **~man** (*irreg*) *n* président *m*

chalet ['ʃæleɪ] *n* chalet *m*

chalice ['tʃælɪs] *n* calice *m*

chalk ['tʃɔːk] *n* craie *f*

challenge ['tʃælɪndʒ] *n* défi *m* ♦ *vt* défier; (*statement, right*) mettre en question, contester; **to ~ sb to do** mettre qn au défi de faire; **challenging** ['tʃælɪndʒɪŋ] *adj* (*tone, look*) de défi, provocateur(trice); (*task, career*) qui représente un défi *or* une gageure

chamber ['tʃeɪmbə*] *n* chambre *f*; ~ **of commerce** chambre de commerce; **~maid** *n* femme *f* de chambre; ~ **music** *n* musique *f* de chambre

champagne [ʃæm'peɪn] *n* champagne *m*

champion ['tʃæmpɪən] *n* champion(ne); **~ship** *n* championnat *m*

chance [tʃɑːns] *n* (*opportunity*) occasion *f*, possibilité *f*; (*hope, likelihood*) chance *f*; (*risk*) risque *m* ♦ *vt*: **to ~ it** risquer (le coup), essayer ♦ *adj* fortuit(e), de hasard; **to take a ~** prendre un risque; **by ~** par hasard

chancellor ['tʃɑːnsələ*] *n* chancelier *m*; **C~ of the Exchequer** (*BRIT*) *n* chancelier *m* de l'Échiquier, ≈ ministre *m* des Finances

chandelier [ʃændɪ'lɪə*] *n* lustre *m*

change [tʃeɪndʒ] *vt* (*alter, replace, COMM*: *money*) changer; (*hands, trains, clothes, one's name*) changer de; (*transform*): **to ~ sb into** changer *or* transformer qn en ♦ *vi* (*gen*) changer; (*one's clothes*) se changer; (*be transformed*): **to ~ into** se changer *or* transformer en ♦ *n* changement *m*; (*money*) monnaie *f*; **to ~ gear** (*AUT*) changer de vitesse; **to ~ one's mind** changer d'avis; **a ~ of clothes** des vêtements de rechange; **for a ~** pour changer; **~able** *adj* (*weather*) variable; ~ **machine** *n* distributeur *m* de monnaie; **~over** *n* (*to new system*) changement *m*, passage *m*

changing ['tʃeɪndʒɪŋ] *adj* changeant(e); ~ **room** (*BRIT*) *n* (*in shop*) salon *m* d'essayage; (*SPORT*) vestiaire *m*

channel ['tʃænl] *n* (*TV*) chaîne *f*; (*navigable passage*) chenal *m*; (*irrigation*) canal *m* ♦ *vt* canaliser; **the (English) C~** la Manche; **the C~ Islands** les îles de la Manche, les îles anglo-normandes

chant [tʃɑːnt] *n* chant *m*; (*REL*) psalmodie *f* ♦ *vt* chanter, scander

chaos ['keɪɒs] *n* chaos *m*

chap [tʃæp] (*BRIT*: *inf*) *n* (*man*) type *m*

chapel ['tʃæpəl] *n* chapelle *f*; (*BRIT*: *nonconformist ~*) église *f*

chaplain ['tʃæplɪn] *n* aumônier *m*

chapped ['tʃæpt] *adj* (*skin, lips*) gercé(e)

chapter ['tʃæptə*] *n* chapitre *m*

char [tʃɑː*] *vt* (*burn*) carboniser

character ['kærɪktə*] *n* caractère *m*; (*in novel, film*) personnage *m*; (*eccentric*) numéro *m*, phénomène *m*; **~istic** [kærɪktə'rɪstɪk] *adj* caractéristique ♦ *n* caractéristique *m*

charcoal ['tʃɑːkəul] *n* charbon *m* de bois; (*for drawing*) charbon *m*

charge [tʃɑːdʒ] *n* (*cost*) prix (demandé); (*accusation*) accusation *f*; (*LAW*) inculpation *f* ♦ *vt*: **to ~ sb (with)** inculper qn (de); (*battery, enemy*) charger; (*customer, sum*) faire payer ♦ *vi* foncer; **~s** *npl* (*costs*) frais *mpl*; **to reverse the ~s** (*TEL*) téléphoner en P.C.V.; **to take ~ of** se charger de; **to be in ~ of** être responsable de, s'occuper de; **how much do you ~?** combien prenez-vous?; **to ~ an expense (up) to sb** mettre une dépense sur le compte de qn; ~ **card** *n* carte *f* de client

charity ['tʃærɪtɪ] *n* charité *f*; (*organization*) institution *f* charitable *or* de bienfaisance, œuvre *f* (de charité)

charm [tʃɑːm] *n* charme *m*; (*on bracelet*) breloque *f* ♦ *vt* charmer, enchanter; **~ing** *adj* charmant(e)

chart [tʃɑːt] *n* tableau *m*, diagramme *m*; graphique *m*; (*map*) carte marine ♦ *vt* dresser *or* établir la carte de; **~s** *npl* (*hit parade*) hit-parade *m*

charter ['tʃɑːtə*] *vt* (*plane*) affréter ♦ *n* (*document*) charte *f*; **~ed accountant** (*BRIT*) *n* expert-comptable *m*; ~ **flight** *n* charter *m*

chase [tʃeɪs] *vt* poursuivre, pourchasser; (*also*: ~ *away*) chasser ♦ *n* poursuite *f*, chasse *f*

chasm ['kæzəm] *n* gouffre *m*, abîme *m*

chat [tʃæt] *vi* (*also*: *have a ~*) bavarder, causer ♦ *n* conversation *f*; ~ **show** (*BRIT*) *n* causerie télévisée

chatter ['tʃætə*] *vi* (*person*) bavarder; (*animal*) jacasser ♦ *n* bavardage *m*; jacassement *m*; **my teeth are ~ing** je claque des dents; **~box** (*inf*) *n* moulin *m* à paroles

chatty ['tʃætɪ] *adj* (*style*) familier(ère); (*person*) bavard(e)

chauffeur ['ʃəufə*] *n* chauffeur *m* (de maître)

chauvinist ['ʃəuvɪnɪst] *n* (*male ~*) phallocrate *m*; (*nationalist*) chauvin(e)

cheap [tʃiːp] *adj* bon marché *inv*, pas cher(chère); (*joke*) facile, d'un goût douteux; (*poor quality*) à bon marché, de qualité médiocre ♦ *adv* à bon marché, pour pas cher; **~er** *adj* moins cher(chère); **~ly** *adv* à bon marché, à bon compte

cheat [tʃiːt] *vi* tricher ♦ *vt* tromper, duper; (*rob*): **to ~ sb out of sth** escroquer qch à qn ♦ *n* tricheur(euse); escroc *m*

check [tʃek] *vt* vérifier; (*passport, ticket*) contrôler; (*halt*) arrêter; (*restrain*) maîtriser ♦ *n* vérification *f*; contrôle *m*; (*curb*) frein *m*; (*US*: *bill*) addition *f*; (*pattern*: *gen pl*) carreaux *mpl*; (*US*) = **cheque** ♦ *adj* (*pattern, cloth*) à carreaux; ~ **in** *vi* (*in hotel*) remplir sa fiche (d'hôtel); (*at airport*) se présenter à l'enregistrement ♦ *vt* (*luggage*) (faire) enregistrer; ~ **out** *vi* (*in hotel*) régler sa note; ~ **up** *vi*: **to ~ up (on sth)** vérifier (qch); **to ~ up on sb** se renseigner sur le compte de qn; **~ered** (*US*) *adj* = **chequered**; **~ers** (*US*) *npl* jeu *m* de dames; **~-in (desk)** *n* enregistrement *m*; **~ing account** (*US*) *n* (*current account*) compte courant; **~mate** *n* échec et mat *m*; **~out** *n* (*in shop*) caisse *f*; **~point** *n* contrôle *m*; **~room** (*US*) *n* (*left-luggage office*) consigne *f*; **~up** *n* (*MED*) examen médical, check-up *m*

cheek [tʃiːk] *n* joue *f*; (*impudence*) toupet *m*, culot *m*; **~bone** *n* pommette *f*; **~y** *adj* effronté(e), culotté(e)

cheep [tʃiːp] *vi* piauler

cheer [tʃɪə*] *vt* acclamer, applaudir; (*gladden*) réjouir, réconforter ♦ *vi* applaudir ♦ *n* (*gen pl*) acclamations *fpl*, applaudissements *mpl*; bravos *mpl*, hourras *mpl*; **~s!** à la vôtre!; ~ **up** *vi* se dérider, reprendre courage ♦ *vt* remonter le moral à *or* de, dérider; **~ful** *adj* gai(e), joyeux(euse)

cheerio ['tʃɪərɪ'əu] (*BRIT*) *excl* salut!, au revoir!

cheese [tʃiːz] *n* fromage *m*; **~board** *n* plateau *m* de fromages

cheetah ['tʃiːtə] *n* guépard *m*

chef [ʃef] *n* chef (cuisinier)

chemical ['kemɪkəl] *adj* chimique ♦ *n* produit *m* chimique

chemist ['kemɪst] *n* (*BRIT*: *pharmacist*) pharmacien(ne); (*scientist*) chimiste *m/f*; **~ry** *n* chimie *f*; **~'s (shop)** (*BRIT*) *n* pharmacie *f*

cheque [tʃek] (*BRIT*) *n* chèque *m*; **~book** *n* chéquier *m*, carnet *m* de chèques; ~ **card** *n* carte *f* (d'identité) bancaire

chequered ['tʃekəd] (*US* **checkered**) *adj* (*fig*) varié(e)
cherish ['tʃerɪʃ] *vt* chérir; **~ed** *adj* (*dream, memory*) cher(chère)
cherry ['tʃerɪ] *n* cerise *f*; (*also*: **~ tree**) cerisier *m*
chess [tʃes] *n* échecs *mpl*; **~board** *n* échiquier *m*
chest [tʃest] *n* poitrine *f*; (*box*) coffre *m*, caisse *f*; **~ of drawers** *n* commode *f*
chestnut ['tʃesnʌt] *n* châtaigne *f*; (*also*: **~ tree**) châtaignier *m*
chew [tʃuː] *vt* mâcher; **~ing gum** *n* chewing-gum *m*
chic [ʃiːk] *adj* chic *inv*, élégant(e)
chick [tʃɪk] *n* poussin *m*; (*inf*) nana *f*
chicken ['tʃɪkɪn] *n* poulet *m*; (*inf: coward*) poule mouillée; **~ out** (*inf*) *vi* se dégonfler; **~pox** ['tʃɪkɪnpɔks] *n* varicelle *f*
chicory ['tʃɪkərɪ] *n* (*for coffee*) chicorée *f*; (*salad*) endive
chief [tʃiːf] *n* chef ◆ *adj* principal(e); **~ executive** (*US* **chief executive officer**) *n* directeur(trice) général(e); **~ly** *adv* principalement, surtout
chiffon ['ʃɪfɔn] *n* mousseline *f* de soie
chilblain ['tʃɪlbleɪn] *n* engelure *f*
child [tʃaɪld] (*pl* **~ren**) *n* enfant *m/f*; **~birth** *n* accouchement *m*; **~hood** *n* enfance *f*; **~ish** *adj* puéril(e), enfantin(e); **~like** *adj* d'enfant, innocent(e); **~minder** (*BRIT*) *n* garde *f* d'enfants
Chile ['tʃɪlɪ] *n* Chili *m*
chill [tʃɪl] *n* (*of water*) froid *m*; (*of air*) fraîcheur *f*; (*MED*) refroidissement *m*, coup *m* de froid ◆ *vt* (*person*) faire frissonner; (*CULIN*) mettre au frais, rafraîchir
chil(l)i ['tʃɪlɪ] *n* piment *m* (rouge)
chilly ['tʃɪlɪ] *adj* froid(e), glacé(e); (*sensitive to cold*) frileux(euse); **to feel ~** avoir froid
chime [tʃaɪm] *n* carillon *m* ◆ *vi* carillonner, sonner
chimney ['tʃɪmnɪ] *n* cheminée *f*; **~ sweep** *n* ramoneur *m*
chimpanzee [tʃɪmpæn'ziː] *n* chimpanzé *m*
chin [tʃɪn] *n* menton *m*
China ['tʃaɪnə] *n* Chine *f*
china ['tʃaɪnə] *n* porcelaine *f*; (*crockery*) (vaisselle *f* en) porcelaine
Chinese [tʃaɪ'niːz] *adj* chinois(e) ◆ *n inv* (*person*) Chinois(e); (*LING*) chinois *m*
chink [tʃɪŋk] *n* (*opening*) fente *f*, fissure *f*; (*noise*) tintement *m*
chip [tʃɪp] *n* (*gen pl*: *CULIN*: *BRIT*) frite *f*; (: *US*: *potato* **~**) chip *m*; (*of wood*) copeau *m*; (*of glass, stone*) éclat *m*; (*also*: *micro*~) puce *f* ◆ *vt* (*cup, plate*) ébrécher; **~ in** *vi* mettre son grain de sel; (*contribute*) contribuer
chiropodist [kɪ'rɔpədɪst] (*BRIT*) *n* pédicure *m/f*
chirp [tʃəːp] *vi* pépier, gazouiller
chisel ['tʃɪzl] *n* ciseau *m*
chit [tʃɪt] *n* mot *m*, note *f*
chitchat ['tʃɪttʃæt] *n* bavardage *m*
chivalry ['ʃɪvəlrɪ] *n* esprit *m* chevaleresque, galanterie *f*
chives [tʃaɪvz] *npl* ciboulette *f*, civette *f*
chock-a-block ['tʃɔkə'blɔk], **chock-full** [tʃɔk'ful] *adj* plein(e) à craquer
chocolate ['tʃɔklɪt] *n* chocolat *m*
choice [tʃɔɪs] *n* choix *m* ◆ *adj* de choix
choir ['kwaɪə*] *n* chœur *m*, chorale *f*; **~boy** *n* jeune choriste *m*
choke [tʃəuk] *vi* étouffer ◆ *vt* étrangler; étouffer ◆ *n* (*AUT*) starter *m*; **street ~d with traffic** rue engorgée *or* embouteillée
cholesterol [kə'lestərɔl] *n* cholestérol *m*
choose [tʃuːz] (*pt* **chose**, *pp* **chosen**) *vt* choisir; **to ~ to do** décider de faire, juger bon de faire
choosy ['tʃuːzɪ] *adj*: **(to be) ~** (faire le/la) difficile
chop [tʃɔp] *vt* (*wood*) couper (à la hache); (*CULIN*: *also*: **~ up**) couper (fin), émincer, hacher (en morceaux) ◆ *n* (*CULIN*) côtelette *f*; **~s** *npl* (*jaws*) mâchoires *fpl*
chopper ['tʃɔpə*] *n* (*helicopter*) hélicoptère *m*, hélico *m*
choppy ['tʃɔpɪ] *adj* (*sea*) un peu agité(e)
chopsticks ['tʃɔpstɪks] *npl* baguettes *fpl*
chord [kɔːd] *n* (*MUS*) accord *m*
chore [tʃɔː*] *n* travail *m* de routine; **household ~s** travaux *mpl* du ménage
chortle ['tʃɔːtl] *vi* glousser
chorus ['kɔːrəs] *n* chœur *m*; (*repeated part of song*: *also fig*) refrain *m*
chose [tʃəuz] *pt of* **choose**
chosen ['tʃəuzn] *pp of* **choose**
Christ [kraɪst] *n* Christ *m*
christen ['krɪsn] *vt* baptiser
Christian ['krɪstɪən] *adj, n* chrétien(ne); **~ity** [krɪstɪ'ænɪtɪ] *n* christianisme *m*; **~ name** *n* prénom *m*
Christmas ['krɪsməs] *n* Noël *m or f*; **Happy** *or* **Merry ~!** joyeux Noël!; **~ card** *n* carte *f* de Noël; **~ Day** *n* le jour de Noël; **~ Eve** *n* la veille de Noël; la nuit de Noël; **~ tree** *n* arbre *m* de Noël
chrome [krəum] *n* chrome *m*
chromium ['krəumɪəm] *n* chrome *m*
chronic ['krɔnɪk] *adj* chronique
chronicle ['krɔnɪkl] *n* chronique *f*
chronological [krɔnə'lɔdʒɪkəl] *adj* chronologique
chrysanthemum [krɪ'sænθəməm] *n* chrysanthème *m*
chubby ['tʃʌbɪ] *adj* potelé(e), rondelet(te)
chuck [tʃʌk] (*inf*) *vt* (*throw*) lancer, jeter; (*BRIT*: *also*: **~ up**: *job*) lâcher; (: *person*) plaquer; **~ out** *vt* flanquer dehors *or* à la porte; (*rubbish*) jeter
chuckle ['tʃʌkl] *vi* glousser
chug [tʃʌg] *vi* faire teuf-teuf; (*also*: **~ along**) avancer en faisant teuf-teuf
chum [tʃʌm] *n* copain(copine)
chunk [tʃʌŋk] *n* gros morceau
church [tʃəːtʃ] *n* église *f*; **~yard** *n* cimetière *m*
churn [tʃəːn] *n* (*for butter*) baratte *f*; (*also*: *milk* **~**) (grand) bidon à lait; **~ out** *vt* débiter
chute [ʃuːt] *n* glissoire *f*; (*also*: *rubbish* **~**) vide-ordures *m inv*
chutney ['tʃʌtnɪ] *n* condiment *m* à base de fruits au vinaigre
CIA (*US*) *n abbr* (= *Central Intelligence Agency*) CIA *f*
CID (*BRIT*) *n abbr* (= *Criminal Investigation Department*) ≈ P.J. *f*
cider ['saɪdə*] *n* cidre *m*
cigar [sɪ'gɑː*] *n* cigare *m*
cigarette [sɪgə'ret] *n* cigarette *f*; **~ case** *n* étui *m* à cigarettes; **~ end** *n* mégot *m*
Cinderella [sɪndə'relə] *n* Cendrillon
cinders ['sɪndəz] *npl* cendres *fpl*
cine-camera ['sɪnɪ'kæmərə] (*BRIT*) *n* caméra *f*
cinema ['sɪnəmə] *n* cinéma *m*
cinnamon ['sɪnəmən] *n* cannelle *f*
circle ['səːkl] *n* cercle *m*; (*in cinema, theatre*) balcon *m* ◆ *vi* faire *or* décrire des cercles ◆ *vt* (*move round*) faire le tour de, tourner autour de; (*surround*) entourer, encercler
circuit ['səːkɪt] *n* circuit *m*; **~ous** [səː'kjuːɪtəs] *adj* indirect(e), qui fait un détour
circular ['səːkjulə*] *adj* circulaire ◆ *n* circulaire *f*
circulate ['səːkjuleɪt] *vi* circuler ◆ *vt* faire circuler; **circulation** [səːkju'leɪʃən] *n* circulation *f*; (*of newspaper*) tirage *m*
circumflex ['səːkəmfleks] *n* (*also*: **~ accent**) accent *m* circonflexe
circumstances ['səːkəmstənsəz] *npl* circonstances *fpl*; (*financial condition*) moyens *mpl*, situation financière
circumvent [səːkəm'vent] *vt* (*rule, difficulty*) tourner
circus ['səːkəs] *n* cirque *m*
CIS *n abbr* (= *Commonwealth of Independent States*) CEI *f*
cistern ['sɪstən] *n* réservoir *m* (d'eau); (*in toilet*) réservoir de la chasse d'eau
citizen ['sɪtɪzn] *n* citoyen(ne); (*resident*): **the ~s of this town** les habitants de cette ville; **~ship** *n* citoyenneté *f*
citrus fruit ['sɪtrəs-] *n* agrume *m*
city ['sɪtɪ] *n* ville *f*, cité *f*; **the C~** la Cité de Londres (*centre des affaires*)
civic ['sɪvɪk] *adj* civique; (*authorities*) municipal(e); **~ centre** (*BRIT*) *n* centre administratif (municipal)
civil ['sɪvɪl] *adj* civil(e); (*polite*) poli(e), courtois(e); (*disobedience, defence*) passif(ive); **~ engineer** *n* ingénieur *m* des travaux publics; **~ian** [sɪ'vɪlɪən] *adj, n* civil(e)
civilization [sɪvɪlaɪ'zeɪʃən] *n* civilisation *f*
civilized ['sɪvɪlaɪzd] *adj* civilisé(e); (*fig*) où règnent les bonnes manières
civil: **~ law** *n* code civil; (*study*) droit civil; **~ servant** *n* fonctionnaire *m/f*; **C~ Service** *n* fonction publique, administration *f*; **~ war** *n* guerre civile
clad [klæd] *adj*: **~ (in)** habillé(e) (de)
claim [kleɪm] *vt* revendiquer; (*rights, inheritance*) demander, prétendre à; (*assert*) déclarer, prétendre ◆ *vi* (*for insurance*) faire une déclaration de sinistre ◆ *n* revendication *f*; demande *f*; prétention *f*, déclaration *f*; (*right*) droit *m*, titre *m*; **~ant** *n* (*ADMIN, LAW*) requérant(e)
clairvoyant [kleə'vɔɪənt] *n* voyant(e), extra-lucide *m/f*
clam [klæm] *n* palourde *f*
clamber ['klæmbə*] *vi* grimper, se hisser
clammy ['klæmɪ] *adj* humide (et froid(e)), moite
clamour ['klæmə*] (*US* **clamor**) *vi*: **to ~ for** réclamer à grands cris
clamp [klæmp] *n* agrafe *f*, crampon *m* ◆ *vt* serrer; (*sth to sth*) fixer; **~ down on** *vt fus* sévir *or* prendre des mesures draconiennes contre
clan [klæn] *n* clan *m*
clang [klæŋ] *vi* émettre un bruit *or* fracas métallique
clap [klæp] *vi* applaudir; **~ping** *n* applaudissements *mpl*
claret ['klærət] *n* (vin *m* de) bordeaux *m* (rouge)
clarinet [klærɪ'net] *n* clarinette *f*
clarity ['klærɪtɪ] *n* clarté *f*
clash [klæʃ] *n* choc *m*; (*fig*) conflit *m* ◆ *vi* se heurter; être *or* entrer en conflit; (*colours*) jurer; (*two events*) tomber en même temps
clasp [klɑːsp] *n* (*of necklace, bag*) fermoir *m*; (*hold, embrace*) étreinte *f* ◆ *vt* serrer, étreindre
class [klɑːs] *n* classe *f* ◆ *vt* classer, classifier
classic ['klæsɪk] *adj* classique ◆ *n* (*author, work*) classique *m*; **~al** *adj* classique
classified ['klæsɪfaɪd] *adj* (*information*) secret(ète); **~ advertisement** *n* petite annonce
classmate ['klɑːsmeɪt] *n* camarade *m/f* de classe
classroom ['klɑːsrum] *n* (salle *f* de) classe *f*
clatter ['klætə*] *n* cliquetis *m* ◆ *vi* cliqueter
clause [klɔːz] *n* clause *f*; (*LING*) proposition *f*
claw [klɔː] *n* griffe *f*; (*of bird of prey*) serre *f*; (*of lobster*) pince *f*; **~ at** *vt fus* essayer de s'agripper à *or* griffer
clay [kleɪ] *n* argile *f*
clean [kliːn] *adj* propre; (*clear, smooth*) net(te); (*record, reputation*) sans tache; (*joke, story*) correct(e) ◆ *vt* nettoyer; **~ out** *vt* nettoyer (à fond); **~ up** *vt* nettoyer; (*fig*) remettre de l'ordre dans; **~-cut** *adj* (*person*) net(te), soigné(e); **~er** *n* (*person*) nettoyeur(euse), femme *f* de ménage; (*product*) détachant *m*; **~er's** *n* (*also*: *dry* **~er's**) teinturier *m*; **~ing** *n* nettoyage *m*; **~liness** ['klenlɪnɪs] *n* propreté *f*
cleanse [klenz] *vt* nettoyer; (*purify*) purifier; **~r** *n* (*for face*) démaquillant *m*
clean-shaven ['kliːn'ʃeɪvn] *adj* rasé(e) de près
cleansing department ['klenzɪŋ-] (*BRIT*) *n* service *m* de voirie
clear ['klɪə*] *adj* clair(e); (*glass, plastic*) transparent(e); (*road, way*) libre, dégagé(e); (*conscience*) net(te) ◆ *vt* (*room*) débarrasser; (*of people*) faire évacuer; (*cheque*) compenser; (*LAW*: *suspect*) innocenter; (*obstacle*) franchir *or* sauter sans heurter ◆ *vi* (*weather*) s'éclaircir; (*fog*) se dissiper ◆ *adv*: **~ of** à distance de, à l'écart de; **to ~ the table** débarrasser la table, desservir; **~ up** *vt* ranger, mettre en ordre; (*mystery*) éclaircir, résoudre; **~ance** ['klɪərns] *n* (*removal*) déblaiement *m*; (*permission*) autorisation *f*; **~-cut** *adj* clair(e), nettement défini(e); **~ing** *n* (*in forest*) clairière *f*; **~ing bank** (*BRIT*) *n* *banque qui appartient à une chambre de compensation*; **~ly** *adv* clairement; (*evidently*) de toute évidence; **~way** (*BRIT*) *n* route *f* à stationnement interdit
clef [klef] *n* (*MUS*) clé *f*
cleft [kleft] *n* (*in rock*) crevasse *f*, fissure *f*
clench [klentʃ] *vt* serrer
clergy ['kləːdʒɪ] *n* clergé *m*; **~man** (*irreg*) *n* ecclésiastique *m*
clerical ['klerɪkəl] *adj* de bureau, d'employé de bureau; (*REL*) clérical(e), du clergé
clerk [klɑːk, (*US*) kləːk] *n* employé(e) de bureau; (*US*: *salesperson*) vendeur(euse)
clever ['klevə*] *adj* (*mentally*) intelligent(e); (*deft, crafty*) habile, adroit(e); (*device, arrangement*) ingénieux(euse), astucieux(euse)
clew [kluː] (*US*) *n* = **clue**
click [klɪk] *vi* faire un bruit sec *or* un déclic ◆ *vt*: **to ~ one's tongue** faire claquer sa langue; **to ~ one's heels** claquer des talons
client ['klaɪənt] *n* client(e)
cliff [klɪf] *n* falaise *f*
climate ['klaɪmɪt] *n* climat *m*
climax ['klaɪmæks] *n* apogée *m*, point culminant; (*sexual*) orgasme *m*
climb [klaɪm] *vi* grimper, monter ◆ *vt* gravir, escalader, monter sur ◆ *n* montée *f*, escalade *f*; **~-down** *n* reculade *f*, dérobade *f*; **~er** *n* (*mountaineer*) grimpeur(euse), varappeur(euse); (*plant*) plante grimpante; **~ing** *n* (*mountaineering*) escalade *f*, varappe *f*
clinch [klɪntʃ] *vt* (*deal*) conclure, sceller
cling [klɪŋ] (*pt, pp* **clung**) *vi*: **to ~ (to)** se cramponner (à), s'accrocher (à); (*of clothes*) coller (à)
clinic ['klɪnɪk] *n* centre médical; **~al** *adj* clinique; (*attitude*) froid(e), détaché(e)
clink [klɪŋk] *vi* tinter, cliqueter
clip [klɪp] *n* (*for hair*) barrette *f*; (*also*: *paper* **~**) trombone *m* ◆ *vt* (*fasten*) attacher; (*hair, nails*) couper; (*hedge*) tailler; **~pers** *npl* (*for hedge*) sécateur *m*; (*also*: *nail* **~pers**) coupe-ongles *m inv*; **~ping** *n* (*from newspaper*) coupure *f* de journal
cloak [kləuk] *n* grande cape ◆ *vt* (*fig*) masquer, cacher; **~room** *n* (*for coats etc*) vestiaire *m*; (*BRIT*: *WC*) toilettes *fpl*
clock [klɔk] *n* (*large*) horloge *f*; (*small*) pendule *f*; **~ in** (*BRIT*) *vi* pointer (en arrivant); **~ off** (*BRIT*) *vi* pointer (en partant); **~ on** (*BRIT*) *vi* = **clock in**; **~ out** (*BRIT*) *vi* = **clock off**; **~wise** *adv* dans le sens des aiguilles d'une montre; **~work** *n* rouages *mpl*, mécanisme *m*; (*of clock*) mouvement *m* (d'horlogerie) ◆ *adj* mécanique
clog [klɔg] *n* sabot *m* ◆ *vt* boucher ◆ *vi* (*also*: **~ up**) se boucher
cloister ['klɔɪstə*] *n* cloître *m*
close[1] [kləus] *adj* (*near*): **~ (to)** près (de), proche (de); (*contact, link*) étroit(e); (*contest*) très serré(e); (*watch*) étroit(e), strict(e); (*examination*) attentif(ive), minutieux(euse); (*weather*) lourd(e),étouffant(e) ◆ *adv* près, à proximité; **~ to** près de; **~ by** *adj* proche ◆ *adv* tout(e) près; **~ at hand = ~ by**; **a ~ friend** un ami intime; **to have a ~ shave** (*fig*) l'échapper belle
close[2] [kləuz] *vt* fermer ◆ *vi* (*shop etc*) fermer; (*lid, door etc*) se fermer; (*end*) se terminer, se conclure ◆ *n* (*end*) conclusion *f*, fin *f*; **~ down** *vt, vi* fermer (*définitivement*)
closed [kləuzd] *adj* fermé(e); **~ shop** *n* organisation *f* qui n'admet que des travailleurs syndiqués
close-knit [kləus'nɪt] *adj* (*family, community*) très uni(e)
closely ['kləuslɪ] *adv* (*examine, watch*) de près
closet ['klɔzɪt] *n* (*cupboard*) placard *m*, réduit *m*
close-up ['kləusʌp] *n* gros plan
closure ['kləuʒə*] *n* fermeture *f*
clot [klɔt] *n* (*gen*: *blood* **~**) caillot *m*; (*inf*: *person*) ballot *m* ◆ *vi* (*blood*) se coaguler
cloth [klɔθ] *n* (*material*) tissu *m*, étoffe *f*; (*also*: *tea*~) torchon *m*; lavette *f*
clothe [kləuð] *vt* habiller, vêtir; **~s** *npl* vêtements *mpl*, habits *mpl*; **~s brush** *n* brosse *f* à habits; **~s line** *n* corde *f* (à linge); **~s peg** (*US* **~s pin**) *n* pince *f* à linge
clothing ['kləuðɪŋ] *n* = **clothes**
cloud [klaud] *n* nuage *m*; **~burst** *n* grosse averse; **~y** *adj* nuageux(euse), couvert(e); (*liquid*) trouble
clout [klaut] *vt* flanquer une taloche à
clove [kləuv] *n* (*CULIN*: *spice*) clou *m* de girofle; **~ of garlic** gousse *f* d'ail
clover ['kləuvə*] *n* trèfle *m*
clown [klaun] *n* clown *m* ◆ *vi* (*also*: **~ about, ~ around**) faire le clown
cloying ['klɔɪɪŋ] *adj* (*taste, smell*) écœurant(e)
club [klʌb] *n* (*society, place*: *also*: *golf* **~**) club *m*; (*weapon*) massue *f*, matraque *f* ◆ *vt* matraquer ◆ *vi*: **to ~ together** s'associer; **~s** *npl* (*CARDS*) trèfle *m*; **~ car** (*US*) *n* (*RAIL*) wagon-restaurant *m*; **~house** *n* club *m*
cluck [klʌk] *vi* glousser
clue [kluː] *n* indice *m*; (*in crosswords*) définition *f*; **I haven't a ~** je n'en ai pas la moindre idée
clump [klʌmp] *n*: **~ of trees** bouquet *m* d'arbres; **a ~ of buildings** un ensemble de bâtiments
clumsy ['klʌmzɪ] *adj* gauche, maladroit(e)
clung [klʌŋ] *pt, pp of* **cling**
cluster ['klʌstə*] *n* (*of people*) (petit) groupe; (*of flowers*) grappe *f*; (*of stars*) amas *m* ◆ *vi* se rassembler
clutch [klʌtʃ] *n* (*grip, grasp*) étreinte *f*, prise *f*; (*AUT*) embrayage *m* ◆ *vt* (*grasp*) agripper; (*hold tightly*) serrer fort; (*hold on to*) se cramponner à
clutter ['klʌtə*] *vt* (*also*: **~ up**) encombrer
CND *n abbr* (= *Campaign for Nuclear Disarmament*) *mouvement pour le désarmement nucléaire*
Co. *abbr* = **county**; **company**
c/o *abbr* (= *care of*) c/o, aux bons soins de
coach [kəutʃ] *n* (*bus*) autocar *m*; (*horse-drawn*) diligence *f*; (*of train*) voiture *f*, wagon *m*; (*SPORT*: *trainer*) entraîneur(euse); (*SCOL*: *tutor*) répétiteur(trice) ◆ *vt* entraîner; (*student*) faire travailler; **~ trip** *n* excursion *f* en car
coal [kəul] *n* charbon *m*; **~ face** *n* front *m* de taille; **~field** *n* bassin houiller
coalition [kəuə'lɪʃən] *n* coalition *f*
coal: **~man** ['kəulmən] (*irreg*) *n* charbonnier *m*, marchand *m* de charbon; **~ merchant** *n* = **~man**; **~mine** ['kəulmaɪn] *n* mine *f* de charbon
coarse [kɔːs] *adj* grossier(ère), rude
coast [kəust] *n* côte *f* ◆ *vi* (*car, cycle etc*) descendre en roue libre; **~al** *adj* côtier(ère); **~guard** *n* garde-côte *m*; (*service*) gendarmerie *f* maritime; **~line** *n* côte *f*, littoral *m*
coat [kəut] *n* manteau *m*; (*of animal*) pelage *m*, poil *m*; (*of paint*) couche *f* ◆ *vt* couvrir; **~ hanger** *n* cintre *m*; **~ing** *n* couche *f*, revêtement *m*; **~ of arms** *n* blason *m*, armoiries *fpl*
coax [kəuks] *vt* persuader par des

cajoleries
cob [kɒb] *n see* **corn**
cobbler ['kɒblə*] *n* cordonnier *m*
cobbles ['kɒblz] (*also*: **cobblestones**) *npl* pavés (ronds)
cobweb ['kɒbweb] *n* toile *f* d'araignée
cocaine [kə'keɪn] *n* cocaïne *f*
cock [kɒk] *n* (*rooster*) coq *m*; (*male bird*) mâle *m* ◆ *vt* (*gun*) armer; **~erel** *n* jeune coq *m*; **~-eyed** *adj* (*idea, method*) absurde, qui ne tient pas debout
cockle ['kɒkl] *n* coque *f*
cockney ['kɒknɪ] *n* cockney *m, habitant des quartiers populaires de l'East End de Londres*, ≈ faubourien(ne)
cockpit ['kɒkpɪt] *n* (*in aircraft*) poste *m* de pilotage, cockpit *m*
cockroach ['kɒkrəutʃ] *n* cafard *m*
cocktail ['kɒkteɪl] *n* cocktail *m*; (*fruit ~ etc*) salade *f*; **~ cabinet** *n* (meuble-)bar *m*; **~ party** *n* cocktail *m*
cocoa ['kəukəu] *n* cacao *m*
coconut ['kəukənʌt] *n* noix *f* de coco
COD *abbr* = **cash on delivery**
cod [kɒd] *n* morue fraîche, cabillaud *m*
code [kəud] *n* code *m*
cod-liver oil ['kɒdlɪvər-] *n* huile *f* de foie de morue
coercion [kəu'ə:ʃən] *n* contrainte *f*
coffee ['kɒfɪ] *n* café *m*; **~ bar** (*BRIT*) *n* café *m*; **~ bean** *n* grain *m* de café; **~ break** *n* pause-café *f*; **~pot** *n* cafetière *f*; **~ table** *n* (petite) table basse
coffin ['kɒfɪn] *n* cercueil *m*
cog [kɒg] *n* dent *f* (d'engrenage); (*wheel*) roue dentée
cogent ['kəudʒənt] *adj* puissant(e), convaincant(e)
coil [kɔɪl] *n* rouleau *m*, bobine *f*; (*contraceptive*) stérilet *m* ◆ *vt* enrouler
coin [kɔɪn] *n* pièce *f* de monnaie ◆ *vt* (*word*) inventer; **~age** *n* monnaie *f*, système *m* monétaire; **~ box** (*BRIT*) *n* cabine *f* téléphonique
coincide [kəuɪn'saɪd] *vi* coïncider; **~nce** [kəu'ɪnsɪdəns] *n* coïncidence *f*
Coke [kəuk] (®) *n* coca *m*
coke [kəuk] *n* coke *m*
colander ['kʌləndə*] *n* passoire *f*
cold [kəuld] *adj* froid(e) ◆ *n* froid *m*; (*MED*) rhume *m*; **it's ~** il fait froid; **to be** *or* **feel ~** (*person*) avoir froid; **to catch ~** prendre *or* attraper froid; **to catch a ~** attraper un rhume; **in ~ blood** de sang-froid; **~-shoulder** *vt* se montrer froid(e) envers, snober; **~ sore** *n* bouton *m* de fièvre
coleslaw ['kəulslɔ:] *n sorte de salade de chou cru*
colic ['kɒlɪk] *n* colique(s) *f(pl)*
collapse [kə'læps] *vi* s'effondrer, s'écrouler ◆ *n* effondrement *m*, écroulement *m*; **collapsible** [kə'læpsəbl] *adj* pliant(e); télescopique
collar ['kɒlə*] *n* (*of coat, shirt*) col *m*; (*for animal*) collier *m*; **~bone** *n* clavicule *f*
collateral [kɒ'lætərəl] *n* nantissement *m*
colleague ['kɒli:g] *n* collègue *m/f*
collect [kə'lekt] *vt* rassembler; ramasser; (*as a hobby*) collectionner; (*BRIT: call and pick up*) (passer) prendre; (*mail*) faire la levée de, ramasser; (*money owed*) encaisser; (*donations, subscriptions*) recueillir ◆ *vi* (*people*) se rassembler; (*things*) s'amasser; **to call ~** (*US: TEL*) téléphoner en P.C.V.; **~ion** [kə'lekʃən] *n* collection *f*; (*of mail*) levée *f*; (*for money*) collecte *f*, quête *f*; **~or** [kə'lektə*] *n* collectionneur *m*
college ['kɒlɪdʒ] *n* collège *m*
collide [kə'laɪd] *vi* entrer en collision
collie ['kɒlɪ] *n* (*dog*) colley *m*
colliery ['kɒlɪərɪ] (*BRIT*) *n* mine *f* de charbon, houillère *f*
collision [kə'lɪʒən] *n* collision *f*
colloquial [kə'ləukwɪəl] *adj* familier(ère)
colon ['kəulɒn] *n* (*sign*) deux-points *m inv*; (*MED*) côlon *m*
colonel ['kɜ:nl] *n* colonel *m*
colony ['kɒlənɪ] *n* colonie *f*
colour ['kʌlə*] (*US* **color**) *n* couleur *f* ◆ *vt* (*paint*) peindre; (*dye*) teindre; (*news*) fausser, exagérer ◆ *vi* (*blush*) rougir; **~s** *npl* (*of party, club*) couleurs *fpl*; **~ in** *vt* colorier; **~ bar** *n* discrimination raciale (*dans un établissement*); **~-blind** *adj* daltonien(ne); **~ed** *adj* (*person*) de couleur; (*illustration*) en couleur; **~ film** *n* (*for camera*) pellicule *f* (en) couleur; **~ful** *adj* coloré(e), vif(vive); (*personality*) pittoresque, haut(e) en couleurs; **~ing** *n* colorant *m*; (*complexion*) teint *m*; **~ scheme** *n* combinaison *f* de(s) couleurs; **~ television** *n* télévision *f* (en) couleur
colt [kəult] *n* poulain *m*
column ['kɒləm] *n* colonne *f*; **~ist** ['kɒləmnɪst] *n* chroniqueur(euse)
coma ['kəumə] *n* coma *m*
comb [kəum] *n* peigne *m* ◆ *vt* (*hair*) peigner; (*area*) ratisser, passer au peigne fin
combat ['kɒmbæt] *n* combat *m* ◆ *vt* combattre, lutter contre
combination [kɒmbɪ'neɪʃən] *n* combinaison *f*
combine [*vb* kəm'baɪn, *n* 'kɒmbaɪn] *vt*: **to ~ sth with sth** combiner qch avec qch; (*one quality with another*) joindre *or* allier qch à qch ◆ *vi* s'associer; (*CHEM*) se combiner ◆ *n* (*ECON*) trust *m*; **~ (harvester)** *n* moissonneuse-batteuse (-lieuse) *f*
come [kʌm] (*pt* **came**, *pp* **come**) *vi* venir, arriver; **to ~ to** (*decision etc*) parvenir *or* arriver à; **to ~ undone/loose** se défaire/desserrer; **~ about** *vi* se produire, arriver; **~ across** *vt fus* rencontrer par hasard, tomber sur; **~ along** *vi* = **to come on**; **~ away** *vi* partir, s'en aller, se détacher; **~ back** *vi* revenir; **~ by** *vt fus* (*acquire*) obtenir, se procurer; **~ down** *vi* descendre; (*prices*) baisser; (*buildings*) s'écrouler, être démoli(e); **~ forward** *vi* s'avancer, se présenter, s'annoncer; **~ from** *vt fus* être originaire de, venir de; **~ in** *vi* entrer; **~ in for** *vi* (*criticism etc*) être l'objet de; **~ into** *vt fus* (*money*) hériter de; **~ off** *vi* (*button*) se détacher; (*stain*) s'enlever; (*attempt*) réussir; **~ on** *vi* (*pupil, work, project*) faire des progrès, s'avancer; (*lights, electricity*) s'allumer; (*central heating*) se mettre en marche; **~ on!** viens!, allons!, allez!; **~ out** *vi* sortir; (*book*) paraître; (*strike*) cesser le travail, se mettre en grève; **~ round** *vi* (*after faint, operation*) revenir à soi, reprendre connaissance; **~ to** *vi* revenir à soi; **~ up** *vi* monter; **~ up against** *vt fus* (*resistance, difficulties*) rencontrer; **~ up with** *vt fus*: **he came up with an idea** il a eu une idée, il a proposé quelque chose; **~ upon** *vt fus* tomber sur; **~back** ['kʌmbæk] *n* (*THEATRE etc*) rentrée *f*
comedian [kə'mi:dɪən] *n* (*in music hall etc*) comique *m*; (*THEATRE*) comédien *m*
comedy ['kɒmədɪ] *n* comédie *f*
comeuppance [kʌm'ʌpəns] *n*: **to get one's ~** recevoir ce qu'on mérite
comfort ['kʌmfət] *n* confort *m*, bien-être *m*; (*relief*) soulagement *m*, réconfort *m* ◆ *vt* consoler, réconforter; **the ~s of home** les commodités *fpl* de la maison; **~able** *adj* confortable; (*person*) à l'aise; (*patient*) dont l'état est stationnaire; (*walk etc*) facile; **~ably** *adv* (*sit*) confortablement; (*live*) à l'aise; **~ station** (*US*) *n* toilettes *fpl*
comic ['kɒmɪk] *adj* (*also*: **~al**) comique ◆ *n* comique *m*; (*BRIT: magazine*) illustré *m*; **~ strip** *n* bande dessinée
coming ['kʌmɪŋ] *n* arrivée *f* ◆ *adj* prochain(e), à venir; **~(s) and going(s)** *n(pl)* va-et-vient *m inv*
comma ['kɒmə] *n* virgule *f*
command [kə'mɑ:nd] *n* ordre *m*, commandement *m*; (*MIL: authority*) commandement; (*mastery*) maîtrise *f* ◆ *vt* (*troops*) commander; **to ~ sb to do** ordonner à qn de faire; **~eer** [kɒmən'dɪə*] *vt* réquisitionner; **~er** *n* (*MIL*) commandant *m*
commando [kə'mɑ:ndəu] *n* commando *m*; membre *m* d'un commando
commemorate [kə'meməreɪt] *vt* commémorer
commence [kə'mens] *vt, vi* commencer
commend [kə'mend] *vt* louer; (*recommend*) recommander
commensurate [kə'mensjurɪt] *adj*: **~ with** *or* to en proportion de, proportionné(e) à
comment ['kɒment] *n* commentaire *m* ◆ *vi*: **to ~ (on)** faire des remarques (sur); **"no ~"** "je n'ai rien à dire"; **~ary** ['kɒməntrɪ] *n* commentaire *m*; (*SPORT*) reportage *m* (en direct); **~ator** ['kɒmənteɪtə*] *n* commentateur *m*; reporter *m*
commerce ['kɒmɜ:s] *n* commerce *m*
commercial [kə'mɜ:ʃəl] *adj* commercial(e) ◆ *n* (*TV, RADIO*) annonce *f* publicitaire, spot *m* (publicitaire); **~ radio** *n* radio privée; **~ television** *n* télévision privée
commiserate [kə'mɪzəreɪt] *vi*: **to ~ with sb** témoigner de la sympathie pour qn
commission [kə'mɪʃən] *n* (*order for work*) commande *f*; (*committee, fee*) commission *f* ◆ *vt* (*work of art*) commander, charger un artiste de l'exécution de; **out of ~** (*not working*) hors service; **~aire** [kəmɪʃə'nɛə*] (*BRIT*) *n* (*at shop, cinema etc*) portier *m* (en uniforme); **~er** *n* (*POLICE*) préfet *m* (de police)
commit [kə'mɪt] *vt* (*act*) commettre; (*resources*) consacrer; (*to sb's care*) confier (à); **to ~ o.s. (to do)** s'engager (à faire); **to ~ suicide** se suicider; **~ment** *n* engagement *m*; (*obligation*) responsabilité(s) *f(pl)*
committee [kə'mɪtɪ] *n* comité *m*
commodity [kə'mɒdɪtɪ] *n* produit *m*, marchandise *f*, article *m*
common ['kɒmən] *adj* commun(e); (*usual*) courant(e) ◆ *n* terrain communal; **the C~s** *npl* la chambre des Communes; **in ~** en commun; **~er** *n* roturier(ière); **~ law** *n* droit coutumier; **~ly** *adv* communément, généralement; couramment; **C~ Market** *n*: **the C~ Market** le Marché commun; **~place** *adj* banal(e), ordinaire; **~ room** *n* salle commune; **~ sense** *n* bon sens; **C~wealth** (*BRIT*) *n*: **the C~wealth** le Commonwealth
commotion [kə'məuʃən] *n* désordre *m*, tumulte *m*
communal ['kɒmju:nl] *adj* (*life*) communautaire; (*for common use*) commun(e)
commune [*n* 'kɒmju:n, *vb* kə'mju:n] *n* (*group*) communauté *f* ◆ *vi*: **to ~ with** communier avec
communicate [kə'mju:nɪkeɪt] *vt, vi* communiquer
communication [kəmju:nɪ'keɪʃən] *n* communication *f*; **~ cord** (*BRIT*) *n* sonnette *f* d'alarme
communion [kə'mju:nɪən] *n* (*also*: *Holy C~*) communion *f*
communism ['kɒmjunɪzəm] *n* communisme *m*; **communist** ['kɒmjunɪst] *adj* communiste ◆ *n* communiste *m/f*
community [kə'mju:nɪtɪ] *n* communauté *f*; **~ centre** *n* centre *m* de loisirs; **~ chest** (*US*) *n* fonds commun; **~ home** *n* (*school*) centre *m* d'éducation surveillée
commutation ticket [kɒmju'teɪʃən-] (*US*) *n* carte *f* d'abonnement
commute [kə'mju:t] *vi* faire un trajet journalier (de son domicile à son bureau) ◆ *vt* (*LAW*) commuer; **~r** *n* banlieusard(e) (qui ... *see vi*)
compact [*adj* kəm'pækt, *n* 'kɒmpækt] *adj* compact(e) ◆ *n* (*also*: *powder ~*) poudrier *m*; **~ disc** *n* disque compact; **~ disc player** *n* lecteur *m* de disque compact
companion [kəm'pænɪən] *n* compagnon(compagne); **~ship** *n* camaraderie *f*
company ['kʌmpənɪ] *n* compagnie *f*; **to keep sb ~** tenir compagnie à qn; **~ secretary** (*BRIT*) *n* (*COMM*) secrétaire général (*d'une société*)
comparative [kəm'pærətɪv] *adj* (*study*) comparatif(ive); (*relative*) relatif(ive); **~ly** *adv* (*relatively*) relativement
compare [kəm'pɛə*] *vt*: **to ~ sth/sb with/to** comparer qch/qn avec *or* et/à ◆ *vi*: **to ~ (with)** se comparer (à); être comparable (à); **comparison** [kəm'pærɪsn] *n* comparaison *f*
compartment [kəm'pɑ:tmənt] *n* compartiment *m*
compass ['kʌmpəs] *n* boussole *f*; **~es** *npl* (*GEOM*: *also*: *pair of ~es*) compas *m*
compassion [kəm'pæʃən] *n* compassion *f*; **~ate** *adj* compatissant(e)
compatible [kəm'pætɪbl] *adj* compatible
compel [kəm'pel] *vt* contraindre, obliger; **~ling** *adj* (*fig: argument*) irrésistible
compensate ['kɒmpenseɪt] *vt* indemniser, dédommager ◆ *vi*: **to ~ for** compenser; **compensation** [kɒmpen'seɪʃn] *n* compensation *f*; (*money*) dédommagement *m*, indemnité *f*
compère ['kɒmpɛə*] *n* (*TV*) animateur(trice)
compete [kəm'pi:t] *vi*: **to ~ (with)** rivaliser (avec), faire concurrence (à)
competent ['kɒmpɪtənt] *adj* compétent(e), capable
competition [kɒmpɪ'tɪʃən] *n* (*contest*) compétition *f*, concours *m*; (*ECON*) concurrence *f*
competitive [kəm'petɪtɪv] *adj* (*ECON*) concurrentiel(le); (*sport*) de compétition; (*person*) qui a l'esprit de compétition
competitor [kəm'petɪtə*] *n* concurrent(e)
complacency [kəm'pleɪsnsɪ] *n* suffisance *f*, vaine complaisance
complain [kəm'pleɪn] *vi*: **to ~ (about)** se plaindre (de); (*in shop etc*) réclamer (au sujet de); **to ~ of** (*pain*) se plaindre de; **~t** *n* plainte *f*; réclamation *f*; (*MED*) affection *f*
complement [*n* 'kɒmplɪmənt, *vb* 'kɒmplɪment] *n* complément *m*; (*especially of ship's crew etc*) effectif complet ◆ *vt* (*enhance*) compléter; **~ary** [kɒmplɪ'mentərɪ] *adj* complémentaire
complete [kəm'pli:t] *adj* complet(ète) ◆ *vt* achever, parachever; (*set, group*) compléter; (*a form*) remplir; **~ly** *adv* complètement; **completion** [kəm'pli:ʃən] *n* achèvement *m*; (*of contract*) exécution *f*
complex ['kɒmpleks] *adj* complexe ◆ *n* complexe *m*
complexion [kəm'plekʃən] *n* (*of face*) teint *m*
compliance [kəm'plaɪəns] *n* (*submission*) docilité *f*; (*agreement*): **~ with** le fait de se conformer à; **in ~ with** en accord avec
complicate ['kɒmplɪkeɪt] *vt* compliquer; **~d** *adj* compliqué(e); **complication** [kɒmplɪ'keɪʃn] *n* complication *f*
compliment [*n* 'kɒmplɪmənt, *vb* 'kɒmplɪment] *n* compliment *m* ◆ *vt* complimenter; **~s** *npl* (*respects*) compliments *mpl*, hommages *mpl*; **to pay sb a ~** faire *or* adresser un compliment à qn; **~ary** [kɒmplɪ'mentərɪ] *adj* flatteur(euse); (*free*) (offert(e)) à titre gracieux; **~ary ticket** *n* billet *m* de faveur
comply [kəm'plaɪ] *vi*: **to ~ with** se soumettre à, se conformer à
component [kəm'pəunənt] *n* composant *m*, élément *m*
compose [kəm'pəuz] *vt* composer; (*form*): **to be ~d of** se composer de; **to ~ o.s.** se calmer, se maîtriser; prendre une contenance; **~d** *adj* calme, posé(e); **~r** *n* (*MUS*) compositeur *m*; **composition** [kɒmpə'zɪʃən] *n* composition *f*; **composure** [kəm'pəuʒə*] *n* calme *m*, maîtrise *f* de soi
compound ['kɒmpaund] *n* composé *m*; (*enclosure*) enclos *m*, enceinte *f*; **~ fracture** *n* fracture compliquée; **~ interest** *n* intérêt composé
comprehend [kɒmprɪ'hend] *vt* comprendre; **comprehension** [kɒmprɪ'henʃən] *n* compréhension *f*
comprehensive [kɒmprɪ'hensɪv] *adj* (très) complet(ète); **~ policy** *n* (*INSURANCE*) assurance *f* tous risques; **~ (school)** (*BRIT*) *n école secondaire polyvalente*, ≈ C.E.S. *m*
compress [*vb* kəm'pres, *n* 'kɒmpres] *vt* comprimer; (*text, information*) condenser ◆ *n* (*MED*) compresse *f*
comprise [kəm'praɪz] *vt* (*also*: *be ~d of*) comprendre; (*constitute*) constituer, représenter
compromise ['kɒmprəmaɪz] *n* compromis *m* ◆ *vt* compromettre ◆ *vi* transiger, accepter un compromis
compulsion [kəm'pʌlʃən] *n* contrainte *f*, force *f*
compulsive [kəm'pʌlsɪv] *adj* (*PSYCH*) compulsif(ive); (*book, film etc*) captivant(e)
compulsory [kəm'pʌlsərɪ] *adj* obligatoire
computer [kəm'pju:tə*] *n* ordinateur *m*; **~ game** *n* jeu *m* vidéo; **~ize** *vt* informatiser; **~ programmer** *n* programmeur(euse); **~ programming** *n* programmation *f*; **~ science** *n* informatique *f*; **computing** *n* = **~ science**
comrade ['kɒmrɪd] *n* camarade *m/f*
con [kɒn] *vt* duper; (*cheat*) escroquer ◆ *n* escroquerie *f*
conceal [kən'si:l] *vt* cacher, dissimuler
conceit [kən'si:t] *n* vanité *f*, suffisance *f*, prétention *f*; **~ed** *adj* vaniteux(euse), suffisant(e)
conceive [kən'si:v] *vt, vi* concevoir
concentrate ['kɒnsəntreɪt] *vi* se concentrer ◆ *vt* concentrer
concentration [kɒnsən'treɪʃən] *n* concentration *f*; **~ camp** *n* camp *m* de concentration
concept ['kɒnsept] *n* concept *m*
concern [kən'sɜ:n] *n* affaire *f*; (*COMM*) entreprise *f*, firme *f*; (*anxiety*) inquiétude *f*, souci *m* ◆ *vt* concerner; **to be ~ed (about)** s'inquiéter (de), être inquiet(e) (au sujet de); **~ing** *prep* en ce qui concerne, à propos de
concert ['kɒnsət] *n* concert *m*; **~ed** *adj* concerté(e); **~ hall** *n* salle *f* de concert
concerto [kən'tʃɜ:təu] *n* concerto *m*
concession [kən'seʃən] *n* concession *f*; **tax ~** dégrèvement fiscal
conclude [kən'klu:d] *vt* conclure; **conclusion** [kən'klu:ʒən] *n* conclusion *f*; **conclusive** [kən'klu:sɪv] *adj* concluant(e), définitif(ive)
concoct [kən'kɒkt] *vt* confectionner, composer; (*fig*) inventer; **~ion** [kən'kɒkʃən] *n* mélange *m*
concourse ['kɒŋkɔ:s] *n* (*hall*) hall *m*, salle *f* des pas perdus
concrete ['kɒŋkri:t] *n* béton *m* ◆ *adj* concret(ète); (*floor etc*) en béton
concur [kən'kɜ:*] *vi* (*agree*) être d'accord
concurrently [kən'kʌrəntlɪ] *adv* simultanément
concussion [kɒn'kʌʃən] *n* (*MED*) commotion (cérébrale)
condemn [kən'dem] *vt* condamner
condensation [kɒnden'seɪʃən] *n* condensation *f*
condense [kən'dens] *vi* se condenser ◆ *vt* condenser; **~d milk** *n* lait concentré (sucré)
condition [kən'dɪʃən] *n* condition *f*; (*MED*) état *m* ◆ *vt* déterminer, conditionner; **on ~ that** à condition que +*sub*, à condition de; **~al** *adj* conditionnel(le); **~er** *n* (*for hair*) baume après-shampooing *m*; (*for fabrics*) assouplissant *m*
condolences [kən'dəulənsɪz] *npl* condoléances *fpl*
condom ['kɒndəm] *n* préservatif *m*
condominium [kɒndə'mɪnɪəm] (*US*) *n* (*building*) immeuble *m* (en copropriété)
condone [kən'dəun] *vt* fermer les yeux sur, approuver (tacitement)
conducive [kən'dju:sɪv] *adj*: **~ to** favorable à, qui contribue à
conduct [*n* 'kɒndʌkt, *vb* kən'dʌkt] *n*

conduite *f* ◆ *vt* conduire; (MUS) diriger; **to ~ o.s.** se conduire, se comporter; **~ed tour** *n* voyage organisé; (*of building*) visite guidée; **~or** [kən'dʌktə*] *n* (*of orchestra*) chef *m* d'orchestre; (*on bus*) receveur *m*; (*US: on train*) chef *m* de train; (ELEC) conducteur *m*; **~ress** [kən'dʌktrɪs] *n* (*on bus*) receveuse *f*

cone [kəun] *n* cône *m*; (*for ice-cream*) cornet *m*; (BOT) pomme *f* de pin, cône

confectioner [kən'fekʃənə*] *n* confiseur(euse); **~'s (shop)** *n* confiserie *f*; **~y** *n* confiserie *f*

confer [kən'fə:*] *vt*: **to ~ sth on** conférer qch à ◆ *vi* conférer, s'entretenir

conference ['kɒnfərəns] *n* conférence *f*

confess [kən'fes] *vt* confesser, avouer ◆ *vi* se confesser; **~ion** [kən'feʃən] *n* confession *f*

confetti [kən'fetɪ] *n* confettis *mpl*

confide [kən'faɪd] *vi*: **to ~ in** se confier à

confidence ['kɒnfɪdəns] *n* confiance *f*; (*also: self-~*) assurance *f*, confiance en soi; (*secret*) confidence *f*; **in ~** (*speak, write*) en confidence, confidentiellement; **~ trick** *n* escroquerie *f*; **confident** ['kɒnfɪdənt] *adj* sûr(e), assuré(e); **confidential** [kɒnfɪ'denʃəl] *adj* confidentiel(le)

confine [kən'faɪn] *vt* limiter, borner; (*shut up*) confiner, enfermer; **~d** *adj* (*space*) restreint(e), réduit(e); **~ment** *n* emprisonnement *m*, détention *f*; **~s** ['kɒnfaɪnz] *npl* confins *mpl*, bornes *fpl*

confirm [kən'fə:m] *vt* confirmer; (*appointment*) ratifier; **~ation** [kɒnfə'meɪʃən] *n* confirmation *f*; **~ed** *adj* invétéré(e), incorrigible

confiscate ['kɒnfɪskeɪt] *vt* confisquer

conflict [*n* 'kɒnflɪkt, *vb* kən'flɪkt] *n* conflit *m*, lutte *f* ◆ *vi* être *or* entrer en conflit; (*opinions*) s'opposer, se heurter; **~ing** [kən'flɪktɪŋ] *adj* contradictoire

conform [kən'fɔ:m] *vi*: **to ~ (to)** se conformer (à)

confound [kən'faund] *vt* confondre

confront [kən'frʌnt] *vt* confronter, mettre en présence; (*enemy, danger*) affronter, faire face à; **~ation** [kɒnfrən'teɪʃən] *n* confrontation *f*

confuse [kən'fju:z] *vt* (*person*) troubler; (*situation*) embrouiller; (*one thing with another*) confondre; **~d** *adj* (*person*) dérouté(e), désorienté(e); **confusing** *adj* peu clair(e), déroutant(e); **confusion** [kən'fju:ʒən] *n* confusion *f*

congeal [kən'dʒi:l] *vi* (*blood*) se coaguler; (*oil etc*) se figer

congenial [kən'dʒi:nɪəl] *adj* sympathique, agréable

congested [kən'dʒestɪd] *adj* (MED) congestionné(e); (*area*) surpeuplé(e); (*road*) bloqué(e)

congestion [kən'dʒestʃən] *n* congestion *f*; (*fig*) encombrement *m*

congratulate [kən'grætjuleɪt] *vt*: **to ~ sb (on)** féliciter qn (de); **congratulations** [kəngrætju'leɪʃənz] *npl* félicitations *fpl*

congregate ['kɒŋgrɪgeɪt] *vi* se rassembler, se réunir

congregation [kɒŋgrɪ'geɪʃən] *n* assemblée *f* (des fidèles)

congress ['kɒŋgres] *n* congrès *m*; **~man** (*irreg: US*) *n* membre *m* du Congrès

conjunction [kən'dʒʌŋkʃən] *n* (LING) conjonction *f*

conjunctivitis [kəndʒʌŋktɪ'vaɪtɪs] *n* conjonctivite *f*

conjure ['kʌndʒə*] *vi* faire des tours de passe-passe; **~ up** *vt* (*ghost, spirit*) faire apparaître; (*memories*) évoquer; **~r** *n* prestidigitateur *m*, illusionniste *m/f*

conk out [kɒŋk-] (*inf*) *vi* tomber *or* rester en panne

con man (*irreg*) *n* escroc *m*

connect [kə'nekt] *vt* joindre, relier; (ELEC) connecter; (TEL: *caller*) mettre en connection (*with* avec); (: *new subscriber*) brancher; (*fig*) établir un rapport entre, faire un rapprochement entre ◆ *vi* (*train*): **to ~ with** assurer la correspondance avec; **to be ~ed with** (*fig*) avoir un rapport avec; avoir des rapports avec, être en relation avec; **~ion** [kə'nekʃə] *n* relation *f*, lien *m*; (ELEC) connexion *f*; (*train, plane etc*) correspondance *f*; (TEL) branchement *m*, communication *f*

connive [kə'naɪv] *vi*: **to ~ at** se faire le complice de

conquer ['kɒŋkə*] *vt* conquérir; (*feelings*) vaincre, surmonter

conquest ['kɒŋkwest] *n* conquête *f*

cons [kɒnz] *npl see* **convenience; pro**

conscience ['kɒnʃəns] *n* conscience *f*; **conscientious** [kɒnʃɪ'enʃəs] *adj* consciencieux(euse)

conscious ['kɒnʃəs] *adj* conscient(e); **~ness** *n* conscience *f*; (MED) connaissance *f*

conscript ['kɒnskrɪpt] *n* conscrit *m*

consent [kən'sent] *n* consentement *m* ◆ *vi*: **to ~ (to)** consentir (à)

consequence ['kɒnsɪkwəns] *n* conséquence *f*, suites *fpl*; (*significance*) importance *f*

consequently ['kɒnsɪkwəntlɪ] *adv* par conséquent, donc

conservation [kɒnsə'veɪʃən] *n* préservation *f*, protection *f*

conservative [kən'sə:vətɪv] *adj* conservateur(trice); **at a ~ estimate** au bas mot; **C~** (BRIT) *adj, n* (POL) conservateur(trice)

conservatory [kən'sə:vətrɪ] *n* (*greenhouse*) serre *f*

conserve [kən'sə:v] *vt* conserver, préserver; (*supplies, energy*) économiser ◆ *n* confiture *f*

consider [kən'sɪdə*] *vt* (*study*) considérer, réfléchir à; (*take into account*) penser à, prendre en considération; (*regard, judge*) considérer, estimer; **to ~ doing sth** envisager de faire qch; **~able** [kən'sɪdərəbl] *adj* considérable; **~ably** *adv* nettement; **~ate** [kən'sɪdərɪt] *adj* prévenant(e), plein(e) d'égards; **~ation** [kənsɪdə'reɪʃən] *n* considération *f*; **~ing** [kən'sɪdərɪŋ] *prep* étant donné

consign [kən'saɪn] *vt* expédier; (*to sb's care*) confier; (*fig*) livrer; **~ment** *n* arrivage *m*, envoi *m*

consist [kən'sɪst] *vi*: **to ~ of** consister en, se composer de

consistency [kən'sɪstənsɪ] *n* consistance *f*; (*fig*) cohérence *f*

consistent [kən'sɪstənt] *adj* logique, cohérent(e)

consolation [kɒnsə'leɪʃən] *n* consolation *f*

console ['kɒnsəul] *n* (COMPUT) console *f*

consonant ['kɒnsənənt] *n* consonne *f*

conspicuous [kən'spɪkjuəs] *adj* voyant(e), qui attire l'attention

conspiracy [kən'spɪrəsɪ] *n* conspiration *f*, complot *m*

constable ['kʌnstəbl] (BRIT) *n* ≈ agent *m* de police, gendarme *m*; **chief ~** ≈ préfet *m* de police

constabulary [kən'stæbjulərɪ] (BRIT) *n* ≈ police *f*, gendarmerie *f*

constant ['kɒnstənt] *adj* constant(e); incessant(e); **~ly** *adv* constamment, sans cesse

constipated ['kɒnstɪpeɪtəd] *adj* constipé(e); **constipation** [kɒnstɪ'peɪʃən] *n* constipation *f*

constituency [kən'stɪtjuənsɪ] *n* circonscription électorale

constituent [kən'stɪtjuənt] *n* (POL) électeur(trice); (*part*) élément constitutif, composant *m*

constitution [kɒnstɪ'tju:ʃən] *n* constitution *f*; **~al** *adj* constitutionnel(le)

constraint [kən'streɪnt] *n* contrainte *f*

construct [kən'strʌkt] *vt* construire; **~ion** [kən'strʌkʃən] *n* construction *f*; **~ive** *adj* constructif(ive)

construe [kən'stru:] *vt* interpréter, expliquer

consul ['kɒnsl] *n* consul *m*; **~ate** ['kɒnsjulət] *n* consulat *m*

consult [kən'sʌlt] *vt* consulter; **~ant** *n* (MED) médecin consultant; (*other specialist*) consultant *m*, (expert-)conseil *m*; **~ing room** (BRIT) *n* cabinet *m* de consultation

consume [kən'sju:m] *vt* consommer; **~r** *n* consommateur(trice); **~r goods** *npl* biens *mpl* de consommation; **~r society** *n* société *f* de consommation

consummate ['kɒnsʌmeɪt] *vt* consommer

consumption [kən'sʌmpʃən] *n* consommation *f*

cont. *abbr* (= *continued*) suite

contact ['kɒntækt] *n* contact *m*; (*person*) connaissance *f*, relation *f* ◆ *vt* contacter, se mettre en contact *or* en rapport avec; **~ lenses** *npl* verres *mpl* de contact, lentilles *fpl*

contagious [kən'teɪdʒəs] *adj* contagieux(euse)

contain [kən'teɪn] *vt* contenir; **to ~ o.s.** se contenir, se maîtriser; **~er** *n* récipient *m*; (*for shipping etc*) container *m*

contaminate [kən'tæmɪneɪt] *vt* contaminer

cont'd *abbr* (= *continued*) suite

contemplate ['kɒntəmpleɪt] *vt* contempler; (*consider*) envisager

contemporary [kən'tempərərɪ] *adj* contemporain(e); (*design, wallpaper*) moderne ◆ *n* contemporain(e)

contempt [kən'tempt] *n* mépris *m*, dédain *m*; **~ of court** (LAW) outrage *m* à l'autorité de la justice; **~uous** *adj* dédaigneux(euse), méprisant(e)

contend [kən'tend] *vt*: **to ~ that** soutenir *or* prétendre que ◆ *vi*: **to ~ with** (*compete*) rivaliser avec; (*struggle*) lutter avec; **~er** *n* concurrent(e); (POL) candidat(e)

content [*adj, vb* kən'tent, *n* 'kɒntent] *adj* content(e), satisfait(e) ◆ *vt* contenter, satisfaire ◆ *n* contenu *m*; (*of fat, moisture*) teneur *f*; **~s** *npl* (*of container etc*) contenu *m*; **(table of) ~s** table *f* des matières; **~ed** *adj* content(e), satisfait(e)

contention [kən'tenʃən] *n* dispute *f*, contestation *f*; (*argument*) assertion *f*, affirmation *f*

contest [*n* 'kɒntest, *vb* kən'test] *n* combat *m*, lutte *f*; (*competition*) concours *m* ◆ *vt* (*decision, statement*) contester, discuter; (*compete for*) disputer; **~ant** [kən'testənt] *n* concurrent(e); (*in fight*) adversaire *m/f*

context ['kɒntekst] *n* contexte *m*

continent ['kɒntɪnənt] *n* continent *m*; **the C~** (BRIT) l'Europe continentale; **~al** [kɒntɪ'nentl] *adj* continental(e); **~al quilt** (BRIT) *n* couette *f*

contingency [kən'tɪndʒənsɪ] *n* éventualité *f*, événement imprévu

continual [kən'tɪnjuəl] *adj* continuel(le)

continuation [kəntɪnju'eɪʃən] *n* continuation *f*; (*after interruption*) reprise *f*; (*of story*) suite *f*

continue [kən'tɪnju:] *vi, vt* continuer; (*after interruption*) reprendre, poursuivre

continuity [kɒntɪ'nju:ɪtɪ] *n* continuité *f*; (TV *etc*) enchaînement *m*

continuous [kən'tɪnjuəs] *adj* continu(e); (LING) progressif(ive); **~ stationery** *n* papier *m* en continu

contort [kən'tɔ:t] *vt* tordre, crisper

contour ['kɒntuə*] *n* contour *m*, profil *m*; (*on map: also: ~ line*) courbe *f* de niveau

contraband ['kɒntrəbænd] *n* contrebande *f*

contraceptive [kɒntrə'septɪv] *adj* contraceptif(ive), anticonceptionnel(le) ◆ *n* contraceptif *m*

contract [*n* 'kɒntrækt, *vb* kən'trækt] *n* contrat *m* ◆ *vi* (*become smaller*) se contracter, se resserrer; (COMM): **to ~ to do sth** s'engager (par contrat) à faire qch; **~ion** [kən'trækʃən] *n* contraction *f*; **~or** [kən'træktə*] *n* entrepreneur *m*

contradict [kɒntrə'dɪkt] *vt* contredire

contraption [kən'træpʃən] (*pej*) *n* machin *m*, truc *m*

contrary[1] ['kɒntrərɪ] *adj* contraire, opposé(e) ◆ *n* contraire *m*; **on the ~** au contraire; **unless you hear to the ~** sauf avis contraire

contrary[2] [kən'treərɪ] *adj* (*perverse*) contrariant(e), entêté(e)

contrast [*n* 'kɒntrɑ:st, *vb* kən'trɑ:st] *n* contraste *m* ◆ *vt* mettre en contraste, contraster; **in ~ to** *or* **with** contrairement à

contravene [kɒntrə'vi:n] *vt* enfreindre, violer, contrevenir à

contribute [kən'trɪbju:t] *vi* contribuer ◆ *vt*: **to ~ £10/an article to** donner 10 livres/un article à; **to ~ to** contribuer à; (*newspaper*) collaborer à; **contribution** [kɒntrɪ'bju:ʃən] *n* contribution *f*; **contributor** [kən'trɪbjutə*] *n* (*to newspaper*) collaborateur(trice)

contrive [kən'traɪv] *vi*: **to ~ to do** s'arranger pour faire, trouver le moyen de faire

control [kən'trəul] *vt* maîtriser, commander; (*check*) contrôler ◆ *n* contrôle *m*, autorité *f*; maîtrise *f*; **~s** *npl* (*of machine etc*) commandes *fpl*; (*on radio, TV*) boutons *mpl* de réglage; **everything is under ~** tout va bien, j'ai (*or* il a *etc*) la situation en main; **to be in ~ of** être maître de, maîtriser; **the car went out of ~** j'ai (*or* il a *etc*) perdu le contrôle du véhicule; **~ panel** *n* tableau *m* de commande; **~ room** *n* salle *f* des commandes; **~ tower** *n* (AVIAT) tour *f* de contrôle

controversial [kɒntrə'və:ʃəl] *adj* (*topic*) discutable, controversé(e); (*person*) qui fait beaucoup parler de lui; **controversy** ['kɒntrəvə:sɪ] *n* controverse *f*, polémique *f*

convalesce [kɒnvə'les] *vi* relever de maladie, se remettre (d'une maladie)

convector [kən'vektə*] *n* (*heater*) radiateur *m* (à convexion)

convene [kən'vi:n] *vt* convoquer, assembler ◆ *vi* se réunir, s'assembler

convenience [kən'vi:nɪəns] *n* commodité *f*; **at your ~** quand *or* comme cela vous convient; **all modern ~s,** (BRIT) **all mod cons** avec tout le confort moderne, tout confort

convenient [kən'vi:nɪənt] *adj* commode

convent ['kɒnvənt] *n* couvent *m*

convention [kən'venʃən] *n* convention *f*; **~al** *adj* conventionnel(le)

conversant [kən'və:sənt] *adj*: **to be ~ with** s'y connaître en; être au courant de

conversation [kɒnvə'seɪʃən] *n* conversation *f*

converse [*n* 'kɒnvə:s, *vb* kən'və:s] *n* contraire *m*, inverse *m* ◆ *vi* s'entretenir; **~ly** [kɒn'və:slɪ] *adv* inversement, réciproquement

convert [*vb* kən'və:t, *n* 'kɒnvə:t] *vt* (REL, COMM) convertir; (*alter*) transformer; (*house*) aménager ◆ *n* converti(e); **~ible** *n* (voiture *f*) décapotable *f*

convey [kən'veɪ] *vt* transporter; (*thanks*) transmettre; (*idea*) communiquer; **~or belt** *n* convoyeur *m*, tapis roulant

convict [*vb* kən'vɪkt, *n* 'kɒnvɪkt] *vt* déclarer (*or* reconnaître) coupable ◆ *n* forçat *m*, détenu *m*; **~ion** [kən'vɪkʃən] *n* (LAW) condamnation *f*; (*belief*) conviction *f*

convince [kən'vɪns] *vt* convaincre, persuader; **convincing** *adj* persuasif(ive), convaincant(e)

convoluted [kɒnvə'lu:tɪd] *adj* (*argument*) compliqué(e)

convulse [kən'vʌls] *vt*: **to be ~d with laughter/pain** se tordre de rire/douleur

coo [ku:] *vi* roucouler

cook [kuk] *vt* (faire) cuire ◆ *vi* cuire; (*person*) faire la cuisine ◆ *n* cuisinier(ière); **~book** *n* livre *m* de cuisine; **~er** *n* cuisinière *f*; **~ery** *n* cuisine *f*; **~ery book** (BRIT) *n* = **cookbook**; **~ie** (US) *n* biscuit *m*, petit gâteau sec; **~ing** *n* cuisine *f*

cool [ku:l] *adj* frais(fraîche); (*calm, unemotional*) calme; (*unfriendly*) froid(e) ◆ *vt, vi* rafraîchir, refroidir

coop [ku:p] *n* poulailler *m*; (*for rabbits*) clapier *m* ◆ *vt*: **to ~ up** (*fig*) cloîtrer, enfermer

cooperate [kəu'ɒpəreɪt] *vi* coopérer, collaborer; **cooperation** [kəuɒpə'reɪʃən] *n* coopération *f*, collaboration *f*; **cooperative** [kəu'ɒpərətɪv] *adj* coopératif(ive) ◆ *n* coopérative *f*

coordinate [*vb* kəu'ɔ:dɪneɪt, *n* kəu'ɔ:dɪnət] *vt* coordonner ◆ *n* (MATH) coordonnée *f*; **~s** *npl* (*clothes*) ensemble *m*, coordonnés *mpl*

co-ownership ['kəu'əunəʃɪp] *n* co-propriété *f*

cop [kɒp] (*inf*) *n* flic *m*

cope [kəup] *vi*: **to ~ with** faire face à; (*solve*) venir à bout de

copper ['kɒpə*] *n* cuivre *m*; (BRIT: *inf: policeman*) flic *m*; **~s** *npl* (*coins*) petite monnaie; **~ sulphate** *n* sulfate *m* de cuivre

copy ['kɒpɪ] *n* copie *f*; (*of book etc*) exemplaire *m* ◆ *vt* copier; **~right** *n* droit *m* d'auteur, copyright *m*

coral ['kɒrəl] *n* corail *m*; **~ reef** *n* récif *m* de corail

cord [kɔ:d] *n* corde *f*; (*fabric*) velours côtelé; (ELEC) cordon *m*, fil *m*

cordial ['kɔ:dɪəl] *adj* cordial(e), chaleureux(euse) ◆ *n* cordial *m*

cordon ['kɔ:dn] *n* cordon *m*; **~ off** *vt* boucler (*par cordon de police*)

corduroy ['kɔ:dərɔɪ] *n* velours côtelé

core [kɔ:*] *n* noyau *m*; (*of fruit*) trognon *m*, cœur *m*; (*of building, problem*) cœur ◆ *vt* enlever le trognon *or* le cœur de

cork [kɔ:k] *n* liège *m*; (*of bottle*) bouchon *m*; **~screw** *n* tire-bouchon *m*

corn [kɔ:n] *n* (BRIT: *wheat*) blé *m*; (US: *maize*) maïs *m*; (*on foot*) cor *m*; **~ on the cob** (CULIN) épi *m* de maïs; **~ed beef** ['kɔ:nd-] *n* corned-beef *m*

corner ['kɔ:nə*] *n* coin *m*; (AUT) tournant *m*, virage *m*; (FOOTBALL: *also: ~ kick*) corner *m* ◆ *vt* acculer, mettre au pied du mur; coincer; (COMM: *market*) accaparer ◆ *vi* prendre un virage; **~stone** *n* pierre *f* angulaire

cornet ['kɔ:nɪt] *n* (MUS) cornet *m* à pistons; (BRIT: *of ice-cream*) cornet (de glace)

cornflakes ['kɔ:nfleɪks] *npl* corn-flakes *mpl*

cornflour ['kɔ:nflauə*] (BRIT), **cornstarch** (US) ['kɔ:nstɑ:tʃ] *n* farine *f* de maïs, maïzena *f* (®)

Cornwall ['kɔ:nwəl] *n* Cornouailles *f*

corny ['kɔ:nɪ] (*inf*) *adj* rebattu(e)

coronary ['kɒrənərɪ] *n* (*also: ~ thrombosis*) infarctus *m* (du myocarde), thrombose *f* coronarienne

coronation [kɒrə'neɪʃən] *n* couronnement *m*

coroner ['kɒrənə*] *n* *officiel chargé de déterminer les causes d'un décès*

corporal ['kɔ:pərəl] *n* caporal *m*, brigadier *m* ◆ *adj*: **~ punishment** châtiment corporel

corporate ['kɔ:pərɪt] *adj* en commun, collectif(ive); (COMM) de l'entreprise

corporation [kɔ:pə'reɪʃən] *n* (*of town*) municipalité *f*, conseil municipal; (COMM) société *f*

corps [kɔ:*, *pl* kɔ:z] (*pl* **corps**) *n* corps *m*

corpse [kɔ:ps] *n* cadavre *m*

correct [kə'rekt] *adj* (*accurate*) correct(e), exact(e); (*proper*) correct, convenable ◆ *vt* corriger; **~ion** [kə'rekʃən] *n* correction *f*

correspond [kɒrɪs'pɒnd] *vi* correspondre; **~ence** *n* correspondance *f*; **~ence course** *n* cours *m* par correspondance; **~ent** *n* correspondant(e)

corridor ['kɒrɪdɔ:*] *n* couloir *m*, corridor *m*

corrode [kə'rəud] *vt* corroder, ronger ◆ *vi* se corroder

corrugated ['kɒrəgeɪtɪd] *adj* plissé(e);

ondulé(e); ~ **iron** *n* tôle ondulée
corrupt [kə'rʌpt] *adj* corrompu(e) ◆ *vt* corrompre; ~**ion** [kə'rʌpʃən] *n* corruption *f*
Corsica ['kɔːsɪkə] *n* Corse *f*
cosmetic [kɒz'metɪk] *n* produit *m* de beauté, cosmétique *m*
cosset ['kɒsɪt] *vt* choyer, dorloter
cost [kɒst] (*pt, pp* **cost**) *n* coût *m* ◆ *vi* coûter ◆ *vt* établir *or* calculer le prix de revient de; ~**s** *npl* (COMM) frais *mpl*; (LAW) dépens *mpl*; **it** ~**s £5/too much** cela coûte cinq livres/c'est trop cher; **at all** ~**s** coûte que coûte, à tout prix
co-star ['kəustɑː*] *n* partenaire *m/f*
cost-effective ['kɒstɪ'fektɪv] *adj* rentable
costly ['kɒstlɪ] *adj* coûteux(euse)
cost-of-living ['kɒstəv'lɪvɪŋ] *adj*: ~ **allowance** indemnité *f* de vie chère; ~ **index** index *m* du coût de la vie
cost price (BRIT) *n* prix coûtant *or* de revient
costume ['kɒstjuːm] *n* costume *m*; (*lady's suit*) tailleur *m*; (BRIT: *also*: *swimming* ~) maillot *m* (de bain); ~ **jewellery** *n* bijoux *mpl* fantaisie
cosy ['kəuzɪ] (US **cozy**) *adj* douillet(te); (*person*) à l'aise, au chaud
cot [kɒt] *n* (BRIT: *child's*) lit *m* d'enfant, petit lit; (US: *campbed*) lit de camp
cottage ['kɒtɪdʒ] *n* petite maison (à la campagne), cottage *m*; ~ **cheese** *n* fromage blanc (*maigre*)
cotton ['kɒtn] *n* coton *m*; ~ **on** (*inf*) *vi*: **to** ~ **on to** piger; ~ **candy** (US) *n* barbe *f* à papa; ~ **wool** (BRIT) *n* ouate *f*, coton *m* hydrophile
couch [kautʃ] *n* canapé *m*; divan *m*
couchette [kuː'ʃet] *n* couchette *f*
cough [kɒf] *vi* tousser ◆ *n* toux *f*; ~ **drop** *n* pastille *f* pour *or* contre la toux
could [kud] *pt of* **can²**; ~**n't** = **could not**
council ['kaunsl] *n* conseil *m*; **city** *or* **town** ~ conseil municipal; ~ **estate** (BRIT) *n* (zone *f* de) logements loués à/par la municipalité; ~ **house** (BRIT) *n* maison *m* (à loyer modéré) louée par la municipalité; ~**lor** ['kaunsɪlə*] *n* conseiller(ère)
counsel ['kaunsl] *n* (*lawyer*) avocat(e); (*advice*) conseil *m*, consultation *f*; ~**lor** *n* conseiller(ère); (US: *lawyer*) avocat(e)
count [kaunt] *vt, vi* compter ◆ *n* compte *m*; (*nobleman*) comte *m*; ~ **on** *vt fus* compter sur; ~**down** *n* compte *m* à rebours
countenance ['kauntɪnəns] *n* expression *f* ◆ *vt* approuver
counter ['kauntə*] *n* comptoir *m*; (*in post office, bank*) guichet *m*; (*in game*) jeton *m* ◆ *vt* aller à l'encontre de, opposer ◆ *adv*: ~ **to** contrairement à; ~**act** [kauntə'rækt] *vt* neutraliser, contrebalancer; ~**feit** ['kauntəfiːt] *n* faux *m*, contrefaçon *f* ◆ *vt* contrefaire ◆ *adj* faux(fausse); ~**foil** ['kauntəfɔɪl] *n* talon *m*, souche *f*; ~**mand** ['kauntəmɑːnd] *vt* annuler; ~**part** ['kauntəpɑːt] *n* (*of person etc*) homologue *m/f*
countess ['kauntɪs] *n* comtesse *f*
countless ['kauntlɪs] *adj* innombrable
country ['kʌntrɪ] *n* pays *m*; (*native land*) patrie *f*; (*as opposed to town*) campagne *f*; (*region*) région *f*, pays; ~ **dancing** (BRIT) *n* danse *f* folklorique; ~ **house** *n* manoir *m*, (petit) château; ~**man** (*irreg*) *n* (*compatriot*) compatriote *m*; (*country dweller*) habitant *m* de la campagne, campagnard *m*; ~**side** *n* campagne *f*
county ['kauntɪ] *n* comté *m*
coup [kuː] (*pl* ~**s**) *n* beau coup; (*also*: ~ *d'état*) coup d'État
couple ['kʌpl] *n* couple *m*; **a** ~ **of** deux; (*a few*) quelques
coupon ['kuːpɒn] *n* coupon *m*, bon-prime *m*, bon-réclame *m*; (COMM) coupon
courage ['kʌrɪdʒ] *n* courage *m*
courier ['kurɪə*] *n* messager *m*, courrier *m*; (*for tourists*) accompagnateur(trice), guide *m/f*
course [kɔːs] *n* cours *m*; (*of ship*) route *f*; (*for golf*) terrain *m*; (*part of meal*) plat *m*; **first** ~ entrée *f*; **of** ~ bien sûr; ~ **of action** parti *m*, ligne *f* de conduite; ~ **of treatment** (MED) traitement *m*
court [kɔːt] *n* cour *f*; (LAW) cour, tribunal *m*; (TENNIS) court *m* ◆ *vt* (*woman*) courtiser, faire la cour à; **to take to** ~ actionner *or* poursuivre en justice
courteous ['kɜːtɪəs] *adj* courtois(e), poli(e)
courtesy ['kɜːtəsɪ] *n* courtoisie *f*, politesse *f*; **(by)** ~ **of** avec l'aimable autorisation de
court: ~**-house** ['kɔːthaus] (US) *n* palais *m* de justice; ~**ier** ['kɔːtɪə*] *n* courtisan *m*, dame *f* de la cour; ~ **martial** (*pl* ~**s martial**) *n* cour martiale, conseil *m* de guerre; ~**room** ['kɔːtrum] *n* salle *f* de tribunal; ~**yard** ['kɔːtjɑːd] *n* cour *f*
cousin ['kʌzn] *n* cousin(e); **first** ~ cousin(e) germain(e)
cove [kəuv] *n* petite baie, anse *f*
covenant ['kʌvənənt] *n* engagement *m*
cover ['kʌvə*] *vt* couvrir ◆ *n* couverture *f*; (*of pan*) couvercle *m*; (*over furniture*) housse *f*; (*shelter*) abri *m*; **to take** ~ se mettre à l'abri; **under** ~ à l'abri; **under** ~ **of darkness** à la faveur de la nuit; **under separate** ~ (COMM) sous pli séparé; **to** ~ **up for sb** couvrir qn; ~**age** *n* (TV, PRESS) reportage *m*; ~ **charge** *n* couvert *m* (*supplément à payer*); ~**ing** *n* couche *f*; ~**ing letter** (US ~ **letter**) *n* lettre explicative; ~ **note** *n* (INSURANCE) police *f* provisoire
covert ['kʌvət] *adj* (*threat*) voilé(e), caché(e); (*glance*) furtif(ive)
cover-up ['kʌvərʌp] *n* tentative *f* pour étouffer une affaire
covet ['kʌvɪt] *vt* convoiter
cow [kau] *n* vache *f* ◆ *vt* effrayer, intimider
coward ['kauəd] *n* lâche *m/f*; ~**ice** ['kauədɪs] *n* lâcheté *f*; ~**ly** *adj* lâche
cowboy ['kaubɔɪ] *n* cow-boy *m*
cower ['kauə*] *vi* se recroqueviller
coy [kɔɪ] *adj* faussement effarouché(e) *or* timide
cozy ['kəuzɪ] (US) *adj* = **cosy**
CPA (US) *n abbr* = **certified public accountant**
crab [kræb] *n* crabe *m*; ~ **apple** *n* pomme *f* sauvage
crack [kræk] *n* fente *f*, fissure *f*; fêlure *f*; lézarde *f*; (*noise*) craquement *m*, coup (sec); (*drug*) crack *m* ◆ *vt* fendre, fissurer; fêler; lézarder; (*whip*) faire claquer; (*nut*) casser; (*code*) déchiffrer; (*problem*) résoudre ◆ *adj* (*athlete*) de première classe, d'élite; ~ **down on** *vt fus* mettre un frein à; ~ **up** *vi* être au bout du rouleau, s'effondrer; ~**er** *n* (*Christmas* ~*er*) pétard *m*; (*biscuit*) biscuit (salé)
crackle ['krækl] *vi* crépiter, grésiller
cradle ['kreɪdl] *n* berceau *m*
craft [krɑːft] *n* métier (artisanal); (*pl inv*: *boat*) embarcation *f*, barque *f*; (: *plane*) appareil *m*; ~**sman** (*irreg*) *n* artisan *m*, ouvrier (qualifié); ~**smanship** *n* travail *m*; ~**y** *adj* rusé(e), malin(igne)
crag [kræg] *n* rocher escarpé
cram [kræm] *vt* (*fill*): **to** ~ **sth with** bourrer qch de; (*put*): **to** ~ **sth into** fourrer qch dans ◆ *vi* (*for exams*) bachoter
cramp [kræmp] *n* crampe *f* ◆ *vt* gêner, entraver; ~**ed** *adj* à l'étroit, très serré(e)
cranberry ['krænbərɪ] *n* canneberge *f*
crane [kreɪn] *n* grue *f*
crank [kræŋk] *n* manivelle *f*; (*person*) excentrique *m/f*; ~**shaft** *n* vilebrequin *m*
cranny ['krænɪ] *n see* **nook**
crash [kræʃ] *n* fracas *m*; (*of car*) collision *f*; (*of plane*) accident *m* ◆ *vt* avoir un accident avec ◆ *vi* (*plane*) s'écraser; (*two cars*) se percuter, s'emboutir; (COMM) s'effondrer; **to** ~ **into** se jeter *or* se fracasser contre; ~ **course** *n* cours intensif; ~ **helmet** *n* casque (protecteur); ~ **landing** *n* atterrissage forcé *or* en catastrophe
crate [kreɪt] *n* cageot *m*; (*for bottles*) caisse *f*
cravat(e) [krə'væt] *n* foulard (noué autour du cou)
crave [kreɪv] *vt, vi*: **to** ~ **(for)** avoir une envie irrésistible de
crawl [krɔːl] *vi* ramper; (*vehicle*) avancer au pas ◆ *n* (SWIMMING) crawl *m*
crayfish ['kreɪfɪʃ] *n inv* (*freshwater*) écrevisse *f*; (*saltwater*) langoustine *f*
crayon ['kreɪən] *n* crayon *m* (de couleur)
craze [kreɪz] *n* engouement *m*
crazy ['kreɪzɪ] *adj* fou(folle)
creak [kriːk] *vi* grincer; craquer
cream [kriːm] *n* crème *f* ◆ *adj* (*colour*) crème *inv*; ~ **cake** *n* (petit) gâteau à la crème; ~ **cheese** *n* fromage *m* à la crème, fromage blanc; ~**y** *adj* crémeux(euse)
crease [kriːs] *n* pli *m* ◆ *vt* froisser, chiffonner ◆ *vi* se froisser, se chiffonner
create [kriː'eɪt] *vt* créer; **creation** [kriː'eɪʃən] *n* création *f*; **creative** [kriː'eɪtɪv] *adj* (*artistic*) créatif(ive); (*ingenious*) ingénieux(euse)
creature ['kriːtʃə*] *n* créature *f*
crèche [kreʃ] *n* garderie *f*, crèche *f*
credence ['kriːdəns] *n*: **to lend** *or* **give** ~ **to** ajouter foi à
credentials [krɪ'denʃəlz] *npl* (*references*) références *fpl*; (*papers of identity*) pièce *f* d'identité
credit ['kredɪt] *n* crédit *m*; (*recognition*) honneur *m* ◆ *vt* (COMM) créditer; (*believe*: *also*: *give* ~ *to*) ajouter foi à, croire; ~**s** *npl* (CINEMA, TV) générique *m*; **to be in** ~ (*person, bank account*) être créditeur(trice); **to** ~ **sb with** (*fig*) prêter *or* attribuer à qn; ~ **card** *n* carte *f* de crédit; ~**or** *n* créancier(ière)
creed [kriːd] *n* croyance *f*; credo *m*
creek [kriːk] *n* crique *f*, anse *f*; (US: *stream*) ruisseau *m*, petit cours d'eau
creep [kriːp] (*pt, pp* **crept**) *vi* ramper; ~**er** *n* plante grimpante; ~**y** *adj* (*frightening*) qui fait frissonner, qui donne la chair de poule
cremate [krɪ'meɪt] *vt* incinérer
crematorium [kremə'tɔːrɪəm] (*pl* ~**ia**) *n* four *m* crématoire
crêpe [kreɪp] *n* crêpe *m*; ~ **bandage** (BRIT) *n* bande *f* Velpeau (®)
crept [krept] *pt, pp of* **creep**
crescent ['kresnt] *n* croissant *m*; (*street*) rue *f* (*en arc de cercle*)
cress [kres] *n* cresson *m*
crest [krest] *n* crête *f*; ~**fallen** *adj* déconfit(e), découragé(e)
crevice ['krevɪs] *n* fissure *f*, lézarde *f*, fente *f*
crew [kruː] *n* équipage *m*; (CINEMA) équipe *f*; ~**-cut** *n*: **to have a** ~**-cut** avoir les cheveux en brosse; ~**-neck** *n* col ras du cou
crib [krɪb] *n* lit *m* d'enfant; (*for baby*) berceau *m* ◆ *vt* (*inf*) copier
crick [krɪk] *n*: ~ **in the neck** torticolis *m*; ~ **in the back** tour *m* de reins
cricket ['krɪkɪt] *n* (*insect*) grillon *m*, cri-cri *m inv*; (*game*) cricket *m*
crime [kraɪm] *n* crime *m*; **criminal** ['krɪmɪnl] *adj, n* criminel(le)
crimson ['krɪmzn] *adj* cramoisi(e)
cringe [krɪndʒ] *vi* avoir un mouvement de recul
crinkle ['krɪŋkl] *vt* froisser, chiffonner
cripple ['krɪpl] *n* boiteux(euse), infirme *m/f* ◆ *vt* estropier
crisis ['kraɪsɪs] (*pl* **crises**) *n* crise *f*
crisp [krɪsp] *adj* croquant(e); (*weather*) vif(vive); (*manner etc*) brusque; ~**s** (BRIT) *npl* (pommes) chips *fpl*
crisscross ['krɪskrɒs] *adj* entrecroisé(e)
criterion [kraɪ'tɪərɪən] (*pl* ~**ia**) *n* critère *m*
critic ['krɪtɪk] *n* critique *m*; ~**al** *adj* critique; ~**ally** *adv* (*examine*) d'un œil critique; (*speak etc*) sévèrement; ~**ally ill** gravement malade; ~**ism** ['krɪtɪsɪzəm] *n* critique *f*; ~**ize** ['krɪtɪsaɪz] *vt* critiquer
croak [krəuk] *vi* (*frog*) coasser; (*raven*) croasser; (*person*) parler d'une voix rauque
Croatia [krəu'eːʃə] *n* Croatie *f*
crochet ['krəuʃeɪ] *n* travail *m* au crochet
crockery ['krɒkərɪ] *n* vaisselle *f*
crocodile ['krɒkədaɪl] *n* crocodile *m*
crocus ['krəukəs] *n* crocus *m*
croft [krɒft] (BRIT) *n* petite ferme
crony ['krəunɪ] (*inf*: *pej*) *n* copain(copine)
crook [kruk] *n* escroc *m*; (*of shepherd*) houlette *f*; ~**ed** ['krukɪd] *adj* courbé(e), tordu(e); (*action*) malhonnête
crop [krɒp] *n* (*produce*) culture *f*; (*amount produced*) récolte *f*; (*riding* ~) cravache *f* ◆ *vt* (*hair*) tondre; ~ **up** *vi* surgir, se présenter, survenir
cross [krɒs] *n* croix *f*; (BIO *etc*) croisement *m* ◆ *vt* (*street etc*) traverser; (*arms, legs,* BIO) croiser; (*cheque*) barrer ◆ *adj* en colère, fâché(e); ~ **out** *vt* barrer, biffer; ~ **over** *vi* traverser; ~**bar** *n* barre (transversale); ~**-country (race)** *n* cross(-country) *m*; ~**-examine** *vt* (LAW) faire subir un examen contradictoire à; ~**-eyed** *adj* qui louche; ~**fire** *n* feux croisés; ~**ing** *n* (*sea passage*) traversée *f*; (*also*: *pedestrian* ~*ing*) passage clouté; ~**ing guard** (US) *n contractuel(le) qui fait traverser la rue aux enfants*; ~ **purposes** *npl*: **to be at** ~ **purposes with sb** comprendre qn de travers; ~**-reference** *n* renvoi *m*, référence *f*; ~**roads** *n* carrefour *m*; ~ **section** *n* (*of object*) coupe transversale; (*in population*) échantillon *m*; ~**walk** (US) *n* passage clouté; ~**wind** *n* vent *m* de travers; ~**word** *n* mots croisés *mpl*
crotch [krɒtʃ] *n* (ANAT, *of garment*) entre-jambes *m inv*
crouch [krautʃ] *vi* s'accroupir; se tapir
crow [krəu] *n* (*bird*) corneille *f*; (*of cock*) chant *m* du coq, cocorico *m* ◆ *vi* (*cock*) chanter
crowbar ['krəubɑː*] *n* levier *m*
crowd [kraud] *n* foule *f* ◆ *vt* remplir ◆ *vi* affluer, s'attrouper, s'entasser; **to** ~ **in** entrer en foule; ~**ed** *adj* bondé(e), plein(e)
crown [kraun] *n* couronne *f*; (*of head*) sommet *m* de la tête; (*of hill*) sommet ◆ *vt* couronner; ~ **jewels** *npl* joyaux *mpl* de la Couronne; ~ **prince** *n* prince héritier
crow's-feet ['krəuzfiːt] *npl* pattes *fpl* d'oie
crucial ['kruːʃəl] *adj* crucial(e), décisif(ive)
crucifix ['kruːsɪfɪks] *n* (REL) crucifix *m*; ~**ion** [kruːsɪ'fɪkʃən] *n* (REL) crucifixion *f*
crude [kruːd] *adj* (*materials*) brut(e); non raffiné(e); (*fig*: *basic*) rudimentaire, sommaire; (: *vulgar*) cru(e), grossier(ère); ~ **(oil)** *n* (pétrole) brut *m*
cruel ['kruəl] *adj* cruel(le); ~**ty** *n* cruauté *f*
cruise [kruːz] *n* croisière *f* ◆ *vi* (*ship*) croiser; (*car*) rouler; ~**r** *n* croiseur *m*; (*motorboat*) yacht *m* de croisière
crumb [krʌm] *n* miette *f*
crumble ['krʌmbl] *vt* émietter ◆ *vi* (*plaster etc*) s'effriter; (*land, earth*) s'ébouler; (*building*) s'écrouler, crouler; (*fig*) s'effondrer; **crumbly** ['krʌmblɪ] *adj* friable
crumpet ['krʌmpɪt] *n* petite crêpe (épaisse)
crumple ['krʌmpl] *vt* froisser, friper
crunch [krʌntʃ] *vt* croquer; (*underfoot*) faire craquer *or* crisser, écraser ◆ *n* (*fig*) instant *m or* moment *m* critique, moment de vérité; ~**y** *adj* croquant(e), croustillant(e)
crusade [kruː'seɪd] *n* croisade *f*
crush [krʌʃ] *n* foule *f*, cohue *f*; (*love*): **to have a** ~ **on sb** avoir le béguin pour qn (*inf*); (*drink*): **lemon** ~ citron pressé ◆ *vt* écraser; (*crumple*) froisser; (*fig*: *hopes*) anéantir
crust [krʌst] *n* croûte *f*
crutch [krʌtʃ] *n* béquille *f*
crux [krʌks] *n* point crucial
cry [kraɪ] *vi* pleurer; (*shout*: *also*: ~ *out*) crier ◆ *n* cri *m*; ~ **off** (*inf*) *vi* se dédire; se décommander
cryptic ['krɪptɪk] *adj* énigmatique
crystal ['krɪstl] *n* cristal *m*; ~**-clear** *adj* clair(e) comme de l'eau de roche
cub [kʌb] *n* petit *m* (*d'un animal*); (*also*: *C*~ *scout*) louveteau *m*
Cuba ['kjuːbə] *n* Cuba *m*
cubbyhole ['kʌbɪhəul] *n* cagibi *m*
cube [kjuːb] *n* cube *m* ◆ *vt* (MATH) élever au cube; **cubic** ['kjuːbɪk] *adj* cubique; **cubic metre** *etc* mètre *m etc* cube; **cubic capacity** *n* cylindrée *f*
cubicle ['kjuːbɪkl] *n* (*in hospital*) box *m*; (*at pool*) cabine *f*
cuckoo ['kukuː] *n* coucou *m*; ~ **clock** *n* (pendule *f* à) coucou *m*
cucumber ['kjuːkʌmbə*] *n* concombre *m*
cuddle ['kʌdl] *vt* câliner, caresser ◆ *vi* se blottir l'un contre l'autre
cue [kjuː] *n* (*snooker* ~) queue *f* de billard; (THEATRE *etc*) signal *m*
cuff [kʌf] *n* (BRIT: *of shirt, coat etc*) poignet *m*, manchette *f*; (US: *of trousers*) revers *m*; (*blow*) tape *f*; **off the** ~ à l'improviste; ~ **links** *npl* boutons *mpl* de manchette
cul-de-sac ['kʌldəsæk] *n* cul-de-sac *m*, impasse *f*
cull [kʌl] *vt* sélectionner ◆ *n* (*of animals*) massacre *m*
culminate ['kʌlmɪneɪt] *vi*: **to** ~ **in** finir *or* se terminer par; (*end in*) mener à; **culmination** [kʌlmɪ'neɪʃən] *n* point culminant
culottes [kju'lɒts] *npl* jupe-culotte *f*
culprit ['kʌlprɪt] *n* coupable *m/f*
cult [kʌlt] *n* culte *m*
cultivate ['kʌltɪveɪt] *vt* cultiver; **cultivation** [kʌltɪ'veɪʃən] *n* culture *f*
cultural ['kʌltʃərəl] *adj* culturel(le)
culture ['kʌltʃə*] *n* culture *f*; ~**d** *adj* (*person*) cultivé(e)
cumbersome ['kʌmbəsəm] *adj* encombrant(e), embarrassant(e)
cunning ['kʌnɪŋ] *n* ruse *f*, astuce *f* ◆ *adj* rusé(e), malin(igne); (*device, idea*) astucieux(euse)
cup [kʌp] *n* tasse *f*; (*as prize*) coupe *f*; (*of bra*) bonnet *m*
cupboard ['kʌbəd] *n* armoire *f*; (*built-in*) placard *m*
cup tie (BRIT) *n* match *m* de coupe
curate ['kjuərɪt] *n* vicaire *m*
curator [kju'reɪtə*] *n* conservateur *m* (*d'un musée etc*)
curb [kɜːb] *vt* refréner, mettre un frein à ◆ *n* (*fig*) frein *m*, restriction *f*; (US: *kerb*) bord *m* du trottoir
curdle ['kɜːdl] *vi* se cailler
cure [kjuə*] *vt* guérir; (CULIN: *salt*) saler; (: *smoke*) fumer; (: *dry*) sécher ◆ *n* remède *m*
curfew ['kɜːfjuː] *n* couvre-feu *m*
curio ['kjuərɪəu] *n* bibelot *m*, curiosité *f*
curiosity [kjuərɪ'ɒsɪtɪ] *n* curiosité *f*
curious ['kjuərɪəs] *adj* curieux(euse)
curl [kɜːl] *n* boucle *f* (de cheveux) ◆ *vt, vi* boucler; (*tightly*) friser; ~ **up** *vi* s'enrouler; se pelotonner; ~**er** *n* bigoudi *m*, rouleau *m*; ~**y** *adj* bouclé(e); frisé(e)
currant ['kʌrənt] *n* (*dried*) raisin *m* de Corinthe, raisin sec; (*bush*) groseiller *m*; (*fruit*) groseille *f*
currency ['kʌrənsɪ] *n* monnaie *f*; **to gain** ~ (*fig*) s'accréditer
current ['kʌrənt] *n* courant *m* ◆ *adj* courant(e); ~ **account** (BRIT) *n* compte courant; ~ **affairs** *npl* (questions *fpl* d')actualité *f*; ~**ly** *adv* actuellement
curriculum [kə'rɪkjuləm] (*pl* ~**s** *or* **curricula**) *n* programme *m* d'études; ~ **vitae** *n* curriculum vitae *m*
curry ['kʌrɪ] *n* curry *m* ◆ *vt*: **to** ~ **favour with** chercher à s'attirer les bonnes grâces de
curse [kɜːs] *vi* jurer, blasphémer ◆ *vt* maudire ◆ *n* (*spell*) malédiction *f*; (*problem, scourge*) fléau *m*; (*swearword*) juron *m*

cursor ['kɜːsə*] n (COMPUT) curseur m

cursory ['kɜːsərɪ] adj superficiel(le), hâtif(ive)

curt [kɜːt] adj brusque, sec(sèche)

curtail [kɜː'teɪl] vt (visit etc) écourter; (expenses, freedom etc) réduire

curtain ['kɜːtn] n rideau m

curts(e)y ['kɜːtsɪ] vi faire une révérence

curve [kɜːv] n courbe f; (in the road) tournant m, virage m ◆ vi se courber; (road) faire une courbe

cushion ['kuʃən] n coussin m ◆ vt (fall, shock) amortir

custard ['kʌstəd] n (for pouring) crème anglaise

custody ['kʌstədɪ] n (of child) garde f; to take sb into ~ (suspect) placer qn en détention préventive

custom ['kʌstəm] n coutume f, usage m; (COMM) clientèle f; ~ary adj habituel(le)

customer ['kʌstəmə*] n client(e)

customized ['kʌstəmaɪzd] adj (car etc) construit(e) sur commande

custom-made ['kʌstəm'meɪd] adj (clothes) fait(e) sur mesure; (other goods) hors série, fait(e) sur commande

customs ['kʌstəmz] npl douane f; ~ officer n douanier(ière)

cut [kʌt] (pt, pp cut) vt couper; (meat) découper; (reduce) réduire ◆ vi couper ◆ n coupure f; (of clothes) coupe f; (in salary etc) réduction f; (of meat) morceau m; to ~ one's hand se couper la main; to ~ a tooth percer une dent; ~ down vt fus (tree etc) couper, abattre; (consumption) réduire; ~ off vt couper; (fig) isoler; ~ out vt découper; (stop) arrêter; (remove) ôter; ~ up vt (paper, meat) découper; ~back n réduction f

cute [kjuːt] adj mignon(ne), adorable

cuticle remover ['kjuːtɪkl-] n (on nail) repousse-peaux m inv

cutlery ['kʌtlərɪ] n couverts mpl

cutlet ['kʌtlɪt] n côtelette f

cut: ~out n (switch) coupe-circuit m inv; (cardboard ~out) découpage m; ~-price (US ~-rate) adj au rabais, à prix réduit; ~throat n assassin m ◆ adj acharné(e)

cutting ['kʌtɪŋ] adj tranchant(e), coupant(e); (fig) cinglant(e), mordant(e) ◆ n (BRIT: from newspaper) coupure f (de journal); (from plant) bouture f

CV n abbr = curriculum vitae

cwt abbr = hundredweight(s)

cyanide ['saɪənaɪd] n cyanure m

cycle ['saɪkl] n cycle m; (bicycle) bicyclette f, vélo m ◆ vi faire de la bicyclette; cycling ['saɪklɪŋ] n cyclisme m; cyclist ['saɪklɪst] n cycliste m/f

cygnet ['sɪgnɪt] n jeune cygne m

cylinder ['sɪlɪndə*] n cylindre m; ~-head gasket n joint m de culasse

cymbals ['sɪmbəlz] npl cymbales fpl

cynic ['sɪnɪk] n cynique m/f; ~al adj cynique; ~ism ['sɪnɪsɪzəm] n cynisme m

Cypriot ['sɪprɪət] adj cypriote, chypriote ◆ n Cypriote m/f, Chypriote m/f

Cyprus ['saɪprəs] n Chypre f

cyst [sɪst] n kyste m

cystitis [sɪs'taɪtɪs] n cystite f

czar [zɑː*] n tsar m

Czech [tʃek] adj tchèque ◆ n Tchèque m/f; (LING) tchèque m

Czechoslovak [tʃekə'sləuvæk] adj, n = Czechoslovakian

Czechoslovakia [tʃekəslə'vækɪə] n Tchécoslovaquie f; ~n adj tchécoslovaque ◆ n Tchécoslovaque m/f

D

D [diː] n (MUS) ré m

dab [dæb] vt (eyes, wound) tamponner; (paint, cream) appliquer (par petites touches or rapidement)

dabble ['dæbl] vi: to ~ in faire or se mêler or s'occuper un peu de

dad [dæd] n papa m

daddy ['dædɪ] n papa m

daffodil ['dæfədɪl] n jonquille f

daft [dɑːft] adj idiot(e), stupide

dagger ['dægə*] n poignard m

daily ['deɪlɪ] adj quotidien(ne), journalier(ère) ◆ n quotidien m ◆ adv tous les jours

dainty ['deɪntɪ] adj délicat(e), mignon(ne)

dairy ['dɛərɪ] n (BRIT: shop) crémerie f, laiterie f; (on farm) laiterie f; ~ products npl produits laitiers; ~ store (US) n crémerie f, laiterie f

dais ['deɪɪs] n estrade f

daisy ['deɪzɪ] n pâquerette f; ~ wheel n (on printer) marguerite f

dale [deɪl] n vallon m

dam [dæm] n barrage m ◆ vt endiguer

damage ['dæmɪdʒ] n dégâts mpl, dommages mpl; (fig) tort m ◆ vt endommager, abîmer; (fig) faire du tort à; ~s npl (LAW) dommages-intérêts mpl

damn [dæm] vt condamner; (curse) maudire ◆ n (inf): I don't give a ~ je m'en fous ◆ adj (inf: also: ~ed): this ~ ... ce sacré or foutu ...; ~ (it)! zut!; ~ing adj accablant(e)

damp [dæmp] adj humide ◆ n humidité f ◆ vt (also: ~en: cloth, rag) humecter; (: enthusiasm) refroidir

damson ['dæmzən] n prune f de Damas

dance [dɑːns] n danse f; (social event) bal m ◆ vi danser; ~ hall n salle f de bal, dancing m; ~r n danseur(euse); dancing ['dɑːnsɪŋ] n danse f

dandelion ['dændɪlaɪən] n pissenlit m

dandruff ['dændrəf] n pellicules fpl

Dane [deɪn] n Danois(e)

danger ['deɪndʒə*] n danger m; there is a ~ of fire il y a (un) risque d'incendie; in ~ en danger; he was in ~ of falling il risquait de tomber; ~ous adj dangereux(euse)

dangle ['dæŋgl] vt balancer ◆ vi pendre

Danish ['deɪnɪʃ] adj danois(e) ◆ n (LING) danois m

dapper ['dæpə*] adj pimpant(e)

dare [dɛə*] vt: to ~ sb to do défier qn de faire ◆ vi: to ~ (to) do sth oser faire qch; I ~ say (I suppose) il est probable (que); ~devil n casse-cou m inv; daring ['dɛərɪŋ] adj hardi(e), audacieux(euse); (dress) osé(e) ◆ n audace f, hardiesse f

dark [dɑːk] adj (night, room) obscur(e), sombre; (colour, complexion) foncé(e), sombre ◆ n: in the ~ dans le noir; in the ~ about (fig) ignorant tout de; after ~ après la tombée de la nuit; ~en vt obscurcir, assombrir ◆ vi s'obscurcir, s'assombrir; ~ glasses npl lunettes noires; ~ness n obscurité f; ~room n chambre noire

darling ['dɑːlɪŋ] adj chéri(e) ◆ n chéri(e); (favourite): to be the ~ of être la coqueluche de

darn [dɑːn] vt repriser, raccommoder

dart [dɑːt] n fléchette f; (sewing) pince f ◆ vi: to ~ towards (also: make a ~ towards) se précipiter or s'élancer vers; ~s n (jeu m de) fléchettes fpl; to ~ away/along partir/passer comme une flèche; ~board n cible f (de jeu de fléchettes)

dash [dæʃ] n (sign) tiret m; (small quantity) goutte f, larme f ◆ vt (missile) jeter or lancer violemment; (hopes) anéantir ◆ vi: to ~ towards (also: make a ~ towards) se précipiter or se ruer vers; ~ away vi partir à toute allure, filer; ~ off vi = ~ away

dashboard ['dæʃbɔːd] n (AUT) tableau m de bord

dashing ['dæʃɪŋ] adj fringant(e)

data ['deɪtə] npl données fpl; ~base n (COMPUT) base f de données; ~ processing n traitement m de données

date [deɪt] n date f; (with sb) rendez-vous m; (fruit) datte f ◆ vt dater; (person) sortir avec; ~ of birth date de naissance; to ~ (until now) à ce jour; out of ~ (passport) périmé; (theory etc) dépassé(e); (clothes etc) démodé(e); up to ~ moderne; (news) très récent; ~d adj démodé(e)

daub [dɔːb] vt barbouiller

daughter ['dɔːtə*] n fille f; ~-in-law n belle-fille f, bru f

daunting ['dɔːntɪŋ] adj décourageant(e)

dawdle ['dɔːdl] vi traîner, lambiner

dawn [dɔːn] n aube f, aurore f ◆ vi (day) se lever, poindre; (fig): it ~ed on him that ... il lui vint à l'esprit que ...

day [deɪ] n jour m; (as duration) journée f; (period of time, age) époque f, temps m; the ~ before la veille, le jour précédent; the ~ after, the following ~ le lendemain, le jour suivant; the ~ after tomorrow après-demain; the ~ before yesterday avant-hier; by ~ de jour; ~break n point m du jour; ~dream vi rêver (tout éveillé); ~light n (lumière f du) jour m; ~ return (BRIT) n billet m d'aller-retour (valable pour la journée); ~time n jour m, journée f; ~-to-day adj quotidien(ne); (event) journalier(ère)

daze [deɪz] vt (stun) étourdir ◆ n: in a ~ étourdi(e), hébété(e)

dazzle ['dæzl] vt éblouir, aveugler

DC abbr (= direct current) courant continu

D-day ['diːdeɪ] n le jour J

dead [ded] adj mort(e); (numb) engourdi(e), insensible; (battery) à plat; (telephone): the line is ~ la ligne est coupée ◆ adv absolument, complètement ◆ npl: the ~ les morts; he was shot ~ il a été tué d'un coup de revolver; ~ on time à l'heure pile; ~ tired éreinté(e), complètement fourbu(e); to stop ~ s'arrêter pile or net; ~en vt (blow, sound) amortir; (pain) calmer; ~ end n impasse f; ~ heat n (SPORT): to finish in a ~ heat terminer exæquo; ~line n date f or heure f limite; ~lock n (fig) impasse f; ~ loss n: to be a ~ loss (inf: person) n'être bon(ne) à rien; ~ly adj mortel(le); (weapon) meurtrier(ère); (accuracy) extrême; ~pan adj impassible; D~ Sea n: the D~ Sea la mer Morte

deaf [def] adj sourd(e); ~en vt rendre sourd; ~-mute n sourd(e)-muet(te); ~ness n surdité f

deal [diːl] (pt, pp dealt) n affaire f, marché m ◆ vt (blow) porter; (cards) donner, distribuer; a great ~ (of) beaucoup (de); ~ in vt fus faire le commerce de; ~ with vt fus (person, problem) s'occuper or se charger de; (be about: book etc) traiter de; ~er n marchand m; ~ings npl (COMM) transactions fpl; (relations) relations fpl, rapports mpl

dean [diːn] n (REL, BRIT: SCOL) doyen m; (US) conseiller(ère) (principal(e)) d'éducation

dear [dɪə*] adj cher(chère); (expensive) cher, coûteux(euse) ◆ n: my ~ mon cher/ma chère; ~ me! mon Dieu!; D~ Sir/Madam (in letter) Monsieur/Madame; D~ Mr/Mrs X Cher Monsieur/Chère Madame; ~ly adv (love) tendrement; (pay) cher

death [deθ] n mort f; (fatality) mort m; (ADMIN) décès m; ~ certificate n acte m de décès; ~ly adj de mort; ~ penalty n peine f de mort; ~ rate n (taux m de) mortalité f; ~ toll n nombre m de morts

debar [dɪ'bɑː*] vt: to ~ sb from doing interdire à qn de faire

debase [dɪ'beɪs] vt (value) déprécier, dévaloriser

debatable [dɪ'beɪtəbl] adj discutable

debate [dɪ'beɪt] n discussion f, débat m ◆ vt discuter, débattre

debit ['debɪt] n débit m ◆ vt: to ~ a sum to sb or to sb's account porter une somme au débit de qn, débiter qn d'une somme; see also direct

debt [det] n dette f; to be in ~ avoir des dettes, être endetté(e); ~or n débiteur(trice)

debunk [diː'bʌŋk] vt (theory, claim) montrer le ridicule de

decade ['dekeɪd] n décennie f, décade f

decadence ['dekədəns] n décadence f

decaffeinated [diː'kæfɪneɪtɪd] adj décaféiné(e)

decanter [dɪ'kæntə*] n carafe f

decay [dɪ'keɪ] n (of building) délabrement m; (also: tooth ~) carie f (dentaire) ◆ vi (rot) se décomposer, pourrir; (: teeth) se carier

deceased [dɪ'siːst] n défunt(e)

deceit [dɪ'siːt] n tromperie f, supercherie f; ~ful adj trompeur(euse); deceive [dɪ'siːv] vt tromper

December [dɪ'sembə*] n décembre m

decent ['diːsənt] adj décent(e), convenable; they were very ~ about it ils se sont montrés très chic

deception [dɪ'sepʃən] n tromperie f

deceptive [dɪ'septɪv] adj trompeur(euse)

decide [dɪ'saɪd] vt (person) décider; (question, argument) trancher, régler ◆ vi se décider, décider; to ~ to do/that décider de faire/que; to ~ on décider, se décider pour; ~d adj (resolute) résolu(e), décidé(e); (clear, definite) net(te), marqué(e); ~dly [dɪ'saɪdɪdlɪ] adv résolument; (distinctly) incontestablement, nettement

deciduous [dɪ'sɪdjuəs] adj à feuilles caduques

decimal ['desɪməl] adj décimal(e) ◆ n décimale f; ~ point n ≈ virgule f

decipher [dɪ'saɪfə*] vt déchiffrer

decision [dɪ'sɪʒən] n décision f

decisive [dɪ'saɪsɪv] adj décisif(ive); (person) décidé(e)

deck [dek] n (NAUT) pont m; (of bus): top ~ impériale f; (of cards) jeu m; (record ~) platine f; ~chair n chaise longue

declare [dɪ'klɛə*] vt déclarer

decline [dɪ'klaɪn] n (decay) déclin m; (lessening) baisse f ◆ vt refuser, décliner ◆ vi décliner; (business) baisser

decoder [diː'kəudə*] n (TV) décodeur m

decorate ['dekəreɪt] vt (adorn, give a medal to) décorer; (paint and paper) peindre et tapisser; decoration [dekə'reɪʃən] n (medal etc, adornment) décoration f; decorator ['dekəreɪtə*] n peintre-décorateur m

decoy ['diːkɔɪ] n piège m; (person) compère m

decrease [n 'diːkriːs, vb diː'kriːs] n: ~ (in) diminution f (de) ◆ vt, vi diminuer

decree [dɪ'kriː] n (POL, REL) décret m; (LAW) arrêt m, jugement m; ~ nisi [-'naɪsaɪ] n jugement m provisoire de divorce

dedicate ['dedɪkeɪt] vt consacrer; (book etc) dédier; dedication [dedɪ'keɪʃən] n (devotion) dévouement m; (in book) dédicace f

deduce [dɪ'djuːs] vt déduire, conclure

deduct [dɪ'dʌkt] vt: to ~ sth (from) déduire qch (de), retrancher qch (de); ~ion [dɪ'dʌkʃən] n (deducting, deducing) déduction f; (from wage etc) prélèvement m, retenue f

deed [diːd] n action f, acte m; (LAW) acte notarié, contrat m

deem [diːm] vt (formal) juger

deep [diːp] adj profond(e); (voice) grave ◆ adv: spectators stood 20 ~ il y avait 20 rangs de spectateurs; 4 metres ~ de 4 mètres de profondeur; ~en vt approfondir ◆ vi (fig) s'épaissir; ~freeze n congélateur m; ~-fry vt faire frire (en friteuse); ~ly adv profondément; (interested) vivement; ~-sea diver n sous-marin(e); ~-sea diving n plongée sous-marine; ~-sea fishing n grande pêche; ~-seated adj profond(e), profondément enraciné(e)

deer [dɪə*] n inv: (red) ~ cerf m, biche f; (fallow) ~ daim m; (roe) ~ chevreuil m; ~skin n daim

deface [dɪ'feɪs] vt dégrader; (notice, poster) barbouiller

default [dɪ'fɔːlt] n (COMPUT: also: ~ value) valeur f par défaut; by ~ (LAW) par défaut, par contumace; (SPORT) par forfait

defeat [dɪ'fiːt] n défaite f ◆ vt (team, opponents) battre

defect [n 'diːfekt, vb dɪ'fekt] n défaut m ◆ vi: to ~ to the enemy/the West passer à l'ennemi/à l'Ouest; ~ive [dɪ'fektɪv] adj défectueux(euse)

defence [dɪ'fens] (US defense) n défense f; ~less adj sans défense

defend [dɪ'fend] vt défendre; ~ant n défendeur(deresse); (in criminal case) accusé(e), prévenu(e); ~er n défenseur m

defer [dɪ'fɜː*] vt (postpone) différer, ajourner

defiance [dɪ'faɪəns] n défi m; in ~ of au mépris de; defiant [dɪ'faɪənt] adj provocant(e), de défi; (person) rebelle, intraitable

deficiency [dɪ'fɪʃənsɪ] n insuffisance f, déficience f; deficient adj (inadequate) insuffisant(e); to be deficient in manquer de

deficit ['defɪsɪt] n déficit m

defile [dɪ'faɪl] vt souiller, profaner

define [dɪ'faɪn] vt définir

definite ['defɪnɪt] adj (fixed) défini(e), (bien) déterminé(e); (clear, obvious) net(te), manifeste; (certain) sûr(e); he was ~ about it il a été catégorique; ~ly adv sans aucun doute

definition [defɪ'nɪʃən] n définition f; (clearness) netteté f

deflate [diː'fleɪt] vt dégonfler

deflect [dɪ'flekt] vt détourner, faire dévier

deformed [dɪ'fɔːmd] adj difforme

defraud [dɪ'frɔːd] vt frauder; to ~ sb of sth escroquer qch à qn

defrost [diː'frɔst] vt dégivrer; (food) décongeler; ~er (US) n (demister) dispositif m anti-buée inv

deft [deft] adj adroit(e), preste

defunct [dɪ'fʌŋkt] adj défunt(e)

defuse [diː'fjuːz] vt désamorcer

defy [dɪ'faɪ] vt défier; (efforts etc) résister à

degenerate [vb dɪ'dʒenəreɪt, adj dɪ'dʒenərɪt] vi dégénérer ◆ adj dégénéré(e)

degree [dɪ'griː] n degré m; (SCOL) diplôme m (universitaire); a (first) ~ in maths une licence en maths; by ~s (gradually) par degrés; to some ~, to a certain ~ jusqu'à un certain point, dans une certaine mesure

dehydrated [diːhaɪ'dreɪtɪd] adj déshydraté(e); (milk, eggs) en poudre

de-ice [diː'aɪs] vt (windscreen) dégivrer

deign [deɪn] vi: to ~ to do daigner faire

dejected [dɪ'dʒektɪd] adj abattu(e), déprimé(e)

delay [dɪ'leɪ] vt retarder ◆ vi s'attarder ◆ n délai m, retard m; to be ~ed être en retard

delectable [dɪ'lektəbl] adj délicieux(euse)

delegate [n 'delɪgɪt, vb 'delɪgeɪt] n délégué(e) ◆ vt déléguer

delete [dɪ'liːt] vt rayer, supprimer

deliberate [adj dɪ'lɪbərɪt, vb dɪ'lɪbəreɪt] adj (intentional) délibéré(e); (slow) mesuré(e) ◆ vi délibérer, réfléchir; ~ly adv (on purpose) exprès, délibérément

delicacy ['delɪkəsɪ] n délicatesse f; (food) mets fin or délicat, friandise f

delicate ['delɪkɪt] adj délicat(e)

delicatessen [delɪkə'tesn] n épicerie fine

delicious [dɪ'lɪʃəs] adj délicieux(euse)

delight [dɪ'laɪt] n (grande) joie, grand plaisir ◆ vt enchanter; to take (a) ~ in prendre grand plaisir à; ~ed adj: ~ed (at or with/to do) ravi(e) (de/de faire); ~ful adj (person) adorable; (meal, evening) merveilleux(euse)

delinquent [dɪ'lɪŋkwənt] adj, n délinquant(e)

delirious [dɪ'lɪrɪəs] adj: to be ~ délirer

deliver [dɪ'lɪvə*] vt (mail) distribuer; (goods) livrer; (message) remettre; (speech) prononcer; (MED: baby) mettre au monde; ~y n distribution f; livraison f; (of

speaker) élocution *f*; (*MED*) accouchement *m*; **to take ~y of** prendre livraison de
delude [dɪ'lu:d] *vt* tromper, leurrer
delusion [dɪ'lu:ʒən] *n* illusion *f*
delve [delv] *vi*: **to ~ into** fouiller dans; (*subject*) approfondir
demand [dɪ'mɑ:nd] *vt* réclamer, exiger ◆ *n* exigence *f*; (*claim*) revendication *f*; (*ECON*) demande *f*; **in ~** demandé(e), recherché(e); **on ~** sur demande; **~ing** *adj* (*person*) exigeant(e); (*work*) astreignant(e)
demean [dɪ'mi:n] *vt*: **to ~ o.s.** s'abaisser
demeanour [dɪ'mi:nə*] (*US* **demeanor**) *n* comportement *m*; maintien *m*
demented [dɪ'mentɪd] *adj* dément(e), fou(folle)
demise [dɪ'maɪz] *n* mort *f*
demister [di:'mɪstə*] (*BRIT*) *n* (*AUT*) dispositif *m* anti-buée *inv*
demo ['deməu] (*inf*) *n abbr* (= *demonstration*) manif *f*
democracy [dɪ'mɒkrəsɪ] *n* démocratie *f*; **democrat** ['deməkræt] *n* démocrate *m/f*; **democratic** [demə'krætɪk] *adj* démocratique
demolish [dɪ'mɒlɪʃ] *vt* démolir
demonstrate ['demənstreɪt] *vt* démontrer, prouver; (*show*) faire une démonstration de ◆ *vi*: **to ~ (for/against)** manifester (en faveur de/contre); **demonstration** [demən'streɪʃən] *n* démonstration *f*, manifestation *f*; **demonstrator** ['demənstreɪtə*] *n* (*POL*) manifestant(e)
demote [dɪ'məut] *vt* rétrograder
demure [dɪ'mjuə*] *adj* sage, réservé(e)
den [den] *n* tanière *f*, antre *m*
denatured alcohol [di:'neɪtʃəd-] (*US*) *n* alcool *m* à brûler
denial [dɪ'naɪəl] *n* démenti *m*; (*refusal*) dénégation *f*
denim ['denɪm] *n* jean *m*; **~s** *npl* (*jeans*) (blue-)jean(s) *m(pl)*
Denmark ['denmɑ:k] *n* Danemark *m*
denomination [dɪnɒmɪ'neɪʃən] *n* (*of money*) valeur *f*; (*REL*) confession *f*
denounce [dɪ'nauns] *vt* dénoncer
dense [dens] *adj* dense; (*stupid*) obtus(e), bouché(e); **~ly** *adv*: **~ly populated** à forte densité de population
density ['densɪtɪ] *n* densité *f*; **double/high-~ diskette** disquette *f* double densité/haute densité
dent [dent] *n* bosse *f* ◆ *vt* (*also*: *make a ~ in*) cabosser
dental ['dentl] *adj* dentaire; **~ surgeon** *n* (chirurgien(ne)) dentiste
dentist ['dentɪst] *n* dentiste *m/f*
dentures ['dentʃəz] *npl* dentier *m sg*
deny [dɪ'naɪ] *vt* nier; (*refuse*) refuser
deodorant [di:'əudərənt] *n* déodorant *m*, désodorisant *m*
depart [dɪ'pɑ:t] *vi* partir; **to ~ from** (*fig*: *differ from*) s'écarter de
department [dɪ'pɑ:tmənt] *n* (*COMM*) rayon *m*; (*SCOL*) section *f*; (*POL*) ministère *m*, département *m*; **~ store** *n* grand magasin
departure [dɪ'pɑ:tʃə*] *n* départ *m*; **a new ~** une nouvelle voie; **~ lounge** *n* (*at airport*) salle *f* d'embarquement
depend [dɪ'pend] *vi*: **to ~ on** dépendre de; (*rely on*) compter sur; **it ~s** cela dépend; **~ing on the result** selon le résultat; **~able** *adj* (*person*) sérieux(euse), sûr(e); (*car, watch*) solide, fiable; **~ant** *n* personne *f* à charge; **~ent** *adj*: **to be ~ent (on)** dépendre (de) ◆ *n* = **dependant**
depict [dɪ'pɪkt] *vt* (*in picture*) représenter; (*in words*) (dé)peindre, décrire
depleted [dɪ'pli:tɪd] *adj* (considérablement) réduit(e) *or* diminué(e)
deport [dɪ'pɔ:t] *vt* expulser
deposit [dɪ'pɒzɪt] *n* (*CHEM, COMM, GEO*) dépôt *m*; (*of ore, oil*) gisement *m*; (*part payment*) arrhes *fpl*, acompte *m*; (*on bottle etc*) consigne *f*; (*for hired goods etc*) cautionnement *m*, garantie *f* ◆ *vt* déposer; **~ account** *n* compte *m* sur livret
depot ['depəu] *n* dépôt *m*; (*US*: *RAIL*) gare *f*
depress [dɪ'pres] *vt* déprimer; (*press down*) appuyer sur, abaisser; (*prices, wages*) faire baisser; **~ed** *adj* (*person*) déprimé(e); (*area*) en déclin, touché(e) par le sous-emploi; **~ing** *adj* déprimant(e); **~ion** [dɪ'preʃən] *n* dépression *f*; (*hollow*) creux *m*
deprivation [deprɪ'veɪʃən] *n* privation *f*; (*loss*) perte *f*
deprive [dɪ'praɪv] *vt*: **to ~ sb of** priver qn de; **~d** *adj* déshérité(e)
depth [depθ] *n* profondeur *f*; **in the ~s of despair** au plus profond du désespoir; **to be out of one's ~** avoir perdu pied, nager
deputize ['depjutaɪz] *vi*: **to ~ for** assurer l'intérim de
deputy ['depjutɪ] *adj* adjoint(e) ◆ *n* (*second in command*) adjoint(e); (*US*: *also ~ sheriff*) shérif adjoint; **~ head** directeur adjoint, sous-directeur *m*
derail [dɪ'reɪl] *vt*: **to be ~ed** dérailler
deranged [dɪ'reɪndʒd] *adj*: **to be (mentally) ~** avoir le cerveau dérangé
derby ['dɑ:bɪ] (*US*) *n* (*bowler hat*) (chapeau *m*) melon *m*
derelict ['derɪlɪkt] *adj* abandonné(e), à l'abandon
derisory [dɪ'raɪsərɪ] *adj* (*sum*) dérisoire; (*smile, person*) moqueur(euse)
derive [dɪ'raɪv] *vt*: **to ~ sth from** tirer qch de; trouver qch dans: **to ~ from** provenir de, dériver de
derogatory [dɪ'rɒgətərɪ] *adj* désobligeant(e); péjoratif(ive)
descend [dɪ'send] *vt, vi* descendre; **to ~ from** descendre de, être issu(e) de; **to ~ to (doing) sth** s'abaisser à (faire) qch; **descent** [dɪ'sent] *n* descente *f*; (*origin*) origine *f*
describe [dɪs'kraɪb] *vt* décrire; **description** [dɪs'krɪpʃən] *n* description *f*; (*sort*) sorte *f*, espèce *f*
desecrate ['desɪkreɪt] *vt* profaner
desert [*n* 'dezət, *vb* dɪ'zə:t] *n* désert *m* ◆ *vt* déserter, abandonner ◆ *vi* (*MIL*) déserter; **~s** *npl*: **to get one's just ~s** n'avoir que ce qu'on mérite; **~er** *n* déserteur *m*; **~ion** [dɪ'zə:ʃən] *n* (*MIL*) désertion *f*; (*LAW*: *of spouse*) abandon *m* du domicile conjugal; **~ island** *n* île déserte
deserve [dɪ'zə:v] *vt* mériter; **deserving** [dɪ'zə:vɪŋ] *adj* (*person*) méritant(e); (*action, cause*) méritoire
design [dɪ'zaɪn] *n* (*sketch*) plan *m*, dessin *m*; (*layout, shape*) conception *f*, ligne *f*; (*pattern*) dessin *m*, motif(s) *m(pl)*; (*COMM, art*) design *m*, stylisme *m*; (*intention*) dessein *m* ◆ *vt* dessiner; élaborer; **~er** [dɪ'zaɪnə*] *n* (*TECH*) concepteur-projeteur *m*; (*ART*) dessinateur(trice), designer *m*; (*fashion*) styliste *m/f*
desire [dɪ'zaɪə*] *n* désir *m* ◆ *vt* désirer
desk [desk] *n* (*in office*) bureau *m*; (*for pupil*) pupitre *m*; (*BRIT*: *in shop, restaurant*) caisse *f*; (*in hotel, at airport*) réception *f*
desolate ['desəlɪt] *adj* désolé(e); (*person*) affligé(e)
despair [dɪs'pɛə*] *n* désespoir *m* ◆ *vi*: **to ~ of** désespérer de
despatch [dɪs'pætʃ] *n, vt* = **dispatch**
desperate ['despərɪt] *adj* désespéré(e); (*criminal*) prêt(e) à tout; **to be ~ for sth/to do sth** avoir désespérément besoin de qch/de faire qch; **~ly** ['despərɪtlɪ] *adv* désespérément; (*very*) terriblement, extrêmement
desperation [despə'reɪʃən] *n* désespoir *m*; **in (sheer) ~** en désespoir de cause
despicable [dɪs'pɪkəbl] *adj* méprisable
despise [dɪs'paɪz] *vt* mépriser
despite [dɪs'paɪt] *prep* malgré, en dépit de
despondent [dɪs'pɒndənt] *adj* découragé(e), abattu(e)
dessert [dɪ'zə:t] *n* dessert *m*; **~spoon** *n* cuiller *f* à dessert
destination [destɪ'neɪʃən] *n* destination *f*
destined ['destɪnd] *adj*: **to be ~ to do/for sth** être destiné(e) à faire/à qch
destiny ['destɪnɪ] *n* destinée *f*, destin *m*
destitute ['destɪtju:t] *adj* indigent(e)
destroy [dɪs'trɔɪ] *vt* détruire; (*injured horse*) abattre; (*dog*) faire piquer; **~er** *n* (*NAUT*) contre-torpilleur *m*
destruction [dɪs'trʌkʃən] *n* destruction *f*
detach [dɪ'tætʃ] *vt* détacher; **~ed** *adj* (*attitude, person*) détaché(e); **~ed house** *n* pavillon *m*, maison(nette) (individuelle); **~ment** *n* (*MIL*) détachement *m*; (*fig*) détachement, indifférence *f*
detail ['di:teɪl] *n* détail *m* ◆ *vt* raconter en détail, énumérer; **in ~** en détail; **~ed** *adj* détaillé(e)
detain [dɪ'teɪn] *vt* retenir; (*in captivity*) détenir; (*in hospital*) hospitaliser
detect [dɪ'tekt] *vt* déceler, percevoir; (*MED, POLICE*) dépister; (*MIL, RADAR, TECH*) détecter; **~ion** [dɪ'tekʃən] *n* découverte *f*; **~ive** *n* agent *m* de la sûreté, policier *m*; **private ~ive** détective privé; **~ive story** *n* roman policier
detention [dɪ'tenʃən] *n* détention *f*; (*SCOL*) retenue *f*, consigne *f*
deter [dɪ'tə:*] *vt* dissuader
detergent [dɪ'tə:dʒənt] *n* détergent *m*, détersif *m*
deteriorate [dɪ'tɪərɪəreɪt] *vi* se détériorer, se dégrader
determine [dɪ'tə:mɪn] *vt* déterminer; **to ~ to do** résoudre de faire, se déterminer à faire; **~d** *adj* (*person*) déterminé(e), décidé(e)
deterrent [dɪ'terənt] *n* effet *m* de dissuasion; force *f* de dissuasion
detonate ['detəneɪt] *vt* faire détoner *or* exploser
detour ['di:tuə*] *n* détour *m*; (*US*: *AUT*: *diversion*) déviation *f*
detract [dɪ'trækt] *vt*: **to ~ from** (*quality, pleasure*) diminuer; (*reputation*) porter atteinte à
detriment ['detrɪmənt] *n*: **to the ~ of** au détriment de, au préjudice de; **~al** [detrɪ'mentl] *adj*: **~al to** préjudiciable *or* nuisible à
devaluation [dɪvælju'eɪʃən] *n* dévaluation *f*
devastate ['devəsteɪt] *vt* (*also fig*) dévaster; **devastating** *adj* dévastateur(trice); (*news*) accablant(e)
develop [dɪ'veləp] *vt* (*gen*) développer; (*disease*) commencer à souffrir de; (*resources*) mettre en valeur, exploiter ◆ *vi* se développer; (*situation, disease*: *evolve*) évoluer; (*facts, symptoms*: *appear*) se manifester, se produire; **~ing country** pays *m* en voie de développement; **the machine has ~ed a fault** un problème s'est manifesté dans cette machine; **~er** *n* (*also*: *property ~er*) promoteur *m*; **~ment** *n* développement *m*; (*of affair, case*) rebondissement *m*, fait(s) nouveau(x)
device [dɪ'vaɪs] *n* (*apparatus*) engin *m*, dispositif *m*
devil ['devl] *n* diable *m*; démon *m*
devious ['di:vɪəs] *adj* (*person*) sournois(e), dissimulé(e)
devise [dɪ'vaɪz] *vt* imaginer, concevoir
devoid [dɪ'vɔɪd] *adj*: **~ of** dépourvu(e) de, dénué(e) de
devolution [di:və'lu:ʃən] *n* (*POL*) décentralisation *f*
devote [dɪ'vəut] *vt*: **to ~ sth to** consacrer qch à; **~d** *adj* dévoué(e); **to be ~d to** (*book etc*) être consacré(e) à; (*person*) être très attaché(e) à; **~e** [devəu'ti:] *n* (*REL*) adepte *m/f*; (*MUS, SPORT*) fervent(e)
devotion [dɪ'vəuʃən] *n* dévouement *m*, attachement *m*; (*REL*) dévotion *f*, piété *f*
devour [dɪ'vauə*] *vt* dévorer
devout [dɪ'vaut] *adj* pieux(euse), dévot(e)
dew [dju:] *n* rosée *f*
diabetes [daɪə'bi:ti:z] *n* diabète *m*; **diabetic** [daɪə'betɪk] *adj* diabétique ◆ *n* diabétique *m/f*
diabolical [daɪə'bɒlɪkl] (*inf*) *adj* (*weather*) atroce; (*behaviour*) infernal(e)
diagnosis [daɪəg'nəusɪs, *pl* daɪəg'nəusi:z] (*pl* **diagnoses**) *n* diagnostic *m*
diagonal [daɪ'ægənl] *adj* diagonal(e) ◆ *n* diagonale *f*
diagram ['daɪəgræm] *n* diagramme *m*, schéma *m*
dial ['daɪəl] *n* cadran *m* ◆ *vt* (*number*) faire, composer; **~ code** (*US*) *n* = **dialling code**
dialect ['daɪəlekt] *n* dialecte *m*
dialling code ['daɪəlɪŋ-] (*BRIT*) *n* indicatif *m* (téléphonique)
dialling tone ['daɪəlɪŋ-] (*BRIT*) *n* tonalité *f*
dialogue ['daɪəlɒg] *n* dialogue *m*
dial tone (*US*) *n* = **dialling tone**
diameter [daɪ'æmɪtə*] *n* diamètre *m*
diamond ['daɪəmənd] *n* diamant *m*; (*shape*) losange *m*; **~s** *npl* (*CARDS*) carreau *m*
diaper ['daɪəpə*] (*US*) *n* couche *f*
diaphragm ['daɪəfræm] *n* diaphragme *m*
diarrhoea [daɪə'ri:ə] (*US* **diarrhea**) *n* diarrhée *f*
diary ['daɪərɪ] *n* (*daily account*) journal *m*; (*book*) agenda *m*
dice [daɪs] *n inv* dé *m* ◆ *vt* (*CULIN*) couper en dés *or* en cubes
dictate [dɪk'teɪt] *vt* dicter
dictation [dɪk'teɪʃən] *n* dictée *f*
dictator [dɪk'teɪtə*] *n* dictateur *m*; **~ship** *n* dictature *f*
dictionary ['dɪkʃənrɪ] *n* dictionnaire *m*
did [dɪd] *pt of* **do**; **~n't** = **did not**
die [daɪ] *vi* mourir; **to be dying for sth** avoir une envie folle de qch; **to be dying to do sth** mourir d'envie de faire qch; **~ away** *vi* s'éteindre; **~ down** *vi* se calmer, s'apaiser; **~ out** *vi* disparaître
die-hard ['daɪhɑ:d] *n* réactionnaire *m/f*, jusqu'au-boutiste *m/f*
diesel ['di:zəl] *n* (*vehicle*) diesel *m*; (*also*: *~ oil*) carburant *m* diesel, gas-oil *m*; **~ engine** *n* moteur *m* diesel
diet ['daɪət] *n* alimentation *f*; (*restricted food*) régime *m* ◆ *vi* (*also*: *be on a ~*) suivre un régime
differ ['dɪfə*] *vi* (*be different*): **to ~ (from)** être différent (de); différer (de); (*disagree*): **to ~ (from sb over sth)** ne pas être d'accord (avec qn au sujet de qch); **~ence** *n* différence *f*; (*quarrel*) différend *m*, désaccord *m*; **~ent** *adj* différent(e); **~entiate** [dɪfə'renʃɪeɪt] *vi*: **to ~entiate (between)** faire une différence (entre)
difficult ['dɪfɪkəlt] *adj* difficile; **~y** *n* difficulté *f*
diffident ['dɪfɪdənt] *adj* qui manque de confiance *or* d'assurance
dig [dɪg] (*pt, pp* **dug**) *vt* (*hole*) creuser; (*garden*) bêcher ◆ *n* (*prod*) coup *m* de coude; (*fig*) coup de griffe *or* de patte; (*archeological*) fouilles *fpl*; **~ in** *vi* (*MIL*: *also*: *~ o.s. in*) se retrancher; **~ into** *vt fus* (*savings*) puiser dans; **to ~ one's nails into sth** enfoncer ses ongles dans qch; **~ up** *vt* déterrer
digest [*vb* daɪ'dʒest, *n* 'daɪdʒest] *vt* digérer ◆ *n* sommaire *m*, résumé *m*; **~ion** *n* digestion *f*
digit ['dɪdʒɪt] *n* (*number*) chiffre *m*; (*finger*) doigt *m*; **~al** *adj* digital(e), à affichage numérique *or* digital; **~al computer** calculateur *m* numérique
dignified ['dɪgnɪfaɪd] *adj* digne
dignity ['dɪgnɪtɪ] *n* dignité *f*
digress [daɪ'gres] *vi*: **to ~ from** s'écarter de, s'éloigner de
digs [dɪgz] (*BRIT*: *inf*) *npl* piaule *f*, chambre meublée
dilapidated [dɪ'læpɪdeɪtɪd] *adj* délabré(e)
dilemma [daɪ'lemə] *n* dilemme *m*
diligent ['dɪlɪdʒənt] *adj* appliqué(e), assidu(e)
dilute [daɪ'lu:t] *vt* diluer
dim [dɪm] *adj* (*light*) faible; (*memory, outline*) vague, indécis(e); (*figure*) vague, indistinct(e); (*room*) sombre; (*stupid*) borné(e), obtus(e) ◆ *vt* (*light*) réduire, baisser; (*US*: *AUT*) mettre en code
dime [daɪm] (*US*) *n* = **10 cents**
dimension [dɪ'menʃən] *n* dimension *f*
diminish [dɪ'mɪnɪʃ] *vt, vi* diminuer
diminutive [dɪ'mɪnjutɪv] *adj* minuscule, tout(e) petit(e)
dimmers ['dɪməz] (*US*) *npl* (*AUT*) phares *mpl* code *inv*; feux *mpl* de position
dimple ['dɪmpl] *n* fossette *f*
din [dɪn] *n* vacarme *m*
dine [daɪn] *vi* dîner; **~r** *n* (*person*) dîneur(euse); (*US*: *restaurant*) petit restaurant
dinghy ['dɪŋgɪ] *n* youyou *m*; (*also*: *rubber ~*) canot *m* pneumatique; (: *sailing ~*) voilier *m*, dériveur *m*
dingy ['dɪndʒɪ] *adj* miteux(euse), minable
dining car ['daɪnɪŋ-] (*BRIT*) *n* wagon-restaurant *m*
dining room ['daɪnɪŋ-] *n* salle *f* à manger
dinner ['dɪnə*] *n* dîner *m*; (*lunch*) déjeuner *m*; (*public*) banquet *m*; **~ jacket** *n* smoking *m*; **~ party** *n* dîner *m*; **~ time** *n* heure *f* du dîner; (*midday*) heure du déjeuner
dint [dɪnt] *n*: **by ~ of (doing)** à force de (faire)
dip [dɪp] *n* déclivité *f*; (*in sea*) baignade *f*, bain *m*; (*CULIN*) ≈ sauce *f* ◆ *vt* tremper, plonger; (*BRIT*: *AUT*: *lights*) mettre en code, baisser ◆ *vi* plonger
diploma [dɪ'pləumə] *n* diplôme *m*
diplomacy [dɪ'pləuməsɪ] *n* diplomatie *f*
diplomat ['dɪpləmæt] *n* diplomate *m*; **~ic** [dɪplə'mætɪk] *adj* diplomatique
dipstick ['dɪpstɪk] *n* (*AUT*) jauge *f* de niveau d'huile
dipswitch ['dɪpswɪtʃ] (*BRIT*) *n* (*AUT*) interrupteur *m* de lumière réduite
dire [daɪə*] *adj* terrible, extrême, affreux(euse)
direct [daɪ'rekt] *adj* direct(e) ◆ *vt* diriger, orienter (*letter, remark*) adresser; (*film, programme*) réaliser; (*play*) mettre en scène; (*order*): **to ~ sb to do sth** ordonner à qn de faire qch ◆ *adv* directement; **can you ~ me to ...?** pouvez-vous m'indiquer le chemin de ...?; **~ debit** (*BRIT*) *n* prélèvement *m* automatique
direction [dɪ'rekʃən] *n* direction *f*; **~s** *npl* (*advice*) indications *fpl*; **sense of ~** sens *m* de l'orientation; **~s for use** mode *m* d'emploi
directly [dɪ'rektlɪ] *adv* (*in a straight line*) directement, tout droit; (*at once*) tout de suite, immédiatement
director [dɪ'rektə*] *n* directeur *m*; (*THEATRE*) metteur *m* en scène; (*CINEMA, TV*) réalisateur(trice)
directory [dɪ'rektərɪ] *n* annuaire *m*; (*COMPUT*) répertoire *m*
dirt [də:t] *n* saleté *f*; crasse *f*; (*earth*) terre *f*, boue *f*; **~-cheap** *adj* très bon marché *inv*; **~y** *adj* sale ◆ *vt* salir; **~y trick** coup tordu
disability [dɪsə'bɪlɪtɪ] *n* invalidité *f*, infirmité *f*
disabled [dɪs'eɪbld] *adj* infirme, invalide ◆ *npl*: **the ~** les handicapés
disadvantage [dɪsəd'vɑ:ntɪdʒ] *n* désavantage *m*, inconvénient *m*
disagree [dɪsə'gri:] *vi* (*be different*) ne pas concorder; (*be against, think otherwise*): **to ~ (with)** ne pas être d'accord (avec); **~able** *adj* désagréable; **~ment** *n* désaccord *m*, différend *m*
disallow ['dɪsə'lau] *vt* rejeter
disappear [dɪsə'pɪə*] *vi* disparaître; **~ance** *n* disparition *f*
disappoint [dɪsə'pɔɪnt] *vt* décevoir; **~ed** *adj* déçu(e); **~ing** *adj* décevant(e); **~ment** *n* déception *f*
disapproval [dɪsə'pru:vəl] *n* désapprobation *f*
disapprove [dɪsə'pru:v] *vi*: **to ~ (of)** désapprouver
disarmament [dɪs'ɑ:məmənt] *n* désarmement *m*
disarray ['dɪsə'reɪ] *n*: **in ~** (*army*) en

déroute; (*organization*) en désarroi; (*hair, clothes*) en désordre

disaster [dɪ'zɑːstə*] *n* catastrophe *f*, désastre *m*

disband [dɪs'bænd] *vt* démobiliser; disperser ◆ *vi* se séparer; se disperser

disbelief ['dɪsbə'liːf] *n* incrédulité *f*

disc [dɪsk] *n* disque *m*; (*COMPUT*) = **disk**

discard ['dɪskɑːd] *vt* (*old things*) se débarrasser de; (*fig*) écarter, renoncer à

discern [dɪ'sɜːn] *vt* discerner, distinguer; **~ing** *adj* perspicace

discharge [*vb* dɪs'tʃɑːdʒ, *n* 'dɪstʃɑːdʒ] *vt* décharger; (*duties*) s'acquitter de; (*patient*) renvoyer (chez lui); (*employee*) congédier, licencier; (*soldier*) rendre à la vie civile, réformer; (*defendant*) relaxer, élargir ◆ *n* décharge *f*; (*dismissal*) renvoi *m*; licenciement *m*; élargissement *m*; (*MED*) écoulement *m*

discipline ['dɪsɪplɪn] *n* discipline *f*

disc jockey *n* disc-jockey *m*

disclaim [dɪs'kleɪm] *vt* nier

disclose [dɪs'kləuz] *vt* révéler, divulguer; **disclosure** [dɪs'kləuʒə*] *n* révélation *f*

disco ['dɪskəu] *n abbr* = **discotheque**

discomfort [dɪs'kʌmfət] *n* malaise *m*, gêne *f*; (*lack of comfort*) manque *m* de confort

disconcert [dɪskən'sɜːt] *vt* déconcerter

disconnect ['dɪskə'nekt] *vt* (*ELEC, RADIO, pipe*) débrancher; (*TEL, water*) couper

discontent [dɪskən'tent] *n* mécontentement *m*; **~ed** *adj* mécontent(e)

discontinue ['dɪskən'tɪnjuː] *vt* cesser, interrompre; "**~d**" (*COMM*) "fin de série"

discord ['dɪskɔːd] *n* discorde *f*, dissension *f*; (*MUS*) dissonance *f*

discotheque ['dɪskəutek] *n* discothèque *f*

discount [*n* 'dɪskaunt, *vb* dɪs'kaunt] *n* remise *f*, rabais *m* ◆ *vt* (*sum*) faire une remise de; (*fig*) ne pas tenir compte de

discourage [dɪs'kʌrɪdʒ] *vt* décourager

discover [dɪs'kʌvə*] *vt* découvrir; **~y** *n* découverte *f*

discredit [dɪs'kredɪt] *vt* (*idea*) mettre en doute; (*person*) discréditer

discreet [dɪs'kriːt] *adj* discret(ète)

discrepancy [dɪs'krepənsɪ] *n* divergence *f*, contradiction *f*

discretion [dɪ'skreʃən] *n* discretion *f*; **use your own ~** à vous de juger

discriminate [dɪs'krɪmɪneɪt] *vi*: **to ~ between** établir une distinction entre, faire la différence entre; **to ~ against** pratiquer une discrimination contre; **discriminating** *adj* qui a du discernement; **discrimination** [dɪskrɪmɪ'neɪʃən] *n* discrimination *f*; (*judgment*) discernement *m*

discuss [dɪs'kʌs] *vt* discuter de; (*debate*) discuter; **~ion** [dɪs'kʌʃən] *n* discussion *f*

disdain [dɪs'deɪn] *n* dédain *m*

disease [dɪ'ziːz] *n* maladie *f*

disembark [dɪsɪm'bɑːk] *vt, vi* débarquer

disengage [dɪsɪn'geɪdʒ] *vt*: **to ~ the clutch** (*AUT*) débrayer

disentangle [dɪsɪn'tæŋgl] *vt* (*wool, wire*) démêler, débrouiller; (*from wreckage*) dégager

disfigure [dɪs'fɪgə*] *vt* défigurer

disgrace [dɪs'greɪs] *n* honte *f*; (*disfavour*) disgrâce *f* ◆ *vt* déshonorer, couvrir de honte; **~ful** *adj* scandaleux(euse), honteux(euse)

disgruntled [dɪs'grʌntld] *adj* mécontent(e)

disguise [dɪs'gaɪz] *n* déguisement *m* ◆ *vt* déguiser; **in ~** déguisé(e)

disgust [dɪs'gʌst] *n* dégoût *m*, aversion *f* ◆ *vt* dégoûter, écœurer; **~ing** *adj* dégoûtant(e); révoltant(e)

dish [dɪʃ] *n* plat *m*; **to do** *or* **wash the ~es** faire la vaisselle; **~ out** *vt* servir, distribuer; **~ up** *vt* servir; **~cloth** *n* (*for washing*) lavette *f*

dishearten [dɪs'hɑːtn] *vt* décourager

dishevelled [dɪ'ʃevəld] (*US* **disheveled**) *adj* ébouriffé(e); décoiffé(e); débraillé(e)

dishonest [dɪs'ɒnɪst] *adj* malhonnête

dishonour [dɪs'ɒnə*] (*US* **dishonor**) *n* déshonneur *m*; **~able** *adj* (*behaviour*) déshonorant(e); (*person*) peu honorable

dishtowel ['dɪʃtauəl] (*US*) *n* torchon *m*

dishwasher ['dɪʃwɒʃə*] *n* lave-vaisselle *m*

disillusion [dɪsɪ'luːʒən] *vt* désabuser, désillusionner

disincentive ['dɪsɪn'sentɪv] *n*: **to be a ~** être démotivant(e)

disinfect [dɪsɪn'fekt] *vt* désinfecter; **~ant** *n* désinfectant *m*

disintegrate [dɪs'ɪntɪgreɪt] *vi* se désintégrer

disinterested [dɪs'ɪntrɪstɪd] *adj* désintéressé(e)

disjointed [dɪs'dʒɔɪntɪd] *adj* décousu(e), incohérent(e)

disk [dɪsk] *n* (*COMPUT*) disque *m*; (: *floppy ~*) disquette *f*; **single-/double-sided ~** disquette simple/double face; **~ drive** *n* lecteur *m* de disquettes; **~ette** [dɪs'ket] *n* disquette *f*, disque *m* souple

dislike [dɪs'laɪk] *n* aversion *f*, antipathie *f* ◆ *vt* ne pas aimer

dislocate ['dɪsləukeɪt] *vt* disloquer; déboiter

dislodge [dɪs'lɒdʒ] *vt* déplacer, faire bouger

disloyal [dɪs'lɔɪəl] *adj* déloyal(e)

dismal ['dɪzməl] *adj* lugubre, maussade

dismantle [dɪs'mæntl] *vt* démonter

dismay [dɪs'meɪ] *n* consternation *f*

dismiss [dɪs'mɪs] *vt* congédier, renvoyer; (*soldiers*) faire rompre les rangs à; (*idea*) écarter; (*LAW*): **to ~ a case** rendre une fin de non-recevoir; **~al** *n* renvoi *m*

dismount [dɪs'maunt] *vi* mettre pied à terre, descendre

disobedient [dɪsə'biːdɪənt] *adj* désobéissant(e)

disobey ['dɪsə'beɪ] *vt* désobéir à

disorder [dɪs'ɔːdə*] *n* désordre *m*; (*rioting*) désordres *mpl*; (*MED*) troubles *mpl*; **~ly** [dɪs'ɔːdəlɪ] *adj* en désordre; désordonné(e)

disorientated [dɪs'ɔːrɪenteɪtɪd] *adj* désorienté(e)

disown [dɪs'əun] *vt* renier

disparaging [dɪs'pærɪdʒɪŋ] *adj* désobligeant(e)

dispassionate [dɪs'pæʃnɪt] *adj* calme, froid(e); impartial(e), objectif(ive)

dispatch [dɪs'pætʃ] *vt* expédier, envoyer ◆ *n* envoi *m*, expédition *f*; (*MIL, PRESS*) dépêche *f*

dispel [dɪs'pel] *vt* dissiper, chasser

dispense [dɪs'pens] *vt* distribuer, administrer; **~ with** *vt fus* se passer de; **~r** *n* (*machine*) distributeur *m*; **dispensing chemist** (*BRIT*) *n* pharmacie *f*

disperse [dɪs'pɜːs] *vt* disperser ◆ *vi* se disperser

dispirited [dɪs'pɪrɪtɪd] *adj* découragé(e), déprimé(e)

displace [dɪs'pleɪs] *vt* déplacer

display [dɪs'pleɪ] *n* étalage *m*; déploiement *m*; affichage *m*; (*screen*) écran *m*, visuel *m*; (*of feeling*) manifestation *f* ◆ *vt* montrer; (*goods*) mettre à l'étalage, exposer; (*results, departure times*) afficher; (*pej*) faire étalage de

displease [dɪs'pliːz] *vt* mécontenter, contrarier; **~d** *adj*: **~d with** mécontent(e) de; **displeasure** [dɪs'pleʒə*] *n* mécontentement *m*

disposable [dɪs'pəuzəbl] *adj* (*pack etc*) jetable, à jeter; (*income*) disponible; **~ nappy** (*BRIT*) *n* couche *f* à jeter, couche-culotte *f*

disposal [dɪs'pəuzəl] *n* (*of goods for sale*) vente *f*; (*of property*) disposition *f*, cession *f*; (*of rubbish*) enlèvement *m*; destruction *f*; **at one's ~** à sa disposition

dispose [dɪs'pəuz] *vt* disposer; **~ of** *vt fus* (*unwanted goods etc*) se débarrasser de, se défaire de; (*problem*) expédier; **~d** [dɪs'pəuzd] *adj*: **to be ~d to do sth** être disposé(e) à faire qch; **disposition** [dɪspə'zɪʃən] *n* disposition *f*; (*temperament*) naturel *m*

disprove [dɪs'pruːv] *vt* réfuter

dispute [dɪs'pjuːt] *n* discussion *f*; (*also: industrial ~*) conflit *m* ◆ *vt* contester; (*matter*) discuter; (*victory*) disputer

disqualify [dɪs'kwɒlɪfaɪ] *vt* (*SPORT*) disqualifier; **to ~ sb for sth/from doing** rendre qn inapte à qch/à faire

disquiet [dɪs'kwaɪət] *n* inquiétude *f*, trouble *m*

disregard [dɪsrɪ'gɑːd] *vt* ne pas tenir compte de

disrepair ['dɪsrɪ'peə*] *n*: **to fall into ~** (*building*) tomber en ruine

disreputable [dɪs'repjutəbl] *adj* (*person*) de mauvaise réputation; (*behaviour*) déshonorant(e)

disrespectful [dɪsrɪ'spektful] *adj* irrespectueux(euse)

disrupt [dɪs'rʌpt] *vt* (*plans*) déranger; (*conversation*) interrompre

dissatisfied [dɪs'sætɪsfaɪd] *adj*: **~ (with)** insatisfait(e) (de)

dissect [dɪ'sekt] *vt* disséquer

dissent [dɪ'sent] *n* dissentiment *m*, différence *f* d'opinion

dissertation [dɪsə'teɪʃən] *n* mémoire *m*

disservice [dɪs'sɜːvɪs] *n*: **to do sb a ~** rendre un mauvais service à qn

dissimilar ['dɪ'sɪmɪlə*] *adj*: **~ (to)** dissemblable (à), différent(e) (de)

dissipate ['dɪsɪpeɪt] *vt* dissiper; (*money, efforts*) disperser

dissolute ['dɪsəluːt] *adj* débauché(e), dissolu(e)

dissolve [dɪ'zɒlv] *vt* dissoudre ◆ *vi* se dissoudre, fondre; **to ~ in(to) tears** fondre en larmes

distance ['dɪstəns] *n* distance *f*; **in the ~** au loin

distant ['dɪstənt] *adj* lointain(e), éloigné(e); (*manner*) distant(e), froid(e)

distaste ['dɪs'teɪst] *n* dégoût *m*; **~ful** *adj* déplaisant(e), désagréable

distended [dɪs'tendɪd] *adj* (*stomach*) dilaté(e)

distil [dɪs'tɪl] *vt* distiller; **~lery** *n* distillerie *f*

distinct [dɪs'tɪŋkt] *adj* distinct(e); (*clear*) marqué(e); **as ~ from** par opposition à; **~ion** [dɪs'tɪŋkʃən] *n* distinction *f*; (*in exam*) mention *f* très bien; **~ive** *adj* distinctif(ive)

distinguish [dɪs'tɪŋgwɪʃ] *vt* distinguer; **~ed** *adj* (*eminent*) distingué(e); **~ing** *adj* (*feature*) distinctif(ive), caractéristique

distort [dɪs'tɔːt] *vt* déformer

distract [dɪs'trækt] *vt* distraire, déranger; **~ed** *adj* distrait(e); (*anxious*) éperdu(e), égaré(e); **~ion** [dɪs'trækʃən] *n* distraction *f*; égarement *m*

distraught [dɪs'trɔːt] *adj* éperdu(e)

distress [dɪs'tres] *n* détresse *f* ◆ *vt* affliger; **~ing** *adj* douloureux(euse), pénible

distribute [dɪs'trɪbjuːt] *vt* distribuer; **distribution** [dɪstrɪ'bjuːʃn] *n* distribution *f*; **distributor** [dɪs'trɪbjutə*] *n* distributeur *m*

district ['dɪstrɪkt] *n* (*of country*) région *f*; (*of town*) quartier *m*; (*ADMIN*) district *m*; **~ attorney** (*US*) *n* ≈ procureur *m* de la République; **~ nurse** (*BRIT*) *n* infirmière visiteuse

distrust [dɪs'trʌst] *n* méfiance *f* ◆ *vt* se méfier de

disturb [dɪs'tɜːb] *vt* troubler; (*inconvenience*) déranger; **~ance** *n* dérangement *m*; (*violent event, political etc*) troubles *mpl*; **~ed** *adj* (*worried, upset*) agité(e), troublé(e); **to be emotionally ~ed** avoir des problèmes affectifs; **~ing** *adj* troublant(e), inquiétant(e)

disuse [dɪs'juːs] *n*: **to fall into ~** tomber en désuétude

disused ['dɪs'juːzd] *adj* désaffecté(e)

ditch [dɪtʃ] *n* fossé *m*; (*irrigation*) rigole *f* ◆ *vt* (*inf*) abandonner; (*person*) plaquer

dither ['dɪðə*] *vi* hésiter

ditto ['dɪtəu] *adv* idem

dive [daɪv] *n* plongeon *m*; (*of submarine*) plongée *f* ◆ *vi* plonger; **to ~ into** (*bag, drawer etc*) plonger la main dans; (*shop, car etc*) se précipiter dans; **~r** *n* plongeur *m*

diversion [daɪ'vɜːʃən] *n* (*BRIT: AUT*) déviation *f*; (*distraction, MIL*) diversion *f*

divert [daɪ'vɜːt] *vt* (*funds, BRIT: traffic*) dévier; (*river, attention*) détourner

divide [dɪ'vaɪd] *vt* diviser; (*separate*) séparer ◆ *vi* se diviser; **~d highway** (*US*) *n* route *f* à quatre voies

dividend ['dɪvɪdend] *n* dividende *m*

divine [dɪ'vaɪn] *adj* divin(e)

diving ['daɪvɪŋ] *n* plongée (sous-marine); **~ board** *n* plongeoir *m*

divinity [dɪ'vɪnɪtɪ] *n* divinité *f*; (*SCOL*) théologie *f*

division [dɪ'vɪʒən] *n* division *f*

divorce [dɪ'vɔːs] *n* divorce *m* ◆ *vt* divorcer d'avec; (*dissociate*) séparer; **~d** *adj* divorcé(e); **~e** [dɪvɔː'siː] *n* divorcé(e)

D.I.Y. (*BRIT*) *n abbr* = **do-it-yourself**

dizzy ['dɪzɪ] *adj*: **to make sb ~** donner le vertige à qn; **to feel ~** avoir la tête qui tourne

DJ *n abbr* = **disc jockey**

KEYWORD

do [duː] (*pt* **did**, *pp* **done**) *n* (*inf: party etc*) soirée *f*, fête *f*

◆ *vb* 1 (*in negative constructions*) *non traduit*; **I ~n't understand** je ne comprends pas

2 (*to form questions*) *non traduit*; **didn't you know?** vous ne le saviez pas?; **why didn't you come?** pourquoi n'êtes-vous pas venu?

3 (*for emphasis, in polite expressions*): **she does seem rather late** je trouve qu'elle est bien en retard; **~ sit down/help yourself** asseyez-vous/servez-vous je vous en prie

4 (*used to avoid repeating vb*): **she swims better than I ~** elle nage mieux que moi; **~ you agree? - yes, I ~/no, I ~n't** vous êtes d'accord? - oui/non; **she lives in Glasgow - so ~ I** elle habite Glasgow - moi aussi; **who broke it? - I did** qui l'a cassé? - c'est moi

5 (*in question tags*): **he laughed, didn't he?** il a ri, n'est-ce pas?; **I ~n't know him, ~ I?** je ne le connais pas, je crois

◆ *vt* (*gen: carry out, perform etc*) faire; **what are you ~ing tonight?** qu'est-ce que vous faites ce soir?; **to ~ the cooking/washing-up** faire la cuisine/la vaisselle; **to ~ one's teeth/hair/nails** se brosser les dents/se coiffer/se faire les ongles; **the car was ~ing 100** la voiture faisait du 100 (à l'heure)

◆ *vi* 1 (*act, behave*) faire; **~ as I ~** faites comme moi

2 (*get on, fare*) marcher; **the firm is ~ing well** l'entreprise marche bien; **how ~ you ~?** comment allez-vous?; (*on being introduced*) enchanté(e)!

3 (*suit*) aller; **will it ~?** est-ce que ça ira?

4 (*be sufficient*) suffire, aller; **will £10 ~?** est-ce que 10 livres suffiront?; **that'll ~** ça suffit, ça ira; **that'll ~!** (*in annoyance*) ça va *ou* suffit comme ça!; **to make ~ (with)** se contenter (de)

do away with *vt fus* supprimer

do up *vt* (*laces, dress*) attacher; (*buttons*) boutonner; (*zip*) fermer; (*renovate: room*) refaire; (: *house*) remettre à neuf

do with *vt fus* (*need*): **I could do with a drink/some help** quelque chose à boire/un peu d'aide ne serait pas de refus; (*be connected*): **that has nothing to ~ with you** cela ne vous concerne pas; **I won't have anything to ~ with it** je ne veux pas m'en mêler

do without *vi* s'en passer ◆ *vt fus* se passer de

dock [dɒk] *n* dock *m*; (*LAW*) banc *m* des accusés ◆ *vi* se mettre à quai; (*SPACE*) s'arrimer; **~er** *n* docker *m*; **~yard** *n* chantier *m* de construction navale

doctor ['dɒktə*] *n* médecin *m*, docteur *m*; (*PhD etc*) docteur ◆ *vt* (*drink*) frelater; **D~ of Philosophy** *n* (*degree*) doctorat *m*; (*person*) Docteur *m* en Droit *or* Lettres *etc*, titulaire *m/f* d'un doctorat

document ['dɒkjumənt] *n* document *m*; **~ary** [dɒkju'mentərɪ] *adj* documentaire ◆ *n* documentaire *m*

dodge [dɒdʒ] *n* truc *m*; combine *f* ◆ *vt* esquiver, éviter

dodgems ['dɒdʒəmz] (*BRIT*) *npl* autos tamponneuses

doe [dəu] *n* (*deer*) biche *f*; (*rabbit*) lapine *f*

does [dʌz] *vb see* **do**; **~n't = does not**

dog [dɒg] *n* chien(ne) ◆ *vt* suivre de près; poursuivre, harceler; **~ collar** *n* collier *m* de chien; (*fig*) faux-col *m* d'ecclésiastique; **~-eared** *adj* corné(e)

dogged ['dɒgɪd] *adj* obstiné(e), opiniâtre

dogsbody ['dɒgzbɒdɪ] *n* bonne *f* à tout faire, tâcheron *m*

doings ['duːɪŋz] *npl* activités *fpl*

do-it-yourself [duːɪtjə'self] *n* bricolage *m*

doldrums ['dɒldrəmz] *npl*: **to be in the ~** avoir le cafard; (*business*) être dans le marasme

dole [dəul] *n* (*BRIT: payment*) allocation *f* de chômage; **on the ~** au chômage; **~ out** *vt* donner au compte-goutte

doleful ['dəulful] *adj* plaintif(ive), lugubre

doll [dɒl] *n* poupée *f*

dollar ['dɒlə*] *n* dollar *m*

dolled up ['dɒld-] (*inf*) *adj*: **(all) ~** sur son trente et un

dolphin ['dɒlfɪn] *n* dauphin *m*

dome [dəum] *n* dôme *m*

domestic [də'mestɪk] *adj* (*task, appliances*) ménager(ère); (*of country: trade, situation etc*) intérieur(e); (*animal*) domestique; **~ated** *adj* (*animal*) domestiqué(e); (*husband*) pantouflard(e)

dominate ['dɒmɪneɪt] *vt* dominer

domineering [dɒmɪ'nɪərɪŋ] *adj* dominateur(trice), autoritaire

dominion [də'mɪnɪən] *n* (*territory*) territoire *m*; **to have ~ over** contrôler

domino ['dɒmɪnəu] (*pl* **~es**) *n* domino *m*; **~es** *n* (*game*) dominos *mpl*

don [dɒn] (*BRIT*) *n* professeur *m* d'université

donate [dəu'neɪt] *vt* faire don de, donner

done [dʌn] *pp of* **do**

donkey ['dɒŋkɪ] *n* âne *m*

donor ['dəunə*] *n* (*of blood etc*) donneur(euse); (*to charity*) donateur(trice)

don't [dəunt] *vb* = **do not**

donut (*US*) *n* = **doughnut**

doodle ['duːdl] *vi* griffonner, gribouiller

doom [duːm] *n* destin *m* ◆ *vt*: **to be ~ed (to failure)** être voué(e) à l'échec; **~sday** *n* le Jugement dernier

door [dɔː*] *n* porte *f*; (*RAIL, car*) portière *f*; **~bell** *n* sonnette *f*; **~handle** *n* poignée *f* de la porte; (*car*) poignée de portière; **~man** (*irreg*) *n* (*in hotel*) portier *m*; **~mat** *n* paillasson *m*; **~step** *n* pas *m* de (la) porte, seuil *m*; **~way** *n* (embrasure *f* de la) porte *f*

dope [dəup] *n* (*inf: drug*) drogue *f*; (: *person*) andouille *f* ◆ *vt* (*horse etc*) doper

dopey ['dəupɪ] (*inf*) *adj* à moitié endormi(e)

dormant ['dɔːmənt] *adj* assoupi(e), en veilleuse

dormitory ['dɔːmɪtrɪ] *n* dortoir *m*; (*US: building*) résidence *f* universitaire

dormouse ['dɔːmaus, *pl* 'dɔːmaɪs] (*pl* **dormice**) *n* loir *m*

dose [dəus] *n* dose *f*

doss house ['dɒs-] (*BRIT*) *n* asile *m* de nuit

dot [dɒt] *n* point *m*; (*on material*) pois *m* ◆ *vt*: **~ted with** parsemé(e) de; **on the ~** à l'heure tapante *or* pile

dote [dəut]: **to ~ on** *vt fus* être fou(folle) de

dot-matrix printer [dɒt'meɪtrɪks-] *n* imprimante matricielle

dotted line *n* pointillé(s) *m(pl)*

double ['dʌbl] *adj* double ◆ *adv* (*twice*): **to cost ~ (sth)** coûter le double (de qch) *or* deux fois plus (que qch) ◆ *n* double *m* ◆ *vt* doubler; (*fold*) plier en deux ◆ *vi* doubler; **~s** *n* (*TENNIS*) double *m*; **on** *or* (*BRIT*) **at the ~** au pas de course; **~ bass** (*BRIT*) *n* contrebasse *f*; **~ bed** *n* grand lit; **~ bend** (*BRIT*) *n* virage *m* en S; **~-breasted** *adj* croisé(e); **~cross** *vt* doubler, trahir; **~decker** *n* autobus *m* à impériale; **~ glazing** (*BRIT*) *n* double vitrage *m*; **~ room** *n* chambre *f* pour deux personnes; **doubly** ['dʌblɪ] *adv* doublement, deux fois plus

doubt [daʊt] *n* doute *m* ◆ *vt* douter de; **to ~ that** douter que; **~ful** *adj* douteux(euse); (*person*) incertain(e); **~less** *adv* sans doute, sûrement

dough [dəʊ] *n* pâte *f*; **~nut** (*US* **donut**) *n* beignet *m*

douse [dauz] *vt* (*drench*) tremper, inonder; (*extinguish*) éteindre

dove [dʌv] *n* colombe *f*

Dover ['dəʊvə*] *n* Douvres

dovetail ['dʌvteɪl] *vi* (*fig*) concorder

dowdy ['daudɪ] *adj* démodé(e); mal fagoté(e) (*inf*)

down [daun] *n* (*soft feathers*) duvet *m* ◆ *adv* en bas, vers le bas; (*on the ground*) par terre ◆ *prep* en bas de; (*along*) le long de ◆ *vt* (*inf*: *drink, food*) s'envoyer; **~ with X!** à bas X!; **~-and-out** *n* clochard(e); **~-at-heel** *adj* éculé(e); (*fig*) miteux(euse); **~cast** *adj* démoralisé(e); **~fall** *n* chute *f*; ruine *f*; **~hearted** *adj* découragé(e); **~hill** *adv*: **to go ~hill** descendre; (*fig*) péricliter; **~ payment** *n* acompte *m*; **~pour** *n* pluie torrentielle, déluge *m*; **~right** *adj* (*lie etc*) effronté(e); (*refusal*) catégorique

Down's syndrome [daunz-] *n* (*MED*) trisomie *f*

down: ~stairs *adv* au rez-de-chaussée; à l'étage inférieur; **~stream** *adv* en aval; **~-to-earth** *adj* terre à terre *inv*; **~town** *adv* en ville; **~ under** *adv* en Australie (*or* Nouvelle-Zélande); **~ward** *adj, adv* vers le bas; **~wards** *adv* vers le bas

dowry ['daurɪ] *n* dot *f*

doz. *abbr* = **dozen**

doze [dəuz] *vi* sommeiller; **~ off** *vi* s'assoupir

dozen ['dʌzn] *n* douzaine *f*; **a ~ books** une douzaine de livres; **~s of** des centaines de

Dr. *abbr* = **doctor; drive.**

drab [dræb] *adj* terne, morne

draft [drɑːft] *n* ébauche *f*; (*of letter, essay etc*) brouillon *m*; (*COMM*) traite *f*; (*US*: *call-up*) conscription *f* ◆ *vt* faire le brouillon *or* un projet de; (*MIL*: *send*) détacher; *see also* **draught**

draftsman ['drɑːftsmən] (*irreg*: *US*) *n* = **draughtsman**

drag [dræg] *vt* traîner; (*river*) draguer ◆ *vi* traîner ◆ *n* (*inf*) casse-pieds *m/f*; (*women's clothing*): **in ~** (en) travesti; **~ on** *vi* s'éterniser

dragon ['drægən] *n* dragon *m*

dragonfly ['drægənflaɪ] *n* libellule *f*

drain [dreɪn] *n* égout *m*, canalisation *f*; (*on resources*) saignée *f* ◆ *vt* (*land, marshes etc*) drainer, assécher; (*vegetables*) égoutter; (*glass*) vider ◆ *vi* (*water*) s'écouler; **~age** *n* drainage *m*; système *m* d'égouts *or* de canalisations; **~ing board** (*US* **~board**) *n* égouttoir *m*; **~pipe** *n* tuyau *m* d'écoulement

drama ['drɑːmə] *n* (*art*) théâtre *m*, art *m* dramatique; (*play*) pièce *f* (de théâtre); (*event*) drame *m*; **~tic** [drə'mætɪk] *adj* dramatique; spectaculaire; **~tist** ['dræmətɪst] *n* auteur *m* dramatique; **~tize** *vt* (*events*) dramatiser; (*adapt*: *for TV/cinema*) adapter pour la télévision/pour l'écran

drank [dræŋk] *pt of* **drink**

drape [dreɪp] *vt* draper; **~s** (*US*) *npl* rideaux *mpl*

drastic ['dræstɪk] *adj* sévère; énergique; (*change*) radical(e)

draught [drɑːft] (*US* **draft**) *n* courant *m* d'air; (*NAUT*) tirant *m* d'eau; **on ~** (*beer*) à la pression; **~board** (*BRIT*) *n* damier *m*; **~s** (*BRIT*) *n* (jeu *m* de) dames *fpl*

draughtsman ['drɑːftsmən] (*irreg*) *n* dessinateur(trice) (industriel(le))

draw [drɔː] (*pt* **drew**, *pp* **drawn**) *vt* tirer; (*tooth*) arracher, extraire; (*attract*) attirer; (*picture*) dessiner; (*line, circle*) tracer; (*money*) retirer; (*wages*) toucher ◆ *vi* (*SPORT*) faire match nul ◆ *n* match nul; (*lottery*) tirage *m* au sort; loterie *f*; **to ~ near** s'approcher; approcher; **~ out** *vi* (*lengthen*) s'allonger ◆ *vt* (*money*) retirer; **~ up** *vi* (*stop*) s'arrêter ◆ *vt* (*chair*) approcher; (*document*) établir, dresser; **~back** *n* inconvénient *m*, désavantage *m*; **~bridge** *n* pont-levis *m*; **~er** [drɔː*] *n* tiroir *m*

drawing ['drɔːɪŋ] *n* dessin *m*; **~ board** *n* planche *f* à dessin; **~ pin** (*BRIT*) *n* punaise *f*; **~ room** *n* salon *m*

drawl [drɔːl] *n* accent traînant

drawn [drɔːn] *pp of* **draw**

dread [dred] *n* terreur *f*, effroi *m* ◆ *vt* redouter, appréhender; **~ful** *adj* affreux(euse)

dream [driːm] (*pt, pp* **dreamed** *or* **dreamt**) *n* rêve *m* ◆ *vt, vi* rêver; **~y** *adj* rêveur(euse); (*music*) langoureux(euse)

dreary ['drɪərɪ] *adj* morne; monotone

dredge [dredʒ] *vt* draguer

dregs [dregz] *npl* lie *f*

drench [drentʃ] *vt* tremper

dress [dres] *n* robe *f*; (*no pl*: *clothing*) habillement *m*, tenue *f* ◆ *vi* s'habiller ◆ *vt* habiller; (*wound*) panser; **to get ~ed** s'habiller; **~ up** *vi* s'habiller; (*in fancy ~*) se déguiser; **~ circle** (*BRIT*) *n* (*THEATRE*) premier balcon; **~er** *n* (*furniture*) vaisselier *m*; (: *US*) coiffeuse *f*, commode *f*; **~ing** *n* (*MED*) pansement *m*; (*CULIN*) sauce *f*, assaisonnement *m*; **~ing gown** (*BRIT*) *n* robe *f* de chambre; **~ing room** *n* (*THEATRE*) loge *f*; (*SPORT*) vestiaire *m*; **~ing table** *n* coiffeuse *f*; **~maker** *n* couturière *f*; **~ rehearsal** *n* (répétition) générale

drew [druː] *pt of* **draw**

dribble ['drɪbl] *vi* (*baby*) baver ◆ *vt* (*ball*) dribbler

dried [draɪd] *adj* (*fruit, beans*) sec(sèche); (*eggs, milk*) en poudre

drier ['draɪə*] *n* = **dryer**

drift [drɪft] *n* (*of current etc*) force *f*; direction *f*, mouvement *m*; (*of snow*) rafale *f*; (: *on ground*) congère *f*; (*general meaning*) sens (général) ◆ *vi* (*boat*) aller à la dérive, dériver; (*sand, snow*) s'amonceler, s'entasser; **~wood** *n* bois flotté

drill [drɪl] *n* perceuse *f*; (**~ *bit***) foret *m*, mèche *f*; (*of dentist*) roulette *f*, fraise *f*; (*MIL*) exercice *m* ◆ *vt* percer; (*troops*) entraîner ◆ *vi* (*for oil*) faire un *or* des forage(s)

drink [drɪŋk] (*pt* **drank**, *pp* **drunk**) *n* boisson *f*; (*alcoholic*) verre *m* ◆ *vt, vi* boire; **to have a ~** boire quelque chose, boire un verre; prendre l'apéritif; **a ~ of water** un verre d'eau; **~er** *n* buveur(euse); **~ing water** *n* eau *f* potable

drip [drɪp] *n* goutte *f*; (*MED*) goutte-à-goutte *m inv*; perfusion *f* ◆ *vi* tomber goutte à goutte; (*tap*) goutter; **~-dry** *adj* (*shirt*) sans repassage; **~ping** *n* graisse *f* (de rôti)

drive [draɪv] (*pt* **drove**, *pp* **driven**) *n* promenade *f or* trajet *m* en voiture; (*also*: **~way**) allée *f*; (*energy*) dynamisme *m*, énergie *f*; (*push*) effort (concerté), campagne *f* (*also*: *disk ~*) lecteur *m* de disquettes ◆ *vt* conduire; (*push*) chasser, pousser; (*TECH*: *motor, wheel*) faire fonctionner; entraîner; (*nail, stake etc*): **to ~ sth into sth** enfoncer qch dans qch ◆ *vi* (*AUT*: *at controls*) conduire; (: *travel*) aller en voiture; **left-/right-hand ~** conduite *f* à gauche/droite; **to ~ sb mad** rendre qn fou(folle); **to ~ sb home/to the airport** reconduire qn chez lui/conduire qn à l'aéroport

drivel ['drɪvl] (*inf*) *n* idioties *fpl*

driver ['draɪvə*] *n* conducteur(trice); (*of taxi, bus*) chauffeur *m*; **~'s license** (*US*) *n* permis *m* de conduire

driveway ['draɪvweɪ] *n* allée *f*

driving ['draɪvɪŋ] *n* conduite *f*; **~ instructor** *n* moniteur *m* d'auto-école; **~ lesson** *n* leçon *f* de conduite; **~ licence** (*BRIT*) *n* permis *m* de conduire; **~ school** *n* auto-école *f*; **~ test** *n* examen *m* du permis de conduire

drizzle ['drɪzl] *n* bruine *f*, crachin *m*

drone [drəun] *n* bourdonnement *m*; (*male bee*) faux bourdon

drool [druːl] *vi* baver

droop [druːp] *vi* (*shoulders*) tomber; (*head*) pencher; (*flower*) pencher la tête

drop [drɒp] *n* goutte *f*; (*fall*) baisse *f*; (*also*: *parachute ~*) saut *m* ◆ *vt* laisser tomber; (*voice, eyes, price*) baisser; (*set down from car*) déposer ◆ *vi* tomber; **~s** *npl* (*MED*) gouttes; **~ off** *vi* (*sleep*) s'assoupir ◆ *vt* (*passenger*) déposer; **~ out** *vi* (*withdraw*) se retirer; (*student etc*) abandonner, décrocher; **~out** *n* marginal(e); **~per** *n* compte-gouttes *m inv*; **~pings** *npl* crottes *fpl*

drought [draut] *n* sécheresse *f*

drove [drəuv] *pt of* **drive**

drown [draun] *vt* noyer ◆ *vi* se noyer

drowsy ['drauzɪ] *adj* somnolent(e)

drudgery ['drʌdʒərɪ] *n* corvée *f*

drug [drʌg] *n* médicament *m*; (*narcotic*) drogue *f* ◆ *vt* droguer; **to be on ~s** se droguer; **~ addict** *n* toxicomane *m/f*; **~gist** (*US*) *n* pharmacien(ne)-droguiste; **~store** (*US*) *n* pharmacie-droguerie *f*, drugstore *m*

drum [drʌm] *n* tambour *m*; (*for oil, petrol*) bidon *m*; **~s** *npl* (*kit*) batterie *f*; **~mer** *n* (joueur *m* de) tambour *m*

drunk [drʌŋk] *pp of* **drink** ◆ *adj* ivre, soûl(e) ◆ *n* (*also*: **~ard**) ivrogne *m/f*; **~en** *adj* (*person*) ivre, soûl(e); (*rage, stupor*) ivrogne, d'ivrogne

dry [draɪ] *adj* sec(sèche); (*day*) sans pluie; (*humour*) pince-sans-rire *inv*; (*lake, riverbed, well*) à sec ◆ *vt* sécher; (*clothes*) faire sécher ◆ *vi* sécher; **~ up** *vi* tarir; **~-cleaner's** *n* teinturerie *f*; **~er** *n* séchoir *m*; (*US*: *spin-~er*) essoreuse *f*; **~ness** *n* sécheresse *f*; **~ rot** *n* pourriture sèche (*du bois*)

dual ['djuəl] *adj* double; **~ carriageway** (*BRIT*) *n* route *f* à quatre voies *or* à chaussées séparées; **~ purpose** *adj* à double usage

dubbed [dʌbd] *adj* (*CINEMA*) doublé(e)

dubious ['djuːbɪəs] *adj* hésitant(e), incertain(e); (*reputation, company*) douteux(euse)

duchess ['dʌtʃɪs] *n* duchesse *f*

duck [dʌk] *n* canard *m* ◆ *vi* se baisser vivement, baisser subitement la tête; **~ling** *n* caneton *m*

duct [dʌkt] *n* conduite *f*, canalisation *f*; (*ANAT*) conduit *m*

dud [dʌd] *n* (*object, tool*): **it's a ~** c'est de la camelote, ça ne marche pas ◆ *adj*: **~ cheque** (*BRIT*) chèque sans provision

due [djuː] *adj* dû(due); (*expected*) attendu(e); (*fitting*) qui convient ◆ *n*: **to give sb his** (*or* **her**) **~** être juste envers qn ◆ *adv*: **~ north** droit vers le nord; **~s** *npl* (*for club, union*) cotisation *f*; (*in harbour*) droits *mpl* (de port); **in ~ course** en temps utile *or* voulu; finalement; **~ to** dû(due) à; causé(e) par; **he's ~ to finish tomorrow** normalement il doit finir demain

duet [djuː'et] *n* duo *m*

duffel bag [dʌtl] *n* sac *m* marin

duffel coat *n* duffel-coat *m*

dug [dʌg] *pt, pp of* **dig**

duke [djuːk] *n* duc *m*

dull [dʌl] *adj* terne, morne; (*boring*) ennuyeux(euse); (*sound, pain*) sourd(e); (*weather, day*) gris(e), maussade ◆ *vt* (*pain, grief*) atténuer; (*mind, senses*) engourdir

duly ['djuːlɪ] *adv* (*on time*) en temps voulu; (*as expected*) comme il se doit

dumb [dʌm] *adj* muet(te); (*stupid*) bête; **~founded** [dʌm'faundɪd] *adj* sidéré(e)

dummy ['dʌmɪ] *n* (*tailor's model*) mannequin *m*; (*mock-up*) factice *m*, maquette *f*; (*BRIT*: *for baby*) tétine *f* ◆ *adj* faux(fausse), factice

dump [dʌmp] *n* (*also*: *rubbish dump*) décharge (publique); (*pej*) trou *m* ◆ *vt* (*put down*) déposer; déverser; (*get rid of*) se débarrasser de; (*COMPUT*: *data*) vider, transférer

dumpling ['dʌmplɪŋ] *n* boulette *f* (de pâte)

dumpy ['dʌmpɪ] *adj* boulot(te)

dunce [dʌns] *n* âne *m*, cancre *m*

dune [djuːn] *n* dune *f*

dung [dʌŋ] *n* fumier *m*

dungarees [dʌŋgə'riːz] *npl* salopette *f*; bleu(s) *m(pl)*

dungeon ['dʌndʒən] *n* cachot *m*

duplex ['djuːpleks] (*US*) *n* maison jumelée; (*apartment*) duplex *m*

duplicate [*n* 'djuːplɪkɪt, *vb* 'djuːplɪkeɪt] *n* double *m* ◆ *vt* faire un double de; (*on machine*) polycopier; photocopier; **in ~** en deux exemplaires

durable ['djuərəbl] *adj* durable; (*clothes, metal*) résistant(e), solide

duration [djuə'reɪʃən] *n* durée *f*

duress [djuə'res] *n*: **under ~** sous la contrainte

during ['djuərɪŋ] *prep* pendant, au cours de

dusk [dʌsk] *n* crépuscule *m*

dust [dʌst] *n* poussière *f* ◆ *vt* (*furniture*) épousseter, essuyer; (*cake etc*): **to ~ with** saupoudrer de; **~bin** (*BRIT*) *n* poubelle *f*; **~er** *n* chiffon *m*; **~man** (*BRIT irreg*) *n* boueux *m*, éboueur *m*; **~y** *adj* poussiéreux(euse)

Dutch [dʌtʃ] *adj* hollandais(e), néerlandais(e) ◆ *n* (*LING*) hollandais *m* ◆ *adv* (*inf*): **to go ~** partager les frais; **the ~** *npl* (*people*) les Hollandais; **~man** (*irreg*) *n* Hollandais; **~woman** (*irreg*) *n* Hollandaise *f*

dutiful ['djuːtɪful] *adj* (*child*) respectueux(euse)

duty ['djuːtɪ] *n* devoir *m*; (*tax*) droit *m*, taxe *f*; **on ~** de service; (*at night etc*) de garde; **off ~** libre, pas de service *or* de garde; **~-free** *adj* exempté(e) de douane, hors taxe *inv*

duvet ['duːveɪ] (*BRIT*) *n* couette *f*

dwarf [dwɔːf] (*pl* **dwarves**) *n* nain(e) ◆ *vt* écraser

dwell [dwel] (*pt, pp* **dwelt**) *vi* demeurer; **~ on** *vt fus* s'appesantir sur; **~ing** *n* habitation *f*, demeure *f*

dwindle ['dwɪndl] *vi* diminuer, décroître

dye [daɪ] *n* teinture *f* ◆ *vt* teindre

dying ['daɪɪŋ] *adj* mourant(e), agonisant(e)

dyke [daɪk] (*BRIT*) *n* digue *f*

dynamic [daɪ'næmɪk] *adj* dynamique

dynamite ['daɪnəmaɪt] *n* dynamite *f*

dynamo ['daɪnəməu] *n* dynamo *f*

dyslexia [dɪs'leksɪə] *n* dyslexie *f*

E

E [iː] *n* (*MUS*) mi *m*

each [iːtʃ] *adj* chaque ◆ *pron* chacun(e); **~ other** l'un(e) l'autre; **they hate ~ other** ils se détestent (mutuellement); **you are jealous of ~ other** vous êtes jaloux l'un de l'autre; **they have 2 books ~** ils ont 2 livres chacun

eager ['iːgə*] *adj* (*keen*) avide; **to be ~ to do sth** avoir très envie de faire qch; **to be ~ for** désirer vivement, être avide de

eagle ['iːgl] *n* aigle *m*

ear [ɪə*] *n* oreille *f*; (*of corn*) épi *m*; **~ache** *n* mal *m* aux oreilles; **~drum** *n* tympan *m*

earl [ɜːl] (*BRIT*) *n* comte *m*

earlier ['ɜːlɪə*] *adj* (*date etc*) plus rapproché(e); (*edition, fashion etc*) plus ancien(ne), antérieur(e) ◆ *adv* plus tôt

early ['ɜːlɪ] *adv* tôt, de bonne heure; (*ahead of time*) en avance; (*near the beginning*) au début ◆ *adj* qui se manifeste (*or* se fait) tôt *or* de bonne heure; (*work*) de jeunesse; (*settler, Christian*) premier(ère); (*reply*) rapide; (*death*) prématuré(e); **to have an ~ night** se coucher tôt *or* de bonne heure; **in the ~** *or* **~ in the spring/19th century** au début du printemps/19ème siècle; **~ retirement** *n*: **to take ~ retirement** prendre sa retraite anticipée

earmark ['ɪəmɑːk] *vt*: **to ~ sth for** réserver *or* destiner qch à

earn [ɜːn] *vt* gagner; (*COMM*: *yield*) rapporter

earnest ['ɜːnɪst] *adj* sérieux(euse); **in ~** *adv* sérieusement

earnings ['ɜːnɪŋz] *npl* salaire *m*; (*of company*) bénéfices *mpl*

earphones ['ɪəfəunz] *npl* écouteurs *mpl*

earring ['ɪərɪŋ] *n* boucle *f* d'oreille

earshot ['ɪəʃɒt] *n*: **within ~** à portée de voix

earth [ɜːθ] *n* (*gen, also BRIT*: *ELEC*) terre *f* ◆ *vt* relier à la terre; **~enware** *n* poterie *f*; faïence *f*; **~quake** *n* tremblement *m* de terre, séisme *m*; **~y** ['ɜːθɪ] *adj* (*vulgar*: *humour*) truculent(e)

ease [iːz] *n* facilité *f*, aisance *f*; (*comfort*) bien-être *m* ◆ *vt* (*soothe*) calmer; (*loosen*) relâcher, détendre; **to ~ sth in/out** faire pénétrer/sortir qch délicatement *or* avec douceur; faciliter la pénétration/la sortie de qch; **at ~!** (*MIL*) repos!; **~ off** *vi* diminuer; (*slow down*) ralentir; **~ up** *vi* = **ease off**

easel ['iːzl] *n* chevalet *m*

easily ['iːzɪlɪ] *adv* facilement

east [iːst] *n* est *m* ◆ *adj* (*wind*) d'est; (*side*) est *inv* ◆ *adv* à l'est, vers l'est; **the E~** l'Orient *m*; (*POL*) les pays *mpl* de l'Est

Easter ['iːstə*] *n* Pâques *fpl*; **~ egg** *n* œuf *m* de Pâques

east: ~erly ['iːstəlɪ] *adj* (*wind*) d'est; (*direction*) est *inv*; (*point*) à l'est; **~ern** ['iːstən] *adj* de l'est, oriental(e); **~ward(s)** ['iːstwəd(z)] *adv* vers l'est, à l'est

easy ['iːzɪ] *adj* facile; (*manner*) aisé(e) ◆ *adv*: **to take it** *or* **things ~** ne pas se fatiguer; (*not worry*) ne pas (trop) s'en faire; **~ chair** *n* fauteuil *m*; **~-going** *adj* accommodant(e), facile à vivre

eat [iːt] (*pt* **ate**, *pp* **eaten**) *vt, vi* manger; **~ away at** *vt fus* ronger, attaquer; (*savings*) entamer; **~ into** *vt fus* = **eat away at**

eaves [iːvz] *npl* avant-toit *m*

eavesdrop ['iːvzdrɒp] *vi*: **to ~ (on a conversation)** écouter (une conversation) de façon indiscrète

ebb [eb] *n* reflux *m* ◆ *vi* refluer; (*fig*: *also*: **~ away**) décliner

ebony ['ebənɪ] *n* ébène *f*

EC *n abbr* (= *European Community*) C.E. *f*

eccentric [ɪk'sentrɪk] *adj* excentrique ◆ *n* excentrique *m/f*

echo ['ekəu] (*pl* **~es**) *n* écho *m* ◆ *vt* répéter ◆ *vi* résonner, faire écho

eclipse [ɪ'klɪps] *n* éclipse *f*

ecology [ɪ'kɒlədʒɪ] *n* écologie *f*

economic [iːkə'nɒmɪk] *adj* économique; (*business etc*) rentable; **~al** *adj* économique; (*person*) économe; **~s** *n* économie *f* politique ◆ *npl* (*of project, situation*) aspect *m* financier

economize [ɪ'kɒnəmaɪz] *vi* économiser, faire des économies

economy [ɪ'kɒnəmɪ] *n* économie *f*; **~ class** *n* classe *f* touriste; **~ size** *n* format *m* économique

ecstasy ['ekstəsɪ] *n* extase *f*; **ecstatic** *adj* extatique

ECU [eɪːkjuː] *n abbr* (= *European Currency Unit*) ECU *m*

eczema ['eksɪmə] *n* eczéma *m*

edge [edʒ] *n* bord *m*; (*of knife etc*) tranchant *m*, fil *m* ◆ *vt* border; **on ~** (*fig*) crispé(e), tendu(e); **to ~ away from** s'éloigner furtivement de; **~ways** *adv*: **he couldn't get a word in ~ways** il ne pouvait pas placer un mot

edgy ['edʒɪ] *adj* crispé(e), tendu(e)

edible ['edɪbl] *adj* comestible

edict ['i:dɪkt] *n* décret *m*

Edinburgh ['edɪnbərə] *n* Édimbourg

edit ['edɪt] *vt* (*text, book*) éditer; (*report*) préparer; (*film*) monter; (*broadcast*) réaliser; **~ion** [ɪ'dɪʃən] *n* édition *f*; **~or** *n* (*of column*) rédacteur(trice); (*of newspaper*) rédacteur(trice) en chef; (*of sb's work*) éditeur(trice); **~orial** [edɪ'tɔ:rɪəl] *adj* de la rédaction, éditorial(e) ◆ *n* éditorial *m*

educate ['edjukeɪt] *vt* (*teach*) instruire; (*instruct*) éduquer

education [edju'keɪʃən] *n* éducation *f*; (*studies*) études *fpl*; (*teaching*) enseignement *m*, instruction *f*; **~al** *adj* (*experience, toy*) pédagogique; (*institution*) scolaire; (*policy*) d'éducation

eel [i:l] *n* anguille *f*

eerie ['ɪərɪ] *adj* inquiétant(e)

effect [ɪ'fekt] *n* effet *m* ◆ *vt* effectuer; **to take ~** (*law*) entrer en vigueur, prendre effet; (*drug*) agir, faire son effet; **in ~** en fait; **~ive** *adj* efficace; (*actual*) véritable; **~ively** *adv* efficacement; (*in reality*) effectivement; **~iveness** *n* efficacité *f*

effeminate [ɪ'femɪnɪt] *adj* efféminé(e)

effervescent [efə'vesnt] *adj* (*drink*) gazeux(euse)

efficiency [ɪ'fɪʃənsɪ] *n* efficacité *f*; (*of machine*) rendement *m*

efficient [ɪ'fɪʃənt] *adj* efficace; (*machine*) qui a un bon rendement

effort ['efət] *n* effort *m*; **~less** *adj* (*style*) aisé(e); (*achievement*) facile

effusive [ɪ'fju:sɪv] *adj* chaleureux(euse)

e.g. *adv abbr* (= *exempli gratia*) par exemple, p. ex.

egg [eg] *n* œuf *m*; **hard-boiled/soft-boiled ~** œuf dur/à la coque; **~ on** *vt* pousser; **~cup** *n* coquetier *m*; **~plant** *n* (*esp US*) aubergine *f*; **~shell** *n* coquille *f* d'œuf

ego ['i:gəu] *n* (*self-esteem*) amour-propre *m*

egotism ['egəutɪzəm] *n* égotisme *m*

egotist ['egəutɪst] *n* égocentrique *m/f*

Egypt ['i:dʒɪpt] *n* Égypte *f*; **~ian** [ɪ'dʒɪpʃən] *adj* égyptien(ne) ◆ *n* Égyptien(ne)

eiderdown ['aɪdədaun] *n* édredon *m*

eight [eɪt] *num* huit; **~een** *num* dix-huit; **~h** [eɪtθ] *num* huitième; **~y** *num* quatre-vingt(s)

Eire ['ɛərə] *n* République *f* d'Irlande

either ['aɪðə*] *adj* l'un ou l'autre; (*both, each*) chaque ◆ *pron*: **~ (of them)** l'un ou l'autre ◆ *adv* non plus ◆ *conj*: **~ good or bad** ou bon ou mauvais, soit bon soit mauvais; **on ~ side** de chaque côté; **I don't like ~** je n'aime ni l'un ni l'autre; **no, I don't ~** moi non plus

eject [ɪ'dʒekt] *vt* (*tenant etc*) expulser; (*object*) éjecter

eke [i:k] : **to ~ out** *vt* faire durer

elaborate [*adj* ɪ'læbərɪt, *vb* ɪ'læbəreɪt] *adj* compliqué(e), recherché(e) ◆ *vt* élaborer ◆ *vi*: **to ~ (on)** entrer dans les détails (de)

elapse [ɪ'læps] *vi* s'écouler, passer

elastic [ɪ'læstɪk] *adj* élastique ◆ *n* élastique *m*; **~ band** *n* élastique *m*

elated [ɪ'leɪtɪd] *adj* transporté(e) de joie

elation [ɪ'leɪʃən] *n* allégresse *f*

elbow ['elbəu] *n* coude *m*

elder ['eldə*] *adj* aîné(e) ◆ *n* (*tree*) sureau *m*; **one's ~s** ses aînés; **~ly** *adj* âgé(e) ◆ *npl*: **the ~ly** les personnes âgées

eldest ['eldɪst] *adj*, *n*: **the ~ (child)** l'aîné(e) (des enfants)

elect [ɪ'lekt] *vt* élire ◆ *adj*: **the president ~** le président désigné; **to ~ to do** choisir de faire; **~ion** [ɪ'lekʃən] *n* élection *f*; **~ioneering** [ɪlekʃə'nɪərɪŋ] *n* propagande électorale, manœuvres électorales; **~or** *n* électeur(trice); **~orate** *n* électorat *m*

electric [ɪ'lektrɪk] *adj* électrique; **~al** *adj* électrique; **~ blanket** *n* couverture chauffante; **~ fire** (*BRIT*) *n* radiateur *m* électrique; **~ian** [ɪlek'trɪʃən] *n* électricien *m*

electricity [ɪlek'trɪsɪtɪ] *n* électricité *f*

electrify [ɪ'lektrɪfaɪ] *vt* (*RAIL, fence*) électrifier; (*audience*) électriser

electronic [ɪlek'trɔnɪk] *adj* électronique; **~s** *n* électronique *f*

elegant ['elɪgənt] *adj* élégant(e)

element ['elɪmənt] *n* (*gen*) élément *m*; (*of heater, kettle etc*) résistance *f*; **~ary** [elɪ'mentərɪ] *adj* élémentaire; (*school, education*) primaire

elephant ['elɪfənt] *n* éléphant *m*

elevation [elɪ'veɪʃən] *n* (*raising, promotion*) avancement *m*, promotion *f*; (*height*) hauteur *f*

elevator ['elɪveɪtə*] *n* (*in warehouse etc*) élévateur *m*, monte-charge *m inv*; (*US*: *lift*) ascenseur *m*

eleven [ɪ'levn] *num* onze; **~ses** *npl* ≈ pause-café *f*; **~th** *num* onzième

elicit [ɪ'lɪsɪt] *vt*: **to ~ (from)** obtenir (de), arracher (à)

eligible ['elɪdʒəbl] *adj*: **to be ~ for** remplir les conditions requises pour; **an ~ young man/woman** un beau parti

elm [elm] *n* orme *m*

elongated ['i:lɔŋgeɪtɪd] *adj* allongé(e)

elope [ɪ'ləup] *vi* (*lovers*) s'enfuir (ensemble); **~ment** [ɪ'ləupmənt] *n* fugue amoureuse

eloquent ['eləkwənt] *adj* éloquent(e)

else [els] *adv* d'autre; **something ~** quelque chose d'autre, autre chose; **somewhere ~** ailleurs, autre part; **everywhere ~** partout ailleurs; **nobody ~** personne d'autre; **where ~?** à quel autre endroit?; **little ~** pas grand-chose d'autre; **~where** *adv* ailleurs, autre part

elude [ɪ'lu:d] *vt* échapper à

elusive [ɪ'lu:sɪv] *adj* insaisissable

emaciated [ɪ'meɪsɪeɪtɪd] *adj* émacié(e), décharné(e)

emancipate [ɪ'mænsɪpeɪt] *vt* émanciper

embankment [ɪm'bæŋkmənt] *n* (*of road, railway*) remblai *m*, talus *m*; (*of river*) berge *f*, quai *m*

embark [ɪm'bɑ:k] *vi* embarquer; **to ~ on** (*journey*) entreprendre; (*fig*) se lancer *or* s'embarquer dans; **~ation** [embɑ:'keɪʃən] *n* embarquement *m*

embarrass [ɪm'bærəs] *vt* embarrasser, gêner; **~ed** *adj* gêné(e); **~ing** *adj* gênant(e), embarrassant(e); **~ment** *n* embarras *m*, gêne *f*

embassy ['embəsɪ] *n* ambassade *f*

embedded [ɪm'bedɪd] *adj* enfoncé(e)

embellish [ɪm'belɪʃ] *vt* orner, décorer; (*fig*: *account*) enjoliver

embers ['embəz] *npl* braise *f*

embezzle [ɪm'bezl] *vt* détourner

embezzlement [ɪm'bezlmənt] *n* détournement *m* de fonds

embitter [ɪm'bɪtə*] *vt* (*person*) aigrir; (*relations*) envenimer

embody [ɪm'bɔdɪ] *vt* (*features*) réunir, comprendre; (*ideas*) formuler, exprimer

embossed [ɪm'bɔst] *adj* (*metal*) estampé(e); (*leather*) frappé(e); **~ wallpaper** papier gaufré

embrace [ɪm'breɪs] *vt* embrasser, étreindre; (*include*) embrasser ◆ *vi* s'étreindre, s'embrasser ◆ *n* étreinte *f*

embroider [ɪm'brɔɪdə*] *vt* broder; **~y** *n* broderie *f*

emerald ['emərəld] *n* émeraude *f*

emerge [ɪ'mə:dʒ] *vi* apparaître; (*from room, car*) surgir; (*from sleep, imprisonment*) sortir

emergency [ɪ'mə:dʒənsɪ] *n* urgence *f*; **in an ~** en cas d'urgence; **~ cord** *n* sonnette *f* d'alarme; **~ exit** *n* sortie *f* de secours; **~ landing** *n* atterrissage forcé; **~ services** *npl*: **the ~ services** (*fire, police, ambulance*) les services *mpl* d'urgence

emergent [ɪ'mə:dʒənt] *adj* (*nation*) en voie de développement; (*group*) en développement

emery board ['emərɪ-] *n* lime *f* à ongles (*en carton émerisé*)

emigrate ['emɪgreɪt] *vi* émigrer

eminent ['emɪnənt] *adj* éminent(e)

emissions [ɪ'mɪʃənz] *npl* émissions *fpl*

emit [ɪ'mɪt] *vt* émettre

emotion [ɪ'məuʃən] *n* émotion *f*; **~al** *adj* (*person*) émotif(ive), très sensible; (*needs, exhaustion*) affectif(ive); (*scene*) émouvant(e); (*tone, speech*) qui fait appel aux sentiments

emotive [ɪ'məutɪv] *adj* chargé(e) d'émotion; (*subject*) sensible

emperor ['empərə*] *n* empereur *m*

emphasis ['emfəsɪs] (*pl* **-ases**) *n* (*stress*) accent *m*; (*importance*) insistance *f*

emphasize ['emfəsaɪz] *vt* (*syllable, word, point*) appuyer *or* insister sur; (*feature*) souligner, accentuer

emphatic [ɪm'fætɪk] *adj* (*strong*) énergique, vigoureux(euse); (*unambiguous, clear*) catégorique; **~ally** [ɪm'fætɪkəlɪ] *adv* avec vigueur *or* énergie; catégoriquement

empire ['empaɪə*] *n* empire *m*

employ [ɪm'plɔɪ] *vt* employer; **~ee** *n* employé(e); **~er** *n* employeur(euse); **~ment** *n* emploi *m*; **~ment agency** *n* agence *f or* bureau *m* de placement

empower [ɪm'pauə*] *vt*: **to ~ sb to do** autoriser *or* habiliter qn à faire

empress ['emprɪs] *n* impératrice *f*

emptiness ['emptɪnəs] *n* (*of area, region*) aspect *m* désertique *m*; (*of life*) vide *m*, vacuité *f*

empty ['emptɪ] *adj* vide; (*threat, promise*) en l'air, vain(e) ◆ *vt* vider ◆ *vi* se vider; (*liquid*) s'écouler; **~-handed** *adj* les mains vides

emulate ['emjuleɪt] *vt* rivaliser avec, imiter

emulsion [ɪ'mʌlʃən] *n* émulsion *f*; **~ (paint)** *n* peinture mate

enable [ɪ'neɪbl] *vt*: **to ~ sb to do** permettre à qn de faire

enact [ɪn'ækt] *vt* (*law*) promulguer; (*play*) jouer

enamel [ɪ'næməl] *n* émail *m*; (*also*: **~ paint**) peinture laquée

enamoured [ɪn'æməd] *adj*: **to be ~ of** être entiché(e) de

encased [ɪn'keɪst] *adj*: **~ in** enfermé(e) *or* enchâssé(e) dans

enchant [ɪn'tʃɑ:nt] *vt* enchanter; **~ing** *adj* ravissant(e), enchanteur(teresse)

encl. *abbr* = **enclosed**

enclose [ɪn'kləuz] *vt* (*land*) clôturer; (*space, object*) entourer; (*letter etc*): **to ~ (with)** joindre (à); **please find ~d** veuillez trouver ci-joint

enclosure [ɪn'kləuʒə*] *n* enceinte *f*

encompass [ɪn'kʌmpəs] *vt* (*include*) contenir, inclure

encore ['ɔŋkɔ:*] *excl* bis ◆ *n* bis *m*

encounter [ɪn'kauntə*] *n* rencontre *f* ◆ *vt* rencontrer

encourage [ɪn'kʌrɪdʒ] *vt* encourager; **~ment** *n* encouragement *m*

encroach [ɪn'krəutʃ] *vi*: **to ~ (up)on** empiéter sur

encyclop(a)edia [ensaɪkləu'pi:dɪə] *n* encyclopédie *f*

end [end] *n* (*gen, also*: *aim*) fin *f*; (*of table, street, rope etc*) bout *m*, extrémité *f* ◆ *vt* terminer; (*also*: *bring to an ~, put an ~ to*) mettre fin à ◆ *vi* se terminer, finir; **in the ~** finalement; **on ~** (*object*) debout, dressé(e); **to stand on ~** (*hair*) se dresser sur la tête; **for hours on ~** pendant des heures et des heures; **~ up** *vi*: **to ~ up in** (*condition*) finir *or* se terminer par; (*place*) finir *or* aboutir à

endanger [ɪn'deɪndʒə*] *vt* mettre en danger

endearing [ɪn'dɪərɪŋ] *adj* attachant(e)

endeavour [ɪn'devə*] (*US* **endeavor**) *n* tentative *f*, effort *m* ◆ *vi*: **to ~ to do** tenter *or* s'efforcer de faire

ending ['endɪŋ] *n* dénouement *m*, fin *f*; (*LING*) terminaison *f*

endive ['endaɪv] *n* chicorée *f*; (*smooth*) endive *f*

endless ['endlɪs] *adj* sans fin, interminable

endorse [ɪn'dɔ:s] *vt* (*cheque*) endosser; (*approve*) appuyer, approuver, sanctionner; **~ment** *n* (*approval*) appui *m*, aval *m*; (*BRIT*: *on driving licence*) *contravention portée au permis de conduire*

endow [ɪn'dau] *vt*: **to ~ (with)** doter (de)

endure [ɪn'djuə*] *vt* supporter, endurer ◆ *vi* durer

enemy ['enəmɪ] *adj*, *n* ennemi(e)

energetic [enə'dʒetɪk] *adj* énergique; (*activity*) qui fait se dépenser (physiquement)

energy ['enədʒɪ] *n* énergie *f*

enforce [ɪn'fɔ:s] *vt* (*LAW*) appliquer, faire respecter

engage [ɪn'geɪdʒ] *vt* engager; (*attention etc*) retenir ◆ *vi* (*TECH*) s'enclencher, s'engrener; **to ~ in** se lancer dans; **~d** *adj* (*BRIT*: *busy, in use*) occupé(e); (*betrothed*) fiancé(e); **to get ~d** se fiancer; **~d tone** *n* (*TEL*) tonalité *f* occupé *inv or* pas libre; **~ment** *n* obligation *f*, engagement *m*; rendez-vous *m inv*; (*to marry*) fiançailles *fpl*; **~ment ring** *n* bague *f* de fiançailles

engaging [ɪn'geɪdʒɪŋ] *adj* engageant(e), attirant(e)

engender [ɪn'dʒendə*] *vt* produire, causer

engine ['endʒɪn] *n* (*AUT*) moteur *m*; (*RAIL*) locomotive *f*; **~ driver** *n* mécanicien *m*

engineer [endʒɪ'nɪə*] *n* ingénieur *m*; (*BRIT*: *repairer*) dépanneur *m*; (*NAVY, US RAIL*) mécanicien *m*; **~ing** [-'nɪərɪŋ] *n* engineering *m*, ingénierie *f*; (*of bridges, ships*) génie *m*; (*of machine*) mécanique *f*

England ['ɪŋglənd] *n* Angleterre *f*

English ['ɪŋglɪʃ] *adj* anglais(e) ◆ *n* (*LING*) anglais *m*; **the ~** *npl* (*people*) les Anglais; **the ~ Channel** la Manche; **~man** (*irreg*) *n* Anglais; **~woman** (*irreg*) *n* Anglaise *f*

engraving [ɪn'greɪvɪŋ] *n* gravure *f*

engrossed [ɪn'grəust] *adj*: **~ in** absorbé(e) par, plongé(e) dans

engulf [ɪn'gʌlf] *vt* engloutir

enhance [ɪn'hɑ:ns] *vt* rehausser, mettre en valeur

enjoy [ɪn'dʒɔɪ] *vt* aimer, prendre plaisir à; (*have*: *health, fortune*) jouir de; (*: success*) connaître; **to ~ o.s.** s'amuser; **~able** *adj* agréable; **~ment** *n* plaisir *m*

enlarge [ɪn'lɑ:dʒ] *vt* accroître; (*PHOT*) agrandir ◆ *vi*: **to ~ on** (*subject*) s'étendre sur; **~ment** *n* (*PHOT*) agrandissement *m*

enlighten [ɪn'laɪtn] *vt* éclairer; **~ed** *adj* éclairé(e); **~ment** *n*: **the E~ment** (*HISTORY*) ≈ le Siècle des lumières

enlist [ɪn'lɪst] *vt* recruter; (*support*) s'assurer ◆ *vi* s'engager

enmity ['enmɪtɪ] *n* inimitié *f*

enormous [ɪ'nɔ:məs] *adj* énorme

enough [ɪ'nʌf] *adj*, *pron*: **~ time/books** assez *or* suffisamment de temps/livres ◆ *adv*: **big ~** assez *or* suffisamment grand; **have you got ~?** en avez-vous assez?; **he has not worked ~** il n'a pas assez *or* suffisamment travaillé; **~ to eat** assez à manger; **~!** assez!, ça suffit!; **that's ~, thanks** cela suffit *or* c'est assez, merci; **I've had ~ of him** j'en ai assez de lui; **... which, funnily** *or* **oddly ~ ...** qui, chose curieuse

enquire [ɪn'kwaɪə*] *vt*, *vi* = **inquire**

enrage [ɪn'reɪdʒ] *vt* mettre en fureur *or* en rage, rendre furieux(euse)

enrol [ɪn'rəul] (*US* **~l**) *vt* inscrire ◆ *vi* s'inscrire; **~ment** (*US* **~lment**) *n* inscription *f*

ensue [ɪn'sju:] *vi* s'ensuivre, résulter

ensure [ɪn'ʃuə*] *vt* assurer; garantir; **to ~ that** s'assurer que

entail [ɪn'teɪl] *vt* entraîner, occasionner

entangled [ɪn'tæŋgld] *adj*: **to become ~ (in)** s'empêtrer (dans)

enter ['entə*] *vt* (*room*) entrer dans, pénétrer dans; (*club, army*) entrer à; (*competition*) s'inscrire à *or* pour; (*sb for a competition*) (faire) inscrire; (*write down*) inscrire, noter; (*COMPUT*) entrer, introduire ◆ *vi* entrer; **~ for** *vt fus* s'inscrire à, se présenter pour *or* à; **~ into** *vt fus* (*explanation*) se lancer dans; (*discussion, negotiations*) entamer; (*agreement*) conclure

enterprise ['entəpraɪz] *n* entreprise *f*; (*initiative*) (esprit *m* d')initiative *f*; **free ~** libre entreprise; **private ~** entreprise privée

enterprising ['entəpraɪzɪŋ] *adj* entreprenant(e), dynamique; (*scheme*) audacieux(euse)

entertain [entə'teɪn] *vt* amuser, distraire; (*invite*) recevoir (à dîner); (*idea, plan*) envisager; **~er** *n* artiste *m/f* de variétés; **~ing** *adj* amusant(e), distrayant(e); **~ment** *n* (*amusement*) divertissement *m*, amusement *m*; (*show*) spectacle *m*

enthralled [ɪn'θrɔ:ld] *adj* captivé(e)

enthusiasm [ɪn'θu:zɪæzəm] *n* enthousiasme *m*

enthusiast [ɪn'θu:zɪæst] *n* enthousiaste *m/f*; **~ic** [ɪnθu:zɪ'æstɪk] *adj* enthousiaste; **to be ~ic about** être enthousiasmé(e) par

entice [ɪn'taɪs] *vt* attirer, séduire

entire [ɪn'taɪə*] *adj* (tout) entier(ère); **~ly** *adv* entièrement, complètement; **~ty** [ɪn'taɪərətɪ] *n*: **in its ~ty** dans sa totalité

entitle [ɪn'taɪtl] *vt*: **to ~ sb to sth** donner droit à qch à qn; **~d** *adj* (*book*) intitulé(e); **to be ~d to do** avoir le droit de *or* être habilité à faire

entrance [*n* 'entrəns, *vb* ɪn'trɑ:ns] *n* entrée *f* ◆ *vt* enchanter, ravir; **to gain ~ to** (*university etc*) être admis à; **~ examination** *n* examen *m* d'entrée; **~ fee** *n* (*to museum etc*) prix *m* d'entrée; (*to join club etc*) droit *m* d'inscription; **~ ramp** (*US*) *n* (*AUT*) bretelle *f* d'accès

entrant ['entrənt] *n* participant(e); concurrent(e); (*BRIT*: *in exam*) candidat(e)

entrenched [ɪn'trentʃt] *adj* retranché(e); (*ideas*) arrêté(e)

entrepreneur [ɔntrəprə'nə:*] *n* entrepreneur *m*

entrust [ɪn'trʌst] *vt*: **to ~ sth to** confier qch à

entry ['entrɪ] *n* entrée *f*; (*in register*) inscription *f*; **no ~** défense d'entrer, entrée interdite; (*AUT*) sens interdit; **~ form** *n* feuille *f* d'inscription; **~ phone** (*BRIT*) *n* interphone *m*

enunciate [ɪ'nʌnsɪeɪt] *vt* énoncer; (*word*) articuler, prononcer

envelop [ɪn'veləp] *vt* envelopper

envelope ['envələup] *n* enveloppe *f*

envious ['envɪəs] *adj* envieux(euse)

environment [ɪn'vaɪərənmənt] *n* environnement *m*; (*social, moral*) milieu *m*; **~al** [ɪnvaɪərən'mentl] *adj* écologique; du milieu; **~-friendly** *adj* écologique

envisage [ɪn'vɪzɪdʒ] *vt* (*foresee*) prévoir

envoy ['envɔɪ] *n* (*diplomat*) ministre *m* plénipotentiaire

envy ['envɪ] *n* envie *f* ◆ *vt* envier; **to ~ sb sth** envier qch à qn

epic ['epɪk] *n* épopée *f* ◆ *adj* épique

epidemic [epɪ'demɪk] *n* épidémie *f*

epilepsy ['epɪlepsɪ] *n* épilepsie *f*

episode ['epɪsəud] *n* épisode *m*

epitome [ɪ'pɪtəmɪ] *n* modèle *m*; **epitomize** [ɪ'pɪtəmaɪz] *vt* incarner

equable ['ekwəbl] *adj* égal(e); de tempérament égal

equal ['i:kwl] *adj* égal(e) ◆ *n* égal(e) ◆ *vt* égaler; **~ to** (*task*) à la hauteur de; **~ity** [i:'kwɔlɪtɪ] *n* égalité *f*; **~ize** *vi* (*SPORT*) égaliser; **~ly** *adv* également; (*just as*) tout aussi

equanimity [ekwə'nɪmɪtɪ] *n* égalité *f* d'humeur

equate [ɪ'kweɪt] *vt*: **to ~ sth with** comparer qch à; assimiler qch à; **equation** [ɪ'kweɪʒən] *n* (*MATH*) équation *f*

equator [ɪ'kweɪtə*] *n* équateur *m*

equilibrium [i:kwɪ'lɪbrɪəm] *n* équilibre *m*

equip [ɪ'kwɪp] *vt*: to ~ **(with)** équiper (de); **to be well ~ped** *(office etc)* être bien équipé(e); **he is well ~ped for the job** il a les compétences requises pour ce travail; **~ment** *n* équipement *m*; *(electrical etc)* appareillage *m*, installation *f*
equities ['ekwɪtɪz] *(BRIT) npl (COMM)* actions cotées en Bourse
equivalent [ɪ'kwɪvələnt] *adj*: ~ **(to)** équivalent(e) (à) ◆ *n* équivalent *m*
equivocal [ɪ'kwɪvəkəl] *adj* équivoque; *(open to suspicion)* douteux (euse)
era ['ɪərə] *n* ère *f*, époque *f*
eradicate [ɪ'rædɪkeɪt] *vt* éliminer
erase [ɪ'reɪz] *vt* effacer; **~r** *n* gomme *f*
erect [ɪ'rekt] *adj* droit(e) ◆ *vt* construire; *(monument)* ériger; élever; *(tent etc)* dresser; **~ion** [ɪ'rekʃən] *n* érection *f*
ERM *n abbr (= Exchange Rate Mechanism)* SME *m*
erode [ɪ'rəud] *vt* éroder; *(metal)* ronger
erotic [ɪ'rɒtɪk] *adj* érotique
err [əː*] *vi (formal: make a mistake)* se tromper
errand ['erənd] *n* course *f*, commission *f*
erratic [ɪ'rætɪk] *adj* irrégulier(ère); inconstant(e)
error ['erə*] *n* erreur *f*
erupt [ɪ'rʌpt] *vi* entrer en éruption; *(fig)* éclater; **~ion** [ɪ'rʌpʃən] *n* éruption *f*
escalate ['eskəleɪt] *vi* s'intensifier
escalator ['eskəleɪtə*] *n* escalier roulant
escapade [eskə'peɪd] *n* fredaine *f*; équipée *f*
escape [ɪs'keɪp] *n* fuite *f*; *(from prison)* évasion *f* ◆ *vi* s'échapper, fuir; *(from jail)* s'évader; *(fig)* s'en tirer; *(leak)* s'échapper ◆ *vt* échapper à; **to ~ from** *(person)* échapper à; *(place)* s'échapper de; *(fig)* fuir; **escapism** [-ɪzəm] *n (fig)* évasion *f*
escort [*n* 'eskɔːt, *vb* ɪs'kɔːt] *n* escorte *f* ◆ *vt* escorter
Eskimo ['eskɪməu] *n* Esquimau(de)
esophagus [iː'sɒfəgəs] *(US) n* = **oesophagus**
especially [ɪs'peʃəlɪ] *adv (particularly)* particulièrement; *(above all)* surtout
espionage ['espɪənɑːʒ] *n* espionnage *m*
Esquire [ɪs'kwaɪə*] *n*: **J Brown, ~** Monsieur J. Brown
essay ['eseɪ] *n (SCOL)* dissertation *f*; *(LITERATURE)* essai *m*
essence ['esəns] *n* essence *f*
essential [ɪ'senʃəl] *adj* essentiel(le); *(basic)* fondamental(e) ◆ *n*: **~s** éléments essentiels; **~ly** *adv* essentiellement
establish [ɪs'tæblɪʃ] *vt* établir; *(business)* fonder, créer; *(one's power etc)* asseoir, affermir; **~ed** *adj* bien établi(e); **~ment** *n* établissement *m*; *(founding)* création *f*; **the E~ment** les pouvoirs établis; l'ordre établi; les milieux dirigeants
estate [ɪs'teɪt] *n (land)* domaine *m*, propriété *f*; *(LAW)* biens *mpl*, succession *f*; *(BRIT: also: housing ~)* lotissement *m*, cité *f*; **~ agent** *n* agent immobilier; **~ car** *(BRIT) n* break *m*
esteem [ɪs'tiːm] *n* estime *f*
esthetic [ɪs'θetɪk] *(US) adj* = **aesthetic**
estimate [*n* 'estɪmət, *vb* 'estɪmeɪt] *n* estimation *f*; *(COMM)* devis *m* ◆ *vt* estimer; **estimation** [estɪ'meɪʃən] *n* opinion *f*; *(calculation)* estimation *f*
estranged [ɪ'streɪndʒd] *adj* séparé(e); dont on s'est séparé(e)
etc. *abbr (= et cetera)* etc
etching ['etʃɪŋ] *n* eau-forte *f*
eternal [ɪ'tɜːnl] *adj* éternel(le)
eternity [ɪ'tɜːnɪtɪ] *n* éternité *f*
ethical ['eθɪkəl] *adj* moral(e); **ethics** ['eθɪks] *n* éthique *f* ◆ *npl* moralité *f*
Ethiopia [iːθɪ'əupɪə] *n* Éthiopie *f*
ethnic ['eθnɪk] *adj* ethnique; *(music etc)* folklorique
ethos ['iːθɒs] *n* génie *m*
etiquette ['etɪket] *n* convenances *fpl*, étiquette *f*
Eurocheque ['juərəu'tʃek] *n* eurochèque *m*
Europe ['juərəp] *n* Europe *f*; **~an** [juərə'piːən] *adj* européen(ne) ◆ *n* Européen(ne)
evacuate [ɪ'vækjueɪt] *vt* évacuer
evade [ɪ'veɪd] *vt* échapper à; *(question etc)* éluder; *(duties)* se dérober à; **to ~ tax** frauder le fisc
evaporate [ɪ'væpəreɪt] *vi* s'évaporer; **~d milk** *n* lait condensé non sucré
evasion [ɪ'veɪʒən] *n* dérobade *f*; **tax ~** fraude fiscale
eve [iːv] *n*: **on the ~ of** à la veille de
even ['iːvən] *adj (level, smooth)* régulier(ère); *(equal)* égal(e); *(number)* pair(e) ◆ *adv* même; **~ if** même si *+indic*; **~ though** alors même que *+cond*; **~ more** encore plus; **~ so** quand même; **not ~** pas même; **to get ~ with sb** prendre sa revanche sur qn; **~ out** *vi* s'égaliser
evening ['iːvnɪŋ] *n* soir *m*; *(as duration, event)* soirée *f*; **in the ~** le soir; **~ class** *n* cours *m* du soir; **~ dress** *n* tenue *f* de soirée
event [ɪ'vent] *n* événement *m*; *(SPORT)* épreuve *f*; **in the ~ of** en cas de; **~ful** *adj* mouvementé(e)
eventual [ɪ'ventʃuəl] *adj* final(e); **~ity** [ɪventʃu'ælɪtɪ] *n* possibilité *f*, éventualité *f*; **~ly** *adv* finalement
ever ['evə*] *adv* jamais; *(at all times)* toujours; **the best ~** le meilleur qu'on ait jamais vu; **have you ~ seen it?** l'as-tu déjà vu?, as-tu eu l'occasion *or* t'est-il arrivé de le voir?; **why ~ not?** mais enfin, pourquoi pas?; **~ since** *adv* depuis ◆ *conj* depuis que; **~green** *n* arbre *m* à feuilles persistantes; **~lasting** *adj* éternel(le)
every ['evrɪ] *adj* chaque; **~ day** tous les jours, chaque jour; **~ other/third day** tous les deux/trois jours; **~ other car** une voiture sur deux; **~ now and then** de temps en temps; **~body** *pron* tout le monde, tous *pl*; **~day** *adj* quotidien(ne); de tous les jours; **~one** *pron* = **everybody**; **~thing** *pron* tout; **~where** *adv* partout
evict [ɪ'vɪkt] *vt* expulser; **~ion** [ɪ'vɪkʃən] *n* expulsion *f*
evidence ['evɪdəns] *n (proof)* preuve(s) *f(pl)*; *(of witness)* témoignage *m*; *(sign)*: **to show ~ of** présenter des signes de; **to give ~** témoigner, déposer
evident ['evɪdənt] *adj* évident(e); **~ly** *adv* de toute évidence; *(apparently)* apparamment
evil ['iːvl] *adj* mauvais(e) ◆ *n* mal *m*
evoke [ɪ'vəuk] *vt* évoquer
evolution [iːvə'luːʃən] *n* évolution *f*
evolve [ɪ'vɒlv] *vt* élaborer ◆ *vi* évoluer
ewe [juː] *n* brebis *f*
ex- [eks] *prefix* ex-
exact [ɪg'zækt] *adj* exact(e) ◆ *vt*: **to ~ sth (from)** extorquer qch (à); exiger qch (de); **~ing** *adj* exigeant(e); *(work)* astreignant(e); **~ly** *adv* exactement
exaggerate [ɪg'zædʒəreɪt] *vt, vi* exagérer; **exaggeration** [ɪgzædʒə'reɪʃən] *n* exagération *f*
exalted [ɪg'zɔːltɪd] *adj (prominent)* élevé(e); (: *person*) haut placé(e)
exam [ɪg'zæm] *n abbr (SCOL)* = **examination**
examination [ɪgzæmɪ'neɪʃən] *n (SCOL, MED)* examen *m*
examine [ɪg'zæmɪn] *vt (gen)* examiner; *(SCOL: person)* interroger; **~r** *n* examinateur(trice)
example [ɪg'zɑːmpl] *n* exemple *m*; **for ~** par exemple
exasperate [ɪg'zɑːspəreɪt] *vt* exaspérer; **exasperation** [ɪgzɑːspə'reɪʃən] *n* exaspération *f*, irritation *f*
excavate ['ekskəveɪt] *vt* excaver; **excavation** [ekskə'veɪʃən] *n* fouilles *fpl*
exceed [ɪk'siːd] *vt* dépasser; *(one's powers)* outrepasser; **~ingly** *adv* extrêmement
excellent ['eksələnt] *adj* excellent(e)
except [ɪk'sept] *prep (also: ~ for, ~ing)* sauf, excepté ◆ *vt* excepter; **~ if/when** sauf si/quand; **~ that** sauf que, si ce n'est que; **~ion** [ɪk'sepʃən] *n* exception *f*; **to take ~ion to** s'offusquer de; **~ional** [ɪk'sepʃənl] *adj* exceptionnel(le)
excerpt ['eksɜːpt] *n* extrait *m*
excess [ek'ses] *n* excès *m*; **~ baggage** *n* excédent *m* de bagages; **~ fare** *(BRIT) n* supplément *m*; **~ive** *adj* excessif(ive)
exchange [ɪks'tʃeɪndʒ] *n* échange *m*; *(also: telephone ~)* central *m* ◆ *vt*: **to ~ (for)** échanger (contre); **~ rate** *n* taux *m* de change
Exchequer [ɪks'tʃekə*] *(BRIT) n*: **the ~** l'Échiquier *m*, ≈ le ministère des Finances
excise [*n* 'eksaɪz, *vb* ek'saɪz] *n* taxe *f* ◆ *vt* exciser
excite [ɪk'saɪt] *vt* exciter; **to get ~d** s'exciter; **~ment** *n* excitation *f*; **exciting** *adj* passionnant(e)
exclaim [ɪks'kleɪm] *vi* s'exclamer; **exclamation** [eksklə'meɪʃən] *n* exclamation *f*; **exclamation mark** *n* point *m* d'exclamation
exclude [ɪks'kluːd] *vt* exclure
exclusive [ɪks'kluːsɪv] *adj* exclusif(ive); *(club, district)* sélect(e); *(item of news)* en exclusivité; **~ of VAT** TVA non comprise; **mutually ~** qui s'excluent l'un(e) l'autre
excruciating [ɪks'kruːʃɪeɪtɪŋ] *adj* atroce
excursion [ɪks'kɜːʃən] *n* excursion *f*
excuse [*n* ɪks'kjuːs, *vb* ɪks'kjuːz] *n* excuse *f* ◆ *vt* excuser; **to ~ sb from** *(activity)* dispenser qn de; **~ me!** excusez-moi!, pardon!; **now if you will ~ me, ...** maintenant, si vous (le) permettez ...
ex-directory ['eksdaɪ'rektərɪ] *(BRIT) adj* sur la liste rouge
execute ['eksɪkjuːt] *vt* exécuter
execution [eksɪ'kjuːʃən] *n* exécution *f*; **~er** *n* bourreau *m*
executive [ɪg'zekjutɪv] *n (COMM)* cadre *m*; *(of organization, political party)* bureau *m* ◆ *adj* exécutif(ive)
exemplify [ɪg'zemplɪfaɪ] *vt* illustrer; *(typify)* incarner
exempt [ɪg'zempt] *adj*: **~ from** exempté(e) *or* dispensé(e) de ◆ *vt*: **to ~ sb from** exempter *or* dispenser qn de
exercise ['eksəsaɪz] *n* exercice *m* ◆ *vt* exercer; *(patience etc)* faire preuve de; *(dog)* promener ◆ *vi* prendre de l'exercice; **~ bike** *n* vélo *m* d'appartement; **~ book** *n* cahier *m*
exert [ɪg'zɜːt] *vt* exercer, employer; **to ~ o.s.** se dépenser; **~ion** [ɪg'zɜːʃən] *n* effort *m*
exhale [eks'heɪl] *vt* exhaler ◆ *vi* expirer
exhaust [ɪg'zɔːst] *n (also: ~ fumes)* gaz *mpl* d'échappement; (: **~ pipe**) tuyau *m* d'échappement ◆ *vt* épuiser; **~ed** *adj* épuisé(e); **~ion** [ɪg'zɔːstʃən] *n* épuisement *m*; **nervous ~ion** fatigue nerveuse; surmenage mental; **~ive** *adj* très complet(ète)
exhibit [ɪg'zɪbɪt] *n (ART)* pièce exposée, objet exposé; *(LAW)* pièce à conviction ◆ *vt* exposer; *(courage, skill)* faire preuve de; **~ion** [eksɪ'bɪʃən] *n* exposition *f*; *(of ill-temper, talent etc)* démonstration *f*
exhilarating [ɪg'zɪləreɪtɪŋ] *adj* grisant(e); stimulant(e)
exile ['eksaɪl] *n* exil *m*; *(person)* exilé(e) ◆ *vt* exiler
exist [ɪg'zɪst] *vi* exister; **~ence** *n* existence *f*; **~ing** *adj* actuel(le)
exit ['eksɪt] *n* sortie *f* ◆ *vi (COMPUT, THEATRE)* sortir; **~ ramp** *n (AUT)* bretelle *f* d'accès
exodus ['eksədəs] *n* exode *m*
exonerate [ɪg'zɒnəreɪt] *vt*: **to ~ from** disculper de
exotic [ɪg'zɒtɪk] *adj* exotique
expand [ɪks'pænd] *vt* agrandir; accroître ◆ *vi (trade etc)* se développer, s'accroître; *(gas, metal)* se dilater
expanse [ɪks'pæns] *n* étendue *f*
expansion [ɪks'pænʃən] *n* développement *m*, accroissement *m*
expect [ɪks'pekt] *vt (anticipate)* s'attendre à, s'attendre à ce que *+sub*; *(count on)* compter sur, escompter; *(require)* demander, exiger; *(suppose)* supposer; *(await, also baby)* attendre ◆ *vi*: **to be ~ing** être enceinte; **~ancy** *n (anticipation)* attente *f*; **life ~ancy** espérance *f* de vie; **~ant mother** *n* future maman; **~ation** [ekspek'teɪʃən] *n* attente *f*; espérance(s) *f(pl)*
expedient [ɪks'piːdɪənt] *adj* indiqué(e), opportun(e) ◆ *n* expédient *m*
expedition [ekspɪ'dɪʃən] *n* expédition *f*
expel [ɪks'pel] *vt* chasser, expulser; *(SCOL)* renvoyer
expend [ɪks'pend] *vt* consacrer; *(money)* dépenser; **~able** *adj* remplaçable; **~iture** [ɪk'spendɪtʃə*] *n* dépense *f*; dépenses *fpl*
expense [ɪks'pens] *n* dépense *f*, frais *mpl*; *(high cost)* coût *m*; **~s** *npl (COMM)* frais *mpl*; **at the ~ of** aux dépens de; **~ account** *n* (note *f* de) frais *mpl*
expensive [ɪks'pensɪv] *adj* cher(chère), coûteux(euse); **to be ~** coûter cher
experience [ɪks'pɪərɪəns] *n* expérience *f* ◆ *vt* connaître, faire l'expérience de; *(feeling)* éprouver; **~d** *adj* expérimenté(e)
experiment [*n* ɪks'perɪmənt, *vb* ɪks'perɪment] *n* expérience *f* ◆ *vi* faire une expérience; **to ~ with** expérimenter
expert ['ekspɜːt] *adj* expert(e) ◆ *n* expert *m*; **~ise** [ekspə'tiːz] *n* (grande) compétence
expire [ɪks'paɪə*] *vi* expirer; **expiry** *n* expiration *f*
explain [ɪks'pleɪn] *vt* expliquer; **explanation** [eksplə'neɪʃən] *n* explication *f*; **explanatory** [ɪks'plænətərɪ] *adj* explicatif(ive)
explicit [ɪks'plɪsɪt] *adj* explicite; *(definite)* formel(le)
explode [ɪks'pləud] *vi* exploser
exploit [*n* 'eksplɔɪt, *vb* ɪks'plɔɪt] *n* exploit *m* ◆ *vt* exploiter; **~ation** [eksplɔɪ'teɪʃən] *n* exploitation *f*
exploratory [eks'plɒrətərɪ] *adj (expedition)* d'exploration; *(fig: talks)* préliminaire; **~ operation** *n (MED)* sondage *m*
explore [ɪks'plɔː*] *vt* explorer; *(possibilities)* étudier, examiner; **~r** *n* explorateur(trice)
explosion [ɪks'pləuʒən] *n* explosion *f*; **explosive** [ɪks'pləuzɪv] *adj* explosif(ive) ◆ *n* explosif *m*
exponent [eks'pəunənt] *n (of school of thought etc)* interprète *m*, représentant *m*
export [*vb* eks'pɔːt, *n* 'ekspɔːt] *vt* exporter ◆ *n* exportation *f* ◆ *cpd* d'exportation; **~er** *n* exportateur *m*
expose [ɪks'pəuz] *vt* exposer; *(unmask)* démasquer, dévoiler; **~d** [ɪks'pəuzd] *adj (position, house)* exposé(e)
exposure [ɪks'pəuʒə*] *n* exposition *f*; *(publicity)* couverture *f*; *(PHOT)* (temps *m* de) pose *f*; (: *shot*) pose; **to die from ~** *(MED)* mourir de froid; **~ meter** *n* posemètre *m*
express [ɪks'pres] *adj (definite)* formel(le), exprès(esse); *(BRIT: letter etc)* exprès *inv* ◆ *n (train)* rapide *m*; *(bus)* car *m* express ◆ *vt* exprimer; **~ion** [ɪks'preʃən] *n* expression *f*; **~ly** *adv* expressément, formellement; **~way** *(US) n (urban motorway)* voie *f* express (à plusieurs files)
exquisite [eks'kwɪzɪt] *adj* exquis(e)
extend [ɪks'tend] *vt (visit, street)* prolonger; *(building)* agrandir; *(offer)* présenter, offrir; *(hand, arm)* tendre ◆ *vi* s'étendre
extension [ɪks'tenʃən] *n* prolongation *f*; agrandissement *m*; *(building)* annexe *f*; *(to wire, table)* rallonge *f*; *(telephone: in offices)* poste *m*; (: *in private house*) téléphone *m* supplémentaire
extensive [ɪks'tensɪv] *adj* étendu(e), vaste; *(damage, alterations)* considérable; *(inquiries)* approfondi(e); **~ly** *adv*: **he's travelled ~ly** il a beaucoup voyagé
extent [ɪks'tent] *n* étendue *f*; **to some ~** dans une certaine mesure; **to what ~?** dans quelle mesure?, jusqu'à quel point?; **to the ~ of ...** au point de ...; **to such an ~ that ...** à tel point que ...
extenuating [eks'tenjueɪtɪŋ] *adj*: **~ circumstances** circonstances atténuantes
exterior [eks'tɪərɪə*] *adj* extérieur(e) ◆ *n* extérieur *m*; dehors *m*
external [eks'tɜːnl] *adj* externe
extinct [ɪks'tɪŋkt] *adj* éteint(e)
extinguish [ɪks'tɪŋgwɪʃ] *vt* éteindre; **~er** *n (also: fire ~er)* extincteur *m*
extort [ɪks'tɔːt] *vt*: **to ~ sth (from)** extorquer qch (à); **~ionate** [ɪks'tɔːʃənɪt] *adj* exorbitant(e)
extra ['ekstrə] *adj* supplémentaire, de plus ◆ *adv (in addition)* en plus ◆ *n* supplément *m*; *(perk)* à-côté *m*; *(THEATRE)* figurant(e) ◆ *prefix* extra...
extract [*vb* ɪks'trækt, *n* 'ekstrækt] *vt* extraire; *(tooth)* arracher; *(money, promise)* soutirer ◆ *n* extrait *m*
extracurricular ['ekstrəkə'rɪkjulə*] *adj* parascolaire
extradite ['ekstrədaɪt] *vt* extrader
extra: **~marital** [ekstrə'mærɪtl] *adj* extra-conjugal(e); **~mural** [ekstrə'mjuərl] *adj* hors faculté *inv*; *(lecture)* public(que); **~ordinary** [ɪks'trɔːdnrɪ] *adj* extraordinaire
extravagance [ɪks'trævəgəns] *n* prodigalités *fpl*; *(thing bought)* folie *f*, dépense excessive; **extravagant** [ɪks'trævəgənt] *adj* extravagant(e); *(in spending: person)* prodigue, dépensier(ère); (: *tastes*) dispendieux(euse)
extreme [ɪks'triːm] *adj* extrême ◆ *n* extrême *m*; **~ly** *adv* extrêmement
extricate ['ekstrɪkeɪt] *vt*: **to ~ sth (from)** dégager qch (de)
extrovert ['ekstrəuvɜːt] *n* extraverti(e)
eye [aɪ] *n* œil *m (pl yeux)*; *(of needle)* trou *m*, chas *m* ◆ *vt* examiner; **to keep an ~ on** surveiller; **~ball** *n* globe *m* oculaire; **~bath** *(BRIT) n* œillère *f (pour bains d'œil)*; **~brow** *n* sourcil *m*; **~brow pencil** *n* crayon *m* à sourcils; **~drops** *npl* gouttes *fpl* pour les yeux; **~lash** *n* cil *m*; **~lid** *n* paupière *f*; **~liner** *n* eye-liner *m*; **~-opener** *n* révélation *f*; **~shadow** *n* ombre *f* à paupières; **~sight** *n* vue *f*; **~sore** *n* horreur *f*; **~ witness** *n* témoin *m* oculaire

F

F [ef] *n (MUS)* fa *m* ◆ *abbr* = Fahrenheit
fable ['feɪbl] *n* fable *f*
fabric ['fæbrɪk] *n* tissu *m*
fabrication [fæbrɪ'keɪʃən] *n (lies)* invention(s) *f(pl)*, fabulation *f*; *(making)* fabrication *f*
fabulous ['fæbjuləs] *adj* fabuleux(euse); *(inf: super)* formidable
face [feɪs] *n* visage *m*, figure *f*; *(expression)* expression *f*; *(of clock)* cadran *m*; *(of cliff)* paroi *f*; *(of mountain)* face *f*; *(of building)* façade *f* ◆ *vt* faire face à; **~ down** *(person)* à plat ventre; *(card)* face en dessous; **to lose/save ~** perdre/sauver la face; **to make** *or* **pull a ~** faire une grimace; **in the ~ of** *(difficulties etc)* face à, devant; **on the ~ of it** à première vue; **~ to ~** face à face; **~ up to** *vt fus* faire face à, affronter; **~ cloth** *(BRIT) n* gant *m* de toilette; **~ cream** *n* crème *f* pour le visage; **~ lift** *n* lifting *m*; *(of building etc)* ravalement *m*, retapage *m*; **~ powder** *n* poudre *f* de riz; **~ value** *n (of coin)* valeur nominale; **to take sth at ~ value** *(fig)* prendre qch pour argent comptant
facilities [fə'sɪlɪtɪz] *npl* installations *fpl*, équipement *m*; **credit ~** facilités *fpl* de paiement
facing ['feɪsɪŋ] *prep* face à, en face de
facsimile [fæk'sɪmɪlɪ] *n (exact replica)* fac-similé *m*; *(fax)* télécopie *f*
fact [fækt] *n* fait *m*; **in ~** en fait
factor ['fæktə*] *n* facteur *m*
factory ['fæktərɪ] *n* usine *f*, fabrique *f*

factual ['fæktjuəl] adj basé(e) sur les faits

faculty ['fækəltɪ] n faculté f; (US: teaching staff) corps enseignant

fad [fæd] n (craze) engouement m

fade [feɪd] vi se décolorer, passer; (light, sound) s'affaiblir; (flower) se faner

fag [fæg] (BRIT: inf) n (cigarette) sèche f

fail [feɪl] vt (exam) échouer à; (candidate) recaler; (subj: courage, memory) faire défaut à ♦ vi échouer; (brakes) lâcher; (eyesight, health, light) baisser, s'affaiblir; to ~ to do sth (neglect) négliger de faire qch; (be unable) ne pas arriver or parvenir à faire qch; without ~ à coup sûr; sans faute; ~ing n défaut m ♦ prep faute de; ~ure n échec m; (person) raté(e); (mechanical etc) défaillance f

faint [feɪnt] adj faible; (recollection) vague; (mark) à peine visible ♦ n évanouissement m ♦ vi s'évanouir; to feel ~ défaillir

fair [fɛə*] adj équitable, juste, impartial(e); (hair) blond(e); (skin, complexion) pâle, blanc(blanche); (weather) beau(belle); (good enough) assez bon(ne); (sizeable) considérable ♦ adv: to play ~ jouer franc-jeu ♦ n foire f; (BRIT: fun~) fête (foraine); ~ly adv équitablement; (quite) assez; ~ness n justice f, équité f, impartialité f

fairy ['fɛərɪ] n fée f; ~ tale n conte m de fées

faith [feɪθ] n foi f; (trust) confiance f; (specific religion) religion f; ~ful adj fidèle; ~fully adv see yours

fake [feɪk] n (painting etc) faux m; (person) imposteur m ♦ adj faux(fausse) ♦ vt simuler; (painting) faire un faux de

falcon ['fɔːlkən] n faucon m

fall [fɔːl] (pt fell, pp fallen) n chute f; (US: autumn) automne m ♦ vi tomber; (price, temperature, dollar) baisser; ~s npl (waterfall) chute f d'eau, cascade f; to ~ flat (on one's face) tomber de tout son long, s'étaler; (joke) tomber à plat; (plan) échouer; ~ back vi reculer, se retirer; ~ back on vt fus se rabattre sur; ~ behind vi prendre du retard; ~ down vi (person) tomber; (building) s'effondrer, s'écrouler; ~ for vt fus (trick, story etc) se laisser prendre à; (person) tomber amoureux de; ~ in vi s'effondrer; (MIL) se mettre en rangs; ~ off vi tomber; (diminish) baisser, diminuer; ~ out vi (hair, teeth) tomber; (MIL) rompre les rangs; (friends etc) se brouiller; ~ through vi (plan, project) tomber à l'eau

fallacy ['fæləsɪ] n erreur f, illusion f

fallout ['fɔːlaut] n retombées (radioactives); ~ shelter n abri m antiatomique

fallow ['fæləu] adj en jachère; en friche

false [fɔːls] adj faux(fausse); ~ alarm n fausse alerte; ~ pretences npl: under ~ pretences sous un faux prétexte; ~ teeth (BRIT) npl fausses dents

falter ['fɔːltə*] vi chanceler, vaciller

fame [feɪm] n renommée f, renom m

familiar [fə'mɪlɪə*] adj familier(ère); to be ~ with (subject) connaître

family ['fæmɪlɪ] n famille f ♦ cpd (business, doctor etc) de famille; has he any ~? (children) a-t-il des enfants?

famine ['fæmɪn] n famine f

famished ['fæmɪʃt] (inf) adj affamé(e)

famous ['feɪməs] adj célèbre; ~ly adv (get on) fameusement, à merveille

fan [fæn] n (folding) éventail m; (ELEC) ventilateur m; (of person) fan m, admirateur(trice); (of team, sport etc) supporter m/f ♦ vt éventer; (fire, quarrel) attiser; ~ out vi se déployer (en éventail)

fanatic [fə'nætɪk] n fanatique m/f

fan belt n courroie f de ventilateur

fanciful ['fænsɪful] adj fantaisiste

fancy ['fænsɪ] n fantaisie f, envie f; imagination f ♦ adj (de) fantaisie inv ♦ vt (feel like, want) avoir envie de; (imagine, think) imaginer; to take a ~ to se prendre d'affection pour; s'enticher de; he fancies her (inf) elle lui plaît; ~ dress n déguisement m, travesti m; ~-dress ball n bal masqué or costumé

fang [fæŋ] n croc m; (of snake) crochet m

fantastic [fæn'tæstɪk] adj fantastique

fantasy ['fæntəzɪ] n imagination f, fantaisie f; (dream) chimère f

far [fɑː*] adj lointain(e), éloigné(e) ♦ adv loin; ~ away or off au loin, dans le lointain; at the ~ side/end à l'autre côté/bout; ~ better beaucoup mieux; ~ from loin de; by ~ de loin, de beaucoup; go as ~ as the farm allez jusqu'à la ferme; as ~ as I know pour autant que je sache; how ~ is it to ...? combien y a-t-il jusqu'à ...?; how ~ have you got? où en êtes-vous?; ~away adj lointain(e); (look) distrait(e)

farce [fɑːs] n farce f

farcical ['fɑːsɪkəl] adj grotesque

fare [fɛə*] n (on trains, buses) prix m du billet; (in taxi) prix de la course; (food) table f, chère f; half ~ demi-tarif; full ~ plein tarif

Far East n: the ~ l'Extrême-Orient m

farewell [fɛə'wel] excl adieu ♦ n adieu

farm [fɑːm] n ferme f ♦ vt cultiver; ~er n fermier(ère); cultivateur(trice); ~hand n ouvrier(ère) agricole; ~house n (maison f de) ferme f; ~ing n agriculture f; (of animals) élevage m; ~land n terres cultivées; ~ worker n = farmhand; ~yard n cour f de ferme

far-reaching ['fɑː'riːtʃɪŋ] adj d'une grande portée

fart [fɑːt] (inf) vi péter

farther ['fɑːðə*] adv plus loin ♦ adj plus éloigné(e), plus lointain(e)

farthest ['fɑːðɪst] superl of far

fascinate ['fæsɪneɪt] vt fasciner; fascinating adj fascinant(e)

fascism ['fæʃɪzəm] n fascisme m

fashion ['fæʃən] n mode f; (manner) façon f, manière f ♦ vt façonner; in ~ à la mode; out of ~ démodé(e); ~able adj à la mode; ~ show n défilé m de mannequins or de mode

fast [fɑːst] adj rapide; (clock): to be ~ avancer; (dye, colour) grand or bon teint inv ♦ adv vite, rapidement; (stuck, held) solidement ♦ n jeûne m ♦ vi jeûner; ~ asleep profondément endormi

fasten ['fɑːsn] vt attacher, fixer; (coat) attacher, fermer ♦ vi se fermer, s'attacher; ~er n attache f; ~ing n = fastener

fast food n fast food m, restauration f rapide

fastidious [fæs'tɪdɪəs] adj exigeant(e), difficile

fat [fæt] adj gros(se) ♦ n graisse f; (on meat) gras m; (for cooking) matière grasse

fatal ['feɪtl] adj (injury etc) mortel(le); (mistake) fatal(e); ~ity [fə'tælɪtɪ] n (road death etc) victime f, décès m

fate [feɪt] n destin m; (of person) sort m; ~ful adj fatidique

father ['fɑːðə*] n père m; ~-in-law n beau-père m; ~ly adj paternel(le)

fathom ['fæðəm] n brasse f (= 1828 mm) ♦ vt (mystery) sonder, pénétrer

fatigue [fə'tiːg] n fatigue f

fatten ['fætn] vt, vi engraisser

fatty ['fætɪ] adj (food) gras(se) ♦ n (inf) gros(se)

fatuous ['fætjuəs] adj stupide

faucet ['fɔːsɪt] (US) n robinet m

fault [fɔːlt] n faute f; (defect) défaut m; (GEO) faille f ♦ vt trouver des défauts à; it's my ~ c'est de ma faute; to find ~ with trouver à redire or à critiquer à; at ~ fautif(ive), coupable; ~y adj défectueux(euse)

fauna ['fɔːnə] n faune f

faux pas ['fəu'pɑː] n inv impair m, bévue f, gaffe f

favour ['feɪvə*] (US favor) n faveur f; (help) service m ♦ vt (proposition) être en faveur de; (pupil etc) favoriser; (team, horse) donner gagnant; to do sb a ~ rendre un service à qn; to find ~ with trouver grâce aux yeux de; in ~ of en faveur de; ~able adj favorable; ~ite ['feɪvərɪt] adj, n favori(te)

fawn [fɔːn] n faon m ♦ adj (also: ~-coloured) fauve ♦ vi: to ~ (up)on flatter servilement

fax [fæks] n (document) télécopie f; (machine) télécopieur m ♦ vt envoyer par télécopie

FBI ['efbiː'aɪ] n abbr (US: = Federal Bureau of Investigation) F.B.I. m

fear [fɪə*] n crainte f, peur f ♦ vt craindre; for ~ of de peur que +sub, de peur de +infin; ~ful adj craintif(ive); (sight, noise) affreux(euse), épouvantable; ~less adj intrépide

feasible ['fiːzəbl] adj faisable, réalisable

feast [fiːst] n festin m, banquet m; (REL: also: ~ day) fête f ♦ vi festoyer

feat [fiːt] n exploit m, prouesse f

feather ['feðə*] n plume f

feature ['fiːtʃə*] n caractéristique f; (article) chronique f, rubrique f ♦ vt (subj: film) avoir pour vedette(s) ♦ vi: to ~ in figurer (en bonne place) dans; (in film) jouer dans; ~s npl (of face) traits mpl; ~ film n long métrage

February ['februərɪ] n février m

fed [fed] pt, pp of feed

federal ['fedərəl] adj fédéral(e)

fed up adj: to be ~ en avoir marre, en avoir plein le dos

fee [fiː] n rémunération f; (of doctor, lawyer) honoraires mpl; (for examination) droits mpl; school ~s frais mpl de scolarité

feeble ['fiːbl] adj faible; (pathetic: attempt, excuse) pauvre; (:joke) piteux(euse)

feed [fiːd] (pt, pp fed) n (of baby) tétée f; (of animal) fourrage m; pâture f; (on printer) mécanisme m d'alimentation ♦ vt (person) nourrir; (BRIT: baby) allaiter; (: with bottle) donner le biberon à; (horse etc) donner à manger à; (machine) alimenter; (data, information): to ~ sth into fournir qch à; ~ on vt fus se nourrir de; ~back n feed-back m inv; ~ing bottle (BRIT) n biberon m

feel [fiːl] (pt, pp felt) n sensation f; (impression) impression f ♦ vt toucher; (explore) tâter, palper; (cold, pain) sentir; (grief, anger) ressentir, éprouver; (think, believe) trouver; to ~ hungry/cold avoir faim/froid; to ~ lonely/better se sentir seul/mieux; I don't ~ well je ne me sens pas bien; it ~s soft c'est doux(douce) au toucher; to ~ like (want) avoir envie de; ~ about vi fouiller, tâtonner; ~er n (of insect) antenne f; to put out ~ers or a ~er tâter le terrain; ~ing n (physical) sensation f; (emotional) sentiment m

feet [fiːt] npl of foot

feign [feɪn] vt feindre, simuler

fell [fel] pt of fall ♦ vt (tree, person) abattre

fellow ['feləu] n type m; (comrade) compagnon m; (of learned society) membre m ♦ cpd: their ~ prisoners/students leurs camarades prisonniers/d'étude; ~ citizen n concitoyen(ne) m/f; ~ countryman (irreg) n compatriote m; ~ men npl semblables mpl; ~ship n (society) association f; (comradeship) amitié f, camaraderie f; (grant) sorte de bourse universitaire

felony ['felənɪ] n crime m, forfait m

felt [felt] pt, pp of feel ♦ n feutre m; ~-tip pen n stylo-feutre m

female ['fiːmeɪl] n (ZOOL) femelle f; (pej: woman) bonne femme ♦ adj (BIO) femelle; (sex, character) féminin(e); (vote etc) des femmes

feminine ['femɪnɪn] adj féminin(e)

feminist ['femɪnɪst] n féministe m/f

fence [fens] n barrière f ♦ vt (also: ~ in) clôturer ♦ vi faire de l'escrime; fencing ['fensɪŋ] n escrime m

fend [fend] vi: to ~ for o.s. se débrouiller (tout seul); ~ off vt (attack etc) parer

fender ['fendə*] n garde-feu m inv; (on boat) défense f; (US: of car) aile f

ferment [vb fə'ment, n 'fəːment] vi fermenter ♦ n agitation f, effervescence f

fern [fəːn] n fougère f

ferocious [fə'rəuʃəs] adj féroce

ferret ['ferɪt] n furet m

ferry ['ferɪ] n (small) bac m; (large: also: ~boat) ferry(-boat) m ♦ vt transporter

fertile ['fəːtaɪl] adj fertile; (BIO) fécond(e); fertilizer ['fəːtɪlaɪzə*] n engrais m

fester ['festə*] vi suppurer

festival ['festɪvəl] n (REL) fête f; (ART, MUS) festival m

festive ['festɪv] adj de fête; the ~ season (BRIT: Christmas) la période des fêtes; festivities [fes'tɪvɪtɪz] npl réjouissances fpl

festoon [fes'tuːn] vt: to ~ with orner de

fetch [fetʃ] vt aller chercher; (sell for) se vendre

fetching ['fetʃɪŋ] adj charmant(e)

fête [feɪt] n fête f, kermesse f

fetish ['fetɪʃ] n: to make a ~ of être obsédé(e) par

feud [fjuːd] n dispute f, dissension f

fever ['fiːvə*] n fièvre f; ~ish adj fiévreux(euse), fébrile

few [fjuː] adj (not many) peu de; a ~ adj quelques ♦ pron quelques-uns(unes); ~er adj moins de; moins (nombreux); ~est adj le moins (de)

fiancé, e [fɪ'ɑ̃ːnseɪ] n fiancé(e) m/f

fib [fɪb] n bobard m

fibre ['faɪbə*] (US fiber) n fibre f; ~-glass (®) n fibre de verre

fickle ['fɪkl] adj inconstant(e), volage, capricieux(euse)

fiction ['fɪkʃən] n romans mpl, littérature f romanesque; (invention) fiction f; ~al adj fictif(ive)

fictitious [fɪk'tɪʃəs] adj fictif(ive), imaginaire

fiddle ['fɪdl] n (MUS) violon m; (cheating) combine f; escroquerie f ♦ vt (BRIT: accounts) falsifier, maquiller; ~ with vt fus tripoter

fidget ['fɪdʒɪt] vi se trémousser, remuer

field [fiːld] n champ m; (fig) domaine m, champ; (SPORT: ground) terrain m; ~ marshal n maréchal m; ~work n travaux mpl pratiques (sur le terrain)

fiend [fiːnd] n démon m; ~ish adj diabolique, abominable

fierce [fɪəs] adj (look, animal) féroce, sauvage; (wind, attack, person) (très) violent(e); (fighting, enemy) acharné(e)

fiery ['faɪərɪ] adj ardent(e), brûlant(e); (temperament) fougueux(euse)

fifteen [fɪf'tiːn] num quinze

fifth [fɪfθ] num cinquième

fifty ['fɪftɪ] num cinquante; ~-fifty adj: a ~-fifty chance etc une chance etc sur deux ♦ adv moitié-moitié

fig [fɪg] n figue f

fight [faɪt] (pt, pp fought) n (MIL) combat m; (between persons) bagarre f; (against cancer etc) lutte f ♦ vt se battre contre; (cancer, alcoholism, emotion) combattre, lutter contre; (election) se présenter à ♦ vi se battre; ~er n (fig) lutteur m; (plane) chasseur m; ~ing n combats mpl (brawl) bagarres fpl

figment ['fɪgmənt] n: a ~ of the imagination une invention

figurative ['fɪgərətɪv] adj figuré(e)

figure ['fɪgə*] n figure f; (number, cipher) chiffre m; (body, outline) silhouette f; (shape) ligne f, formes fpl ♦ vt (think: esp US) supposer ♦ vi (appear) figurer; ~ out vt (work out) calculer; ~head n (NAUT) figure f de proue; (pej) prête-nom m; ~ of speech n figure f de rhétorique

file [faɪl] n (dossier) dossier m; (folder) dossier, chemise f; (: with hinges) classeur m; (COMPUT) fichier m; (row) file f; (tool) lime f ♦ vt (nails, wood) limer; (papers) classer; (LAW: claim) faire enregistrer; déposer ♦ vi: to ~ in/out entrer/sortir l'un derrière l'autre; to ~ for divorce faire une demande en divorce; filing cabinet n classeur m (meuble)

fill [fɪl] vt remplir; (need) répondre à ♦ n: to eat one's ~ manger à sa faim; to ~ with remplir de; ~ in vt (hole) boucher; (form) remplir; ~ up vt remplir; ~ it up, please (AUT) le plein, s'il vous plaît

fillet ['fɪlɪt] n filet m; ~ steak n filet m de bœuf, tournedos m

filling ['fɪlɪŋ] n (CULIN) garniture f, farce f; (for tooth) plombage m; ~ station n station-service f

film [fɪlm] n film m; (PHOT) pellicule f, film; (of powder, liquid) couche f, pellicule ♦ vt (scene) filmer ♦ vi tourner; ~ star n vedette f de cinéma

filter ['fɪltə*] n filtre m ♦ vt filtrer; ~ lane n (AUT) voie f de sortie; ~-tipped adj à bout filtre

filth [fɪlθ] n saleté f; ~y adj sale, dégoûtant(e); (language) ordurier(ère)

fin [fɪn] n (of fish) nageoire f

final ['faɪnl] adj final(e); (definitive) définitif(ive) ♦ n (SPORT) finale f; ~s npl (SCOL) examens mpl de dernière année; ~e [fɪ'nɑːlɪ] n finale m; ~ize vt mettre au point; ~ly adv (eventually) enfin, finalement; (lastly) en dernier lieu

finance [faɪ'næns] n finance f ♦ vt financer; ~s npl (financial position) finances fpl; financial [faɪ'nænʃəl] adj financier(ère)

find [faɪnd] (pt, pp found) vt trouver; (lost object) retrouver ♦ n trouvaille f, découverte f; to ~ sb guilty (LAW) déclarer qn coupable; ~ out vt (truth, secret) découvrir; (person) démasquer ♦ vi: to ~ out about (make enquiries) se renseigner; (by chance) apprendre; ~ings npl (LAW) conclusions fpl, verdict m; (of report) conclusions

fine [faɪn] adj (excellent) excellent(e); (thin, not coarse, subtle) fin(e); (weather) beau(belle) ♦ adv (well) très bien ♦ n (LAW) amende f; contravention f ♦ vt (LAW) condamner à une amende; donner une contravention à; to be ~ (person) aller bien; (weather) être beau; ~ arts npl beaux-arts mpl

finery ['faɪnərɪ] n parure f

finger ['fɪŋgə*] n doigt m ♦ vt palper, toucher; little ~ auriculaire m, petit doigt; index ~ index m; ~nail n ongle m (de la main); ~print n empreinte digitale; ~tip n bout m du doigt

finicky ['fɪnɪkɪ] adj tatillon(ne), méticuleux(euse); minutieux(euse)

finish ['fɪnɪʃ] n fin f; (SPORT) arrivée f; (polish etc) finition f ♦ vt finir, terminer ♦ vi finir, se terminer; to ~ doing sth finir de faire qch; to ~ third arriver or terminer troisième; ~ off vt finir, terminer; (kill) achever; ~ up vi, vt finir; ~ing line n ligne f d'arrivée; ~ing school n institution privée (pour jeunes filles)

finite ['faɪnaɪt] adj fini(e); (verb) conjugué(e)

Finland ['fɪnlənd] n Finlande f

Finn [fɪn] n Finnois(e); Finlandais(e); ~ish adj finnois(e); finlandais(e) ♦ n (LING) finnois m

fir [fəː*] n sapin m

fire [faɪə*] n feu m; (accidental) incendie m; (heater) radiateur m ♦ vt (discharge): to ~ a gun tirer un coup de feu; (fig) enflammer, animer; (inf: dismiss) mettre à la porte, renvoyer ♦ vi (shoot) tirer, faire feu; on ~ en feu; ~ alarm n avertisseur m d'incendie; ~arm n arme f à feu; ~ brigade n (sapeurs-)pompiers mpl; ~ department (US) n = fire brigade; ~ engine n (vehicle) voiture f des pompiers; ~ escape n escalier m de secours; ~ extinguisher n extincteur m; ~man n pompier m; ~place n cheminée f; ~side n foyer m, coin m du feu; ~ station n caserne f de pompiers; ~wood n bois m de chauffage; ~works npl feux mpl d'artifice; (display) feu(x) d'artifice

firing squad ['faɪərɪŋ-] n peloton m

d'exécution

firm [fɜːm] *adj* ferme ◆ *n* compagnie *f*, firme *f*

first [fɜːst] *adj* premier(ère) ◆ *adv* (*before all others*) le premier, la première; (*before all other things*) en premier, d'abord; (*when listing reasons etc*) en premier lieu, premièrement ◆ *n* (*person*: *in race*) premier(ère); (*BRIT*: *SCOL*) mention *f* très bien; (*AUT*) première *f*; **at ~** au commencement, au début; **~ of all** tout d'abord, pour commencer; **~ aid** *n* premiers secours *or* soins; **~-aid kit** *n* trousse *f* à pharmacie; **~-class** *adj* de première classe; (*excellent*) excellent(e), exceptionnel(le); **~-hand** *adj* de première main; **~ lady** (*US*) *n* femme *f* du président; **~ly** *adv* premièrement, en premier lieu; **~ name** *n* prénom *m*; **~-rate** *adj* excellent(e)

fish [fɪʃ] *n inv* poisson *m* ◆ *vt*, *vi* pêcher; **to go ~ing** aller à la pêche; **~erman** *n* pêcheur *m*; **~ farm** *n* établissement *m* piscicole; **~ fingers** (*BRIT*) *npl* bâtonnets de poisson (congelés); **~ing boat** *n* barque *f or* bateau *m* de pêche; **~ing line** *n* ligne *f* (de pêche); **~ing rod** *n* canne *f* à pêche; **~monger's (shop)** *n* poissonnerie *f*; **~ sticks** (*US*) *npl* = **fish fingers**; **~y** (*inf*) *adj* suspect(e), louche

fist [fɪst] *n* poing *m*

fit [fɪt] *adj* (*healthy*) en (bonne) forme; (*proper*) convenable; approprié(e) ◆ *vt* (*subj*: *clothes*) aller à; (*put in*, *attach*) installer, poser; adapter; (*equip*) équiper, garnir, munir; (*suit*) convenir à ◆ *vi* (*clothes*) aller; (*parts*) s'adapter; (*in space*, *gap*) entrer, s'adapter ◆ *n* (*MED*) accès *m*, crise *f*; (*of anger*) accès; (*of hysterics*, *jealousy*) crise; **~ to** en état de; **~ for** digne de; apte à; **~ of coughing** quinte *f* de toux; **a ~ of giggles** le fou rire; **this dress is a good ~** cette robe (me) va très bien; **by ~s and starts** par à-coups; **~ in** *vi* s'accorder; s'adapter; **~ful** *adj* (*sleep*) agité(e); **~ment** *n* meuble encastré, élément *m*; **~ness** *n* (*MED*) forme *f* physique; **~ted carpet** *n* moquette *f*; **~ted kitchen** (*BRIT*) *n* cuisine équipée; **~ter** *n* monteur *m*; **~ting** *adj* approprié(e) ◆ *n* (*of dress*) essayage *m*; (*of piece of equipment*) pose *f*, installation *f*; **~tings** *npl* (*in building*) installations *fpl*; **~ting room** *n* cabine *f* d'essayage

five [faɪv] *num* cinq; **~r** (*BRIT*) *n* billet *m* de cinq livres; (*US*) billet de cinq dollars

fix [fɪks] *vt* (*date*, *amount etc*) fixer; (*organize*) arranger; (*mend*) réparer; (*meal*, *drink*) préparer ◆ *n*: **to be in a ~** être dans le pétrin; **~ up** *vt* (*meeting*) arranger; **to ~ sb up with sth** faire avoir qch à qn; **~ation** [fɪk'seɪʃən] *n* (*PSYCH*) fixation *f*; (*fig*) obsession *f*; **~ed** [fɪkst] *adj* (*prices etc*) fixe; (*smile*) figé(e); **~ture** ['fɪkstʃə*] *n* installation *f* (fixe); (*SPORT*) rencontre *f* (au programme)

fizzle ['fɪzl-] *vi*: **~ out** *vi* (*interest*) s'estomper; (*strike*, *film*) se terminer en queue de poisson

fizzy ['fɪzɪ] *adj* pétillant(e); gazeux(euse)

flabbergasted ['flæbəgɑːstɪd] *adj* sidéré(e), ahuri(e)

flabby ['flæbɪ] *adj* mou(molle)

flag [flæg] *n* drapeau *m*; (*also*: **~stone**) dalle *f* ◆ *vi* faiblir; fléchir; **~ down** *vt* héler, faire signe (de s'arrêter) à; **~pole** ['flægpəʊl] *n* mât *m*; **~ship** *n* vaisseau *m* amiral; (*fig*) produit *m* vedette

flair [flɛə*] *n* flair *m*

flak [flæk] *n* (*MIL*) tir antiaérien; (*inf*: *criticism*) critiques *fpl*

flake [fleɪk] *n* (*of rust*, *paint*) écaille *f*; (*of snow*, *soap powder*) flocon *m* ◆ *vi* (*also*: **~ off**) s'écailler

flamboyant [flæm'bɔɪənt] *adj* flamboyant(e), éclatant(e); (*person*) haut (e) en couleur

flame [fleɪm] *n* flamme *f*

flamingo [flə'mɪŋgəʊ] *n* flamant *m* (rose)

flammable ['flæməbl] *adj* inflammable

flan [flæn] (*BRIT*) *n* tarte *f*

flank [flæŋk] *n* flanc *m* ◆ *vt* flanquer

flannel ['flænl] *n* (*fabric*) flanelle *f*; (*BRIT*: *also*: **face ~**) gant *m* de toilette; **~s** *npl* (*trousers*) pantalon *m* de flanelle

flap [flæp] *n* (*of pocket*, *envelope*) rabat *m* ◆ *vt* (*wings*) battre (de) ◆ *vi* (*sail*, *flag*) claquer; (*inf*: *also*: *be in a ~*) paniquer

flare [flɛə*] *n* (*signal*) signal lumineux; (*in skirt etc*) évasement *m*; **~ up** *vi* s'embraser; (*fig*: *person*) se mettre en colère, s'emporter; (: *revolt etc*) éclater

flash [flæʃ] *n* éclair *m*; (*also*: **news ~**) flash *m* (d'information); (*PHOT*) flash ◆ *vt* (*light*) projeter; (*send*: *message*) câbler; (*look*) jeter; (*smile*) lancer ◆ *vi* (*light*) clignoter; **a ~ of lightning** un éclair; **in a ~** en un clin d'œil; **to ~ one's headlights** faire un appel de phares; **to ~ by** *or* **past** (*person*) passer comme un éclair (devant); **~bulb** *n* ampoule *f* de flash; **~cube** *n* cube-flash *m*; **~light** *n* lampe *f* de poche

flashy ['flæʃɪ] (*pej*) *adj* tape-à-l'œil *inv*, tapageur(euse)

flask [flɑːsk] *n* flacon *m*, bouteille *f*; (**vacuum**) **~** thermos *m or f* (®)

flat [flæt] *adj* plat(e); (*tyre*) dégonflé(e), à plat; (*beer*) éventé(e); (*denial*) catégorique; (*MUS*) bémol *inv*; (: *voice*) faux(fausse); (*fee*, *rate*) fixe ◆ *n* (*BRIT*: *apartment*) appartement *m*; (*AUT*) crevaison *f*; (*MUS*) bémol *m*; **to work ~ out** travailler d'arrache-pied; **~ly** *adv* catégoriquement; **~ten** *vt* (*also*: **~ten out**) aplatir; (*crop*) coucher; (*building(s)*) raser

flatter ['flætə*] *vt* flatter; **~ing** *adj* flatteur(euse); **~y** *n* flatterie *f*

flaunt [flɔːnt] *vt* faire étalage de

flavour ['fleɪvə*] (*US* **flavor**) *n* goût *m*, saveur *f*; (*of ice cream etc*) parfum *m* ◆ *vt* parfumer; **vanilla-flavoured** à l'arôme de vanille, à la vanille; **~ing** *n* arôme *m*

flaw [flɔː] *n* défaut *m*; **~less** *adj* sans défaut

flax [flæks] *n* lin *m*; **~en** *adj* blond(e)

flea [fliː] *n* puce *f*

fleck [flek] *n* tacheture *f*; moucheture *f*

flee [fliː] (*pt*, *pp* **fled**) *vt* fuir ◆ *vi* fuir, s'enfuir

fleece [fliːs] *n* toison *f* ◆ *vt* (*inf*) voler, filouter

fleet [fliːt] *n* flotte *f*; (*of lorries etc*) parc *m*, convoi *m*

fleeting ['fliːtɪŋ] *adj* fugace, fugitif(ive); (*visit*) très bref(brève)

Flemish ['flemɪʃ] *adj* flamand(e)

flesh [fleʃ] *n* chair *f*; **~ wound** *n* blessure superficielle

flew [fluː] *pt of* **fly**

flex [fleks] *n* fil *m or* câble *m* électrique ◆ *vt* (*knee*) fléchir; (*muscles*) tendre

flexible *adj* flexible

flick [flɪk] *n* petite tape; chiquenaude *f*; (*of duster*) petit coup ◆ *vt* donner un petit coup à; (*switch*) appuyer sur; **~ through** *vt fus* feuilleter

flicker ['flɪkə*] *vi* (*light*) vaciller; **his eyelids ~ed** il a cillé

flier ['flaɪə*] *n* aviateur *m*

flight [flaɪt] *n* vol *m*; (*escape*) fuite *f*; (*also*: **~ of steps**) escalier *m*; **~ attendant** (*US*) *n* steward *m*, hôtesse *f* de l'air; **~ deck** *n* (*AVIAT*) poste *m* de pilotage; (*NAUT*) pont *m* d'envol

flimsy ['flɪmzɪ] *adj* peu solide; (*clothes*) trop léger(ère); (*excuse*) pauvre, mince

flinch [flɪntʃ] *vi* tressaillir; **to ~ from** se dérober à, reculer devant

fling [flɪŋ] (*pt*, *pp* **flung**) *vt* jeter, lancer

flint [flɪnt] *n* silex *m*; (*in lighter*) pierre *f* (à briquet)

flip [flɪp] *vt* (*throw*) lancer (d'une chiquenaude); **to ~ a coin** jouer à pile ou face; **to ~ sth over** retourner qch

flippant ['flɪpənt] *adj* désinvolte, irrévérencieux(euse)

flipper ['flɪpə*] *n* (*of seal etc*) nageoire *f*; (*for swimming*) palme *f*

flirt [flɜːt] *vi* flirter ◆ *n* flirteur(euse) *m/f*

flit [flɪt] *vi* voleter

float [fləʊt] *n* flotteur *m*; (*in procession*) char *m*; (*money*) réserve *f* ◆ *vi* flotter

flock [flɒk] *n* troupeau *m*; (*of birds*) vol *m*; (*REL*) ouailles *fpl* ◆ *vi*: **to ~ to** se rendre en masse à

flog [flɒg] *vt* fouetter

flood [flʌd] *n* inondation *f*; (*of letters*, *refugees etc*) flot *m* ◆ *vt* inonder ◆ *vi* (*people*): **to ~ into** envahir; **~ing** *n* inondation *f*; **~light** *n* projecteur *m*

floor [flɔː*] *n* sol *m*; (*storey*) étage *m*; (*of sea*, *valley*) fond *m* ◆ *vt* (*subj*: *question*) décontenancer; (: *blow*) terrasser; **on the ~** par terre; **ground ~**, (*US*) **first ~** rez-de-chaussée *m inv*; **first ~**, (*US*) **second ~** premier étage; **~board** *n* planche *f* (*du plancher*); **~ show** *n* spectacle *m* de variétés

flop [flɒp] *n* fiasco *m* ◆ *vi* être un fiasco; (*fall*: *into chair*) s'affaler, s'effondrer

floppy ['flɒpɪ] *adj* lâche, flottant(e); **~ (disk)** *n* (*COMPUT*) disquette *f*

flora ['flɔːrə] *n* flore *f*

floral ['flɔːrəl] *adj* (*dress*) à fleurs

florid ['flɒrɪd] *adj* (*complexion*) coloré(e); (*style*) plein(e) de fioritures

florist ['flɒrɪst] *n* fleuriste *m/f*

flounce [flaʊns]: **to ~ out** *vi* sortir dans un mouvement d'humeur

flounder ['flaʊndə*] *vi* patauger ◆ *n* (*ZOOL*) flet *m*

flour ['flaʊə*] *n* farine *f*

flourish ['flʌrɪʃ] *vi* prospérer ◆ *n* (*gesture*) moulinet *m*

flout [flaʊt] *vt* se moquer de, faire fi de

flow [fləʊ] *n* (*ELEC*, *of river*) courant *m*; (*of blood in veins*) circulation *f*; (*of tide*) flux *m*; (*of orders*, *data*) flot *m* ◆ *vi* couler; (*traffic*) s'écouler; (*robes*, *hair*) flotter; **the ~ of traffic** l'écoulement *m* de la circulation; **~ chart** *n* organigramme *m*

flower ['flaʊə*] *n* fleur *f* ◆ *vi* fleurir; **~ bed** *n* plate-bande *f*; **~pot** *n* pot *m* (de fleurs); **~y** *adj* fleuri(e)

flown [fləʊn] *pp of* **fly**

flu [fluː] *n* grippe *f*

fluctuate ['flʌktjʊeɪt] *vi* varier, fluctuer

fluent ['fluːənt] *adj* (*speech*) coulant(e), aisé(e); **he speaks ~ French, he's ~ in French** il parle couramment le français

fluff [flʌf] *n* duvet *m*; (*on jacket*, *carpet*) peluche *f*; **~y** *adj* duveteux(euse); (*toy*) en peluche

fluid ['fluːɪd] *adj* fluide ◆ *n* fluide *m*

fluke [fluːk] (*inf*) *n* (*luck*) coup *m* de veine

flung [flʌŋ] *pt*, *pp of* **fling**

fluoride ['flʊəraɪd] *n* fluorure *f*; **~ toothpaste** *n* dentifrice *m* au fluor

flurry ['flʌrɪ] *n* (*of snow*) rafale *f*, bourrasque *f*; **~ of activity/excitement** affairement *m*/excitation *f* soudain(e)

flush [flʌʃ] *n* (*on face*) rougeur *f*; (*fig*: *of youth*, *beauty etc*) éclat *m* ◆ *vt* nettoyer à grande eau ◆ *vi* rougir ◆ *adj*: **~ with** au ras de, de niveau avec; **to ~ the toilet** tirer la chasse (d'eau); **~ out** *vt* (*game*, *birds*) débusquer; **~ed** *adj* (tout(e)) rouge

flustered ['flʌstəd] *adj* énervé(e)

flute [fluːt] *n* flûte *f*

flutter ['flʌtə*] *n* (*of panic*, *excitement*) agitation *f*; (*of wings*) battement *m* ◆ *vi* (*bird*) battre des ailes, voleter

flux [flʌks] *n*: **in a state of ~** fluctuant sans cesse

fly [flaɪ] (*pt* **flew**, *pp* **flown**) *n* (*insect*) mouche *f*; (*on trousers*: *also*: *flies*) braguette *f* ◆ *vt* piloter; (*passengers*, *cargo*) transporter (par avion); (*distances*) parcourir ◆ *vi* voler; (*passengers*) aller en avion; (*escape*) s'enfuir, fuir; (*flag*) se déployer; **~ away** *vi* (*bird*, *insect*) s'envoler; **~ off** *vi* = **fly away**; **~ing** *n* (*activity*) aviation *f*; (*action*) vol *m* ◆ *adj*: **a ~ing visit** une visite éclair; **with ~ing colours** haut la main; **~ing saucer** *n* soucoupe volante; **~ing start** *n*: **to get off to a ~ing start** prendre un excellent départ; **~over** (*BRIT*) *n* (*bridge*) saut-de-mouton *m*; **~sheet** *n* (*for tent*) double toit *m*

foal [fəʊl] *n* poulain *m*

foam [fəʊm] *n* écume *f*; (*on beer*) mousse *f*; (*also*: **~ rubber**) caoutchouc *m* mousse ◆ *vi* (*liquid*) écumer; (*soapy water*) mousser

fob [fɒb] *vt*: **to ~ sb off** se débarrasser de qn

focal point ['fəʊkəl-] *n* (*fig*) point central

focus ['fəʊkəs] (*pl* **~es**) *n* foyer *m*; (*of interest*) centre *m* ◆ *vt* (*field glasses etc*) mettre au point ◆ *vi*: **to ~ (on)** (*with camera*) régler la mise au point (sur); (*person*) fixer son regard (sur); **out of/in ~** (*picture*) flou(e)/net(te); (*camera*) pas au point/au point

fodder ['fɒdə*] *n* fourrage *m*

foe [fəʊ] *n* ennemi *m*

fog [fɒg] *n* brouillard *m*; **~gy** *adj*: **it's ~gy** il y a du brouillard; **~ lamp** *n* (*AUT*) phare *m* antibrouillard; **~ light** (*US*) *n* = **fog lamp**

foil [fɔɪl] *vt* déjouer, contrecarrer ◆ *n* feuille *f* de métal; (*kitchen ~*) papier *m* d'alu(minium); (*complement*) repoussoir *m*; (*FENCING*) fleuret *m*

fold [fəʊld] *n* (*bend*, *crease*) pli *m*; (*AGR*) parc *m* à moutons; (*fig*) bercail *m* ◆ *vt* plier; (*arms*) croiser; **~ up** *vi* (*map*, *table etc*) se plier; (*business*) fermer boutique ◆ *vt* (*map*, *clothes*) plier; **~er** *n* (*for papers*) chemise *f*; (: *with hinges*) classeur *m*; **~ing** *adj* (*chair*, *bed*) pliant(e)

foliage ['fəʊlɪɪdʒ] *n* feuillage *m*

folk [fəʊk] *npl* gens *mpl* ◆ *cpd* folklorique; **~s** *npl* (*parents*) parents *mpl*; **~lore** ['fəʊklɔː*] *n* folklore *m*; **~ song** *n* chanson *f* folklorique

follow ['fɒləʊ] *vt* suivre ◆ *vi* suivre; (*result*) s'ensuivre; **to ~ suit** (*fig*) faire de même; **~ up** *vt* (*letter*, *offer*) donner suite à; (*case*) suivre; **~er** *n* disciple *m/f*, partisan(e); **~ing** *adj* suivant(e) ◆ *n* partisans *mpl*, disciples *mpl*

folly ['fɒlɪ] *n* inconscience *f*; folie *f*

fond [fɒnd] *adj* (*memory*, *look*) tendre; (*hopes*, *dreams*) un peu fou(folle); **to be ~ of** aimer beaucoup

fondle ['fɒndl] *vt* caresser

font [fɒnt] *n* (*in church*: *for baptism*) fonts baptismaux; (*TYP*) fonte *f*

food [fuːd] *n* nourriture *f*; **~ mixer** *n* mixer *m*; **~ poisoning** *n* intoxication *f* alimentaire; **~ processor** *n* robot *m* de cuisine; **~stuffs** *npl* denrées *fpl* alimentaires

fool [fuːl] *n* idiot(e); (*CULIN*) mousse *f* de fruits ◆ *vt* berner, duper ◆ *vi* faire l'idiot *or* l'imbécile; **~hardy** *adj* téméraire, imprudent(e); **~ish** *adj* idiot(e), stupide; (*rash*) imprudent(e); insensé; **~proof** *adj* (*plan etc*) infaillible

foot [fʊt] (*pl* **feet**) *n* pied *m*; (*of animal*) patte *f*; (*measure*) pied (= *30,48 cm; 12 inches*) ◆ *vt* (*bill*) payer; **on ~** à pied; **~age** *n* (*CINEMA*: *length*) ≈ métrage *m*; (: *material*) séquences *fpl*; **~ball** *n* ballon *m* (de football); (*sport*: *BRIT*) football *m*; (: *US*) football américain; **~ball player** (*BRIT*) *n* (*also*: **footballer**) joueur *m* de football; **~brake** *n* frein *m* à pédale; **~bridge** *n* passerelle *f*; **~hills** *npl* contreforts *mpl*; **~hold** *n* prise *f* (de pied); **~ing** *n* (*fig*) position *f*; **to lose one's ~ing** perdre pied; **~lights** *npl* rampe *f*; **~man** (*irreg*) *n* valet *m* de pied; **~note** *n* note *f* (en bas de page); **~path** *n* sentier *m*; (*in street*) trottoir *m*; **~print** *n* trace *f* (de pas); **~step** *n* pas *m*; **~wear** *n* chaussure(s) *f(pl)*

KEYWORD

for [fɔː*] *prep* [1] (*indicating destination*, *intention*, *purpose*) pour; **the train ~ London** le train pour *or* (à destination) de Londres; **he went ~ the paper** il est allé chercher le journal; **it's time ~ lunch** c'est l'heure du déjeuner; **what's it ~?** ça sert à quoi?; **what ~?** (*why*) pourquoi?

[2] (*on behalf of*, *representing*) pour; **the MP ~ Hove** le député de Hove; **to work ~ sb/sth** travailler pour qn/qch; **G ~ George** G comme Georges

[3] (*because of*) pour; **~ this reason** pour cette raison; **~ fear of being criticized** de peur d'être critiqué

[4] (*with regard to*) pour; **it's cold ~ July** il fait froid pour juillet; **a gift ~ languages** un don pour les langues

[5] (*in exchange for*): **I sold it ~ £5** je l'ai vendu 5 livres; **to pay 50 pence ~ a ticket** payer 50 pence un billet

[6] (*in favour of*) pour; **are you ~ or against us?** êtes-vous pour ou contre nous?

[7] (*referring to distance*) pendant (*referring to distance*), sur; **there are roadworks ~ 5 km** il y a des travaux sur *or* pendant 5 km; **we walked ~ miles** nous avons marché pendant des kilomètres

[8] (*referring to time*) pendant; depuis; pour; **he was away ~ 2 years** il a été absent pendant 2 ans; **she will be away ~ a month** elle sera absente (pendant) un mois; **I have known her ~ years** je la connais depuis des années; **can you do it ~ tomorrow?** est-ce que tu peux le faire pour demain?

[9] (*with infinitive clauses*): **it is not ~ me to decide** ce n'est pas à moi de décider; **it would be best ~ you to leave** le mieux serait que vous partiez; **there is still time ~ you to do it** vous avez encore le temps de le faire; **~ this to be possible ...** pour que cela soit possible ...

[10] (*in spite of*): **~ all his work/efforts** malgré tout son travail/tous ses efforts; **~ all his complaints, he's very fond of her** il a beau se plaindre, il l'aime beaucoup

◆ *conj* (*since*, *as*: *rather formal*) car

forage ['fɒrɪdʒ] *vi* fourrager

foray ['fɒreɪ] *n* incursion *f*

forbid [fə'bɪd] (*pt* **forbad(e)**, *pp* **forbidden**) *vt* défendre, interdire; **to ~ sb to do** défendre *or* interdire à qn de faire; **~ding** *adj* sévère, sombre

force [fɔːs] *n* force *f* ◆ *vt* forcer; (*push*) pousser (de force); **the F~s** *npl* (*MIL*) l'armée *f*; **in ~** en vigueur; **~-feed** *vt* nourrir de force; **~ful** *adj* énergique, volontaire

forcibly ['fɔːsəblɪ] *adv* par la force, de force; (*express*) énergiquement

ford [fɔːd] *n* gué *m*

fore [fɔː*] *n*: **to come to the ~** se faire remarquer

fore: **~arm** ['fɔːrɑːm] *n* avant-bras *m inv*; **~boding** [fɔː'bəʊdɪŋ] *n* pressentiment *m* (néfaste); **~cast** ['fɔːkɑːst] (*irreg*: *like* **cast**) *n* prévision *f* ◆ *vt* prévoir; **~court** ['fɔːkɔːt] *n* (*of garage*) devant *m*; **~fathers** ['fɔːfɑːðəz] *npl* ancêtres *mpl*; **~finger** ['fɔːfɪŋgə*] *n* index *m*

forefront ['fɔːfrʌnt] *n*: **in the ~ of** au premier rang *or* plan de

forego [fɔː'gəʊ] (*irreg*: *like* **go**) *vt* renoncer à; **~ne** ['fɔːgɒn] *adj*: **it's a ~ne conclusion** c'est couru d'avance

foreground ['fɔːgraʊnd] *n* premier plan

forehead ['fɒrɪd] *n* front *m*

foreign ['fɒrɪn] *adj* étranger(ère); (*trade*) extérieur(e); **~er** *n* étranger(ère); **~ exchange** *n* change *m*; **F~ Office** (*BRIT*) *n* ministère *m* des affaires étrangères; **F~ Secretary** (*BRIT*) *n* ministre *m* des affaires étrangères

foreleg ['fɔːleg] *n* (*cat*, *dog*) patte *f* de devant; (*horse*) jambe antérieure

foreman ['fɔːmən] (*irreg*) *n* (*factory*, *building site*) contremaître *m*, chef *m* d'équipe

foremost ['fɔːməʊst] *adj* le(la) plus en vue; premier(ère) ◆ *adv*: **first and ~** avant tout, tout d'abord

forensic [fə'rensɪk] *adj*: **~ medicine** médecine légale; **~ scientist** *n* médecin *m* légiste

forerunner ['fɔːrʌnə*] *n* précurseur *m*

foresee [fɔː'siː] (*irreg*: *like* **see**) *vt* prévoir;

~**able** *adj* prévisible
foreshadow [fɔː'ʃædəu] *vt* présager, annoncer, laisser prévoir
foresight ['fɔːsaɪt] *n* prévoyance *f*
forest ['fɔrɪst] *n* forêt *f*
forestall [fɔː'stɔːl] *vt* devancer
forestry ['fɔrɪstrɪ] *n* sylviculture *f*
foretaste ['fɔːteɪst] *n* avant-goût *m*
foretell [fɔː'tel] (*irreg: like* **tell**) *vt* prédire
foretold [fɔː'təuld] *pt, pp of* **foretell**
forever [fə'revə*] *adv* pour toujours; (*fig*) continuellement
forewent [fɔː'went] *pt of* **forego**
foreword ['fɔːwəːd] *n* avant-propos *m inv*
forfeit ['fɔːfɪt] *vt* (*lose*) perdre
forgave [fə'geɪv] *pt of* **forgive**
forge [fɔːdʒ] *n* forge *f* ◆ *vt* (*signature*) contrefaire; (*wrought iron*) forger; **to ~ money** (*BRIT*) fabriquer de la fausse monnaie; **~ ahead** *vi* pousser de l'avant, prendre de l'avance; **~r** *n* faussaire *m*; **~ry** *n* faux *m*, contrefaçon *f*
forget [fə'get] (*pt* **forgot**, *pp* **forgotten**) *vt, vi* oublier; **~ful** *adj* distrait(e), étourdi(e); **~-me-not** *n* myosotis *m*
forgive [fə'gɪv] (*pt* **forgave**, *pp* **forgiven**) *vt* pardonner; **to ~ sb for sth/for doing sth** pardonner qch à qn/à qn de faire qch; **~ness** *n* pardon *m*
forgo [fɔː'gəu] (*pt* **forwent**, *pp* **forgone**) *vt* = **forego**
fork [fɔːk] *n* (*for eating*) fourchette *f*; (*for gardening*) fourche *f*; (*of roads*) bifurcation *f*; (*of railways*) embranchement *m* ◆ *vi* (*road*) bifurquer; **~ out** *vt* (*inf*) allonger; **~-lift truck** *n* chariot élévateur
forlorn [fə'lɔːn] *adj* (*deserted*) abandonné(e); (*attempt, hope*) désespéré(e)
form [fɔːm] *n* forme *f*; (*SCOL*) classe *f*; (*questionnaire*) formulaire *m* ◆ *vt* former; (*habit*) contracter; **in top ~** en pleine forme
formal ['fɔːməl] *adj* (*offer, receipt*) en bonne et due forme; (*person*) cérémonieux(euse); (*dinner*) officiel(le); (*clothes*) de soirée; (*garden*) à la française; (*education*) à proprement parler; **~ly** *adv* officiellement; cérémonieusement
format ['fɔːmæt] *n* format *m* ◆ *vt* (*COMPUT*) formater
formative ['fɔːmətɪv] *adj*: **~ years** années *fpl* d'apprentissage *or* de formation
former ['fɔːmə*] *adj* ancien(ne) (*before n*), précédent(e); **the ~ ... the latter** le premier ... le second, celui-là ... celui-ci; **~ly** *adv* autrefois
formidable ['fɔːmɪdəbl] *adj* redoutable
formula ['fɔːmjulə] (*pl* **~s** *or* **formulae**) *n* formule *f*
forsake [fə'seɪk] (*pt* **forsook**, *pp* **forsaken**) *vt* abandonner
fort [fɔːt] *n* fort *m*
forte ['fɔːtɪ] *n* (point) fort *m*
forth [fɔːθ] *adv* en avant; **to go back and ~** aller et venir; **and so ~** et ainsi de suite; **~coming** *adj* (*event*) qui va avoir lieu prochainement; (*character*) ouvert(e), communicatif(ive); (*available*) disponible; **~right** *adj* franc(franche), direct(e); **~with** *adv* sur-le-champ
fortify ['fɔːtɪfaɪ] *vt* fortifier
fortitude ['fɔːtɪtjuːd] *n* courage *m*
fortnight ['fɔːtnaɪt] (*BRIT*) *n* quinzaine *f*, quinze jours *mpl*; **~ly** (*BRIT*) *adj* bimensuel(le) ◆ *adv* tous les quinze jours
fortunate ['fɔːtʃənɪt] *adj* heureux(euse); (*person*) chanceux (euse); **it is ~ that** c'est une chance que; **~ly** *adv* heureusement
fortune ['fɔːtʃən] *n* chance *f*; (*wealth*) fortune *f*; **~-teller** *n* diseuse *f* de bonne aventure
forty ['fɔːtɪ] *num* quarante
forward ['fɔːwəd] *adj* (*ahead of schedule*) en avance; (*movement, position*) en avant, vers l'avant; (*not shy*) direct(e); effronté(e) ◆ *n* (*SPORT*) avant *m* ◆ *vt* (*letter*) faire suivre; (*parcel, goods*) expédier; (*fig*) promouvoir, favoriser; **~(s)** *adv* en avant; **to move ~** avancer
fossil ['fɔsl] *n* fossile *m*
foster ['fɔstə*] *vt* encourager, favoriser; (*child*) élever (*sans obligation d'adopter*); **~ child** *n* enfant adoptif(ive)
fought [fɔːt] *pt, pp of* **fight**
foul [faul] *adj* (*weather, smell, food*) infect(e); (*language*) ordurier(ère) ◆ *n* (*SPORT*) faute *f* ◆ *vt* (*dirty*) salir, encrasser; **he's got a ~ temper** il a un caractère de chien; **~ play** *n* (*LAW*) acte criminel
found [faund] *pt, pp of* **find** ◆ *vt* (*establish*) fonder; **~ation** [faun'deɪʃən] *n* (*act*) fondation *f*; (*base*) fondement *m*; (*also*: **~ation cream**) fond *m* de teint; **~ations** *npl* (*of building*) fondations *fpl*
founder ['faundə*] *n* fondateur *m* ◆ *vi* couler, sombrer
foundry ['faundrɪ] *n* fonderie *f*
fountain ['fauntɪn] *n* fontaine *f*; **~ pen** *n* stylo *m* (à encre)
four [fɔː*] *num* quatre; **on all ~s** à quatre pattes; **~-poster** *n* (*also*: **~-poster bed**) lit *m* à baldaquin; **~some** *n* (*game*) partie *f* à quatre; (*outing*) sortie *f* à quatre
fourteen [fɔː'tiːn] *num* quatorze
fourth [fɔːθ] *num* quatrième
fowl [faul] *n* volaille *f*
fox [fɔks] *n* renard *m* ◆ *vt* mystifier
foyer ['fɔɪeɪ] *n* (*hotel*) hall *m*; (*THEATRE*) foyer *m*
fraction ['frækʃən] *n* fraction *f*
fracture ['fræktʃə*] *n* fracture *f*
fragile ['frædʒaɪl] *adj* fragile
fragment ['frægmənt] *n* fragment *m*
fragrant ['freɪgrənt] *adj* parfumé(e), odorant(e)
frail [freɪl] *adj* fragile, délicat(e)
frame [freɪm] *n* charpente *f*; (*of picture, bicycle*) cadre *m*; (*of door, window*) encadrement *m*, chambranle *m*; (*of spectacles*: *also*: **~s**) monture *f* ◆ *vt* encadrer; **~ of mind** disposition *f* d'esprit; **~work** *n* structure *f*
France [frɑːns] *n* France *f*
franchise ['fræntʃaɪz] *n* (*POL*) droit *m* de vote; (*COMM*) franchise *f*
frank [fræŋk] *adj* franc(franche) ◆ *vt* (*letter*) affranchir; **~ly** *adv* franchement
frantic ['fræntɪk] *adj* (*hectic*) frénétique; (*distraught*) hors de soi
fraternity [frə'təːnɪtɪ] *n* (*spirit*) fraternité *f*; (*club*) communauté *f*, confrérie *f*
fraud [frɔːd] *n* supercherie *f*, fraude *f*, tromperie *f*; (*person*) imposteur *m*
fraught [frɔːt] *adj*: **~ with** chargé(e) de, plein(e) de
fray [freɪ] *n* bagarre *f* ◆ *vi* s'effilocher; **tempers were ~ed** les gens commençaient à s'énerver
freak [friːk] *n* (*also cpd*) phénomène *m*, *créature ou événement exceptionnel(le) par sa rareté*
freckle ['frekl] *n* tache *f* de rousseur
free [friː] *adj* libre; (*gratis*) gratuit(e) ◆ *vt* (*prisoner etc*) libérer; (*jammed object or person*) dégager; **~ (of charge), for ~** gratuitement; **~dom** ['friːdəm] *n* liberté *f*; **~-for-all** *n* mêlée générale; **~ gift** *n* prime *f*; **~hold** *n* propriété foncière libre; **~ kick** *n* coup franc; **~lance** *adj* indépendant(e); **~ly** *adv* librement; (*liberally*) libéralement; **F~mason** *n* franc-maçon *m*; **F~post** (®) *n* port payé; **~-range** *adj* (*hen, eggs*) de ferme; **~ trade** *n* libre-échange *m*; **~way** (*US*) *n* autoroute *f*; **~ will** *n* libre arbitre *m*; **of one's own ~ will** de son plein gré
freeze [friːz] (*pt* **froze**, *pp* **frozen**) *vi* geler ◆ *vt* geler; (*food*) congeler; (*prices, salaries*) bloquer, geler ◆ *n* gel *m*; (*fig*) blocage *m*; **~-dried** *adj* lyophilisé(e); **~r** *n* congélateur *m*
freezing ['friːzɪŋ] *adj*: **~ (cold)** (*weather, water*) glacial(e) ◆ *n* **3 degrees below ~** 3 degrés au-dessous de zéro; **~ point** *n* point *m* de congélation
freight [freɪt] *n* (*goods*) fret *m*, cargaison *f*; (*money charged*) fret, prix *m* du transport; **~ train** *n* train *m* de marchandises
French [frentʃ] *adj* français(e) ◆ *n* (*LING*) français *m*; **the ~** *npl* (*people*) les Français; **~ bean** *n* haricot vert; **~ fried (potatoes)**, **~ fries** (*US*) *npl* (pommes de terre *fpl*) frites *fpl*; **~man** (*irreg*) *n* Français *m*; **~ window** *n* porte-fenêtre *f*; **~woman** (*irreg*) *n* Française *f*
frenzy ['frenzɪ] *n* frénésie *f*
frequency ['friːkwənsɪ] *n* fréquence *f*
frequent [*adj* 'friːkwənt, *vb* friː'kwent] *adj* fréquent(e) ◆ *vt* fréquenter; **~ly** *adv* fréquemment
fresh [freʃ] *adj* frais(fraîche); (*new*) nouveau(nouvelle); (*cheeky*) familier(ère), culotté(e); **~en** *vi* (*wind, air*) fraîchir; **~en up** *vi* faire un brin de toilette; **~er** (*BRIT*: *inf*) *n* (*SCOL*) bizuth *m*, étudiant(e) de 1ère année; **~ly** *adv* nouvellement, récemment; **~man** (*US*: *irreg*) *n* = **fresher**; **~ness** *n* fraîcheur *f*; **~water** *adj* (*fish*) d'eau douce
fret [fret] *vi* s'agiter, se tracasser
friar ['fraɪə*] *n* moine *m*, frère *m*
friction ['frɪkʃən] *n* friction *f*
Friday ['fraɪdeɪ] *n* vendredi *m*
fridge [frɪdʒ] (*BRIT*) *n* frigo *m*, frigidaire *m* (®)
fried [fraɪd] *adj* frit(e); **~ egg** œuf *m* sur le plat
friend [frend] *n* ami(e); **~ly** *adj* amical(e); gentil(le); (*place*) accueillant(e); **~ship** *n* amitié *f*
frieze [friːz] *n* frise *f*
fright [fraɪt] *n* peur *f*, effroi *m*; **to take ~** prendre peur, s'effrayer; **~en** *vt* effrayer, faire peur à; **~ened** *adj*: **to be ~ened (of)** avoir peur (de); **~ening** *adj* effrayant(e); **~ful** *adj* affreux(euse)
frigid ['frɪdʒɪd] *adj* (*woman*) frigide
frill [frɪl] *n* (*of dress*) volant *m*; (*of shirt*) jabot *m*
fringe [frɪndʒ] *n* (*BRIT*: *of hair*) frange *f*; (*edge*: *of forest etc*) bordure *f*; **~ benefits** *npl* avantages sociaux *or* en nature
frisk [frɪsk] *vt* fouiller
fritter ['frɪtə*] *n* beignet *m*; **~ away** *vt* gaspiller
frivolous ['frɪvələs] *adj* frivole
frizzy ['frɪzɪ] *adj* crépu(e)
fro [frəu] *adv*: **to go to and ~** aller et venir
frock [frɔk] *n* robe *f*
frog [frɔg] *n* grenouille *f*; **~man** *n* homme-grenouille *m*
frolic ['frɔlɪk] *vi* folâtrer, batifoler

KEYWORD

from [frɔm] *prep* 1 (*indicating starting place, origin etc*) de; **where do you come ~?, where are you ~?** d'où venez-vous?; **~ London to Paris** de Londres à Paris; **a letter ~ my sister** une lettre de ma sœur; **to drink ~ the bottle** boire à (même) la bouteille
2 (*indicating time*) (à partir) de; **~ one o'clock to** *or* **until** *or* **till two** d'une heure à deux heures; **~ January (on)** à partir de janvier
3 (*indicating distance*) de; **the hotel is one kilometre ~ the beach** l'hôtel est à un kilomètre de la plage
4 (*indicating price, number etc*) de; **the interest rate was increased ~ 9% to 10%** le taux d'intérêt a augmenté de 9 à 10%
5 (*indicating difference*) de; **he can't tell red ~ green** il ne peut pas distinguer le rouge du vert
6 (*because of, on the basis of*): **~ what he says** d'après ce qu'il dit; **weak ~ hunger** affaibli par la faim

front [frʌnt] *n* (*of house, dress*) devant *m*; (*of coach, train*) avant *m*; (*promenade*: *also*: **sea ~**) bord *m* de mer; (*MIL, METEOROLOGY*) front *m*; (*fig*: *appearances*) contenance *f*, façade *f* ◆ *adj* de devant; (*seat*) avant *inv*; **in ~ (of)** devant; **~age** ['frʌntɪdʒ] *n* (*of building*) façade *f*; **~ door** *n* porte *f* d'entrée; (*of car*) portière *f* avant; **~ier** ['frʌntɪə*] *n* frontière *f*; **~ page** *n* première page; **~ room** (*BRIT*) *n* pièce *f* de devant, salon *m*; **~-wheel drive** *n* traction *f* avant
frost [frɔst] *n* gel *m*, gelée *f*; (*also*: **hoar~**) givre *m*; **~bite** *n* gelures *fpl*; **~ed** *adj* (*glass*) dépoli(e); **~y** *adj* (*weather, welcome*) glacial(e)
froth [frɔθ] *n* mousse *f*; écume *f*
frown [fraun] *vi* froncer les sourcils
froze [frəuz] *pt of* **freeze**
frozen ['frəuzn] *pp of* **freeze**
fruit [fruːt] *n inv* fruit *m*; **~erer** *n* fruitier *m*, marchand(e) de fruits; **~ful** *adj* (*fig*) fructueux(euse); **~ion** [fruː'ɪʃən] *n*: **to come to ~ion** se réaliser; **~ juice** *n* jus *m* de fruit; **~ machine** (*BRIT*) *n* machine *f* à sous; **~ salad** *n* salade *f* de fruits
frustrate [frʌs'treɪt] *vt* frustrer
fry [fraɪ] (*pt, pp* **fried**) *vt* (faire) frire; *see also* **small**; **~ing pan** *n* poêle *f* (à frire)
ft. *abbr* = **foot**; **feet**
fuddy-duddy ['fʌdɪdʌdɪ] (*pej*) *n* vieux schnock
fudge [fʌdʒ] *n* (*CULIN*) caramel *m*
fuel [fjuəl] *n* (*for heating*) combustible *m*; (*for propelling*) carburant *m*; **~ oil** *n* mazout *m*; **~ tank** *n* (*in vehicle*) réservoir *m*
fugitive ['fjuːdʒɪtɪv] *n* fugitif(ive)
fulfil [ful'fɪl] (*US* **~l**) *vt* (*function, condition*) remplir; (*order*) exécuter; (*wish, desire*) satisfaire, réaliser; **~ment** *n* (*of wishes etc*) réalisation *f*; (*feeling*) contentement *m*
full [ful] *adj* plein(e); (*details, information*) complet(ète); (*skirt*) ample, large ◆ *adv*: **to know ~ well** that savoir fort bien que; **I'm ~ (up)** j'ai bien mangé; **a ~ two hours** deux bonnes heures; **at ~ speed** à toute vitesse; **in ~** (*reproduce, quote*) intégralement; (*write*) en toutes lettres; **~ employment** plein emploi; **to pay in ~** tout payer; **~-length** *adj* (*film*) long métrage; (*portrait, mirror*) en pied; (*coat*) long(ue); **~ moon** *n* pleine lune; **~-scale** *adj* (*attack, war*) complet(ète), total(e); (*model*) grandeur nature *inv*; **~ stop** *n* point *m*; **~-time** *adj, adv* (*work*) à plein temps; **~y** *adv* entièrement, complètement; (*at least*) au moins; **~y-fledged** *adj* (*teacher, barrister*) diplômé(e); (*citizen, member*) à part entière
fumble ['fʌmbl] *vi*: **~ with** tripoter
fume [fjuːm] *vi* rager; **~s** *npl* vapeurs *fpl*, émanations *fpl*, gaz *mpl*
fun [fʌn] *n* amusement *m*, divertissement *m*; **to have ~** s'amuser; **for ~** pour rire; **to make ~ of** se moquer de
function ['fʌŋkʃən] *n* fonction *f*; (*social occasion*) cérémonie *f*, soirée officielle ◆ *vi* fonctionner; **~al** *adj* fonctionnel(le)
fund [fʌnd] *n* caisse *f*, fonds *m*; (*source, store*) source *f*, mine *f*; **~s** *npl* (*money*) fonds *mpl*
fundamental [fʌndə'mentl] *adj* fondamental(e)
funeral ['fjuːnərəl] *n* enterrement *m*, obsèques *fpl*; **~ parlour** *n* entreprise *f* de pompes funèbres; **~ service** *n* service *m* funèbre
funfair ['fʌnfɛə*] (*BRIT*) *n* fête (foraine)
fungus ['fʌŋgəs] (*pl* **fungi**) *n* champignon *m*; (*mould*) moisissure *f*
funnel ['fʌnl] *n* entonnoir *m*; (*of ship*) cheminée *f*
funny ['fʌnɪ] *adj* amusant(e), drôle; (*strange*) curieux(euse), bizarre
fur [fəː*] *n* fourrure *f*; (*BRIT*: *in kettle etc*) (dépôt *m* de) tartre *m*; **~ coat** *n* manteau *m* de fourrure
furious ['fjuərɪəs] *adj* furieux(euse); (*effort*) acharné(e)
furlong ['fəːlɔŋ] *n* = 201,17 *m*
furlough ['fəːləu] *n* permission *f*, congé *m*
furnace ['fəːnɪs] *n* fourneau *m*
furnish ['fəːnɪʃ] *vt* meubler; (*supply*): **to ~ sb with sth** fournir qch à qn; **~ings** *npl* mobilier *m*, ameublement *m*
furniture ['fəːnɪtʃə*] *n* meubles *mpl*, mobilier *m*; **piece of ~** meuble *m*
furrow ['fʌrəu] *n* sillon *m*
furry ['fəːrɪ] *adj* (*animal*) à fourrure; (*toy*) en peluche
further ['fəːðə*] *adj* (*additional*) supplémentaire, autre; nouveau (nouvelle) ◆ *adv* plus loin; (*more*) davantage; (*moreover*) de plus ◆ *vt* faire avancer *or* progresser, promouvoir; **~ education** *n* enseignement *m* postscolaire; **~more** *adv* de plus, en outre
furthest ['fəːðɪst] *superl of* **far**
fury ['fjuərɪ] *n* fureur *f*
fuse [fjuːz] (*US* **fuze**) *n* fusible *m*; (*for bomb etc*) amorce *f*, détonateur *m* ◆ *vt, vi* (*metal*) fondre; **to ~ the lights** (*BRIT*) faire sauter les plombs; **~ box** *n* boîte *f* à fusibles
fuss [fʌs] *n* (*excitement*) agitation *f*; (*complaining*) histoire(s) *f(pl)*; **to make a ~** faire des histoires; **to make a ~ of sb** être aux petits soins pour qn; **~y** *adj* (*person*) tatillon(ne), difficile; (*dress, style*) tarabiscoté(e)
future ['fjuːtʃə*] *adj* futur(e) ◆ *n* avenir *m*; (*LING*) futur *m*; **in ~** à l'avenir
fuze [fjuːz] (*US*) *n, vt, vi* = **fuse**
fuzzy ['fʌzɪ] *adj* (*PHOT*) flou(e); (*hair*) crépu(e)

G

G [dʒiː] *n* (*MUS*) sol *m*
G7 *n abbr* (= *Group of 7*) le groupe des 7
gabble ['gæbl] *vi* bredouiller
gable ['geɪbl] *n* pignon *m*
gadget ['gædʒɪt] *n* gadget *m*
Gaelic ['geɪlɪk] *adj* gaélique ◆ *n* (*LING*) gaélique *m*
gag [gæg] *n* (*on mouth*) bâillon *m*; (*joke*) gag *m* ◆ *vt* bâillonner
gaiety ['geɪətɪ] *n* gaieté *f*
gain [geɪn] *n* (*improvement*) gain *m*; (*profit*) gain, profit *m*; (*increase*): **~ (in)** augmentation *f* (de) ◆ *vt* gagner ◆ *vi* (*watch*) avancer; **to ~ 3 lbs (in weight)** prendre 3 livres; **to ~ on sb** (*catch up*) rattraper qn; **to ~ from/by** gagner de/à
gait [geɪt] *n* démarche *f*
gal. *abbr* = **gallon**
gale [geɪl] *n* rafale *f* de vent; coup *m* de vent
gallant ['gælənt] *adj* vaillant(e), brave; (*towards ladies*) galant
gall bladder ['gɔːl-] *n* vésicule *f* biliaire
gallery ['gælərɪ] *n* galerie *f*; (*also*: **art ~**) musée *m*; (: *private*) galerie
galley ['gælɪ] *n* (*ship's kitchen*) cambuse *f*
gallon ['gælən] *n* gallon *m* (*BRIT* = *4,5 l*; *US* = *3,8 l*)
gallop ['gæləp] *n* galop *m* ◆ *vi* galoper
gallows ['gæləuz] *n* potence *f*
gallstone ['gɔːlstəun] *n* calcul *m* biliaire
galore [gə'lɔː*] *adv* en abondance, à gogo
Gambia *n*: (The) ~ la Gambie
gambit ['gæmbɪt] *n* (*fig*): **(opening) ~** manœuvre *f* stratégique
gamble ['gæmbl] *n* pari *m*, risque calculé ◆ *vt, vi* jouer; **to ~ on** (*fig*) miser sur; **~r** *n* joueur *m*; **gambling** ['gæmblɪŋ] *n* jeu *m*
game [geɪm] *n* jeu *m*; (*match*) match *m*; (*strategy, scheme*) plan *m*; projet *m*; (*HUNTING*) gibier *m* ◆ *adj* (*willing*): **to be ~ (for)** être prêt(e) (à *or* pour); **big ~** gros gibier; **~keeper** *n* garde-chasse *m*
gammon ['gæmən] *n* (*bacon*) quartier *m* de lard fumé; (*ham*) jambon fumé
gamut ['gæmət] *n* gamme *f*
gang [gæŋ] *n* bande *f*; (*of workmen*) équipe *f*; **~ up** *vi*: **to ~ up on sb** se liguer contre qn; **~ster** ['gæŋstə*] *n* gangster *m*; **~way** *n* passerelle *f*; (*BRIT*: *of bus, plane*) couloir central; (: *in cinema*) allée centrale
gaol [dʒeɪl] (*BRIT*) *n* = **jail**
gap [gæp] *n* trou *m*; (*in time*) intervalle *m*;

(*difference*): ~ **between** écart *m* entre
gape [geɪp] *vi* (*person*) être *or* rester bouche bée; (*hole, shirt*) être ouvert(e);
gaping ['geɪpɪŋ] *adj* (*hole*) béant(e)
garage ['gærɑːʒ] *n* garage *m*
garbage ['gɑːbɪdʒ] *n* (*US: rubbish*) ordures *fpl*, détritus *mpl*; (*inf: nonsense*) foutaises *fpl*; ~ **can** (*US*) *n* poubelle *f*, boîte *f* à ordures
garbled ['gɑːbld] *adj* (*account, message*) embrouillé(e)
garden ['gɑːdn] *n* jardin *m*; ~**s** *npl* jardin public; ~**er** *n* jardinier *m*; ~**ing** *n* jardinage *m*
gargle ['gɑːgl] *vi* se gargariser
garish ['gɛərɪʃ] *adj* criard(e), voyant(e); (*light*) cru(e)
garland ['gɑːlənd] *n* guirlande *f*; couronne *f*
garlic ['gɑːlɪk] *n* ail *m*
garment ['gɑːmənt] *n* vêtement *m*
garrison ['gærɪsn] *n* garnison *f*
garrulous ['gærʊləs] *adj* volubile, loquace
garter ['gɑːtə*] *n* jarretière *f*; (*US*) jarretelle *f*
gas [gæs] *n* gaz *m*; (*US*: ~*oline*) essence *f* ◆ *vt* asphyxier; ~ **cooker** (*BRIT*) *n* cuisinière *f* à gaz; ~ **cylinder** *n* bouteille *f* de gaz; ~ **fire** (*BRIT*) *n* radiateur *m* à gaz
gash [gæʃ] *n* entaille *f*; (*on face*) balafre *f*
gasket ['gæskɪt] *n* (*AUT*) joint *m* de culasse
gas mask *n* masque *m* à gaz
gas meter *n* compteur *m* à gaz
gasoline ['gæsəliːn] (*US*) *n* essence *f*
gasp [gɑːsp] *vi* haleter; ~ **out** *vt* (*say*) dire dans un souffle *or* d'une voix entrecoupée
gas station (*US*) *n* station-service *f*
gas tap *n* bouton *m* (de cuisinière à gaz); (*on pipe*) robinet *m* à gaz
gastric *adj* gastrique; ~ **flu** grippe *f* intestinale
gate [geɪt] *n* (*of garden*) portail *m*; (*of field*) barrière *f*; (*of building, at airport*) porte *f*; ~**crash** *vt* s'introduire sans invitation dans; ~**way** *n* porte *f*
gather ['gæðə*] *vt* (*flowers, fruit*) cueillir; (*pick up*) ramasser; (*assemble*) rassembler, réunir; recueillir; (*understand*) comprendre; (*SEWING*) froncer ◆ *vi* (*assemble*) se rassembler; **to ~ speed** prendre de la vitesse; ~**ing** *n* rassemblement *m*
gaudy ['gɔːdɪ] *adj* voyant(e)
gauge [geɪdʒ] *n* (*instrument*) jauge *f* ◆ *vt* jauger
gaunt [gɔːnt] *adj* (*thin*) décharné(e); (*grim, desolate*) désolé(e)
gauntlet ['gɔːntlɪt] *n* (*glove*) gant *m*; (*fig*): **to run the ~ through an angry crowd** se frayer un passage à travers une foule hostile; **to throw down the ~** jeter le gant
gauze [gɔːz] *n* gaze *f*
gave [geɪv] *pt of* **give**
gay [geɪ] *adj* (*homosexual*) homosexuel(le); (*cheerful*) gai(e), réjoui(e); (*colour etc*) gai, vif(vive)
gaze [geɪz] *n* regard *m* fixe ◆ *vi*: **to ~ at** fixer du regard
gazump (*BRIT*) *vi revenir sur une promesse de vente (pour accepter une offre plus intéressante)*
GB *abbr* = **Great Britain**
GCE *n abbr* (*BRIT*) = **General Certificate of Education**
GCSE *n abbr* (*BRIT*) = **General Certificate of Secondary Education**
gear [gɪə*] *n* matériel *m*, équipement *m*; attirail *m*; (*TECH*) engrenage *m*; (*AUT*) vitesse *f* ◆ *vt* (*fig: adapt*): **to ~ sth to** adapter qch à; **top** (*or US* **high**) ~ quatrième (*or* cinquième) vitesse; **low ~** première vitesse; **in ~** en prise; ~ **box** *n* boîte *f* de vitesses; ~ **lever** (*US* ~ **shift**) *n* levier *m* de vitesse
geese [giːs] *npl of* **goose**
gel [dʒel] *n* gel *m*
gelignite ['dʒelɪgnaɪt] *n* plastic *m*
gem [dʒem] *n* pierre précieuse
Gemini ['dʒemɪniː] *n* les Gémeaux *mpl*
gender ['dʒendə*] *n* genre *m*
general ['dʒenərəl] *n* général *m* ◆ *adj* général(e); **in ~** en général; ~ **delivery** *n* poste restante; ~ **election** *n* élection(s) législative(s); ~**ly** *adv* généralement; ~ **practitioner** *n* généraliste *m/f*
generate ['dʒenəreɪt] *vt* engendrer; (*electricity etc*) produire
generation [dʒenə'reɪʃən] *n* génération *f*; (*of electricity etc*) production *f*
generator ['dʒenəreɪtə*] *n* générateur *m*
generosity [dʒenə'rɒsɪtɪ] *n* générosité *f*;
generous ['dʒenərəs] *adj* généreux(euse); (*copious*) copieux(euse)
genetic engineering [dʒɪ'netɪk-] *n* ingéniérie *f* génétique
genetics [dʒɪ'netɪks] *n* génétique *f*
Geneva [dʒɪ'niːvə] *n* Genève
genial ['dʒiːnɪəl] *adj* cordial(e), chaleureux(euse)
genitals ['dʒenɪtlz] *npl* organes génitaux
genius ['dʒiːnɪəs] *n* génie *m*
genteel [dʒen'tiːl] *adj* de bon ton, distingué(e)
gentle ['dʒentl] *adj* doux(douce)
gentleman ['dʒentlmən] *n* monsieur *m*; (*well-bred man*) gentleman *m*
gently ['dʒentlɪ] *adv* doucement
gentry ['dʒentrɪ] *n inv*: **the ~** la petite noblesse
gents [dʒents] *n* W.-C. *mpl* (pour hommes)
genuine ['dʒenjʊɪn] *adj* véritable, authentique; (*person*) sincère
geography [dʒɪ'ɒgrəfɪ] *n* géographie *f*
geology [dʒɪ'ɒlədʒɪ] *n* géologie *f*
geometric(al) [dʒɪə'metrɪk(l)] *adj* géométrique
geometry [dʒɪ'ɒmɪtrɪ] *n* géométrie *f*
geranium [dʒɪ'reɪnɪəm] *n* géranium *m*
geriatric [dʒerɪ'ætrɪk] *adj* gériatrique
germ [dʒɜːm] *n* (*MED*) microbe *m*
German ['dʒɜːmən] *adj* allemand(e) ◆ *n* Allemand(e); (*LING*) allemand *m*; ~ **measles** (*BRIT*) *n* rubéole *f*
Germany ['dʒɜːmənɪ] *n* Allemagne *f*
gesture ['dʒestʃə*] *n* geste *m*

KEYWORD

get [get] (*pt, pp* **got**, *pp* **gotten** (*US*)) *vi* [1] (*become, be*) devenir; **to ~ old/tired** devenir vieux/fatigué, vieillir/se fatiguer; **to ~ drunk** s'enivrer; **to ~ killed** se faire tuer; **when do I ~ paid?** quand est-ce que je serai payé?; **it's ~ting late** il se fait tard
[2] (*go*): **to ~ to/from** aller à/de; **to ~ home** rentrer chez soi; **how did you ~ here?** comment es-tu arrivé ici?
[3] (*begin*) commencer *or* se mettre à; **I'm ~ting to like him** je commence à l'apprécier; **let's ~ going** *or* **started** allons-y
[4] (*modal aux vb*): **you've got to do it** il faut que vous le fassiez; **I've got to tell the police** je dois le dire à la police
◆ *vt* [1]: **to ~ sth done** (*do*) faire qch; (*have done*) faire faire qch; **to ~ one's hair cut** se faire couper les cheveux; **to ~ sb to do sth** faire faire qch à qn; **to ~ sb drunk** enivrer qn
[2] (*obtain*: *money, permission, results*) obtenir, avoir; (*find*: *job, flat*) trouver; (*fetch*: *person, doctor, object*) aller chercher; **to ~ sth for sb** procurer qch à qn; **~ me Mr Jones, please** (*on phone*) passez-moi Mr Jones, s'il vous plaît; **can I ~ you a drink?** est-ce que je peux vous servir à boire?
[3] (*receive*: *present, letter*) recevoir, avoir; (*acquire*: *reputation*) avoir; (: *prize*) obtenir; **what did you ~ for your birthday?** qu'est-ce que tu as eu pour ton anniversaire?
[4] (*catch*) prendre, saisir, attraper; (*hit*: *target etc*) atteindre; **to ~ sb by the arm/throat** prendre *or* saisir *or* attraper qn par le bras/à la gorge; **~ him!** arrête-le!
[5] (*take, move*) faire parvenir; **do you think we'll ~ it through the door?** on arrivera à le faire passer par la porte?; **I'll ~ you there somehow** je me débrouillerai pour t'y emmener
[6] (*catch, take*: *plane, bus etc*) prendre
[7] (*understand*) comprendre, saisir; (*hear*) entendre; **I've got it!** j'ai compris!; **I didn't ~ your name** je n'ai pas entendu votre nom
[8] (*have, possess*): **to have got** avoir; **how many have you got?** vous en avez combien?
get about *vi* se déplacer; (*news*) se répandre
get along *vi* (*agree*) s'entendre; (*depart*) s'en aller; (*manage*) = **get by**
get at *vt fus* (*attack*) s'en prendre à; (*reach*) attraper, atteindre
get away *vi* partir, s'en aller, s'en aller; (*escape*) s'échapper
get away with *vt fus* en être quitte pour; se faire passer *or* pardonner
get back *vi* (*return*) rentrer ◆ *vt* récupérer, recouvrer
get by *vi* (*pass*) passer; (*manage*) se débrouiller
get down *vi, vt fus* descendre ◆ *vt* descendre; (*depress*) déprimer
get down to *vt fus* (*work*) se mettre à (faire)
get in *vi* rentrer; (*train*) arriver
get into *vt fus* entrer dans; (*car, train etc*) monter dans; (*clothes*) mettre, enfiler, endosser; **to get into bed/a rage** se mettre au lit/en colère
get off *vi* (*from train etc*) descendre; (*depart*: *person, car*) s'en aller; (*escape*) s'en tirer ◆ *vt* (*remove*: *clothes, stain*) enlever ◆ *vt fus* (*train, bus*) descendre de
get on *vi* (*at exam etc*) se débrouiller; (*agree*): **to get on (with)** s'entendre (avec) ◆ *vt fus* monter dans; (*horse*) monter sur
get out *vi* sortir; (*of vehicle*) descendre ◆ *vt* sortir
get out of *vt fus* sortir de; (*duty etc*) échapper à, se soustraire à
get over *vt fus* (*illness*) se remettre de
get round *vt fus* contourner; (*fig*: *person*) entortiller
get through *vi* (*TEL*) avoir la communication; **to get through to sb** atteindre qn
get together *vi* se réunir ◆ *vt* assembler
get up *vi* (*rise*) se lever ◆ *vt fus* monter
get up to *vt fus* (*reach*) arriver à; (*prank etc*) faire

getaway ['getəweɪ] *n*: **to make one's ~** filer
geyser ['giːzə*] *n* (*GEO*) geyser *m*; (*BRIT*: *water heater*) chauffe-eau *m inv*
Ghana ['gɑːnə] *n* Ghana *m*
ghastly ['gɑːstlɪ] *adj* atroce, horrible; (*pale*) livide, blême
gherkin ['gɜːkɪn] *n* cornichon *m*
ghetto blaster ['getəʊ-] *n* stéréo *f* portable
ghost [gəʊst] *n* fantôme *m*, revenant *m*
giant ['dʒaɪənt] *n* géant(e) ◆ *adj* géant(e), énorme
gibberish ['dʒɪbərɪʃ] *n* charabia *m*
giblets ['dʒɪblɪts] *npl* abats *mpl*
Gibraltar [dʒɪ'brɔːltə*] *n* Gibraltar
giddy ['gɪdɪ] *adj* (*dizzy*): **to be** *or* **feel ~** avoir le vertige
gift [gɪft] *n* cadeau *m*; (*donation, ability*) don *m*; ~**ed** *adj* doué(e); ~ **token** *n* chèque-cadeau *m*
gigantic [dʒaɪ'gæntɪk] *adj* gigantesque
giggle ['gɪgl] *vi* pouffer (de rire), rire sottement
gill [dʒɪl] *n* (*measure*) = *0.25 pints* (*BRIT = 0.15 l, US = 0.12 l*)
gills [gɪlz] *npl* (*of fish*) ouïes *fpl*, branchies *fpl*
gilt [gɪlt] *adj* doré(e) ◆ *n* dorure *f*; ~-**edged** *adj* (*COMM*) de premier ordre
gimmick ['gɪmɪk] *n* truc *m*
gin [dʒɪn] *n* (*liquor*) gin *m*
ginger ['dʒɪndʒə*] *n* gingembre *m*; ~ **ale** *n boisson gazeuse au gingembre*; ~ **beer** *n* = **ginger ale**; ~**bread** *n* pain *m* d'épices
gingerly ['dʒɪndʒəlɪ] *adv* avec précaution
gipsy ['dʒɪpsɪ] *n* = **gypsy**
giraffe [dʒɪ'rɑːf] *n* girafe *f*
girder ['gɜːdə*] *n* poutrelle *f*
girdle ['gɜːdl] *n* (*corset*) gaine *f*
girl [gɜːl] *n* fille *f*, fillette *f*; (*young unmarried woman*) jeune fille; (*daughter*) fille; **an English ~** une jeune Anglaise; ~**friend** *n* (*of girl*) amie *f*; (*of boy*) petite amie; ~**ish** *adj* de petite *or* de jeune fille; (*for a boy*) efféminé(e)
giro ['dʒaɪrəʊ] *n* (*bank* ~) virement *m* bancaire; (*post office* ~) mandat *m*; (*BRIT*: *welfare cheque*) mandat d'allocation chômage
girth [gɜːθ] *n* circonférence *f*; (*of horse*) sangle *f*
gist [dʒɪst] *n* essentiel *m*
give [gɪv] (*pt* **gave**, *pp* **given**) *vt* donner ◆ *vi* (*break*) céder; (*stretch*: *fabric*) se prêter; **to ~ sb sth, ~ sth to sb** donner qch à qn; **to ~ a cry/sigh** pousser un cri/un soupir; ~ **away** *vt* donner; (~ *free*) faire cadeau de; (*betray*) donner, trahir; (*disclose*) révéler; (*bride*) conduire à l'autel; ~ **back** *vt* rendre; ~ **in** *vi* céder ◆ *vt* donner; ~ **off** *vt* dégager; ~ **out** *vt* distribuer; annoncer; ~ **up** *vi* renoncer ◆ *vt* renoncer à; **to ~ up smoking** arrêter de fumer; **to ~ o.s. up** se rendre; ~ **way** (*BRIT*) *vi* céder; (*AUT*) céder la priorité
glacier ['glæsɪə*] *n* glacier *m*
glad [glæd] *adj* content(e); ~**ly** *adv* volontiers
glamorous ['glæmərəs] *adj* (*person*) séduisant(e); (*job*) prestigieux (euse)
glamour ['glæmə*] *n* éclat *m*, prestige *m*
glance [glɑːns] *n* coup *m* d'œil ◆ *vi*: **to ~ at** jeter un coup d'œil à; ~ **off** *vt fus* (*bullet*) ricocher sur; **glancing** ['glɑːnsɪŋ] *adj* (*blow*) oblique
gland [glænd] *n* glande *f*
glare [glɛə*] *n* (*of anger*) regard furieux; (*of light*) lumière éblouissante; (*of publicity*) feux *mpl* ◆ *vi* briller d'un éclat aveuglant; **to ~ at** lancer un regard furieux à; **glaring** ['glɛərɪŋ] *adj* (*mistake*) criant(e), qui saute aux yeux
glass [glɑːs] *n* verre *m*; ~**es** *npl* (*spectacles*) lunettes *fpl*; ~**house** (*BRIT*) *n* (*for plants*) serre *f*; ~**ware** *n* verrerie *f*
glaze [gleɪz] *vt* (*door, window*) vitrer; (*pottery*) vernir ◆ *n* (*on pottery*) vernis *m*; ~**d** *adj* (*pottery*) verni(e); (*eyes*) vitreux(euse); **glazier** ['gleɪzɪə*] *n* vitrier *m*
gleam [gliːm] *vi* luire, briller
glean [gliːn] *vt* (*information*) glaner
glee [gliː] *n* joie *f*
glib [glɪb] *adj* (*person*) qui a du bagou; (*response*) désinvolte, facile
glide [glaɪd] *vi* glisser; (*AVIAT, birds*) planer; ~**r** *n* (*AVIAT*) planeur *m*; **gliding** ['glaɪdɪŋ] *n* (*SPORT*) vol *m* à voile
glimmer ['glɪmə*] *n* lueur *f*
glimpse [glɪmps] *n* vision passagère, aperçu *m* ◆ *vt* entrevoir, apercevoir
glint [glɪnt] *vi* étinceler
glisten ['glɪsn] *vi* briller, luire
glitter ['glɪtə*] *vi* scintiller, briller
gloat [gləʊt] *vi*: **to ~ (over)** jubiler (à propos de)
global ['gləʊbl] *adj* mondial(e)
globe [gləʊb] *n* globe *m*
gloom [gluːm] *n* obscurité *f*; (*sadness*) tristesse *f*, mélancolie *f*; ~**y** *adj* sombre, triste, lugubre
glorious ['glɔːrɪəs] *adj* glorieux(euse); splendide
glory ['glɔːrɪ] *n* gloire *f*; (*splendour*) splendeur *f*
gloss [glɒs] *n* (*shine*) brillant *m*, vernis *m*; (*also*: ~ *paint*) peinture brillante *or* laquée; ~ **over** *vt fus* glisser sur
glossary ['glɒsərɪ] *n* glossaire *m*
glossy ['glɒsɪ] *adj* brillant(e); ~ **magazine** magazine *m* de luxe
glove [glʌv] *n* gant *m*; ~ **compartment** *n* (*AUT*) boîte *f* à gants, vide-poches *m inv*
glow [gləʊ] *vi* rougeoyer; (*face*) rayonner; (*eyes*) briller
glower ['glaʊə*] *vi*: **to ~ (at)** lancer des regards mauvais (à)
glucose ['gluːkəʊz] *n* glucose *m*
glue [gluː] *n* colle *f* ◆ *vt* coller
glum [glʌm] *adj* sombre, morne
glut [glʌt] *n* surabondance *f*
glutton ['glʌtn] *n* glouton(ne); **a ~ for work** un bourreau de travail; **a ~ for punishment** un masochiste (*fig*)
gnarled [nɑːld] *adj* noueux(euse)
gnat [næt] *n* moucheron *m*
gnaw [nɔː] *vt* ronger
go [gəʊ] (*pt* **went**, *pp* **gone**; *pl* ~**es**) *vi* aller; (*depart*) partir, s'en aller; (*work*) marcher; (*be sold*): **to ~ for £10** se vendre 10 livres; (*fit, suit*): **to ~ with** aller avec; (*become*): **to ~ pale/mouldy** pâlir/moisir; (*break etc*) céder ◆ *n*: **to have a ~ (at)** essayer (de faire); **to be on the ~** être en mouvement; **whose ~ is it?** à qui est-ce de jouer?; **he's ~ing to do it** il va le faire; il est sur le point de faire; **to ~ for a walk** aller se promener; **to ~ dancing** aller danser; **how did it ~?** comment est-ce que ça s'est passé?; **to ~ round the back/by the shop** passer par derrière/devant le magasin; ~ **about** *vi* (*rumour*) se répandre ◆ *vt fus*: **how do I ~ about this?** comment dois-je m'y prendre (pour faire ceci)?; ~ **ahead** *vi* (*make progress*) avancer; (*get going*) y aller; ~ **along** *vi* aller, avancer ◆ *vt fus* longer, parcourir; ~ **away** *vi* partir, s'en aller; ~ **back** *vi* rentrer; revenir; (*go again*) retourner; ~ **back on** *vt fus* (*promise*) revenir sur; ~ **by** *vi* (*years, time*) passer, s'écouler ◆ *vt fus* s'en tenir à; en croire; ~ **down** *vi* descendre; (*ship*) couler; (*sun*) se coucher ◆ *vt fus* descendre; ~ **for** *vt fus* (*fetch*) aller chercher; (*like*) aimer; (*attack*) s'en prendre à, attaquer; ~ **in** *vi* entrer; ~ **in for** *vt fus* (*competition*) se présenter à; (*like*) aimer; ~ **into** *vt fus* entrer dans; (*investigate*) étudier, examiner; (*embark on*) se lancer dans; ~ **off** *vi* partir, s'en aller; (*food*) se gâter; (*explode*) sauter; (*event*) se dérouler ◆ *vt fus* ne plus aimer; **the gun went off** le coup est parti; ~ **on** *vi* continuer; (*happen*) se passer; **to ~ on doing** continuer à faire; ~ **out** *vi* sortir; (*fire, light*) s'éteindre; ~ **over** *vt fus* (*check*) revoir, vérifier; ~ **through** *vt fus* (*town etc*) traverser; ~ **up** *vi* monter; (*price*) augmenter ◆ *vt fus* gravir; ~ **without** *vt fus* se passer de
goad [gəʊd] *vt* aiguillonner
go-ahead ['gəʊəhed] *adj* dynamique, entreprenant(e) ◆ *n* feu vert
goal [gəʊl] *n* but *m*; ~**keeper** *n* gardien *m* de but; ~**post** *n* poteau *m* de but
goat [gəʊt] *n* chèvre *f*
gobble ['gɒbl] *vt* (*also*: ~ *down*, ~ *up*) engloutir
go-between ['gəʊ-] *n* intermédiaire *m/f*
god [gɒd] *n* dieu *m*; **G**~ *n* Dieu *m*; ~**child** *n* filleul(e); ~**daughter** *n* filleule *f*; ~**dess** *n* déesse *f*; ~**father** *n* parrain *m*; ~-**forsaken** *adj* maudit(e); ~**mother** *n* marraine *f*; ~**send** *n* aubaine *f*; ~**son** *n* filleul *m*
goggles ['gɒglz] *npl* (*for skiing etc*) lunettes protectrices
going ['gəʊɪŋ] *n* (*conditions*) état *m* du terrain ◆ *adj*: **the ~ rate** le tarif (en vigueur)
gold [gəʊld] *n* or *m* ◆ *adj* en or; (*reserves*) d'or; ~**en** *adj* (*made of gold*) en or; (*gold in colour*) doré(e); ~**fish** *n* poisson *m* rouge; ~-**plated** *adj* plaqué(e or *inv*); ~**smith** *n* orfèvre *m*
golf [gɒlf] *n* golf *m*; ~ **ball** *n* balle *f* de golf; (*on typewriter*) boule *m*; ~ **club** *n* club *m* de golf; (*stick*) club *m*, crosse *f* de golf; ~ **course** *n* (terrain *m* de) golf *m*; ~**er** *n* joueur(euse) de golf
gone [gɒn] *pp of* **go**
gong [gɒŋ] *n* gong *m*

good [gʊd] *adj* bon(ne); (*kind*) gentil(le); (*child*) sage ◆ *n* bien *m*; **~s** *npl* (*COMM*) marchandises *fpl*, articles *mpl*; **~!** bon!, très bien!; **to be ~ at** être bon en; **to be ~ for** être bon pour; **would you be ~ enough to ...?** auriez-vous la bonté *or* l'amabilité de ...?; **a ~ deal (of)** beaucoup (de); **a ~ many** beaucoup (de); **to make ~** *vi* (*succeed*) faire son chemin, réussir ◆ *vt* (*deficit*) combler; (*losses*) compenser; **it's no ~ complaining** cela ne sert à rien de se plaindre; **for ~** pour de bon, une fois pour toutes; **~ morning/afternoon!** bonjour!; **~ evening!** bonsoir!; **~ night!** bonsoir!; (*on going to bed*) bonne nuit!; **~bye** *excl* au revoir!; **G~ Friday** *n* Vendredi saint; **~-looking** *adj* beau(belle), bien *inv*; **~-natured** *adj* (*person*) qui a un bon naturel; **~ness** *n* (*of person*) bonté *f*; **for ~ness sake!** je vous en prie!; **~ness gracious!** mon Dieu!; **~s train** (*BRIT*) *n* train *m* de marchandises; **~will** *n* bonne volonté

goose [gu:s] (*pl* **geese**) *n* oie *f*

gooseberry ['gʊzbərɪ] *n* groseille *f* à maquereau; **to play ~** (*BRIT*) tenir la chandelle

gooseflesh ['gu:sfleʃ] *n*, **goose pimples** *npl* chair *f* de poule

gore [gɔ:*] *vt* encorner ◆ *n* sang *m*

gorge [gɔ:dʒ] *n* gorge *f* ◆ *vt*: **to ~ o.s. (on)** se gorger (de)

gorgeous ['gɔ:dʒəs] *adj* splendide, superbe

gorilla [gə'rɪlə] *n* gorille *m*

gorse [gɔ:s] *n* ajoncs *mpl*

gory ['gɔ:rɪ] *adj* sanglant(e); (*details*) horrible

go-slow ['gəʊ'sləʊ] (*BRIT*) *n* grève perlée

gospel ['gɒspəl] *n* évangile *m*

gossip ['gɒsɪp] *n* (*chat*) bavardages *mpl*; commérage *m*, cancans *mpl*; (*person*) commère *f* ◆ *vi* bavarder; (*maliciously*) cancaner, faire des commérages

got [gɒt] *pt*, *pp of* **get**

gotten ['gɒtn] (*US*) *pp of* **get**

gout [gaʊt] *n* goutte *f*

govern ['gʌvən] *vt* gouverner; **~ess** ['gʌvənɪs] *n* gouvernante *f*; **~ment** ['gʌvnmənt] *n* gouvernement *m*; (*BRIT: ministers*) ministère *m*; **~or** ['gʌvənə*] *n* (*of state, bank*) gouverneur *m*; (*of school, hospital*) ≈ membre *m/f* du conseil d'établissement; (*BRIT: of prison*) directeur(trice)

gown [gaʊn] *n* robe *f*; (*of teacher, BRIT: of judge*) toge *f*

GP *n abbr* = **general practitioner**

grab [græb] *vt* saisir, empoigner ◆ *vi*: **to ~ at** essayer de saisir

grace [greɪs] *n* grâce *f* ◆ *vt* honorer; (*adorn*) orner; **5 days' ~** cinq jours de répit; **~ful** *adj* gracieux(euse), élégant(e); **gracious** ['greɪʃəs] *adj* bienveillant(e)

grade [greɪd] *n* (*COMM*) qualité; *f* (*in hierarchy*) catégorie *f*, grade *m*, échelon *m*; (*SCOL*) note *f*; (*US: school class*) classe *f* ◆ *vt* classer; **~ crossing** (*US*) *n* passage *m* à niveau; **~ school** (*US*) *n* école *f* primaire

gradient ['greɪdɪənt] *n* inclinaison *f*, pente *f*

gradual ['grædjʊəl] *adj* graduel(le), progressif(ive); **~ly** *adv* peu à peu, graduellement

graduate [*n* 'grædjʊɪt, *vb* 'grædjʊeɪt] *n* diplômé(e), licencié(e); (*US: of high school*) bachelier(ère) ◆ *vi* obtenir son diplôme; (*US*) obtenir son baccalauréat; **graduation** [grædju'eɪʃən] *n* (cérémonie *f* de) remise *f* des diplômes

graffiti [grə'fi:tɪ] *npl* graffiti *mpl*

graft [grɑ:ft] *n* (*AGR, MED*) greffe *f*; (*bribery*) corruption *f* ◆ *vt* greffer; **hard ~** (*BRIT: inf*) boulot acharné

grain [greɪn] *n* grain *m*

gram [græm] *n* gramme *m*

grammar ['græmə*] *n* grammaire *f*; **~ school** (*BRIT*) *n* ≈ lycée *m*; **grammatical** [grə'mætɪkl] *adj* grammatical(e)

gramme [græm] *n* = **gram**

grand [grænd] *adj* magnifique, splendide; (*gesture etc*) noble; **~children** *npl* petits-enfants *mpl*; **~dad** (*inf*) *n* grand-papa *m*; **~daughter** *n* petite-fille *f*; **~father** *n* grand-père *m*; **~ma** (*inf*) *n* grand-maman *f*; **~mother** *n* grand-mère *f*; **~pa** (*inf*) *n* = **~dad**; **~parents** *npl* grands-parents *mpl*; **~ piano** *n* piano *m* à queue; **~son** *n* petit-fils *m*; **~stand** *n* (*SPORT*) tribune *f*

granite ['grænɪt] *n* granit *m*

granny ['grænɪ] (*inf*) *n* grand-maman *f*

grant [grɑ:nt] *vt* accorder; (*a request*) accéder à; (*admit*) concéder ◆ *n* (*SCOL*) bourse *f*; (*ADMIN*) subside *m*, subvention *f*; **to take it for ~ed that** trouver tout naturel que *+sub*; **to take sb for ~ed** considérer qn comme faisant partie du décor

granulated sugar ['grænjuleɪtɪd-] *n* sucre *m* en poudre

grape [greɪp] *n* raisin *m*; **~fruit** ['greɪpfru:t] *n* pamplemousse *m*

graph [grɑ:f] *n* graphique *m*; **~ic** ['græfɪk] *adj* graphique; (*account, description*) vivant(e); **~ics** *n* arts *mpl* graphiques; graphisme *m* ◆ *npl* représentations *fpl* graphiques

grapple ['græpl] *vi*: **to ~ with** être aux prises avec

grasp [grɑ:sp] *vt* saisir ◆ *n* (*grip*) prise *f*; (*understanding*) compréhension *f*, connaissance *f*; **~ing** *adj* cupide

grass [grɑ:s] *n* herbe *f*; (*lawn*) gazon *m*; **~hopper** *n* sauterelle *f*; **~-roots** *adj* de la base, du peuple

grate [greɪt] *n* grille *f* de cheminée ◆ *vi* grincer ◆ *vt* (*CULIN*) râper

grateful ['greɪtful] *adj* reconnaissant(e)

grater ['greɪtə*] *n* râpe *f*

gratifying ['grætɪfaɪɪŋ] *adj* agréable

grating ['greɪtɪŋ] *n* (*iron bars*) grille *f* ◆ *adj* (*noise*) grinçant(e)

gratitude ['grætɪtju:d] *n* gratitude *f*

gratuity [grə'tju:ɪtɪ] *n* pourboire *m*

grave [greɪv] *n* tombe *f* ◆ *adj* grave, sérieux(euse)

gravel ['grævəl] *n* gravier *m*

gravestone ['greɪvstəʊn] *n* pierre tombale

graveyard ['greɪvjɑ:d] *n* cimetière *m*

gravity ['grævɪtɪ] *n* (*PHYSICS*) gravité *f*; pesanteur *f*; (*seriousness*) gravité

gravy ['greɪvɪ] *n* jus *m* (de viande); sauce *f*

gray [greɪ] (*US*) *adj* = **grey**

graze [greɪz] *vi* paître, brouter ◆ *vt* (*touch lightly*) frôler, effleurer; (*scrape*) écorcher ◆ *n* écorchure *f*

grease [gri:s] *n* (*fat*) graisse *f*; (*lubricant*) lubrifiant *m* ◆ *vt* graisser; lubrifier; **~proof paper** (*BRIT*) *n* papier sulfurisé; **greasy** ['gri:sɪ] *adj* gras(se), graisseux(euse)

great [greɪt] *adj* grand(e); (*inf*) formidable; **G~ Britain** *n* Grande-Bretagne *f*; **~-grandfather** *n* arrière-grand-père *m*; **~-grandmother** *n* arrière-grand-mère *f*; **~ly** *adv* très, grandement; (*with verbs*) beaucoup; **~ness** *n* grandeur *f*

Greece [gri:s] *n* Grèce *f*

greed [gri:d] *n* (*also*: **~iness**) avidité *f*; (*for food*) gourmandise *f*, gloutonnerie *f*; **~y** *adj* avide; gourmand(e), glouton(ne)

Greek [gri:k] *adj* grec(grecque) ◆ *n* Grec(Grecque); (*LING*) grec *m*

green [gri:n] *adj* vert(e); (*inexperienced*) (bien) jeune, naïf(naïve); (*POL*) vert(e), écologiste; (*ecological*) écologique ◆ *n* vert *m*; (*stretch of grass*) pelouse *f*; **~s** *npl* (*vegetables*) légumes verts; (*POL*): **the G~s** les Verts *mpl*; **The G~ Party** (*BRIT: POL*) le parti écologiste; **~ belt** *n* (*round town*) ceinture verte; **~ card** *n* (*AUT*) carte verte; (*US*) permis *m* de travail; **~ery** *n* verdure *f*; **~grocer** (*BRIT*) *n* marchand *m* de fruits et légumes; **~house** *n* serre *f*; **~house effect** *n* effet *m* de serre; **~house gas** *n* gas *m* à effet de serre; **~ish** *adj* verdâtre

Greenland ['gri:nlənd] *n* Groenland *m*

greet [gri:t] *vt* accueillir; **~ing** *n* salutation *f*; **~ing(s) card** *n* carte *f* de vœux

gregarious [grɪ'geərɪəs] *adj* (*person*) sociable

grenade [grɪ'neɪd] *n* grenade *f*

grew [gru:] *pt of* **grow**

grey [greɪ] (*US* **gray**) *adj* gris(e); (*dismal*) sombre; **~-haired** *adj* grisonnant(e); **~hound** *n* lévrier *m*

grid [grɪd] *n* grille *f*; (*ELEC*) réseau *m*

grief [gri:f] *n* chagrin *m*, douleur *f*

grievance ['gri:vəns] *n* doléance *f*, grief *m*

grieve [gri:v] *vi* avoir du chagrin; se désoler ◆ *vt* faire de la peine à, affliger; **to ~ for sb** (*dead person*) pleurer qn

grievous ['gri:vəs] *adj* (*LAW*): **~ bodily harm** coups *mpl* et blessures *fpl*

grill [grɪl] *n* (*on cooker*) gril *m*; (*food: also mixed ~*) grillade(s) *f(pl)* ◆ *vt* (*BRIT*) griller; (*inf: question*) cuisiner

grille [grɪl] *n* grille *f*, grillage *m*; (*AUT*) calandre *f*

grim [grɪm] *adj* sinistre, lugubre; (*serious, stern*) sévère

grimace [grɪ'meɪs] *n* grimace *f* ◆ *vi* grimacer, faire une grimace

grime [graɪm] *n* crasse *f*, saleté *f*

grin [grɪn] *n* large sourire *m* ◆ *vi* sourire

grind [graɪnd] (*pt, pp* **ground**) *vt* écraser; (*coffee, pepper etc*) moudre; (*US: meat*) hacher; (*make sharp*) aiguiser ◆ *n* (*work*) corvée *f*

grip [grɪp] *n* (*hold*) prise *f*, étreinte *f*; (*control*) emprise *f*; (*grasp*) connaissance *f*; (*handle*) poignée *f*; (*holdall*) sac *m* de voyage ◆ *vt* saisir, empoigner; **to come to ~s with** en venir aux prises avec; **~ping** *adj* prenant(e), palpitant(e)

grisly ['grɪzlɪ] *adj* sinistre, macabre

gristle ['grɪsl] *n* cartilage *m*

grit [grɪt] *n* gravillon *m*; (*courage*) cran *m* ◆ *vt* (*road*) sabler; **to ~ one's teeth** serrer les dents

groan [grəʊn] *n* (*of pain*) gémissement *m* ◆ *vi* gémir

grocer ['grəʊsə*] *n* épicier *m*; **~ies** *npl* provisions *fpl*; **~'s (shop)** *n* épicerie *f*

groin [grɔɪn] *n* aine *f*

groom [gru:m] *n* palefrenier *m*; (*also: bride~*) marié *m* ◆ *vt* (*horse*) panser; (*fig*): **to ~ sb for** former qn pour; **well-groomed** très soigné(e)

groove [gru:v] *n* rainure *f*

grope [grəʊp] *vi*: **to ~ for** chercher à tâtons

gross [grəʊs] *adj* grossier(ère); (*COMM*) brut(e); **~ly** *adv* (*greatly*) très, grandement

grotto ['grɒtəʊ] *n* grotte *f*

grotty ['grɒtɪ] (*inf*) *adj* minable, affreux(euse)

ground [graʊnd] *pt*, *pp of* **grind** ◆ *n* sol *m*, terre *f*; (*land*) terrain *m*, terres *fpl*; (*SPORT*) terrain; (*US: also*: **~ wire**) terre; (*reason: gen pl*) raison *f* ◆ *vt* (*plane*) empêcher de décoller, retenir au sol; (*US: ELEC*) équiper d'une prise de terre; **~s** *npl* (*of coffee etc*) marc *m*; (*gardens etc*) parc *m*, domaine *m*; **on the ~, to the ~** par terre; **to gain/lose ~** gagner/perdre du terrain; **~ cloth** (*US*) *n* = **groundsheet**; **~ing** *n* (*in education*) connaissances *fpl* de base; **~less** *adj* sans fondement; **~sheet** (*BRIT*) *n* tapis *m* de sol; **~ staff** *n* personnel *m* au sol; **~swell** *n* lame *f or* vague *f* de fond; **~work** *n* préparation *f*

group [gru:p] *n* groupe *m* ◆ *vt* (*also*: **~ together**) grouper ◆ *vi* se grouper

grouse [graʊs] *n inv* (*bird*) grouse *f* ◆ *vi* (*complain*) rouspéter, râler

grove [grəʊv] *n* bosquet *m*

grovel ['grɒvl] *vi* (*fig*) ramper

grow [grəʊ] (*pt* **grew**, *pp* **grown**) *vi* pousser, croître; (*person*) grandir; (*increase*) augmenter, se développer; (*become*): **to ~ rich/weak** s'enrichir/s'affaiblir; (*develop*): **he's ~n out of his jacket** sa veste est (devenue) trop petite pour lui; **he'll ~ out of it!** ça lui passera! ◆ *vt* cultiver, faire pousser; (*beard*) laisser pousser; **~ up** *vi* grandir; **~er** *n* producteur *m*; **~ing** *adj* (*fear, amount*) croissant(e), grandissant(e)

growl [graʊl] *vi* grogner

grown [grəʊn] *pp of* **grow**; **~-up** *n* adulte *m/f*, grande personne

growth [grəʊθ] *n* croissance *f*, développement *m*; (*what has grown*) pousse *f*; poussée *f*; (*MED*) grosseur *f*, tumeur *f*

grub [grʌb] *n* larve *f*; (*inf: food*) bouffe *f*

grubby ['grʌbɪ] *adj* crasseux(euse)

grudge [grʌdʒ] *n* rancune *f* ◆ *vt*: **to ~ sb sth** (*in giving*) donner qch à qn à contre-cœur; (*resent*) reprocher qch à qn; **to bear sb a ~ (for)** garder rancune *or* en vouloir à qn (de)

gruelling ['grʊəlɪŋ] (*US* **grueling**) *adj* exténuant(e)

gruesome ['gru:səm] *adj* horrible

gruff [grʌf] *adj* bourru(e)

grumble ['grʌmbl] *vi* rouspéter, ronchonner

grumpy ['grʌmpɪ] *adj* grincheux(euse)

grunt [grʌnt] *vi* grogner

G-string ['dʒi:-] *n* (*garment*) cache-sexe *m inv*

guarantee [gærən'ti:] *n* garantie *f* ◆ *vt* garantir

guard [gɑ:d] *n* garde *f*; (*one man*) garde *m*; (*BRIT: RAIL*) chef *m* de train; (*on machine*) dispositif *m* de sûreté; (*also: fire~*) garde-feu *m* ◆ *vt* garder, surveiller; (*protect*): **to ~ (against or from)** protéger (contre); **~ against** *vt* (*prevent*) empêcher, se protéger de; **~ed** *adj* (*fig*) prudent(e); **~ian** *n* gardien(ne); (*of minor*) tuteur(trice); **~'s van** (*BRIT*) *n* (*RAIL*) fourgon *m*

guerrilla [gə'rɪlə] *n* guérillero *m*

guess [ges] *vt* deviner; (*estimate*) évaluer; (*US*) croire, penser ◆ *vi* deviner ◆ *n* supposition *f*, hypothèse *f*; **to take** *or* **have a ~** essayer de deviner; **~work** *n* hypothèse *f*

guest [gest] *n* invité(e); (*in hotel*) client(e); **~-house** *n* pension *f*; **~ room** *n* chambre *f* d'amis

guffaw [gʌ'fɔ:] *vi* pouffer de rire

guidance ['gaɪdəns] *n* conseils *mpl*

guide [gaɪd] *n* (*person, book etc*) guide *m*; (*BRIT: also: girl ~*) guide *f* ◆ *vt* guider; **~book** *n* guide *m*; **~ dog** *n* chien *m* d'aveugle; **~lines** *npl* (*fig*) instructions (générales), conseils *mpl*

guild [gɪld] *n* corporation *f*; cercle *m*, association *f*

guile [gaɪl] *n* astuce *f*

guillotine [gɪlə'ti:n] *n* guillotine *f*

guilt [gɪlt] *n* culpabilité *f*; **~y** *adj* coupable

guinea pig ['gɪnɪ-] *n* cobaye *m*

guise [gaɪz] *n* aspect *m*, apparence *f*

guitar [gɪ'tɑ:*] *n* guitare *f*

gulf [gʌlf] *n* golfe *m*; (*abyss*) gouffre *m*

gull [gʌl] *n* mouette *f*; (*larger*) goéland *m*

gullet ['gʌlɪt] *n* gosier *m*

gullible ['gʌlɪbl] *adj* crédule

gully ['gʌlɪ] *n* ravin *m*; ravine *f*; couloir *m*

gulp [gʌlp] *vi* avaler sa salive ◆ *vt* (*also*: **~ down**) avaler

gum [gʌm] *n* (*ANAT*) gencive *f*; (*glue*) colle *f*; (*sweet: also* **~drop**) boule *f* de gomme; (*also: chewing ~*) chewing-gum *m* ◆ *vt* coller; **~boots** (*BRIT*) *npl* bottes *fpl* en caoutchouc

gun [gʌn] *n* (*small*) revolver *m*, pistolet *m*; (*rifle*) fusil *m*, carabine *f*; (*cannon*) canon *m*; **~boat** *n* canonnière *f*; **~fire** *n* fusillade *f*; **~man** *n* bandit armé; **~point** *n*: **at ~point** sous la menace du pistolet (*or* fusil); **~powder** *n* poudre *f* à canon; **~shot** *n* coup *m* de feu

gurgle ['gɜ:gl] *vi* gargouiller; (*baby*) gazouiller

gush [gʌʃ] *vi* jaillir; (*fig*) se répandre en effusions

gust [gʌst] *n* (*of wind*) rafale *f*; (*of smoke*) bouffée *f*

gusto ['gʌstəʊ] *n* enthousiasme *m*

gut [gʌt] *n* intestin *m*, boyau *m*; **~s** *npl* (*inf: courage*) cran *m*

gutter ['gʌtə*] *n* (*in street*) caniveau *m*; (*of roof*) gouttière *f*

guy [gaɪ] *n* (*inf: man*) type *m*; (*also*: **~rope**) corde *f*; (*BRIT: figure*) *effigie de Guy Fawkes (brûlée en plein air le 5 novembre)*

guzzle ['gʌzl] *vt* avaler gloutonnement

gym [dʒɪm] *n* (*also*: **~nasium**) gymnase *m*; (*also*: **~nastics**) gym *f*; **~nast** ['dʒɪmnæst] *n* gymnaste *m/f*; **~nastics** [dʒɪm'næstɪks] *n*, *npl* gymnastique *f*; **~ shoes** *npl* chaussures *fpl* de gym; **~slip** (*BRIT*) *n* tunique *f* (d'écolière)

gynaecologist [gaɪnɪ'kɒlədʒɪst] (*US* **gynecologist**) *n* gynécologue *m/f*

gypsy ['dʒɪpsɪ] *n* gitan(e), bohémien(ne)

H

haberdashery [hæbə'dæʃərɪ] (*BRIT*) *n* mercerie *f*

habit ['hæbɪt] *n* habitude *f*; (*REL: costume*) habit *m*

habitual [hə'bɪtjʊəl] *adj* habituel(le); (*drinker, liar*) invétéré(e)

hack [hæk] *vt* hacher, tailler ◆ *n* (*pej: writer*) nègre *m*; **~er** *n* (*COMPUT*) pirate *m* (informatique); (*: enthusiast*) passionné(e) *m/f* des ordinateurs

hackneyed ['hæknɪd] *adj* usé(e), rebattu(e)

had [hæd] *pt*, *pp of* **have**

haddock ['hædək] (*pl* **~** *or* **~s**) *n* églefin *m*; **smoked ~** haddock *m*

hadn't ['hædnt] = **had not**

haemorrhage ['hemərɪdʒ] (*US* **hemorrhage**) *n* hémorragie *f*

haemorrhoids ['hemərɔɪdz] (*US* **hemorrhoids**) *npl* hémorroïdes *fpl*

haggle ['hægl] *vi* marchander

Hague [heɪg] *n*: **The ~** La Haye

hail [heɪl] *n* grêle *f* ◆ *vt* (*call*) héler; (*acclaim*) acclamer ◆ *vi* grêler; **~stone** *n* grêlon *m*

hair [heə*] *n* cheveux *mpl*; (*of animal*) pelage *m*; (*single hair: on head*) cheveu *m*; (*: on body; of animal*) poil *m*; **to do one's ~** se coiffer; **~brush** *n* brosse *f* à cheveux; **~cut** *n* coupe *f* (de cheveux); **~do** *n* coiffure *f*; **~dresser** *n* coiffeur(euse); **~dresser's** *n* salon *m* de coiffure, coiffeur *m*; **~ dryer** *n* sèche-cheveux *m*; **~grip** *n* pince *f* à cheveux; **~net** *n* filet *m* à cheveux; **~piece** *n* perruque *f*; **~pin** *n* épingle *f* à cheveux; **~pin bend** (*US* **~pin curve**) *n* virage *m* en épingle à cheveux; **~-raising** *adj* à (vous) faire dresser les cheveux sur la tête; **~ removing cream** *n* crème *f* dépilatoire; **~ spray** *n* laque *f* (pour les cheveux); **~style** *n* coiffure *f*; **~y** *adj* poilu(e); (*inf: fig*) effrayant(e)

hake [heɪk] (*pl* **~** *or* **~s**) *n* colin *m*, merlu *m*

half [hɑ:f] (*pl* **halves**) *n* moitié *f*; (*of beer: also*: **~ pint**) ≈ demi *m*; (*RAIL, bus also*: **~ fare**) demi-tarif *m* ◆ *adj* demi(e) ◆ *adv* (à) moitié, à demi; **~ a dozen** une demi-douzaine; **~ a pound** une demi-livre, ≈ 250 g; **two and a ~** deux et demi; **to cut sth in ~** couper qch en deux; **~-baked** *adj* (*plan*) qui ne tient pas debout; **~-caste** *n* métis(se); **~-hearted** *adj* tiède, sans enthousiasme; **~-hour** *n* demi-heure *f*; **half-mast**: **at ~-mast** *adv* (*flag*) en berne; **~penny** ['heɪpnɪ] (*BRIT*) *n* demi-penny *m*; **~-price** *adj*, *adv*: **(at) ~-price** à moitié prix; **~ term** (*BRIT*) *n* (*SCOL*) congé *m* de demi-trimestre; **~-time** *n* mi-temps *f*; **~way** *adv* à mi-chemin

hall [hɔ:l] *n* salle *f*; (*entrance way*) hall *m*, entrée *f*

hallmark ['hɔ:lmɑ:k] *n* poinçon *m*; (*fig*) marque *f*

hallo [hʌ'ləʊ] *excl* = **hello**

hall of residence (*BRIT:pl* **halls of**

residence) *n* résidence *f* universitaire

Hallowe'en ['hæləu'i:n] *n* veille *f* de la Toussaint

hallucination [həlu:sɪ'neɪʃən] *n* hallucination *f*

hallway ['hɔ:lweɪ] *n* vestibule *m*

halo ['heɪləu] *n* (*of saint etc*) auréole *f*

halt [hɔ:lt] *n* halte *f*, arrêt *m* ◆ *vt* (*progress etc*) interrompre ◆ *vi* faire halte, s'arrêter

halve [hɑ:v] *vt* (*apple etc*) partager *or* diviser en deux; (*expense*) réduire de moitié; **~s** [hɑ:vz] *npl of* **half**

ham [hæm] *n* jambon *m*

hamburger ['hæmbɜ:gə*] *n* hamburger *m*

hamlet ['hæmlɪt] *n* hameau *m*

hammer ['hæmə*] *n* marteau *m* ◆ *vt* (*nail*) enfoncer; (*fig*) démolir ◆ *vi* (*on door*) frapper à coups redoublés; **to ~ an idea into sb** faire entrer de force une idée dans la tête de qn

hammock ['hæmək] *n* hamac *m*

hamper ['hæmpə*] *vt* gêner ◆ *n* panier *m* (d'osier)

hamster ['hæmstə*] *n* hamster *m*

hand [hænd] *n* main *f*; (*of clock*) aiguille *f*; (*handwriting*) écriture *f*; (*worker*) ouvrier(ère); (*at cards*) jeu *m* ◆ *vt* passer, donner; **to give** *or* **lend sb a ~** donner un coup de main à qn; **at ~** à portée de la main; **in ~** (*time*) à disposition; (*job, situation*) en main; **to be on ~** (*person*) être disponible; (*emergency services*) se tenir prêt(e) (à intervenir); **to ~** (*information etc*) sous la main, à portée de la main; **on the one ~ ..., on the other ~** d'une part ..., d'autre part; **~ in** *vt* remettre; **~ out** *vt* distribuer; **~ over** *vt* transmettre; céder; **~bag** *n* sac *m* à main; **~book** *n* manuel *m*; **~brake** *n* frein *m* à main; **~cuffs** *npl* menottes *fpl*; **~ful** *n* poignée *f*

handicap ['hændɪkæp] *n* handicap *m* ◆ *vt* handicaper; **mentally/physically ~ped** handicapé(e) mentalement/physiquement

handicraft ['hændɪkrɑ:ft] *n* (travail *m* d')artisanat *m*, technique artisanale; (*object*) objet artisanal

handiwork ['hændɪwɜ:k] *n* ouvrage *m*

handkerchief ['hæŋkətʃɪf] *n* mouchoir *m*

handle ['hændl] *n* (*of door etc*) poignée *f*; (*of cup etc*) anse *f*; (*of knife etc*) manche *m*; (*of saucepan*) queue *f*; (*for winding*) manivelle *f* ◆ *vt* toucher, manier; (*deal with*) s'occuper de; (*treat: people*) prendre; **"~ with care"** "fragile"; **to fly off the ~** s'énerver; **~bar(s)** *n(pl)* guidon *m*

hand: **~-luggage** *n* bagages *mpl* à main; **~made** *adj* fait(e) à la main; **~out** *n* (*from government, parents*) aide *f*, don *m*; (*leaflet*) documentation *f*, prospectus *m*; (*summary of lecture*) polycopié *m*; **~rail** *n* rampe *f*, main courante; **~shake** *n* poignée *f* de main

handsome ['hænsəm] *adj* beau (belle); (*profit, return*) considérable

handwriting ['hændraɪtɪŋ] *n* écriture *f*

handy ['hændɪ] *adj* (*person*) adroit(e); (*close at hand*) sous la main; (*convenient*) pratique; **~man** ['hændɪmən] (*irreg*) *n* bricoleur *m*; (*servant*) homme *m* à tout faire

hang [hæŋ] (*pt, pp* **hung**) *vt* accrocher; (*criminal: pt, pp: hanged*) pendre ◆ *vi* pendre; (*hair, drapery*) tomber; **to get the ~ of (doing) sth** (*inf*) attraper le coup pour faire qch; **~ about** *vi* traîner; **~ around** *vi* = **hang about**; **~ on** *vi* (*wait*) attendre; **~ up** *vi* (TEL): **to ~ up (on sb)** raccrocher (au nez de qn) ◆ *vt* (*coat, painting etc*) accrocher, suspendre

hangar ['hæŋə*] *n* hangar *m*

hanger ['hæŋə*] *n* cintre *m*, portemanteau *m*; **~-on** ['hæŋər'ɒn] *n* parasite *m*

hang: **~-gliding** ['hæŋglaɪdɪŋ] *n* deltaplane *m*, vol *m* libre; **~over** ['hæŋəuvə*] *n* (*after drinking*) gueule *f* de bois; **~-up** ['hæŋʌp] *n* complexe *m*

hanker ['hæŋkə*] *vi*: **to ~ after** avoir envie de

hankie, hanky ['hæŋkɪ] *n abbr* = **handkerchief**

haphazard ['hæp'hæzəd] *adj* fait(e) au hasard, fait(e) au petit bonheur

happen ['hæpən] *vi* arriver; se passer, se produire; **it so ~s that** il se trouve que; **as it ~s** justement; **~ing** *n* événement *m*

happily ['hæpɪlɪ] *adv* heureusement; (*cheerfully*) joyeusement

happiness ['hæpɪnɪs] *n* bonheur *m*

happy ['hæpɪ] *adj* heureux(euse); **~ with** (*arrangements etc*) satisfait(e) de; **to be ~ to do** faire volontiers; **~ birthday!** bon anniversaire!; **~-go-lucky** *adj* insouciant(e)

harass ['hærəs] *vt* accabler, tourmenter; **~ment** *n* tracasseries *fpl*

harbour ['hɑ:bə*] (US **harbor**) *n* port *m* ◆ *vt* héberger, abriter; (*hope, fear etc*) entretenir

hard [hɑ:d] *adj* dur(e); (*question, problem*) difficile, dur(e); (*facts, evidence*) concret(ète) ◆ *adv* (*work*) dur; (*think, try*) sérieusement; **to look ~ at** regarder fixement; (*thing*) regarder de près; **no ~ feelings!** sans rancune!; **to be ~ of hearing** être dur(e) d'oreille; **to be ~ done by** être traité(e) injustement; **~back** *n* livre relié; **~ cash** *n* espèces *fpl*; **~ disk** *n* (COMPUT) disque dur; **~en** *vt* durcir; (*fig*) endurcir ◆ *vi* durcir; **~-headed** *adj* réaliste; décidé(e); **~ labour** *n* travaux forcés

hardly ['hɑ:dlɪ] *adv* (*scarcely, no sooner*) à peine; **~ anywhere/ever** presque nulle part/jamais

hard: **~ship** *n* épreuves *fpl*; **~ up** (*inf*) *adj* fauché(e); **~ware** *n* quincaillerie *f*; (COMPUT, MIL) matériel *m*; **~ware shop** *n* quincaillerie *f*; **~-wearing** *adj* solide; **~-working** *adj* travailleur(euse)

hardy ['hɑ:dɪ] *adj* robuste; (*plant*) résistant(e) au gel

hare [hɛə*] *n* lièvre *m*; **~-brained** *adj* farfelu(e)

harm [hɑ:m] *n* mal *m*; (*wrong*) tort *m* ◆ *vt* (*person*) faire du mal *or* du tort à; (*thing*) endommager; **out of ~'s way** à l'abri du danger, en lieu sûr; **~ful** *adj* nuisible; **~less** *adj* inoffensif(ive); sans méchanceté

harmony ['hɑ:mənɪ] *n* harmonie *f*

harness ['hɑ:nɪs] *n* harnais *m*; (*safety ~*) harnais de sécurité ◆ *vt* (*horse*) harnacher; (*resources*) exploiter

harp [hɑ:p] *n* harpe *f* ◆ *vi*: **to ~ on about** rabâcher

harrowing ['hærəuɪŋ] *adj* déchirant(e), très pénible

harsh [hɑ:ʃ] *adj* (*hard*) dur(e); (*severe*) sévère; (*unpleasant: sound*) discordant(e); (*: light*) cru(e)

harvest ['hɑ:vɪst] *n* (*of corn*) moisson *f*; (*of fruit*) récolte *f*; (*of grapes*) vendange *f* ◆ *vt* moissonner; récolter; vendanger

has [hæz] *vb see* **have**

hash [hæʃ] *n* (CULIN) hachis *m*; (*fig: mess*) gâchis *m*

hasn't ['hæznt] = **has not**

hassle ['hæsl] *n* (*inf: bother*) histoires *fpl*, tracas *mpl*

haste [heɪst] *n* hâte *f*; précipitation *f*; **~n** ['heɪsn] *vt* hâter, accélérer ◆ *vi* se hâter, s'empresser; **hastily** *adv* à la hâte; précipitamment; **hasty** ['heɪstɪ] *adj* hâtif(ive); précipité(e)

hat [hæt] *n* chapeau *m*

hatch [hætʃ] *n* (NAUT: *also: ~way*) écoutille *f*; (*also: service ~*) passe-plats *m inv* ◆ *vi* éclore

hatchback ['hætʃbæk] *n* (AUT) modèle *m* avec hayon arrière

hatchet ['hætʃɪt] *n* hachette *f*

hate [heɪt] *vt* haïr, détester ◆ *n* haine *f*; **~ful** *adj* odieux(euse), détestable; **hatred** ['heɪtrɪd] *n* haine *f*

haughty ['hɔ:tɪ] *adj* hautain(e), arrogant(e)

haul [hɔ:l] *vt* traîner, tirer ◆ *n* (*of fish*) prise *f*; (*of stolen goods etc*) butin *m*; **~age** *n* transport routier; (*costs*) frais *mpl* de transport; **~ier** (US **hauler**) *n* (*company*) transporteur (routier); (*driver*) camionneur *m*

haunch [hɔ:ntʃ] *n* hanche *f*; (*of meat*) cuissot *m*

haunt [hɔ:nt] *vt* hanter ◆ *n* repaire *m*

KEYWORD

have [hæv] (*pt, pp* **had**) *aux vb* 1 (*gen*) avoir; être; **to ~ arrived/gone** être arrivé(e)/allé(e); **to ~ eaten/slept** avoir mangé/dormi; **he has been promoted** il a été promu

2 (*in tag questions*): **you've done it, ~n't you?** vous l'avez fait, n'est-ce pas?

3 (*in short answers and questions*): **no I ~n't/yes we have!** mais non!/mais si!; **so I ~!** ah oui!, oui c'est vrai!; **I've been there before, ~ you?** j'y suis déjà allé, et vous?

◆ *modal aux vb* (*be obliged*): **to ~ (got) to do sth** devoir faire qch; être obligé(e) de faire qch; **she has (got) to do it** elle doit le faire, il faut qu'elle le fasse; **you ~n't to tell her** vous ne devez pas le lui dire

◆ *vt* 1 (*possess, obtain*) avoir; **he has (got) blue eyes/dark hair** il a les yeux bleus/les cheveux bruns; **may I ~ your address?** puis-je avoir votre adresse?

2 (*+noun: take, hold etc*): **to ~ breakfast/a bath/a shower** prendre le petit déjeuner/un bain/une douche; **to ~ dinner/lunch** dîner/déjeuner; **to ~ a swim** nager; **to ~ a meeting** se réunir; **to ~ a party** organiser une fête

3: **to ~ sth done** faire faire qch; **to ~ one's hair cut** se faire couper les cheveux; **to ~ sb do sth** faire faire qch à qn

4 (*experience, suffer*) avoir; **to ~ a cold/flu** avoir un rhume/la grippe; **to ~ an operation** se faire opérer

5 (*inf: dupe*) avoir; **he's been had** il s'est fait avoir *or* roulé

have out *vt*: **to have it out with sb** (*settle a problem etc*) s'expliquer (franchement) avec qn

haven ['heɪvn] *n* port *m*; (*fig*) havre *m*

haven't ['hævnt] = **have not**

havoc ['hævək] *n* ravages *mpl*

hawk [hɔ:k] *n* faucon *m*

hay [heɪ] *n* foin *m*; **~ fever** *n* rhume *m* des foins; **~stack** *n* meule *f* de foin

haywire ['heɪwaɪə*] (*inf*) *adj*: **to go ~** (*machine*) se détraquer; (*plans*) mal tourner

hazard ['hæzəd] *n* (*danger*) danger *m*, risque *m* ◆ *vt* risquer, hasarder; **~ (warning) lights** *npl* (AUT) feux *mpl* de détresse

haze [heɪz] *n* brume *f*

hazelnut ['heɪzlnʌt] *n* noisette *f*

hazy ['heɪzɪ] *adj* brumeux(euse); (*idea*) vague

he [hi:] *pron* il; **it is ~ who ...** c'est lui qui ...

head [hed] *n* tête *f*; (*leader*) chef *m*; (*of school*) directeur(trice) ◆ *vt* (*list*) être en tête de; (*group*) être à la tête de; **~s (or tails)** pile (ou face); **~ first** la tête la première; **~ over heels in love** follement *or* éperdument amoureux(euse); **to ~ a ball** faire une tête; **~ for** *vt fus* se diriger vers; **~ache** *n* mal *m* de tête; **~dress** (BRIT) *n* (*of Red Indian etc*) coiffure *f*; **~ing** *n* titre *m*; **~lamp** (BRIT) *n* = **headlight**; **~land** *n* promontoire *m*, cap *m*; **~light** *n* phare *m*; **~line** *n* titre *m*; **~long** *adv* (*fall*) la tête la première; (*rush*) tête baissée; **~master** *n* directeur *m*; **~mistress** *n* directrice *f*; **~ office** *n* bureau central, siège *m*; **~-on** *adj* (*collision*) de plein fouet; (*confrontation*) en face à face; **~phones** *npl* casque *m* (à écouteurs); **~quarters** *npl* bureau *or* siège central; (MIL) quartier général; **~rest** *n* appui-tête *m*; **~room** *n* (*in car*) hauteur *f* de plafond; (*under bridge*) hauteur limite; **~scarf** *n* foulard *m*; **~strong** *adj* têtu(e), entêté(e); **~ waiter** *n* maître *m* d'hôtel; **~way** *n*: **to make ~way** avancer, faire des progrès; **~wind** *n* vent *m* contraire; (NAUT) vent debout; **~y** *adj* capiteux(euse); enivrant(e); (*experience*) grisant(e)

heal [hi:l] *vt, vi* guérir

health [helθ] *n* santé *f*; **~ food** *n* aliment(s) naturel(s); **~ food shop** *n* magasin *m* diététique; **H~ Service** (BRIT) *n*: **the H~ Service** ≈ la Sécurité sociale; **~y** *adj* (*person*) en bonne santé; (*climate, food, attitude etc*) sain(e), bon(ne) pour la santé

heap [hi:p] *n* tas *m* ◆ *vt*: **to ~ (up)** entasser, amonceler; **she ~ed her plate with cakes** elle a chargé son assiette de gâteaux

hear [hɪə*] (*pt, pp* **heard**) *vt* entendre; (*news*) apprendre ◆ *vi* entendre; **to ~ about** entendre parler de; avoir des nouvelles de; **to ~ from sb** recevoir *or* avoir des nouvelles de qn; **~ing** ['hɪərɪŋ] *n* (*sense*) ouïe *f*; (*of witnesses*) audition *f*; (*of a case*) audience *f*; **~ing aid** *n* appareil *m* acoustique; **~say** ['hɪəseɪ]: **by ~say** *adv* par ouï-dire *m*

hearse [hɜ:s] *n* corbillard *m*

heart [hɑ:t] *n* cœur *m*; **~s** *npl* (CARDS) cœur; **to lose/take ~** perdre/prendre courage; **at ~** au fond; **by ~** (*learn, know*) par cœur; **~ attack** *n* crise *f* cardiaque; **~beat** *n* battement *m* du cœur; **~breaking** *adj* déchirant(e), qui fend le cœur; **~broken** *adj*: **to be ~broken** avoir beaucoup de chagrin *or* le cœur brisé; **~burn** *n* brûlures *fpl* d'estomac; **~ failure** *n* arrêt *m* du cœur; **~felt** *adj* sincère

hearth [hɑ:θ] *n* foyer *m*, cheminée *f*

heartily ['hɑ:tɪlɪ] *adv* chaleureusement; (*laugh*) de bon cœur; (*eat*) de bon appétit; **to agree** ~ être entièrement d'accord

heartland ['hɑ:tlænd] *n* (*of country, region*) centre *m*

hearty ['hɑ:tɪ] *adj* chaleureux(euse); (*appetite*) robuste; (*dislike*) cordial(e)

heat [hi:t] *n* chaleur *f*; (*fig*) feu *m*, agitation *f*; (SPORT: *also: qualifying ~*) éliminatoire *f* ◆ *vt* chauffer; **~ up** *vi* (*water*) chauffer; (*room*) se réchauffer ◆ *vt* réchauffer; **~ed** *adj* chauffé(e); (*fig*) passionné(e), échauffé(e); **~er** *n* appareil *m* de chauffage; radiateur *m*; (*in car*) chauffage *m*; (*water ~*) chauffe-eau *m*

heath [hi:θ] (BRIT) *n* lande *f*

heather ['heðə*] *n* bruyère *f*

heating ['hi:tɪŋ] *n* chauffage *m*

heatstroke ['hi:tstrəuk] *n* (MED) coup *m* de chaleur

heatwave *n* vague *f* de chaleur

heave [hi:v] *vt* soulever (avec effort); (*drag*) traîner ◆ *vi* se soulever; (*retch*) avoir un haut-le-cœur; **to ~ a sigh** pousser un soupir

heaven ['hevn] *n* ciel *m*, paradis *m*; (*fig*) paradis; **~ly** *adj* céleste, divin(e)

heavily ['hevɪlɪ] *adv* lourdement; (*drink, smoke*) beaucoup; (*sleep, sigh*) profondément

heavy ['hevɪ] *adj* lourd(e); (*work, sea, rain, eater*) gros(se); (*snow*) beaucoup de; (*drinker, smoker*) grand(e); (*breathing*) bruyant(e); (*schedule, week*) chargé(e); **~ goods vehicle** *n* poids lourd; **~weight** *n* (SPORT) poids lourd

Hebrew ['hi:bru:] *adj* hébraïque ◆ *n* (LING) hébreu *m*

Hebrides ['hebrɪdi:z] *npl*: **the ~** les Hébrides *fpl*

heckle ['hekl] *vt* interpeller (*un orateur*)

hectic ['hektɪk] *adj* agité(e), trépidant(e)

he'd [hi:d] = **he would; he had**

hedge [hedʒ] *n* haie *f* ◆ *vi* se dérober; **to ~ one's bets** (*fig*) se couvrir

hedgehog ['hedʒhɒg] *n* hérisson *m*

heed [hi:d] *vt* (*also: take ~ of*) tenir compte de; **~less** *adj* insouciant(e)

heel [hi:l] *n* talon *m* ◆ *vt* (*shoe*) retalonner

hefty ['heftɪ] *adj* (*person*) costaud(e); (*parcel*) lourd(e); (*profit*) gros(se)

heifer ['hefə*] *n* génisse *f*

height [haɪt] *n* (*of person*) taille *f*, grandeur *f*; (*of object*) hauteur *f*; (*of plane, mountain*) altitude *f*; (*high ground*) hauteur, éminence *f*; (*fig: of glory*) sommet *m*; (*: of luxury, stupidity*) comble *m*; **~en** *vt* (*fig*) augmenter

heir [ɛə*] *n* héritier *m*; **~ess** ['ɛərɪs] *n* héritière *f*; **~loom** *n* héritage *m*, meuble *m* (*or* bijou *m* *or* tableau *m*) de famille

held [held] *pt, pp of* **hold**

helicopter ['helɪkɒptə*] *n* hélicoptère *m*

hell [hel] *n* enfer *m*; **~!** (*inf!*) merde!

he'll [hi:l] = **he will; he shall**

hellish ['helɪʃ] (*inf*) *adj* infernal(e)

hello [hʌ'ləu] *excl* bonjour!; (*to attract attention*) hé!; (*surprise*) tiens!

helm [helm] *n* (NAUT) barre *f*

helmet ['helmɪt] *n* casque *m*

help [help] *n* aide *f*; (*charwoman*) femme *f* de ménage ◆ *vt* aider; **~!** au secours!; **~ yourself** servez-vous; **he can't ~ it** il n'y peut rien; **~er** *n* aide *m/f*, assistant(e); **~ful** *adj* serviable, obligeant(e); (*useful*) utile; **~ing** *n* portion *f*; **~less** *adj* impuissant(e); (*defenceless*) faible

hem [hem] *n* ourlet *m* ◆ *vt* ourler; **~ in** *vt* cerner

hemorrhage ['hemərɪdʒ] (US) *n* = **haemorrhage**

hemorrhoids ['hemərɔɪdz] (US) *npl* = **haemorrhoids**

hen [hen] *n* poule *f*

hence [hens] *adv* (*therefore*) d'où, de là; **2 years ~** d'ici 2 ans, dans 2 ans; **~forth** *adv* dorénavant

henchman ['hentʃmən] (*pej: irreg*) *n* acolyte *m*

her [hɜ:*] *pron* (*direct*) la, l'; (*indirect*) lui; (*stressed, after prep*) elle ◆ *adj* son(sa), ses *pl*; *see also* **me**; **my**

herald ['herəld] *n* héraut *m* ◆ *vt* annoncer; **~ry** ['herəldrɪ] *n* (*study*) héraldique *f*; (*coat of arms*) blason *m*

herb [hɜ:b] *n* herbe *f*

herd [hɜ:d] *n* troupeau *m*

here [hɪə*] *adv* ici; (*time*) alors ◆ *excl* tiens!, tenez!; **~!** présent!; **~ is, ~ are** voici; **~ he/she is!** le/la voici!; **~after** *adv* après, plus tard; **~by** *adv* (*formal: in letter*) par la présente

hereditary [hɪ'redɪtərɪ] *adj* héréditaire

heresy ['herəsɪ] *n* hérésie *f*

heritage ['herɪtɪdʒ] *n* (*of country*) patrimoine *m*

hermit ['hɜ:mɪt] *n* ermite *m*

hernia ['hɜ:nɪə] *n* hernie *f*

hero ['hɪərəu] (*pl* **~es**) *n* héros *m*

heroin ['herəuɪn] *n* héroïne *f*

heroine ['herəuɪn] *n* héroïne *f*

heron ['herən] *n* héron *m*

herring ['herɪŋ] *n* hareng *m*

hers [hɜ:z] *pron* le(la) sien(ne), les siens(siennes); *see also* **mine**[1]

herself [hɜ:'self] *pron* (*reflexive*) se; (*emphatic*) elle-même; (*after prep*) elle; *see also* **oneself**

he's [hi:z] = **he is; he has**

hesitant ['hezɪtənt] *adj* hésitant(e), indécis(e)

hesitate ['hezɪteɪt] *vi* hésiter; **hesitation** [hezɪ'teɪʃən] *n* hésitation *f*

hew [hju:] (*pp* **hewed** *or* **hewn**) *vt* (*stone*) tailler; (*wood*) couper

heyday ['heɪdeɪ] *n*: **the ~ of** l'âge *m* d'or de, les beaux jours de

HGV *n abbr* = **heavy goods vehicle**

hi [haɪ] *excl* salut!; (*to attract attention*) hé!

hiatus [haɪ'eɪtəs] *n* (*gap*) lacune *f*; (*interruption*) pause *f*

hibernate ['haɪbəneɪt] *vi* hiberner

hiccough, hiccup ['hɪkʌp] *vi* hoqueter; **~s** *npl* hoquet *m*

hide [haɪd] (*pt* **hid**, *pp* **hidden**) *n* (*skin*) peau *f* ◆ *vt* cacher ◆ *vi*: **to ~ (from sb)** se cacher (de qn); **~-and-seek** *n* cache-cache *m*; **~away** *n* cachette *f*

hideous ['hɪdɪəs] *adj* hideux(euse)

hiding ['haɪdɪŋ] *n* (*beating*) correction *f*, volée *f* de coups; **to be in ~** (*concealed*) se tenir caché(e)

hierarchy ['haɪərɑːkɪ] *n* hiérarchie *f*

hi-fi ['haɪfaɪ] *n* hi-fi *f inv* ◆ *adj* hi-fi *inv*

high [haɪ] *adj* haut(e); (*speed, respect, number*) grand(e); (*price*) élevé(e); (*wind*) fort(e), violent(e); (*voice*) aigu(aiguë) ◆ *adv* haut; **20 m ~** haut(e) de 20 m; **~brow** *adj, n* intellectuel(le); **~chair** *n* (*child's*) chaise haute; **~er education** *n* études supérieures; **~-handed** *adj* très autoritaire; très cavalier(ère); **~ jump** *n* (*SPORT*) saut *m* en hauteur; **~lands** *npl*: **the H~lands** les Highlands *mpl*; **~light** *n* (*fig: of event*) point culminant ◆ *vt* faire ressortir, souligner; **~lights** *npl* (*in hair*) reflets *mpl*; **~ly** *adv* très, fort, hautement; **to speak/think ~ly of sb** dire/penser beaucoup de bien de qn; **~ly paid** *adj* très bien payé(e); **~ly strung** *adj* nerveux(euse), toujours tendu(e); **~ness** *n*: **Her** (*or* **His**) **H~ness** Son Altesse *f*; **~-pitched** *adj* aigu(aiguë); **~-rise** *adj*: **~-rise block, ~-rise flats** tour *f* (d'habitation); **~ school** *n* lycée *m*; (*US*) établissement *m* d'enseignement supérieur; **~ season** (*BRIT*) *n* haute saison; **~ street** (*BRIT*) *n* grand-rue *f*; **~way** ['haɪweɪ] *n* route nationale; **H~way Code** (*BRIT*) *n* code *m* de la route

hijack ['haɪdʒæk] *vt* (*plane*) détourner; **~er** *n* pirate *m* de l'air

hike [haɪk] *vi* aller *or* faire des excursions à pied ◆ *n* excursion *f* à pied, randonnée *f*; **~r** *n* promeneur(euse), excursionniste *m/f*

hilarious [hɪ'lɛərɪəs] *adj* (*account, event*) désopilant(e)

hill [hɪl] *n* colline *f*; (*fairly high*) montagne *f*; (*on road*) côte *f*; **~side** *n* (flanc *m* de) coteau *m*; **~y** *adj* vallonné(e); montagneux(euse)

hilt [hɪlt] *n* (*of sword*) garde *f*; **to the ~** (*fig: support*) à fond

him [hɪm] *pron* (*direct*) le, l'; (*stressed, indirect, after prep*) lui; *see also* **me**; **~self** [hɪm'self] *pron* (*reflexive*) se; (*emphatic*) lui-même; (*after prep*) lui; *see also* **oneself**

hind [haɪnd] *adj* de derrière

hinder ['hɪndə*] *vt* gêner; (*delay*) retarder; **hindrance** ['hɪndrəns] *n* gêne *f*, obstacle *m*

hindsight ['haɪndsaɪt] *n*: **with ~** avec du recul, rétrospectivement

Hindu ['hɪnduː] *adj* hindou(e)

hinge [hɪndʒ] *n* charnière *f* ◆ *vi* (*fig*): **to ~ on** dépendre de

hint [hɪnt] *n* allusion *f*; (*advice*) conseil *m* ◆ *vt*: **to ~ that** insinuer que ◆ *vi*: **to ~ at** faire une allusion à

hip [hɪp] *n* hanche *f*

hippopotamus [hɪpə'pɒtəməs] (*pl* **~es** *or* **hippopotami**) *n* hippopotame *m*

hire ['haɪə*] *vt* (*BRIT: car, equipment*) louer; (*worker*) embaucher, engager ◆ *n* location *f*; **for ~** à louer; (*taxi*) libre; **~ purchase** (*BRIT*) *n* achat *m* (*or* vente *f*) à tempérament *or* crédit

his [hɪz] *pron* le(la) sien(ne), les siens(siennes) ◆ *adj* son(sa), ses *pl*; *see also* **my; mine**[1]

hiss [hɪs] *vi* siffler

historic [hɪs'tɒrɪk] *adj* historique

historical [hɪs'tɒrɪkəl] *adj* historique

history ['hɪstərɪ] *n* histoire *f*

hit [hɪt] (*pt, pp* **hit**) *vt* frapper; (*reach: target*) atteindre, toucher; (*collide with: car*) entrer en collision avec, heurter; (*fig: affect*) toucher ◆ *n* coup *m*; (*success*) succès *m*; (*: song*) tube *m*; **to ~ it off with sb** bien s'entendre avec qn; **~-and-run driver** *n* chauffard *m* (coupable du délit de fuite)

hitch [hɪtʃ] *vt* (*fasten*) accrocher, attacher; (*also: ~ up*) remonter d'une saccade ◆ *n* (*difficulty*) anicroche *f*, contretemps *m*; **to ~ a lift** faire du stop

hitchhike ['hɪtʃhaɪk] *vi* faire de l'auto-stop; **~r** *n* auto-stoppeur(euse)

hi-tech ['haɪ'tek] *adj* de pointe

hitherto [hɪðə'tuː] *adv* jusqu'ici

HIV: **~-negative/-positive** *adj* séronégatif(ive)/-positif(ive)

hive [haɪv] *n* ruche *f*; **~ off** (*inf*) *vt* mettre à part, séparer

HMS *abbr* = **Her (His) Majesty's Ship**

hoard [hɔːd] *n* (*of food*) provisions *fpl*, réserves *fpl*; (*of money*) trésor *m* ◆ *vt* amasser; **~ing** ['hɔːdɪŋ] (*BRIT*) *n* (*for posters*) panneau *m* d'affichage *or* publicitaire

hoarse [hɔːs] *adj* enroué(e)

hoax [həʊks] *n* canular *m*

hob [hɒb] *n* plaque (chauffante)

hobble ['hɒbl] *vi* boitiller

hobby ['hɒbɪ] *n* passe-temps favori; **~-horse** *n* (*fig*) dada *m*

hobo ['həʊbəʊ] (*US*) *n* vagabond *m*

hockey ['hɒkɪ] *n* hockey *m*

hog [hɒg] *n* porc (châtré) ◆ *vt* (*fig*) accaparer; **to go the whole ~** aller jusqu'au bout

hoist [hɔɪst] *n* (*apparatus*) palan *m* ◆ *vt* hisser

hold [həʊld] (*pt, pp* **held**) *vt* tenir; (*contain*) contenir; (*believe*) considérer; (*possess*) avoir; (*detain*) détenir ◆ *vi* (*withstand pressure*) tenir (bon); (*be valid*) valoir ◆ *n* (*also fig*) prise *f*; (*NAUT*) cale *f*; **~ the line!** (*TEL*) ne quittez pas!; **to ~ one's own** (*fig*) (bien) se défendre; **to catch** *or* **get (a) ~ of** saisir; **to get ~ of** (*fig*) trouver; **~ back** *vt* retenir; (*secret*) taire; **~ down** *vt* (*person*) maintenir à terre; (*job*) occuper; **~ off** *vt* tenir à distance; **~ on** *vi* tenir bon; (*wait*) attendre; **~ on!** (*TEL*) ne quittez pas!; **~ on to** *vt fus* se cramponner à; (*keep*) conserver, garder; **~ out** *vt* offrir ◆ *vi* (*resist*) tenir bon; **~ up** *vt* (*raise*) lever; (*support*) soutenir; (*delay*) retarder; (*rob*) braquer; **~all** (*BRIT*) *n* fourre-tout *m inv*; **~er** *n* (*of ticket, record*) détenteur(trice); (*of office, title etc*) titulaire *m/f*; (*container*) support *m*; **~ing** *n* (*share*) intérêts *mpl*; (*farm*) ferme *f*; **~-up** *n* (*robbery*) hold-up *m*; (*delay*) retard *m*; (*BRIT: in traffic*) bouchon *m*

hole [həʊl] *n* trou *m*

holiday ['hɒlədɪ] *n* vacances *fpl*; (*day off*) jour *m* de congé; (*public*) jour férié; **on ~** en congé; **~ camp** *n* (*also: ~ centre*) camp *m* de vacances; **~-maker** (*BRIT*) *n* vacancier(ère); **~ resort** *n* centre *m* de villégiature *or* de vacances

Holland ['hɒlənd] *n* Hollande *f*

hollow ['hɒləʊ] *adj* creux(euse) ◆ *n* creux *m* ◆ *vt*: **to ~ out** creuser, évider

holly ['hɒlɪ] *n* houx *m*

holocaust ['hɒləkɔːst] *n* holocauste *m*

holster ['həʊlstə*] *n* étui *m* de revolver

holy ['həʊlɪ] *adj* saint(e); (*bread, water*) bénit(e); (*ground*) sacré(e); **H~ Ghost** *n* Saint-Esprit *m*

homage ['hɒmɪdʒ] *n* hommage *m*; **to pay ~ to** rendre hommage à

home [həʊm] *n* foyer *m*, maison *f*; (*country*) pays natal, patrie *f*; (*institution*) maison ◆ *adj* de famille; (*ECON, POL*) national(e), intérieur(e); (*SPORT: game*) sur leur (*or* notre) terrain; (*team*) qui reçoit ◆ *adv* chez soi, à la maison; au pays natal; (*right in: nail etc*) à fond; **at ~** chez soi, à la maison; **make yourself at ~** faites comme chez vous; **~ address** *n* domicile permanent; **~land** *n* patrie *f*; **~less** *adj* sans foyer; sans abri; **~ly** *adj* (*plain*) simple, sans prétention; **~-made** *adj* fait(e) à la maison; **H~ Office** (*BRIT*) *n* ministère *m* de l'Intérieur; **~ rule** *n* autonomie *f*; **H~ Secretary** (*BRIT*) *n* ministre *m* de l'Intérieur; **~sick** *adj*: **to be ~sick** avoir le mal du pays; s'ennuyer de sa famille; **~ town** *n* ville natale; **~ward** *adj* (*journey*) du retour; **~work** *n* devoirs *mpl*

homogeneous [hɒmə'dʒiːnɪəs] *adj* homogène

homosexual ['hɒməʊ'seksjʊəl] *adj, n* homosexuel(le)

honest ['ɒnɪst] *adj* honnête; (*sincere*) franc(franche); **~ly** *adv* honnêtement; franchement; **~y** *n* honnêteté *f*

honey ['hʌnɪ] *n* miel *m*; **~comb** *n* rayon *m* de miel; **~moon** *n* lune *f* de miel, voyage *m* de noces; **~suckle** ['hʌnɪsʌkl] (*BOT*) *n* chèvrefeuille *m*

honk [hɒŋk] *vi* (*AUT*) klaxonner

honorary ['ɒnərərɪ] *adj* honoraire; (*duty, title*) honorifique

honour ['ɒnə*] (*US* **honor**) *vt* honorer ◆ *n* honneur *m*; **hono(u)rable** *adj* honorable; **hono(u)rs degree** *n* (*SCOL*) *licence avec mention*

hood [hʊd] *n* capuchon *m*; (*of cooker*) hotte *f*; (*AUT: BRIT*) capote *f*; (*: US*) capot *m*

hoof [huːf] (*pl* **hooves**) *n* sabot *m*

hook [hʊk] *n* crochet *m*; (*on dress*) agrafe *f*; (*for fishing*) hameçon *m* ◆ *vt* accrocher; (*fish*) prendre

hooligan ['huːlɪgən] *n* voyou *m*

hoop [huːp] *n* cerceau *m*

hooray [huː'reɪ] *excl* hourra

hoot [huːt] *vi* (*AUT*) klaxonner; (*siren*) mugir; (*owl*) hululer; **~er** *n* (*BRIT: AUT*) klaxon *m*; (*NAUT, factory*) sirène *f*

Hoover (®:*BRIT*) *n* aspirateur *m* ◆ *vt*: **h~** passer l'aspirateur dans *or* sur

hooves [huːvz] *npl of* **hoof**

hop [hɒp] *vi* (*on one foot*) sauter à cloche-pied; (*bird*) sautiller

hope [həʊp] *vt, vi* espérer ◆ *n* espoir *m*; **I ~ so** je l'espère; **I ~ not** j'espère que non; **~ful** *adj* (*person*) plein(e) d'espoir; (*situation*) prometteur(euse), encourageant(e); **~fully** *adv* (*expectantly*) avec espoir, avec optimisme; (*one hopes*) avec un peu de chance; **~less** *adj* désespéré(e); (*useless*) nul(le)

hops [hɒps] *npl* houblon *m*

horizon [hə'raɪzn] *n* horizon *m*; **~tal** [hɒrɪ'zɒntl] *adj* horizontal(e)

horn [hɔːn] *n* corne *f*; (*MUS: also: French ~*) cor *m*; (*AUT*) klaxon *m*

hornet ['hɔːnɪt] *n* frelon *m*

horny ['hɔːnɪ] (*inf*) *adj* (*aroused*) en rut, excité(e)

horoscope ['hɒrəskəʊp] *n* horoscope *m*

horrendous [hə'rendəs] *adj* horrible, affreux(euse)

horrible ['hɒrɪbl] *adj* horrible, affreux(euse)

horrid ['hɒrɪd] *adj* épouvantable

horrify ['hɒrɪfaɪ] *vt* horrifier

horror ['hɒrə*] *n* horreur *f*; **~ film** *n* film *m* d'épouvante

hors d'œuvre [ɔː'dəːvrə] *n* (*CULIN*) hors-d'œuvre *m inv*

horse [hɔːs] *n* cheval *m*; **~back** *n*: **on ~back** à cheval; **~ chestnut** *n* marron *m* (d'Inde); **~man** (*irreg*) *n* cavalier *m*; **~power** *n* puissance *f* (en chevaux); **~-racing** *n* courses *fpl* de chevaux; **~radish** *n* raifort *m*; **~shoe** *n* fer *m* à cheval

hose [həʊz] *n* (*also: ~pipe*) tuyau *m*; (*: garden ~*) tuyau d'arrosage

hospitable [hɒs'pɪtəbl] *adj* hospitalier(ère)

hospital ['hɒspɪtl] *n* hôpital *m*; **in ~** à l'hôpital

hospitality [hɒspɪ'tælɪtɪ] *n* hospitalité *f*

host [həʊst] *n* hôte *m*; (*TV, RADIO*) animateur(trice); (*REL*) hostie *f*; (*large number*): **a ~ of** une foule de

hostage ['hɒstɪdʒ] *n* otage *m*

hostel ['hɒstəl] *n* foyer *m*; (*also: youth ~*) auberge *f* de jeunesse

hostess ['həʊstes] *n* hôtesse *f*; (*TV, RADIO*) animatrice *f*

hostile ['hɒstaɪl] *adj* hostile; **hostility** [hɒs'tɪlɪtɪ] *n* hostilité *f*

hot [hɒt] *adj* chaud(e); (*as opposed to only warm*) très chaud; (*spicy*) fort(e); (*contest etc*) acharné(e); (*temper*) passionné(e); **to be ~** (*person*) avoir chaud; (*object*) être (très) chaud; **it is ~** (*weather*) il fait chaud; **~bed** *n* (*fig*) foyer *m*, pépinière *f*; **~ dog** *n* hot-dog *m*

hotel [həʊ'tel] *n* hôtel *m*

hot: **~-headed** *adj* impétueux(euse); **~house** *n* serre (chaude); **~line** *n* (*POL*) téléphone *m* rouge, ligne directe; **~ly** *adv* passionnément, violemment; **~plate** *n* (*on cooker*) plaque chauffante; **~-water bottle** *n* bouillotte *f*

hound [haʊnd] *vt* poursuivre avec acharnement ◆ *n* chien courant

hour ['aʊə*] *n* heure *f*; **~ly** *adj, adv* toutes les heures; (*rate*) horaire

house [*n* haʊs, *pl* 'haʊzɪz, *vb* haʊz] *n* maison *f*; (*POL*) chambre *f*; (*THEATRE*) salle *f*; auditoire *m* ◆ *vt* (*person*) loger, héberger; (*objects*) abriter; **on the ~** (*fig*) aux frais de la maison; **~ arrest** *n* assignation *f* à résidence; **~boat** *n* bateau *m* (aménagé en habitation); **~bound** *adj* confiné(e) chez soi; **~breaking** *n* cambriolage *m* (avec effraction); **~coat** *n* peignoir *m*; **~hold** *n* (*persons*) famille *f*, maisonnée *f*; (*ADMIN etc*) ménage *m*; **~keeper** *n* gouvernante *f*; **~keeping** *n* (*work*) ménage *m*; **~keeping (money)** argent *m* du ménage; **~-warming (party)** *n* pendaison *f* de crémaillère; **~wife** (*irreg*) *n* ménagère *f*; femme *f* au foyer; **~work** *n* (travaux *mpl* du) ménage *m*

housing ['haʊzɪŋ] *n* logement *m*; **~ development, ~ estate** *n* lotissement *m*

hovel ['hɒvəl] *n* taudis *m*

hover ['hɒvə*] *vi* planer; **~craft** *n* aéroglisseur *m*

how [haʊ] *adv* comment; **~ are you?** comment allez-vous?; **~ do you do?** bonjour; enchanté(e); **~ far is it to?** combien y a-t-il jusqu'à ...?; **~ long have you been here?** depuis combien de temps êtes-vous là?; **~ lovely!** que *or* comme c'est joli!; **~ many/much?** combien?; **~ many people/much milk?** combien de gens/lait?; **~ old are you?** quel âge avez-vous?

however [haʊ'evə*] *adv* de quelque façon *or* manière que *+subj*; (*+adj*) quelque *or* si ... que *+subj*; (*in questions*) comment ◆ *conj* pourtant, cependant

howl [haʊl] *vi* hurler

H.P. *abbr* = **hire purchase**

h.p. *abbr* = **horsepower**

HQ *abbr* = **headquarters**

hub [hʌb] *n* (*of wheel*) moyeu *m*; (*fig*) centre *m*, foyer *m*

hubbub ['hʌbʌb] *n* brouhaha *m*

hubcap ['hʌbkæp] *n* enjoliveur *m*

huddle ['hʌdl] *vi*: **to ~ together** se blottir les uns contre les autres

hue [hjuː] *n* teinte *f*, nuance *f*; **~ and cry** *n* tollé (général), clameur *f*

huff [hʌf] *n*: **in a ~** fâché(e)

hug [hʌg] *vt* serrer dans ses bras; (*shore, kerb*) serrer

huge [hjuːdʒ] *adj* énorme, immense

hulk [hʌlk] *n* (*ship*) épave *f*; (*car, building*) carcasse *f*; (*person*) mastodonte *m*

hull [hʌl] *n* coque *f*

hullo [hʌ'ləʊ] *excl* = **hello**

hum [hʌm] *vt* (*tune*) fredonner ◆ *vi* fredonner; (*insect*) bourdonner; (*plane, tool*) vrombir

human ['hjuːmən] *adj* humain(e) ◆ *n* ~ (**being**) être humain; **~e** [hjuː'meɪn] *adj* humain(e), humanitaire; **~itarian** [hjuːmænɪ'tɛərɪən] *adj* humanitaire; **~ity** [hjuː'mænɪtɪ] *n* humanité *f*

humble ['hʌmbl] *adj* humble, modeste ◆ *vt* humilier

humbug ['hʌmbʌg] *n* fumisterie *f*; (*BRIT*) bonbon *m* à la menthe

humdrum ['hʌmdrʌm] *adj* monotone, banal(e)

humid ['hjuːmɪd] *adj* humide

humiliate [hjuː'mɪlɪeɪt] *vt* humilier; **humiliation** [hjuːmɪlɪ'eɪʃən] *n* humiliation *f*

humorous ['hjuːmərəs] *adj* humoristique; (*person*) plein(e) d'humour

humour ['hjuːmə*] (*US* **humor**) *n* humour *m*; (*mood*) humeur *f* ◆ *vt* (*person*) faire plaisir à; se prêter aux caprices de

hump [hʌmp] *n* bosse *f*

humpbacked ['hʌmpbækt] *adj*: **~ bridge** pont *m* en dos d'âne

hunch [hʌntʃ] *n* (*premonition*) intuition *f*; **~back** *n* bossu(e); **~ed** *adj* voûté(e)

hundred ['hʌndrɪd] *num* cent; **~s of** des centaines de; **~weight** *n* (*BRIT*) = *50.8 kg*; (*US*) = *45.3 kg*

hung [hʌŋ] *pt, pp of* **hang**

Hungary ['hʌŋgərɪ] *n* Hongrie *f*

hunger ['hʌŋgə*] *n* faim *f* ◆ *vi*: **to ~ for** avoir faim de, désirer ardemment

hungry ['hʌŋgrɪ] *adj* affamé(e); (*keen*): **~ for** avide de; **to be ~** avoir faim

hunk [hʌŋk] *n* (*of bread etc*) gros morceau

hunt [hʌnt] *vt* chasser; (*criminal*) pourchasser ◆ *vi* chasser; (*search*): **to ~ for** chercher (partout) ◆ *n* chasse *f*; **~er** *n* chasseur *m*; **~ing** *n* chasse *f*

hurdle ['həːdl] *n* (*SPORT*) haie *f*; (*fig*) obstacle *m*

hurl [həːl] *vt* lancer (avec violence); (*abuse, insults*) lancer

hurrah [hʊ'rɑː] *excl* = **hooray**

hurray [hʊ'reɪ] *excl* = **hooray**

hurricane ['hʌrɪkən] *n* ouragan *m*

hurried ['hʌrɪd] *adj* pressé(e), précipité(e); (*work*) fait(e) à la hâte; **~ly** *adv* précipitamment, à la hâte

hurry ['hʌrɪ] (*vb: also: ~ up*) *n* hâte *f*, précipitation *f* ◆ *vi* se presser, se dépêcher ◆ *vt* (*person*) faire presser, faire se dépêcher; (*work*) presser; **to be in a ~** être pressé(e); **to do sth in a ~** faire qch en vitesse; **to ~ in/out** entrer/sortir précipitamment

hurt [həːt] (*pt, pp* **hurt**) *vt* (*cause pain to*) faire mal à; (*injure, fig*) blesser ◆ *vi* faire mal ◆ *adj* blessé(e); **~ful** *adj* (*remark*) blessant(e)

hurtle ['həːtl] *vi*: **to ~ past** passer en trombe; **to ~ down** dégringoler

husband ['hʌzbənd] *n* mari *m*

hush [hʌʃ] *n* calme *m*, silence *m* ◆ *vt* faire taire; **~!** chut!; **~ up** *vt* (*scandal*) étouffer

husk [hʌsk] *n* (*of wheat*) balle *f*; (*of rice, maize*) enveloppe *f*

husky ['hʌskɪ] *adj* rauque ◆ *n* chien *m* esquimau *or* de traîneau

hustle ['hʌsl] *vt* pousser, bousculer ◆ *n*: **~ and bustle** tourbillon *m* (d'activité)

hut [hʌt] *n* hutte *f*; (*shed*) cabane *f*

hutch [hʌtʃ] *n* clapier *m*

hyacinth ['haɪəsɪnθ] *n* jacinthe *f*

hydrant ['haɪdrənt] *n* (*also: fire ~*) bouche *f* d'incendie

hydraulic [haɪ'drɒlɪk] *adj* hydraulique

hydroelectric [haɪdrəʊɪ'lektrɪk] *adj* hydro-électrique

hydrofoil ['haɪdrəʊfɔɪl] *n* hydrofoil *m*

hydrogen ['haɪdrɪdʒən] *n* hydrogène *m*

hyena [haɪ'iːnə] *n* hyène *f*

hygiene ['haɪdʒiːn] *n* hygiène *f*

hymn [hɪm] *n* hymne *m*; cantique *m*

hype [haɪp] (*inf*) *n* battage *m* publicitaire

hypermarket ['haɪpəmɑːkɪt] (*BRIT*) *n* hypermarché *m*

hyphen ['haɪfən] *n* trait *m* d'union

hypnotize ['hɪpnətaɪz] *vt* hypnotiser

hypocrisy [hɪ'pɒkrɪsɪ] *n* hypocrisie *f*; **hypocrite** ['hɪpəkrɪt] *n* hypocrite *m/f*; **hypocritical** *adj* hypocrite

hypothesis [haɪ'pɒθɪsɪs] (*pl* **~es**) *n* hypothèse *f*

hysterical [hɪs'terɪkəl] *adj* hystérique; (*funny*) hilarant(e); **~ laughter** fou rire *m*

hysterics [hɪs'terɪks] *npl*: **to be in/have ~** (*anger, panic*) avoir une crise de nerfs; (*laughter*) attraper un fou rire

I

I [aɪ] *pron* je; (*before vowel*) j'; (*stressed*) moi

ice [aɪs] *n* glace *f*; (*on road*) verglas *m* ◆ *vt* (*cake*) glacer ◆ *vi* (*also: ~ over, ~ up*) geler; (*: window*) se givrer; **~berg** *n* iceberg *m*; **~box** *n* (*US*) réfrigérateur *m*; (*BRIT*) compartiment *m* à glace; (*insulated box*) glacière *f*; **~ cream** *n* glace *f*; **~**

cube n glaçon m; ~d adj glacé(e); ~ hockey n hockey m sur glace; I~land ['aɪslənd] n Islande f; ~ lolly n (BRIT) esquimau m (glace); ~ rink n patinoire f; ~-skating n patinage m (sur glace)

icicle ['aɪsɪkl] n glaçon m (naturel)

icing ['aɪsɪŋ] n (CULIN) glace f; ~ sugar (BRIT) n sucre m glace

icy ['aɪsɪ] adj glacé(e); (road) verglacé(e); (weather, temperature) glacial(e)

I'd [aɪd] = I would; I had

idea [aɪ'dɪə] n idée f

ideal [aɪ'dɪəl] n idéal m ◆ adj idéal(e)

identical [aɪ'dentɪkəl] adj identique

identification [aɪdentɪfɪ'keɪʃən] n identification f; means of ~ pièce f d'identité

identify [aɪ'dentɪfaɪ] vt identifier

Identikit picture (®) n portrait-robot m

identity [aɪ'dentɪtɪ] n identité f; ~ card n carte f d'identité

ideology [aɪdɪ'ɒlədʒɪ] n idéologie f

idiom ['ɪdɪəm] n expression f idiomatique; (style) style m

idiosyncrasy [ɪdɪə'sɪŋkrəsɪ] n (of person) particularité f, petite manie

idiot ['ɪdɪət] n idiot(e), imbécile m/f; ~ic [ɪdɪ'ɒtɪk] adj idiot(e), bête, stupide

idle ['aɪdl] adj sans occupation, désœuvré(e); (lazy) oisif(ive), paresseux(euse); (unemployed) au chômage; (question, pleasures) vain(e), futile ◆ vi (engine) tourner au ralenti; to lie ~ être arrêté(e), ne pas fonctionner; ~ away vt: to ~ away the time passer son temps à ne rien faire

idol ['aɪdl] n idole f; ~ize vt idolâtrer, adorer

i.e. adv abbr (= id est) c'est-à-dire

if [ɪf] conj si; ~ so si c'est le cas; ~ not sinon; ~ only si seulement

ignite [ɪg'naɪt] vt mettre le feu à, enflammer ◆ vi s'enflammer

ignition [ɪg'nɪʃən] n (AUT) allumage m; to switch on/off the ~ mettre/couper le contact; ~ key n clé f de contact

ignorant ['ɪgnərənt] adj ignorant(e); to be ~ of (subject) ne rien connaître à; (events) ne pas être au courant de

ignore [ɪg'nɔː*] vt ne tenir aucun compte de; (person) faire semblant de ne pas reconnaître, ignorer; (fact) méconnaître

ill [ɪl] adj (sick) malade; (bad) mauvais(e) ◆ n mal m ◆ adv: to speak/think ~ of dire/penser du mal de; ~s npl (misfortunes) maux mpl, malheurs mpl; to be taken ~ tomber malade; ~-advised adj (decision) peu judicieux(euse); (person) malavisé(e); ~-at-ease adj mal à l'aise

I'll [aɪl] = I will; I shall

illegal [ɪ'liːgəl] adj illégal(e)

illegible [ɪ'ledʒəbl] adj illisible

illegitimate [ɪlɪ'dʒɪtɪmət] adj illégitime

ill: ~-fated [ɪl'feɪtɪd] adj malheureux(euse); (day) néfaste; ~ feeling n ressentiment m, rancune f

illiterate [ɪ'lɪtərət] adj illettré(e); (letter) plein(e) de fautes

ill: ~-mannered [ɪl'mænəd] adj (child) mal élevé(e); ~ness ['ɪlnəs] n maladie f; ~-treat ['ɪl'triːt] vt maltraiter

illuminate [ɪ'luːmɪneɪt] vt (room, street) éclairer; (for special effect) illuminer; illumination [ɪluːmɪ'neɪʃən] n éclairage m; illumination f

illusion [ɪ'luːʒən] n illusion f

illustrate ['ɪləstreɪt] vt illustrer; illustration [ɪləs'treɪʃən] n illustration f

ill will n malveillance f

I'm [aɪm] = I am

image ['ɪmɪdʒ] n image f; (public face) image de marque; ~ry n images fpl

imaginary [ɪ'mædʒɪnərɪ] adj imaginaire

imagination [ɪmædʒɪ'neɪʃən] n imagination f

imaginative [ɪ'mædʒɪnətɪv] adj imaginatif(ive); (person) plein(e) d'imagination

imagine [ɪ'mædʒɪn] vt imaginer, s'imaginer; (suppose) imaginer, supposer

imbalance [ɪm'bæləns] n déséquilibre m

imbue [ɪm'bjuː] vt: to ~ sb/sth with imprégner qn/qch de

imitate ['ɪmɪteɪt] vt imiter; imitation [ɪmɪ'teɪʃən] n imitation f

immaculate [ɪ'mækjʊlɪt] adj impeccable; (REL) immaculé(e)

immaterial [ɪmə'tɪərɪəl] adj sans importance, insignifiant(e)

immature [ɪmə'tjʊə*] adj (fruit) (qui n'est) pas mûr(e); (person) qui manque de maturité

immediate [ɪ'miːdɪət] adj immédiat(e); ~ly adv (at once) immédiatement; ~ly next to juste à côté de

immense [ɪ'mens] adj immense; énorme

immerse [ɪ'mɜːs] vt immerger, plonger; immersion heater [ɪ'mɜːʃən-] (BRIT) n chauffe-eau m électrique

immigrant ['ɪmɪgrənt] n immigrant(e); immigré(e); immigration [ɪmɪ'greɪʃən] n immigration f

imminent ['ɪmɪnənt] adj imminent(e)

immoral [ɪ'mɒrəl] adj immoral(e)

immortal [ɪ'mɔːtl] adj, n immortel(le)

immune [ɪ'mjuːn] adj: ~ (to) immunisé(e) (contre); (fig) à l'abri de; immunity [ɪ'mjuːnɪtɪ] n immunité f

imp [ɪmp] n lutin m; (child) petit diable

impact ['ɪmpækt] n choc m, impact m; (fig) impact

impair [ɪm'pɛə*] vt détériorer, diminuer

impart [ɪm'pɑːt] vt communiquer, transmettre; (flavour) donner

impartial [ɪm'pɑːʃəl] adj impartial(e)

impassable [ɪm'pɑːsəbl] adj infranchissable; (road) impraticable

impassive [ɪm'pæsɪv] adj impassible

impatience [ɪm'peɪʃəns] n impatience f

impatient [ɪm'peɪʃənt] adj impatient(e); to get or grow ~ s'impatienter

impeccable [ɪm'pekəbl] adj impeccable, parfait(e)

impede [ɪm'piːd] vt gêner

impediment [ɪm'pedɪmənt] n obstacle m; (also: speech ~) défaut m d'élocution

impending [ɪm'pendɪŋ] adj imminent(e)

imperative [ɪm'perətɪv] adj (need) urgent(e), pressant(e); (tone) impérieux(euse) ◆ n (LING) impératif m

imperfect [ɪm'pɜːfɪkt] adj imparfait(e); (goods etc) défectueux(euse)

imperial [ɪm'pɪərɪəl] adj impérial(e); (BRIT: measure) légal(e)

impersonal [ɪm'pɜːsnl] adj impersonnel(le)

impersonate [ɪm'pɜːsəneɪt] vt se faire passer pour; (THEATRE) imiter

impertinent [ɪm'pɜːtɪnənt] adj impertinent(e), insolent(e)

impervious [ɪm'pɜːvɪəs] adj (fig): ~ to insensible à

impetuous [ɪm'petjʊəs] adj impétueux(euse), fougueux(euse)

impetus ['ɪmpɪtəs] n impulsion f; (of runner) élan m

impinge [ɪm'pɪndʒ]: to ~ on vt fus (person) affecter, toucher; (rights) empiéter sur

implement [n 'ɪmplɪmənt, vb 'ɪmplɪment] n outil m, instrument m; (for cooking) ustensile m ◆ vt exécuter

implicit [ɪm'plɪsɪt] adj implicite; (complete) absolu(e), sans réserve

imply [ɪm'plaɪ] vt suggérer, laisser entendre; indiquer, supposer

impolite [ɪmpə'laɪt] adj impoli(e)

import [vb ɪm'pɔːt, n 'ɪmpɔːt] vt importer ◆ n (COMM) importation f

importance [ɪm'pɔːtəns] n importance f

important [ɪm'pɔːtənt] adj important(e)

importer [ɪm'pɔːtə*] n importateur(trice)

impose [ɪm'pəʊz] vt imposer ◆ vi: to ~ on sb abuser de la gentillesse de qn; imposing [ɪm'pəʊzɪŋ] adj imposant(e), impressionnant(e); imposition [ɪmpə'zɪʃən] n (of tax etc) imposition f; to be an imposition on (person) abuser de la gentillesse or la bonté de

impossible [ɪm'pɒsəbl] adj impossible

impotent ['ɪmpətənt] adj impuissant(e)

impound [ɪm'paʊnd] vt confisquer, saisir

impoverished [ɪm'pɒvərɪʃt] adj appauvri(e), pauvre

impractical [ɪm'præktɪkəl] adj pas pratique; (person) qui manque d'esprit pratique

impregnable [ɪm'pregnəbl] adj (fortress) imprenable

impress [ɪm'pres] vt impressionner, faire impression sur; (mark) imprimer, marquer; to ~ sth on sb faire bien comprendre qch à qn

impression [ɪm'preʃən] n impression f; (of stamp, seal) empreinte f; (imitation) imitation f; to be under the ~ that avoir l'impression que; ~ist n (ART) impressionniste m/f; (entertainer) imitateur(trice) m/f

impressive [ɪm'presɪv] adj impressionnant(e)

imprint ['ɪmprɪnt] n (outline) marque f, empreinte f

imprison [ɪm'prɪzn] vt emprisonner, mettre en prison

improbable [ɪm'prɒbəbl] adj improbable; (excuse) peu plausible

improper [ɪm'prɒpə*] adj (unsuitable) déplacé(e), de mauvais goût; indécent(e); (dishonest) malhonnête

improve [ɪm'pruːv] vt améliorer ◆ vi s'améliorer; (pupil etc) faire des progrès; ~ment n amélioration f (in de); progrès m

improvise ['ɪmprəvaɪz] vt, vi improviser

impudent ['ɪmpjʊdənt] adj impudent(e)

impulse ['ɪmpʌls] n impulsion f; on ~ impulsivement, sur un coup de tête; impulsive [ɪm'pʌlsɪv] adj impulsif(ive)

KEYWORD

in [ɪn] prep 1 (indicating place, position) dans; ~ the house/the fridge dans la maison/le frigo; ~ the garden dans le or au jardin; ~ town en ville; ~ the country à la campagne; ~ school à l'école; ~ here/there ici/là

2 (with place names: of town, region, country): ~ London à Londres; ~ England en Angleterre; ~ Japan au Japon; ~ the United States aux États-Unis

3 (indicating time: during): ~ spring au printemps; ~ summer en été; ~ May/1992 en mai/1992; ~ the afternoon (dans) l'après-midi; at 4 o'clock ~ the afternoon à 4 heures de l'après-midi

4 (indicating time: in the space of) en; (: future) dans; I did it ~ 3 hours/days je l'ai fait en 3 heures/jours; I'll see you ~ 2 weeks or ~ 2 weeks' time je te verrai dans 2 semaines

5 (indicating manner etc) à; ~ a loud/soft voice à voix haute/basse; ~ pencil au crayon; ~ French en français; the boy ~ the blue shirt le garçon à or avec la chemise bleue

6 (indicating circumstances): ~ the sun au soleil; ~ the shade à l'ombre; ~ the rain sous la pluie

7 (indicating mood, state): ~ tears en larmes; ~ anger sous le coup de la colère; ~ despair au désespoir; ~ good condition en bon état; to live ~ luxury vivre dans le luxe

8 (with ratios, numbers): 1 ~ 10 (households), 1 (household) ~ 10 1 (ménage) sur 10; 20 pence ~ the pound 20 pence par livre sterling; they lined up ~ twos ils se mirent en rangs (deux) par deux; ~ hundreds par centaines

9 (referring to people, works) chez; the disease is common ~ children c'est une maladie courante chez les enfants; ~ (the works of) Dickens chez Dickens, dans (l'œuvre de) Dickens

10 (indicating profession etc) dans; to be ~ teaching être dans l'enseignement

11 (after superlative) de; the best pupil ~ the class le meilleur élève de la classe

12 (with present participle): ~ saying this en disant ceci

◆ adv: to be ~ (person: at home, work) être là; (train, ship, plane) être arrivé(e); (in fashion) être à la mode; to ask sb ~ inviter qn à entrer; to run/limp etc ~ entrer en courant/boitant etc

◆ n: the ~s and outs (of) (of proposal, situation etc) les tenants et aboutissants (de)

in. abbr = inch

inability [ɪnə'bɪlɪtɪ] n incapacité f

inaccurate [ɪn'ækjʊrɪt] adj inexact(e); (person) qui manque de précision

inadequate [ɪn'ædɪkwət] adj insuffisant(e), inadéquat(e)

inadvertently [ɪnəd'vɜːtəntlɪ] adv par mégarde

inadvisable [ɪnəd'vaɪzəbl] adj (action) à déconseiller

inane [ɪ'neɪn] adj inepte, stupide

inanimate [ɪn'ænɪmət] adj inanimé(e)

inappropriate [ɪnə'prəʊprɪət] adj inopportun(e), mal à propos; (word, expression) impropre

inarticulate [ɪnɑː'tɪkjʊlət] adj (person) qui s'exprime mal; (speech) indistinct(e)

inasmuch as [ɪnəz'mʌtʃəz] adv (insofar as) dans la mesure où; (seeing that) attendu que

inauguration [ɪnɔːgjʊ'reɪʃən] n inauguration f; (of president) investiture f

inborn ['ɪn'bɔːn] adj (quality) inné(e)

inbred ['ɪn'bred] adj inné(e), naturel(le); (family) consanguin(e)

Inc. abbr = incorporated

incapable [ɪn'keɪpəbl] adj incapable

incapacitate [ɪnkə'pæsɪteɪt] vt: to ~ sb from doing rendre qn incapable de faire

incense [n 'ɪnsens, vb ɪn'sens] n encens m ◆ vt (anger) mettre en colère

incentive [ɪn'sentɪv] n encouragement m, raison f de se donner de la peine

incessant [ɪn'sesnt] adj incessant(e); ~ly adv sans cesse, constamment

inch [ɪntʃ] n pouce m (= 25 mm; 12 in a foot); within an ~ of à deux doigts de; he didn't give an ~ (fig) il n'a pas voulu céder d'un pouce; ~ forward vi avancer petit à petit

incident ['ɪnsɪdənt] n incident m

incidental [ɪnsɪ'dentl] adj (additional) accessoire; ~ to qui accompagne; ~ly adv (by the way) à propos

inclination [ɪnklɪ'neɪʃən] n (fig) inclination f

incline [n 'ɪnklaɪn, vb ɪn'klaɪn] n pente f ◆ vt incliner ◆ vi (surface) s'incliner; to be ~d to do avoir tendance à faire

include [ɪn'kluːd] vt inclure, comprendre; including [ɪn'kluːdɪŋ] prep y compris

inclusive [ɪn'kluːsɪv] adj inclus(e), compris(e); ~ of tax etc taxes etc comprises

income ['ɪnkʌm] n revenu m; ~ tax n impôt m sur le revenu

incoming ['ɪnkʌmɪŋ] adj qui arrive; (president) entrant(e); ~ mail courrier m du jour; ~ tide marée montante

incompetent [ɪn'kɒmpɪtənt] adj incompétent(e), incapable

incomplete [ɪnkəm'pliːt] adj incomplet(ète)

incongruous [ɪn'kɒŋgrʊəs] adj incongru(e)

inconsiderate [ɪnkən'sɪdərɪt] adj (person) qui manque d'égards; (action) inconsidéré(e)

inconsistency [ɪnkən'sɪstənsɪ] n (of actions etc) inconséquence f; (of work) irrégularité f; (of statement etc) incohérence f

inconsistent [ɪnkən'sɪstənt] adj inconséquent(e); irrégulier(ère); peu cohérent(e); ~ with incompatible avec

inconspicuous [ɪnkən'spɪkjʊəs] adj qui passe inaperçu(e); (colour, dress) discret(ète)

inconvenience [ɪnkən'viːnɪəns] n inconvénient m; (trouble) dérangement m ◆ vt déranger

inconvenient [ɪnkən'viːnɪənt] adj (house) malcommode; (time, place) mal choisi(e), qui ne convient pas; (visitor) importun(e)

incorporate [ɪn'kɔːpəreɪt] vt incorporer; (contain) contenir; ~d company (US) n ≈ société f anonyme

incorrect [ɪnkə'rekt] adj incorrect(e)

increase [n 'ɪnkriːs, vb ɪn'kriːs] n augmentation f ◆ vi, vt augmenter; increasing [ɪn'kriːsɪŋ] adj (number) croissant(e); increasingly [ɪn'kriːsɪŋlɪ] adv de plus en plus

incredible [ɪn'kredəbl] adj incroyable

incredulous [ɪn'kredjʊləs] adj incrédule

incubator ['ɪnkjʊbeɪtə*] n (for babies) couveuse f

incumbent [ɪn'kʌmbənt] n (president) président m en exercice; (REL) titulaire m/f ◆ adj: it is ~ on him to ... il lui incombe or appartient de ...

incur [ɪn'kɜː*] vt (expenses) encourir; (anger, risk) s'exposer à; (debt) contracter; (loss) subir

indebted [ɪn'detɪd] adj: to be ~ to sb (for) être redevable à qn (de)

indecent [ɪn'diːsnt] adj indécent(e), inconvenant(e); ~ assault (BRIT) n attentat m à la pudeur; ~ exposure n outrage m (public) à la pudeur

indecisive [ɪndɪ'saɪsɪv] adj (person) indécis(e)

indeed [ɪn'diːd] adv vraiment; en effet; (furthermore) d'ailleurs; yes ~! certainement!

indefinitely [ɪn'defɪnɪtlɪ] adv (wait) indéfiniment

indemnity [ɪn'demnɪtɪ] n (safeguard) assurance f, garantie f; (compensation) indemnité f

independence [ɪndɪ'pendəns] n indépendance f; independent [ɪndɪ'pendənt] adj indépendant(e); (school) privé(e); (radio) libre

index ['ɪndeks] n (pl: ~es: in book) index m; (: in library etc) catalogue m; (pl: indices: ratio, sign) indice m; ~ card n fiche f; ~ finger n index m; ~-linked adj indexé(e) (sur le coût de la vie etc)

India ['ɪndɪə] n Inde f; ~n adj indien(ne) ◆ n Indien(ne); (American) ~n Indien(ne) (d'Amérique)

indicate ['ɪndɪkeɪt] vt indiquer; indication [ɪndɪ'keɪʃən] n indication f, signe m; indicative [ɪn'dɪkətɪv] adj: indicative of symptomatique de ◆ n (LING) indicatif m; indicator ['ɪndɪkeɪtə*] n (sign) indicateur m; (AUT) clignotant m

indices ['ɪndɪsiːz] npl of index

indictment [ɪn'daɪtmənt] n accusation f

indifferent [ɪn'dɪfrənt] adj indifférent(e); (poor) médiocre, quelconque

indigenous [ɪn'dɪdʒɪnəs] adj indigène

indigestion [ɪndɪ'dʒestʃən] n indigestion f, mauvaise digestion

indignant [ɪn'dɪgnənt] adj: ~ (at sth/with sb) indigné(e) (de qch/contre qn)

indignity [ɪn'dɪgnɪtɪ] n indignité f, affront m

indirect [ɪndɪ'rekt] adj indirect(e)

indiscreet [ɪndɪs'kriːt] adj indiscret(ète); (rash) imprudent(e)

indiscriminate [ɪndɪs'krɪmɪnət] adj (person) qui manque de discernement; (killings) commis(e) au hasard

indisputable [ɪndɪs'pjuːtəbl] adj incontestable, indiscutable

individual [ɪndɪ'vɪdjʊəl] n individu m ◆ adj individuel(le); (characteristic) particulier(ère), original(e)

indoctrination [ɪndɒktrɪ'neɪʃən] n endoctrinement m

Indonesia [ɪndəʊ'niːzɪə] n Indonésie f

indoor ['ɪndɔː*] adj (plant) d'appartement; (swimming pool) couvert(e); (sport, games) pratiqué(e) en salle; ~s [ɪn'dɔːz] adv à l'intérieur

induce [ɪn'djuːs] vt (persuade) persuader; (bring about) provoquer; ~ment n (incentive) récompense f; (pej: bribe) pot-de-vin *m*

indulge [ɪn'dʌldʒ] *vt* (*whim*) céder à, satisfaire; (*child*) gâter ◆ *vi*: **to ~ in sth** (*luxury*) se permettre qch; (*fantasies etc*) se livrer à qch; **~nce** *n* fantaisie *f* (que l'on s'offre); (*leniency*) indulgence *f*; **~nt** *adj* indulgent(e)

industrial [ɪn'dʌstrɪəl] *adj* industriel(le); (*injury*) du travail; **~ action** *n* action revendicative; **~ estate** (*BRIT*) *n* zone industrielle; **~ist** *n* industriel *m*; **~ park** (*US*) *n* = **industrial estate**

industrious [ɪn'dʌstrɪəs] *adj* travailleur(euse)

industry ['ɪndəstrɪ] *n* industrie *f*; (*diligence*) zèle *m*, application *f*

inebriated [ɪ'ni:brɪeɪtɪd] *adj* ivre

inedible [ɪn'edɪbl] *adj* immangeable; (*plant etc*) non comestible

ineffective [ɪnɪ'fektɪv], **ineffectual** [ɪnɪ'fektjuəl] *adj* inefficace

inefficient [ɪnɪ'fɪʃənt] *adj* inefficace

inequality [ɪnɪ'kwɒlɪtɪ] *n* inégalité *f*

inescapable [ɪnɪs'keɪpəbl] *adj* inéluctable, inévitable

inevitable [ɪn'evɪtəbl] *adj* inévitable; **inevitably** *adv* inévitablement

inexhaustible [ɪnɪg'zɔ:stəbl] *adj* inépuisable

inexpensive [ɪnɪks'pensɪv] *adj* bon marché *inv*

inexperienced [ɪnɪks'pɪərɪənst] *adj* inexpérimenté(e)

infallible [ɪn'fæləbl] *adj* infaillible

infamous ['ɪnfəməs] *adj* infâme, abominable

infancy ['ɪnfənsɪ] *n* petite enfance, bas âge

infant ['ɪnfənt] *n* (*baby*) nourrisson *m*; (*young child*) petit(e) enfant; **~ school** (*BRIT*) *n* classes *fpl* préparatoires (*entre 5 et 7 ans*)

infatuated [ɪn'fætjueɪtɪd] *adj*: **~ with** entiché(e) de; **infatuation** [ɪnfætju'eɪʃən] *n* engouement *m*

infect [ɪn'fekt] *vt* infecter, contaminer; **~ion** [ɪn'fekʃən] *n* infection *f*; (*contagion*) contagion *f*; **~ious** [ɪn'fekʃəs] *adj* infectieux(euse); (*also fig*) contagieux(euse)

infer [ɪn'fɜ:*] *vt* conclure, déduire; (*imply*) suggérer

inferior [ɪn'fɪərɪə*] *adj* inférieur(e); (*goods*) de qualité inférieure ◆ *n* inférieur(e); (*in rank*) subalterne *m/f*; **~ity** [ɪnfɪərɪ'ɒrɪtɪ] *n* infériorité *f*; **~ity complex** *n* complexe *m* d'infériorité

inferno [ɪn'fɜ:nəʊ] *n* (*blaze*) brasier *m*

infertile [ɪn'fɜ:taɪl] *adj* stérile

infighting ['ɪnfaɪtɪŋ] *n* querelles *fpl* internes

infinite ['ɪnfɪnɪt] *adj* infini(e)

infinitive [ɪn'fɪnɪtɪv] *n* infinitif *m*

infinity [ɪn'fɪnɪtɪ] *n* infinité *f*; (*also MATH*) infini *m*

infirmary [ɪn'fɜ:mərɪ] *n* (*hospital*) hôpital *m*

inflamed [ɪn'fleɪmd] *adj* enflammé(e)

inflammable [ɪn'flæməbl] (*BRIT*) *adj* inflammable

inflammation [ɪnflə'meɪʃən] *n* inflammation *f*

inflatable [ɪn'fleɪtəbl] *adj* gonflable

inflate [ɪn'fleɪt] *vt* (*tyre, balloon*) gonfler; (*price*) faire monter; **inflation** [ɪn'fleɪʃən] *n* (*ECON*) inflation *f*; **inflationary** [ɪn'fleɪʃnərɪ] *adj* inflationniste

inflict [ɪn'flɪkt] *vt*: **to ~ on** infliger à

influence ['ɪnfluəns] *n* influence *f* ◆ *vt* influencer; **under the ~ of alcohol** en état d'ébriété; **influential** [ɪnflu'enʃəl] *adj* influent(e)

influenza [ɪnflu'enzə] *n* grippe *f*

influx ['ɪnflʌks] *n* afflux *m*

inform [ɪn'fɔ:m] *vt*: **to ~ sb (of)** informer *or* avertir qn (de) ◆ *vi*: **to ~ on sb** dénoncer qn

informal [ɪn'fɔ:məl] *adj* (*person, manner, party*) simple; (*visit, discussion*) dénué(e) de formalités; (*announcement, invitation*) non officiel(le); (*colloquial*) familier(ère); **~ity** [ɪnfɔ:'mælɪtɪ] *n* simplicité *f*, absence *f* de cérémonie; caractère non officiel

informant [ɪn'fɔ:mənt] *n* informateur(trice)

information [ɪnfə'meɪʃən] *n* information *f*; renseignements *mpl*; (*knowledge*) connaissances *fpl*; **a piece of ~** un renseignement; **~ office** *n* bureau *m* de renseignements

informative [ɪn'fɔ:mətɪv] *adj* instructif(ive)

informer [ɪn'fɔ:mə*] *n* (*also*: **police ~**) indicateur(trice)

infringe [ɪn'frɪndʒ] *vt* enfreindre ◆ *vi*: **to ~ on** empiéter sur; **~ment** *n*: **~ment (of)** infraction *f* (à)

infuriating [ɪn'fjʊərɪeɪtɪŋ] *adj* exaspérant(e)

ingenious [ɪn'dʒi:nɪəs] *adj* ingénieux(euse); **ingenuity** [ɪndʒɪ'nju:ɪtɪ] *n* ingéniosité *f*

ingenuous [ɪn'dʒenjuəs] *adj* naïf(naïve), ingénu(e)

ingot ['ɪŋgət] *n* lingot *m*

ingrained [ɪn'greɪnd] *adj* enraciné(e)

ingratiate [ɪn'greɪʃɪeɪt] *vt*: **to ~ o.s. with** s'insinuer dans les bonnes grâces de, se faire bien voir de

ingredient [ɪn'gri:dɪənt] *n* ingrédient *m*; (*fig*) élément *m*

inhabit [ɪn'hæbɪt] *vt* habiter; **~ant** [ɪn'hæbɪtnt] *n* habitant(e)

inhale [ɪn'heɪl] *vt* respirer; (*smoke*) avaler ◆ *vi* aspirer; (*in smoking*) avaler la fumée

inherent [ɪn'hɪərənt] *adj*: **~ (in** *or* **to)** inhérent(e) (à)

inherit [ɪn'herɪt] *vt* hériter (de); **~ance** *n* héritage *m*

inhibit [ɪn'hɪbɪt] *vt* (*PSYCH*) inhiber; (*growth*) freiner; **~ion** [ɪnhɪ'bɪʃən] *n* inhibition *f*

inhuman [ɪn'hju:mən] *adj* inhumain(e)

initial [ɪ'nɪʃəl] *adj* initial(e) ◆ *n* initiale *f* ◆ *vt* parafer; **~s** *npl* (*letters*) initiales *fpl*; (*as signature*) parafe *m*; **~ly** *adv* initialement, au début

initiate [ɪ'nɪʃɪeɪt] *vt* (*start*) entreprendre; amorcer; lancer; (*person*) initier; **to ~ proceedings against sb** intenter une action à qn

initiative [ɪ'nɪʃətɪv] *n* initiative *f*

inject [ɪn'dʒekt] *vt* injecter; (*person*): **to ~ sb with sth** faire une piqûre de qch à qn; **~ion** [ɪn'dʒekʃən] *n* injection *f*, piqûre *f*

injure ['ɪndʒə*] *vt* blesser; (*reputation etc*) compromettre; **~d** *adj* blessé(e); **injury** ['ɪndʒərɪ] *n* blessure *f*; **injury time** *n* (*SPORT*) arrêts *mpl* de jeu

injustice [ɪn'dʒʌstɪs] *n* injustice *f*

ink [ɪŋk] *n* encre *f*

inkling ['ɪŋklɪŋ] *n*: **to have an/no ~ of** avoir une (vague) idée de/n'avoir aucune idée de

inlaid ['ɪn'leɪd] *adj* incrusté(e); (*table etc*) marqueté(e)

inland [*adj* 'ɪnlənd, *adv* 'ɪnlænd] *adj* intérieur(e) ◆ *adv* à l'intérieur, dans les terres; **I~ Revenue** (*BRIT*) *n* fisc *m*

in-laws ['ɪnlɔ:z] *npl* beaux-parents *mpl*; belle famille

inlet ['ɪnlet] *n* (*GEO*) crique *f*

inmate ['ɪnmeɪt] *n* (*in prison*) détenu(e); (*in asylum*) interné(e)

inn [ɪn] *n* auberge *f*

innate [ɪ'neɪt] *adj* inné(e)

inner ['ɪnə*] *adj* intérieur(e); **~ city** *n* centre *m* de zone urbaine; **~ tube** *n* (*of tyre*) chambre *f* à air

innings ['ɪnɪŋz] *n* (*CRICKET*) tour *m* de batte

innocent ['ɪnəsnt] *adj* innocent(e)

innocuous [ɪ'nɒkjuəs] *adj* inoffensif(ive)

innuendo [ɪnju'endəʊ] (*pl* **~es**) *n* insinuation *f*, allusion (malveillante)

innumerable [ɪ'nju:mərəbl] *adj* innombrable

inordinately [ɪ'nɔ:dɪnɪtlɪ] *adv* démesurément

inpatient ['ɪnpeɪʃənt] *n* malade hospitalisé(e)

input ['ɪnput] *n* (*resources*) ressources *fpl*; (*COMPUT*) entrée *f* (de données); (: *data*) données *fpl*

inquest ['ɪnkwest] *n* enquête *f*; (**coroner's**) **~** enquête judiciaire

inquire [ɪn'kwaɪə*] *vi* demander ◆ *vt* demander; **to ~ about** se renseigner sur; **~ into** *vt fus* faire une enquête sur; **inquiry** [ɪn'kwaɪərɪ] *n* demande *f* de renseignements; (*investigation*) enquête *f*, investigation *f*; **inquiry office** (*BRIT*) *n* bureau *m* de renseignements

inquisitive [ɪn'kwɪzɪtɪv] *adj* curieux(euse)

inroads ['ɪnrəudz] *npl*: **to make ~ into** (*savings etc*) entamer

ins *abbr* = **inches**

insane [ɪn'seɪn] *adj* fou(folle); (*MED*) aliéné(e); **insanity** [ɪn'sænɪtɪ] *n* folie *f*; (*MED*) aliénation (mentale)

inscription [ɪn'skrɪpʃən] *n* inscription *f*; (*in book*) dédicace *f*

inscrutable [ɪn'skru:təbl] *adj* impénétrable; (*comment*) obscur(e)

insect ['ɪnsekt] *n* insecte *m*; **~icide** [ɪn'sektɪsaɪd] *n* insecticide *m*

insecure [ɪnsɪ'kjuə*] *adj* peu solide; peu sûr(e); (*person*) anxieux(euse)

insensitive [ɪn'sensɪtɪv] *adj* insensible

insert [ɪn'sɜ:ʃən] *vt* insérer; **~ion** *n* insertion *f*

in-service ['ɪn'sɜ:vɪs] *adj* (*training*) continu(e), en cours d'emploi; (*course*) de perfectionnement; de recyclage

inshore ['ɪn'ʃɔ:*] *adj* côtier(ère) ◆ *adv* près de la côte; (*move*) vers la côte

inside ['ɪn'saɪd] *n* intérieur *m* ◆ *adj* intérieur(e) ◆ *adv* à l'intérieur, dedans ◆ *prep* à l'intérieur de; (*of time*): **~ 10 minutes** en moins de 10 minutes; **~s** *npl* (*inf*) intestins *mpl*; **~ information** *n* renseignements obtenus à la source; **~ lane** *n* (*AUT*: *BRIT*) voie *f* de gauche; (: *US, Europe etc*) voie de droite; **~ out** *adv* à l'envers; (*know*) à fond

insider dealing, insider trading *n* (*St Ex*) délit *m* d'initié

insight ['ɪnsaɪt] *n* perspicacité *f*; (*glimpse, idea*) aperçu *m*

insignificant [ɪnsɪg'nɪfɪkənt] *adj* insignifiant(e)

insincere [ɪnsɪn'sɪə*] *adj* hypocrite

insinuate [ɪn'sɪnjueɪt] *vt* insinuer

insist [ɪn'sɪst] *vi* insister; **to ~ on doing** insister pour faire; **to ~ on sth** exiger qch; **to ~ that** insister pour que; (*claim*) maintenir *or* soutenir que; **~ent** *adj* insistant(e), pressant(e); (*noise, action*) ininterrompu(e)

insole ['ɪnsəul] *n* (*removable*) semelle intérieure

insolent ['ɪnsələnt] *adj* insolent(e)

insolvent [ɪn'sɒlvənt] *adj* insolvable

insomnia [ɪn'sɒmnɪə] *n* insomnie *f*

inspect [ɪn'spekt] *vt* inspecter; (*ticket*) contrôler; **~ion** [ɪn'spekʃən] *n* inspection *f*; contrôle *m*; **~or** *n* inspecteur(trice); (*BRIT*: *on buses, trains*) contrôleur(euse)

inspire [ɪn'spaɪə*] *vt* inspirer

install [ɪn'stɔ:l] *vt* installer; **~ation** [ɪnstə'leɪʃən] *n* installation *f*

instalment [ɪn'stɔ:lmənt] (*US* **installment**) *n* acompte *m*, versement partiel; (*of TV serial etc*) épisode *m*; **in ~s** (*pay*) à tempérament; (*receive*) en plusieurs fois

instance ['ɪnstəns] *n* exemple *m*; **for ~** par exemple; **in the first ~** tout d'abord, en premier lieu

instant ['ɪnstənt] *n* instant *m* ◆ *adj* immédiat(e); (*coffee, food*) instantané(e), en poudre; **~ly** *adv* immédiatement, tout de suite

instead [ɪn'sted] *adv* au lieu de cela; **~ of** au lieu de; **~ of sb** à la place de qn

instep ['ɪnstep] *n* cou-de-pied *m*; (*of shoe*) cambrure *f*

instigate ['ɪnstɪgeɪt] *vt* (*rebellion*) fomenter, provoquer; (*talks etc*) promouvoir

instil [ɪn'stɪl] *vt*: **to ~ (into)** inculquer (à); (*courage*) insuffler (à)

instinct ['ɪnstɪŋkt] *n* instinct *m*

institute ['ɪnstɪtju:t] *n* institut *m* ◆ *vt* instituer, établir; (*inquiry*) ouvrir; (*proceedings*) entamer

institution [ɪnstɪ'tju:ʃən] *n* institution *f*; (*educational*) établissement *m* (scolaire); (*mental home*) établissement (psychiatrique)

instruct [ɪn'strʌkt] *vt*: **to ~ sb in sth** enseigner qch à qn; **to ~ sb to do** charger qn *or* ordonner à qn de faire; **~ion** [ɪn'strʌkʃən] *n* instruction *f*; **~ions** *npl* (*orders*) directives *fpl*; **~ions (for use)** mode *m* d'emploi; **~or** *n* professeur *m*; (*for skiing, driving*) moniteur *m*

instrument ['ɪnstrumənt] *n* instrument *m*; **~al** [ɪnstru'mentl] *adj*: **to be ~al in** contribuer à; **~ panel** *n* tableau *m* de bord

insufficient [ɪnsə'fɪʃənt] *adj* insuffisant(e)

insular ['ɪnsjələ*] *adj* (*outlook*) borné(e); (*person*) aux vues étroites

insulate ['ɪnsjuleɪt] *vt* isoler; (*against sound*) insonoriser; **insulating tape** *n* ruban isolant; **insulation** [ɪnsju'leɪʃən] *n* isolation *f*; insonorisation *f*

insulin ['ɪnsjulɪn] *n* insuline *f*

insult [*n* 'ɪnsʌlt, *vb* ɪn'sʌlt] *n* insulte *f*, affront *m* ◆ *vt* insulter, faire affront à

insurance [ɪn'ʃuərəns] *n* assurance *f*; **fire/life ~** assurance-incendie/-vie; **~ policy** *n* police *f* d'assurance

insure [ɪn'ʃuə*] *vt* assurer; **to ~ (o.s.) against** (*fig*) parer à

intact [ɪn'tækt] *adj* intact(e)

intake ['ɪnteɪk] *n* (*of food, oxygen*) consommation *f*; (*BRIT*: *SCOL*): **an ~ of 200 a year** 200 admissions *fpl* par an

integral ['ɪntɪgrəl] *adj* (*part*) intégrant(e)

integrate ['ɪntɪgreɪt] *vt* intégrer ◆ *vi* s'intégrer

intellect ['ɪntɪlekt] *n* intelligence *f*; **~ual** [ɪntɪ'lektjuəl] *adj, n* intellectuel(le)

intelligence [ɪn'telɪdʒəns] *n* intelligence *f*; (*MIL etc*) informations *fpl*, renseignements *mpl*; **~ service** *n* services secrets; **intelligent** [ɪn'telɪdʒənt] *adj* intelligent(e)

intend [ɪn'tend] *vt* (*gift etc*): **to ~ sth for** destiner qch à; **to ~ to do** avoir l'intention de faire; **~ed** *adj* (*journey*) projeté(e); (*effect*) voulu(e); (*insult*) intentionnel(le)

intense [ɪn'tens] *adj* intense; (*person*) véhément(e); **~ly** *adv* intensément; profondément

intensive [ɪn'tensɪv] *adj* intensif(ive); **~ care unit** *n* service *m* de réanimation

intent [ɪn'tent] *n* intention *f* ◆ *adj* attentif(ive); (*absorbed*): **~ (on)** absorbé(e) (par); **to all ~s and purposes** en fait, pratiquement; **to be ~ on doing** sth être (bien) décidé à faire qch

intention [ɪn'tenʃən] *n* intention *f*; **~al** *adj* intentionnel(le), délibéré(e)

intently [ɪn'tentlɪ] *adv* attentivement

interact [ɪntər'ækt] *vi* avoir une action réciproque; (*people*) communiquer; **~ive** *adj* (*COMPUT*) interactif(ive)

interchange ['ɪntətʃeɪndʒ] *n* (*exchange*) échange *m*; (*on motorway*) échangeur *m*; **~able** [ɪntə'tʃeɪndʒəbl] *adj* interchangeable

intercom ['ɪntəkɒm] *n* interphone *m*

intercourse ['ɪntəkɔ:s] *n* (*sexual*) rapports *mpl*

interest ['ɪntrest] *n* intérêt *m*; (*pastime*): **my main ~** ce qui m'intéresse le plus; (*COMM*) intérêts *mpl* ◆ *vt* intéresser; **to be ~ed in sth** s'intéresser à qch; **I am ~ed in going** ça m'intéresse d'y aller; **~ing** *adj* intéressant(e); **~ rate** *n* taux *m* d'intérêt

interface ['ɪntəfeɪs] *n* (*COMPUT*) interface *f*

interfere [ɪntə'fɪə*] *vi*: **to ~ in** (*quarrel*) s'immiscer dans; (*other people's business*) se mêler de; **to ~ with** (*object*) toucher à; (*plans*) contrecarrer; (*duty*) être en conflit avec; **~nce** [ɪntə'fɪərəns] *n* (*in affairs*) ingérance *f*; (*RADIO, TV*) parasites *mpl*

interim ['ɪntərɪm] *adj* provisoire ◆ *n*: **in the ~** dans l'intérim, entre-temps

interior [ɪn'tɪərɪə*] *n* intérieur *m* ◆ *adj* intérieur(e); (*minister, department*) de l'Intérieur; **~ designer** *n* styliste *m/f*, designer *m/f*

interjection [ɪntə'dʒekʃən] *n* (*interruption*) interruption *f*; (*LING*) interjection *f*

interlock [ɪntə'lɒk] *vi* s'enclencher

interlude ['ɪntəlu:d] *n* intervalle *m*; (*THEATRE*) intermède *m*

intermediate [ɪntə'mi:dɪət] *adj* intermédiaire; (*SCOL*: *course, level*) moyen(ne)

intermission [ɪntə'mɪʃən] *n* pause *f*; (*THEATRE, CINEMA*) entracte *m*

intern [*vb* ɪn'tɜ:n, *n* 'ɪntɜ:n] *vt* interner ◆ *n* (*US*) interne *m/f*

internal [ɪn'tɜ:nl] *adj* interne; (*politics*) intérieur(e); **~ly** *adv*: **"not to be taken ~ly"** "pour usage externe"; **I~ Revenue Service** (*US*) *n* fisc *m*

international [ɪntə'næʃnəl] *adj* international(e)

interplay ['ɪntəpleɪ] *n* effet *m* réciproque, interaction *f*

interpret [ɪn'tɜ:prɪt] *vt* interpréter ◆ *vi* servir d'interprète; **~er** *n* interprète *m/f*

interrelated [ɪntərɪ'leɪtɪd] *adj* en corrélation, en rapport étroit

interrogate [ɪn'terəgeɪt] *vt* interroger; (*suspect etc*) soumettre à un interrogatoire; **interrogation** [ɪnterə'geɪʃən] *n* interrogation *f*; interrogatoire *m*

interrupt [ɪntə'rʌpt] *vt, vi* interrompre; **~ion** *n* interruption *f*

intersect [ɪntə'sekt] *vi* (*roads*) se croiser, se couper; **~ion** [ɪntə'sekʃən] *n* (*of roads*) croisement *m*

intersperse [ɪntə'spɜ:s] *vt*: **to ~ with** parsemer de

intertwine [ɪntə'twaɪn] *vi* s'entrelacer

interval ['ɪntəvəl] *n* intervalle *m*; (*BRIT*: *THEATRE*) entracte *m*; (: *SPORT*) mi-temps *f*; **at ~s** par intervalles

intervene [ɪntə'vi:n] *vi* (*person*) intervenir; (*event*) survenir; (*time*) s'écouler (entre-temps); **intervention** [ɪntə'venʃən] *n* intervention *f*

interview ['ɪntəvju:] *n* (*RADIO, TV etc*) interview *f*; (*for job*) entrevue *f* ◆ *vt* interviewer; avoir une entrevue avec; **~er** *n* (*RADIO, TV*) interviewer *m*

intestine [ɪn'testɪn] *n* intestin *m*

intimacy ['ɪntɪməsɪ] *n* intimité *f*

intimate [*adj* 'ɪntɪmət, *vb* 'ɪntɪmeɪt] *adj* intime; (*friendship*) profond(e); (*knowledge*) approfondi(e) ◆ *vt* (*hint*) suggérer, laisser entendre

into ['ɪntu] *prep* dans; **~ pieces/French** en morceaux/français

intolerant [ɪn'tɒlərənt] *adj*: **~ (of)** intolérant(e) (de)

intoxicated [ɪn'tɒksɪkeɪtɪd] *adj* (*drunk*) ivre; **intoxication** [ɪntɒksɪ'keɪʃən] *n* ivresse *f*

intractable [ɪn'træktəbl] *adj* (*child*) indocile, insoumis(e); (*problem*) insoluble

intransitive [ɪn'trænsɪtɪv] *adj* intransitif(ive)

intravenous [ɪntrə'vi:nəs] *adj* intraveineux(euse)

in-tray ['ɪntreɪ] *n* courrier *m* "arrivée"

intricate ['ɪntrɪkət] *adj* complexe, compliqué(e)

intrigue [ɪn'tri:g] *n* intrigue *f* ◆ *vt* intriguer; **intriguing** [ɪn'tri:gɪŋ] *adj* fascinant(e)

intrinsic [ɪn'trɪnsɪk] *adj* intrinsèque

introduce [ɪntrə'dju:s] *vt* introduire; (*TV show, people to each other*) présenter; **to ~ sb to** (*pastime, technique*) initier qn à; **introduction** *n* introduction *f*; [ɪntrə'dʌkʃən] *f*; (*of person*) présentation *f*; (*to new experience*) initiation *f*; **introductory** [ɪntrə'dʌktərɪ] *adj* préliminaire, d'introduction; **introductory offer** *n* (*COMM*) offre *f* de lancement

intrude [ɪn'truːd] *vi* (*person*) être importun(e); **to ~ on** (*conversation etc*) s'immiscer dans; **~r** *n* intrus(e)

intuition [ɪntjuː'ɪʃən] *n* intuition *f*

inundate ['ɪnʌndeɪt] *vt*: **to ~ with** inonder de

invade [ɪn'veɪd] *vt* envahir

invalid [*n* 'ɪnvəlɪd, *adj* ɪn'vælɪd] *n* malade *m/f*; (*with disability*) invalide *m/f* ◆ *adj* (*not valid*) non valide *or* valable

invaluable [ɪn'væljuəbl] *adj* inestimable, inappréciable

invariably [ɪn'vɛərɪəblɪ] *adv* invariablement; toujours

invent [ɪn'vent] *vt* inventer; **~ion** [ɪn'venʃən] *n* invention *f*; **~ive** *adj* inventif(ive); **~or** *n* inventeur(trice)

inventory ['ɪnvəntrɪ] *n* inventaire *m*

invert [ɪn'vɜːt] *vt* intervertir; (*cup, object*) retourner; **~ed commas** (BRIT) *npl* guillemets *mpl*

invest [ɪn'vest] *vt* investir ◆ *vi*: **to ~ in sth** placer son argent dans qch; (*fig*) s'offrir qch

investigate [ɪn'vestɪgeɪt] *vt* (*crime etc*) faire une enquête sur; **investigation** [ɪnvestɪ'geɪʃən] *n* (*of crime*) enquête *f*

investment [ɪn'vestmənt] *n* investissement *m*, placement *m*

investor [ɪn'vestə*] *n* investisseur *m*; actionnaire *m/f*

invigilator [ɪn'vɪdʒɪleɪtə*] *n* surveillant(e)

invigorating [ɪn'vɪgəreɪtɪŋ] *adj* vivifiant(e); (*fig*) stimulant(e)

invisible [ɪn'vɪzəbl] *adj* invisible

invitation [ɪnvɪ'teɪʃən] *n* invitation *f*

invite [ɪn'vaɪt] *vt* inviter; (*opinions etc*) demander; **inviting** [ɪn'vaɪtɪŋ] *adj* engageant(e), attrayant(e)

invoice ['ɪnvɔɪs] *n* facture *f*

involuntary [ɪn'vɒləntərɪ] *adj* involontaire

involve [ɪn'vɒlv] *vt* (*entail*) entraîner, nécessiter; (*concern*) concerner; (*associate*): **to ~ sb (in)** impliquer qn (dans), mêler qn (à); faire participer qn (à); **~d** *adj* (*complicated*) complexe; **to be ~d in** participer à; (*engrossed*) être absorbé(e) par; **~ment** *n*: **~ment (in)** participation *f* (à); rôle *m* (dans); (*enthusiasm*) enthousiasme *m* (pour)

inward ['ɪnwəd] *adj* (*thought, feeling*) profond(e), intime; (*movement*) vers l'intérieur; **~(s)** *adv* vers l'intérieur

I/O *abbr* (COMPUT: = *input/output*) E/S

iodine ['aɪədiːn] *n* iode *m*

iota [aɪ'əutə] *n* (*fig*) brin *m*, grain *m*

IOU *n abbr* (= *I owe you*) reconnaissance *f* de dette

IQ *n abbr* (= *intelligence quotient*) Q.I. *m*

IRA *n abbr* (= *Irish Republican Army*) IRA *f*

Iran [ɪ'rɑːn] *n* Iran *m*

Iraq [ɪ'rɑːk] *n* Irak *m*

irate [aɪ'reɪt] *adj* courroucé(e)

Ireland ['aɪələnd] *n* Irlande *f*

iris ['aɪrɪs] (*pl* **~es**) *n* iris *m*

Irish ['aɪrɪʃ] *adj* irlandais(e) ◆ *npl*: **the ~** les Irlandais; **~man** (*irreg*) *n* Irlandais *m*; **~ Sea** *n* mer *f* d'Irlande; **~woman** (*irreg*) *n* Irlandaise *f*

iron ['aɪən] *n* fer; *m*; (*for clothes*) fer *m* à repasser ◆ *cpd* de *or* en fer; (*fig*) de fer ◆ *vt* (*clothes*) repasser; **~ out** *vt* (*fig*) aplanir; faire disparaître; **the I~ Curtain** *n* le rideau de fer

ironic(al) [aɪ'rɒnɪk(əl)] *adj* ironique

ironing ['aɪənɪŋ] *n* repassage *m*; **~ board** *n* planche *f* à repasser

ironmonger's (shop) ['aɪənmʌŋgəz-] *n* quincaillerie *f*

irony ['aɪərənɪ] *n* ironie *f*

irrational [ɪ'ræʃənl] *adj* irrationnel(le)

irregular [ɪ'regjulə*] *adj* irrégulier(ère); (*surface*) inégal(e)

irrelevant [ɪ'reləvənt] *adj* sans rapport, hors de propos

irresistible [ɪrɪ'zɪstəbl] *adj* irrésistible

irrespective [ɪrɪ'spektɪv]: **~ of** *prep* sans tenir compte de

irresponsible [ɪrɪ'spɒnsəbl] *adj* (*act*) irréfléchi(e); (*person*) irresponsable, inconscient(e)

irrigate ['ɪrɪgeɪt] *vt* irriguer; **irrigation** [ɪrɪ'geɪʃən] *n* irrigation *f*

irritate ['ɪrɪteɪt] *vt* irriter; **irritating** *adj* irritant(e); **irritation** [ɪrɪ'teɪʃən] *n* irritation *f*

IRS *n abbr* = **Internal Revenue Service**

is [ɪz] *vb see* **be**

Islam ['ɪzlɑːm] *n* Islam *m*

island ['aɪlənd] *n* île *f*; **~er** *n* habitant(e) d'une île, insulaire *m/f*

isle [aɪl] *n* île *f*

isn't ['ɪznt] = **is not**

isolate ['aɪsəuleɪt] *vt* isoler; **~d** *adj* isolé(e); **isolation** [aɪsəu'leɪʃən] *n* isolation *f*

Israel ['ɪzreɪəl] *n* Israël *m*; **~i** [ɪz'reɪlɪ] *adj* israélien(ne) ◆ *n* Israélien(ne)

issue ['ɪʃuː] *n* question *f*, problème *m*; (*of book*) publication *f*, parution *f*; (*of banknotes etc*) émission *f*; (*of newspaper etc*) numéro *m* ◆ *vt* (*rations, equipment*) distribuer; (*statement*) publier, faire; (*banknotes etc*) émettre, mettre en circulation; **at ~** en jeu, en cause; **to take ~ with sb (over)** exprimer son désaccord avec qn (sur); **to make an ~ of sth** faire une montagne de qch

KEYWORD

it [ɪt] *pron* 1 (*specific: subject*) il(elle); (: *direct object*) le(la, l'); (: *indirect object*) lui; **~'s on the table** c'est *or* il (*or* elle) est sur la table; **about/from/of ~** en; **I spoke to him about ~** je lui en ai parlé; **what did you learn from ~?** qu'est-ce que vous en avez retiré?; **I'm proud of ~** j'en suis fier; **in/to ~** y; **put the book in ~** mettez-y le livre; **he agreed to ~** il y a consenti; **did you go to ~?** (*party, concert etc*) est-ce que vous y êtes allé(s)?

2 (*impersonal*) il; ce; **~'s raining** il pleut; **~'s Friday tomorrow** demain c'est vendredi *or* nous sommes vendredi; **~'s 6 o'clock** il est 6 heures; **who is ~? - ~'s me** qui est-ce? - c'est moi

Italian [ɪ'tæljən] *adj* italien(ne) ◆ *n* Italien(ne); (LING) italien *m*

italics [ɪ'tælɪks] *npl* italiques *fpl*

Italy ['ɪtəlɪ] *n* Italie *f*

itch [ɪtʃ] *n* démangeaison *f* ◆ *vi* (*person*) éprouver des démangeaisons; (*part of body*) démanger; **I'm ~ing to do** l'envie me démange de faire; **~y** *adj* qui démange; **to be ~y** avoir des démangeaisons

it'd ['ɪtd] = **it would; it had**

item ['aɪtəm] *n* article *m*; (*on agenda*) question *f*, point *m*; (*also*: *news ~*) nouvelle *f*; **~ize** *vt* détailler, faire une liste de

itinerary [aɪ'tɪnərərɪ] *n* itinéraire *m*

it: ~'ll ['ɪtl] = **it will; it shall; ~s** [ɪts] *adj* son(sa), ses *pl*; **~'s** [ɪts] = **it is; it has; ~self** [ɪt'self] *pron* (*reflexive*) se; (*emphatic*) lui-même(elle-même)

ITV *n abbr* (BRIT: = *Independent Television*) *chaîne privée*

IUD *n abbr* (= *intra-uterine device*) DIU *m*, stérilet *m*

I've [aɪv] = **I have**

ivory ['aɪvərɪ] *n* ivoire *m*

ivy ['aɪvɪ] *n* lierre *m*

J

jab [dʒæb] *vt*: **to ~ sth into** enfoncer *or* planter qch dans ◆ *n* (*inf*: *injection*) piqûre *f*

jack [dʒæk] *n* (AUT) cric *m*; (CARDS) valet *m*; **~ up** *vt* soulever (au cric)

jackal ['dʒækəl] *n* chacal *m*

jackdaw ['dʒækdɔː] *n* choucas *m*

jacket ['dʒækɪt] *n* veste *f*, veston *m*; (*of book*) jaquette *f*, couverture *f*

jackknife ['dʒæknaɪf] *vi*: **the lorry ~d** la remorque (du camion) s'est mise en travers

jack plug *n* (ELEC) prise jack mâle *f*

jackpot ['dʒækpɒt] *n* gros lot

jaded ['dʒeɪdɪd] *adj* éreinté(e), fatigué(e)

jagged ['dʒægɪd] *adj* dentelé(e)

jail [dʒeɪl] *n* prison *f* ◆ *vt* emprisonner, mettre en prison

jam [dʒæm] *n* confiture *f*; (*also*: *traffic ~*) embouteillage *m* ◆ *vt* (*passage etc*) encombrer, obstruer; (*mechanism, drawer etc*) bloquer, coincer; (RADIO) brouiller ◆ *vi* se coincer, se bloquer; (*gun*) s'enrayer; **to be in a ~** (*inf*) être dans le pétrin; **to ~ sth into** entasser qch dans; enfoncer qch dans

jangle ['dʒæŋgl] *vi* cliqueter

janitor ['dʒænɪtə*] *n* concierge *m*

January ['dʒænjuərɪ] *n* janvier *m*

Japan [dʒə'pæn] *n* Japon *m*; **~ese** *adj* [dʒæpə'niːz] japonais(e) ◆ *n inv* Japonais(e); (LING) japonais *m*

jar [dʒɑː*] *n* (*stone, earthenware*) pot *m*; (*glass*) bocal *m* ◆ *vi* (*sound discordant*) produire un son grinçant *or* discordant; (*colours etc*) jurer

jargon ['dʒɑːgən] *n* jargon *m*

jaundice ['dʒɔːndɪs] *n* jaunisse *f*; **~d** *adj* (*fig*) envieux(euse), désapprobateur(trice)

javelin ['dʒævlɪn] *n* javelot *m*

jaw [dʒɔː] *n* mâchoire *f*

jay [dʒeɪ] *n* geai *m*; **~walker** ['dʒeɪwɔːkə*] *n* piéton indiscipliné

jazz [dʒæz] *n* jazz *m*; **~ up** *vt* animer, égayer

jealous ['dʒeləs] *adj* jaloux(ouse); **~y** *n* jalousie *f*

jeans [dʒiːnz] *npl* jean *m*

jeer [dʒɪə*] *vi*: **to ~ (at)** se moquer cruellement (de), railler

jelly ['dʒelɪ] *n* gelée *f*; **~fish** *n* méduse *f*

jeopardy ['dʒepədɪ] *n*: **to be in ~** être en danger *or* péril

jerk [dʒɜːk] *n* secousse *f*; saccade *f*; sursaut *m*, spasme *m*; (*inf*: *idiot*) pauvre type *m* ◆ *vt* (*pull*) tirer brusquement ◆ *vi* (*vehicles*) cahoter

jersey ['dʒɜːzɪ] *n* (*pullover*) tricot *m*; (*fabric*) jersey *m*

Jesus ['dʒiːzəs] *n* Jésus

jet [dʒet] *n* (*gas, liquid*) jet *m*; (AVIAT) avion *m* à réaction, jet *m*; **~-black** *adj* (d'un noir) de jais; **~ engine** *n* moteur *m* à réaction; **~ lag** *n* (fatigue due au) décalage *m* horaire

jettison ['dʒetɪsn] *vt* jeter par-dessus bord

jetty ['dʒetɪ] *n* jetée *f*, digue *f*

Jew [dʒuː] *n* Juif *m*

jewel ['dʒuːəl] *n* bijou *m*, joyau *m*; (*in watch*) rubis *m*; **~ler** (US **~er**) *n* bijoutier(ère), joaillier *m*; **~ler's (shop)** *n* bijouterie *f*, joaillerie *f*; **~lery** (US **~ry**) *n* bijoux *mpl*

Jewess ['dʒuːɪs] *n* Juive *f*

Jewish ['dʒuːɪʃ] *adj* juif(juive)

jibe [dʒaɪb] *n* sarcasme *m*

jiffy ['dʒɪfɪ] (*inf*) *n*: **in a ~** en un clin d'œil

jigsaw ['dʒɪgsɔː] *n* (*also*: *~ puzzle*) puzzle *m*

jilt [dʒɪlt] *vt* laisser tomber, plaquer

jingle ['dʒɪŋgl] *n* (*for advert*) couplet *m* publicitaire ◆ *vi* cliqueter, tinter

jinx [dʒɪŋks] (*inf*) *n* (mauvais) sort

jitters ['dʒɪtəz] (*inf*) *npl*: **to get the ~** (*inf*) avoir la trouille *or* la frousse

job [dʒɒb] *n* (*chore, task*) travail *m*, tâche *f*; (*employment*) emploi *m*, poste *m*, place *f*; **it's a good ~ that ...** c'est heureux *or* c'est une chance que ...; **just the ~!** (c'est) juste *or* exactement ce qu'il faut!; **~ centre** (BRIT) *n* agence *f* pour l'emploi; **~less** *adj* sans travail, au chômage

jockey ['dʒɒkɪ] *n* jockey *m* ◆ *vi*: **to ~ for position** manœuvrer pour être bien placé

jocular ['dʒɒkjulə*] *adj* jovial(e), enjoué(e); facétieux(euse)

jog [dʒɒg] *vt* secouer ◆ *vi* (SPORT) faire du jogging; **to ~ sb's memory** rafraîchir la mémoire de qn; **~ along** *vi* cheminer; trotter; **~ging** *n* jogging *m*

join [dʒɔɪn] *vt* (*put together*) unir, assembler; (*become member of*) s'inscrire à; (*meet*) rejoindre, retrouver; (*queue*) se joindre à ◆ *vi* (*roads, rivers*) se rejoindre, se rencontrer ◆ *n* raccord *m*; **~ in** *vi* se mettre de la partie, participer ◆ *vt fus* participer à, se mêler à; **~ up** *vi* (*meet*) se rejoindre; (MIL) s'engager; **~er** ['dʒɔɪnə*] (BRIT) *n* menuisier *m*

joint [dʒɔɪnt] *n* (TECH) jointure *f*; joint *m*; (ANAT) articulation *f*, jointure; (BRIT: CULIN) rôti *m*; (*inf*: *place*) boîte *f*; (: *of cannabis*) joint *m* ◆ *adj* commun(e); **~ account** *n* (*with bank etc*) compte joint

joke [dʒəuk] *n* plaisanterie *f*; (*also*: *practical ~*) farce *f* ◆ *vi* plaisanter; **to play a ~ on** jouer un tour à, faire une farce à; **~r** *n* (CARDS) joker *m*

jolly ['dʒɒlɪ] *adj* gai(e), enjoué(e); (*enjoyable*) amusant(e), plaisant(e) ◆ *adv* (BRIT: *inf*) rudement, drôlement

jolt [dʒəult] *n* cahot *m*, secousse *f*; (*shock*) choc *m* ◆ *vt* cahoter, secouer

Jordan ['dʒɔːdən] *n* (*country*) Jordanie *f*

jostle ['dʒɒsl] *vt* bousculer, pousser

jot [dʒɒt] *n*: **not one ~** pas un brin; **~ down** *vt* noter; **~ter** (BRIT) *n* cahier *m* (de brouillon); (*pad*) bloc-notes *m*

journal ['dʒɜːnl] *n* journal *m*; **~ism** *n* journalisme *m*; **~ist** *n* journaliste *m/f*

journey ['dʒɜːnɪ] *n* voyage *m*; (*distance covered*) trajet *m*

joy [dʒɔɪ] *n* joie *f*; **~ful** *adj* joyeux(euse); **~rider** *n personne qui fait une virée dans une voiture volée*; **~stick** *n* (AVIAT, COMPUT) manche *m* à balai

JP *n abbr* = **Justice of the Peace**

Jr *abbr* = **junior**

jubilant ['dʒuːbɪlənt] *adj* triomphant(e); réjoui(e)

judge [dʒʌdʒ] *n* juge *m* ◆ *vt* juger; **judg(e)ment** *n* jugement *m*

judicial [dʒuː'dɪʃəl] *adj* judiciaire

judiciary [dʒuː'dɪʃɪərɪ] *n* (pouvoir *m*) judiciaire *m*

judo ['dʒuːdəu] *n* judo *m*

jug [dʒʌg] *n* pot *m*, cruche *f*

juggernaut ['dʒʌgənɔːt] (BRIT) *n* (*huge truck*) énorme poids lourd

juggle ['dʒʌgl] *vi* jongler; **~r** *n* jongleur *m*

Jugoslav *etc* = **Yugoslav** *etc*

juice [dʒuːs] *n* jus *m*; **juicy** ['dʒuːsɪ] *adj* juteux(euse)

jukebox ['dʒuːkbɒks] *n* juke-box *m*

July [dʒuː'laɪ] *n* juillet *m*

jumble ['dʒʌmbl] *n* fouillis *m* ◆ *vt* (*also*: *~ up*) mélanger, brouiller; **~ sale** (BRIT) *n* vente *f* de charité

jumbo (jet) ['dʒʌmbəu-] *n* jumbo-jet *m*, gros porteur

jump [dʒʌmp] *vi* sauter, bondir; (*start*) sursauter; (*increase*) monter en flèche ◆ *vt* sauter, franchir ◆ *n* saut *m*, bond *m*; sursaut *m*; **to ~ the queue** (BRIT) passer avant son tour

jumper ['dʒʌmpə*] *n* (BRIT: *pullover*) pull-over *m*; (US: *dress*) robe-chasuble *f*

jumper cables (US), **jump leads** (BRIT) *npl* câbles *mpl* de démarrage

jumpy ['dʒʌmpɪ] *adj* nerveux(euse), agité(e)

Jun. *abbr* = **junior**

junction ['dʒʌŋkʃən] (BRIT) *n* (*of roads*) carrefour *m*; (*of rails*) embranchement *m*

juncture ['dʒʌŋktʃə*] *n*: **at this ~** à ce moment-là, sur ces entrefaites

June [dʒuːn] *n* juin *m*

jungle ['dʒʌŋgl] *n* jungle *f*

junior ['dʒuːnɪə*] *adj*, *n*: **he's ~ to me (by 2 years), he's my ~ (by 2 years)** il est mon cadet (de 2 ans), il est plus jeune que moi (de 2 ans); **he's ~ to me** (*seniority*) il est en dessous de moi (dans la hiérarchie), j'ai plus d'ancienneté que lui; **~ school** (BRIT) *n* ≈ école *f* primaire

junk [dʒʌŋk] *n* (*rubbish*) camelote *f*; (*cheap goods*) bric-à-brac *m inv*; **~ food** *n* aliments *mpl* sans grande valeur nutritive; **~ mail** *n* prospectus *mpl* (*non sollicités*); **~ shop** *n* (boutique *f* de) brocanteur *m*

Junr *abbr* = **junior**

juror ['dʒuərə*] *n* juré *m*

jury ['dʒuərɪ] *n* jury *m*

just [dʒʌst] *adj* juste ◆ *adv*: **he's ~ done it/left** il vient de le faire/partir; **~ right/two o'clock** exactement *or* juste ce qu'il faut/deux heures; **she's ~ as clever as you** elle est tout aussi intelligente que vous; **it's ~ as well (that) ...** heureusement que ...; **~ as he was leaving** au moment *or* à l'instant précis où il partait; **~ before/enough/here** juste avant/assez/ici; **it's ~ me/a mistake** ce n'est que moi/(rien) qu'une erreur; **~ missed/caught** manqué/attrapé de justesse; **~ listen to this!** écoutez un peu ça!

justice ['dʒʌstɪs] *n* justice *f*; (US: *judge*) juge *m* de la Cour suprême; **J~ of the Peace** *n* juge *m* de paix

justify ['dʒʌstɪfaɪ] *vt* justifier

jut [dʒʌt] *vi* (*also*: *~ out*) dépasser, faire saillie

juvenile ['dʒuːvənaɪl] *adj* juvénile; (*court, books*) pour enfants ◆ *n* adolescent(e)

K

K *abbr* (= *one thousand*) K; (= *kilobyte*) Ko

kangaroo [kæŋgə'ruː] *n* kangourou *m*

karate [kə'rɑːtɪ] *n* karaté *m*

kebab [kə'bæb] *n* kébab *m*

keel [kiːl] *n* quille *f*

keen [kiːn] *adj* (*eager*) plein(e) d'enthousiasme; (*interest, desire, competition*) vif(vive); (*eye, intelligence*) pénétrant(e); (*edge*) effilé(e); **to be ~ to do** *or* **on doing sth** désirer vivement faire qch, tenir beaucoup à faire qch; **to be ~ on sth/sb** aimer beaucoup qch/qn

keep [kiːp] (*pt, pp* **kept**) *vt* (*retain, preserve*) garder; (*detain*) retenir; (*shop, accounts, diary, promise*) tenir; (*house*) avoir; (*support*) entretenir; (*chickens, bees etc*) élever ◆ *vi* (*remain*) rester; (*food*) se conserver ◆ *n* (*of castle*) donjon *m*; (*food etc*): **enough for his ~** assez pour (assurer) sa subsistance; (*inf*): **for ~s** pour de bon, pour toujours; **to ~ doing sth** ne pas arrêter de faire qch; **to ~ sb from doing** empêcher qn de faire *or* que qn ne fasse; **to ~ sb happy/a place tidy** faire que qn soit content/qu'un endroit reste propre; **to ~ sth to o.s.** garder qch pour soi, tenir qch secret; **to ~ sth (back) from sb** cacher qch à qn; **to ~ time** (*clock*) être à l'heure, ne pas retarder; **well kept** bien entretenu(e); **~ on** *vi*: **to ~ on doing** continuer à faire; **don't ~ on about it!** arrête (d'en parler)!; **~ out** *vt* empêcher d'entrer; **"~ out"** "défense d'entrer"; **~ up** *vt* continuer, maintenir ◆ *vi*: **to ~ up with sb** (*in race etc*) aller aussi vite que qn; (*in work etc*) se maintenir au niveau de qn; **~er** *n* gardien(ne); **~-fit** *n* gymnastique *f* d'entretien; **~ing** *n* (*care*) garde *f*; **in ~ing with** en accord avec; **~sake** *n* souvenir *m*

kennel ['kenl] *n* niche *f*; **~s** *npl* (*boarding ~s*) chenil *m*

kerb [kɜːb] (BRIT) *n* bordure *f* du trottoir

kernel ['kɜːnl] *n* (*of nut*) amande *f*; (*fig*) noyau *m*

kettle ['ketl] *n* bouilloire *f*; **~drum** *n* timbale *f*

key [kiː] *n* (*gen, MUS*) clé *f*; (*of piano, typewriter*) touche *f* ◆ *cpd* clé ◆ *vt* (*also*: *~ in*) introduire (au clavier), saisir; **~board** *n* clavier *m*; **~ed up** *adj* (*person*) surexcité(e); **~hole** *n* trou *m* de la serrure; **~note** *n* (*of speech*) note dominante; (MUS) tonique *f*; **~ ring** *n* porte-clés *m*

khaki ['kɑːkɪ] *n* kaki *m*

kick [kɪk] *vt* donner un coup de pied à ◆ *vi* (*horse*) ruer ◆ *n* coup *m* de pied; (*thrill*): **he does it for ~s** il le fait parce que ça l'excite, il le fait pour le plaisir; **to ~ the habit** (*inf*) arrêter; **~ off** *vi* (*SPORT*) donner le coup d'envoi

kid [kɪd] *n* (*inf: child*) gamin(e), gosse *m/f*; (*animal, leather*) chevreau *m* ◆ *vi* (*inf*) plaisanter, blaguer

kidnap ['kɪdnæp] *vt* enlever, kidnapper; **~per** *n* ravisseur(euse); **~ping** *n* enlèvement *m*

kidney ['kɪdnɪ] *n* (*ANAT*) rein *m*; (*CULIN*) rognon *m*

kill [kɪl] *vt* tuer ◆ *n* mise *f* à mort; **~er** *n* tueur(euse); meurtrier(ère); **~ing** *n* meurtre *m*; (*of group of people*) tuerie *f*, massacre *m*; **to make a ~ing** (*inf*) réussir un beau coup (de filet); **~joy** *n* rabat-joie *m/f*

kiln [kɪln] *n* four *m*

kilo ['kiːləu] *n* kilo *m*; **~byte** *n* (*COMPUT*) kilo-octet *m*; **~gram(me)** ['kɪləugræm] *n* kilogramme *m*; **~metre** ['kɪləmiːtə*] (*US* **~meter**) *n* kilomètre *m*; **~watt** *n* kilowatt *m*

kilt [kɪlt] *n* kilt *m*

kin [kɪn] *n see* **next**; **kith**

kind [kaɪnd] *adj* gentil(le), aimable ◆ *n* sorte *f*, espèce *f*, genre *m*; **to be two of a ~** se ressembler; **in ~** (*COMM*) en nature

kindergarten ['kɪndəgɑːtn] *n* jardin *m* d'enfants

kind-hearted ['kaɪnd'hɑːtɪd] *adj* bon(bonne)

kindle ['kɪndl] *vt* allumer, enflammer

kindly ['kaɪndlɪ] *adj* bienveillant(e), plein(e) de gentillesse ◆ *adv* avec bonté; **will you ~ ...!** auriez-vous la bonté *or* l'obligeance de ...?

kindness ['kaɪndnəs] *n* bonté *f*, gentillesse *f*

kindred ['kɪndrɪd] *adj*: **~ spirit** âme *f* sœur

kinetic [kɪ'netɪk] *adj* cinétique

king [kɪŋ] *n* roi *m*; **~dom** *n* royaume *m*; **~fisher** *n* martin-pêcheur *m*; **~-size bed** *n* grand lit (*de 1,95 m de large*); **~-size(d)** *adj* format géant *inv*; (*cigarettes*) long(longue)

kinky ['kɪŋkɪ] (*pej*) *adj* (*person*) excentrique; (*sexually*) aux goûts spéciaux

kiosk ['kiːɒsk] *n* kiosque *m*; (*BRIT: TEL*) cabine *f* (téléphonique)

kipper ['kɪpə*] *n* hareng fumé et salé

kiss [kɪs] *n* baiser *m* ◆ *vt* embrasser; **to ~ (each other)** s'embrasser; **~ of life** (*BRIT*) *n* bouche à bouche *m*

kit [kɪt] *n* équipement *m*, matériel *m*; (*set of tools etc*) trousse *f*; (*for assembly*) kit *m*

kitchen ['kɪtʃɪn] *n* cuisine *f*; **~ sink** *n* évier *m*

kite [kaɪt] *n* (*toy*) cerf-volant *m*

kith [kɪθ] *n*: **~ and kin** parents et amis *mpl*

kitten ['kɪtn] *n* chaton *m*, petit chat

kitty ['kɪtɪ] *n* (*money*) cagnotte *f*

knack [næk] *n*: **to have the ~ of doing** avoir le coup pour faire

knapsack ['næpsæk] *n* musette *f*

knead [niːd] *vt* pétrir

knee [niː] *n* genou *m*; **~cap** *n* rotule *f*

kneel [niːl] (*pt, pp* **knelt**) *vi* (*also*: **~ down**) s'agenouiller

knew [njuː] *pt of* **know**

knickers ['nɪkəz] (*BRIT*) *npl* culotte *f* (de femme)

knife [naɪf] (*pl* **knives**) *n* couteau *m* ◆ *vt* poignarder, frapper d'un coup de couteau

knight [naɪt] *n* chevalier *m*; (*CHESS*) cavalier *m*; **~hood** (*BRIT*) *n* (*title*): **to get a ~hood** être fait chevalier

knit [nɪt] *vt* tricoter ◆ *vi* tricoter; (*broken bones*) se ressouder; **to ~ one's brows** froncer les sourcils; **~ting** *n* tricot *m*; **~ting needle** *n* aiguille *f* à tricoter; **~wear** *n* tricots *mpl*, lainages *mpl*

knives [naɪvz] *npl of* **knife**

knob [nɒb] *n* bouton *m*

knock [nɒk] *vt* frapper; (*bump into*) heurter; (*inf*) dénigrer ◆ *vi* (*at door etc*): **to ~ at** *or* **on** frapper à ◆ *n* coup *m*; **~ down** *vt* renverser; **~ off** *vi* (*inf: finish*) s'arrêter (de travailler) ◆ *vt* (*from price*) faire un rabais de; (*inf: steal*) piquer; **~ out** *vt* assommer; (*BOXING*) mettre k.-o.; (*defeat*) éliminer; **~ over** *vt* renverser, faire tomber; **~er** *n* (*on door*) heurtoir *m*; **~out** *n* (*BOXING*) knock-out *m*, K.-O. *m*; **~out competition** *n* compétition *f* avec épreuves éliminatoires

knot [nɒt] *n* (*gen*) nœud *m* ◆ *vt* nouer; **~ty** *adj* (*fig*) épineux(euse)

know [nəu] (*pt* **knew**, *pp* **known**) *vt* savoir; (*person, place*) connaître; **to ~ how to do** savoir (comment) faire; **to ~ how to swim** savoir nager; **to ~ about** *or* **of sth** être au courant de qch; **to ~ about** *or* **of sb** avoir entendu parler de qn; **~-all** (*pej*) *n* je-sais-tout *m/f*; **~-how** *n* savoir-faire *m*; **~ing** *adj* (*look etc*) entendu(e); **~ingly** *adv* sciemment; (*smile, look*) d'un air entendu

knowledge ['nɒlɪdʒ] *n* connaissance *f*; (*learning*) connaissances, savoir *m*; **~able** *adj* bien informé(e)

knuckle ['nʌkl] *n* articulation *f* (des doigts), jointure *f*

Koran [kɔː'rɑːn] *n* Coran *m*

Korea [kə'rɪə] *n* Corée *f*

kosher ['kəuʃə*] *adj* kascher *inv*

L

L *abbr* (= *lake, large*) L; (= *left*) g; (*BRIT: AUT*: = *learner*) *signale un conducteur débutant*

lab [læb] *n abbr* (= *laboratory*) labo *m*

label ['leɪbl] *n* étiquette *f* ◆ *vt* étiqueter

labor *etc* (*US*) = **labour** *etc*

laboratory [lə'bɒrətərɪ] *n* laboratoire *m*

labour ['leɪbə*] (*US* **labor**) *n* (*work*) travail *m*; (*workforce*) main-d'œuvre *f* ◆ *vi*: **to ~ (at)** travailler dur (à), peiner (sur) ◆ *vt*: **to ~ a point** insister sur un point; **in ~** (*MED*) en travail, en train d'accoucher; **L~, the L~ party** (*BRIT*) le parti travailliste, les travaillistes *mpl*; **~ed** *adj* (*breathing*) pénible, difficile; **~er** *n* manœuvre *m*; **farm ~er** ouvrier *m* agricole

lace [leɪs] *n* dentelle *f*; (*of shoe etc*) lacet *m* ◆ *vt* (*shoe*: *also*: **~ up**) lacer

lack [læk] *n* manque *m* ◆ *vt* manquer de; **through** *or* **for ~ of** faute de, par manque de; **to be ~ing** manquer, faire défaut; **to be ~ing in** manquer de

lacquer ['lækə*] *n* laque *f*

lad [læd] *n* garçon *m*, gars *m*

ladder ['lædə*] *n* échelle *f*; (*BRIT: in tights*) maille filée

laden ['leɪdn] *adj*: **~ (with)** chargé(e) (de)

ladle ['leɪdl] *n* louche *f*

lady ['leɪdɪ] *n* dame *f*; (*in address*): **ladies and gentlemen** Mesdames (et) Messieurs; **young ~** jeune fille *f*; (*married*) jeune femme *f*; **the ladies' (room)** les toilettes *fpl* (pour dames); **~bird** *n* coccinelle *f*; **~bug** (*US*) *n* = **ladybird**; **~like** *adj* distingué(e); **~ship** *n*: **your ~ship** Madame la comtesse (*or* la baronne *etc*)

lag [læg] *n* retard *m* ◆ *vi* (*also*: **~ behind**) rester en arrière, traîner; (*fig*) rester en traîne ◆ *vt* (*pipes*) calorifuger

lager ['lɑːgə*] *n* bière blonde

lagoon [lə'guːn] *n* lagune *f*

laid [leɪd] *pt, pp of* **lay**; **~-back** (*inf*) *adj* relaxe, décontracté(e); **~ up** *adj* alité(e)

lain [leɪn] *pp of* **lie**

lake [leɪk] *n* lac *m*

lamb [læm] *n* agneau *m*; **~ chop** *n* côtelette *f* d'agneau

lame [leɪm] *adj* boiteux(euse)

lament [lə'ment] *n* lamentation *f* ◆ *vt* pleurer, se lamenter sur

laminated ['læmɪneɪtɪd] *adj* laminé(e); (*windscreen*) (en verre) feuilleté

lamp [læmp] *n* lampe *f*; **~post** (*BRIT*) *n* réverbère *m*; **~shade** *n* abat-jour *m inv*

lance [lɑːns] *vt* (*MED*) inciser

land [lænd] *n* (*as opposed to sea*) terre *f* (ferme); (*soil*) terre, terrain *m*; (*estate*) terre(s), domaine(s) *m(pl)*; (*country*) pays *m* ◆ *vi* (*AVIAT*) atterrir; (*fig*) (re)tomber ◆ *vt* (*passengers, goods*) débarquer; **to ~ sb with sth** (*inf*) coller qch à qn; **~ up** *vi* atterrir, (finir par) se retrouver; **~fill site** *n* décharge *f*; **~ing** *n* (*AVIAT*) atterrissage *m*; (*of staircase*) palier *m*; (*of troops*) débarquement *m*; **~ing gear** *n* train *m* d'atterrissage; **~ing strip** *n* piste *f* d'atterrissage; **~lady** *n* propriétaire *f*, logeuse *f*; (*of pub*) patronne *f*; **~locked** *adj* sans littoral; **~lord** *n* propriétaire *m*, logeur *m*; (*of pub etc*) patron *m*; **~mark** *n* (point *m* de) repère *m*; **to be a ~mark** (*fig*) faire date *or* époque; **~owner** *n* propriétaire foncier *or* terrien; **~scape** ['lændskeɪp] *n* paysage *m*; **~scape gardener** *n* jardinier(ère) paysagiste; **~slide** ['lændslaɪd] *n* (*GEO*) glissement *m* (de terrain); (*fig: POL*) raz-de-marée (électoral)

lane [leɪn] *n* (*in country*) chemin *m*; (*AUT*) voie *f*; file *f*; (*in race*) couloir *m*

language ['læŋgwɪdʒ] *n* langue *f*; (*way one speaks*) langage *m*; **bad ~** grossièretés *fpl*, langage grossier; **~ laboratory** *n* laboratoire *m* de langues

lank [læŋk] *adj* (*hair*) raide et terne

lanky ['læŋkɪ] *adj* grand(e) et maigre, efflanqué(e)

lantern ['læntən] *n* lanterne *f*

lap [læp] *n* (*of track*) tour *m* (de piste); (*of body*): **in** *or* **on one's ~** sur les genoux ◆ *vt* (*also*: **~ up**) laper ◆ *vi* (*waves*) clapoter; **~ up** *vt* (*fig*) accepter béatement, gober

lapel [lə'pel] *n* revers *m*

Lapland ['læplænd] *n* Laponie *f*

lapse [læps] *n* défaillance *f*; (*in behaviour*) écart *m* de conduite ◆ *vi* (*LAW*) cesser d'être en vigueur; (*contract*) expirer; **to ~ into bad habits** prendre de mauvaises habitudes; **~ of time** laps *m* de temps, intervalle *m*

laptop (computer) ['læptɒp-] *n* portable *m*

larceny ['lɑːsənɪ] *n* vol *m*

larch [lɑːtʃ] *n* mélèze *m*

lard [lɑːd] *n* saindoux *m*

larder ['lɑːdə*] *n* garde-manger *m inv*

large [lɑːdʒ] *adj* grand(e); (*person, animal*) gros(se); **at ~** (*free*) en liberté; (*generally*) en général; *see also* **by**; **~ly** *adv* en grande partie; (*principally*) surtout; **~-scale** *adj* (*action*) d'envergure; (*map*) à grande échelle

lark [lɑːk] *n* (*bird*) alouette *f*; (*joke*) blague *f*, farce *f*; **~ about** *vi* faire l'idiot, rigoler

laryngitis [lærɪn'dʒaɪtɪs] *n* laryngite *f*

laser ['leɪzə*] *n* laser *m*; **~ printer** *n* imprimante *f* laser

lash [læʃ] *n* coup *m* de fouet; (*also*: *eye~*) cil *m* ◆ *vt* fouetter; (*tie*) attacher; **~ out** *vi*: **to ~ out at** *or* **against** attaquer violemment

lass [læs] (*BRIT*) *n* (jeune) fille *f*

lasso [læ'suː] *n* lasso *m*

last [lɑːst] *adj* dernier(ère) ◆ *adv* en dernier; (*finally*) finalement ◆ *vi* durer; **~ week** la semaine dernière; **~ night** (*evening*) hier soir; (*night*) la nuit dernière; **at ~** enfin; **~ but one** avant-dernier(ère); **~-ditch** *adj* (*attempt*) ultime, désespéré(e); **~ing** *adj* durable; **~ly** *adv* en dernier lieu, pour finir; **~-minute** *adj* de dernière minute

latch [lætʃ] *n* loquet *m*

late [leɪt] *adj* (*not on time*) en retard; (*far on in day etc*) tardif(ive); (*edition, delivery*) dernier(ière); (*former*) ancien(ne) ◆ *adv* tard; (*behind time, schedule*) en retard; **of ~** dernièrement; **in ~ May** vers la fin (du mois) de mai, fin mai; **the ~ Mr X** feu M. X; **~comer** *n* retardataire *m/f*; **~ly** *adv* récemment; **~r** ['leɪtə*] *adj* (*date etc*) ultérieur(e); (*version etc*) plus récent(e) ◆ *adv* plus tard; **~r on** plus tard; **~st** ['leɪtɪst] *adj* tout(e) dernier(ère); **at the ~st** au plus tard

lathe [leɪð] *n* tour *m*

lather ['lɑːðə*] *n* mousse *f* (de savon) ◆ *vt* savonner

Latin ['lætɪn] *n* latin *m* ◆ *adj* latin(e); **~ America** *n* Amérique latine; **~ American** *adj* latino-américain(e)

latitude ['lætɪtjuːd] *n* latitude *f*

latter ['lætə*] *adj* deuxième, dernier(ère) ◆ *n*: **the ~** ce dernier, celui-ci; **~ly** *adv* dernièrement, récemment

laudable ['lɔːdəbl] *adj* louable

laugh [lɑːf] *n* rire *m* ◆ *vi* rire; **~ at** *vt fus* se moquer de; rire de; **~ off** *vt* écarter par une plaisanterie *or* par une boutade; **~able** *adj* risible, ridicule; **~ing stock** *n*: **the ~ing stock of** la risée de; **~ter** *n* rire *m*; rires *mpl*

launch [lɔːntʃ] *n* lancement *m*; (*motorboat*) vedette *f* ◆ *vt* lancer; **~ into** *vt fus* se lancer dans

Launderette [lɔːn'dret] (®: *BRIT*), **Laundromat** ['lɔːndrəmæt] (®: *US*) *n* laverie *f* (automatique)

laundry ['lɔːndrɪ] *n* (*clothes*) linge *m*; (*business*) blanchisserie *f*; (*room*) buanderie *f*

laureate ['lɔːrɪət] *adj see* **poet**

laurel ['lɒrəl] *n* laurier *m*

lava ['lɑːvə] *n* lave *f*

lavatory ['lævətrɪ] *n* toilettes *fpl*

lavender ['lævɪndə*] *n* lavande *f*

lavish ['lævɪʃ] *adj* (*amount*) copieux(euse); (*person*): **~ with** prodigue de ◆ *vt*: **to ~ sth on sb** prodiguer qch à qn; (*money*) dépenser qch sans compter pour qn/qch

law [lɔː] *n* loi *f*; (*science*) droit *m*; **~-abiding** *adj* respectueux(euse) des lois; **~ and order** *n* l'ordre public; **~ court** *n* tribunal *m*, cour *f* de justice; **~ful** *adj* légal(e); **~less** *adj* (*action*) illégal(e)

lawn [lɔːn] *n* pelouse *f*; **~mower** *n* tondeuse *f* à gazon; **~ tennis** *n* tennis *m*

law school (*US*) *n* faculté *f* de droit

lawsuit ['lɔːsuːt] *n* procès *m*

lawyer ['lɔːjə*] *n* (*consultant, with company*) juriste *m*; (*for sales, wills etc*) notaire *m*; (*partner, in court*) avocat *m*

lax [læks] *adj* relâché(e)

laxative ['læksətɪv] *n* laxatif *m*

lay [leɪ] (*pt, pp* **laid**) *pt of* **lie** ◆ *adj* laïque; (*not expert*) profane ◆ *vt* poser, mettre; (*eggs*) pondre; **to ~ the table** mettre la table; **~ aside** *vt* mettre de côté; **~ by** *vt* = **lay aside**; **~ down** *vt* poser; **to ~ down the law** faire la loi; **to ~ down one's life** sacrifier sa vie; **~ off** *vt* (*workers*) licencier; **~ on** *vt* (*provide*) fournir; **~ out** *vt* (*display*) disposer, étaler; **~about** (*inf*) *n* fainéant(e); **~-by** (*BRIT*) *n* aire *f* de stationnement (sur le bas-côté)

layer ['leɪə*] *n* couche *f*

layman ['leɪmən] (*irreg*) *n* profane *m*

layout ['leɪaut] *n* disposition *f*, plan *m*, agencement *m*; (*PRESS*) mise *f* en page

laze [leɪz] *vi* (*also*: **~ about**) paresser

lazy ['leɪzɪ] *adj* paresseux(euse)

lb *abbr* = **pound** (*weight*)

lead[1] [liːd] (*pt, pp* **led**) *n* (*distance, time ahead*) avance *f*; (*clue*) piste *f*; (*THEATRE*) rôle principal; (*ELEC*) fil *m*; (*for dog*) laisse *f* ◆ *vt* mener, conduire; (*be leader of*) être à la tête de ◆ *vi* (*street etc*) mener, conduire; (*SPORT*) mener, être en tête; **in the ~** en tête; **to ~ the way** montrer le chemin; **~ away** *vt* emmener; **~ back** *vt*: **to ~ back to** ramener à; **~ on** *vt* (*tease*) faire marcher; **~ to** *vt fus* mener à; conduire à; **~ up to** *vt fus* conduire à

lead[2] [led] *n* (*metal*) plomb *m*; (*in pencil*) mine *f*; **~en** ['ledn] *adj* (*sky, sea*) de plomb

leader ['liːdə*] *n* chef *m*; dirigeant(e), leader *m*; (*SPORT: in league*) leader; (: *in race*) coureur *m* de tête; **~ship** *n* direction *f*; (*quality*) qualités *fpl* de chef

lead-free ['led'friː] *adj* (*petrol*) sans plomb

leading ['liːdɪŋ] *adj* principal(e); de premier plan; (*in race*) de tête; **~ lady** *n* (*THEATRE*) vedette (féminine); **~ light** *n* (*person*) vedette *f*, sommité *f*; **~ man** (*irreg*) *n* vedette (masculine)

lead singer [liːd-] *n* (*in pop group*) (chanteur *m*) vedette *f*

leaf [liːf] (*pl* **leaves**) *n* feuille *f* ◆ *vi*: **to ~ through** feuilleter; **to turn over a new ~** changer de conduite *or* d'existence

leaflet ['liːflɪt] *n* prospectus *m*, brochure *f*; (*POL, REL*) tract *m*

league [liːg] *n* ligue *f*; (*FOOTBALL*) championnat *m*; **to be in ~ with** avoir partie liée avec, être de mèche avec

leak [liːk] *n* fuite *f* ◆ *vi* (*pipe, liquid etc*) fuir; (*shoes*) prendre l'eau; (*ship*) faire eau ◆ *vt* (*information*) divulguer

lean [liːn] (*pt, pp* **leaned** *or* **leant**) *adj* maigre ◆ *vt*: **to ~ sth on sth** appuyer qch sur qch ◆ *vi* (*slope*) pencher; (*rest*): **to ~ against** s'appuyer contre; être appuyé(e) contre; **to ~ on** s'appuyer sur; **to ~ back/forward** se pencher en arrière/avant; **~ out** *vi* se pencher au dehors; **~ over** *vi* se pencher; **~ing** *n*: **~ing (towards)** tendance *f* (à), penchant *m* (pour)

leap [liːp] (*pt, pp* **leaped** *or* **leapt**) *n* bond *m*, saut *m* ◆ *vi* bondir, sauter; **~frog** *n* saute-mouton *m*; **~ year** *n* année *f* bissextile

learn [lɜːn] (*pt, pp* **~ed** *or* **learnt**) *vt, vi* apprendre; **to ~ to do sth** apprendre à faire qch; **to ~ about** *or* **of sth** (*hear, read*) apprendre qch; **~ed** ['lɜːnɪd] *adj* érudit(e), savant(e); **~er** (*BRIT*) *n* (*also*: **~er driver**) (conducteur(trice)) débutant(e); **~ing** *n* (*knowledge*) savoir *m*

lease [liːs] *n* bail *m* ◆ *vt* louer à bail

leash [liːʃ] *n* laisse *f*

least [liːst] *adj*: **the ~** (*+noun*) le(la) plus petit(e), le(la) moindre; (: *smallest amount of*) le moins de ◆ *adv* (*+verb*) le moins; (*+adj*): **the ~** le(la) moins; **at ~** au moins; (*or rather*) du moins; **not in the ~** pas le moins du monde

leather ['leðə*] *n* cuir *m*

leave [liːv] (*pt, pp* **left**) *vt* laisser; (*go away from*) quitter; (*forget*) oublier ◆ *vi* partir, s'en aller ◆ *n* (*time off*) congé *m*; (*MIL also: consent*) permission *f*; **to be left** rester; **there's some milk left over** il reste du lait; **on ~** en permission; **~ behind** *vt* (*person, object*) laisser; (*forget*) oublier; **~ out** *vt* oublier, omettre; **~ of absence** *n* congé exceptionnel; (*MIL*) permission spéciale

leaves [liːvz] *npl of* **leaf**

Lebanon ['lebənən] *n* Liban *m*

lecherous ['letʃərəs] (*pej*) *adj* lubrique

lecture ['lektʃə*] *n* conférence *f*; (*SCOL*) cours *m* ◆ *vi* donner des cours; enseigner ◆ *vt* (*scold*) sermonner, réprimander; **to give a ~ on** faire une conférence sur; donner un cours sur; **~r** ['lektʃərə*] (*BRIT*) *n* (*at university*) professeur *m* (d'université)

led [led] *pt, pp of* **lead**

ledge [ledʒ] *n* (*of window, on wall*) rebord *m*; (*of mountain*) saillie *f*, corniche *f*

ledger ['ledʒə*] *n* (*COMM*) registre *m*, grand livre

leech [liːtʃ] *n* (*also fig*) sangsue *f*

leek [liːk] *n* poireau *m*

leer [lɪə*] *vi*: **to ~ at sb** regarder qn d'un air mauvais *or* concupiscent

leeway ['liːweɪ] *n* (*fig*): **to have some ~** avoir une certaine liberté d'action

left [left] *pt, pp of* **leave** ◆ *adj* (*not right*) gauche ◆ *n* gauche *f* ◆ *adv* à gauche; **on the ~, to the ~** à gauche; **the L~** (*POL*) la gauche; **~-handed** *adj* gaucher(ère); **~-hand side** *n* gauche *f*, côté *m* gauche; **~-luggage (office)** (*BRIT*) *n* consigne *f*; **~overs** *npl* restes *mpl*; **~-wing** *adj* (*POL*) de gauche

leg [leg] *n* jambe *f*; (*of animal*) patte *f*; (*of furniture*) pied *m*; (*CULIN: of chicken, pork*) cuisse *f*; (: *of lamb*) gigot *m*; (*of journey*) étape *f*; **1st/2nd ~** (*SPORT*) match *m* aller/retour

legacy ['legəsɪ] *n* héritage *m*, legs *m*

legal ['liːgəl] *adj* légal(e); **~ holiday** (*US*) *n*

jour férié; ~ **tender** *n* monnaie légale
legend ['ledʒənd] *n* légende *f*
legible ['ledʒəbl] *adj* lisible
legislation [ledʒɪs'leɪʃən] *n* législation *f*; **legislature** ['ledʒɪsleɪtʃə*] *n* (corps) *m* législatif
legitimate [lɪ'dʒɪtɪmət] *adj* légitime
leg-room ['legrum] *n* place *f* pour les jambes
leisure ['leʒə*] *n* loisir *m*, temps *m* libre; loisirs *mpl*; **at** ~ (tout) à loisir; à tête reposée; ~ **centre** *n* centre *m* de loisirs; **~ly** *adj* tranquille; fait(e) sans se presser
lemon ['lemən] *n* citron *m*; **~ade** *n* limonade *f*; ~ **tea** *n* thé *m* au citron
lend [lend] (*pt, pp* **lent**) *vt*: **to ~ sth (to sb)** prêter qch (à qn)
length [leŋθ] *n* longueur *f*; (*section: of road, pipe etc*) morceau *m*, bout *m*; (*of time*) durée *f*; **at** ~ (*at last*) enfin, à la fin; (*lengthily*) longuement; **~en** *vt* allonger, prolonger ◆ *vi* s'allonger; **~ways** *adv* dans le sens de la longueur, en long; **~y** *adj* (très) long(longue)
lenient ['li:nɪənt] *adj* indulgent(e), clément(e)
lens [lenz] *n* lentille *f*; (*of spectacles*) verre *m*; (*of camera*) objectif *m*
Lent [lent] *n* Carême *m*
lent [lent] *pt, pp of* **lend**
lentil ['lentl] *n* lentille *f*
Leo ['li:əu] *n* le Lion
leotard ['li:ətɑ:d] *n* maillot *m* (*de danseur etc*), collant *m*
leprosy ['leprəsɪ] *n* lèpre *f*
lesbian ['lezbɪən] *n* lesbienne *f*
less [les] *adj* moins de ◆ *pron, adv* moins ◆ *prep* moins; ~ **than that/you** moins que cela/vous; ~ **than half** moins de la moitié; ~ **than ever** moins que jamais; ~ **and** ~ de moins en moins; **the** ~ **he works ...** moins il travaille ...
lessen ['lesn] *vi* diminuer, s'atténuer ◆ *vt* diminuer, réduire, atténuer
lesser ['lesə*] *adj* moindre; **to a** ~ **extent** à un degré moindre
lesson ['lesn] *n* leçon *f*; **to teach sb a** ~ (*fig*) donner une bonne leçon à qn
lest [lest] *conj* de peur que *+sub*
let [let] (*pt, pp* **let**) *vt* laisser; (*BRIT: lease*) louer; **to ~ sb do sth** laisser qn faire qch; **to ~ sb know sth** faire savoir qch à qn, prévenir qn de qch; **~'s go** allons-y; ~ **him come** qu'il vienne; **"to ~"** "à louer"; ~ **down** *vt* (*tyre*) dégonfler; (*person*) décevoir, faire faux bond à; ~ **go** *vi* lâcher prise ◆ *vt* lâcher; ~ **in** *vt* laisser entrer; (*visitor etc*) faire entrer; ~ **off** *vt* (*culprit*) ne pas punir; (*firework etc*) faire partir; ~ **on** (*inf*) *vi* dire; ~ **out** *vt* laisser sortir; (*scream*) laisser échapper; ~ **up** *vi* diminuer; (*cease*) s'arrêter
lethal ['li:θəl] *adj* mortel(le), fatal(e)
letter ['letə*] *n* lettre *f*; ~ **bomb** *n* lettre piégée; **~box** (*BRIT*) *n* boîte *f* aux *or* à lettres; **~ing** *n* lettres *fpl*; caractères *mpl*
lettuce ['letɪs] *n* laitue *f*, salade *f*
let-up ['letʌp] *n* répit *m*, arrêt *m*
leukaemia [lu:'ki:mɪə] (*US* **leukemia**) *n* leucémie *f*
level ['levl] *adj* plat(e), plan(e), uni(e); horizontal(e) ◆ *n* niveau *m* ◆ *vt* niveler, aplanir; **to be ~ with** être au même niveau que; **to draw ~ with** (*person, vehicle*) arriver à la hauteur de; **"A" ~s** (*BRIT*) ≈ baccalauréat *m*; **"O" ~s** (*BRIT*) ≈ B.E.P.C.; **on the** ~ (*fig: honest*) régulier(ère); ~ **off** *vi* (*prices etc*) se stabiliser; ~ **out** *vi* = **level off**; ~ **crossing** (*BRIT*) *n* passage *m* à niveau; **~-headed** *adj* équilibré(e)
lever ['li:və*] *n* levier *m*; **~age** *n*: **~age (on** *or* **with)** prise *f* (sur)
levity ['levɪtɪ] *n* légèreté *f*
levy ['levɪ] *n* taxe *f*, impôt *m* ◆ *vt* prélever, imposer; percevoir
lewd [lu:d] *adj* obscène, lubrique
liability [laɪə'bɪlɪtɪ] *n* responsabilité *f*; (*handicap*) handicap *m*; **liabilities** *npl* (*on balance sheet*) passif *m*
liable ['laɪəbl] *adj* (*subject*): ~ **to** sujet(te) à; passible de; (*responsible*): ~ **(for)** responsable (de); (*likely*): ~ **to do** susceptible de faire
liaise [lɪ'eɪz] *vi*: **to ~ with** assurer la liaison avec; **liaison** [li:'eɪzɒn] *n* liaison *f*
liar ['laɪə*] *n* menteur(euse)
libel ['laɪbəl] *n* diffamation *f*; (*document*) écrit *m* diffamatoire ◆ *vt* diffamer
liberal ['lɪbərəl] *adj* libéral(e); (*generous*): ~ **with** prodigue de, généreux(euse) avec; **the L~ Democrats** (*BRIT*) le parti libéral-démocrate
liberation [lɪbə'reɪʃən] *n* libération *f*
liberty ['lɪbətɪ] *n* liberté *f*; **to be at ~ to do** être libre de faire
Libra ['li:brə] *n* la Balance
librarian [laɪ'brɛərɪən] *n* bibliothécaire *m/f*
library ['laɪbrərɪ] *n* bibliothèque *f*
libretto [lɪ'bretəu] *n* livret *m*
Libya ['lɪbɪə] *n* Libye *f*
lice [laɪs] *npl of* **louse**
licence ['laɪsəns] (*US* **license**) *n* autorisation *f*, permis *m*; (*RADIO, TV*) redevance *f*; **driving ~,** (*US*) **driver's license** permis *m* (de conduire); ~ **number** *n* numéro *m* d'immatriculation; ~ **plate** *n* plaque *f* minéralogique
license ['laɪsəns] *n* (*US*) = **licence** ◆ *vt* donner une licence à; **~d** *adj* (*car*) muni(e) de la vignette; (*to sell alcohol*) patenté(e) pour la vente des spiritueux, qui a une licence de débit de boissons
lick [lɪk] *vt* lécher; (*inf: defeat*) écraser; **to ~ one's lips** (*fig*) se frotter les mains
licorice ['lɪkərɪs] (*US*) *n* = **liquorice**
lid [lɪd] *n* couvercle *m*; (*eye~*) paupière *f*
lie [laɪ] (*pt* **lay**, *pp* **lain**) *vi* (*rest*) être étendu(e) *or* allongé(e) *or* couché(e); (*in grave*) être enterré(e), reposer; (*be situated*) se trouver, être; (*be untruthful: pt, pp* **lied**) mentir ◆ *n* mensonge *m*; **to ~ low** (*fig*) se cacher; ~ **about** *vi* traîner; ~ **around** *vi* = **lie about**; **~-down** (*BRIT*) *n*: **to have a ~-down** s'allonger, se reposer; **~-in** (*BRIT*) *n*: **to have a ~-in** faire la grasse matinée
lieutenant [lef'tenənt, (*US*) lu:tenənt] *n* lieutenant *m*
life [laɪf] (*pl* **lives**) *n* vie *f*; **to come to ~** (*fig*) s'animer; ~ **assurance** (*BRIT*) *n* = **life insurance**; **~belt** (*BRIT*) *n* bouée *f* de sauvetage; **~boat** *n* canot *m or* chaloupe *f* de sauvetage; **~buoy** *n* bouée *f* de sauvetage; **~guard** *n* surveillant *m* de baignade; ~ **insurance** *n* assurance-vie *f*; ~ **jacket** *n* gilet *m or* ceinture *f* de sauvetage; **~less** *adj* sans vie, inanimé(e); (*dull*) qui manque de vie *or* de vigueur; **~like** *adj* qui semble vrai(e) *or* vivant(e); (*painting*) réaliste; **~line** *n*: **it was his ~line** ça l'a sauvé; **~long** *adj* de toute une vie, de toujours; ~ **preserver** (*US*) *n* = **lifebelt** *or* **life jacket**; ~ **sentence** *n* condamnation *f* à perpétuité; **~-size(d)** *adj* grandeur nature *inv*; ~ **span** *n* (durée *f* de) vie *f*; ~ **style** *n* style *m or* mode *m* de vie; **~-support system** *n* (*MED*) respirateur artificiel; **~time** *n* vie *f*; **in his ~time** de son vivant
lift [lɪft] *vt* soulever, lever; (*end*) supprimer, lever ◆ *vi* (*fog*) se lever ◆ *n* (*BRIT: elevator*) ascenseur *m*; **to give sb a ~** (*: AUT*) emmener *or* prendre qn en voiture; **~-off** *n* décollage *m*
light [laɪt] (*pt, pp* **lit**) *n* lumière *f*; (*lamp*) lampe *f*; (*AUT: rear ~*) feu *m*; (*: head~*) phare *m*; (*for cigarette etc*): **have you got a ~?** avez-vous du feu? ◆ *vt* (*candle, cigarette, fire*) allumer; (*room*) éclairer ◆ *adj* (*room, colour*) clair(e); (*not heavy*) léger(ère); (*not strenuous*) peu fatigant(e); **~s** *npl* (*AUT: traffic ~s*) feux *mpl*; **to come to** ~ être dévoilé(e) *or* découvert(e); ~ **up** *vi* (*face*) s'éclairer ◆ *vt* (*illuminate*) éclairer, illuminer; ~ **bulb** *n* ampoule *f*; **~en** *vt* (*make less heavy*) alléger; **~er** *n* (*also: cigarette ~er*) briquet *m*; **~-headed** *adj* étourdi(e); (*excited*) grisé(e); **~-hearted** *adj* gai(e), joyeux(euse), enjoué(e); **~house** *n* phare *m*; **~ing** *n* (*on road*) éclairage *m*; (*in theatre*) éclairages; **~ly** *adv* légèrement; **to get off ~ly** s'en tirer à bon compte; **~ness** *n* (*in weight*) légèreté *f*
lightning ['laɪtnɪŋ] *n* éclair *m*, foudre *f*; ~ **conductor** *n* paratonnerre *m*; ~ **rod** (*US*) *n* = **lightning conductor**
light pen *n* crayon *m* optique
lightweight ['laɪtweɪt] *adj* (*suit*) léger(ère) ◆ *n* (*BOXING*) poids léger
like [laɪk] *vt* aimer (bien) ◆ *prep* comme ◆ *adj* semblable, pareil(le) ◆ *n*: **and the ~** et d'autres du même genre; **his ~s and dislikes** ses goûts *mpl or* préférences *fpl*; **I would ~, I'd ~** je voudrais, j'aimerais; **would you ~ a coffee?** voulez-vous du café?; **to be/look ~ sb/sth** ressembler à qn/qch; **what does it look ~?** de quoi est-ce que ça a l'air?; **what does it taste ~?** quel goût est-ce que ça a?; **that's just ~ him** c'est bien de lui, ça lui ressemble; **do it ~ this** fais-le comme ceci; **it's nothing ~ ...** ce n'est pas du tout comme ...; **~able** *adj* sympathique, agréable
likelihood ['laɪklɪhud] *n* probabilité *f*
likely ['laɪklɪ] *adj* probable; plausible; **he's ~ to leave** il va sûrement partir, il risque fort de partir; **not ~!** (*inf*) pas de danger!
likeness ['laɪknɪs] *n* ressemblance *f*; **that's a good ~** c'est très ressemblant
likewise ['laɪkwaɪz] *adv* de même, pareillement
liking ['laɪkɪŋ] *n* (*for person*) affection *f*; (*for thing*) penchant *m*, goût *m*
lilac ['laɪlək] *n* lilas *m*
lily ['lɪlɪ] *n* lis *m*; ~ **of the valley** *n* muguet *m*
limb [lɪm] *n* membre *m*
limber up ['lɪmbə*-] *vi* se dégourdir, faire des exercices d'assouplissement
limbo ['lɪmbəu] *n*: **to be in ~** (*fig*) être tombé(e) dans l'oubli
lime [laɪm] *n* (*tree*) tilleul *m*; (*fruit*) lime *f*, citron vert; (*GEO*) chaux *f*
limelight ['laɪmlaɪt] *n*: **in the** ~ (*fig*) en vedette, au premier plan
limerick ['lɪmərɪk] *n* poème *m* humoristique (de 5 vers)
limestone ['laɪmstəun] *n* pierre *f* à chaux; (*GEO*) calcaire *m*
limit ['lɪmɪt] *n* limite *f* ◆ *vt* limiter; **~ed** *adj* limité(e), restreint(e); **to be ~ed to** se limiter à, ne concerner que; **~ed (liability) company** (*BRIT*) *n* ≈ société *f* anonyme
limp [lɪmp] *n*: **to have a ~** boiter ◆ *vi* boiter ◆ *adj* mou(molle)
limpet ['lɪmpɪt] *n* patelle *f*
line [laɪn] *n* ligne *f*; (*stroke*) trait *m*; (*wrinkle*) ride *f*; (*rope*) corde *f*; (*wire*) fil *m*; (*of poem*) vers *m*; (*row, series*) rangée *f*; (*of people*) file *f*, queue *f*; (*railway track*) voie *f*; (*COMM: series of goods*) article(s) *m(pl)*; (*work*) métier *m*, type *m* d'activité; (*attitude, policy*) position *f* ◆ *vt*: **to ~ (with)** (*clothes*) doubler (de); (*box*) garnir *or* tapisser (de); (*subj: trees, crowd*) border; **in a ~** aligné(e); **in his ~ of business** dans sa partie, dans son rayon; **in ~ with** en accord avec; ~ **up** *vi* s'aligner, se mettre en rang(s) ◆ *vt* aligner; (*event*) prévoir, préparer
lined [laɪnd] *adj* (*face*) ridé(e), marqué(e); (*paper*) réglé(e)
linen ['lɪnɪn] *n* linge *m* (de maison); (*cloth*) lin *m*
liner ['laɪnə*] *n* paquebot *m* (de ligne); (*for bin*) sac *m* à poubelle
linesman ['laɪnzmən] (*irreg*) *n* juge *m* de touche; (*TENNIS*) juge *m* de ligne
line-up ['laɪnʌp] *n* (*US: queue*) file *f*; (*SPORT*) (composition *f* de l')équipe *f*
linger ['lɪŋgə*] *vi* s'attarder; traîner; (*smell, tradition*) persister
lingo ['lɪŋgəu] (*inf: pl* **~es**) *n pej* jargon *m*
linguist ['lɪŋgwɪst] *n*: **to be a good ~** être doué(e) par les langues
linguistics [lɪŋ'gwɪstɪks] *n* linguistique *f*
lining ['laɪnɪŋ] *n* doublure *f*
link [lɪŋk] *n* lien *m*, rapport *m*; (*of a chain*) maillon *m* ◆ *vt* relier, lier, unir; **~s** *npl* (*GOLF*) (terrain *m* de) golf *m*; ~ **up** *vt* relier ◆ *vi* se rejoindre; s'associer
lino ['laɪnəu] *n* = **linoleum**
linoleum [lɪ'nəulɪəm] *n* linoléum *m*
lion ['laɪən] *n* lion *m*; **~ess** *n* lionne *f*
lip [lɪp] *n* lèvre *f*; **~-read** *vi* lire sur les lèvres; ~ **salve** *n* pommade *f* rosat *or* pour les lèvres; ~ **service** *n*: **to pay ~ service to sth** ne reconnaître le mérite de qch que pour la forme; **~stick** *n* rouge *m* à lèvres
liqueur [lɪ'kjuə*] *n* liqueur *f*
liquid ['lɪkwɪd] *adj* liquide ◆ *n* liquide *m*; **~ize** ['lɪkwɪdaɪz] *vt* (*CULIN*) passer au mixer; **~izer** *n* mixer *m*
liquor ['lɪkə*] (*US*) *n* spiritueux *m*, alcool *m*
liquorice ['lɪkərɪs] (*BRIT*) *n* réglisse *f*
liquor store (*US*) *n* magasin *m* de vins et spiritueux
lisp [lɪsp] *vi* zézayer
list [lɪst] *n* liste *f* ◆ *vt* (*write down*) faire une *or* la liste de; (*mention*) énumérer; **~ed building** (*BRIT*) *n* monument classé
listen ['lɪsn] *vi* écouter; **to ~ to** écouter; **~er** *n* auditeur(trice)
listless ['lɪstləs] *adj* indolent(e), apathique
lit [lɪt] *pt, pp of* **light**
liter ['li:tə*] (*US*) *n* = **litre**
literacy ['lɪtərəsɪ] *n* degré *m* d'alphabétisation, fait *m* de savoir lire et écrire
literal ['lɪtərəl] *adj* littéral(e); **~ly** *adv* littéralement; (*really*) réellement
literary ['lɪtərərɪ] *adj* littéraire
literate ['lɪtərət] *adj* qui sait lire et écrire, instruit(e)
literature ['lɪtrətʃə*] *n* littérature *f*; (*brochures etc*) documentation *f*
lithe [laɪð] *adj* agile, souple
litigation [lɪtɪ'geɪʃən] *n* litige *m*; contentieux *m*
litre ['li:tə*] (*US* **liter**) *n* litre *m*
litter ['lɪtə*] *n* (*rubbish*) détritus *mpl*, ordures *fpl*; (*young animals*) portée *f*; ~ **bin** (*BRIT*) *n* boîte *f* à ordures, poubelle *f*; **~ed** *adj*: **~ed with** jonché(e) de, couvert(e) de
little ['lɪtl] *adj* (*small*) petit(e) ◆ *adv* peu; ~ **milk/time** peu de lait/temps; **a ~** un peu (de); **a ~ bit** un peu; ~ **by** ~ petit à petit, peu à peu
live[1] [laɪv] *adj* (*animal*) vivant(e), en vie; (*wire*) sous tension; (*bullet, bomb*) non explosé(e); (*broadcast*) en direct; (*performance*) en public
live[2] [lɪv] *vi* vivre; (*reside*) vivre, habiter; ~ **down** *vt* faire oublier (avec le temps); ~ **on** *vt fus* (*food, salary*) vivre de; ~ **together** *vi* vivre ensemble, cohabiter; ~ **up to** *vt fus* se montrer à la hauteur de
livelihood ['laɪvlɪhud] *n* moyens *mpl* d'existence
lively ['laɪvlɪ] *adj* vif(vive), plein(e) d'entrain; (*place, book*) vivant(e)
liven up ['laɪvn-] *vt* animer ◆ *vi* s'animer
liver ['lɪvə*] *n* foie *m*
lives [laɪvz] *npl of* **life**
livestock ['laɪvstɒk] *n* bétail *m*, cheptel *m*
livid ['lɪvɪd] *adj* livide, blafard(e); (*inf: furious*) furieux(euse), furibond(e)
living ['lɪvɪŋ] *adj* vivant(e), en vie ◆ *n*: **to earn** *or* **make a ~** gagner sa vie; ~ **conditions** *npl* conditions *fpl* de vie; ~ **room** *n* salle *f* de séjour; ~ **standards** *npl* niveau *m* de vie; ~ **wage** *n* salaire *m* permettant de vivre (décemment)
lizard ['lɪzəd] *n* lézard *m*
load [ləud] *n* (*weight*) poids *m*; (*thing carried*) chargement *m*, charge *f* ◆ *vt* (*also: ~ up*): **to ~ (with)** charger (de); (*gun, camera*) charger (avec); (*COMPUT*) charger; **a ~ of, ~s of** (*fig*) un *or* des tas de, des masses de; **to talk a ~ of rubbish** dire des bêtises; **~ed** *adj* (*question*) insidieux(euse); (*inf: rich*) bourré(e) de fric
loaf [ləuf] (*pl* **loaves**) *n* pain *m*, miche *f*
loan [ləun] *n* prêt *m* ◆ *vt* prêter; **on ~** prêté(e), en prêt
loath [ləuθ] *adj*: **to be ~ to do** répugner à faire
loathe [ləuð] *vt* détester, avoir en horreur
loaves [ləuvz] *npl of* **loaf**
lobby ['lɒbɪ] *n* hall *m*, entrée *f*; (*POL*) groupe *m* de pression, lobby *m* ◆ *vt* faire pression sur
lobster ['lɒbstə*] *n* homard *m*
local ['ləukəl] *adj* local(e) ◆ *n* (*pub*) pub *m or* café *m* du coin; **the ~s** *npl* (*inhabitants*) les gens *mpl* du pays *or* du coin; ~ **anaesthetic** *n* anesthésie locale; ~ **call** *n* communication urbaine; ~ **government** *n* administration locale *or* municipale; **~ity** [ləu'kælɪtɪ] *n* région *f*, environs *mpl*; (*position*) lieu *m*
locate [ləu'keɪt] *vt* (*find*) trouver, repérer; (*situate*): **to be ~d in** être situé(e) à *or* en
location [ləu'keɪʃən] *n* emplacement *m*; **on ~** (*CINEMA*) en extérieur
loch [lɒx] *n* lac *m*, loch *m*
lock [lɒk] *n* (*of door, box*) serrure *f*; (*of canal*) écluse *f*; (*of hair*) mèche *f*, boucle *f* ◆ *vt* (*with key*) fermer à clé ◆ *vi* (*door etc*) fermer à clé; (*wheels*) se bloquer; ~ **in** *vt* enfermer; ~ **out** *vt* enfermer dehors; (*deliberately*) mettre à la porte; ~ **up** *vt* (*person*) enfermer; (*house*) fermer à clé ◆ *vi* tout fermer (à clé)
locker ['lɒkə*] *n* casier *m*; (*in station*) consigne *f* automatique
locket ['lɒkɪt] *n* médaillon *m*
locksmith ['lɒksmɪθ] *n* serrurier *m*
lockup ['lɒkʌp] *n* (*prison*) prison *f*
locum ['ləukəm] *n* (*MED*) suppléant(e) (de médecin)
lodge [lɒdʒ] *n* pavillon *m* (de gardien); (*hunting ~*) pavillon de chasse ◆ *vi* (*person*): **to ~ (with)** être logé(e) (chez), être en pension (chez); (*bullet*) se loger ◆ *vt*: **to ~ a complaint** porter plainte; **~r** *n* locataire *m/f*; (*with meals*) pensionnaire *m/f*; **lodgings** ['lɒdʒɪŋz] *npl* chambre *f*; meublé *m*
loft [lɒft] *n* grenier *m*
lofty ['lɒftɪ] *adj* (*noble*) noble, élevé(e); (*haughty*) hautain(e)
log [lɒg] *n* (*of wood*) bûche *f*; (*book*) = **logbook** ◆ *vt* (*record*) noter
logbook ['lɒgbuk] *n* (*NAUT*) livre *m or* journal *m* de bord; (*AVIAT*) carnet *m* de vol; (*of car*) ≈ carte grise
loggerheads ['lɒgəhedz] *npl*: **at ~ (with)** à couteaux tirés (avec)
logic ['lɒdʒɪk] *n* logique *f*; **~al** *adj* logique
loin [lɔɪn] *n* (*CULIN*) filet *m*, longe *f*
loiter ['lɔɪtə*] *vi* traîner
loll [lɒl] *vi* (*also: ~ about*) se prélasser, fainéanter
lollipop ['lɒlɪpɒp] *n* sucette *f*; ~ **man/lady** (*BRIT: irreg*) *n contractuel(le) qui fait traverser la rue aux enfants*
London ['lʌndən] *n* Londres *m*; **~er** *n* Londonien(ne)
lone [ləun] *adj* solitaire
loneliness ['ləunlɪnəs] *n* solitude *f*, isolement *m*; **lonely** ['ləunlɪ] *adj* seul(e); solitaire, isolé(e)
long [lɒŋ] *adj* long(longue) ◆ *adv* longtemps ◆ *vi*: **to ~ for sth** avoir très envie de qch; attendre qch avec impatience; **so** *or* **as ~ as** pourvu que; **don't be ~!** dépêchez-vous!; **how ~ is this river/course?** quelle est la longueur de ce fleuve/la durée de ce cours?; **6 metres ~** (long) de 6 mètres; **6 months ~** qui dure 6 mois, de 6 mois; **all night ~** toute la nuit; **he no ~er comes** il ne vient plus; ~ **before/after** longtemps avant/après; **before ~** (*+future*) avant peu, dans peu de temps; (*+past*) peu (de temps) après; **at ~ last** enfin; **~-distance** *adj* (*call*) interurbain(e); **~hand** *n* écriture normale *or* courante; **~ing** *n* désir *m*, envie *f*, nostalgie *f*
longitude ['lɒŋgɪtju:d] *n* longitude *f*
long: ~ **jump** *n* saut *m* en longueur; **~-life** *adj* longue durée *inv*; (*milk*) upérisé(e); **~-lost** *adj* (*person*) perdu(e) de

vue depuis longtemps; **~-playing record** *n* (disque *m*) 33 tours *inv*; **~-range** *adj* à longue portée; **~-sighted** *adj* (*MED*) presbyte; **~-standing** *adj* de longue date; **~-suffering** *adj* empreint(e) d'une patience résignée; extrêmement patient(e); **~-term** *adj* à long terme; **~ wave** *n* grandes ondes; **~-winded** *adj* intarissable, interminable

loo [lu:] (*BRIT: inf*) *n* W.-C. *mpl*, petit coin

look [luk] *vi* regarder; (*seem*) sembler, paraître, avoir l'air; (*building etc*): **to ~ south/(out) onto the sea** donner au sud/ sur la mer ◆ *n* regard *m*; (*appearance*) air *m*, allure *f*, aspect *m*; **~s** *npl* (*good ~s*) physique *m*, beauté *f*; **to have a ~** regarder; **~!** regardez!; **~ (here)!** (*annoyance*) écoutez!; **~ after** *vt fus* (*care for, deal with*) s'occuper de; **~ at** *vt fus*, regarder (*problem etc*) examiner; **~ back** *vi*: **to ~ back on** (*event etc*) évoquer, repenser à; **~ down on** *vt fus* (*fig*) regarder de haut, dédaigner; **~ for** *vt fus* chercher; **~ forward to** *vt fus* attendre avec impatience; **we ~ forward to hearing from you** (*in letter*) dans l'attente de vous lire; **~ into** *vt fus* examiner, étudier; **~ on** *vi* regarder (en spectateur); **~ out** *vi* (*beware*): **to ~ out (for)** prendre garde (à), faire attention (à); **~ out for** *vt fus* être à la recherche de; guetter; **~ round** *vi* regarder derrière soi, se retourner; **~ to** *vt fus* (*rely on*) compter sur; **~ up** *vi* lever les yeux; (*improve*) s'améliorer ◆ *vt* (*word, name*) chercher; **~ up to** *vt fus* avoir du respect pour; **~out** *n* poste *m* de guet; (*person*) guetteur *m*; **to be on the ~out (for)** guetter

loom [lu:m] *vi* (*also: ~ up*) surgir; (*approach: event etc*) être imminent(e); (*threaten*) menacer ◆ *n* (*for weaving*) métier *m* à tisser

loony ['lu:nɪ] (*inf*) *adj, n* timbré(e), cinglé(e)

loop [lu:p] *n* boucle *f*; **~hole** *n* (*fig*) porte *f* de sortie; échappatoire *f*

loose [lu:s] *adj* (*knot, screw*) desserré(e); (*clothes*) ample, lâche; (*hair*) dénoué(e), épars(e); (*not firmly fixed*) pas solide; (*morals, discipline*) relâché(e) ◆ *n*: **on the ~** en liberté; **~ change** *n* petite monnaie; **~ chippings** *npl* (*on road*) gravillons *mpl*; **~ end** *n*: **to be at a ~ end** *or* (*US*) **at ~ ends** ne pas trop savoir quoi faire; **~ly** *adv* sans serrer; (*imprecisely*) approximativement; **~n** *vt* desserrer

loot [lu:t] *n* (*inf: money*) pognon *m*, fric *m* ◆ *vt* piller

lopsided ['lɒp'saɪdɪd] *adj* de travers, asymétrique

lord [lɔ:d] *n* seigneur *m*; **L~ Smith** lord Smith; **the L~** le Seigneur; **good L~!** mon Dieu!; **the (House of) L~s** (*BRIT*) la Chambre des lords; **my L~** = **your lordship**; **L~ship** *n*: **your L~ship** Monsieur le comte (*or* le baron *or* le juge); (*to bishop*) Monseigneur

lore [lɔ:*] *n* tradition(s) *f(pl)*

lorry ['lɒrɪ] (*BRIT*) *n* camion *m*; **~ driver** (*BRIT*) *n* camionneur *m*, routier *m*

lose [lu:z] (*pt, pp* **lost**) *vt, vi* perdre; **~ (time)** (*clock*) retarder; **to get lost** *vi* se perdre; **~r** *n* perdant(e)

loss [lɒs] *n* perte *f*; **to be at a ~** être perplexe *or* embarrassé(e)

lost [lɒst] *pt, pp of* **lose** ◆ *adj* perdu(e); **~ and found** (*US*), **~ property** *n* objets trouvés

lot [lɒt] *n* (*set*) lot *m*; **the ~** le tout; **a ~ (of)** beaucoup (de); **~s of** des tas de; **to draw ~s (for sth)** tirer (qch) au sort

lotion ['ləuʃən] *n* lotion *f*

lottery ['lɒtərɪ] *n* loterie *f*

loud [laud] *adj* bruyant(e), sonore; (*voice*) fort(e); (*support, condemnation*) vigoureux(euse); (*gaudy*) voyant(e), tapageur(euse) ◆ *adv* (*speak etc*) fort; **out ~** tout haut; **~-hailer** (*BRIT*) *n* porte-voix *m inv*; **~ly** *adv* fort, bruyamment; **~speaker** *n* haut-parleur *m*

lounge [laundʒ] *n* salon *m*; (*at airport*) salle *f*; (*BRIT: also:* **~ bar**) (salle de) café *m* *or* bar *m* ◆ *vi* (*also:* **~ about** *or* **around**) se prélasser, paresser; **~ suit** (*BRIT*) *n* complet *m*; (*on invitation*) "tenue de ville"

louse [laus] (*pl* **lice**) *n* pou *m*

lousy ['lauzɪ] (*inf*) *adj* infect(e), moche; **I feel ~** je suis mal fichu(e)

lout [laut] *n* rustre *m*, butor *m*

lovable ['lʌvəbl] *adj* adorable; très sympathique

love [lʌv] *n* amour *m* ◆ *vt* aimer; (*caringly, kindly*) aimer beaucoup; **"~ (from) Anne"** "affectueusement, Anne"; **I ~ chocolate** j'adore le chocolat; **to be/fall in ~ with** être/tomber amoureux(euse) de; **to make ~** faire l'amour; **"15 ~"** (*TENNIS*) "15 à rien *or* zéro"; **~ affair** *n* liaison (amoureuse); **~ life** *n* vie sentimentale

lovely ['lʌvlɪ] *adj* (très) joli(e), ravissant(e); (*delightful: person*) charmant(e); (*holiday etc*) (très) agréable

lover ['lʌvə*] *n* amant *m*; (*person in love*) amoureux(euse); (*amateur*): **a ~ of** un amateur de; un(e) amoureux(euse) de

loving ['lʌvɪŋ] *adj* affectueux(euse), tendre

low [ləu] *adj* bas(basse); (*quality*) mauvais(e), inférieur(e); (*person: depressed*) déprimé(e); (*: ill*) bas(basse), affaibli(e) ◆ *adv* bas ◆ *n* (*METEOROLOGY*) dépression *f*; **to be ~ on** être à court de; **to feel ~** se sentir déprimé(e); **to reach an all-time ~** être au plus bas; **~-alcohol** *adj* peu alcoolisé(e); **~-cut** *adj* (*dress*) décolleté(e)

lower ['ləuə*] *adj* inférieur(e) ◆ *vt* abaisser, baisser

low: ~-fat *adj* maigre; **~lands** *npl* (*GEO*) plaines *fpl*; **~ly** *adj* humble, modeste

loyalty ['lɔɪəltɪ] *n* loyauté *f*, fidélité *f*

lozenge ['lɒzɪndʒ] *n* (*MED*) pastille *f*

LP *n abbr* = **long-playing record**

L-plates ['elpleɪts] (*BRIT*) *npl* plaques *fpl* d'apprenti conducteur

Ltd *abbr* (= *limited*) ≈ S.A.

lubricant ['lu:brɪkənt] *n* lubrifiant *m*

lubricate ['lu:brɪkeɪt] *vt* lubrifier, graisser

luck [lʌk] *n* chance *f*; **bad ~** malchance *f*, malheur *m*; **bad** *or* **hard** *or* **tough ~!** pas de chance!; **good ~!** bonne chance!; **~ily** *adv* heureusement, par bonheur; **~y** *adj* (*person*) qui a de la chance; (*coincidence, event*) heureux(euse); (*object*) porte-bonheur *inv*

ludicrous ['lu:dɪkrəs] *adj* ridicule, absurde

lug [lʌg] (*inf*) *vt* traîner, tirer

luggage ['lʌgɪdʒ] *n* bagages *mpl*; **~ rack** *n* (*on car*) galerie *f*

lukewarm ['lu:kwɔ:m] *adj* tiède

lull [lʌl] *n* accalmie *f*; (*in conversation*) pause *f* ◆ *vt*: **to ~ sb to sleep** bercer qn pour qu'il s'endorme; **to be ~ed into a false sense of security** s'endormir dans une fausse sécurité

lullaby ['lʌləbaɪ] *n* berceuse *f*

lumbago [lʌm'beɪgəu] *n* lumbago *m*

lumber ['lʌmbə*] *n* (*wood*) bois *m* de charpente; (*junk*) bric-à-brac *m inv* ◆ *vt*: **to be ~ed with** (*inf*) se farcir; **~jack** *n* bûcheron *m*

luminous ['lu:mɪnəs] *adj* lumineux(euse)

lump [lʌmp] *n* morceau *m*; (*swelling*) grosseur *f* ◆ *vt*: **to ~ together** réunir, mettre en tas; **~ sum** *n* somme globale *or* forfaitaire; **~y** *adj* (*sauce*) avec des grumeaux; (*bed*) défoncé(e), peu confortable

lunar ['lu:nə*] *adj* lunaire

lunatic ['lu:nətɪk] *adj* fou(folle), cinglé(e) (*inf*)

lunch [lʌntʃ] *n* déjeuner *m*

luncheon ['lʌntʃən] *n* déjeuner *m* (chic); **~ meat** *n sorte de mortadelle*; **~ voucher** (*BRIT*) *n* chèque-repas *m*

lung [lʌŋ] *n* poumon *m*

lunge [lʌndʒ] *vi* (*also: ~ forward*) faire un mouvement brusque en avant; **to ~ at** envoyer *or* assener un coup à

lurch [lɜ:tʃ] *vi* vaciller, tituber ◆ *n* écart *m* brusque; **to leave sb in the ~** laisser qn se débrouiller *or* se dépêtrer tout(e) seul(e)

lure [ljuə*] *n* (*attraction*) attrait *m*, charme *m* ◆ *vt* attirer *or* persuader par la ruse

lurid ['ljuərɪd] *adj* affreux(euse), atroce; (*pej: colour, dress*) criard(e)

lurk [lɜ:k] *vi* se tapir, se cacher

luscious ['lʌʃəs] *adj* succulent(e); appétissant(e)

lush [lʌʃ] *adj* luxuriant(e)

lust [lʌst] *n* (*sexual*) luxure *f*; lubricité *f*; désir *m*; (*fig*): **~ for** soif *f* de; **~ after, ~ for** *vt fus* (*sexually*) convoiter, désirer; **~y** ['lʌstɪ] *adj* vigoureux(euse), robuste

Luxembourg ['lʌksəmbɜ:g] *n* Luxembourg *m*

luxurious [lʌg'zjuərɪəs] *adj* luxueux(euse); **luxury** ['lʌkʃərɪ] *n* luxe *m* ◆ *cpd* de luxe

lying ['laɪɪŋ] *n* mensonge(s) *m(pl)* ◆ *vb see* **lie**

lyrical *adj* lyrique

lyrics ['lɪrɪks] *npl* (*of song*) paroles *fpl*

M

m. *abbr* = **metre; mile; million**

M.A. *abbr* = **Master of Arts**

mac [mæk] (*BRIT*) *n* imper(méable) *m*

macaroni [mækə'rəunɪ] *n* macaroni *mpl*

machine [mə'ʃi:n] *n* machine *f* ◆ *vt* (*TECH*) façonner à la machine; (*dress etc*) coudre à la machine; **~ gun** *n* mitrailleuse *f*; **~ language** *n* (*COMPUT*) langage-machine *m*; **~ry** *n* machinerie *f*, machines *fpl*; (*fig*) mécanisme(s) *m(pl)*

mackerel ['mækrl] *n inv* maquereau *m*

mackintosh ['mækɪntɒʃ] (*BRIT*) *n* imperméable *m*

mad [mæd] *adj* fou(folle); (*foolish*) insensé(e); (*angry*) furieux(euse); (*keen*): **to be ~ about** être fou(folle) de

madam ['mædəm] *n* madame *f*

madden ['mædn] *vt* exaspérer

made [meɪd] *pt, pp of* **make**

Madeira [mə'dɪərə] *n* (*GEO*) Madère *f*; (*wine*) madère *m*

made-to-measure ['meɪdtə'meʒə*] (*BRIT*) *adj* fait(e) sur mesure

madly ['mædlɪ] *adv* follement; **~ in love** éperdument amoureux(euse)

madman ['mædmən] (*irreg*) *n* fou *m*

madness ['mædnəs] *n* folie *f*

magazine [mægə'zi:n] *n* (*PRESS*) magazine *m*, revue *f*; (*RADIO, TV: also: ~ programme*) magazine

maggot ['mægət] *n* ver *m*, asticot *m*

magic ['mædʒɪk] *n* magie *f* ◆ *adj* magique; **~al** *adj* magique; (*experience, evening*) merveilleux (euse); **~ian** [mə'dʒɪʃən] *n* magicien (ne); (*conjurer*) prestidigitateur *m*

magistrate ['mædʒɪstreɪt] *n* magistrat *m*; juge *m*

magnet ['mægnɪt] *n* aimant *m*; **~ic** [mæg'netɪk] *adj* magnétique

magnificent [mæg'nɪfɪsənt] *adj* superbe, magnifique; (*splendid: robe, building*) somptueux(euse), magnifique

magnify ['mægnɪfaɪ] *vt* grossir; (*sound*) amplifier; **~ing glass** *n* loupe *f*

magnitude ['mægnɪtju:d] *n* ampleur *f*

magpie ['mægpaɪ] *n* pie *f*

mahogany [mə'hɒgənɪ] *n* acajou *m*

maid [meɪd] *n* bonne *f*; **old ~** (*pej*) vieille fille

maiden ['meɪdn] *n* jeune fille *f* ◆ *adj* (*aunt etc*) non mariée; (*speech, voyage*) inaugural(e); **~ name** *n* nom *m* de jeune fille

mail [meɪl] *n* poste *f*; (*letters*) courrier *m* ◆ *vt* envoyer (par la poste); **~box** (*US*) *n* boîte *f* aux lettres; **~ing list** *n* liste *f* d'adresses; **~-order** *n* vente *f* or achat *m* par correspondance

maim [meɪm] *vt* mutiler

main [meɪn] *adj* principal(e) ◆ *n*: **the ~(s)** *n(pl)* (*gas, water*) conduite principale, canalisation *f*; **the ~s** *npl* (*ELEC*) le secteur; **in the ~** dans l'ensemble; **~frame** *n* (*COMPUT*) (gros) ordinateur, unité centrale; **~land** *n* continent *m*; **~ly** *adv* principalement, surtout; **~ road** *n* grand-route *f*; **~stay** *n* (*fig*) pilier *m*; **~stream** *n* courant principal

maintain [meɪn'teɪn] *vt* entretenir; (*continue*) maintenir; (*affirm*) soutenir; **maintenance** ['meɪntənəns] *n* entretien *m*; (*alimony*) pension *f* alimentaire

maize [meɪz] *n* maïs *m*

majestic [mə'dʒestɪk] *adj* majestueux(euse)

majesty ['mædʒɪstɪ] *n* majesté *f*

major ['meɪdʒə*] *n* (*MIL*) commandant *m* ◆ *adj* (*important*) important(e); (*most important*) principal(e); (*MUS*) majeur(e)

Majorca [mə'jɔ:kə] *n* Majorque *f*

majority [mə'dʒɒrɪtɪ] *n* majorité *f*

make [meɪk] (*pt, pp* **made**) *vt* faire; (*manufacture*) faire, fabriquer; (*earn*) gagner; (*cause to be*): **to ~ sb sad** *etc* rendre qn triste *etc*; (*force*): **to ~ sb do sth** obliger qn à faire qch, faire faire qch à qn; (*equal*): **2 and 2 ~ 4** 2 et 2 font 4 ◆ *n* fabrication *f*; (*brand*) marque *f*; **to ~ a fool of sb** (*ridicule*) ridiculiser qn; (*trick*) avoir *or* duper qn; **to ~ a profit** faire un *or* des bénéfice(s); **to ~ a loss** essuyer une perte; **to ~ it** (*arrive*) arriver; (*achieve sth*) parvenir à qch, réussir; **what time do you ~ it?** quelle heure avez-vous?; **to ~ do with** se contenter de; se débrouiller avec; **~ for** *vt fus* (*place*) se diriger vers; **~ out** *vt* (*write out: cheque*) faire; (*decipher*) déchiffrer; (*understand*) comprendre; (*see*) distinguer; **~ up** *vt* (*constitute*) constituer; (*invent*) inventer, imaginer; (*parcel, bed*) faire ◆ *vi* se réconcilier; (*with cosmetics*) se maquiller; **~ up for** *vt fus* compenser; **~-believe** *n*: **it's just ~-believe** (*game*) c'est pour faire semblant; (*invention*) c'est de l'invention pure; **~r** *n* fabricant *m*; **~shift** *adj* provisoire, improvisé(e); **~-up** *n* maquillage *m*; **~-up remover** *n* démaquillant *m*

making ['meɪkɪŋ] *n* (*fig*): **in the ~** en formation *or* gestation; **to have the ~s of** (*actor, athlete etc*) avoir l'étoffe de

malaria [mə'leərɪə] *n* malaria *f*

Malaysia [mə'leɪzɪə] *n* Malaisie *f*

male [meɪl] *n* (*BIO*) mâle *m* ◆ *adj* mâle; (*sex, attitude*) masculin(e); (*child etc*) du sexe masculin

malevolent [mə'levələnt] *adj* malveillant(e)

malfunction [mæl'fʌŋkʃən] *n* fonctionnement défectueux

malice ['mælɪs] *n* méchanceté *f*, malveillance *f*; **malicious** [mə'lɪʃəs] *adj* méchant(e), malveillant(e)

malign [mə'laɪn] *vt* diffamer, calomnier

malignant [mə'lɪgnənt] *adj* (*MED*) malin(igne)

mall [mɔ:l] *n* (*also: shopping ~*) centre commercial

mallet ['mælɪt] *n* maillet *m*

malpractice ['mæl'præktɪs] *n* faute professionnelle; négligence *f*

malt [mɔ:lt] *n* malt *m* ◆ *cpd* (*also: ~ whisky*) pur malt

Malta ['mɔ:ltə] *n* Malte *f*

mammal ['mæməl] *n* mammifère *m*

mammoth ['mæməθ] *n* mammouth *m* ◆ *adj* géant(e), monstre

man [mæn] (*pl* **men**) *n* homme *m* ◆ *vt* (*NAUT: ship*) garnir d'hommes; (*MIL: gun*) servir; (*: post*) être de service à; (*machine*) assurer le fonctionnement de; **an old ~** un vieillard; **~ and wife** mari et femme

manage ['mænɪdʒ] *vi* se débrouiller ◆ *vt* (*be in charge of*) s'occuper de; (*: business etc*) gérer; (*control: ship*) manier, manœuvrer; (*: person*) savoir s'y prendre avec; **to ~ to do** réussir à faire; **~able** *adj* (*task*) faisable; (*number*) raisonnable; **~ment** *n* gestion *f*, administration *f*, direction *f*; **~r** *n* directeur *m*; administrateur *m*; (*SPORT*) manager *m*; (*of artist*) impresario *m*; **~ress** [mænɪ'dʒə'rəs] *n* directrice *f*; gérante *f*; **~rial** [mænə'dʒɪərɪəl] *adj* directorial(e); (*skills*) de cadre, de gestion; **managing director** ['mænɪdʒɪŋ] *n* directeur général

mandarin ['mændərɪn] *n* (*also: ~ orange*) mandarine *f*; (*person*) mandarin *m*

mandatory ['mændətərɪ] *adj* obligatoire

mane [meɪn] *n* crinière *f*

maneuver (*US*) *vt, vi, n* = **manoeuvre**

manfully ['mænfulɪ] *adv* vaillamment

mangle ['mæŋgl] *vt* déchiqueter; mutiler

mango ['mæŋgəu] (*pl* **~es**) *n* mangue *f*

mangy ['meɪndʒɪ] *adj* galeux(euse)

manhandle ['mænhændl] *vt* malmener

man: ~hole ['mænhəul] *n* trou *m* d'homme; **~hood** ['mænhud] *n* âge *m* d'homme; virilité *f*; **~-hour** ['mæn'auə*] *n* heure *f* de main-d'œuvre; **~hunt** ['mænhʌnt] *n* (*POLICE*) chasse *f* à l'homme

mania ['meɪnɪə] *n* manie *f*; **~c** ['meɪnɪæk] *n* maniaque *m/f*; (*fig*) fou(folle) *m/f*; **manic** ['mænɪk] *adj* maniaque

manicure ['mænɪkjuə*] *n* manucure *f*; **~ set** *n* trousse *f* à ongles

manifest ['mænɪfest] *vt* manifester ◆ *adj* manifeste, évident(e); **~o** [mænɪ'festəu] *n* manifeste *m*

manipulate [mə'nɪpjuleɪt] *vt* manipuler; (*system, situation*) exploiter

man: ~kind [mæn'kaɪnd] *n* humanité *f*, genre humain; **~ly** ['mænlɪ] *adj* viril(e); **~-made** ['mæn'meɪd] *adj* artificiel(le); (*fibre*) synthétique

manner ['mænə*] *n* manière *f*, façon *f*; (*behaviour*) attitude *f*, comportement *m*; (*sort*): **all ~ of** toutes sortes de; **~s** *npl* (*behaviour*) manières; **~ism** *n* particularité *f* de langage (*or* de comportement), tic *m*

manoeuvre [mə'nu:və*] (*US* **maneuver**) *vt* (*move*) manœuvrer; (*manipulate: person*) manipuler; (*: situation*) exploiter ◆ *vi* manœuvrer ◆ *n* manœuvre *f*

manor ['mænə*] *n* (*also: ~ house*) manoir *m*

manpower ['mænpauə*] *n* main-d'œuvre *f*

mansion ['mænʃən] *n* château *m*, manoir *m*

manslaughter ['mænslɔ:tə*] *n* homicide *m* involontaire

mantelpiece ['mæntlpi:s] *n* cheminée *f*

manual ['mænjuəl] *adj* manuel(le) ◆ *n* manuel *m*

manufacture [mænju'fæktʃə*] *vt* fabriquer ◆ *n* fabrication *f*; **~r** *n* fabricant *m*

manure [mə'njuə*] *n* fumier *m*

manuscript ['mænjuskrɪpt] *n* manuscrit *m*

many ['menɪ] *adj* beaucoup de, de nombreux(euses) ◆ *pron* beaucoup, un grand nombre; **a great ~** un grand nombre (de); **~ a ...** bien des ..., plus d'un(e) ...

map [mæp] *n* carte *f*; (*of town*) plan *m*; **~ out** *vt* tracer; (*task*) planifier

maple ['meɪpl] *n* érable *m*

mar [mɑ:*] *vt* gâcher, gâter

marathon ['mærəθən] *n* marathon *m*

marble ['mɑ:bl] *n* marbre *m*; (*toy*) bille *f*

March [mɑ:tʃ] *n* mars *m*

march [mɑ:tʃ] *vi* marcher au pas; (*fig: protesters*) défiler ◆ *n* marche *f*; (*demonstration*) manifestation *f*

mare [meə*] *n* jument *f*

margarine [mɑ:dʒə'ri:n] *n* margarine *f*

margin ['mɑ:dʒɪn] *n* marge *f*; **~al (seat)** *n* (*POL*) siège disputé

marigold ['mærɪgəuld] *n* souci *m*

marijuana [mærɪ'wɑ:nə] *n* marijuana *f*

marina [mə'ri:nə] *n* (*harbour*) marina *f*

marine [mə'ri:n] *adj* marin(e) ◆ *n* fusilier marin; (*US*) marine *m*; **~ engineer** *n* ingénieur *m* en génie maritime

marital ['mærɪtl] *adj* matrimonial(e); **~ status** situation *f* de famille

marjoram ['mɑ:dʒərəm] *n* marjolaine *f*

mark [mɑ:k] *n* marque *f*; (*of skid etc*) trace *f*; (*BRIT: SCOL*) note *f*; (*currency*) mark *m*

◆ *vt* marquer; (*stain*) tacher; (*BRIT: SCOL*) noter; corriger; **to ~ time** marquer le pas; **~er** *n* (*sign*) jalon *m*; (*bookmark*) signet *m*

market ['mɑːkɪt] *n* marché *m* ◆ *vt* (*COMM*) commercialiser; **~ garden** (*BRIT*) *n* jardin maraîcher; **~ing** *n* marketing *m*; **~place** *n* place *f* du marché; (*COMM*) marché *m*; **~ research** *n* étude *f* de marché

marksman ['mɑːksmən] (*irreg*) *n* tireur *m* d'élite

marmalade ['mɑːməleɪd] *n* confiture *f* d'oranges

maroon [mə'ruːn] *vt*: **to be ~ed** être abandonné(e); (*fig*) être bloqué(e) ◆ *adj* bordeaux *inv*

marquee [mɑː'kiː] *n* chapiteau *m*

marriage ['mærɪdʒ] *n* mariage *m*; **~ bureau** *n* agence matrimoniale; **~ certificate** *n* extrait *m* d'acte de mariage

married ['mærɪd] *adj* marié(e); (*life, love*) conjugal(e)

marrow ['mærəu] *n* moelle *f*; (*vegetable*) courge *f*

marry ['mærɪ] *vt* épouser, se marier avec; (*subj: father, priest etc*) marier ◆ *vi* (*also: get married*) se marier

Mars [mɑːz] *n* (*planet*) Mars *f*

marsh [mɑːʃ] *n* marais *m*, marécage *m*

marshal ['mɑːʃəl] *n* maréchal *m*; (*US: fire, police*) ≈ capitaine *m*; (*SPORT*) membre *m* du service d'ordre ◆ *vt* rassembler

marshy ['mɑːʃɪ] *adj* marécageux(euse)

martyr ['mɑːtə*] *n* martyr(e); **~dom** *n* martyre *m*

marvel ['mɑːvəl] *n* merveille *f* ◆ *vi*: **to ~ (at)** s'émerveiller (de); **~lous** (*US* **~ous**) *adj* merveilleux(euse)

Marxist ['mɑːksɪst] *adj* marxiste ◆ *n* marxiste *m/f*

marzipan [mɑːzɪ'pæn] *n* pâte *f* d'amandes

mascara [mæs'kɑːrə] *n* mascara *m*

masculine ['mæskjulɪn] *adj* masculin(e)

mash [mæʃ] *vt* écraser, réduire en purée; **~ed potatoes** *npl* purée *f* de pommes de terre

mask [mɑːsk] *n* masque *m* ◆ *vt* masquer

mason ['meɪsn] *n* (*also: stone~*) maçon *m*; (*: free~*) franc-maçon *m*; **~ry** *n* maçonnerie *f*

masquerade [mæskə'reɪd] *vi*: **to ~ as** se faire passer pour

mass [mæs] *n* multitude *f*, masse *f*; (*PHYSICS*) masse; (*REL*) messe *f* ◆ *cpd* (*communication*) de masse; (*unemployment*) massif(ive) ◆ *vi* se masser; **the ~es** les masses; **~es of** des tas de

massacre ['mæsəkə*] *n* massacre *m*

massage ['mæsɑːʒ] *n* massage *m* ◆ *vt* masser

massive ['mæsɪv] *adj* énorme, massif(ive)

mass media *n inv* mass-media *mpl*

mass production *n* fabrication *f* en série

mast [mɑːst] *n* mât *m*; (*RADIO*) pylône *m*

master ['mɑːstə*] *n* maître *m*; (*in secondary school*) professeur *m*; (*title for boys*): **M~ X** Monsieur X ◆ *vt* maîtriser; (*learn*) apprendre à fond; **~ly** *adj* magistral(e); **~mind** *n* esprit supérieur ◆ *vt* diriger, être le cerveau de; **M~ of Arts/Science** *n* ≈ maîtrise *f* (en lettres/ sciences); **~piece** *n* chef-d'œuvre *m*; **~plan** *n* stratégie *f* d'ensemble; **~y** *n* maîtrise *f*; connaissance parfaite

mat [mæt] *n* petit tapis; (*also: door~*) paillasson *m*; (*: table~*) napperon *m* ◆ *adj* = **matt**

match [mætʃ] *n* allumette *f*; (*game*) match *m*, partie *f*; (*fig*) égal(e) ◆ *vt* (*also: ~ up*) assortir; (*go well with*) aller bien avec, s'assortir à; (*equal*) égaler, valoir ◆ *vi* être assorti(e); **to be a good ~** être bien assorti(e); **~box** *n* boîte *f* d'allumettes; **~ing** *adj* assorti(e)

mate [meɪt] *n* (*inf*) copain(copine); (*animal*) partenaire *m/f*, mâle/femelle; (*in merchant navy*) second *m* ◆ *vi* s'accoupler

material [mə'tɪərɪəl] *n* (*substance*) matière *f*, matériau *m*; (*cloth*) tissu *m*, étoffe *f*; (*information, data*) données *fpl* ◆ *adj* matériel(le); (*relevant: evidence*) pertinent(e); **~s** *npl* (*equipment*) matériaux *mpl*

maternal [mə'tɜːnl] *adj* maternel(le)

maternity [mə'tɜːnɪtɪ] *n* maternité *f*; **~ dress** *n* robe *f* de grossesse; **~ hospital** *n* maternité *f*

mathematical [mæθə'mætɪkl] *adj* mathématique; **mathematics** [mæθə'mætɪks] *n* mathématiques *fpl*

maths [mæθs] (*US* **math**) *n* math(s) *fpl*

matinée ['mætɪneɪ] *n* matinée *f*

mating call ['meɪtɪŋ-] *n* appel *m* du mâle

matrices ['meɪtrɪsiːz] *npl of* **matrix**

matriculation [mətrɪkju'leɪʃən] *n* inscription *f*

matrimonial [mætrɪ'məunɪəl] *adj* matrimonial(e), conjugal(e)

matrimony ['mætrɪmənɪ] *n* mariage *m*

matrix ['meɪtrɪks] (*pl* **matrices**) *n* matrice *f*

matron ['meɪtrən] *n* (*in hospital*) infirmière-chef *f*; (*in school*) infirmière

mat(t) [mæt] *adj* mat(e)

matted ['mætɪd] *adj* emmêlé(e)

matter ['mætə*] *n* question *f*; (*PHYSICS*) matière *f*; (*content*) contenu *m*, fond *m*; (*MED: pus*) pus *m* ◆ *vi* importer; **~s** *npl* (*affairs, situation*) la situation; **it doesn't ~** cela n'a pas d'importance; (*I don't mind*) cela ne fait rien; **what's the ~?** qu'est-ce qu'il y a?, qu'est-ce qui ne va pas?; **no ~ what** quoiqu'il arrive; **as a ~ of course** tout naturellement; **as a ~ of fact** en fait; **~-of-fact** *adj* terre à terre; (*voice*) neutre

mattress ['mætrəs] *n* matelas *m*

mature [mə'tjuə*] *adj* mûr(e); (*cheese*) fait(e); (*wine*) arrivé(e) à maturité ◆ *vi* (*person*) mûrir; (*wine, cheese*) se faire

maul [mɔːl] *vt* lacérer

mausoleum [mɔːsə'lɪəm] *n* mausolée *m*

mauve [məuv] *adj* mauve

maverick ['mævərɪk] *n* (*fig*) non-conformiste *m/f*

maximum ['mæksɪməm] (*pl* **maxima**) *adj* maximum ◆ *n* maximum *m*

May [meɪ] *n* mai *m*; **~ Day** *n* le Premier Mai; *see also* **mayday**

may [meɪ] (*conditional* **might**) *vi* (*indicating possibility*): **he ~ come** il se peut qu'il vienne; (*be allowed to*): **~ I smoke?** puis-je fumer?; (*wishes*): **~ God bless you!** (que) Dieu vous bénisse!; **you ~ as well go** à votre place, je partirais

maybe ['meɪbiː] *adv* peut-être; **~ he'll ...** peut-être qu'il ...

mayday ['meɪdeɪ] *n* SOS *m*

mayhem ['meɪhem] *n* grabuge *m*

mayonnaise [meɪə'neɪz] *n* mayonnaise *f*

mayor [mɛə*] *n* maire *m*; **~ess** *n* épouse *f* du maire

maze [meɪz] *n* labyrinthe *m*, dédale *m*

MD *n abbr* (= *Doctor of Medicine*) *titre universitaire*; = **managing director**

me [miː] *pron* me, m' +*vowel*; (*stressed, after prep*) moi; **he heard ~** il m'a entendu(e); **give ~ a book** donnez-moi un livre; **after ~** après moi

meadow ['medəu] *n* prairie *f*, pré *m*

meagre ['miːgə*] (*US* **meager**) *adj* maigre

meal [miːl] *n* repas *m*; (*flour*) farine *f*; **~time** *n* l'heure *f* du repas

mean [miːn] (*pt, pp* **meant**) *adj* (*with money*) avare, radin(e); (*unkind*) méchant(e); (*shabby*) misérable; (*average*) moyen(ne) ◆ *vt* signifier, vouloir dire; (*refer to*) faire allusion à, parler de; (*intend*): **to ~ to do** avoir l'intention de faire ◆ *n* moyenne *f*; **~s** *npl* (*way, money*) moyens *mpl*; **by ~s of** par l'intermédiaire de; au moyen de; **by all ~s!** je vous en prie!; **to be ~t for sb/sth** être destiné(e) à qn/qch; **do you ~ it?** vous êtes sérieux?; **what do you ~?** que voulez-vous dire?

meander [mɪ'ændə*] *vi* faire des méandres

meaning ['miːnɪŋ] *n* signification *f*, sens *m*; **~ful** *adj* significatif(ive); (*relationship, occasion*) important(e); **~less** *adj* dénué(e) de sens

meanness ['miːnnɪs] *n* (*with money*) avarice *f*; (*unkindness*) méchanceté *f*; (*shabbiness*) médiocrité *f*

meant [ment] *pt, pp of* **mean**

meantime ['miːn'taɪm] *adv* (*also: in the ~*) pendant ce temps

meanwhile ['miːn'waɪl] *adv* = **meantime**

measles ['miːzlz] *n* rougeole *f*

measly ['miːzlɪ] (*inf*) *adj* minable

measure ['meʒə*] *vt, vi* mesurer ◆ *n* mesure *f*; (*ruler*) règle (graduée); **~ments** *npl* mesures *fpl*; **chest/hip ~ment** tour *m* de poitrine/hanches

meat [miːt] *n* viande *f*; **~ball** *n* boulette *f* de viande

Mecca ['mekə] *n* la Mecque

mechanic [mɪ'kænɪk] *n* mécanicien *m*; **~al** *adj* mécanique; **~s** *n* (*PHYSICS*) mécanique *f* ◆ *npl* (*of reading, government etc*) mécanisme *m*

mechanism ['mekənɪzəm] *n* mécanisme *m*

medal ['medl] *n* médaille *f*; **~lion** *n* médaillon *m*; **~list** (*US* **~ist**) *n* (*SPORT*) médaillé(e)

meddle ['medl] *vi*: **to ~ in** se mêler de, s'occuper de; **to ~ with** toucher à

media ['miːdɪə] *npl* media *mpl*

mediaeval [medɪ'iːvəl] *adj* = **medieval**

median ['miːdɪən] (*US*) *n* (*also: ~ strip*) bande médiane

mediate ['miːdɪeɪt] *vi* servir d'intermédiaire

Medicaid ['medɪkeɪd] (®:*US*) *n assistance médicale aux indigents*

medical ['medɪkəl] *adj* médical(e) ◆ *n* visite médicale

Medicare ['medɪkɛə*] (®:*US*) *n assistance médicale aux personnes âgées*

medication [medɪ'keɪʃən] *n* (*drugs*) médicaments *mpl*

medicine ['medsɪn] *n* médecine *f*; (*drug*) médicament *m*

medieval [medɪ'iːvəl] *adj* médiéval(e)

mediocre [miːdɪ'əukə*] *adj* médiocre

meditate ['medɪteɪt] *vi* méditer

Mediterranean [medɪtə'reɪnɪən] *adj* méditerranéen(ne); **the ~ (Sea)** la (mer) Méditerranée

medium ['miːdɪəm] (*pl* **media**) *adj* moyen(ne) ◆ *n* (*means*) moyen *m*; (*pl mediums: person*) médium *m*; **the happy ~** le juste milieu; **~ wave** *n* ondes moyennes

medley ['medlɪ] *n* mélange *m*; (*MUS*) pot-pourri *m*

meek [miːk] *adj* doux(douce), humble

meet [miːt] (*pt, pp* **met**) *vt* rencontrer; (*by arrangement*) retrouver, rejoindre; (*for the first time*) faire la connaissance de; (*go and fetch*): **I'll ~ you at the station** j'irai te chercher à la gare; (*opponent, danger*) faire face à; (*obligations*) satisfaire à ◆ *vi* (*friends*) se rencontrer, se retrouver; (*in session*) se réunir; (*join: lines, roads*) se rejoindre; **~ with** *vt fus* rencontrer; **~ing** *n* rencontre *f*; (*session: of club etc*) réunion *f*; (*POL*) meeting *m*; **she's at a ~ing** (*COMM*) elle est en conférence

megabyte ['megəbaɪt] *n* (*COMPUT*) méga-octet *m*

megaphone ['megəfəun] *n* porte-voix *m inv*

melancholy ['melənkəlɪ] *n* mélancolie *f* ◆ *adj* mélancolique

mellow ['meləu] *adj* velouté(e); doux(douce); (*sound*) mélodieux(euse) ◆ *vi* (*person*) s'adoucir

melody ['melədɪ] *n* mélodie *f*

melon ['melən] *n* melon *m*

melt [melt] *vi* fondre ◆ *vt* faire fondre; (*metal*) fondre; **~ away** *vi* fondre complètement; **~ down** *vt* fondre; **~down** *n* fusion *f* (du cœur d'un réacteur nucléaire); **~ing pot** *n* (*fig*) creuset *m*

member ['membə*] *n* membre *m*; **M~ of Parliament** (*BRIT*) député *m*; **M~ of the European Parliament** Eurodéputé *m*; **~ship** *n* adhésion *f*; statut *m* de membre; (*members*) membres *mpl*, adhérents *mpl*; **~ship card** *n* carte *f* de membre

memento [mə'mentəu] *n* souvenir *m*

memo ['meməu] *n* note *f* (de service)

memoirs ['memwɑːz] *npl* mémoires *mpl*

memorandum [memə'rændəm] (*pl* **memoranda**) *n* note *f* (de service)

memorial [mɪ'mɔːrɪəl] *n* mémorial *m* ◆ *adj* commémoratif(ive)

memorize ['meməraɪz] *vt* apprendre par cœur; retenir

memory ['memərɪ] *n* mémoire *f*; (*recollection*) souvenir *m*

men [men] *npl of* **man**

menace ['menɪs] *n* menace *f*; (*nuisance*) plaie *f* ◆ *vt* menacer; **menacing** *adj* menaçant(e)

mend [mend] *vt* réparer; (*darn*) raccommoder, repriser ◆ *n*: **on the ~** en voie de guérison; **to ~ one's ways** s'amender; **~ing** *n* réparation *f*; (*clothes*) raccommodage *m*

menial ['miːnɪəl] *adj* subalterne

meningitis [menɪn'dʒaɪtɪs] *n* méningite *f*

menopause ['menəupɔːz] *n* ménopause *f*

menstruation [menstru'eɪʃən] *n* menstruation *f*

mental ['mentl] *adj* mental(e); **~ity** [men'tælɪtɪ] *n* mentalité *f*

mention ['menʃən] *n* mention *f* ◆ *vt* mentionner, faire mention de; **don't ~ it!** je vous en prie, il n'y a pas de quoi!

menu ['menjuː] *n* (*set ~, COMPUT*) menu *m*; (*list of dishes*) carte *f*

MEP *n abbr* = **Member of the European Parliament**

mercenary ['mɜːsɪnərɪ] *adj* intéressé(e), mercenaire ◆ *n* mercenaire *m*

merchandise ['mɜːtʃəndaɪz] *n* marchandises *fpl*

merchant ['mɜːtʃənt] *n* négociant *m*, marchand *m*; **~ bank** (*BRIT*) *n* banque *f* d'affaires; **~ navy** (*US* **~ marine**) *n* marine marchande

merciful ['mɜːsɪful] *adj* miséricordieux(euse), clément(e); **a ~ release** une délivrance

merciless ['mɜːsɪləs] *adj* impitoyable, sans pitié

mercury ['mɜːkjurɪ] *n* mercure *m*

mercy ['mɜːsɪ] *n* pitié *f*, indulgence *f*; (*REL*) miséricorde *f*; **at the ~ of** à la merci de

mere [mɪə*] *adj* simple; (*chance*) pur(e); **a ~ two hours** seulement deux heures; **~ly** *adv* simplement, purement

merge [mɜːdʒ] *vt* unir ◆ *vi* (*colours, shapes, sounds*) se mêler; (*roads*) se joindre; (*COMM*) fusionner; **~r** *n* (*COMM*) fusion *f*

meringue [mə'ræŋ] *n* meringue *f*

merit ['merɪt] *n* mérite *m*, valeur *f*

mermaid ['mɜːmeɪd] *n* sirène *f*

merry ['merɪ] *adj* gai(e); **M~ Christmas!** Joyeux Noël!; **~-go-round** *n* manège *m*

mesh [meʃ] *n* maille *f*

mesmerize ['mezməraɪz] *vt* hypnotiser; fasciner

mess [mes] *n* désordre *m*, fouillis *m*, pagaille *f*; (*muddle: of situation*) gâchis *m*; (*dirt*) saleté *f*; (*MIL*) mess *m*, cantine *f*; **~ about** (*inf*) *vi* perdre son temps; **~ about with** (*inf*) *vt fus* tripoter; **~ around** (*inf*) *vi* = **mess about**; **~ around with** *vt fus* = **mess about with**; **~ up** *vt* (*dirty*) salir; (*spoil*) gâcher

message ['mesɪdʒ] *n* message *m*

messenger ['mesɪndʒə*] *n* messager *m*

Messrs ['mesəz] *abbr* (*on letters*) MM

messy ['mesɪ] *adj* sale; en désordre

met [met] *pt, pp of* **meet**

metal ['metl] *n* métal *m*; **~lic** *adj* métallique

meteorology [miːtɪə'rɒlədʒɪ] *n* météorologie *f*

mete out [miːt-] *vt* infliger; (*justice*) rendre

meter ['miːtə*] *n* (*instrument*) compteur *m*; (*also: parking ~*) parcomètre *m*; (*US: unit*) = **metre**

method ['meθəd] *n* méthode *f*; **~ical** *adj* méthodique; **M~ist** ['meθədɪst] *n* méthodiste *m/f*

meths [meθs] (*BRIT*), **methylated spirit** ['meθɪleɪtɪd-] (*BRIT*) *n* alcool *m* à brûler

metre ['miːtə*] (*US* **meter**) *n* mètre *m*

metric ['metrɪk] *adj* métrique

metropolitan [metrə'pɒlɪtən] *adj* métropolitain(e); **the M~ Police** (*BRIT*) la police londonienne

mettle ['metl] *n*: **to be on one's ~** être d'attaque

mew [mjuː] *vi* (*cat*) miauler

mews [mjuːz] (*BRIT*) *n*: **~ cottage** *cottage aménagé dans une ancienne écurie*

Mexico ['meksɪkəu] *n* Mexique *m*

miaow [miː'au] *vi* miauler

mice [maɪs] *npl of* **mouse**

micro ['maɪkrəu] *n* (*also: ~computer*) micro-ordinateur *m*

microchip ['maɪkrəutʃɪp] *n* puce *f*

microphone ['maɪkrəfəun] *n* microphone *m*

microscope ['maɪkrəskəup] *n* microscope *m*

microwave ['maɪkrəuweɪv] *n* (*also: ~ oven*) four *m* à micro-ondes

mid [mɪd] *adj*: **in ~ May** à la mi-mai; **~ afternoon** le milieu de l'après-midi; **in ~ air** en plein ciel; **~day** *n* midi *m*

middle ['mɪdl] *n* milieu *m*; (*waist*) taille *f* ◆ *adj* du milieu; (*average*) moyen(ne); **in the ~ of the night** au milieu de la nuit; **~-aged** *adj* d'un certain âge; **M~ Ages** *npl*: **the M~ Ages** le moyen âge; **~-class** *adj* ≈ bourgeois(e); **~-class(es)** *n(pl)*: **the ~ class(es)** ≈ les classes moyennes; **M~ East** *n* Proche-Orient *m*, Moyen-Orient *m*; **~man** (*irreg*) *n* intermédiaire *m*; **~ name** *n* deuxième nom *m*; **~-of-the-road** *adj* (*politician*) modéré(e); (*music*) neutre; **~weight** *n* (*BOXING*) poids moyen; **middling** ['mɪdlɪŋ] *adj* moyen(ne)

midge [mɪdʒ] *n* moucheron *m*

midget ['mɪdʒɪt] *n* nain(e)

Midlands ['mɪdləndz] *npl comtés du centre de l'Angleterre*

midnight ['mɪdnaɪt] *n* minuit *m*

midriff ['mɪdrɪf] *n* estomac *m*, taille *f*

midst [mɪdst] *n*: **in the ~ of** au milieu de

midsummer ['mɪd'sʌmə*] *n* milieu *m* de l'été

midway ['mɪd'weɪ] *adj, adv*: **~ (between)** à mi-chemin (entre); **~ through ...** au milieu de ..., en plein(e) ...

midweek ['mɪd'wiːk] *n* milieu *m* de la semaine

midwife ['mɪdwaɪf] (*pl* **midwives**) *n* sage-femme *f*

midwinter ['mɪd'wɪntə*] *n*: **in ~** en plein hiver

might [maɪt] *vb see* **may** ◆ *n* puissance *f*, force *f*; **~y** *adj* puissant(e)

migraine ['miːgreɪn] *n* migraine *f*

migrant ['maɪgrənt] *adj* (*bird*) migrateur(trice); (*worker*) saisonnier(ère)

migrate [maɪ'greɪt] *vi* émigrer

mike [maɪk] *n abbr* (= *microphone*) micro *m*

mild [maɪld] *adj* doux(douce); (*reproach, infection*) léger(ère); (*illness*) bénin(igne); (*interest*) modéré(e); (*taste*) peu relevé(e)

mildly ['maɪldlɪ] *adv* doucement; légèrement; **to put it ~** c'est le moins qu'on puisse dire

mile [maɪl] *n* mi(l)le *m* (= *1609 m*); **~age** *n* distance *f* en milles, ≈ kilométrage *m*; **~ometer** [maɪ'lɒmɪtə*] *n* compteur *m* (kilométrique); **~stone** *n* borne *f*; (*fig*) jalon *m*

militant ['mɪlɪtnt] *adj* militant(e)

military ['mɪlɪtərɪ] *adj* militaire

militate ['mɪlɪteɪt] *vi*: **to ~ against** (*prevent*) empêcher

militia [mɪ'lɪʃə] *n* milice(s) *f(pl)*

milk [mɪlk] *n* lait *m* ◆ *vt* (*cow*) traire; (*fig: person*) dépouiller, plumer; (*: situation*) exploiter à fond; **~ chocolate** *n* chocolat *m* au lait; **~man** (*irreg*) *n* laitier *m*; **~ shake** *n* milk-shake *m*; **~y** *adj* (*drink*) au lait; (*colour*) laiteux(euse); **M~y Way** *n* voie lactée

mill [mɪl] *n* moulin *m*; (*steel* ~) aciérie *f*; (*spinning* ~) filature *f*; (*flour* ~) minoterie *f* ♦ *vt* moudre, broyer ♦ *vi* (*also*: ~ *about*) grouiller; ~**er** *n* meunier *m*

milligram(me) ['mɪlɪɡræm] *n* milligramme *m*

millimetre ['mɪlɪmiːtə*] (*US* **millimeter**) *n* millimètre *m*

millinery ['mɪlɪnərɪ] *n* chapellerie *f*

million ['mɪljən] *n* million *m*; ~**aire** [mɪljə'nɛə*] *n* millionnaire *m*

milometer [maɪ'lɒmɪtə*] *n* ≈ compteur *m* kilométrique

mime [maɪm] *n* mime *m* ♦ *vt, vi* mimer

mimic ['mɪmɪk] *n* imitateur(trice) ♦ *vt* imiter, contrefaire

min. *abbr* = **minute(s)**; **minimum**

mince [mɪns] *vt* hacher ♦ *vi* (*in walking*) marcher à petits pas maniérés ♦ *n* (*BRIT*: *CULIN*) viande hachée, hachis *m*; ~**meat** *n* (*fruit*) *hachis de fruits secs utilisé en pâtisserie*; (*US*: *meat*) viande hachée, hachis; ~ **pie** *n* (*sweet*) *sorte de tarte aux fruits secs*; ~**r** *n* hachoir *m*

mind [maɪnd] *n* esprit *m* ♦ *vt* (*attend to, look after*) s'occuper de; (*be careful*) faire attention à; (*object to*): **I don't ~ the noise** le bruit ne me dérange pas; **I don't ~** cela ne me dérange pas; **it is on my ~** cela me préoccupe; **to my ~** à mon avis *or* sens; **to be out of one's ~** ne plus avoir toute sa raison; **to keep** *or* **bear sth in ~** tenir compte de qch; **to make up one's ~** se décider; **~ you, ...** remarquez ...; **never ~** ça ne fait rien; (*don't worry*) ne vous en faites pas; **"~ the step"** "attention à la marche"; ~**er** *n* (*child-~er*) gardienne *f*; (*inf*: *bodyguard*) ange gardien (*fig*); ~**ful** *adj*: ~**ful of** attentif(ive) à, soucieux(euse) de; ~**less** *adj* irréfléchi(e); (*boring*: *job*) idiot(e)

mine[1] [maɪn] *pron* le(la) mien(ne), les miens(miennes) ♦ *adj*: **this book is mine** ce livre est à moi

mine[2] [maɪn] *n* mine *f* ♦ *vt* (*coal*) extraire; (*ship, beach*) miner; ~**field** *n* champ *m* de mines; (*fig*) situation (très délicate); ~**r** *n* mineur *m*

mineral ['mɪnərəl] *adj* minéral(e) ♦ *n* minéral *m*; ~**s** *npl* (*BRIT*: *soft drinks*) boissons gazeuses; ~ **water** *n* eau minérale

mingle ['mɪŋɡl] *vi*: **to ~ with** se mêler à

miniature ['mɪnɪtʃə*] *adj* (en) miniature ♦ *n* miniature *f*

minibus ['mɪnɪbʌs] *n* minibus *m*

minim ['mɪnɪm] *n* (*MUS*) blanche *f*

minimal ['mɪnɪml] *adj* minime

minimize ['mɪnɪmaɪz] *vt* (*reduce*) réduire au minimum; (*play down*) minimiser

minimum ['mɪnɪməm] (*pl* **minima**) *adj, n* minimum *m*

mining ['maɪnɪŋ] *n* exploitation minière

miniskirt ['mɪnɪskɜːt] *n* mini-jupe *f*

minister ['mɪnɪstə*] *n* (*BRIT*: *POL*) ministre *m*; (*REL*) pasteur *m* ♦ *vi*: **to ~ to sb('s needs)** pourvoir aux besoins de qn; ~**ial** [mɪnɪs'tɪərɪəl] (*BRIT*) *adj* (*POL*) ministériel(le)

ministry ['mɪnɪstrɪ] *n* (*BRIT*: *POL*) ministère *m*; (*REL*): **to go into the ~** devenir pasteur

mink [mɪŋk] *n* vison *m*

minor ['maɪnə*] *adj* petit(e), de peu d'importance; (*MUS, poet, problem*) mineur(e) ♦ *n* (*LAW*) mineur(e)

minority [maɪ'nɒrɪtɪ] *n* minorité *f*

mint [mɪnt] *n* (*plant*) menthe *f*; (*sweet*) bonbon *m* à la menthe ♦ *vt* (*coins*) battre; **the (Royal) M~**, (*US*) **the (US) M~** ≈ l'Hôtel *m* de la Monnaie; **in ~ condition** à l'état de neuf

minus ['maɪnəs] *n* (*also*: ~ *sign*) signe *m* moins ♦ *prep* moins

minute[1] [maɪ'njuːt] *adj* minuscule; (*detail, search*) minutieux(euse)

minute[2] ['mɪnɪt] *n* minute *f*; ~**s** *npl* (*official record*) procès-verbal, compte rendu

miracle ['mɪrəkl] *n* miracle *m*

mirage ['mɪrɑːʒ] *n* mirage *m*

mirror ['mɪrə*] *n* miroir *m*, glace *f*; (*in car*) rétroviseur *m*

mirth [mɜːθ] *n* gaieté *f*

misadventure [mɪsəd'ventʃə*] *n* mésaventure *f*

misapprehension ['mɪsæprɪ'henʃən] *n* malentendu *m*, méprise *f*

misappropriate [mɪsə'prəuprɪeɪt] *vt* détourner

misbehave ['mɪsbɪ'heɪv] *vi* se conduire mal

miscalculate [mɪs'kælkjuleɪt] *vt* mal calculer

miscarriage ['mɪskærɪdʒ] *n* (*MED*) fausse couche; ~ **of justice** erreur *f* judiciaire

miscellaneous [mɪsɪ'leɪnɪəs] *adj* (*items*) divers(es); (*selection*) varié(e)

mischief ['mɪstʃɪf] *n* (*naughtiness*) sottises *fpl*; (*fun*) farce *f*; (*playfulness*) espièglerie *f*; (*maliciousness*) méchanceté *f*; **mischievous** ['mɪstʃɪvəs] *adj* (*playful, naughty*) coquin(e), espiègle

misconception ['mɪskən'sepʃən] *n* idée fausse

misconduct [mɪs'kɒndʌkt] *n* inconduite *f*; **professional ~** faute professionnelle

misdemeanour [mɪsdɪ'miːnə*] (*US* **misdemeanor**) *n* écart *m* de conduite; infraction *f*

miser ['maɪzə*] *n* avare *m/f*

miserable ['mɪzərəbl] *adj* (*person, expression*) malheureux(euse); (*conditions*) misérable; (*weather*) maussade; (*offer, donation*) minable; (*failure*) pitoyable

miserly ['maɪzəlɪ] *adj* avare

misery ['mɪzərɪ] *n* (*unhappiness*) tristesse *f*; (*pain*) souffrances *fpl*; (*wretchedness*) misère *f*

misfire ['mɪs'faɪə*] *vi* rater

misfit ['mɪsfɪt] *n* (*person*) inadapté(e)

misfortune [mɪs'fɔːtʃən] *n* malchance *f*, malheur *m*

misgiving [mɪs'ɡɪvɪŋ] *n* (*apprehension*) craintes *fpl*; **to have ~s about** avoir des doutes quant à

misguided ['mɪs'ɡaɪdɪd] *adj* malavisé(e)

mishandle ['mɪs'hændl] *vt* (*mismanage*) mal s'y prendre pour faire *or* résoudre *etc*

mishap ['mɪshæp] *n* mésaventure *f*

misinform [mɪsɪn'fɔːm] *vt* mal renseigner

misinterpret ['mɪsɪn'tɜːprɪt] *vt* mal interpréter

misjudge ['mɪs'dʒʌdʒ] *vt* méjuger

mislay [mɪs'leɪ] (*irreg*: *like* **lay**) *vt* égarer

mislead [mɪs'liːd] (*irreg*: *like* **lead**) *vt* induire en erreur; ~**ing** *adj* trompeur(euse)

mismanage [mɪs'mænɪdʒ] *vt* mal gérer

misnomer ['mɪs'nəumə*] *n* terme *or* qualificatif trompeur *or* peu approprié

misplace ['mɪs'pleɪs] *vt* égarer

misprint ['mɪsprɪnt] *n* faute *f* d'impression

Miss [mɪs] *n* Mademoiselle

miss [mɪs] *vt* (*fail to get, attend or see*) manquer, rater; (*regret the absence of*): **I ~ him/it** il/cela me manque ♦ *vi* manquer ♦ *n* (*shot*) coup manqué; ~ **out** (*BRIT*) *vt* oublier

misshapen ['mɪs'ʃeɪpən] *adj* difforme

missile ['mɪsaɪl] *n* (*MIL*) missile *m*; (*object thrown*) projectile *m*

missing ['mɪsɪŋ] *adj* manquant(e); (*after escape, disaster*: *person*) disparu(e); **to go ~** disparaître; **to be ~** avoir disparu

mission ['mɪʃən] *n* mission *f*; ~**ary** *n* missionnaire *m/f*

misspent ['mɪs'spent] *adj*: **his ~ youth** sa folle jeunesse

mist [mɪst] *n* (*light*) brume *f*; (*heavy*) brouillard *m* ♦ *vi* (*also*: ~ *over*: *eyes*) s'embuer; ~ **over** *vi* (*windows etc*) s'embuer; ~ **up** *vi* = **mist over**

mistake [mɪs'teɪk] (*irreg*: *like* **take**) *n* erreur *f*, faute *f* ♦ *vt* (*meaning, remark*) mal comprendre; se méprendre sur; **to make a ~** se tromper, faire une erreur; **by ~** par erreur, par inadvertance; **to ~ for** prendre pour; ~**n** *pp of* **mistake** ♦ *adj* (*idea etc*) erroné(e); **to be ~n** faire erreur, se tromper

mister ['mɪstə*] *n* (*inf*) Monsieur *m*; *see also* **Mr**

mistletoe ['mɪsltəu] *n* gui *m*

mistook [mɪs'tuk] *pt of* **mistake**

mistress ['mɪstrɪs] *n* maîtresse *f*; (*BRIT*: *in primary school*) institutrice *f*; (: *in secondary school*) professeur *m*

mistrust ['mɪs'trʌst] *vt* se méfier de

misty ['mɪstɪ] *adj* brumeux(euse); (*glasses, window*) embué(e)

misunderstand ['mɪsʌndə'stænd] (*irreg*) *vt, vi* mal comprendre; ~**ing** *n* méprise *f*, malentendu *m*

misuse [*n* 'mɪs'juːs, *vb* 'mɪs'juːz] *n* mauvais emploi; (*of power*) abus *m* ♦ *vt* mal employer; abuser de; ~ **of funds** détournement *m* de fonds

mitigate ['mɪtɪɡeɪt] *vt* atténuer

mitt(en) ['mɪt(n)] *n* mitaine *f*; moufle *f*

mix [mɪks] *vt* mélanger; (*sauce, drink etc*) préparer ♦ *vi* se mélanger; (*socialize*): **he doesn't ~ well** il est peu sociable ♦ *n* mélange *m*; **to ~ with** (*people*) fréquenter; ~ **up** *vt* mélanger; (*confuse*) confondre; ~**ed** *adj* (*feelings, reactions*) contradictoire; (*salad*) mélangé(e); (*school, marriage*) mixte; ~**ed grill** *n* assortiment *m* de grillades; ~**ed-up** *adj* (*confused*) désorienté(e), embrouillé(e); ~**er** *n* (*for food*) batteur *m*, mixer *m*; (*person*): **he is a good ~er** il est très liant; ~**ture** *n* assortiment *m*, mélange *m*; (*MED*) préparation *f*; ~**-up** *n* confusion *f*

mm *abbr* (= *millimeter*) mm

moan [məun] *n* gémissement *m* ♦ *vi* gémir; (*inf*: *complain*): **to ~ (about)** se plaindre (de)

moat [məut] *n* fossé *m*, douves *fpl*

mob [mɒb] *n* foule *f*; (*disorderly*) cohue *f* ♦ *vt* assaillir

mobile ['məubaɪl] *adj* mobile ♦ *n* mobile *m*; ~ **home** *n* (grande) caravane; ~ **phone** *n* téléphone portatif

mock [mɒk] *vt* ridiculiser; (*laugh at*) se moquer de ♦ *adj* faux(fausse); ~ **exam** examen blanc; ~**ery** *n* moquerie *f*, raillerie *f*; **to make a ~ery of** tourner en dérision; ~**-up** *n* maquette *f*

mod [mɒd] *adj see* **convenience**

mode [məud] *n* mode *m*

model ['mɒdl] *n* modèle *m*; (*person*: *for fashion*) mannequin *m*; (: *for artist*) modèle ♦ *vt* (*with clay etc*) modeler ♦ *vi* travailler comme mannequin ♦ *adj* (*railway*: *toy*) modèle réduit *inv*; (*child, factory*) modèle; **to ~ clothes** présenter des vêtements; **to ~ o.s. on** imiter

modem ['məudem] *n* (*COMPUT*) modem *m*

moderate [*adj, n* 'mɒdərət, *vb* 'mɒdəreɪt] *adj* modéré(e); (*amount, change*) peu important(e) ♦ *vi* se calmer ♦ *vt* modérer

modern ['mɒdən] *adj* moderne; ~**ize** *vt* moderniser

modest ['mɒdɪst] *adj* modeste; ~**y** *n* modestie *f*

modicum ['mɒdɪkəm] *n*: **a ~ of** un minimum de

modify ['mɒdɪfaɪ] *vt* modifier

mogul ['məuɡəl] *n* (*fig*) nabab *m*

mohair ['məuhɛə*] *n* mohair *m*

moist [mɔɪst] *adj* humide, moite; ~**en** ['mɔɪsən] *vt* humecter, mouiller légèrement; ~**ure** ['mɔɪstʃə*] *n* humidité *f*; ~**urizer** ['mɔɪstʃəraɪzə*] *n* produit hydratant

molar ['məulə*] *n* molaire *f*

molasses [mə'læsɪz] *n* mélasse *f*

mold [məuld] (*US*) *n, vt* = **mould**

mole [məul] *n* (*animal, fig*: *spy*) taupe *f*; (*spot*) grain *m* de beauté

molest [məu'lest] *vt* (*harass*) molester; (*JUR*: *sexually*) attenter à la pudeur de

mollycoddle ['mɒlɪkɒdl] *vt* chouchouter, couver

molt [məult] (*US*) *vi* = **moult**

molten ['məultən] *adj* fondu(e); (*rock*) en fusion

mom [mɒm] (*US*) *n* = **mum**

moment ['məumənt] *n* moment *m*, instant *m*; **at the ~** en ce moment; **at that ~** à ce moment-là; ~**ary** *adj* momentané(e), passager(ère); ~**ous** [məu'mentəs] *adj* important(e), capital(e)

momentum [məu'mentəm] *n* élan *m*, vitesse acquise; (*fig*) dynamique *f*; **to gather ~** prendre de la vitesse

mommy ['mɒmɪ] (*US*) *n* = **mummy**

Monaco ['mɒnəkəu] *n* Monaco *m*

monarch ['mɒnək] *n* monarque *m*; ~**y** *n* monarchie *f*

monastery ['mɒnəstrɪ] *n* monastère *m*

Monday ['mʌndeɪ] *n* lundi *m*

monetary ['mʌnɪtərɪ] *adj* monétaire

money ['mʌnɪ] *n* argent *m*; **to make ~** gagner de l'argent; ~ **order** *n* mandat *m*; ~**-spinner** (*inf*) *n* mine *f* d'or (*fig*)

mongrel ['mʌŋɡrəl] *n* (*dog*) bâtard *m*

monitor ['mɒnɪtə*] *n* (*TV, COMPUT*) moniteur *m* ♦ *vt* contrôler; (*broadcast*) être à l'écoute de; (*progress*) suivre (de près)

monk [mʌŋk] *n* moine *m*

monkey ['mʌŋkɪ] *n* singe *m*; ~ **nut** (*BRIT*) *n* cacahuète *f*; ~ **wrench** *n* clé *f* à molette

monopoly [mə'nɒpəlɪ] *n* monopole *m*

monotone ['mɒnətəun] *n* ton *m* (*or* voix *f*) monocorde

monotonous [mə'nɒtənəs] *adj* monotone

monsoon [mɒn'suːn] *n* mousson *f*

monster ['mɒnstə*] *n* monstre *m*

monstrous ['mɒnstrəs] *adj* monstrueux(euse); (*huge*) gigantesque

month [mʌnθ] *n* mois *m*; ~**ly** *adj* mensuel(le) ♦ *adv* mensuellement

monument ['mɒnjumənt] *n* monument *m*

moo [muː] *vi* meugler, beugler

mood [muːd] *n* humeur *f*, disposition *f*; **to be in a good/bad ~** être de bonne/mauvaise humeur; ~**y** *adj* (*variable*) d'humeur changeante, lunatique; (*sullen*) morose, maussade

moon [muːn] *n* lune *f*; ~**light** *n* clair *m* de lune; ~**lighting** *n* travail *m* au noir; ~**lit** *adj*: **a ~lit night** une nuit de lune

moor [muə*] *n* lande *f* ♦ *vt* (*ship*) amarrer ♦ *vi* mouiller; ~**land** ['muələnd] *n* lande *f*

moose [muːs] *n inv* élan *m*

mop [mɒp] *n* balai *m* à laver; (*for dishes*) lavette *f* (à vaisselle) ♦ *vt* essuyer; ~ **of hair** tignasse *f*; ~ **up** *vt* éponger

mope [məup] *vi* avoir le cafard, se morfondre

moped ['məuped] *n* cyclomoteur *m*

moral ['mɒrəl] *adj* moral(e) ♦ *n* morale *f*; ~**s** *npl* (*attitude, behaviour*) moralité *f*

morale [mɒ'rɑːl] *n* moral *m*

morality [mə'rælɪtɪ] *n* moralité *f*

morass [mə'ræs] *n* marais *m*, marécage *m*

KEYWORD

more [mɔː*] *adj* 1 (*greater in number etc*) plus (de), davantage; ~ **people/work (than)** plus de gens/de travail (que)

2 (*additional*) encore (de); **do you want (some) ~ tea?** voulez-vous encore du thé?; **I have no** *or* **I don't have any ~ money** je n'ai plus d'argent; **it'll take a few ~ weeks** ça prendra encore quelques semaines

♦ *pron* plus, davantage; ~ **than 10** plus de 10; **it cost ~ than we expected** cela a coûté plus que prévu; **I want ~** j'en veux plus *or* davantage; **is there any ~?** est-ce qu'il en reste?; **there's no ~** il n'y en a plus; **a little ~** un peu plus; **many/much ~** beaucoup plus, bien davantage

♦ *adv*: ~ **dangerous/easily (than)** plus dangereux/facilement (que); ~ **and ~ expensive** de plus en plus cher; ~ **or less** plus ou moins; ~ **than ever** plus que jamais

moreover [mɔː'rəuvə*] *adv* de plus

morning ['mɔːnɪŋ] *n* matin *m*; matinée *f* ♦ *cpd* matinal(e); (*paper*) du matin; **in the ~** le matin; **7 o'clock in the ~** 7 heures du matin; ~ **sickness** *n* nausées matinales

Morocco [mə'rɒkəu] *n* Maroc *m*

moron ['mɔːrɒn] (*inf*) *n* idiot(e)

Morse [mɔːs] *n*: ~ **(code)** morse *m*

morsel ['mɔːsl] *n* bouchée *f*

mortar ['mɔːtə*] *n* mortier *m*

mortgage ['mɔːɡɪdʒ] *n* hypothèque *f*; (*loan*) prêt *m* (*or* crédit *m*) hypothécaire ♦ *vt* hypothéquer; ~ **company** (*US*) *n* société *f* de crédit immobilier

mortuary ['mɔːtjuərɪ] *n* morgue *f*

mosaic [məu'zeɪɪk] *n* mosaïque *f*

Moscow ['mɒskəu] *n* Moscou

Moslem ['mɒzləm] *adj, n* = **Muslim**

mosque [mɒsk] *n* mosquée *f*

mosquito [mɒs'kiːtəu] (*pl* ~**es**) *n* moustique *m*

moss [mɒs] *n* mousse *f*

most [məust] *adj* la plupart de; le plus de ♦ *pron* la plupart ♦ *adv* le plus; (*very*) très, extrêmement; **the ~** (*also*: + *adjective*) le plus; ~ **of** la plus grande partie de; ~ **of them** la plupart d'entre eux; **I saw (the) ~** j'en ai vu la plupart; c'est moi qui en ai vu le plus; **at the (very) ~** au plus; **to make the ~ of** profiter au maximum de; ~**ly** *adv* (*chiefly*) surtout; (*usually*) généralement

MOT *n abbr* (*BRIT*: = *Ministry of Transport*): **the ~ (test)** *la visite technique (annuelle) obligatoire des véhicules à moteur*

motel [məu'tel] *n* motel *m*

moth [mɒθ] *n* papillon *m* de nuit; (*in clothes*) mite *f*; ~**ball** *n* boule *f* de naphtaline

mother ['mʌðə*] *n* mère *f* ♦ *vt* (*act as mother to*) servir de mère à; (*pamper, protect*) materner; ~ **country** mère patrie; ~**hood** *n* maternité *f*; ~**-in-law** *n* belle-mère *f*; ~**ly** *adj* maternel(le); ~**-of-pearl** *n* nacre *f*; ~**-to-be** *n* future maman; ~ **tongue** *n* langue maternelle

motion ['məuʃən] *n* mouvement *m*; (*gesture*) geste *m*; (*at meeting*) motion *f* ♦ *vt, vi*: **to ~ (to) sb to do** faire signe à qn de faire; ~**less** *adj* immobile, sans mouvement; ~ **picture** *n* film *m*

motivated ['məutɪveɪtɪd] *adj* motivé(e);

motive ['məutɪv] *n* motif *m*, mobile *m*

motley ['mɒtlɪ] *adj* hétéroclite

motor ['məutə*] *n* moteur *m*; (*BRIT*: *inf*: *vehicle*) auto *f* ♦ *cpd* (*industry, vehicle*) automobile; ~**bike** *n* moto *f*; ~**boat** *n* bateau *m* à moteur; ~**car** (*BRIT*) *n* automobile *f*; ~**cycle** *n* vélomoteur *m*; ~**cycle racing** *n* course *f* de motos; ~**cyclist** *n* motocycliste *m/f*; ~**ing** (*BRIT*) *n* tourisme *m* automobile; ~**ist** ['məutərɪst] *n* automobiliste *m/f*; ~ **mechanic** *n* mécanicien *m* garagiste; ~ **racing** (*BRIT*) *n* course *f* automobile; ~ **trade** *n* secteur *m* de l'automobile; ~**way** (*BRIT*) *n* autoroute *f*

mottled ['mɒtld] *adj* tacheté(e), marbré(e)

motto ['mɒtəu] (*pl* ~**es**) *n* devise *f*

mould [məuld] (*US* **mold**) *n* moule *m*; (*mildew*) moisissure *f* ♦ *vt* mouler, modeler; (*fig*) façonner; **mo(u)ldy** *adj* moisi(e); (*smell*) de moisi

moult [məult] (*US* **molt**) *vi* muer

mound [maund] *n* monticule *m*, tertre *m*; (*heap*) monceau *m*, tas *m*

mount [maunt] *n* mont *m*, montagne *f* ♦ *vt* monter ♦ *vi* (*inflation, tension*) augmenter; (*also*: ~ *up*: *problems etc*) s'accumuler; ~ **up** *vi* (*bills, costs, savings*) s'accumuler

mountain ['mauntɪn] *n* montagne *f* ♦ *cpd* de montagne; ~ **bike** *n* VTT *m*, vélo tout-terrain; ~**eer** [mauntɪ'nɪə*] *n* alpiniste *m/f*; ~**eering** *n* alpinisme *m*; ~**ous** *adj* montagneux(euse); ~ **rescue team** *n* équipe *f* de secours en montagne; ~**side** *n* flanc *m* *or* versant *m* de la montagne

mourn [mɔːn] *vt* pleurer ♦ *vi*: **to ~ (for)** (*person*) pleurer (la mort de); ~**er** *n* parent(e) *or* ami(e) du défunt; personne *f* en deuil; ~**ful** *adj* triste, lugubre; ~**ing** *n* deuil *m*; **in ~ing** en deuil

mouse [maʊs] (*pl* **mice**) *n* (*also COMPUT*) souris *f*; **~trap** *n* souricière *f*

mousse [muːs] *n* mousse *f*

moustache [məsˈtɑːʃ] (*US* **mustache**) *n* moustache(s) *f(pl)*

mousy [ˈmaʊsɪ] *adj* (*hair*) d'un châtain terne

mouth [maʊθ, *pl* maʊðz] (*pl* **~s**) *n* bouche *f*; (*of dog, cat*) gueule *f*; (*of river*) embouchure *f*; (*of hole, cave*) ouverture *f*; **~ful** *n* bouchée *f*; **~ organ** *n* harmonica *m*; **~piece** *n* (*of musical instrument*) embouchure *f*; (*spokesman*) porte-parole *m inv*; **~wash** *n* eau *f* dentifrice; **~-watering** *adj* qui met l'eau à la bouche

movable [ˈmuːvəbl] *adj* mobile

move [muːv] *n* (*movement*) mouvement *m*; (*in game*) coup *m*; (: *turn to play*) tour *m*; (*change: of house*) déménagement *m*; (: *of job*) changement *m* d'emploi ◆ *vt* déplacer, bouger; (*emotionally*) émouvoir; (*POL: resolution etc*) proposer; (*in game*) jouer ◆ *vi* (*gen*) bouger, remuer; (*traffic*) circuler; (*also*: **~ house**) déménager; (*situation*) progresser; **that was a good ~** bien joué!; **to ~ sb to do sth** pousser *or* inciter qn à faire qch; **to get a ~ on** se dépêcher, se remuer; **~ about** *vi* (*fidget*) remuer; (*travel*) voyager, se déplacer; (*change residence, job*) ne pas rester au même endroit; **~ along** *vi* se pousser; **~ around** *vi* = **move about**; **~ away** *vi* s'en aller; **~ back** *vi* revenir, retourner; **~ forward** *vi* avancer; **~ in** *vi* (*to a house*) emménager; (*police, soldiers*) intervenir; **~ on** *vi* se remettre en route; **~ out** *vi* (*of house*) déménager; **~ over** *vi* se pousser, se déplacer; **~ up** *vi* (*pupil*) passer dans la classe supérieure; (*employee*) avoir de l'avancement; **~able** *adj* = **movable**

movement [ˈmuːvmənt] *n* mouvement *m*

movie [ˈmuːvɪ] *n* film *m*; **the ~s** le cinéma; **~ camera** *n* caméra *f*

moving [ˈmuːvɪŋ] *adj* en mouvement; (*emotional*) émouvant(e)

mow [məʊ] (*pt* **mowed**, *pp* **mowed** *or* **mown**) *vt* faucher; (*lawn*) tondre; **~ down** *vt* faucher; **~er** *n* (*also*: *lawnmower*) tondeuse *f* à gazon

MP *n abbr* = **Member of Parliament**

mph *abbr* = **miles per hour**

Mr [ˈmɪstə*] (*US* **Mr.**) *n*: **~ Smith** Monsieur Smith, M. Smith

Mrs [ˈmɪsɪz] (*US* **Mrs.**) *n*: **~ Smith** Madame Smith, Mme Smith

Ms [mɪz] (*US* **Ms.**) *n* (= *Miss or Mrs*): **~ Smith** ≈ Madame Smith, Mme Smith

MSc *abbr* = **Master of Science**

much [mʌtʃ] *adj* beaucoup de ◆ *adv, n, pron* beaucoup; **how ~ is it?** combien est-ce que ça coûte?; **too ~** trop (de); **as ~ as** autant de

muck [mʌk] *n* (*dirt*) saleté *f*; **~ about** (*or* **around**) (*inf*) *vi* faire l'imbécile; **~ up** (*inf*) *vt* (*exam, interview*) se planter à (*fam*); **~y** *adj* (très) sale; (*book, film*) cochon(ne)

mud [mʌd] *n* boue *f*

muddle [ˈmʌdl] *n* (*mess*) pagaille *f*, désordre *m*; (*mix-up*) confusion *f* ◆ *vt* (*also*: **~ up**) embrouiller; **~ through** *vi* se débrouiller

muddy [ˈmʌdɪ] *adj* boueux(euse);

mudguard [ˈmʌdgɑːd] *n* garde-boue *m inv*

muffin [ˈmʌfɪn] *n* muffin *m*

muffle [ˈmʌfl] *vt* (*sound*) assourdir, étouffer; (*against cold*) emmitoufler; **~d** *adj* (*sound*) étouffé(e); (*person*) emmitouflé(e); **~r** (*US*) *n* (*AUT*) silencieux *m*

mug [mʌg] *n* (*cup*) grande tasse (*sans soucoupe*); (: *for beer*) chope *f*; (*inf*: *face*) bouille *f*; (: *fool*) poire *f* ◆ *vt* (*assault*) agresser; **~ging** *n* agression *f*

muggy [ˈmʌgɪ] *adj* lourd(e), moite

mule [mjuːl] *n* mule *f*

mull over [mʌl-] *vt* réfléchir à

multi-level [ˈmʌltɪlevl] (*US*) *adj* = **multistorey**

multiple [ˈmʌltɪpl] *adj* multiple ◆ *n* multiple *m*; **~ sclerosis** *n* sclérose *f* en plaques

multiplication [mʌltɪplɪˈkeɪʃən] *n* multiplication *f*; **multiply** [ˈmʌltɪplaɪ] *vt* multiplier ◆ *vi* se multiplier

multistorey [ˈmʌltɪˈstɔːrɪ] (*BRIT*) *adj* (*building*) à étages; (*car park*) à étages *or* niveaux multiples

mum [mʌm] (*BRIT: inf*) *n* maman *f* ◆ *adj*: **to keep ~** ne pas souffler mot

mumble [ˈmʌmbl] *vt, vi* marmotter, marmonner

mummy [ˈmʌmɪ] *n* (*BRIT: mother*) maman *f*; (*embalmed*) momie *f*

mumps [mʌmps] *n* oreillons *mpl*

munch [mʌntʃ] *vt, vi* mâcher

mundane [mʌnˈdeɪn] *adj* banal(e), terre à terre *inv*

municipal [mjuːˈnɪsɪpəl] *adj* municipal(e)

murder [ˈmɜːdə*] *n* meurtre *m*, assassinat *m* ◆ *vt* assassiner; **~er** *n* meurtrier *m*, assassin *m*; **~ous** *adj* meurtrier(ère)

murky [ˈmɜːkɪ] *adj* sombre, ténébreux(euse); (*water*) trouble

murmur [ˈmɜːmə*] *n* murmure *m* ◆ *vt, vi* murmurer

muscle [ˈmʌsl] *n* muscle *m*; (*fig*) force *f*; **~ in** *vi* (*on territory*) envahir; (*on success*) exploiter

muscular [ˈmʌskjʊlə*] *adj* musculaire; (*person, arm*) musclé(e)

muse [mjuːz] *vi* méditer, songer

museum [mjuːˈzɪəm] *n* musée *m*

mushroom [ˈmʌʃruːm] *n* champignon *m* ◆ *vi* pousser comme un champignon

music [ˈmjuːzɪk] *n* musique *f*; **~al** *adj* musical(e); (*person*) musicien(ne) ◆ *n* (*show*) comédie musicale; **~al instrument** *n* instrument *m* de musique; **~ian** [mjuːˈzɪʃən] *n* musicien(ne)

Muslim [ˈmʌzlɪm] *adj, n* musulman(e)

muslin [ˈmʌzlɪn] *n* mousseline *f*

mussel [ˈmʌsl] *n* moule *f*

must [mʌst] *aux vb* (*obligation*): **I ~ do it** je dois le faire, il faut que je le fasse; (*probability*): **he ~ be there by now** il doit y être maintenant, il y est probablement maintenant; (*suggestion, invitation*): **you ~ come and see me** il faut que vous veniez me voir; (*indicating sth unwelcome*): **why ~ he behave so badly?** qu'est-ce qui le pousse à se conduire si mal? ◆ *n* nécessité *f*, impératif *m*; **it's a ~** c'est indispensable

mustache (*US*) *n* = **moustache**

mustard [ˈmʌstəd] *n* moutarde *f*

muster [ˈmʌstə*] *vt* rassembler

mustn't [ˈmʌsnt] = **must not**

mute [mjuːt] *adj* muet(te)

muted [ˈmjuːtɪd] *adj* (*colour*) sourd(e); (*reaction*) voilé(e)

mutiny [ˈmjuːtɪnɪ] *n* mutinerie *f* ◆ *vi* se mutiner

mutter [ˈmʌtə*] *vt, vi* marmonner, marmotter

mutton [ˈmʌtn] *n* mouton *m*

mutual [ˈmjuːtjʊəl] *adj* mutuel(le), réciproque; (*benefit, interest*) commun(e); **~ly** *adv* mutuellement

muzzle [ˈmʌzl] *n* museau *m*; (*protective device*) muselière *f*; (*of gun*) gueule *f* ◆ *vt* museler

my [maɪ] *adj* mon(ma), mes *pl*; **~ house/car/gloves** ma maison/mon auto/mes gants; **I've washed ~ hair/cut ~ finger** je me suis lavé les cheveux/coupé le doigt; **~self** [maɪˈself] *pron* (*reflexive*) me; (*emphatic*) moi-même; (*after prep*) moi; *see also* **oneself**

mysterious [mɪsˈtɪərɪəs] *adj* mystérieux(euse); **mystery** [ˈmɪstərɪ] *n* mystère *m*

mystify [ˈmɪstɪfaɪ] *vt* mystifier; (*puzzle*) ébahir

myth [mɪθ] *n* mythe *m*; **~ology** [mɪˈθɒlədʒɪ] *n* mythologie *f*

N

n/a *abbr* = **not applicable**

nag [næg] *vt* (*scold*) être toujours après, reprendre sans arrêt; **~ging** *adj* (*doubt, pain*) persistant(e)

nail [neɪl] *n* (*human*) ongle *m*; (*metal*) clou *m* ◆ *vt* clouer; **to ~ sb down to a date/price** contraindre qn à accepter *or* donner une date/un prix; **~brush** *n* brosse *f* à ongles; **~file** *n* lime *f* à ongles; **~ polish** *n* vernis *m* à ongles; **~ polish remover** *n* dissolvant *m*; **~ scissors** *npl* ciseaux *mpl* à ongles; **~ varnish** (*BRIT*) *n* = **nail polish**

naïve [naɪˈiːv] *adj* naïf(ïve)

naked [ˈneɪkɪd] *adj* nu(e)

name [neɪm] *n* nom *m*; (*reputation*) réputation *f* ◆ *vt* nommer; (*identify: accomplice etc*) citer; (*price, date*) fixer, donner; **by ~** par son nom; **in the ~ of** au nom de; **what's your ~?** comment vous appelez-vous?; **~less** *adj* sans nom; (*witness, contributor*) anonyme; **~ly** *adv* à savoir; **~sake** *n* homonyme *m*

nanny [ˈnænɪ] *n* bonne *f* d'enfants

nap [næp] *n* (*sleep*) (petit) somme ◆ *vi*: **to be caught ~ping** être pris à l'improviste *or* en défaut

nape [neɪp] *n*: **~ of the neck** nuque *f*

napkin [ˈnæpkɪn] *n* serviette *f* (de table)

nappy [ˈnæpɪ] (*BRIT*) *n* couche *f* (*gen pl*); **~ rash** *n*: **to have ~ rash** avoir les fesses rouges

narcissus [nɑːˈsɪsəs, *pl* nɑːˈsɪsaɪ] (*pl* **narcissi**) *n* narcisse *m*

narcotic [nɑːˈkɒtɪk] *n* (*drug*) stupéfiant *m*; (*MED*) narcotique *m*

narrative [ˈnærətɪv] *n* récit *m*

narrow [ˈnærəʊ] *adj* étroit(e); (*fig*) restreint(e), limité(e) ◆ *vi* (*road*) devenir plus étroit, se rétrécir; (*gap, difference*) se réduire; **to have a ~ escape** l'échapper belle; **to ~ sth down to** réduire qch à; **~ly** *adv*: **he ~ly missed injury/the tree** il a failli se blesser/rentrer dans l'arbre; **~-minded** *adj* à l'esprit étroit, borné(e); (*attitude*) borné

nasty [ˈnɑːstɪ] *adj* (*person: malicious*) méchant(e); (: *rude*) très désagréable; (*smell*) dégoûtant(e); (*wound, situation, disease*) mauvais(e)

nation [ˈneɪʃən] *n* nation *f*

national [ˈnæʃənl] *adj* national(e) ◆ *n* (*abroad*) ressortissant(e); (*when home*) national(e); **~ dress** *n* costume national; **N~ Health Service** (*BRIT*) *n* service national de santé, ≈ Sécurité Sociale; **N~ Insurance** (*BRIT*) *n* ≈ Sécurité Sociale; **~ism** [ˈnæʃnəlɪzəm] *n* nationalisme *m*; **~ist** [ˈnæʃnəlɪst] *adj* nationaliste ◆ *n* nationaliste *m/f*; **~ity** [næʃəˈnælɪtɪ] *n* nationalité *f*; **~ize** *vt* nationaliser; **~ly** *adv* (*as a nation*) du point de vue national; (*nationwide*) dans le pays entier

nationwide [ˈneɪʃənwaɪd] *adj* s'étendant à l'ensemble du pays; (*problem*) à l'échelle du pays entier ◆ *adv* à travers *or* dans tout le pays

native [ˈneɪtɪv] *n* autochtone *m/f*, habitant(e) du pays ◆ *adj* du pays, indigène; (*country*) natal(e); (*ability*) inné(e); **a ~ of Russia** une personne originaire de Russie; **a ~ speaker of French** une personne de langue maternelle française; **~ language** *n* langue maternelle

NATO [ˈneɪtəʊ] *n abbr* (= *North Atlantic Treaty Organization*) OTAN *f*

natural [ˈnætʃrəl] *adj* naturel(le); **~ gas** *n* gaz naturel; **~ize** *vt* naturaliser; (*plant*) acclimater; **to become ~ized** (*person*) se faire naturaliser; **~ly** *adv* naturellement

nature [ˈneɪtʃə*] *n* nature *f*; **by ~** par tempérament, de nature

naught [nɔːt] *n* = **nought**

naughty [ˈnɔːtɪ] *adj* (*child*) vilain(e), pas sage

nausea [ˈnɔːsɪə] *n* nausée *f*; **~te** [ˈnɔːsɪeɪt] *vt* écœurer, donner la nausée à

naval [ˈneɪvəl] *adj* naval(e); **~ officer** *n* officier *m* de marine

nave [neɪv] *n* nef *f*

navel [ˈneɪvəl] *n* nombril *m*

navigate [ˈnævɪgeɪt] *vt* (*steer*) diriger; (*plot course*) naviguer ◆ *vi* naviguer; **navigation** [nævɪˈgeɪʃən] *n* navigation *f*

navvy [ˈnævɪ] (*BRIT*) *n* terrassier *m*

navy [ˈneɪvɪ] *n* marine *f*; **~(-blue)** *adj* bleu marine *inv*

Nazi [ˈnɑːtsɪ] *n* Nazi(e)

NB *abbr* (= *nota bene*) NB

near [nɪə*] *adj* proche ◆ *adv* près ◆ *prep* (*also*: **~ to**) près de ◆ *vt* approcher de; **~by** *adj* proche ◆ *adv* tout près, à proximité; **~ly** *adv* presque; **I ~ly fell** j'ai failli tomber; **~ miss** *n* (*AVIAT*) quasi-collision *f*; **that was a ~ miss** (*gen*) il s'en est fallu de peu; (*of shot*) c'est passé très près; **~side** *n* (*AUT: BRIT*) côté *m* gauche; (: *in US, Europe*) côté droit; **~-sighted** *adj* myope

neat [niːt] *adj* (*person, work*) soigné(e); (*room etc*) bien tenu(e) *or* rangé(e); (*skilful*) habile; (*spirits*) pur(e); **~ly** *adv* avec soin *or* ordre; habilement

necessarily [ˈnesɪsərɪlɪ] *adv* nécessairement

necessary [ˈnesɪsərɪ] *adj* nécessaire

necessity [nɪˈsesɪtɪ] *n* nécessité *f*; (*thing needed*) chose nécessaire *or* essentielle; **necessities** *npl* nécessaire *m*

neck [nek] *n* cou *m*; (*of animal, garment*) encolure *f*; (*of bottle*) goulot *m* ◆ *vi* (*inf*) se peloter; **~ and ~** à égalité; **~lace** [ˈneklɪs] *n* collier *m*; **~line** *n* encolure *f*; **~tie** *n* cravate *f*

need [niːd] *n* besoin *m* ◆ *vt* avoir besoin de; **to ~ to do** devoir faire; avoir besoin de faire; **you don't ~ to go** vous n'avez pas besoin *or* vous n'êtes pas obligé de partir

needle [ˈniːdl] *n* aiguille *f* ◆ *vt* asticoter, tourmenter

needless [ˈniːdlɪs] *adj* inutile

needlework [ˈniːdlwɜːk] *n* (*activity*) travaux *mpl* d'aiguille; (*object(s)*) ouvrage *m*

needn't [ˈniːdnt] = **need not**

needy [ˈniːdɪ] *adj* nécessiteux(euse)

negative [ˈnegətɪv] *n* (*PHOT, ELEC*) négatif *m*; (*LING*) terme *m* de négation ◆ *adj* négatif(ive)

neglect [nɪˈglekt] *vt* négliger ◆ *n* (*of person, duty, garden*) le fait de négliger; (*state of ~*) abandon *m*

negligee [ˈneglɪʒeɪ] *n* déshabillé *m*

negotiate [nɪˈgəʊʃɪeɪt] *vi, vt* négocier; **negotiation** [nɪgəʊʃɪˈeɪʃən] *n* négociation *f*, pourparlers *mpl*

Negro [ˈniːgrəʊ] (!; *pl* **~es**) *n* Noir(e)

neigh [neɪ] *vi* hennir

neighbour [ˈneɪbə*] (*US* **neighbor**) *n* voisin(e); **~hood** *n* (*place*) quartier *m*; (*people*) voisinage *m*; **~ing** *adj* voisin(e), avoisinant(e); **~ly** *adj* obligeant(e); (*action etc*) amical(e)

neither [ˈnaɪðə*] *adj, pron* aucun(e) (des deux), ni l'un(e) ni l'autre ◆ *conj*: **I didn't move and ~ did Claude** je n'ai pas bougé, (et) Claude non plus; **..., ~ did I refuse ...**, (et *or* mais) je n'ai pas non plus refusé ... ◆ *adv*: **~ good nor bad** ni bon ni mauvais

neon [ˈniːɒn] *n* néon *m*; **~ light** *n* lampe *f* au néon

nephew [ˈnefjuː] *n* neveu *m*

nerve [nɜːv] *n* nerf *m*; (*fig: courage*) sang-froid *m*, courage *m*; (: *impudence*) aplomb *m*, toupet *m*; **to have a fit of ~s** avoir le trac; **~-racking** *adj* angoissant(e)

nervous [ˈnɜːvəs] *adj* nerveux(euse); (*anxious*) inquiet(ète), plein(e) d'appréhension; (*timid*) intimidé(e); **~ breakdown** *n* dépression nerveuse

nest [nest] *n* nid *m* ◆ *vi* (se) nicher, faire son nid; **~ egg** *n* (*fig*) bas *m* de laine, magot *m*

nestle [ˈnesl] *vi* se blottir

net [net] *n* filet *m* ◆ *adj* net(te) ◆ *vt* (*fish etc*) prendre au filet; (*profit*) rapporter; **~ball** *n* netball *m*; **~ curtains** *npl* voilages *mpl*

Netherlands [ˈneðələndz] *npl*: **the ~** les Pays-Bas *mpl*

nett [net] *adj* = **net**

netting [ˈnetɪŋ] *n* (*for fence etc*) treillis *m*, grillage *m*

nettle [ˈnetl] *n* ortie *f*

network [ˈnetwɜːk] *n* réseau *m*

neurotic [njʊəˈrɒtɪk] *adj, n* névrosé(e)

neuter [ˈnjuːtə*] *adj* neutre ◆ *vt* (*cat etc*) châtrer, couper

neutral [ˈnjuːtrəl] *adj* neutre ◆ *n* (*AUT*) point mort; **~ize** *vt* neutraliser

never [ˈnevə*] *adv* (ne ...) jamais; **~ again** plus jamais; **~ in my life** jamais de ma vie; *see also* **mind**; **~-ending** *adj* interminable; **~theless** [nevəðəˈles] *adv* néanmoins, malgré tout

new [njuː] *adj* nouveau(nouvelle); (*brand new*) neuf(neuve); **~born** *adj* nouveau-né(e); **~comer** [ˈnjuːkʌmə*] *n* nouveau venu/nouvelle venue; **~-fangled** (*pej*) *adj* ultramoderne (et farfelu(e)); **~-found** *adj* (*enthusiasm*) de fraîche date; (*friend*) nouveau(nouvelle); **~ly** *adv* nouvellement, récemment; **~ly-weds** *npl* jeunes mariés *mpl*

news [njuːz] *n* nouvelle(s) *f(pl)*; (*RADIO, TV*) informations *fpl*, actualités *fpl*; **a piece of ~** une nouvelle; **~ agency** *n* agence *f* de presse; **~agent** (*BRIT*) *n* marchand *m* de journaux; **~caster** *n* présentateur(trice); **~dealer** (*US*) *n* = **newsagent**; **~ flash** *n* flash *m* d'information; **~letter** *n* bulletin *m*; **~paper** *n* journal *m*; **~print** *n* papier *m* (de) journal; **~reader** *n* = **newscaster**; **~reel** *n* actualités (filmées); **~ stand** *n* kiosque *m* à journaux

newt [njuːt] *n* triton *m*

New Year *n* Nouvel An; **~'s Day** *n* le jour de l'An; **~'s Eve** *n* la Saint-Sylvestre

New Zealand [-ˈziːlənd] *n* la Nouvelle-Zélande; **~er** *n* Néo-zélandais(e)

next [nekst] *adj* (*seat, room*) voisin(e), d'à côté; (*meeting, bus stop*) suivant(e); (*in time*) prochain(e) ◆ *adv* (*place*) à côté; (*time*) la fois suivante, la prochaine fois; (*afterwards*) ensuite; **the ~ day** le lendemain, le jour suivant *or* d'après; **~ year** l'année prochaine; **~ time** la prochaine fois; **~ to** à côté de; **~ to nothing** presque rien; **~, please!** (*at doctor's*) au suivant!; **~ door** *adv* à côté ◆ *adj* d'à côté; **~-of-kin** *n* parent *m* le plus proche

NHS *n abbr* = **National Health Service**

nib [nɪb] *n* (bec *m* de) plume *f*

nibble [ˈnɪbl] *vt* grignoter

nice [naɪs] *adj* (*pleasant, likeable*) agréable; (*pretty*) joli(e); (*kind*) gentil(le); **~ly** *adv* agréablement; joliment; gentiment

niceties [ˈnaɪsɪtɪz] *npl* subtilités *fpl*

nick [nɪk] *n* (*indentation*) encoche *f*; (*wound*) entaille *f* ◆ *vt* (*BRIT: inf*) faucher, piquer; **in the ~ of time** juste à temps

nickel [ˈnɪkl] *n* nickel *m*; (*US*) pièce *f* de 5 cents

nickname [ˈnɪkneɪm] *n* surnom *m* ◆ *vt* surnommer

niece [niːs] *n* nièce *f*

Nigeria [naɪˈdʒɪərɪə] *n* Nigéria *m or f*

niggling [ˈnɪglɪŋ] *adj* (*person*) tatillon(ne); (*detail*) insignifiant(e); (*doubts, injury*) persistant(e)

night [naɪt] *n* nuit *f*; (*evening*) soir *m*; **at ~** la nuit; **by ~** de nuit; **the ~ before last** avant-hier soir; **~cap** *n* boisson prise avant le coucher; **~ club** *n* boîte *f* de nuit; **~dress** *n* chemise *f* de nuit; **~fall** *n* tombée *f* de la nuit; **~gown** *n* chemise *f* de nuit; **~ie** [ˈnaɪtɪ] *n* chemise *f* de nuit; **~ingale** [ˈnaɪtɪŋgeɪl] *n* rossignol *m*; **~life** [ˈnaɪtlaɪf] *n* vie *f* nocturne; **~ly** [ˈnaɪtlɪ] *adj* de chaque nuit *or* soir; (*by night*) nocturne ◆ *adv* chaque nuit *or* soir; **~mare** [ˈnaɪtmɛə*] *n* cauchemar *m*; **~**

porter *n* gardien *m* de nuit, concierge *m* de service la nuit; ~ **school** *n* cours *mpl* du soir; ~ **shift** *n* équipe *f* de nuit; ~-**time** *n* nuit *f*; ~ **watchman** *n* veilleur *m or* gardien *m* de nuit
nil [nɪl] *n* rien *m*; (*BRIT*: *SPORT*) zéro *m*
Nile [naɪl] *n*: **the** ~ le Nil
nimble ['nɪmbl] *adj* agile
nine [naɪn] *num* neuf; ~**teen** *num* dix-neuf; ~**ty** *num* quatre-vingt-dix
ninth [naɪnθ] *num* neuvième
nip [nɪp] *vt* pincer
nipple ['nɪpl] *n* (*ANAT*) mamelon *m*, bout *m* du sein
nitrogen ['naɪtrədʒən] *n* azote *m*

KEYWORD

no [nəu] (*pl* ~**es**) *adv* (*opposite of "yes"*) non; **are you coming?** - ~ **(I'm not)** est-ce que vous venez? - non; **would you like some more?** - ~ **thank you** vous en voulez encore? - non merci
◆ *adj* (*not any*) pas de, aucun(e) (*used with "ne"*); **I have** ~ **money/books** je n'ai pas d'argent/de livres; ~ **student would have done it** aucun étudiant ne l'aurait fait; "~ **smoking**" "défense de fumer"; "~ **dogs**" "les chiens ne sont pas admis"
◆ *n* non *m*

nobility [nəu'bɪlɪtɪ] *n* noblesse *f*
noble ['nəubl] *adj* noble
nobody ['nəubədɪ] *pron* personne
nod [nɒd] *vi* faire un signe de tête (*affirmatif ou amical*); (*sleep*) somnoler ◆ *vt*: **to** ~ **one's head** faire un signe de (la) tête; (*in agreement*) faire signe que oui ◆ *n* signe *m* de (la) tête; ~ **off** *vi* s'assoupir
noise [nɔɪz] *n* bruit *m*; **noisy** ['nɔɪzɪ] *adj* bruyant(e)
nominal ['nɒmɪnl] *adj* (*rent, leader*) symbolique
nominate ['nɒmɪneɪt] *vt* (*propose*) proposer; (*appoint*) nommer; **nominee** [nɒmɪ'ni:] *n* candidat agréé; personne nommée
non... *prefix* non-; ~-**alcoholic** *adj* non-alcoolisé(e); ~-**committal** *adj* évasif(ive)
nondescript ['nɒndɪskrɪpt] *adj* quelconque, indéfinissable
none [nʌn] *pron* aucun(e); ~ **of you** aucun d'entre vous, personne parmi vous; **I've** ~ **left** je n'en ai plus; **he's** ~ **the worse for it** il ne s'en porte pas plus mal
nonentity [nɒ'nentɪtɪ] *n* personne insignifiante
nonetheless ['nʌnðə'les] *adv* néanmoins
non-existent [nɒnɪg'zɪstənt] *adj* inexistant(e)
non-fiction [nɒn'fɪkʃən] *n* littérature *f* non-romanesque
nonplussed ['nɒn'plʌst] *adj* perplexe
nonsense ['nɒnsəns] *n* absurdités *fpl*, idioties *fpl*; ~! ne dites pas d'idioties!
non: ~-**smoker** *n* non-fumeur *m*; ~-**stick** *adj* qui n'attache pas; ~-**stop** *adj* direct(e), sans arrêt (*or* escale) ◆ *adv* sans arrêt
noodles ['nu:dlz] *npl* nouilles *fpl*
nook [nʊk] *n*: ~**s and crannies** recoins *mpl*
noon [nu:n] *n* midi *m*
no one ['nəuwʌn] *pron* = **nobody**
noose [nu:s] *n* nœud coulant; (*hangman's*) corde *f*
nor [nɔ:*] *conj* = **neither** ◆ *adv see* **neither**
norm [nɔ:m] *n* norme *f*
normal ['nɔ:məl] *adj* normal(e); ~**ly** *adv* normalement
Normandy ['nɔ:məndɪ] *n* Normandie *f*
north [nɔ:θ] *n* nord *m* ◆ *adj* du nord, nord *inv* ◆ *adv* au *or* vers le nord; **N**~ **America** *n* Amérique *f* du Nord; ~-**east** *n* nord-est *m*; ~**erly** ['nɔ:ðəlɪ] *adj* du nord; ~**ern** ['nɔ:ðən] *adj* du nord, septentrional(e); **N**~**ern Ireland** *n* Irlande *f* du Nord; **N**~ **Pole** *n* pôle *m* Nord; **N**~ **Sea** *n* mer *f* du Nord; ~**ward(s)** ['nɔ:θwəd(z)] *adv* vers le nord; ~-**west** *n* nord-ouest *m*
Norway ['nɔ:weɪ] *n* Norvège *f*
Norwegian [nɔ:'wi:dʒən] *adj* norvégien(ne) ◆ *n* Norvégien(ne); (*LING*) norvégien *m*
nose [nəuz] *n* nez *m*; ~ **about, around** *vi* fouiner *or* fureter (partout); ~**bleed** *n* saignement *m* du nez; ~-**dive** *n* (descente *f* en) piqué *m*; ~**y** (*inf*) *adj* = **nosy**
nostalgia [nɒs'tældʒɪə] *n* nostalgie *f*
nostril ['nɒstrɪl] *n* narine *f*; (*of horse*) naseau *m*
nosy ['nəuzɪ] (*inf*) *adj* curieux(euse)
not [nɒt] *adv* (ne ...) pas; **he is** ~ *or* **isn't here** il n'est pas ici; **you must** ~ *or* **you mustn't do that** tu ne dois pas faire ça; **it's too late, isn't it** *or* **is it** ~? c'est trop tard, n'est-ce pas?; ~ **yet/now** pas encore/maintenant; ~ **at all** pas du tout; *see also* **all; only**
notably ['nəutəblɪ] *adv* (*particularly*) en particulier; (*markedly*) spécialement
notary ['nəutərɪ] *n* notaire *m*
notch [nɒtʃ] *n* encoche *f*
note [nəut] *n* note *f*; (*letter*) mot *m*; (*banknote*) billet *m* ◆ *vt* (*also*: ~ **down**) noter; (*observe*) constater; ~**book** *n* carnet *m*; ~**d** ['nəutɪd] *adj* réputé(e); ~**pad** *n* bloc-notes *m*; ~**paper** *n* papier *m* à lettres
nothing ['nʌθɪŋ] *n* rien *m*; **he does** ~ il ne fait rien; ~ **new** rien de nouveau; **for** ~ pour rien
notice ['nəutɪs] *n* (*announcement, warning*) avis *m*; (*period of time*) délai *m*; (*resignation*) démission *f*; (*dismissal*) congé *m* ◆ *vt* remarquer, s'apercevoir de; **to take** ~ **of** prêter attention à; **to bring sth to sb's** ~ porter qch à la connaissance de qn; **at short** ~ dans un délai très court; **until further** ~ jusqu'à nouvel ordre; **to hand in one's** ~ donner sa démission, démissionner; ~**able** *adj* visible; ~ **board** (*BRIT*) *n* panneau *m* d'affichage
notify ['nəutɪfaɪ] *vt*: **to** ~ **sth to sb** notifier qch à qn; **to** ~ **sb (of sth)** avertir qn (de qch)
notion ['nəuʃən] *n* idée *f*; (*concept*) notion *f*
notorious [nəu'tɔ:rɪəs] *adj* notoire (*souvent en mal*)
notwithstanding [nɒtwɪθ'stændɪŋ] *adv* néanmoins ◆ *prep* en dépit de
nought [nɔ:t] *n* zéro *m*
noun [naun] *n* nom *m*
nourish ['nʌrɪʃ] *vt* nourrir; ~**ing** *adj* nourrissant(e); ~**ment** *n* nourriture *f*
novel ['nɒvəl] *n* roman *m* ◆ *adj* nouveau(nouvelle), original(e); ~**ist** *n* romancier *m*; ~**ty** *n* nouveauté *f*
November [nəu'vembə*] *n* novembre *m*
now [nau] *adv* maintenant ◆ *conj*: ~ **(that)** maintenant que; **right** ~ tout de suite; **by** ~ à l'heure qu'il est; **just** ~: **that's the fashion just** ~ c'est la mode en ce moment; ~ **and then,** ~ **and again** de temps en temps; **from** ~ **on** dorénavant; ~**adays** ['nauədeɪz] *adv* de nos jours
nowhere ['nəuweə*] *adv* nulle part
nozzle ['nɒzl] *n* (*of hose etc*) ajutage *m*; (*of vacuum cleaner*) suceur *m*
nuclear ['nju:klɪə*] *adj* nucléaire
nucleus ['nju:klɪəs, *pl* 'nju:klɪaɪ] (*pl* **nuclei**) *n* noyau *m*
nude [nju:d] *adj* nu(e) ◆ *n* nu *m*; **in the** ~ (tout(e)) nu(e)
nudge [nʌdʒ] *vt* donner un (petit) coup de coude à
nudist ['nju:dɪst] *n* nudiste *m/f*
nuisance ['nju:sns] *n*: **it's a** ~ c'est (très) embêtant; **he's a** ~ il est assommant *or* casse-pieds; **what a** ~! quelle barbe!
null [nʌl] *adj*: ~ **and void** nul(le) et non avenu(e)
numb [nʌm] *adj* engourdi(e); (*with fear*) paralysé(e)
number ['nʌmbə*] *n* nombre *m*; (*numeral*) chiffre *m*; (*of house, bank account etc*) numéro *m* ◆ *vt* numéroter; (*amount to*) compter; **a** ~ **of** un certain nombre de; **to be** ~**ed among** compter parmi; **they were seven in** ~ ils étaient (au nombre de) sept; ~ **plate** *n* (*AUT*) plaque *f* minéralogique *or* d'immatriculation
numeral ['nju:mərəl] *n* chiffre *m*
numerate ['nju:mərɪt] (*BRIT*) *adj*: **to be** ~ avoir des notions d'arithmétique
numerical [nju:'merɪkəl] *adj* numérique
numerous ['nju:mərəs] *adj* nombreux(euse)
nun [nʌn] *n* religieuse *f*, sœur *f*
nurse [nɜ:s] *n* infirmière *f* ◆ *vt* (*patient, cold*) soigner
nursery ['nɜ:sərɪ] *n* (*room*) nursery *f*; (*institution*) crèche *f*; (*for plants*) pépinière *f*; ~ **rhyme** *n* comptine *f*, chansonnette *f* pour enfants; ~ **school** *n* école maternelle; ~ **slope** *n* (*SKI*) piste *f* pour débutants
nursing ['nɜ:sɪŋ] *n* (*profession*) profession *f* d'infirmière; (*care*) soins *mpl*; ~ **home** *n* clinique *f*; maison *f* de convalescence; ~ **mother** *n* mère *f* qui allaite
nut [nʌt] *n* (*of metal*) écrou *m*; (*fruit*) noix *f*; noisette *f*; cacahuète *f*; ~**crackers** ['nʌtkrækəz] *npl* casse-noix *m inv*, casse-noisette(s) *m*
nutmeg ['nʌtmeg] *n* (noix *f*) muscade *f*
nutritious [nju:'trɪʃəs] *adj* nutritif(ive), nourrissant(e)
nuts (*inf*) *adj* dingue
nutshell ['nʌtʃel] *n*: **in a** ~ en un mot
nylon ['naɪlɒn] *n* nylon *m* ◆ *adj* de *or* en nylon

O

oak [əuk] *n* chêne *m* ◆ *adj* de *or* en (bois de) chêne
OAP (*BRIT*) *n abbr* = **old-age pensioner**
oar [ɔ:*] *n* aviron *m*, rame *f*
oasis [əu'eɪsɪs, *pl* əu'eɪsi:z] (*pl* **oases**) *n* oasis *f*
oath [əuθ] *n* serment *m*; (*swear word*) juron *m*; **under** ~, (*BRIT*) **on** ~ sous serment
oatmeal ['əutmi:l] *n* flocons *mpl* d'avoine
oats [əuts] *n* avoine *f*
obedience [ə'bi:dɪəns] *n* obéissance *f*; **obedient** [ə'bi:dɪənt] *adj* obéissant(e)
obey [ə'beɪ] *vt* obéir à; (*instructions*) se conformer à
obituary [ə'bɪtjuərɪ] *n* nécrologie *f*
object [*n* 'ɒbdʒɪkt, *vb* əb'dʒekt] *n* objet *m*; (*purpose*) but *m*, objet; (*LING*) complément *m* d'objet ◆ *vi*: **to** ~ **to** (*attitude*) désapprouver; (*proposal*) protester contre; **expense is no** ~ l'argent n'est pas un problème; **he** ~**ed that ...** il a fait valoir *or* a objecté que ...; **I** ~! je proteste!; ~**ion** [əb'dʒekʃən] *n* objection *f*; ~**ionable** [əb'dʒekʃnəbl] *adj* très désagréable; (*language*) choquant(e); ~**ive** [əb'dʒektɪv] *n* objectif *m* ◆ *adj* objectif(ive)
obligation [ɒblɪ'geɪʃən] *n* obligation *f*, devoir *m*; **without** ~ sans engagement
oblige [ə'blaɪdʒ] *vt* (*force*): **to** ~ **sb to do** obliger *or* forcer qn à faire; (*do a favour*) rendre service à, obliger; **to be** ~**d to sb for sth** être obligé(e) à qn de qch; **obliging** [ə'blaɪdʒɪŋ] *adj* obligeant(e), serviable
oblique [ə'bli:k] *adj* oblique; (*allusion*) indirect(e)
obliterate [ə'blɪtəreɪt] *vt* effacer
oblivion [ə'blɪvɪən] *n* oubli *m*; **oblivious** [ə'blɪvɪəs] *adj*: **oblivious of** oublieux(euse) de
oblong ['ɒblɒŋ] *adj* oblong(ue) ◆ *n* rectangle *m*
obnoxious [əb'nɒkʃəs] *adj* odieux (euse); (*smell*) nauséabond(e)
oboe ['əubəu] *n* hautbois *m*
obscene [əb'si:n] *adj* obscène
obscure [əb'skjuə*] *adj* obscur(e) ◆ *vt* obscurcir; (*hide*: *sun*) cacher
observant [əb'zɜ:vənt] *adj* observateur(trice)
observation [ɒbzə'veɪʃən] *n* (*remark*) observation *f*; (*watching*) surveillance *f*; **observatory** [əb'zɜ:vətrɪ] *n* observatoire *m*
observe [əb'zɜ:v] *vt* observer; (*remark*) faire observer *or* remarquer; ~**r** *n* observateur(trice)
obsess [əb'ses] *vt* obséder; ~**ive** *adj* obsédant(e)
obsolescence [ɒbsə'lesns] *n* vieillissement *m*
obsolete ['ɒbsəli:t] *adj* dépassé(e); démodé(e)
obstacle ['ɒbstəkl] *n* obstacle *m*; ~ **race** *n* course *f* d'obstacles
obstinate ['ɒbstɪnət] *adj* obstiné(e)
obstruct [əb'strʌkt] *vt* (*block*) boucher, obstruer; (*hinder*) entraver
obtain [əb'teɪn] *vt* obtenir; ~**able** *adj* qu'on peut obtenir
obvious ['ɒbvɪəs] *adj* évident(e), manifeste; ~**ly** *adv* manifestement; ~**ly not!** bien sûr que non!
occasion [ə'keɪʒən] *n* occasion *f*; (*event*) événement *m*; ~**al** *adj* pris(e) *or* fait(e) *etc* de temps en temps; occasionnel(le); ~**ally** *adv* de temps en temps, quelquefois
occupation [ɒkju'peɪʃən] *n* occupation *f*; (*job*) métier *m*, profession *f*; ~**al hazard** *n* risque *m* du métier
occupier ['ɒkjupaɪə*] *n* occupant(e)
occupy ['ɒkjupaɪ] *vt* occuper; **to** ~ **o.s. in** *or* **with doing** s'occuper à faire
occur [ə'kɜ:*] *vi* (*event*) se produire; (*phenomenon, error*) se rencontrer; **to** ~ **to sb** venir à l'esprit de qn; ~**rence** *n* (*existence*) présence *f*, existence *f*; (*event*) cas *m*, fait *m*
ocean ['əuʃən] *n* océan *m*; ~-**going** *adj* de haute mer
o'clock [ə'klɒk] *adv*: **it is 5** ~ il est 5 heures
OCR *n abbr* = **optical character reader; optical character recognition**
October [ɒk'təubə*] *n* octobre *m*
octopus ['ɒktəpəs] *n* pieuvre *f*
odd [ɒd] *adj* (*strange*) bizarre, curieux(euse); (*number*) impair(e); (*not of a set*) dépareillé(e); **60-odd** 60 et quelques; **at** ~ **times** de temps en temps; **the** ~ **one out** l'exception *f*; ~**ity** *n* (*person*) excentrique *m/f*; (*thing*) curiosité *f*; ~-**job man** *n* homme *m* à tout faire; ~ **jobs** *npl* petits travaux divers; ~**ly** *adv* bizarrement, curieusement; ~**ments** *npl* (*COMM*) fins *fpl* de série; ~**s** *npl* (*in betting*) cote *f*; **it makes no** ~**s** cela n'a pas d'importance; **at** ~**s** en désaccord; ~**s and ends** de petites choses
odour ['əudə*] (*US* **odor**) *n* odeur *f*

KEYWORD

of [ɒv, əv] *prep* 1 (*gen*) de; **a friend** ~ **ours** un de nos amis; **a boy** ~ **10** un garçon de 10 ans; **that was kind** ~ **you** c'était gentil de votre part
2 (*expressing quantity, amount, dates etc*) de; **a kilo** ~ **flour** un kilo de farine; **how much** ~ **this do you need?** combien vous en faut-il?; **there were 3** ~ **them** (*people*) ils étaient 3; (*objects*) il y en avait 3; **3** ~ **us went** 3 d'entre nous sont allé(e)s; **the 5th** ~ **July** le 5 juillet
3 (*from, out of*) en, de; **a statue** ~ **marble** une statue de *or* en marbre; **made** ~ **wood** (fait) en bois

off [ɒf] *adj, adv* (*engine*) coupé(e); (*tap*) fermé(e); (*BRIT*: *food*: *bad*) mauvais(e); (: *milk*) tourné(e); (*absent*) absent(e); (*cancelled*) annulé(e) ◆ *prep* de; sur; **to be** ~ (*to leave*) partir, s'en aller; **to be** ~ **sick** être absent pour cause de maladie; **a day** ~ un jour de congé; **to have an** ~ **day** n'être pas en forme; **he had his coat** ~ il avait enlevé son manteau; **10%** ~ (*COMM*) 10% de rabais; ~ **the coast** au large de la côte; **I'm** ~ **meat** je ne mange plus de viande, je n'aime plus la viande; **on the** ~ **chance** à tout hasard
offal ['ɒfəl] *n* (*CULIN*) abats *mpl*
off-colour ['ɒf'kʌlə*] (*BRIT*) *adj* (*ill*) malade, mal fichu(e)
offence [ə'fens] (*US* **offense**) *n* (*crime*) délit *m*, infraction *f*; **to take** ~ **at** se vexer de, s'offenser de
offend [ə'fend] *vt* (*person*) offenser, blesser; ~**er** *n* délinquant(e)
offense [ə'fens] (*US*) *n* = **offence**
offensive [ə'fensɪv] *adj* offensant(e), choquant(e); (*smell etc*) très déplaisant(e); (*weapon*) offensif(ive) ◆ *n* (*MIL*) offensive *f*
offer ['ɒfə*] *n* offre *f*, proposition *f* ◆ *vt* offrir, proposer; "**on** ~" (*COMM*) "en promotion"; ~**ing** *n* offrande *f*
offhand ['ɒf'hænd] *adj* désinvolte ◆ *adv* spontanément
office ['ɒfɪs] *n* (*place, room*) bureau *m*; (*position*) charge *f*, fonction *f*; **doctor's** ~ (*US*) cabinet (médical); **to take** ~ entrer en fonctions; ~ **automation** *n* bureautique *f*; ~ **block** (*US* ~ **building**) *n* immeuble *m* de bureaux; ~ **hours** *npl* heures *fpl* de bureau; (*US*: *MED*) heures de consultation
officer ['ɒfɪsə*] *n* (*MIL etc*) officier *m*; (*also*: *police* ~) agent *m* (de police); (*of organization*) membre *m* du bureau directeur
office worker *n* employé(e) de bureau
official [ə'fɪʃəl] *adj* officiel(le) ◆ *n* officiel *m*; (*civil servant*) fonctionnaire *m/f*; employé(e); ~**dom** *n* administration *f*, bureaucratie *f*
officiate [ə'fɪʃɪeɪt] *vi* (*REL*) officier; **to** ~ **at a marriage** célébrer un mariage
officious [ə'fɪʃəs] *adj* trop empressé(e)
offing ['ɒfɪŋ] *n*: **in the** ~ (*fig*) en perspective
off: ~-**licence** (*BRIT*) *n* (*shop*) débit *m* de vins et de spiritueux; ~-**line** *adj, adv* (*COMPUT*) (en mode) autonome; (: *switched off*) non connecté(e); ~-**peak** *adj* aux heures creuses; (*electricity, heating, ticket*) au tarif heures creuses; ~-**putting** (*BRIT*) *adj* (*remark*) rébarbatif(ive); (*person*) rebutant(e), peu engageant(e); ~-**season** *adj, adv* hors-saison *inv*
offset ['ɒfset] (*irreg*) *vt* (*counteract*) contrebalancer, compenser
offshoot ['ɒfʃu:t] *n* (*fig*) ramification *f*, antenne *f*
offshore ['ɒf'ʃɔ:*] *adj* (*breeze*) de terre; (*fishing*) côtier(ère)
offside ['ɒf'saɪd] *adj* (*SPORT*) hors jeu; (*AUT*: *with right-hand drive*) de droite; (: *with left-hand drive*) de gauche
offspring ['ɒfsprɪŋ] *n inv* progéniture *f*
off: ~**stage** *adv* dans les coulisses; ~-**the-peg** (*US* ~-**the-rack**) *adv* en prêt-à-porter; ~-**white** *adj* blanc cassé *inv*
often ['ɒfən] *adv* souvent; **how** ~ **do you go?** vous y allez tous les combien?; **how** ~ **have you gone there?** vous y êtes allé combien de fois?
ogle ['əugl] *vt* lorgner
oh [əu] *excl* ô!, oh!, ah!
oil [ɔɪl] *n* huile *f*; (*petroleum*) pétrole *m*; (*for central heating*) mazout *m* ◆ *vt* (*machine*) graisser; ~**can** *n* burette *f* de graissage; (*for storing*) bidon *m* à huile; ~**field** *n* gisement *m* de pétrole; ~ **filter** *n* (*AUT*) filtre *m* à huile; ~ **painting** *n* peinture *f* à l'huile; ~ **refinery** *n* raffinerie *f*; ~ **rig** *n* derrick *m*; (*at sea*) plate-forme pétrolière; ~**skins** *npl* ciré *m*; ~ **tanker** *n* (*ship*) pétrolier *m*; (*truck*) camion-citerne *m*; ~ **well** *n* puits *m* de pétrole; ~**y** *adj* huileux(euse); (*food*) gras(se)
ointment ['ɔɪntmənt] *n* onguent *m*
O.K., okay ['əu'keɪ] *excl* d'accord! ◆ *adj* (*average*) pas mal ◆ *vt* approuver, donner son accord à; **is it** ~?, **are you** ~? ça va?
old [əuld] *adj* vieux(vieille); (*person*) vieux, âgé(e); (*former*) ancien(ne), vieux; **how** ~ **are you?** quel âge avez-vous?; **he's 10**

years ~ il a 10 ans, il est âgé de 10 ans; ~er brother/sister frère/sœur aîné(e); ~ age *n* vieillesse *f*; ~ age pensioner (*BRIT*) *n* retraité(e); ~-fashioned *adj* démodé(e); (*person*) vieux jeu *inv*

olive ['ɔlɪv] *n* (*fruit*) olive *f*; (*tree*) olivier *m* ◆ *adj* (*also*: ~-*green*) (vert) olive *inv*; ~ oil *n* huile *f* d'olive

Olympic [əu'lɪmpɪk] *adj* olympique; the ~ Games, the ~s les Jeux *mpl* olympiques

omelet(te) ['ɔmlət] *n* omelette *f*

omen ['əumən] *n* présage *m*

ominous ['ɔmɪnəs] *adj* menaçant(e), inquiétant(e); (*event*) de mauvais augure

omit [əu'mɪt] *vt* omettre; to ~ to do omettre de faire

KEYWORD

on [ɔn] *prep* 1 (*indicating position*) sur; ~ the table sur la table; ~ the wall sur le *or* au mur; ~ the left à gauche

2 (*indicating means, method, condition etc*): ~ foot à pied; ~ the train/plane (*be*) dans le train/l'avion; (*go*) en train/avion; ~ the telephone/radio/television au téléphone/à la radio/à la télévision; to be ~ drugs se droguer; ~ holiday en vacances

3 (*referring to time*): ~ Friday vendredi; ~ Fridays le vendredi; ~ June 20th le 20 juin; a week ~ Friday vendredi en huit; ~ arrival à l'arrivée; ~ seeing this en voyant cela

4 (*about, concerning*) sur, de; a book ~ Balzac/physics un livre sur Balzac/de physique

◆ *adv* 1 (*referring to dress, covering*): to have one's coat ~ avoir (mis) son manteau; to put one's coat ~ mettre son manteau; what's she got ~? qu'est-ce qu'elle porte?; screw the lid ~ tightly vissez bien le couvercle

2 (*further, continuously*): to walk *etc* ~ continuer à marcher *etc*; ~ and off de temps à autre

◆ *adj* 1 (*in operation*: *machine*) en marche; (: *radio, TV, light*) allumé(e); (: *tap, gas*) ouvert(e); (: *brakes*) mis(e); is the meeting still ~? (*not cancelled*) est-ce que la réunion a bien lieu?; (*in progress*) la réunion dure-t-elle encore?; when is this film ~? quand passe ce film?

2 (*inf*): that's not ~! (*not acceptable*) cela ne se fait pas!; (*not possible*) pas question!

once [wʌns] *adv* une fois; (*formerly*) autrefois ◆ *conj* une fois que; ~ he had left/it was done une fois qu'il fut parti/que ce fut terminé; at ~ tout de suite, immédiatement; (*simultaneously*) à la fois; ~ a week une fois par semaine; ~ more encore une fois; ~ and for all une fois pour toutes; ~ upon a time il y avait une fois, il était une fois

oncoming ['ɔnkʌmɪŋ] *adj* (*traffic*) venant en sens inverse

KEYWORD

one [wʌn] *num* un(e); ~ hundred and fifty cent cinquante; ~ day un jour

◆ *adj* 1 (*sole*) seul(e), unique; the ~ book which l'unique *or* le seul livre qui; the ~ man who le seul (homme) qui

2 (*same*) même; they came in the ~ car ils sont venus dans la même voiture

◆ *pron* 1: this ~ celui-ci(celle-ci); that ~ celui-là(celle-là); I've already got ~/a red ~ j'en ai déjà un(e)/un(e) rouge; ~ by ~ un(e) à *or* par un(e)

2: ~ another l'un(e) l'autre; to look at ~ another se regarder

3 (*impersonal*) on; ~ never knows on ne sait jamais; to cut ~'s finger se couper le doigt

one: ~-day excursion (*US*) *n* billet *m* d'aller-retour (valable pour la journée); ~-man *adj* (*business*) dirigé(e) *etc* par un seul homme; ~-man band *n* homme-orchestre *m*; ~-off (*BRIT: inf*) *n* exemplaire *m* unique

oneself [wʌn'self] *pron* (*reflexive*) se; (*after prep*) soi(-même); (*emphatic*) soi-même; to hurt ~ se faire mal; to keep sth for ~ garder qch pour soi; to talk to ~ se parler à soi-même

one: ~-sided *adj* (*argument*) unilatéral; ~-to-~ *adj* (*relationship*) univoque; ~-upmanship *n*: the art of ~-upmanship l'art de faire mieux que les autres; ~-way *adj* (*street, traffic*) à sens unique

ongoing ['ɔngəuɪŋ] *adj* en cours; (*relationship*) suivi(e)

onion ['ʌnjən] *n* oignon *m*

on-line ['ɔnlaɪn] *adj, adv* (*COMPUT*) en ligne; (: *switched on*) connecté(e)

onlooker ['ɔnlukə*] *n* spectateur (trice)

only ['əunlɪ] *adv* seulement ◆ *adj* seul(e), unique ◆ *conj* seulement, mais; an ~ child un enfant unique; not ~ ... but also non seulement ... mais aussi

onset ['ɔnset] *n* début *m*; (*of winter, old age*) approche *f*

onshore ['ɔnʃɔ:*] *adj* (*wind*) du large

onslaught ['ɔnslɔ:t] *n* attaque *f*, assaut *m*

onto ['ɔntu] *prep* = on to

onus ['əunəs] *n* responsabilité *f*

onward(s) ['ɔnwəd(z)] *adv* (*move*) en avant; from that time ~ à partir de ce moment

ooze [u:z] *vi* suinter

opaque [əu'peɪk] *adj* opaque

OPEC ['əupek] *n abbr* (= *Organization of Petroleum Exporting Countries*) O.P.E.P. *f*

open ['əupən] *adj* ouvert(e); (*car*) découvert(e); (*road, view*) dégagé(e); (*meeting*) public(ique); (*admiration*) manifeste ◆ *vt* ouvrir ◆ *vi* (*flower, eyes, door, debate*) s'ouvrir; (*shop, bank, museum*) ouvrir; (*book etc: commence*) commencer, débuter; in the ~ (air) en plein air; ~ on to *vt fus* (*subj: room, door*) donner sur; ~ up *vt* ouvrir; (*blocked road*) dégager ◆ *vi* s'ouvrir; ~ing *n* ouverture *f*; (*opportunity*) occasion *f* ◆ *adj* (*remarks*) préliminaire; ~ly *adv* ouvertement; ~-minded *adj* à l'esprit ouvert; ~-necked *adj* à col ouvert; ~-plan *adj* sans cloisons

opera ['ɔpərə] *n* opéra *m*; ~ singer *n* chanteur(euse) d'opéra

operate ['ɔpəreɪt] *vt* (*machine*) faire marcher, faire fonctionner ◆ *vi* fonctionner; (*MED*): to ~ (on sb) opérer (qn)

operatic [ɔpə'rætɪk] *adj* d'opéra

operating: ~ table *n* table *f* d'opération; ~ theatre *n* salle *f* d'opération

operation [ɔpə'reɪʃən] *n* opération *f*; (*of machine*) fonctionnement *m*; to be in ~ (*system, law*) être en vigueur; to have an ~ (*MED*) se faire opérer

operative ['ɔpərətɪv] *adj* (*measure*) en vigueur

operator ['ɔpəreɪtə*] *n* (*of machine*) opérateur(trice); (*TEL*) téléphoniste *m/f*

opinion [ə'pɪnjən] *n* opinion *f*, avis *m*; in my ~ à mon avis; ~ated *adj* aux idées bien arrêtées; ~ poll *n* sondage *m* (d'opinion)

opponent [ə'pəunənt] *n* adversaire *m/f*

opportunity [ɔpə'tju:nɪtɪ] *n* occasion *f*; to take the ~ of doing profiter de l'occasion pour faire; en profiter pour faire

oppose [ə'pəuz] *vt* s'opposer à; ~d to opposé(e) à; as ~d to par opposition à; **opposing** [ə'pəuzɪŋ] *adj* (*side*) opposé(e)

opposite ['ɔpəzɪt] *adj* opposé(e); (*house etc*) d'en face ◆ *adv* en face ◆ *prep* en face de ◆ *n* opposé *m*, contraire *m*; the ~ sex l'autre sexe, le sexe opposé

opposition [ɔpə'zɪʃən] *n* opposition *f*

oppress [ə'pres] *vt* opprimer

oppressive *adj* (*political regime*) oppressif(ive); (*weather*) lourd(e); (*heat*) accablant(e)

opt [ɔpt] *vi*: to ~ for opter pour; to ~ to do choisir de faire; ~ out *vi*: to ~ out of choisir de ne pas participer à *or* de ne pas faire

optical ['ɔptɪkəl] *adj* optique; (*instrument*) d'optique; ~ character recognition/reader *n* lecture *f*/lecteur *m* optique

optician [ɔp'tɪʃən] *n* opticien(ne)

optimist ['ɔptɪmɪst] *n* optimiste *m/f*; ~ic *adj* optimiste

option ['ɔpʃən] *n* choix *m*, option *f*; (*SCOL*) matière *f* à option; (*COMM*) option; ~al *adj* facultatif(ive); (*COMM*) en option

or [ɔ:*] *conj* ou; (*with negative*): he hasn't seen ~ heard anything il n'a rien vu ni entendu; ~ else sinon; ou bien

oral ['ɔ:rəl] *adj* oral(e) ◆ *n* oral *m*

orange ['ɔrɪndʒ] *n* (*fruit*) orange *f* ◆ *adj* orange *inv*

orator ['ɔrətə*] *n* orateur(trice)

orbit ['ɔ:bɪt] *n* orbite *f* ◆ *vt* graviter autour de

orchard ['ɔ:tʃəd] *n* verger *m*

orchestra ['ɔ:kɪstrə] *n* orchestre *m*; (*US: seating*) (fauteuils *mpl* d')orchestre

orchid ['ɔ:kɪd] *n* orchidée *f*

ordain [ɔ:'deɪn] *vt* (*REL*) ordonner

ordeal [ɔ:'di:l] *n* épreuve *f*

order ['ɔ:də*] *n* ordre *m*; (*COMM*) commande *f* ◆ *vt* ordonner; (*COMM*) commander; in ~ en ordre; (*document*) en règle; in (working) ~ en état de marche; out of ~ (*not in correct order*) en désordre; (*not working*) en dérangement; in ~ to do/that pour faire/que +*sub*; on ~ (*COMM*) en commande; to ~ sb to do ordonner à qn de faire; ~ form *n* bon *m* de commande; ~ly *n* (*MIL*) ordonnance *f*; (*MED*) garçon *m* de salle ◆ *adj* (*room*) en ordre; (*person*) qui a de l'ordre

ordinary ['ɔ:dnrɪ] *adj* ordinaire, normal(e); (*pej*) ordinaire, quelconque; out of the ~ exceptionnel(le)

Ordnance Survey map *n* ≈ carte *f* d'État-Major

ore [ɔ:*] *n* minerai *m*

organ ['ɔ:gən] *n* organe *m*; (*MUS*) orgue *m*, orgues *fpl*; ~ic [ɔ:'gænɪk] *adj* organique

organization [ɔ:gənaɪ'zeɪʃən] *n* organisation *f*

organize ['ɔ:gənaɪz] *vt* organiser; ~r *n* organisateur(trice)

orgasm ['ɔ:gæzəm] *n* orgasme *m*

Orient ['ɔ:rɪənt] *n*: the ~ l'Orient *m*; o~al [ɔ:rɪ'entəl] *adj* oriental(e)

origin ['ɔrɪdʒɪn] *n* origine *f*

original [ə'rɪdʒɪnl] *adj* original(e); (*earliest*) originel(le) ◆ *n* original *m*; ~ly *adv* (*at first*) à l'origine

originate [ə'rɪdʒɪneɪt] *vi*: to ~ from (*person*) être originaire de; (*suggestion*) provenir de; to ~ in prendre naissance dans; avoir son origine dans

Orkneys ['ɔ:knɪz] *npl*: the ~ (*also*: *the Orkney Islands*) les Orcades *fpl*

ornament ['ɔ:nəmənt] *n* ornement *m*; (*trinket*) bibelot *m*; ~al [ɔ:nə'mentl] *adj* décoratif(ive); (*garden*) d'agrément

ornate [ɔ:'neɪt] *adj* très orné(e)

orphan ['ɔ:fən] *n* orphelin(e); ~age *n* orphelinat *m*

orthopaedic [ɔ:θəu'pi:dɪk] (*US* orthopedic) *adj* orthopédique

ostensibly [ɔs'tensəblɪ] *adv* en apparence

ostentatious [ɔsten'teɪʃəs] *adj* prétentieux(euse)

ostracize ['ɔstrəsaɪz] *vt* frapper d'ostracisme

ostrich ['ɔstrɪtʃ] *n* autruche *f*

other ['ʌðə*] *adj* autre ◆ *pron*: the ~ (one) l'autre; ~s (~ *people*) d'autres; ~ than autrement que; à part; ~wise *adv, conj* autrement

otter ['ɔtə*] *n* loutre *f*

ouch [autʃ] *excl* aïe!

ought [ɔ:t] (*pt* ought) *aux vb*: I ~ to do it je devrais le faire, il faudrait que je le fasse; this ~ to have been corrected cela aurait dû être corrigé; he ~ to win il devrait gagner

ounce [auns] *n* once *f* (= *28.35g; 16 in a pound*)

our [auə*] *adj* notre, nos *pl*; *see also* my; ~s *pron* le(la) nôtre, les nôtres; *see also* mine[1]; ~selves *pron pl* (*reflexive, after preposition*) nous; (*emphatic*) nous-mêmes; *see also* oneself

oust [aust] *vt* évincer

out [aut] *adv* dehors; (*published, not at home etc*) sorti(e); (*light, fire*) éteint(e); ~ here ici; ~ there là-bas; he's ~ (*absent*) il est sorti; (*unconscious*) il est sans connaissance; to be ~ in one's calculations s'être trompé dans ses calculs; to run/back *etc* ~ sortir en courant/en reculant *etc*; ~ loud à haute voix; ~ of (*outside*) en dehors de; (*because of: anger etc*) par; (*from among*): ~ of 10 sur 10; ~ of; (*without*): ~ of petrol sans essence, à court d'essence; ~ of order (*machine*) en panne; (*TEL: line*) en dérangement; ~-and-out *adj* (*liar, thief etc*) véritable

outback ['autbæk] *n* (*in Australia*): the ~ l'intérieur *m*

outboard ['autbɔ:d] *n* (*also*: ~ *motor*) (moteur *m*) hors-bord *m*;

out: ~break ['autbreɪk] *n* (*of war, disease*) début *m*; (*of violence*) éruption *f*; ~burst ['autbə:st] *n* explosion *f*, accès *m*; ~cast ['autkɑ:st] *n* exilé(e); (*socially*) paria *m*; ~come ['autkʌm] *n* issue *f*, résultat *m*; ~crop ['autkrɔp] *n* (*of rock*) affleurement *m*; ~cry ['autkraɪ] *n* tollé (général); ~dated [aut'deɪtɪd] *adj* démodé(e); ~do [aut'du:] (*irreg*) *vt* surpasser

outdoor ['autdɔ:*] *adj* de *or* en plein air; ~s *adv* dehors; au grand air

outer ['autə*] *adj* extérieur(e); ~ space *n* espace *m* cosmique

outfit ['autfɪt] *n* (*clothes*) tenue *f*

outgoing ['autgəuɪŋ] *adj* (*character*) ouvert(e), extraverti(e); (*retiring*) sortant(e); ~s (*BRIT*) *npl* (*expenses*) dépenses *fpl*

outgrow [aut'grəu] (*irreg*) *vt* (*clothes*) devenir trop grand(e) pour

outhouse ['authaus] *n* appentis *m*, remise *f*

outing ['autɪŋ] *n* sortie *f*; excursion *f*

outlandish [aut'lændɪʃ] *adj* étrange

outlaw ['autlɔ:] *n* hors-la-loi *m inv* ◆ *vt* mettre hors-la-loi

outlay ['autleɪ] *n* dépenses *fpl*; (*investment*) mise *f* de fonds

outlet ['autlet] *n* (*for liquid etc*) issue *f*, sortie *f*; (*US: ELEC*) prise *f* de courant; (*also*: *retail* ~) point *m* de vente

outline ['autlaɪn] *n* (*shape*) contour *m*; (*summary*) esquisse *f*, grandes lignes ◆ *vt* (*fig: theory, plan*) exposer à grands traits

out: ~live [aut'lɪv] *vt* survivre à; ~look ['autluk] *n* perspective *f*; ~lying ['autlaɪɪŋ] *adj* écarté(e); ~moded [aut'məudɪd] *adj* démodé(e); dépassé(e); ~number [aut'nʌmbə*] *vt* surpasser en nombre

out-of-date [autəv'deɪt] *adj* (*passport*) périmé(e); (*theory etc*) dépassé(e); (*clothes etc*) démodé(e)

out-of-the-way [autəvðə'weɪ] *adj* (*place*) loin de tout

outpatient ['autpeɪʃənt] *n* malade *m/f* en consultation externe

outpost ['autpəust] *n* avant-poste *m*

output ['autput] *n* rendement *m*, production *f*; (*COMPUT*) sortie *f*

outrage ['autreɪdʒ] *n* (*anger*) indignation *f*; (*violent act*) atrocité *f*; (*scandal*) scandale *m* ◆ *vt* outrager; ~ous [aut'reɪdʒəs] *adj* atroce; scandaleux(euse)

outright [*adv* 'autraɪt, *adj* aut'raɪt] *adv* complètement; (*deny, refuse*) catégoriquement; (*ask*) carrément; (*kill*) sur le coup ◆ *adj* complet(ète); catégorique

outset ['autset] *n* début *m*

outside [aut'saɪd] *n* extérieur *m* ◆ *adj* extérieur(e) ◆ *adv* (au) dehors, à l'extérieur ◆ *prep* hors de, à l'extérieur de; at the ~ (*fig*) au plus *or* maximum; ~ lane *n* (*AUT: in Britain*) voie *f* de droite; (: *in US, Europe*) voie de gauche; ~ line *n* (*TEL*) ligne extérieure; ~r *n* (*stranger*) étranger(ère)

out: ~size ['autsaɪz] *adj* énorme; (*clothes*) grande taille *inv*; ~skirts ['autskə:ts] *npl* faubourgs *mpl*; ~spoken [aut'spəukən] *adj* très franc(franche)

outstanding [aut'stændɪŋ] *adj* remarquable, exceptionnel(le); (*unfinished*) en suspens; (*debt*) impayé(e); (*problem*) non réglé(e)

outstay [aut'steɪ] *vt*: to ~ one's welcome abuser de l'hospitalité de son hôte

out: ~stretched [aut'stretʃt] *adj* (*hand*) tendu(e); ~strip [aut'strɪp] *vt* (*competitors, demand*) dépasser; ~ tray *n* courrier *m* "départ"

outward ['autwəd] *adj* (*sign, appearances*) extérieur(e); (*journey*) (d')aller; ~ly *adv* extérieurement; en apparence

outweigh [aut'weɪ] *vt* l'emporter sur

outwit [aut'wɪt] *vt* se montrer plus malin que

oval ['əuvəl] *adj* ovale ◆ *n* ovale *m*

ovary ['əuvərɪ] *n* ovaire *m*

oven ['ʌvn] *n* four *m*; ~proof *adj* allant au four

over ['əuvə*] *adv* (par-)dessus ◆ *adj* (*finished*) fini(e), terminé(e); (*too much*) en plus ◆ *prep* sur; par-dessus; (*above*) au-dessus de; (*on the other side of*) de l'autre côté de; (*more than*) plus de; (*during*) pendant; ~ here ici; ~ there là-bas; all ~ (*everywhere*) partout; (*finished*) fini(e); ~ and ~ (again) à plusieurs reprises; ~ and above en plus de; to ask sb ~ inviter qn (à passer)

overall [*adj, n* 'əuvərɔ:l, *adv* əuvər'ɔ:l] *adj* (*length, cost etc*) total(e); (*study*) d'ensemble ◆ *n* (*BRIT*) blouse *f* ◆ *adv* dans l'ensemble, en général; ~s *npl* bleus *mpl* (de travail)

overawe [əuvər'ɔ:] *vt* impressionner

over: ~balance [əuvə'bæləns] *vi* basculer; ~bearing [əuvə'beərɪŋ] *adj* impérieux(euse), autoritaire; ~board ['əuvəbɔ:d] *adv* (*NAUT*) par-dessus bord; ~book [əuvə'buk] *vt* faire du surbooking; ~cast ['əuvəkɑ:st] *adj* couvert(e)

overcharge ['əuvə'tʃɑ:dʒ] *vt*: to ~ sb for sth faire payer qch trop cher à qn

overcoat ['əuvəkəut] *n* pardessus *m*

overcome [əuvə'kʌm] (*irreg*) *vt* (*defeat*) triompher de; (*difficulty*) surmonter

overcrowded [əuvə'kraudɪd] *adj* bondé(e)

overdo [əuvə'du:] (*irreg*) *vt* exagérer; (*overcook*) trop cuire; to ~ it (*work etc*) se surmener

overdose ['əuvədəus] *n* dose excessive

overdraft ['əuvədrɑ:ft] *n* découvert *m*; **overdrawn** ['əuvə'drɔ:n] *adj* (*account*) à découvert; (*person*) dont le compte est à découvert

overdue ['əuvə'dju:] *adj* en retard; (*change, reform*) qui tarde

overestimate [əuvər'estɪmeɪt] *vt* surestimer

overexcited [əuvərɪk'saɪtɪd] *adj* surexcité(e)

overflow [*vb* əuvə'fləu, *n* 'əuvəfləu] *vi* déborder ◆ *n* (*also*: ~ *pipe*) tuyau *m* d'écoulement, trop-plein *m*

overgrown ['əuvə'grəun] *adj* (*garden*) envahi(e) par la végétation

overhaul [*vb* əuvə'hɔ:l, *n* 'əuvəhɔ:l] *vt* réviser ◆ *n* révision *f*

overhead [*adv* əuvə'hed, *adj, n* 'əuvəhed] *adv* au-dessus ◆ *adj* aérien(ne); (*lighting*) vertical(e) ◆ *n* (*US*) = overheads; ~s *npl* (*expenses*) frais généraux

overhear [əuvə'hɪə*] (*irreg*) *vt* entendre (par hasard)

overheat [əuvə'hi:t] *vi* (*engine*) chauffer

overjoyed [əuvə'dʒɔɪd] *adj*: ~ (at) ravi(e) (de), enchanté(e) (de)

overkill ['əuvəkɪl] *n*: that would be ~ ce serait trop

overland *adj, adv* par voie de terre

overlap [əuvə'læp] *vi* se chevaucher

overleaf [əuvə'li:f] *adv* au verso

overload ['əuvə'ləud] *vt* surcharger

overlook [əuvə'luk] *vt* (*have view of*) donner sur; (*miss: by mistake*) oublier; (*forgive*) fermer les yeux sur

overnight [*adv* 'əuvə'naɪt, *adj* 'əuvənaɪt] *adv* (*happen*) durant la nuit; (*fig*) soudain ◆ *adj* d'une (*or* de) nuit; **he stayed there** ~ il y a passé la nuit

overpass *n* pont autoroutier

overpower [əuvə'pauə*] *vt* vaincre; (*fig*) accabler; **~ing** *adj* (*heat, stench*) suffocant(e)

overrate ['əuvə'reɪt] *vt* surestimer

override [əuvə'raɪd] (*irreg: like* **ride**) *vt* (*order, objection*) passer outre à; **overriding** [əuvə'raɪdɪŋ] *adj* prépondérant(e)

overrule [əuvə'ru:l] *vt* (*decision*) annuler; (*claim*) rejeter; (*person*) rejeter l'avis de

overrun [əuvə'rʌn] (*irreg: like* **run**) *vt* (*country*) occuper; (*time limit*) dépasser

overseas ['əuvə'si:z] *adv* outre-mer; (*abroad*) à l'étranger ◆ *adj* (*trade*) extérieur(e); (*visitor*) étranger(ère)

overshadow [əuvə'ʃædəu] *vt* (*fig*) éclipser

oversight ['əuvəsaɪt] *n* omission *f*, oubli *m*

oversleep ['əuvə'sli:p] (*irreg*) *vi* se réveiller (trop) tard

overstate *vt* exagérer

overstep [əuvə'step] *vt*: **to ~ the mark** dépasser la mesure

overt [əu'vɜ:t] *adj* non dissimulé(e)

overtake [əuvə'teɪk] (*irreg*) *vt* (*AUT*) dépasser, doubler

overthrow [əuvə'θrəu] (*irreg*) *vt* (*government*) renverser

overtime ['əuvətaɪm] *n* heures *fpl* supplémentaires

overtone ['əuvətəun] *n* (*also*: **~s**) note *f*, sous-entendus *mpl*

overture ['əuvətʃuə*] *n* (*MUS, fig*) ouverture *f*

overturn [əuvə'tɜ:n] *vt* renverser ◆ *vi* se retourner

overweight ['əuvə'weɪt] *adj* (*person*) trop gros(se)

overwhelm [əuvə'welm] *vt* (*subj: emotion*) accabler; (*enemy, opponent*) écraser; **~ing** *adj* (*victory, defeat*) écrasant(e); (*desire*) irrésistible

overwork ['əuvə'wɜ:k] *n* surmenage *m*

overwrought ['əuvə'rɔ:t] *adj* excédé(e)

owe [əu] *vt*: **to ~ sb sth, to ~ sth to sb** devoir qch à qn; **owing to** ['əuɪŋ-] *prep* à cause de, en raison de

owl [aul] *n* hibou *m*

own [əun] *vt* posséder ◆ *adj* propre; **a room of my ~** une chambre à moi, ma propre chambre; **to get one's ~ back** prendre sa revanche; **on one's ~** tout(e) seul(e); **~ up** *vi* avouer; **~er** *n* propriétaire *m/f*; **~ership** *n* possession *f*

ox [ɔks] (*pl* **oxen**) *n* bœuf *m*

oxtail ['ɔksteɪl] *n*: **~ soup** soupe *f* à la queue de bœuf

oxygen ['ɔksɪdʒən] *n* oxygène *m*; **~ mask** *n* masque *m* à oxygène

oyster ['ɔɪstə*] *n* huître *f*

oz. *abbr* = **ounce(s)**

ozone hole *n* trou *m* d'ozone

ozone layer *n* couche *f* d'ozone

P

p [pi:] *abbr* = **penny; pence**

PA *n abbr* = **personal assistant; public address system**

pa [pɑ:] (*inf*) *n* papa *m*

p.a. *abbr* = **per annum**

pace [peɪs] *n* pas *m*; (*speed*) allure *f*; vitesse *f* ◆ *vi*: **to ~ up and down** faire les cent pas; **to keep ~ with** aller à la même vitesse que; **~maker** *n* (*MED*) stimulateur *m* cardiaque; (*SPORT: also: pacesetter*) meneur(euse) de train

Pacific *n*: **the ~ (Ocean)** le Pacifique, l'océan *m* Pacifique

pack [pæk] *n* (*packet; US: of cigarettes*) paquet *m*; (*of hounds*) meute *f*; (*of thieves etc*) bande *f*; (*back pack*) sac *m* à dos; (*of cards*) jeu *m* ◆ *vt* (*goods*) empaqueter, emballer; (*box*) remplir; (*cram*) entasser; **to ~ one's suitcase** faire sa valise; **to ~ (one's bags)** faire ses bagages; **to ~ sb off to** expédier qn à; **~ it in!** laisse tomber!, écrase!

package ['pækɪdʒ] *n* paquet *m*; (*also*: **~ deal**) forfait *m*; **~ tour** (*BRIT*) *n* voyage organisé

packed lunch ['pækt-] (*BRIT*) *n* repas froid

packet ['pækɪt] *n* paquet *m*

packing ['pækɪŋ] *n* emballage *m*; **~ case** *n* caisse *f* (d'emballage)

pact [pækt] *n* pacte *m*; traité *m*

pad [pæd] *n* bloc(-notes) *m*; (*to prevent friction*) tampon *m*; (*inf: home*) piaule *f* ◆ *vt* rembourrer; **~ding** *n* rembourrage *m*

paddle ['pædl] *n* (*oar*) pagaie *f*; (*US: for table tennis*) raquette *f* de ping-pong ◆ *vt*: **to ~ a canoe** *etc* pagayer ◆ *vi* barboter, faire trempette; **~ steamer** *n* bateau *m* à aubes; **paddling pool** (*BRIT*) *n* petit bassin

paddock ['pædək] *n* enclos *m*; (*RACING*) paddock *m*

paddy field ['pædɪ-] *n* rizière *f*

padlock ['pædlɔk] *n* cadenas *m*

paediatrics [pi:dɪ'ætrɪks] (*US* **pediatrics**) *n* pédiatrie *f*

pagan ['peɪgən] *adj*, *n* païen(ne)

page [peɪdʒ] *n* (*of book*) page *f*; (*also*: **~ boy**) groom *m*, chasseur *m*; (*at wedding*) garçon *m* d'honneur ◆ *vt* (*in hotel etc*) (faire) appeler

pageant ['pædʒənt] *n* spectacle *m* historique; **~ry** *n* apparat *m*, pompe *f*

pager, paging device *n* (*TEL*) récepteur *m* d'appels

paid [peɪd] *pt, pp of* **pay** ◆ *adj* (*work, official*) rémunéré(e); (*holiday*) payé(e); **to put ~ to** (*BRIT*) mettre fin à, régler; **~ gunman** *n* tueur *m* à gages

pail [peɪl] *n* seau *m*

pain [peɪn] *n* douleur *f*; **to be in ~** souffrir, avoir mal; **to take ~s to do** se donner du mal pour faire; **~ed** *adj* peiné(e), chagrin(e); **~ful** *adj* douloureux(euse); (*fig*) difficile, pénible; **~fully** *adv* (*fig: very*) terriblement; **~killer** *n* analgésique *m*; **~less** *adj* indolore; **~staking** ['peɪnzteɪkɪŋ] *adj* (*person*) soigneux(euse); (*work*) soigné(e)

paint [peɪnt] *n* peinture *f* ◆ *vt* peindre; **to ~ the door blue** peindre la porte en bleu; **~brush** *n* pinceau *m*; **~er** *n* peintre *m*; **~ing** *n* peinture *f*; (*picture*) tableau *m*; **~work** *n* peinture *f*

pair [peə*] *n* (*of shoes, gloves etc*) paire *f*; (*of people*) couple *m*; **~ of scissors** (paire de) ciseaux *mpl*; **~ of trousers** pantalon *m*

pajamas [pə'dʒɑ:məz] (*US*) *npl* pyjama(s) *m(pl)*

Pakistan [pɑ:kɪ'stɑ:n] *n* Pakistan *m*; **~i** *adj* pakistanais(e) ◆ *n* Pakistanais(e)

pal [pæl] (*inf*) *n* copain(copine)

palace ['pæləs] *n* palais *m*

palatable ['pælətəbl] *adj* bon(bonne), agréable au goût

palate ['pælɪt] *n* palais *m*

pale [peɪl] *adj* pâle ◆ *n*: **beyond the ~** (*behaviour*) inacceptable; **to grow ~** pâlir

Palestine ['pælɪstaɪn] *n* Palestine *f*; **Palestinian** *adj* palestinien(ne) ◆ *n* Palestinien(ne)

palette ['pælɪt] *n* palette *f*

pall [pɔ:l] *n* (*of smoke*) voile *m* ◆ *vi* devenir lassant(e)

pallet ['pælɪt] *n* (*for goods*) palette *f*

pallid ['pælɪd] *adj* blême

palm [pɑ:m] *n* (*of hand*) paume *f*; (*also*: **~ tree**) palmier *m* ◆ *vt*: **to ~ sth off on sb** (*inf*) refiler qch à qn; **P~ Sunday** *n* le dimanche des Rameaux

palpable ['pælpəbl] *adj* évident(e), manifeste

paltry ['pɔ:ltrɪ] *adj* dérisoire

pamper ['pæmpə*] *vt* gâter, dorloter

pamphlet ['pæmflət] *n* brochure *f*

pan [pæn] *n* (*also*: **sauce~**) casserole *f*; (: **frying ~**) poêle *f*

pancake ['pænkeɪk] *n* crêpe *f*

panda ['pændə] *n* panda *m*; **~ car** (*BRIT*) *n* ≈ voiture *f* pie *inv* (*de police*)

pandemonium [pændɪ'məunɪəm] *n* tohu-bohu *m*

pander ['pændə*] *vi*: **to ~ to** flatter bassement; obéir servilement à

pane [peɪn] *n* carreau *m*, vitre *f*

panel ['pænl] *n* (*of wood, cloth etc*) panneau *m*; (*RADIO, TV*) experts *mpl*; (*for interview, exams*) jury *m*; **~ling** (*US* **~ing**) *n* boiseries *fpl*

pang [pæŋ] *n*: **~s of remorse/jealousy** affres *mpl* du remords/de la jalousie; **~s of hunger/conscience** tiraillements *mpl* d'estomac/de la conscience

panic ['pænɪk] *n* panique *f*, affolement *m* ◆ *vi* s'affoler, paniquer; **~ky** *adj* (*person*) qui panique *or* s'affole facilement; **~-stricken** *adj* affolé(e)

pansy ['pænzɪ] *n* (*BOT*) pensée *f*; (*inf: pej*) tapette *f*, pédé *m*

pant [pænt] *vi* haleter

panther ['pænθə*] *n* panthère *f*

panties ['pæntɪz] *npl* slip *m*

pantihose ['pæntɪhəuz] (*US*) *npl* collant *m*

pantomime ['pæntəmaɪm] (*BRIT*) *n* spectacle *m* de Noël

pantry ['pæntrɪ] *n* garde-manger *m inv*

pants [pænts] *npl* (*BRIT: woman's*) slip *m*; (: *man's*) slip, caleçon *m*; (*US: trousers*) pantalon *m*

paper ['peɪpə*] *n* papier *m*; (*also*: **wall~**) papier peint; (: **news~**) journal *m*; (*academic essay*) article *m*; (*exam*) épreuve écrite ◆ *adj* en *or* de papier ◆ *vt* tapisser (de papier peint); **~s** *npl* (*also*: **identity ~s**) papiers (d'identité); **~back** *n* livre *m* de poche; livre broché *or* non relié; **~ bag** *n* sac *m* en papier; **~ clip** *n* trombone *m*; **~ hankie** *n* mouchoir *m* en papier; **~weight** *n* presse-papiers *m inv*; **~work** *n* papiers *mpl*; (*pej*) paperasserie *f*

par [pɑ:*] *n* pair *m*; (*GOLF*) normale *f* du parcours; **on a ~ with** à égalité avec, au même niveau que

parable ['pærəbl] *n* parabole *f* (*REL*)

parachute ['pærəʃu:t] *n* parachute *m*

parade [pə'reɪd] *n* défilé *m* ◆ *vt* (*fig*) faire étalage de ◆ *vi* défiler

paradise ['pærədaɪs] *n* paradis *m*

paradox ['pærədɔks] *n* paradoxe *m*; **~ically** [pærə'dɔksɪkəlɪ] *adv* paradoxalement

paraffin ['pærəfɪn] (*BRIT*) *n* (*also*: **~ oil**) pétrole (lampant)

paragon ['pærəgən] *n* modèle *m*

paragraph ['pærəgrɑ:f] *n* paragraphe *m*

parallel ['pærəlel] *adj* parallèle; (*fig*) semblable ◆ *n* (*line*) parallèle *f*; (*fig, GEO*) parallèle *m*

paralyse ['pærəlaɪz] (*BRIT*) *vt* paralyser

paralysis [pə'ræləsɪs] *n* paralysie *f*

paralyze ['pærəlaɪz] (*US*) *vt* = **paralyse**

paramount ['pærəmaunt] *adj*: **of ~ importance** de la plus haute *or* grande importance

paranoid ['pærənɔɪd] *adj* (*PSYCH*) paranoïaque

paraphernalia ['pærəfə'neɪlɪə] *n* attirail *m*

parasol ['pærəsɔl] *n* ombrelle *f*; (*over table*) parasol *m*

paratrooper ['pærətru:pə*] *n* parachutiste *m* (*soldat*)

parcel ['pɑ:sl] *n* paquet *m*, colis *m* ◆ *vt* (*also*: **~ up**) empaqueter

parch [pɑ:tʃ] *vt* dessécher; **~ed** *adj* (*person*) assoiffé(e)

parchment ['pɑ:tʃmənt] *n* parchemin *m*

pardon ['pɑ:dn] *n* pardon *m*; grâce *f* ◆ *vt* pardonner à; **~ me!, I beg your ~!** pardon!, je suis désolé!; **(I beg your) ~?, (US) ~ me?** pardon?

parent ['peərənt] *n* père *m or* mère *f*; **~s** *npl* parents *mpl*

Paris ['pærɪs] *n* Paris

parish ['pærɪʃ] *n* paroisse *f*; (*BRIT: civil*) ≈ commune *f*

Parisian [pə'rɪzɪən] *adj* parisien(ne) ◆ *n* Parisien(ne)

park [pɑ:k] *n* parc *m*, jardin public ◆ *vt* garer ◆ *vi* se garer

parking ['pɑ:kɪŋ] *n* stationnement *m*; **"no ~"** "stationnement interdit"; **~ lot** (*US*) *n* parking *m*, parc *m* de stationnement; **~ meter** *n* parcomètre *m*; **~ ticket** *n* P.V. *m*

parlance ['pɑ:ləns] *n* langage *m*

parliament ['pɑ:ləmənt] *n* parlement *m*; **~ary** [pɑ:lə'mentərɪ] *adj* parlementaire

parlour ['pɑ:lə*] (*US* **parlor**) *n* salon *m*

parochial [pə'rəukɪəl] (*pej*) *adj* à l'esprit de clocher

parody ['pærədɪ] *n* parodie *f*

parole [pə'rəul] *n*: **on ~** en liberté conditionnelle

parrot ['pærət] *n* perroquet *m*

parry ['pærɪ] *vt* (*blow*) esquiver

parsley ['pɑ:slɪ] *n* persil *m*

parsnip ['pɑ:snɪp] *n* panais *m*

parson ['pɑ:sn] *n* ecclésiastique *m*; (*Church of England*) pasteur *m*

part [pɑ:t] *n* partie *f*; (*of machine*) pièce *f*; (*THEATRE etc*) rôle *m*; (*of serial*) épisode *m*; (*US: in hair*) raie *f* ◆ *adv* = **partly** ◆ *vt* séparer ◆ *vi* (*people*) se séparer; (*crowd*) s'ouvrir; **to take ~ in** participer à, prendre part à; **to take sth in good ~** prendre qch du bon côté; **to take sb's ~** prendre le parti de qn, prendre parti pour qn; **for my ~** en ce qui me concerne; **for the most ~** dans la plupart des cas; **~ with** *vt fus* se séparer de; **~ exchange** (*BRIT*) *n*: **in ~ exchange** en reprise

partial ['pɑ:ʃəl] *adj* (*not complete*) partiel(le); **to be ~ to** avoir un faible pour

participate [pɑ:'tɪsɪpeɪt] *vi*: **to ~ (in)** participer (à), prendre part (à); **participation** [pɑ:tɪsɪ'peɪʃən] *n* participation *f*

participle ['pɑ:tɪsɪpl] *n* participe *m*

particle ['pɑ:tɪkl] *n* particule *f*

particular [pə'tɪkjulə*] *adj* particulier(ère); (*special*) spécial(e); (*fussy*) difficile; méticuleux(euse); **~s** *npl* (*details*) détails *mpl*; (*personal*) nom, adresse *etc*; **in ~** en particulier; **~ly** *adv* particulièrement

parting ['pɑ:tɪŋ] *n* séparation *f*; (*BRIT: in hair*) raie *f* ◆ *adj* d'adieu

partisan [pɑ:tɪ'zæn] *n* partisan(e) ◆ *adj* partisan(e); de parti

partition [pɑ:'tɪʃən] *n* (*wall*) cloison *f*; (*POL*) partition *f*, division *f*

partly ['pɑ:tlɪ] *adv* en partie, partiellement

partner ['pɑ:tnə*] *n* partenaire *m/f*; (*in marriage*) conjoint(e); (*boyfriend, girlfriend*) ami(e); (*COMM*) associé(e); (*at dance*) cavalier(ère); **~ship** *n* association *f*

partridge ['pɑ:trɪdʒ] *n* perdrix *f*

part-time ['pɑ:t'taɪm] *adj*, *adv* à mi-temps, à temps partiel

party ['pɑ:tɪ] *n* (*POL*) parti *m*; (*group*) groupe *m*; (*LAW*) partie *f*; (*celebration*) réception *f*; soirée *f*; fête *f* ◆ *cpd* (*POL*) de *or* du parti; **~ dress** *n* robe habillée; **~ line** *n* (*TEL*) ligne partagée

pass [pɑ:s] *vt* passer; (*place*) passer devant; (*friend*) croiser; (*overtake*) dépasser; (*exam*) être reçu(e) à, réussir; (*approve*) approuver, accepter ◆ *vi* passer; (*SCOL*) être reçu(e) *or* admis(e), réussir ◆ *n* (*permit*) laissez-passer *m inv*; carte *f* d'accès *or* d'abonnement; (*in mountains*) col *m*; (*SPORT*) passe *f*; (*SCOL: also*: **~ mark**): **to get a ~** être reçu(e) (sans mention); **to make a ~ at sb** (*inf*) faire des avances à qn; **~ away** *vi* mourir; **~ by** *vi* passer ◆ *vt* négliger; **~ on** *vt* (*news, object*) transmettre; (*illness*) passer; **~ out** *vi* s'évanouir; **~ up** *vt* (*opportunity*) laisser passer; **~able** *adj* (*road*) praticable; (*work*) acceptable

passage ['pæsɪdʒ] *n* (*also*: **~way**) couloir *m*; (*gen, in book*) passage *m*; (*by boat*) traversée *f*

passbook ['pɑ:sbuk] *n* livret *m*

passenger ['pæsɪndʒə*] *n* passager(ère)

passer-by [pɑ:sə'baɪ] (*pl* **~s-by**) *n* passant(e)

passing ['pɑ:sɪŋ] *adj* (*fig*) passager(ère); **in ~** en passant

passing place *n* (*AUT*) aire *f* de croisement

passion ['pæʃən] *n* passion *f*; **~ate** *adj* passionné(e)

passive ['pæsɪv] *adj* (*also LING*) passif(ive); **~ smoking** *n* tabagisme *m* passif

Passover ['pɑ:səuvə*] *n* Pâque (*juive*)

passport ['pɑ:spɔ:t] *n* passeport *m*; **~ control** *n* contrôle *m* des passeports

password ['pɑ:swɜ:d] *n* mot *m* de passe

past [pɑ:st] *prep* (*in front of*) devant; (*further than*) au delà de, plus loin que; après; (*later than*) après ◆ *adj* passé(e); (*president etc*) ancien(ne) ◆ *n* passé *m*; **he's ~ forty** il a dépassé la quarantaine, il a plus de *or* passé quarante ans; **for the ~ few/3 days** depuis quelques/3 jours; ces derniers/3 derniers jours; **ten/quarter ~ eight** huit heures dix/un *or* et quart

pasta ['pæstə] *n* pâtes *fpl*

paste [peɪst] *n* pâte *f*; (*meat ~*) pâté *m* (à tartiner); (*tomato ~*) purée *f*, concentré *m*; (*glue*) colle *f* (de pâte) ◆ *vt* coller

pasteurized ['pæstəraɪzd] *adj* pasteurisé(e)

pastille ['pæstl] *n* pastille *f*

pastime ['pɑ:staɪm] *n* passe-temps *m inv*

pastry ['peɪstrɪ] *n* pâte *f*; (*cake*) pâtisserie *f*

pasture ['pɑ:stʃə*] *n* pâturage *m*

pasty [*n* 'pæstɪ, *adj* 'peɪstɪ] *n* petit pâté (en croûte) ◆ *adj* (*complexion*) terreux(euse)

pat [pæt] *vt* tapoter; (*dog*) caresser

patch [pætʃ] *n* (*of material*) pièce *f*; (*eye ~*) cache *m*; (*spot*) tache *f*; (*on tyre*) rustine *f* ◆ *vt* (*clothes*) rapiécer; **(to go through) a bad ~** (passer par) une période difficile; **~ up** *vt* réparer (grossièrement); **to ~ up a quarrel** se raccommoder; **~y** *adj* inégal(e); (*incomplete*) fragmentaire

pâté ['pæteɪ] *n* pâté *m*, terrine *f*

patent ['peɪtənt] *n* brevet *m* (d'invention) ◆ *vt* faire breveter ◆ *adj* patent(e), manifeste; **~ leather** *n* cuir verni

paternal [pə'tɜ:nl] *adj* paternel(le)

path [pɑ:θ] *n* chemin *m*, sentier *m*; (*in garden*) allée *f*; (*trajectory*) trajectoire *f*

pathetic [pə'θetɪk] *adj* (*pitiful*) pitoyable; (*very bad*) lamentable, minable

pathological [pæθə'lɔdʒɪkl] *adj* pathologique

pathos ['peɪθɔs] *n* pathétique *m*

pathway ['pɑ:θweɪ] *n* sentier *m*, passage *m*

patience ['peɪʃəns] *n* patience *f*; (*BRIT: CARDS*) réussite *f*

patient ['peɪʃənt] *n* patient(e); malade *m/f* ◆ *adj* patient(e)

patriotic [pætrɪ'ɔtɪk] *adj* patriotique; (*person*) patriote

patrol [pə'trəul] *n* patrouille *f* ◆ *vt* patrouiller dans; **~ car** *n* voiture *f* de police; **~man** (*irreg: US*) *n* agent *m* de police

patron ['peɪtrən] *n* (*in shop*) client(e); (*of charity*) patron(ne); **~ of the arts** mécène *m*; **~ize** *vt* (*pej*) traiter avec condescendance; (*shop, club*) être (un) client *or* un habitué de

patter ['pætə*] *n* crépitement *m*, tapotement *m*; (*sales talk*) boniment *m*

pattern ['pætən] *n* (*design*) motif *m*; (*SEWING*) patron *m*

paunch [pɔ:ntʃ] *n* gros ventre, bedaine *f*

pauper ['pɔ:pə*] *n* indigent(e)

pause [pɔ:z] *n* pause *f*, arrêt *m* ◆ *vi* faire une pause, s'arrêter

pave [peɪv] *vt* paver, daller; **to ~ the way for** ouvrir la voie à; **~ment** ['peɪvmənt] (*BRIT*) *n* trottoir *m*

pavilion [pə'vɪlɪən] *n* pavillon *m*; tente *f*

paving ['peɪvɪŋ] *n* (*material*) pavé *m*, dalle *f*; **~ stone** *n* pavé *m*

paw [pɔː] *n* patte *f*

pawn [pɔːn] *n* (*CHESS, also fig*) pion *m* ◆ *vt* mettre en gage; **~broker** *n* prêteur *m* sur gages; **~shop** *n* mont-de-piété *m*

pay [peɪ] (*pt, pp* **paid**) *n* salaire *m*; paie *f* ◆ *vt* payer ◆ *vi* payer; (*be profitable*) être rentable; **to ~ attention (to)** prêter attention (à); **to ~ sb a visit** rendre visite à qn; **to ~ one's respects to sb** présenter ses respects à qn; **~ back** *vt* rembourser; **~ for** *vt fus* payer; **~ in** *vt* verser; **~ off** *vt* régler, acquitter; (*person*) rembourser ◆ *vi* (*scheme, decision*) se révéler payant(e); **~ up** *vt* (*money*) payer; **~able** *adj*: **~able to sb** (*cheque*) à l'ordre de qn; **~ee** [peɪ'iː] *n* bénéficiaire *m/f*; **~ envelope** (*US*) *n* = **pay packet**; **~ment** *n* paiement *m*; règlement *m*; **monthly ~ment** mensualité *f*; **~ packet** (*BRIT*) *n* paie *f*; **~ phone** *n* cabine *f* téléphonique, téléphone public; **~roll** *n* registre *m* du personnel; **~ slip** (*BRIT*) *n* bulletin *m* de paie; **~ television** *n* chaînes *fpl* payantes

PC *n abbr* = **personal computer**

p.c. *abbr* = **per cent**

pea [piː] *n* (petit) pois

peace [piːs] *n* paix *f*; (*calm*) calme *m*, tranquillité *f*; **~ful** *adj* paisible, calme

peach [piːtʃ] *n* pêche *f*

peacock ['piːkɒk] *n* paon *m*

peak [piːk] *n* (*mountain*) pic *m*, cime *f*; (*of cap*) visière *f*; (*fig: highest level*) maximum *m*; (*: of career, fame*) apogée *m*; **~ hours** *npl* heures *fpl* de pointe

peal [piːl] *n* (*of bells*) carillon *m*; **~ of laughter** éclat *m* de rire

peanut ['piːnʌt] *n* arachide *f*, cacahuète *f*

pear [pɛə*] *n* poire *f*

pearl [pɜːl] *n* perle *f*

peasant ['pezənt] *n* paysan(ne)

peat [piːt] *n* tourbe *f*

pebble ['pebl] *n* caillou *m*, galet *m*

peck [pek] *vt* (*also*: **~ at**) donner un coup de bec à ◆ *n* coup *m* de bec; (*kiss*) bise *f*; **~ing order** *n* ordre *m* des préséances; **~ish** (*BRIT: inf*) *adj*: **I feel ~ish** je mangerais bien quelque chose

peculiar [pɪ'kjuːlɪə*] *adj* étrange, bizarre, curieux(euse); **~ to** particulier(ère) à

pedal ['pedl] *n* pédale *f* ◆ *vi* pédaler

pedantic [pɪ'dæntɪk] *adj* pédant(e)

peddler ['pedlə*] *n* (*of drugs*) revendeur(euse)

pedestal ['pedɪstl] *n* piédestal *m*

pedestrian [pɪ'destrɪən] *n* piéton *m*; **~ crossing** (*BRIT*) *n* passage clouté

pediatrics [piːdɪ'ætrɪks] (*US*) *n* = **paediatrics**

pedigree ['pedɪgriː] *n* ascendance *f*; (*of animal*) pedigree *m* ◆ *cpd* (*animal*) de race

pee [piː] (*inf*) *vi* faire pipi, pisser

peek [piːk] *vi* jeter un coup d'œil (furtif)

peel [piːl] *n* pelure *f*, épluchure *f*; (*of orange, lemon*) écorce *f* ◆ *vt* peler, éplucher ◆ *vi* (*paint etc*) s'écailler; (*wallpaper*) se décoller; (*skin*) peler

peep [piːp] *n* (*BRIT: look*) coup d'œil furtif; (*sound*) pépiement *m* ◆ *vi* (*BRIT*) jeter un coup d'œil (furtif); **~ out** (*BRIT*) *vi* se montrer (furtivement); **~hole** *n* judas *m*

peer [pɪə*] *vi*: **to ~ at** regarder attentivement, scruter ◆ *n* (*noble*) pair *m*; (*equal*) pair, égal(e); **~age** *n* pairie *f*

peeved [piːvd] *adj* irrité(e), fâché(e)

peg [peg] *n* (*for coat etc*) patère *f*; (*BRIT: also: clothes ~*) pince *f* à linge

Peking [piː'kɪŋ] *n* Pékin; **Pekin(g)ese** [piːkɪ'niːz] *n* (*dog*) pékinois *m*

pelican ['pelɪkən] *n* pélican *m*; **~ crossing** (*BRIT*) *n* (*AUT*) feu *m* à commande manuelle

pellet ['pelɪt] *n* boulette *f*; (*of lead*) plomb *m*

pelt [pelt] *vt*: **to ~ sb (with)** bombarder qn (de) ◆ *vi* (*rain*) tomber à seaux; (*inf: run*) courir à toutes jambes ◆ *n* peau *f*

pelvis ['pelvɪs] *n* bassin *m*

pen [pen] *n* (*for writing*) stylo *m*; (*for sheep*) parc *m*

penal ['piːnl] *adj* pénal(e); (*system, colony*) pénitentiaire; **~ize** *vt* pénaliser

penalty ['penəltɪ] *n* pénalité *f*; sanction *f*; (*fine*) amende *f*; (*SPORT*) pénalisation *f*; (*FOOTBALL*) penalty *m*; (*RUGBY*) pénalité *f*

penance ['penəns] *n* pénitence *f*

pence [pens] (*BRIT*) *npl of* **penny**

pencil ['pensl] *n* crayon *m*; **~ case** *n* trousse *f* (d'écolier); **~ sharpener** *n* taille-crayon(s) *m inv*

pendant ['pendənt] *n* pendentif *m*

pending ['pendɪŋ] *prep* en attendant ◆ *adj* en suspens

pendulum ['pendjələm] *n* (*of clock*) balancier *m*

penetrate ['penɪtreɪt] *vt* pénétrer dans; pénétrer

penfriend ['penfrend] (*BRIT*) *n* correspondant(e)

penguin ['peŋgwɪn] *n* pingouin *m*

penicillin [penɪ'sɪlɪn] *n* pénicilline *f*

peninsula [pɪ'nɪnsjʊlə] *n* péninsule *f*

penis ['piːnɪs] *n* pénis *m*, verge *f*

penitentiary [penɪ'tenʃərɪ] *n* prison *f*

penknife ['pennaɪf] *n* canif *m*

pen name *n* nom *m* de plume, pseudonyme *m*

penniless ['penɪləs] *adj* sans le sou

penny ['penɪ] (*pl* **pennies** *or* (*BRIT*) **pence**) *n* penny *m*; (*US*) = **cent**

penpal ['penpæl] *n* correspondant(e)

pension ['penʃən] *n* pension *f*; (*from company*) retraite *f*; **~er** (*BRIT*) *n* retraité(e); **~ fund** *n* caisse *f* de pension

Pentecost ['pentɪkɒst] *n* Pentecôte *f*

penthouse ['penthaus] *n* appartement *m* (de luxe) (en attique)

pent-up ['pentʌp] *adj* (*feelings*) refoulé(e)

penultimate [pɪ'nʌltɪmɪt] *adj* avant-dernier(ère)

people ['piːpl] *npl* gens *mpl*; personnes *fpl*; (*inhabitants*) population *f*; (*POL*) peuple *m* ◆ *n* (*nation, race*) peuple *m*; **several ~ came** plusieurs personnes sont venues; **~ say that ...** on dit que ...

pep [pep] (*inf*) *n* entrain *m*, dynamisme *m*; **~ up** *vt* remonter

pepper ['pepə*] *n* poivre *m*; (*vegetable*) poivron *m* ◆ *vt* (*fig*): **to ~ with** bombarder de; **~mint** *n* (*sweet*) pastille *f* de menthe

peptalk ['peptɔːk] (*inf*) *n* (petit) discours d'encouragement

per [pɜː*] *prep* par; **~ hour** (*miles etc*) à l'heure; (*fee*) (de) l'heure; **~ kilo** *etc* le kilo *etc*; **~ annum** par an; **~ capita** *adj, adv* par personne, par habitant

perceive [pə'siːv] *vt* percevoir; (*notice*) remarquer, s'apercevoir de

per cent [pə'sent] *adv* pour cent

percentage [pə'sentɪdʒ] *n* pourcentage *m*

perception [pə'sepʃən] *n* perception *f*; (*insight*) perspicacité *f*

perceptive [pə'septɪv] *adj* pénétrant(e); (*person*) perspicace

perch [pɜːtʃ] *n* (*fish*) perche *f*; (*for bird*) perchoir *m* ◆ *vi*: **to ~ on** se percher sur

percolator ['pɜːkəleɪtə*] *n* cafetière *f* (électrique)

perennial [pə'renɪəl] *adj* perpétuel(le); (*BOT*) vivace

perfect [*adj, n* 'pɜːfɪkt, *vb* pə'fekt] *adj* parfait(e) ◆ *n* (*also*: **~ tense**) parfait *m* ◆ *vt* parfaire; mettre au point; **~ly** *adv* parfaitement

perforate ['pɜːfəreɪt] *vt* perforer, percer; **perforation** [pɜːfə'reɪʃən] *n* perforation *f*

perform [pə'fɔːm] *vt* (*carry out*) exécuter; (*concert etc*) jouer, donner ◆ *vi* jouer; **~ance** *n* représentation *f*, spectacle *m*; (*of an artist*) interprétation *f*; (*SPORT*) performance *f*; (*of car, engine*) fonctionnement *m*; (*of company, economy*) résultats *mpl*; **~er** *n* artiste *m/f*, interprète *m/f*

perfume ['pɜːfjuːm] *n* parfum *m*

perfunctory [pə'fʌŋktərɪ] *adj* négligent(e), pour la forme

perhaps [pə'hæps] *adv* peut-être

peril ['perɪl] *n* péril *m*

perimeter [pə'rɪmɪtə*] *n* périmètre *m*

period ['pɪərɪəd] *n* période *f*; (*HISTORY*) époque *f*; (*SCOL*) cours *m*; (*full stop*) point *m*; (*MED*) règles *fpl* ◆ *adj* (*costume, furniture*) d'époque; **~ic(al)** [pɪərɪ'ɒdɪk(əl)] *adj* périodique; **~ical** *n* périodique *m*

peripheral [pə'rɪfərəl] *adj* périphérique ◆ *n* (*COMPUT*) périphérique *m*

perish ['perɪʃ] *vi* périr; (*decay*) se détériorer; **~able** *adj* périssable

perjury ['pɜːdʒərɪ] *n* parjure *m*, faux serment

perk [pɜːk] *n* avantage *m*; accessoire, à-côté *m*; **~ up** *vi* (*cheer up*) se ragaillardir; **~y** *adj* (*cheerful*) guilleret(te)

perm [pɜːm] *n* (*for hair*) permanente *f*

permanent ['pɜːmənənt] *adj* permanent(e)

permeate ['pɜːmɪeɪt] *vi* s'infiltrer ◆ *vt* s'infiltrer dans; pénétrer

permissible [pə'mɪsəbl] *adj* permis(e), acceptable

permission [pə'mɪʃən] *n* permission *f*, autorisation *f*

permissive [pə'mɪsɪv] *adj* tolérant(e), permissif(ive)

permit [*n* 'pɜːmɪt, *vb* pə'mɪt] *n* permis *m* ◆ *vt* permettre

perpendicular [pɜːpən'dɪkjʊlə*] *adj* perpendiculaire

perplex [pə'pleks] *vt* (*person*) rendre perplexe

persecute ['pɜːsɪkjuːt] *vt* persécuter

persevere [pɜːsɪ'vɪə*] *vi* persévérer

Persian ['pɜːʃən] *adj* persan(e) ◆ *n* (*LING*) persan *m*; **the ~ Gulf** le golfe Persique

persist [pə'sɪst] *vi*: **to ~ (in doing)** persister *or* s'obstiner (à faire); **~ent** *adj* persistant(e), tenace

person ['pɜːsn] *n* personne *f*; **in ~** en personne; **~al** *adj* personnel(le); **~al assistant** *n* secrétaire privé(e); **~al call** *n* communication privée; **~al column** *n* annonces personnelles; **~al computer** *n* ordinateur personnel; **~ality** [pɜːsə'nælɪtɪ] *n* personnalité *f*; **~ally** *adv* personnellement; **to take sth ~ally** se sentir visé(e) (par qch); **~al organizer** *n* filofax *m* (®); **~al stereo** *n* baladeur *m*

personnel [pɜːsə'nel] *n* personnel *m*

perspective [pə'spektɪv] *n* perspective *f*; **to get things into ~** faire la part des choses

Perspex ['pɜːspeks] (®) *n* plexiglas *m* (®)

perspiration [pɜːspə'reɪʃən] *n* transpiration *f*

persuade [pə'sweɪd] *vt*: **to ~ sb to do sth** persuader qn de faire qch

persuasion [pə'sweɪʒən] *n* persuasion *f*; (*creed*) religion *f*

pertaining [pɜː'teɪnɪŋ] : **~ to** *prep* relatif(ive) à

peruse [pə'ruːz] *vt* lire (attentivement)

pervade [pɜː'veɪd] *vt* se répandre dans, envahir

perverse [pə'vɜːs] *adj* pervers(e); (*contrary*) contrariant(e); **pervert** [*n* 'pɜːvɜːt, *vb* pə'vɜːt] *n* perverti(e) ◆ *vt* pervertir; (*words*) déformer

pessimist ['pesɪmɪst] *n* pessimiste *m/f*; **~ic** [pesɪ'mɪstɪk] *adj* pessimiste

pest [pest] *n* animal *m* (*or* insecte *m*) nuisible; (*fig*) fléau *m*

pester ['pestə*] *vt* importuner, harceler

pet [pet] *n* animal familier ◆ *cpd* (*favourite*) favori(te) ◆ *vt* (*stroke*) caresser, câliner ◆ *vi* (*inf*) se peloter; **teacher's ~** chouchou *m* du professeur; **~ hate** bête noire

petal ['petl] *n* pétale *m*

peter out ['piːtə-] *vi* (*stream, conversation*) tarir; (*meeting*) tourner court; (*road*) se perdre

petite [pə'tiːt] *adj* menu(e)

petition [pə'tɪʃən] *n* pétition *f*

petrified ['petrɪfaɪd] *adj* (*fig*) mort(e) de peur

petrol ['petrəl] (*BRIT*) *n* essence *f*; **two-star ~** essence *f* ordinaire; **four-star ~** super *m*; **~ can** *n* bidon *m* à essence

petroleum [pɪ'trəʊlɪəm] *n* pétrole *m*

petrol: **~ pump** (*BRIT*) *n* pompe *f* à essence; **~ station** (*BRIT*) *n* station-service *f*; **~ tank** (*BRIT*) *n* réservoir *m* (d'essence)

petticoat ['petɪkəʊt] *n* combinaison *f*

petty ['petɪ] *adj* (*mean*) mesquin(e); (*unimportant*) insignifiant(e), sans importance; **~ cash** *n* caisse *f* des dépenses courantes; **~ officer** *n* second-maître *m*

petulant ['petjʊlənt] *adj* boudeur(euse), irritable

pew [pjuː] *n* banc *m* (d'église)

pewter ['pjuːtə*] *n* étain *m*

phantom ['fæntəm] *n* fantôme *m*

pharmacy ['fɑːməsɪ] *n* pharmacie *f*

phase [feɪz] *n* phase *f* ◆ *vt*: **to ~ sth in/out** introduire/supprimer qch progressivement

PhD *abbr* = **Doctor of Philosophy** ◆ *n* (*title*) ≈ docteur *m* (en droit *or* lettres *etc*) ≈ doctorat *m*; titulaire *m/f* d'un doctorat

pheasant ['feznt] *n* faisan *m*

phenomenon [fɪ'nɒmɪnən] (*pl* **phenomena**) *n* phénomène *m*

philosophical [fɪlə'sɒfɪkl] *adj* philosophique

philosophy [fɪ'lɒsəfɪ] *n* philosophie *f*

phobia ['fəʊbjə] *n* phobie *f*

phone [fəʊn] *n* téléphone *m* ◆ *vt* téléphoner; **to be on the ~** avoir le téléphone; (*be calling*) être au téléphone; **~ back** *vt, vi* rappeler; **~ up** *vt* téléphoner à ◆ *vi* téléphoner; **~ book** *n* annuaire *m*; **~ booth** *n* = **phone box**; **~ box** (*BRIT*) *n* cabine *f* téléphonique; **~ call** *n* coup *m* de fil *or* de téléphone; **~card** *n* carte *f* de téléphone; **~-in** (*BRIT*) *n* (*RADIO, TV*) programme *m* à ligne ouverte

phonetics [fə'netɪks] *n* phonétique *f*

phoney ['fəʊnɪ] *adj* faux(fausse), factice; (*person*) pas franc(he), poseur(euse)

photo ['fəʊtəʊ] *n* photo *f*

photo...: **~copier** [-'kɒpɪə*] *n* photocopieuse *f*; **~copy** [-kɒpɪ] *n* photocopie *f* ◆ *vt* photocopier; **~graph** [-grɑːf] *n* photographie *f* ◆ *vt* photographier; **~grapher** [-grəfə*] *n* photographe *m/f*; **~graphy** [-grəfɪ] *n* photographie *f*

phrase [freɪz] *n* expression *f*; (*LING*) locution *f* ◆ *vt* exprimer; **~ book** *n* recueil *m* d'expressions (pour touristes)

physical ['fɪzɪkəl] *adj* physique; **~ education** *n* éducation *f* physique; **~ly** *adv* physiquement

physician [fɪ'zɪʃən] *n* médecin *m*

physicist ['fɪzɪsɪst] *n* physicien(ne)

physics ['fɪzɪks] *n* physique *f*

physiotherapy [fɪzɪə'θerəpɪ] *n* kinésithérapie *f*

physique [fɪ'ziːk] *n* physique *m*; constitution *f*

pianist ['pɪənɪst] *n* pianiste *m/f*

piano [pɪ'ænəʊ] *n* piano *m*

pick [pɪk] *n* (*tool: also*: **~axe**) pic *m*, pioche *f* ◆ *vt* choisir; (*fruit etc*) cueillir; (*remove*) prendre; (*lock*) forcer; **take your ~** faites votre choix; **the ~ of** le(la) meilleur(e) de; **to ~ one's nose** se mettre les doigts dans le nez; **to ~ one's teeth** se curer les dents; **to ~ a quarrel with sb** chercher noise à qn; **~ at** *vt fus*: **to ~ at one's food** manger du bout des dents, chipoter; **~ on** *vt fus* (*person*) harceler; **~ out** *vt* choisir; (*distinguish*) distinguer; **~ up** *vi* (*improve*) s'améliorer ◆ *vt* ramasser; (*collect*) passer prendre; (*AUT: give lift to*) prendre, emmener; (*learn*) apprendre; (*RADIO*) capter; **to ~ up speed** prendre de la vitesse; **to ~ o.s. up** se relever

picket ['pɪkɪt] *n* (*in strike*) piquet *m* de grève ◆ *vt* mettre un piquet de grève devant

pickle ['pɪkl] *n* (*also*: **~s**: *as condiment*) pickles *mpl*, *petits légumes macérés dans du vinaigre* ◆ *vt* conserver dans du vinaigre *or* dans de la saumure; **to be in a ~** (*mess*) être dans le pétrin

pickpocket ['pɪkpɒkɪt] *n* pickpocket *m*

pick-up ['pɪkʌp] *n* (*small truck*) pick-up *m inv*

picnic ['pɪknɪk] *n* pique-nique *m*

picture ['pɪktʃə*] *n* image *f*; (*painting*) peinture *f*, tableau *m*; (*etching*) gravure *f*; (*photograph*) photo(graphie) *f*; (*drawing*) dessin *m*; (*film*) film *m*; (*fig*) description *f*; tableau *m* ◆ *vt* se représenter; **the ~s** (*BRIT: inf*) le cinéma; **~ book** *n* livre *m* d'images

picturesque [pɪktʃə'resk] *adj* pittoresque

pie [paɪ] *n* tourte *f*; (*of fruit*) tarte *f*; (*of meat*) pâté *m* en croûte

piece [piːs] *n* morceau *m*; (*item*): **a ~ of furniture/advice** un meuble/conseil ◆ *vt*: **to ~ together** rassembler; **to take to ~s** démonter; **~meal** *adv* (*irregularly*) au coup par coup; (*bit by bit*) par bouts; **~work** *n* travail *m* aux pièces

pie chart *n* graphique *m* circulaire, camembert *m*

pier [pɪə*] *n* jetée *f*

pierce [pɪəs] *vt* percer, transpercer

pig [pɪg] *n* cochon *m*, porc *m*

pigeon ['pɪdʒən] *n* pigeon *m*; **~hole** *n* casier *m*

piggy bank ['pɪgɪ-] *n* tirelire *f*

pig: **~headed** [-'hedɪd] *adj* entêté(e), têtu(e); **~let** *n* porcelet *m*, petit cochon; **~skin** [-skɪn] *n* peau *m* de porc; **~sty** [-staɪ] *n* porcherie *f*; **~tail** [-teɪl] *n* natte *f*, tresse *f*

pike [paɪk] *n* (*fish*) brochet *m*

pilchard ['pɪltʃəd] *n* pilchard *m* (*sorte de sardine*)

pile [paɪl] *n* (*pillar, of books*) pile *f*; (*heap*) tas *m*; (*of carpet*) poils *mpl* ◆ *vt* (*also*: **~ up**) empiler, entasser ◆ *vi* (*also*: **~up**) s'entasser, s'accumuler; **to ~ into** (*car*) s'entasser dans

piles [paɪlz] *npl* hémorroïdes *fpl*

pile-up ['paɪlʌp] *n* (*AUT*) télescopage *m*, collision *f* en série

pilfering ['pɪlfərɪŋ] *n* chapardage *m*

pilgrim ['pɪlgrɪm] *n* pèlerin *m*

pill [pɪl] *n* pilule *f*

pillage ['pɪlɪdʒ] *vt* piller

pillar ['pɪlə*] *n* pilier *m*; **~ box** (*BRIT*) *n* boîte *f* aux lettres

pillion ['pɪljən] *n*: **to ride ~** (*on motorcycle*) monter derrière

pillow ['pɪləʊ] *n* oreiller *m*; **~case** *n* taie *f* d'oreiller

pilot ['paɪlət] *n* pilote *m* ◆ *cpd* (*scheme etc*) pilote, expérimental(e) ◆ *vt* piloter; **~ light** *n* veilleuse *f*

pimp [pɪmp] *n* souteneur *m*, maquereau *m*

pimple ['pɪmpl] *n* bouton *m*

pin [pɪn] *n* épingle *f*; (*TECH*) cheville *f* ◆ *vt* épingler; **~s and needles** fourmis *fpl*; **to ~ sb down** (*fig*) obliger qn à répondre; **to ~ sth on sb** (*fig*) mettre qch sur le dos de qn

pinafore ['pɪnəfɔː*] *n* tablier *m*

pinball ['pɪnbɔːl] *n* flipper *m*

pincers ['pɪnsəz] *npl* tenailles *fpl*; (*of crab etc*) pinces *fpl*

pinch [pɪntʃ] *n* (*of salt etc*) pincée *f* ◆ *vt* pincer; (*inf: steal*) piquer, chiper; **at a ~** à la rigueur

pincushion ['pɪnkʊʃən] *n* pelote *f* à épingles

pine [paɪn] *n* (*also*: **~ tree**) pin *m* ◆ *vi*: **to ~ for** s'ennuyer de, désirer ardemment; **~ away** *vi* dépérir

pineapple ['paɪnæpl] *n* ananas *m*

ping [pɪŋ] *n* (*noise*) tintement *m*; **~-pong** (®) *n* ping-pong *m* (®)

pink [pɪŋk] *adj* rose ◆ *n* (*colour*) rose *m*; (*BOT*) œillet *m*, mignardise *f*

PIN (number) *n* code *m* confidentiel

pinpoint ['pɪnpɔɪnt] *vt* indiquer *or* localiser (avec précision); (*problem*) mettre le doigt sur

pint [paɪnt] *n* pinte *f* (*BRIT* = *0.57l*; *US* = *0.47l*); (*BRIT: inf*) ≈ demi *m*

pioneer [paɪə'nɪə*] *n* pionnier *m*

pious ['paɪəs] *adj* pieux(euse)

pip [pɪp] n (seed) pépin m; **the ~s** npl (BRIT: time signal on radio) le(s) top(s) sonore(s)

pipe [paɪp] n tuyau m, conduite f; (for smoking) pipe f ◆ vt amener par tuyau; **~s** npl (also: bag~s) cornemuse f; **~ down** (inf) vi se taire; **~ cleaner** n cure-pipe m; **~ dream** n chimère f, château m en Espagne; **~line** n pipe-line m; **~r** n joueur(euse) de cornemuse

piping ['paɪpɪŋ] adv: **~ hot** très chaud(e)

pique [pi:k] n dépit m

pirate ['paɪərɪt] n pirate m

Pisces ['paɪsi:z] n les Poissons mpl

piss [pɪs] (inf!) vi pisser; **~ed** (inf!) adj (drunk) bourré(e)

pistol ['pɪstl] n pistolet m

piston ['pɪstən] n piston m

pit [pɪt] n trou m, fosse f; (also: coal ~) puits m de mine; (quarry) carrière f ◆ vt: **to ~ one's wits against sb** se mesurer à qn; **~s** npl (AUT) aire f de service

pitch [pɪtʃ] n (MUS) ton m; (BRIT: SPORT) terrain m; (tar) poix f; (fig) degré m; point m ◆ vt (throw) lancer ◆ vi (fall) tomber; **to ~ a tent** dresser une tente; **~-black** adj noir(e) (comme du cirage); **~ed battle** n bataille rangée

piteous ['pɪtɪəs] adj pitoyable

pitfall ['pɪtfɔ:l] n piège m

pith [pɪθ] n (of orange etc) intérieur m de l'écorce

pithy ['pɪθɪ] adj piquant(e)

pitiful ['pɪtɪful] adj (touching) pitoyable

pitiless ['pɪtɪləs] adj impitoyable

pittance ['pɪtəns] n salaire m de misère

pity ['pɪtɪ] n pitié f ◆ vt plaindre; **what a ~!** quel dommage!

pizza ['pi:tsə] n pizza f

placard ['plækɑ:d] n affiche f; (in march) pancarte f

placate [plə'keɪt] vt apaiser, calmer

place [pleɪs] n endroit m, lieu m; (proper position, job, rank, seat) place f; (home): **at/to his ~** chez lui ◆ vt (object) placer, mettre; (identify) situer; reconnaître; **to take ~** avoir lieu; **out of ~** (not suitable) déplacé(e), inopportun(e); **to change ~s with sb** changer de place avec qn; **in the first ~** d'abord, en premier

plague [pleɪg] n fléau m; (MED) peste f ◆ vt (fig) tourmenter

plaice [pleɪs] n inv carrelet m

plaid [plæd] n tissu écossais

plain [pleɪn] adj (in one colour) uni(e); (simple) simple; (clear) clair(e), évident(e); (not handsome) quelconque, ordinaire ◆ adv franchement, carrément ◆ n plaine f; **~ chocolate** n chocolat m à croquer; **~ clothes** adj (police officer) en civil; **~ly** adv clairement; (frankly) carrément, sans détours

plaintiff ['pleɪntɪf] n plaignant(e)

plait [plæt] n tresse f, natte f

plan [plæn] n plan m; (scheme) projet m ◆ vt (think in advance) projeter; (prepare) organiser; (house) dresser les plans de, concevoir ◆ vi faire des projets; **to ~ to do** prévoir de faire

plane [pleɪn] n (AVIAT) avion m; (ART, MATH etc) plan m; (fig) niveau m, plan; (tool) rabot m; (also: ~ tree) platane m ◆ vt raboter

planet ['plænɪt] n planète f

plank [plæŋk] n planche f

planner ['plænə*] n planificateur(trice); (town ~) urbaniste m/f

planning ['plænɪŋ] n planification f; family ~ planning familial; **~ permission** n permis m de construire

plant [plɑ:nt] n plante f; (machinery) matériel m; (factory) usine f ◆ vt planter; (bomb) poser; (microphone, incriminating evidence) cacher

plaster ['plɑ:stə*] n plâtre m; (also: ~ of Paris) plâtre à mouler; (BRIT: also: sticking ~) pansement adhésif ◆ vt plâtrer; (cover): **to ~ with** couvrir de; **~ed** (inf) adj soûl(e)

plastic ['plæstɪk] n plastique m ◆ adj (made of ~) en plastique; **~ bag** n sac m en plastique

Plasticine ['plæstɪsi:n] (®) n pâte f à modeler

plastic surgery n chirurgie f esthétique

plate [pleɪt] n (dish) assiette f; (in book) gravure f, planche f; (dental ~) dentier m

plateau ['plætəu] (pl ~s or ~x) n plateau m

plate glass n verre m (de vitrine)

platform ['plætfɔ:m] n plate-forme f; (at meeting) tribune f; (stage) estrade f; (RAIL) quai m

platinum ['plætɪnəm] n platine m

platter ['plætə*] n plat m

plausible ['plɔ:zɪbl] adj plausible; (person) convaincant(e)

play [pleɪ] n (THEATRE) pièce f (de théâtre) ◆ vt (game) jouer à; (team, opponent) jouer contre; (instrument) jouer de; (play, part, piece of music, note) jouer; (record etc) passer ◆ vi jouer; **to ~ safe** ne prendre aucun risque; **~ down** vt minimiser; **~ up** vi (cause trouble) faire des siennes; **~boy** n playboy m; **~er** n joueur(euse); (THEATRE) acteur(trice); (MUS) musicien(ne); **~ful** adj enjoué(e); **~ground** n cour f de récréation; (in park) aire f de jeux; **~group** n garderie f; **~ing card** n carte f à jouer; **~ing field** n terrain m de sport; **~mate** n camarade m/f, copain(copine); **~-off** n (SPORT) belle f; **~pen** n parc m (pour bébé); **~thing** n jouet m; **~time** n récréation f; **~wright** n dramaturge m

plc abbr (= public limited company) ≈ SARL f

plea [pli:] n (request) appel m; (LAW) défense f

plead [pli:d] vt plaider; (give as excuse) invoquer ◆ vi (LAW) plaider; (beg): **to ~ with sb** implorer qn

pleasant ['pleznt] adj agréable; **~ries** npl (polite remarks) civilités fpl

please [pli:z] excl s'il te (or vous) plaît ◆ vt plaire à ◆ vi plaire; (think fit): **do as you ~** faites comme il vous plaira; **~ yourself!** à ta (or votre) guise!; **~d** adj: **~d (with)** content(e) (de); **~d to meet you** enchanté (de faire votre connaissance);

pleasing ['pli:zɪŋ] adj plaisant(e), qui fait plaisir

pleasure ['pleʒə*] n plaisir m; **"it's a ~"** "je vous en prie"; **~ boat** n bateau m de plaisance

pleat [pli:t] n pli m

pledge [pledʒ] n (promise) promesse f ◆ vt engager; promettre

plentiful ['plentɪful] adj abondant(e), copieux(euse)

plenty ['plentɪ] n: **~ of** beaucoup de; (bien) assez de

pliable ['plaɪəbl] adj flexible; (person) malléable

pliers ['plaɪəz] npl pinces fpl

plight [plaɪt] n situation f critique

plimsolls ['plɪmsəlz] (BRIT) npl chaussures fpl de tennis, tennis mpl

plinth [plɪnθ] n (of statue) socle m

plod [plɒd] vi avancer péniblement; (fig) peiner

plonk [plɒŋk] (inf) n (BRIT: wine) pinard m, piquette f ◆ vt: **to ~ sth down** poser brusquement qch

plot [plɒt] n complot m, conspiration f; (of story, play) intrigue f; (of land) lot m de terrain, lopin m ◆ vt (sb's downfall) comploter; (mark out) pointer; relever, déterminer ◆ vi comploter

plough [plau] (US **plow**) n charrue f ◆ vt (earth) labourer; **to ~ money into** investir dans; **~ through** vt fus (snow etc) avancer péniblement dans; **~man's lunch** (BRIT) n assiette froide avec du pain, du fromage et des pickles

ploy [plɔɪ] n stratagème m

pluck [plʌk] vt (fruit) cueillir; (musical instrument) pincer; (bird) plumer; (eyebrow) épiler ◆ n courage m, cran m; **to ~ up courage** prendre son courage à deux mains

plug [plʌg] n (ELEC) prise f de courant; (stopper) bouchon m, bonde f; (AUT: also: spark(ing) ~) bougie f ◆ vt (hole) boucher; (inf: advertise) faire du battage pour; **~ in** vt (ELEC) brancher

plum [plʌm] n (fruit) prune f ◆ cpd: **~ job** (inf) travail m en or

plumb [plʌm] vt: **to ~ the depths** (fig) toucher le fond (du désespoir)

plumber ['plʌmə*] n plombier m

plumbing ['plʌmɪŋ] n (trade) plomberie f; (piping) tuyauterie f

plummet ['plʌmɪt] vi: **to ~ (down)** plonger, dégringoler

plump [plʌmp] adj rondelet(te), dodu(e), bien en chair ◆ vi: **to ~ for** (col: choose) se décider pour

plunder ['plʌndə*] n pillage m (loot) butin m ◆ vt piller

plunge [plʌndʒ] n plongeon m; (fig) chute f ◆ vt plonger ◆ vi (dive) plonger (fall) tomber, dégringoler; **to take the ~** se jeter à l'eau; **~r** n (for drain) (déboucheur m à) ventouse f; **plunging** adj: **plunging neckline** décolleté plongeant

pluperfect [plu:'pɜ:fɪkt] n plus-que-parfait m

plural ['pluərəl] adj pluriel(le) ◆ n pluriel m

plus [plʌs] n (also: ~ sign) signe m plus ◆ prep plus; **ten/twenty ~** plus de dix/vingt

plush [plʌʃ] adj somptueux(euse)

ply [plaɪ] vt (a trade) exercer ◆ vi (ship) faire la navette ◆ n (of wool, rope) fil m, brin m; **to ~ sb with drink** donner continuellement à boire à qn; **to ~ sb with questions** presser qn de questions; **~wood** n contre-plaqué m

PM abbr = **Prime Minister**

p.m. adv abbr (= post meridiem) de l'après-midi

pneumatic drill [nju:'mætɪk-] n marteau-piqueur m

pneumonia [nju:'məunɪə] n pneumonie f

poach [pəutʃ] vt (cook) pocher; (steal) pêcher (or chasser) sans permis ◆ vi braconner; **~ed egg** n œuf poché; **~er** n braconnier m

P.O. Box n abbr = **Post Office Box**

pocket ['pɒkɪt] n poche f ◆ vt empocher; **to be out of ~** (BRIT) en être de sa poche; **~book** (US) n (wallet) portefeuille m; **~ knife** n canif m; **~ money** n argent m de poche

pod [pɒd] n cosse f

podgy ['pɒdʒɪ] adj rondelet(te)

podiatrist [pɒ'di:ətrɪst] (US) n pédicure m/f, podologue m/f

poem ['pəuəm] n poème m

poet ['pəuɪt] n poète m; **~ic** adj poétique; **~ laureate** n poète lauréat (nommé par la Cour royal); **~ry** n poésie f

poignant ['pɔɪnjənt] adj poignant(e); (sharp) vif(vive)

point [pɔɪnt] n point m; (tip) pointe f; (in time) moment m; (in space) endroit m; (subject, idea) point, sujet m; (purpose) sens m; (ELEC) prise f; (also: decimal ~): **2 ~ 3 (2.3)** 2 virgule 3 (2,3) ◆ vt (show) indiquer; (gun etc): **to ~ sth at** braquer or diriger qch sur ◆ vi: **to ~ at** montrer du doigt; **~s** npl (AUT) vis platinées; (RAIL) aiguillage m; **to be on the ~ of doing sth** être sur le point de faire qch; **to make a ~ of doing** ne pas manquer de faire; **to get the ~** comprendre, saisir; **to miss the ~** ne pas comprendre; **to come to the ~** en venir au fait; **there's no ~ (in doing)** cela ne sert à rien (de faire); **~ out** vt faire remarquer, souligner; **~ to** vt fus (fig) indiquer; **~-blank** adv (fig) catégoriquement; (also: at ~-blank range) à bout portant; **~ed** adj (shape) pointu(e); (remark) plein(e) de sous-entendus; **~er** n (needle) aiguille f; (piece of advice) conseil m; (clue) indice m; **~less** adj inutile, vain(e); **~ of view** n point m de vue

poise [pɔɪz] n (composure) calme m

poison ['pɔɪzn] n poison m ◆ vt empoisonner; **~ous** adj (snake) venimeux(euse); (plant) vénéneux(euse); (fumes etc) toxique

poke [pəuk] vt (fire) tisonner; (jab with finger, stick etc) piquer; pousser du doigt; (put): **to ~ sth in(to)** fourrer or enfoncer qch dans; **~ about** vi fureter

poker ['pəukə*] n tisonnier m; (CARDS) poker m

poky ['pəukɪ] adj exigu(ë)

Poland ['pəulənd] n Pologne f

polar ['pəulə*] adj polaire; **~ bear** n ours blanc

Pole [pəul] n Polonais(e)

pole [pəul] n poteau m; (of wood) mât m, perche f; (GEO) pôle m; **~ bean** (US) n haricot m (à rames); **~ vault** n saut m à la perche

police [pə'li:s] npl police f ◆ vt maintenir l'ordre dans; **~ car** n voiture f de police; **~man** (irreg) n agent m de police, policier m; **~ station** n commissariat m de police; **~woman** (irreg) n femme-agent f

policy ['pɒlɪsɪ] n politique f; (also: insurance ~) police f (d'assurance)

polio ['pəulɪəu] n polio f

Polish ['pəulɪʃ] adj polonais(e) ◆ n (LING) polonais m

polish ['pɒlɪʃ] n (for shoes) cirage m; (for floor) cire f, encaustique f; (shine) éclat m, poli m; (fig: refinement) raffinement m ◆ vt (put polish on shoes, wood) cirer; (make shiny) astiquer, faire briller; **~ off** vt (work) expédier; (food) liquider; **~ed** adj (fig) raffiné(e)

polite [pə'laɪt] adj poli(e); **in ~ society** dans la bonne société; **~ness** n politesse f

political [pə'lɪtɪkəl] adj politique

politician [pɒlɪ'tɪʃən] n homme m politique, politicien m

politics ['pɒlɪtɪks] npl politique f

poll [pəul] n scrutin m, vote m; (also: opinion ~) sondage m (d'opinion) ◆ vt obtenir

pollen ['pɒlən] n pollen m

polling day ['pəulɪŋ-] (BRIT) n jour m des élections

polling station (BRIT) n bureau m de vote

pollute [pə'lu:t] vt polluer; **pollution** n pollution f

polo ['pəuləu] n polo m; **~-necked** adj à col roulé; **~ shirt** n polo m

poltergeist ['pɒltəgaɪst] n esprit frappeur

polyester [pɒlɪ'estə*] n polyester m

polytechnic [pɒlɪ'teknɪk] (BRIT) n (college) I.U.T. m, Institut m Universitaire de Technologie

polythene ['pɒlɪθi:n] n polyéthylène m; **~ bag** n sac m en plastique

pomegranate ['pɒmɪgrænɪt] n grenade f

pomp [pɒmp] n pompe f, faste f, apparat m; **~ous** ['pɒmpəs] adj pompeux(euse)

pond [pɒnd] n étang m; mare f

ponder ['pɒndə*] vt considérer, peser; **~ous** adj pesant(e), lourd(e)

pong [pɒŋ] (BRIT: inf) n puanteur f

pony ['pəunɪ] n poney m; **~tail** n queue f de cheval; **~ trekking** (BRIT) n randonnée f à cheval

poodle ['pu:dl] n caniche m

pool [pu:l] n (of rain) flaque f; (pond) mare f; (also: swimming ~) piscine f; (billiards) poule f ◆ vt mettre en commun; **~s** npl (football pools) ≈ loto sportif

poor [puə*] adj pauvre; (mediocre) médiocre, faible, mauvais(e) ◆ npl: **the ~** les pauvres mpl; **~ly** adj souffrant(e), malade ◆ adv mal; médiocrement

pop [pɒp] n (MUS) musique f pop; (drink) boisson gazeuse; (US: inf: father) papa m; (noise) bruit sec ◆ vt (put) mettre (rapidement) ◆ vi éclater; (cork) sauter; **~ in** vi entrer en passant; **~ out** vi sortir (brièvement); **~ up** vi apparaître, surgir

pope [pəup] n pape m

poplar ['pɒplə*] n peuplier m

popper ['pɒpə*] (BRIT: inf) n bouton-pression m

poppy ['pɒpɪ] n coquelicot m; pavot m

Popsicle ['pɒpsɪkl] (®: US) n esquimau m (glace)

popular ['pɒpjulə*] adj populaire; (fashionable) à la mode

population [pɒpju'leɪʃən] n population f

porcelain ['pɔ:slɪn] n porcelaine f

porch [pɔ:tʃ] n porche m; (US) véranda f

porcupine ['pɔ:kjupaɪn] n porc-épic m

pore [pɔ:*] n pore m ◆ vi: **to ~ over** s'absorber dans, être plongé(e) dans

pork [pɔ:k] n porc m

pornography [pɔ:'nɒgrəfɪ] n pornographie f

porpoise ['pɔ:pəs] n marsouin m

porridge ['pɒrɪdʒ] n porridge m

port [pɔ:t] n (harbour) port m; (NAUT: left side) bâbord m; (wine) porto m; **~ of call** escale f

portable ['pɔ:təbl] adj portatif(ive)

porter ['pɔ:tə*] n (for luggage) porteur m; (doorkeeper) gardien(ne); portier m

portfolio [pɔ:t'fəulɪəu] n portefeuille m; (of artist) portfolio m

porthole ['pɔ:thəul] n hublot m

portion ['pɔ:ʃən] n portion f, part f

portly ['pɔ:tlɪ] adj corpulent(e)

portrait ['pɔ:trɪt] n portrait m

portray [pɔ:'treɪ] vt faire le portrait de; (in writing) dépeindre, représenter; (subj: actor) jouer; **~al** n portrait m, représentation f

Portugal ['pɔ:tjugəl] n Portugal m

Portuguese [pɔ:tju'gi:z] adj portugais(e) ◆ n inv Portugais(e); (LING) portugais m

pose [pəuz] n pose f ◆ vi (pretend): **to ~ as** se poser en ◆ vt poser; (problem) créer

posh [pɒʃ] (inf) adj chic inv

position [pə'zɪʃən] n position f; (job) situation f ◆ vt placer

positive ['pɒzɪtɪv] adj positif(ive); (certain) sûr(e), certain(e); (definite) formel(le), catégorique

posse ['pɒsɪ] (US) n détachement m

possess [pə'zes] vt posséder; **~ion** [pə'zeʃən] n possession f

possibility [pɒsə'bɪlɪtɪ] n possibilité f; éventualité f

possible ['pɒsəbl] adj possible; **as big as ~** aussi gros que possible

possibly ['pɒsəblɪ] adv (perhaps) peut-être; **if you ~ can** si cela vous est possible; **I cannot ~ come** il m'est impossible de venir

post [pəust] n poste f; (BRIT: letters, delivery) courrier m; (job, situation, MIL) poste m; (pole) poteau m ◆ vt (BRIT: send by ~) poster; (: appoint): **to ~ to** affecter à; **~age** n tarifs mpl d'affranchissement; **~al order** n mandat(-poste) m; **~box** (BRIT) n boîte f aux lettres; **~card** n carte postale; **~code** (BRIT) n code postal

poster ['pəustə*] n affiche f

poste restante ['pəust'restɑ:nt] (BRIT) n poste restante

postgraduate ['pəust'grædjuɪt] n ≈ étudiant(e) de troisième cycle

posthumous ['pɒstjuməs] adj posthume

postman ['pəustmən] (irreg) n facteur m

postmark ['pəustmɑ:k] n cachet m (de la poste)

postmortem ['pəust'mɔ:təm] n autopsie f

post office n (building) poste f; (organization): **the Post Office** les Postes; **Post Office Box** n boîte postale

postpone [pəs'pəun] vt remettre (à plus tard)

posture ['pɒstʃə*] n posture f; (fig) attitude f

postwar ['pəust'wɔ:*] adj d'après-guerre

posy ['pəuzɪ] n petit bouquet

pot [pɒt] n pot m; (for cooking) marmite f; casserole f; (tea~) théière f; (coffee~) cafetière f; (inf: marijuana) herbe f ◆ vt (plant) mettre en pot; **to go to ~** (inf: work, performance) aller à vau-l'eau

potato [pə'teɪtəu] (pl ~es) n pomme f de terre; **~ peeler** n épluche-légumes m inv

potent ['pəutənt] adj puissant(e); (drink)

fort(e), très alcoolisé(e); (*man*) viril

potential [pəu'tenʃəl] *adj* potentiel(le) ◆ *n* potentiel *m*

pothole ['pɔthəul] *n* (*in road*) nid *m* de poule; (*BRIT: underground*) gouffre *m*, caverne *f*; **potholing** ['pɔthəulɪŋ] (*BRIT*) *n*: **to go potholing** faire de la spéléologie

potluck ['pɔt'lʌk] *n*: **to take ~** tenter sa chance

potted ['pɔtɪd] *adj* (*food*) en conserve; (*plant*) en pot; (*abbreviated*) abrégé(e)

potter ['pɔtə*] *n* potier *m* ◆ *vi*: **to ~ around, ~ about** (*BRIT*) bricoler; **~y** *n* poterie *f*

potty ['pɔtɪ] *adj* (*inf: mad*) dingue ◆ *n* (*child's*) pot *m*

pouch [pautʃ] *n* (*ZOOL*) poche *f*; (*for tobacco*) blague *f*; (*for money*) bourse *f*

poultry ['pəultrɪ] *n* volaille *f*

pounce [pauns] *vi*: **to ~ (on)** bondir (sur), sauter (sur)

pound [paund] *n* (*unit of money*) livre *f*; (*unit of weight*) livre ◆ *vt* (*beat*) bourrer de coups, marteler; (*crush*) piler, pulvériser ◆ *vi* (*heart*) battre violemment, taper

pour [pɔ:*] *vt* verser ◆ *vi* couler à flots; **to ~ (with rain)** pleuvoir à verse; **to ~ sb a drink** verser *or* servir à boire à qn; **~ away** *vt* vider; **~ in** *vi* (*people*) affluer, se précipiter; (*news, letters etc*) arriver en masse; **~ off** *vt* = **pour away**; **~ out** *vi* (*people*) sortir en masse ◆ *vt* vider; (*fig*) déverser; (*serve: a drink*) verser; **~ing** *adj*: **~ing rain** pluie torrentielle

pout [paut] *vi* faire la moue

poverty ['pɔvətɪ] *n* pauvreté *f*, misère *f*; **~-stricken** *adj* pauvre, déshérité(e)

powder ['paudə*] *n* poudre *f* ◆ *vt*: **to ~ one's face** se poudrer; **~ compact** *n* poudrier *m*; **~ed milk** *n* lait *m* en poudre; **~ puff** *n* houppette *f*; **~ room** *n* toilettes *fpl* (pour dames)

power ['pauə*] *n* (*strength*) puissance *f*, force *f*; (*ability, authority*) pouvoir *m*; (*of speech, thought*) faculté *f*; (*ELEC*) courant *m*; **to be in ~** (*POL etc*) être au pouvoir; **~ cut** (*BRIT*) *n* coupure *f* de courant; **~ed** *adj*: **~ed by** actionné(e) par, fonctionnant à; **~ failure** *n* panne *f* de courant; **~ful** *adj* puissant(e); **~less** *adj* impuissant(e); **~ point** (*BRIT*) *n* prise *f* de courant; **~ station** *n* centrale *f* électrique

p.p. *abbr* (= *per procurationem*): **~ J. Smith** pour M. J. Smith

PR *n abbr* = **public relations**

practical ['præktɪkəl] *adj* pratique; **~ities** *npl* (*of situation*) aspect *m* pratique; **~ity** (*no pl*) *n* (*of person*) sens *m* pratique; **~ joke** *n* farce *f*; **~ly** *adv* (*almost*) pratiquement

practice ['præktɪs] *n* pratique *f*; (*of profession*) exercice *m*; (*at football etc*) entraînement *m*; (*business*) cabinet *m* ◆ *vt, vi* (*US*) = **practise**; **in ~** (*in reality*) en pratique; **out of ~** rouillé(e)

practise ['præktɪs] (*US* **practice**) *vt* (*musical instrument*) travailler; (*train for: sport*) s'entraîner à; (*a sport, religion*) pratiquer; (*profession*) exercer ◆ *vi* s'exercer, travailler; (*train*) s'entraîner; (*lawyer, doctor*) exercer; **practising** ['præktɪsɪŋ] *adj* (*Christian etc*) pratiquant(e); (*lawyer*) en exercice

practitioner [præk'tɪʃənə*] *n* praticien(ne)

prairie ['prɛərɪ] *n* steppe *f*, prairie *f*

praise [preɪz] *n* éloge(s) *m(pl)*, louange(s) *f(pl)* ◆ *vt* louer, faire l'éloge de; **~worthy** *adj* digne d'éloges

pram [præm] (*BRIT*) *n* landau *m*, voiture *f* d'enfant

prance [prɑ:ns] *vi* (*also: to ~ about: person*) se pavaner

prank [præŋk] *n* farce *f*

prawn [prɔ:n] *n* crevette *f* (rose)

pray [preɪ] *vi* prier; **~er** [prɛə*] *n* prière *f*

preach [pri:tʃ] *vt, vi* prêcher

precaution [prɪ'kɔ:ʃən] *n* précaution *f*

precede [prɪ'si:d] *vt* précéder

precedent ['presɪdənt] *n* précédent *m*

precinct ['pri:sɪŋkt] *n* (*US*) circonscription *f*, arrondissement *m*; **~s** *npl* (*neighbourhood*) alentours *mpl*, environs *mpl*; **pedestrian ~** (*BRIT*) zone piétonnière; **shopping ~** (*BRIT*) centre commercial

precious ['preʃəs] *adj* précieux(euse)

precipitate [*adj* prɪ'sɪpɪtɪt, *vb* prɪ'sɪpɪteɪt] *vt* précipiter

precise [prɪ'saɪs] *adj* précis(e); **~ly** *adv* précisément

preclude [prɪ'klu:d] *vt* exclure

precocious [prɪ'kəuʃəs] *adj* précoce

precondition ['pri:kən'dɪʃən] *n* condition *f* nécessaire

predecessor ['pri:dɪsesə*] *n* prédécesseur *m*

predicament [prɪ'dɪkəmənt] *n* situation *f* difficile

predict [prɪ'dɪkt] *vt* prédire; **~able** *adj* prévisible

predominantly [prɪ'dɔmɪnəntlɪ] *adv* en majeure partie; surtout

preempt *vt* anticiper, devancer

preen [pri:n] *vt*: **to ~ itself** (*bird*) se lisser les plumes; **to ~ o.s.** s'admirer

prefab ['pri:fæb] *n* bâtiment préfabriqué

preface ['prefɪs] *n* préface *f*

prefect ['pri:fekt] (*BRIT*) *n* (*in school*) élève chargé(*e*) de certaines fonctions de discipline

prefer [prɪ'fə:*] *vt* préférer; **~ably** *adv* de préférence; **~ence** *n* préférence *f*; **~ential** *adj*: **~ential treatment** traitement *m* de faveur *or* préférentiel

prefix ['pri:fɪks] *n* préfixe *m*

pregnancy ['pregnənsɪ] *n* grossesse *f*

pregnant ['pregnənt] *adj* enceinte; (*animal*) pleine

prehistoric ['pri:hɪs'tɔrɪk] *adj* préhistorique

prejudice ['predʒudɪs] *n* préjugé *m*; **~d** *adj* (*person*) plein(e) de préjugés; (*in a matter*) partial(e)

premarital ['pri:'mærɪtl] *adj* avant le mariage

premature ['premətʃuə*] *adj* prématuré(e)

premier ['premɪə*] *adj* premier(ère), principal(e) ◆ *n* (*POL*) Premier ministre

première [premɪ'ɛə*] *n* première *f*

premise ['premɪs] *n* prémisse *f*; **~s** *npl* (*building*) locaux *mpl*; **on the ~s** sur les lieux; sur place

premium ['pri:mɪəm] *n* prime *f*; **to be at a ~** faire prime; **~ bond** (*BRIT*) *n* bon *m* à lot, obligation *f* à prime

premonition [premə'nɪʃən] *n* prémonition *f*

preoccupied [pri:'ɔkjupaɪd] *adj* préoccupé(e)

prep [prep] *n* (*SCOL: study*) étude *f*

prepaid ['pri:'peɪd] *adj* payé(e) d'avance

preparation ['prepə'reɪʃən] *n* préparation *f*; **~s** *npl* (*for trip, war*) préparatifs *mpl*

preparatory [prɪ'pærətərɪ] *adj* préliminaire; **~ school** (*BRIT*) *n* école primaire privée

prepare [prɪ'pɛə*] *vt* préparer ◆ *vi*: **to ~ for** se préparer à; **~d to** prêt(e) à

preposition [prepə'zɪʃən] *n* préposition *f*

preposterous [prɪ'pɔstərəs] *adj* absurde

prep school *n* = **preparatory school**

prerequisite ['pri:'rekwɪzɪt] *n* condition *f* préalable

prescribe [prɪs'kraɪb] *vt* prescrire

prescription [prɪs'krɪpʃən] *n* (*MED*) ordonnance *f*; (*: medicine*) médicament (obtenu sur ordonnance)

presence ['prezns] *n* présence *f*; **~ of mind** présence d'esprit

present [*adj, n* 'preznt, *vb* prɪ'zent] *adj* présent(e) ◆ *n* (*gift*) cadeau *m*; (*actuality*) présent *m* ◆ *vt* présenter; (*prize, medal*) remettre; (*give*): **to ~ sb with sth** *or* **sth to sb** offrir qch à qn; **to give sb a ~** offrir un cadeau à qn; **at ~** en ce moment; **~ation** *n* présentation *f*; (*ceremony*) remise *f* du cadeau (*or* de la médaille *etc*); **~-day** *adj* contemporain(e), actuel(le); **~er** *n* (*RADIO, TV*) présentateur(trice); **~ly** *adv* (*with verb in past*) peu après; (*soon*) tout à l'heure, bientôt; (*at present*) en ce moment

preservative [prɪ'zə:vətɪv] *n* agent *m* de conservation

preserve [prɪ'zə:v] *vt* (*keep safe*) préserver, protéger; (*maintain*) conserver, garder; (*food*) mettre en conserve ◆ *n* (*often pl: jam*) confiture *f*

president ['prezɪdənt] *n* président(e); **~ial** *adj* présidentiel(le)

press [pres] *n* presse *f*; (*for wine*) pressoir *m* ◆ *vt* (*squeeze*) presser, serrer; (*push*) appuyer sur; (*clothes: iron*) repasser; (*put pressure on*) faire pression sur; (*insist*): **to ~ sth on sb** presser qn d'accepter qch ◆ *vi* appuyer, peser; **to ~ for sth** faire pression pour obtenir qch; **we are ~ed for time/money** le temps/l'argent nous manque; **~ on** *vi* continuer; **~ conference** *n* conférence *f* de presse; **~ing** *adj* urgent(e), pressant(e); **~ stud** (*BRIT*) *n* bouton-pression *m*; **~-up** (*BRIT*) *n* traction *f*

pressure ['preʃə*] *n* pression *f*; (*stress*) tension *f*; **to put ~ on sb (to do)** faire pression sur qn (pour qu'il/elle fasse); **~ cooker** *n* cocotte-minute *f*; **~ gauge** *n* manomètre *m*; **~ group** *n* groupe *m* de pression

prestige [pres'ti:ʒ] *n* prestige *m*

presumably [prɪ'zju:məblɪ] *adv* vraisemblablement

presume [prɪ'zju:m] *vt* présumer, supposer

pretence [prɪ'tens] (*US* **pretense**) *n* (*claim*) prétention *f*; **under false ~s** sous des prétextes fallacieux

pretend [prɪ'tend] *vt* (*feign*) feindre, simuler ◆ *vi* faire semblant

pretext ['pri:tekst] *n* prétexte *m*

pretty ['prɪtɪ] *adj* joli(e) ◆ *adv* assez

prevail [prɪ'veɪl] *vi* (*be usual*) avoir cours; (*win*) l'emporter, prévaloir; **~ing** *adj* dominant(e)

prevalent ['prevələnt] *adj* répandu(e), courant(e)

prevent [prɪ'vent] *vt*: **to ~ (from doing)** empêcher (de faire); **~ative** *adj* = **preventive**; **~ive** *adj* préventif(ive)

preview ['pri:vju:] *n* (*of film etc*) avant-première *f*

previous ['pri:vɪəs] *adj* précédent(e); antérieur(e); **~ly** *adv* précédemment, auparavant

prewar ['pri:'wɔ:*] *adj* d'avant-guerre

prey [preɪ] *n* proie *f* ◆ *vi*: **to ~ on** s'attaquer à; **it was ~ing on his mind** cela le travaillait

price [praɪs] *n* prix *m* ◆ *vt* (*goods*) fixer le prix de; **~less** *adj* sans prix, inestimable; **~ list** *n* liste *f* des prix, tarif *m*

prick [prɪk] *n* piqûre *f* ◆ *vt* piquer; **to ~ up one's ears** dresser *or* tendre l'oreille

prickle ['prɪkl] *n* (*of plant*) épine *f*; (*sensation*) picotement *m*; **prickly** ['prɪklɪ] *adj* piquant(e), épineux(euse); **prickly heat** *n* fièvre *f* miliaire

pride [praɪd] *n* orgueil *m*; fierté *f* ◆ *vt*: **to ~ o.s. on** se flatter de; s'enorgueillir de

priest [pri:st] *n* prêtre *m*; **~hood** *n* prêtrise *f*, sacerdoce *m*

prim [prɪm] *adj* collet monté *inv*, guindé(e)

primarily ['praɪmərɪlɪ] *adv* principalement, essentiellement

primary ['praɪmərɪ] *adj* (*first in importance*) premier(ère), primordial(e), principal(e) ◆ *n* (*US: election*) (élection *f*) primaire *f*; **~ school** (*BRIT*) *n* école primaire *f*

prime [praɪm] *adj* primordial(e), fondamental(e); (*excellent*) excellent(e) ◆ *n*: **in the ~ of life** dans la fleur de l'âge ◆ *vt* (*wood*) apprêter; (*fig*) mettre au courant; **P~ Minister** *n* Premier ministre *m*

primeval [praɪ'mi:vəl] *adj* primitif(ive); **~ forest** forêt *f* vierge

primitive ['prɪmɪtɪv] *adj* primitif(ive)

primrose ['prɪmrəuz] *n* primevère *f*

primus (stove) ['praɪməs-] (®:*BRIT*) *n* réchaud *m* de camping

prince [prɪns] *n* prince *m*

princess [prɪn'ses] *n* princesse *f*

principal ['prɪnsəpl] *adj* principal(e) ◆ *n* (*headmaster*) directeur(trice), principal *m*

principle ['prɪnsəpl] *n* principe *m*; **in/on ~** en/par principe

print [prɪnt] *n* (*mark*) empreinte *f*; (*letters*) caractères *mpl*; (*ART*) gravure *f*, estampe *f*; (*: photograph*) photo *f* ◆ *vt* imprimer; (*publish*) publier; (*write in block letters*) écrire en caractères d'imprimerie; **out of ~** épuisé(e); **~ed matter** *n* imprimé(s) *m(pl)*; **~er** *n* imprimeur *m*; (*machine*) imprimante *f*; **~ing** *n* impression *f*; **~-out** *n* copie *f* papier

prior ['praɪə*] *adj* antérieur(e), précédent(e); (*more important*) prioritaire ◆ *adv*: **~ to doing** avant de faire

priority [praɪ'ɔrɪtɪ] *n* priorité *f*

prise [praɪz] *vt*: **to ~ open** forcer

prison ['prɪzn] *n* prison *f* ◆ *cpd* pénitentiaire; **~er** *n* prisonnier(ère)

pristine ['prɪsti:n] *adj* parfait(e)

privacy ['prɪvəsɪ] *n* intimité *f*, solitude *f*

private ['praɪvɪt] *adj* privé(e); (*personal*) personnel(le); (*house, lesson*) particulier(ère); (*quiet: place*) tranquille; (*reserved: person*) secret(ète) ◆ *n* soldat *m* de deuxième classe; **"~"** (*on envelope*) "personnelle"; **in ~** en privé; **~ enterprise** *n* l'entreprise privée; **~ eye** *n* détective privé; **~ property** *n* propriété privée; **privatize** *vt* privatiser

privet ['prɪvɪt] *n* troène *m*

privilege ['prɪvɪlɪdʒ] *n* privilège *m*

privy ['prɪvɪ] *adj*: **to be ~ to** être au courant de

prize [praɪz] *n* prix *m* ◆ *adj* (*example, idiot*) parfait(e); (*bull, novel*) primé(e) ◆ *vt* priser, faire grand cas de; **~-giving** *n* distribution *f* des prix; **~winner** *n* gagnant(e)

pro [prəu] *n* (*SPORT*) professionnel(le); **the ~s and cons** le pour et le contre

probability [prɔbə'bɪlɪtɪ] *n* probabilité *f*; **probable** ['prɔbəbl] *adj* probable; **probably** *adv* probablement

probation [prə'beɪʃən] *n*: **on ~** (*LAW*) en liberté surveillée, en sursis; (*employee*) à l'essai

probe [prəub] *n* (*MED, SPACE*) sonde *f*; (*enquiry*) enquête *f*, investigation *f* ◆ *vt* sonder, explorer

problem ['prɔbləm] *n* problème *m*

procedure [prə'si:dʒə*] *n* (*ADMIN, LAW*) procédure *f*; (*method*) marche *f* à suivre, façon *f* de procéder

proceed [prə'si:d] *vi* continuer; (*go forward*) avancer; **to ~ (with)** continuer, poursuivre; **to ~ to do** se mettre à faire; **~ings** *npl* (*LAW*) poursuites *fpl*; (*meeting*) réunion *f*, séance *f*; **~s** ['prəusi:dz] *npl* produit *m*, recette *f*

process ['prəuses] *n* processus *m*; (*method*) procédé *m* ◆ *vt* traiter; **~ing** *n* (*PHOT*) développement *m*; **~ion** [prə'seʃən] *n* défilé *m*, cortège *m*; (*REL*) procession *f*; **funeral ~ion** (*on foot*) cortège *m* funèbre; (*in cars*) convoi *m* mortuaire

proclaim [prə'kleɪm] *vt* déclarer, proclamer

procrastinate [prəu'kræstɪneɪt] *vi* faire traîner les choses, vouloir tout remettre au lendemain

procure [prə'kjuə*] *vt* obtenir

prod [prɔd] *vt* pousser

prodigal ['prɔdɪgəl] *adj* prodigue

prodigy ['prɔdɪdʒɪ] *n* prodige *m*

produce [*n* 'prɔdju:s, *vb* prə'dju:s] *n* (*AGR*) produits *mpl* ◆ *vt* produire; (*to show*) présenter; (*cause*) provoquer, causer; (*THEATRE*) monter, mettre en scène; **~r** *n* producteur *m*; (*THEATRE*) metteur *m* en scène

product ['prɔdʌkt] *n* produit *m*

production [prə'dʌkʃən] *n* production *f*; (*THEATRE*) mise *f* en scène; **~ line** *n* chaîne *f* (de fabrication)

productivity [prɔdʌk'tɪvɪtɪ] *n* productivité *f*

profession [prə'feʃən] *n* profession *f*; **~al** *n* professionnel(le) ◆ *adj* professionnel(le); (*work*) de professionnel

professor [prə'fesə*] *n* professeur *m* (*titulaire d'une chaire*)

proficiency [prə'fɪʃənsɪ] *n* compétence *f*, aptitude *f*

profile ['prəufaɪl] *n* profil *m*

profit ['prɔfɪt] *n* bénéfice *m*; profit *m* ◆ *vi*: **to ~ (by or from)** profiter (de); **~able** *adj* lucratif(ive), rentable

profound [prə'faund] *adj* profond(e)

profusely [prə'fju:slɪ] *adv* abondamment; avec effusion

prognosis [prɔg'nəusɪs] (*pl* **prognoses**) *n* pronostic *m*

programme ['prəugræm] (*US* **program**) *n* programme *m*; (*RADIO, TV*) émission *f* ◆ *vt* programmer; **~r** (*US* **programer**) *n* programmeur(euse)

progress [*n* 'prəugres, *vb* prə'gres] *n* progrès *m(pl)* ◆ *vi* progresser, avancer; **in ~** en cours; **~ive** *adj* progressif(ive); (*person*) progressiste

prohibit [prə'hɪbɪt] *vt* interdire, défendre

project [*n* 'prɔdʒekt, *vb* prə'dʒekt] *n* (*plan*) projet *m*, plan *m*; (*venture*) opération *f*, entreprise *f*; (*research*) étude *f*, dossier *m* ◆ *vt* projeter ◆ *vi* (*stick out*) faire saillie, s'avancer; **~ion** [prə'dʒekʃən] *n* projection *f*; (*overhang*) saillie *f*; **~or** [prə'dʒektə*] *n* projecteur *m*

prolong [prə'lɔŋ] *vt* prolonger

prom [prɔm] *n abbr* = **promenade**; (*US: ball*) bal *m* d'étudiants

promenade [prɔmɪ'nɑ:d] *n* (*by sea*) esplanade *f*, promenade *f*; **~ concert** (*BRIT*) *n* concert *m* populaire (de musique classique)

prominent ['prɔmɪnənt] *adj* (*standing out*) proéminent(e); (*important*) important(e)

promiscuous [prə'mɪskjuəs] *adj* (*sexually*) de mœurs légères

promise ['prɔmɪs] *n* promesse *f* ◆ *vt, vi* promettre; **promising** ['prɔmɪsɪŋ] *adj* prometteur(euse)

promote [prə'məut] *vt* promouvoir; (*new product*) faire la promotion de; **~r** *n* (*of event*) organisateur(trice); (*of cause, idea*) promoteur(trice); **promotion** [prə'məuʃən] *n* promotion *f*

prompt [prɔmpt] *adj* rapide ◆ *adv* (*punctually*) à l'heure ◆ *n* (*COMPUT*) message *m* (de guidage) ◆ *vt* provoquer; (*person*) inciter, pousser; (*THEATRE*) souffler (son rôle *or* ses répliques) à; **~ly** *adv* rapidement, sans délai; ponctuellement

prone [prəun] *adj* (*lying*) couché(e) (face contre terre); **~ to** enclin(e) à

prong [prɔŋ] *n* (*of fork*) dent *f*

pronoun ['prəunaun] *n* pronom *m*

pronounce [prə'nauns] *vt* prononcer

pronunciation [prənʌnsɪ'eɪʃən] *n* prononciation *f*

proof [pru:f] *n* preuve *f*; (*TYP*) épreuve *f* ◆ *adj*: **~ against** à l'épreuve de

prop [prɔp] *n* support *m*, étai *m*; (*fig*) soutien *m* ◆ *vt* (*also: ~ up*) étayer, soutenir; (*lean*): **to ~ sth against** appuyer qch contre *or* à

propaganda [prɔpə'gændə] *n* propagande *f*

propel [prə'pel] *vt* propulser, faire avancer; **~ler** *n* hélice *f*

propensity [prə'pensɪtɪ] *n*: **a ~ for** *or* **to/to do** une propension à/à faire

proper ['prɔpə*] *adj* (*suited, right*) approprié(e), bon(bonne); (*seemly*) correct(e), convenable; (*authentic*) vrai(e), véritable; (*referring to place*): **the village ~** le village proprement dit; **~ly** *adv* correctement, convenablement; **~ noun** *n* nom *m* propre

property ['prɔpətɪ] *n* propriété *f*; (*things owned*) biens *mpl*; propriété(s) *f(pl)*; (*land*) terres *fpl*

prophecy ['prɔfɪsɪ] *n* prophétie *f*

prophesy ['prɒfɪsaɪ] vt prédire
prophet ['prɒfɪt] n prophète m
proportion [prə'pɔːʃən] n proportion f; (share) part f; partie f; **~al, ~ate** adj proportionnel(le)
proposal [prə'pəuzl] n proposition f, offre f; (plan) projet m; (of marriage) demande f en mariage
propose [prə'pəuz] vt proposer, suggérer ◆ vi faire sa demande en mariage; **to ~ to do** avoir l'intention de faire; **proposition** [prɒpə'zɪʃən] n proposition f
propriety [prə'praɪətɪ] n (seemliness) bienséance f, convenance f
prose [prəuz] n (not poetry) prose f
prosecute ['prɒsɪkjuːt] vt poursuivre; **prosecution** [prɒsɪ'kjuːʃen] n poursuites fpl judiciaires; (accusing side) partie plaignante; **prosecutor** ['prɒsɪkjuːtə*] n (US: plaintiff) plaignant(e); (also: public ~) procureur m, ministère public
prospect [n 'prɒspekt, vb prə'spekt] n perspective f ◆ vt, vi prospecter; **~s** npl (for work etc) possibilités fpl d'avenir, débouchés mpl; **~ing** n (for gold, oil etc) prospection f; **~ive** adj (possible) éventuel(le); (future) futur(e)
prospectus [prə'spektəs] n prospectus m
prosperity [prɒ'sperɪtɪ] n prospérité f
prostitute ['prɒstɪtjuːt] n prostitué(e)
protect [prə'tekt] vt protéger; **~ion** n protection f; **~ive** adj protecteur(trice); (clothing) de protection
protein ['prəutiːn] n protéine f
protest [n 'prəutest, vb prə'test] n protestation f ◆ vi, vt: **to ~ (that)** protester (que)
Protestant ['prɒtɪstənt] adj, n protestant(e)
protester [prə'testə*] n manifestant(e)
protracted [prə'træktɪd] adj prolongé(e)
protrude [prə'truːd] vi avancer, dépasser
proud [praud] adj fier(ère); (pej) orgueilleux(euse)
prove [pruːv] vt prouver, démontrer ◆ vi: **to ~ (to be) correct** etc s'avérer juste etc; **to ~ o.s.** montrer ce dont on est capable
proverb ['prɒvɜːb] n proverbe m
provide [prə'vaɪd] vt fournir; **to ~ sb with sth** fournir qch à qn; **~ for** vt fus (person) subvenir aux besoins de; (future event) prévoir; **~d (that)** conj à condition que +sub; **providing** [prə'vaɪdɪŋ] conj: **providing (that)** à condition que +sub
province ['prɒvɪns] n province f; (fig) domaine m; **provincial** [prə'vɪnʃəl] adj provincial(e)
provision [prə'vɪʒən] n (supplying) fourniture f; approvisionnement m; (stipulation) disposition f; **~s** npl (food) provisions fpl; **~al** adj provisoire
proviso [prə'vaɪzəu] n condition f
provocative [prə'vɒkətɪv] adj provocateur(trice), provocant(e)
provoke [prə'vəuk] vt provoquer
prow [prau] n proue f
prowess ['prauɪs] n prouesse f
prowl [praul] vi (also: ~ about, ~ around) rôder ◆ n: **on the ~** à l'affût; **~er** n rôdeur(euse)
proxy ['prɒksɪ] n procuration f
prudent ['pruːdənt] adj prudent(e)
prune [pruːn] n pruneau m ◆ vt élaguer
pry [praɪ] vi: **to ~ into** fourrer son nez dans
PS n abbr (= postscript) p.s.
psalm [sɑːm] n psaume m
pseudo- ['sjuːdəu] prefix pseudo-; **~nym** ['sjuːdənɪm] n pseudonyme m
psyche ['saɪkɪ] n psychisme m
psychiatrist [saɪ'kaɪətrɪst] n psychiatre m/f
psychic ['saɪkɪk] adj (also: ~al) (méta)psychique; (person) doué(e) d'un sixième sens
psychoanalyst [saɪkəu'ænəlɪst] n psychanalyste m/f
psychological [saɪkə'lɒdʒɪkəl] adj psychologique; **psychologist** [saɪ'kɒlədʒɪst] n psychologue m/f; **psychology** [saɪ'kɒlədʒɪ] n psychologie f
PTO abbr (= please turn over) T.S.V.P.
pub [pʌb] n (= public house) pub m
public ['pʌblɪk]: ~ adj public(ique) ◆ n public m; **in ~** en public; **to make ~** rendre public; **~ address system** n (système m de) sonorisation f; hauts-parleurs mpl
publican ['pʌblɪkən] n patron m de pub
public: **~ company** n société f anonyme (cotée en bourse); **~ convenience** (BRIT) n toilettes fpl; **~ holiday** n jour férié; **~ house** (BRIT) n pub m
publicity [pʌb'lɪsɪtɪ] n publicité f
publicize ['pʌblɪsaɪz] vt faire connaître, rendre public(ique)
public: **~ opinion** n opinion publique; **~ relations** n relations publiques; **~ school** n (BRIT) école (secondaire) privée; (US) école publique; **~-spirited** adj qui fait preuve de civisme; **~ transport** n transports mpl en commun
publish ['pʌblɪʃ] vt publier; **~er** n éditeur m; **~ing** n édition f
pucker ['pʌkə*] vt plisser
pudding ['pudɪŋ] n pudding m; (BRIT: sweet) dessert m, entremets m; **black ~**, (US) **blood ~** boudin (noir)
puddle ['pʌdl] n flaque f (d'eau)
puff [pʌf] n bouffée f ◆ vt: **to ~ one's pipe** tirer sur sa pipe ◆ vi (pant) haleter; **~ out** vt (fill with air) gonfler; **~ed (out)** (inf) adj (out of breath) tout(e) essoufflé(e); **~ pastry** (US **~ paste**) n pâte feuilletée; **~y** adj bouffi(e), boursouflé(e)
pull [pul] n (tug): **to give sth a ~** tirer sur qch ◆ vt tirer; (trigger) presser ◆ vi tirer; **to ~ to pieces** mettre en morceaux; **to ~ one's punches** ménager son adversaire; **to ~ one's weight** faire sa part (du travail); **to ~ o.s. together** se ressaisir; **to ~ sb's leg** (fig) faire marcher qn; **~ apart** vt (break) mettre en pièces, démantibuler; **~ down** vt (house) démolir; **~ in** vi (AUT) entrer; (RAIL) entrer en gare; **~ off** vt enlever, ôter; (deal etc) mener à bien, conclure; **~ out** vi démarrer, partir ◆ vt sortir; arracher; **~ over** vi (AUT) se ranger; **~ through** vi s'en sortir; **~ up** vi (stop) s'arrêter ◆ vt remonter; (uproot) déraciner, arracher
pulley ['pulɪ] n poulie f
pullover ['puləuvə*] n pull(-over) m, tricot m
pulp [pʌlp] n (of fruit) pulpe f
pulpit ['pulpɪt] n chaire f
pulsate [pʌl'seɪt] vi battre, palpiter; (music) vibrer
pulse [pʌls] n (of blood) pouls m; (of heart) battement m; (of music, engine) vibrations fpl; (BOT, CULIN) légume sec
pump [pʌmp] n pompe f; (shoe) escarpin m ◆ vt pomper; **~ up** vt gonfler
pumpkin ['pʌmpkɪn] n potiron m, citrouille f
pun [pʌn] n jeu m de mots, calembour m
punch [pʌntʃ] n (blow) coup m de poing; (tool) poinçon m; (drink) punch m ◆ vt (hit): **to ~ sb/sth** donner un coup de poing à qn/sur qch; **~line** n (of joke) conclusion f; **~-up** (BRIT: inf) n bagarre f
punctual ['pʌŋktjuəl] adj ponctuel(le)
punctuation [pʌŋktju'eɪʃən] n ponctuation f
puncture ['pʌŋktʃə*] n crevaison f
pundit ['pʌndɪt] n individu m qui pontifie, pontife m
pungent ['pʌndʒənt] adj piquant(e), âcre
punish ['pʌnɪʃ] vt punir; **~ment** n punition f, châtiment m
punk [pʌŋk] n (also: ~ rocker) punk m/f; (: ~ rock) le punk rock; (US: inf: hoodlum) voyou m
punt [pʌnt] n (boat) bachot m
punter ['pʌntə*] (BRIT) n (gambler) parieur(euse); (inf): **the ~s** le public
puny ['pjuːnɪ] adj chétif(ive); (effort) piteux(euse)
pup [pʌp] n chiot m
pupil ['pjuːpl] n (SCOL) élève m/f; (of eye) pupille f
puppet ['pʌpɪt] n marionnette f, pantin m
puppy ['pʌpɪ] n chiot m, jeune chien(ne)
purchase ['pɜːtʃɪs] n achat m ◆ vt acheter; **~r** n acheteur(euse)
pure [pjuə*] adj pur(e); **~ly** ['pjuəlɪ] adv purement
purge [pɜːdʒ] n purge f
purple ['pɜːpl] adj violet(te); (face) cramoisi(e)
purport [pɜː'pɔːt] vi: **to ~ to be/do** prétendre être/faire
purpose ['pɜːpəs] n intention f, but m; **on ~** exprès; **~ful** adj déterminé(e), résolu(e)
purr [pɜː*] vi ronronner
purse [pɜːs] n (BRIT: for money) porte-monnaie m inv; (US: handbag) sac m à main ◆ vt serrer, pincer
purser ['pɜːsə*] n (NAUT) commissaire m du bord
pursue [pə'sjuː] vt poursuivre
pursuit [pə'sjuːt] n poursuite f; (occupation) occupation f, activité f
push [puʃ] n poussée f ◆ vt pousser; (button) appuyer sur; (thrust): **to ~ sth (into)** enfoncer qch (dans); (product) faire de la publicité pour ◆ vi pousser; (demand): **to ~ for** exiger, demander avec insistance; **~ aside** vt écarter; **~ off** (inf) vi filer, ficher le camp; **~ on** vi (continue) continuer; **~ through** vi se frayer un chemin ◆ vt (measure) faire accepter; **~ up** vt (total, prices) faire monter; **~chair** (BRIT) n poussette f; **~er** n (drug ~er) revendeur(euse) (de drogue), ravitailleur(euse) (en drogue); **~over** (inf) n: **it's a ~over** c'est un jeu d'enfant; **~-up** (US) n traction f; **~y** (pej) adj arriviste
puss [pus] (inf) n minet m
pussy (cat) ['pusɪ (kæt)] (inf) n minet m
put [put] (pt, pp **put**) vt mettre, poser, placer; (say) dire, exprimer; (a question) poser; (case, view) exposer, présenter; (estimate) estimer; **~ about** vt (rumour) faire courir; **~ across** vt (ideas etc) communiquer; **~ away** vt (store) ranger; **~ back** vt (replace) remettre, replacer; (postpone) remettre; (delay) retarder; **~ by** vt (money) mettre de côté, économiser; **~ down** vt (parcel etc) poser, déposer; (in writing) mettre par écrit, inscrire; (suppress: revolt etc) réprimer, faire cesser; (animal) abattre; (dog, cat) faire piquer; (attribute) attribuer; **~ forward** vt (ideas) avancer; **~ in** vt (gas, electricity) installer; (application, complaint) soumettre; (time, effort) consacrer; **~ off** vt (light etc) éteindre; (postpone) remettre à plus tard, ajourner; (discourage) dissuader; **~ on** vt (clothes, lipstick, record) mettre; (light etc) allumer; (play etc) monter; (food: cook) mettre à cuire or à chauffer; (gain): **to ~ on weight** prendre du poids, grossir; **to ~ the brakes on** freiner; **to ~ the kettle on** mettre l'eau à chauffer; **~ out** vt (take out) mettre dehors; (one's hand) tendre; (light etc) éteindre; (person: inconvenience) déranger, gêner; **~ through** vt (TEL: call) passer; (: person) mettre en communication; (plan) faire accepter; **~ up** vt (raise) lever, relever, remonter; (pin up) afficher; (hang) accrocher; (build) construire, ériger; (tent) monter; (umbrella) ouvrir; (increase) augmenter; (accommodate) loger; **~ up with** vt fus supporter
putt [pʌt] n coup roulé; **~ing green** n green m
putty ['pʌtɪ] n mastic m
put-up ['putʌp] (BRIT) adj: **~ job** coup monté
puzzle ['pʌzl] n énigme f, mystère m; (jigsaw) puzzle m ◆ vt intriguer, rendre perplexe ◆ vi se creuser la tête; **puzzling** adj déconcertant(e)
pyjamas [pɪ'dʒɑːməz] (BRIT) npl pyjama(s) m(pl)
pyramid ['pɪrəmɪd] n pyramide f
Pyrenees [pɪrɪ'niːz] npl: **the ~** les Pyrénées fpl

Q

quack [kwæk] n (of duck) coin-coin m inv; (pej: doctor) charlatan m
quad [kwɒd] n abbr = **quadrangle** ◆ abbr = **quadruplet**
quadrangle ['kwɒdræŋgl] n (courtyard) cour f
quadruple [kwɒ'druːpl] vt, vi quadrupler; **~ts** [kwɒ'druːpləts] npl quadruplés
quagmire ['kwægmaɪə*] n bourbier m
quail [kweɪl] n (ZOOL) caille f ◆ vi: **to ~ at or before** reculer devant
quaint [kweɪnt] adj bizarre; (house, village) au charme vieillot, pittoresque
quake [kweɪk] vi trembler
qualification [kwɒlɪfɪ'keɪʃən] n (often pl: degree etc) diplôme m; (: training) qualification(s) f(pl), expérience f; (ability) compétence(s) f(pl); (limitation) réserve f, restriction f
qualified ['kwɒlɪfaɪd] adj (trained) qualifié(e); (professionally) diplômé(e); (fit, competent) compétent(e), qualifié(e); (limited) conditionnel(le)
qualify ['kwɒlɪfaɪ] vt qualifier; (modify) atténuer, nuancer ◆ vi: **to ~ (as)** obtenir son diplôme (de); **to ~ (for)** remplir les conditions requises (pour); (SPORT) se qualifier (pour)
quality ['kwɒlɪtɪ] n qualité f
qualm [kwɑːm] n doute m; scrupule m
quandary ['kwɒndərɪ] n: **in a ~** devant un dilemme, dans l'embarras
quantity ['kwɒntɪtɪ] n quantité f; **~ surveyor** n métreur m vérificateur
quarantine ['kwɒrəntiːn] n quarantaine f
quarrel ['kwɒrəl] n querelle f, dispute f ◆ vi se disputer, se quereller; **~some** adj querelleur(euse)
quarry ['kwɒrɪ] n (for stone) carrière f; (animal) proie f, gibier m
quart [kwɔːt] n ≈ litre m
quarter ['kwɔːtə*] n quart m; (US: coin: 25 cents) quart de dollar; (of year) trimestre m; (district) quartier m ◆ vt (divide) partager en quartiers or en quatre; **~s** npl (living ~) logement m; (MIL) quartiers mpl, cantonnement m; **a ~ of an hour** un quart d'heure; **~ final** n quart m de finale; **~ly** adj trimestriel(le) ◆ adv tous les trois mois
quartet(te) [kwɔː'tet] n quatuor m; (jazz players) quartette m
quartz [kwɔːts] n quartz m
quash [kwɒʃ] vt (verdict) annuler
quaver ['kweɪvə*] n (BRIT: MUS) croche f ◆ vi trembler
quay [kiː] n (also: ~side) quai m
queasy ['kwiːzɪ] adj: **to feel ~** avoir mal au cœur
queen [kwiːn] n reine f; (CARDS etc) dame f; **~ mother** n reine mère f
queer [kwɪə*] adj étrange, curieux(euse); (suspicious) louche ◆ n (inf!) homosexuel m
quell [kwel] vt réprimer, étouffer
quench [kwentʃ] vt: **to ~ one's thirst** se désaltérer
querulous ['kwerʊləs] adj (person) récriminateur(trice); (voice) plaintif(ive)
query ['kwɪərɪ] n question f ◆ vt remettre en question, mettre en doute
quest [kwest] n recherche f, quête f
question ['kwestʃən] n question f ◆ vt (person) interroger; (plan, idea) remettre en question, mettre en doute; **beyond ~** sans aucun doute; **out of the ~** hors de question; **~able** adj discutable; **~ mark** n point m d'interrogation; **~naire** [kwestʃə'nɛə*] n questionnaire m
queue [kjuː] (BRIT) n queue f, file f ◆ vi (also: ~ up) faire la queue
quibble ['kwɪbl] vi: **~ (about)** or **(over)** or **(with sth)** ergoter (sur qch)
quick [kwɪk] adj rapide; (agile) agile, vif(vive) ◆ n: **cut to the ~** (fig) touché(e) au vif; **be ~!** dépêche-toi!; **~en** vt accélérer, presser ◆ vi s'accélérer, devenir plus rapide; **~ly** adv vite, rapidement; **~sand** n sables mouvants; **~-witted** adj à l'esprit vif
quid [kwɪd] (BRIT: inf) n, pl inv livre f
quiet ['kwaɪət] adj tranquille, calme; (voice) bas(se); (ceremony, colour) discret(ète) ◆ n tranquillité f, calme m; (silence) silence m ◆ vt, vi (US) = **quieten**; **keep ~!** tais-toi!; **~en** vi (also: ~ down) se calmer, s'apaiser ◆ vt calmer, apaiser; **~ly** adv tranquillement, calmement; (silently) silencieusement; **~ness** n tranquillité f, calme m; (silence) silence m
quilt [kwɪlt] n édredon m; (continental ~) couette f
quin [kwɪn] n abbr = **quintuplet**
quintuplets [kwɪn'tjuːpləts] npl quintuplé(e)s
quip [kwɪp] n remarque piquante or spirituelle, pointe f
quirk [kwɜːk] n bizarrerie f
quit [kwɪt] (pt, pp ~ or **~ted**) vt quitter; (smoking, grumbling) arrêter de ◆ vi (give up) abandonner, renoncer; (resign) démissionner
quite [kwaɪt] adv (rather) assez, plutôt; (entirely) complètement, tout à fait; (following a negative = almost): **that's not ~ big enough** ce n'est pas tout à fait assez grand; **I ~ understand** je comprends très bien; **~ a few of them** un assez grand nombre d'entre eux; **~ (so)!** exactement!
quits [kwɪts] adj: **~ (with)** quitte (envers); **let's call it ~** restons-en là
quiver ['kwɪvə*] vi trembler, frémir
quiz [kwɪz] n (game) jeu-concours m ◆ vt interroger; **~zical** adj narquois(e)
quota ['kwəutə] n quota m
quotation [kwəu'teɪʃən] n citation f; (estimate) devis m; **~ marks** npl guillemets mpl
quote [kwəut] n citation f; (estimate) devis m ◆ vt citer; (price) indiquer; **~s** npl guillemets mpl

R

rabbi ['ræbaɪ] n rabbin m
rabbit ['ræbɪt] n lapin m; **~ hutch** n clapier m
rabble ['ræbl] (pej) n populace f
rabies ['reɪbiːz] n rage f
RAC n abbr (BRIT) = Royal Automobile Club
rac(c)oon [rə'kuːn] n raton laveur
race [reɪs] n (species) race f; (competition, rush) course f ◆ vt (horse) faire courir ◆ vi (compete) faire la course, courir; (hurry) aller à toute vitesse, courir; (engine) s'emballer; (pulse) augmenter; **~ car** (US) n = **racing car**; **~ car driver** (US) n **racing driver**; **~course** n champ m de courses; **~horse** n cheval m de course; **~track** n piste f
racial ['reɪʃəl] adj racial(e)
racing ['reɪsɪŋ] n courses fpl; **~ car** (BRIT) n voiture f de course; **~ driver** (BRIT) n pilote m de course
racism ['reɪsɪzəm] n racisme m; **racist** adj raciste ◆ n raciste m/f
rack [ræk] n (for guns, tools) râtelier m; (also: luggage ~) porte-bagages m inv, filet m à bagages; (: roof ~) galerie f; (dish ~) égouttoir m ◆ vt tourmenter; **to ~ one's brains** se creuser la cervelle
racket ['rækɪt] n (for tennis) raquette f; (noise) tapage m; vacarme m; (swindle) escroquerie f
racquet ['rækɪt] n raquette f

racy ['reɪsɪ] *adj* plein(e) de verve; (*slightly indecent*) osé(e)

radar ['reɪdɑː*] *n* radar *m*

radial ['reɪdɪəl] *adj* (*also*: ~-*ply*) à carcasse radiale

radiant ['reɪdɪənt] *adj* rayonnant(e)

radiate ['reɪdɪeɪt] *vt* (*heat*) émettre, dégager; (*emotion*) rayonner de ◆ *vi* (*lines*) rayonner

radiation [reɪdɪ'eɪʃən] *n* rayonnement *m*; (*radioactive*) radiation *f*

radiator ['reɪdɪeɪtə*] *n* radiateur *m*

radical ['rædɪkəl] *adj* radical(e)

radii ['reɪdɪaɪ] *npl of* **radius**

radio ['reɪdɪəʊ] *n* radio *f* ◆ *vt* appeler par radio; **on the ~** à la radio; **~active** [reɪdɪəʊ'æktɪv] *adj* radioactif(ive); **~ station** *n* station *f* de radio

radish ['rædɪʃ] *n* radis *m*

radius ['reɪdɪəs] (*pl* **radii**) *n* rayon *m*

RAF *n abbr* = **Royal Air Force**

raffle ['ræfl] *n* tombola *f*

raft [rɑːft] *n* (*craft*; *also*: *life* ~) radeau *m*

rafter ['rɑːftə*] *n* chevron *m*

rag [ræg] *n* chiffon *m*; (*pej*: *newspaper*) feuille *f* de chou, torchon *m*; (*student* ~) *attractions organisées au profit d'œuvres de charité*; **~s** *npl* (*torn clothes etc*) haillons *mpl*; **~ doll** *n* poupée *f* de chiffon

rage [reɪdʒ] *n* (*fury*) rage *f*, fureur *f* ◆ *vi* (*person*) être fou(folle) de rage; (*storm*) faire rage, être déchaîné(e); **it's all the ~** cela fait fureur

ragged ['rægɪd] *adj* (*edge*) inégal(e); (*clothes*) en loques; (*appearance*) déguenillé(e)

raid [reɪd] *n* (*attack*, *also*: *MIL*) raid *m*; (*criminal*) hold-up *m inv*; (*by police*) descente *f*, rafle *f* ◆ *vt* faire un raid sur *or* un hold-up *or* une descente dans

rail [reɪl] *n* (*on stairs*) rampe *f*; (*on bridge, balcony*) balustrade *f*; (*of ship*) bastingage *m*; **~s** *npl* (*track*) rails *mpl*, voie ferrée; **by ~** par chemin de fer, en train; **~ing(s)** *n(pl)* grille *f*; **~road** (*US*), **~way** (*BRIT*) *n* (*track*) voie ferrée; (*company*) chemin *m* de fer; **~way line** (*BRIT*) *n* ligne *f* de chemin de fer; **~wayman** (*BRIT*: *irreg*) *n* cheminot *m*; **~way station** (*BRIT*) *n* gare *f*

rain [reɪn] *n* pluie *f* ◆ *vi* pleuvoir; **in the ~** sous la pluie; **it's ~ing** il pleut; **~bow** *n* arc-en-ciel *m*; **~coat** *n* imperméable *m*; **~drop** *n* goutte *f* de pluie; **~fall** *n* chute *f* de pluie; (*measurement*) hauteur *f* des précipitations; **~forest** *n* forêt *f* tropicale humide; **~y** *adj* pluvieux(euse)

raise [reɪz] *n* augmentation *f* ◆ *vt* (*lift*) lever; hausser; (*increase*) augmenter; (*morale*) remonter; (*standards*) améliorer; (*question, doubt*) provoquer, soulever; (*cattle, family*) élever; (*crop*) faire pousser; (*funds*) rassembler; (*loan*) obtenir; (*army*) lever; **to ~ one's voice** élever la voix

raisin ['reɪzən] *n* raisin sec

rake [reɪk] *n* (*tool*) râteau *m* ◆ *vt* (*garden, leaves*) ratisser; (*with machine gun*) balayer

rally ['rælɪ] *n* (*POL etc*) meeting *m*, rassemblement *m*; (*AUT*) rallye *m*; (*TENNIS*) échange *m* ◆ *vt* (*support*) gagner ◆ *vi* (*sick person*) aller mieux; (*Stock Exchange*) reprendre; **~ round** *vt fus* venir en aide à

RAM [ræm] *n abbr* (= *random access memory*) mémoire vive

ram [ræm] *n* bélier *m* ◆ *vt* enfoncer; (*crash into*) emboutir; percuter

ramble ['ræmbl] *n* randonnée *f* ◆ *vi* (*walk*) se promener, faire une randonnée; (*talk*: *also*: ~ *on*) discourir, pérorer; **~r** *n* promeneur(euse), randonneur(euse); (*BOT*) rosier grimpant; **rambling** ['ræmblɪŋ] *adj* (*speech*) décousu(e); (*house*) plein(e) de coins et de recoins; (*BOT*) grimpant(e)

ramp [ræmp] *n* (*incline*) rampe *f*; dénivellation *f*; **on ~, off ~** (*US*: *AUT*) bretelle *f* d'accès

rampage [ræm'peɪdʒ] *n*: **to be on the ~** se déchaîner

rampant ['ræmpənt] *adj* (*disease etc*) qui sévit

ramshackle ['ræmʃækl] *adj* (*house*) délabré(e); (*car etc*) déglingué(e)

ran [ræn] *pt of* **run**

ranch [rɑːntʃ] *n* ranch *m*; **~er** *n* propriétaire *m* de ranch

rancid ['rænsɪd] *adj* rance

rancour ['ræŋkə*] (*US* **rancor**) *n* rancune *f*

random ['rændəm] *adj* fait(e) *or* établi(e) au hasard; (*MATH*) aléatoire ◆ *n*: **at ~** au hasard; **~ access** *n* (*COMPUT*) accès sélectif

randy ['rændɪ] (*BRIT*: *inf*) *adj* excité(e); lubrique

rang [ræŋ] *pt of* **ring**

range [reɪndʒ] *n* (*of mountains*) chaîne *f*; (*of missile, voice*) portée *f*; (*of products*) choix *m*, gamme *f*; (*MIL*: *also*: *shooting* ~) champ *m* de tir; (*indoor*) stand *m* de tir; (*also*: *kitchen* ~) fourneau *m* (de cuisine) ◆ *vt* (*place in a line*) mettre en rang, ranger ◆ *vi*: **to ~ over** (*extend*) couvrir; **to ~ from ... to** aller de ... à; **a ~ of** (*series*: *of proposals etc*) divers(e)

ranger ['reɪndʒə*] *n* garde forestier

rank [ræŋk] *n* rang *m*; (*MIL*) grade *m*; (*BRIT*: *also*: *taxi* ~) station *f* de taxis ◆ *vi*: **to ~ among** compter *or* se classer parmi ◆ *adj* (*stinking*) fétide, puant(e); **the ~ and file** (*fig*) la masse, la base

rankle ['ræŋkl] *vi* (*insult*) rester sur le cœur

ransack ['rænsæk] *vt* fouiller (à fond); (*plunder*) piller

ransom ['rænsəm] *n* rançon *f*; **to hold to ~** (*fig*) exercer un chantage sur

rant [rænt] *vi* fulminer

rap [ræp] *vt* frapper sur *or* à; taper sur; *n*: **~ (music)** rap *m*

rape [reɪp] *n* viol *m*; (*BOT*) colza *m* ◆ *vt* violer; **~(seed) oil** *n* huile *f* de colza

rapid ['ræpɪd] *adj* rapide; **~s** *npl* (*GEO*) rapides *mpl*

rapist ['reɪpɪst] *n* violeur *m*

rapport [ræ'pɔː*] *n* entente *f*

rapture ['ræptʃə*] *n* extase *f*, ravissement *m*; **rapturous** ['ræptʃərəs] *adj* enthousiaste, frénétique

rare [rɛə*] *adj* rare; (*CULIN*: *steak*) saignant(e)

raring ['rɛərɪŋ] *adj*: **~ to go** (*inf*) très impatient(e) de commencer

rascal ['rɑːskəl] *n* vaurien *m*

rash [ræʃ] *adj* imprudent(e), irréfléchi(e) ◆ *n* (*MED*) rougeur *f*, éruption *f*; (*spate*: *of events*) série (noire)

rasher ['ræʃə*] *n* fine tranche (de lard)

raspberry ['rɑːzbərɪ] *n* framboise *f*; **~ bush** *n* framboisier *m*

rasping ['rɑːspɪŋ] *adj*: **~ noise** grincement *m*

rat [ræt] *n* rat *m*

rate [reɪt] *n* taux *m*; (*speed*) vitesse *f*, rythme *m*; (*price*) tarif *m* ◆ *vt* classer; évaluer; **~s** *npl* (*BRIT*: *tax*) impôts locaux; (*fees*) tarifs *mpl*; **to ~ sb/sth as** considérer qn/qch comme; **~able value** (*BRIT*) *n* valeur locative imposable; **~payer** (*BRIT*) *n* contribuable *m/f* (*payant les impôts locaux*)

rather ['rɑːðə*] *adv* plutôt; **it's ~ expensive** c'est assez cher; (*too much*) c'est un peu cher; **there's ~ a lot** il y en a beaucoup; **I would** *or* **I'd ~ go** j'aimerais mieux *or* je préférerais partir

rating ['reɪtɪŋ] *n* (*assessment*) évaluation *f*; (*score*) classement *m*; (*NAUT*: *BRIT*: *sailor*) matelot *m*; **~s** *npl* (*RADIO, TV*) indice *m* d'écoute

ratio ['reɪʃɪəʊ] *n* proportion *f*

ration ['ræʃən] *n* (*gen pl*) ration(s) *f(pl)*

rational ['ræʃənl] *adj* raisonnable, sensé(e); (*solution, reasoning*) logique; **~e** [ræʃə'nɑːl] *n* raisonnement *m*; **~ize** ['ræʃnəlaɪz] *vt* rationaliser; (*conduct*) essayer d'expliquer *or* de motiver

rat race *n* foire *f* d'empoigne

rattle ['rætl] *n* (*of door, window*) battement *m*; (*of coins, chain*) cliquetis *m*; (*of train, engine*) bruit *m* de ferraille; (*object*: *for baby*) hochet *m* ◆ *vi* cliqueter; (*car, bus*): **to ~ along** rouler dans un bruit de ferraille ◆ *vt* agiter (bruyamment); (*unnerve*) décontenancer; **~snake** *n* serpent *m* à sonnettes

raucous ['rɔːkəs] *adj* rauque; (*noisy*) bruyant(e), tapageur(euse)

rave [reɪv] *vi* (*in anger*) s'emporter; (*with enthusiasm*) s'extasier; (*MED*) délirer

raven ['reɪvn] *n* corbeau *m*

ravenous ['rævənəs] *adj* affamé(e)

ravine [rə'viːn] *n* ravin *m*

raving ['reɪvɪŋ] *adj*: **~ lunatic** *n* fou(folle) furieux(euse)

ravishing ['rævɪʃɪŋ] *adj* enchanteur(eresse)

raw [rɔː] *adj* (*uncooked*) cru(e); (*not processed*) brut(e); (*sore*) à vif, irrité(e); (*inexperienced*) inexpérimenté(e); (*weather, day*) froid(e) et humide; **~ deal** (*inf*) *n* sale coup *m*; **~ material** *n* matière première

ray [reɪ] *n* rayon *m*; **~ of hope** lueur *f* d'espoir

raze [reɪz] *vt* (*also*: ~ *to the ground*) raser, détruire

razor ['reɪzə*] *n* rasoir *m*; **~ blade** *n* lame *f* de rasoir

Rd *abbr* = **road**

re [riː] *prep* concernant

reach [riːtʃ] *n* portée *f*, atteinte *f*; (*of river etc*) étendue *f* ◆ *vt* atteindre; (*conclusion, decision*) parvenir à ◆ *vi* s'étendre, étendre le bras; **out of/within ~** hors de/à portée; **within ~ of the shops** pas trop loin des *or* à proximité des magasins; **~ out** *vt* tendre ◆ *vi*: **to ~ out (for)** allonger le bras (pour prendre)

react [riː'ækt] *vi* réagir; **~ion** [riː'ækʃən] *n* réaction *f*

reactor [riː'æktə*] *n* réacteur *m*

read[1] [riːd] (*pt, pp* **read**) *vi* lire ◆ *vt* lire; (*understand*) comprendre, interpréter; (*study*) étudier; (*meter*) relever; **~ out** *vt* lire à haute voix; **~able** *adj* facile *or* agréable à lire; (*writing*) lisible; **~er** *n* lecteur(trice); (*book*) livre *m* de lecture; (*BRIT*: *at university*) chargé(e) d'enseignement; **~ership** *n* (*of paper etc*) (nombre *m* de) lecteurs *mpl*

read[2] [red] *pt, pp of* **read**[1]

readily ['redɪlɪ] *adv* volontiers, avec empressement; (*easily*) facilement

readiness ['redɪnəs] *n* empressement *m*; **in ~** (*prepared*) prêt(e)

reading ['riːdɪŋ] *n* lecture *f*; (*understanding*) interprétation *f*; (*on instrument*) indications *fpl*

ready ['redɪ] *adj* prêt(e); (*willing*) prêt, disposé(e); (*available*) disponible ◆ *n*: **at the ~** (*MIL*) prêt à faire feu; **to get ~** se préparer ◆ *vt* préparer; **~-made** *adj* tout(e) fait(e); **~ money** *n* (argent *m*) liquide *m*; **~-to-wear** *adj* prêt(e) à porter

real [rɪəl] *adj* véritable; réel(le); **in ~ terms** dans la réalité; **~ estate** *n* biens fonciers *or* immobiliers; **~istic** *adj* réaliste; **~ity** [riː'ælɪtɪ] *n* réalité *f*

realization [rɪəlaɪ'zeɪʃən] *n* (*awareness*) prise *f* de conscience; (*fulfilment*; *also*: *of asset*) réalisation *f*

realize ['rɪəlaɪz] *vt* (*understand*) se rendre compte de; (*a project, COMM*: *asset*) réaliser

really ['rɪəlɪ] *adv* vraiment; **~?** vraiment?, c'est vrai?

realm [relm] *n* royaume *m*; (*fig*) domaine *m*

realtor ['rɪəltɔː*] (®:*US*) *n* agent immobilier

reap [riːp] *vt* moissonner; (*fig*) récolter

reappear ['riːə'pɪə*] *vi* réapparaître, reparaître

rear [rɪə*] *adj* de derrière, arrière *inv*; (*AUT*: *wheel etc*) arrière ◆ *n* arrière *m* ◆ *vt* (*cattle, family*) élever ◆ *vi* (*also*: ~ *up*: *animal*) se cabrer; **~guard** *n* (*MIL*) arrière-garde *f*

rear-view mirror ['rɪəvjuː-] *n* (*AUT*) rétroviseur *m*

reason ['riːzn] *n* raison *f* ◆ *vi*: **to ~ with sb** raisonner qn, faire entendre raison à qn; **to have ~ to think** avoir lieu de penser; **it stands to ~ that** il va sans dire que; **~able** *adj* raisonnable; (*not bad*) acceptable; **~ably** *adv* raisonnablement; **~ing** *n* raisonnement *m*

reassurance ['riːə'ʃuərəns] *n* réconfort *m*; (*factual*) assurance *f*, garantie *f*; **reassure** ['riːə'ʃuə*] *vt* rassurer

rebate ['riːbeɪt] *n* (*on tax etc*) dégrèvement *m*

rebel [*n* 'rebl, *vb* rɪ'bel] *n* rebelle *m/f* ◆ *vi* se rebeller, se révolter; **~lious** *adj* rebelle

rebound [*vb* rɪ'baund, *n* 'riːbaund] *vi* (*ball*) rebondir ◆ *n* rebond *m*; **to marry on the ~** se marier immédiatement après une déception amoureuse

rebuff [rɪ'bʌf] *n* rebuffade *f*

rebuke [rɪ'bjuːk] *vt* réprimander

rebut [rɪ'bʌt] *vt* réfuter

recall [rɪ'kɔːl] *vt* rappeler; (*remember*) se rappeler, se souvenir de ◆ *n* rappel *m*; (*ability to remember*) mémoire *f*

recant [rɪ'kænt] *vi* se rétracter; (*REL*) abjurer

recap ['riːkæp], **recapitulate** [riːkə'pɪtjuleɪt] *vt, vi* récapituler

rec'd *abbr* = **received**

recede [rɪ'siːd] *vi* (*tide*) descendre; (*disappear*) disparaître peu à peu; (*memory, hope*) s'estomper; **receding** [rɪ'siːdɪŋ] *adj* (*chin*) fuyant(e); **receding hairline** front dégarni

receipt [rɪ'siːt] *n* (*document*) reçu *m*; (*for parcel etc*) accusé *m* de réception; (*act of receiving*) réception *f*; **~s** *npl* (*COMM*) recettes *fpl*

receive [rɪ'siːv] *vt* recevoir

receiver [rɪ'siːvə*] *n* (*TEL*) récepteur *m*, combiné *m*; (*RADIO*) récepteur *m*; (*of stolen goods*) receleur *m*; (*LAW*) administrateur *m* judiciaire

recent ['riːsnt] *adj* récent(e); **~ly** *adv* récemment

receptacle [rɪ'septəkl] *n* récipient *m*

reception [rɪ'sepʃən] *n* réception *f*; (*welcome*) accueil *m*, réception; **~ desk** *n* réception *f*; **~ist** *n* réceptionniste *m/f*

recess [riː'ses] *n* (*in room*) renfoncement *m*, alcôve *f*; (*secret place*) recoin *m*; (*POL etc*: *holiday*) vacances *fpl*

recession [rɪ'seʃən] *n* récession *f*

recipe ['resɪpɪ] *n* recette *f*

recipient [rɪ'sɪpɪənt] *n* (*of payment*) bénéficiaire *m/f*; (*of letter*) destinataire *m/f*

recital [rɪ'saɪtl] *n* récital *m*

recite [rɪ'saɪt] *vt* (*poem*) réciter

reckless ['rekləs] *adj* (*driver etc*) imprudent(e)

reckon ['rekən] *vt* (*count*) calculer, compter; (*think*): **I ~ that ...** je pense que ...; **~ on** *vt fus* compter sur, s'attendre à; **~ing** *n* compte *m*, calcul *m*; estimation *f*

reclaim [rɪ'kleɪm] *vt* (*demand back*) réclamer (le remboursement *or* la restitution de); (*land*: *from sea*) assécher; (*waste materials*) récupérer

recline [rɪ'klaɪn] *vi* être allongé(e) *or* étendu(e); **reclining** [rɪ'klaɪnɪŋ] *adj* (*seat*) à dossier réglable

recluse [rɪ'kluːs] *n* reclus(e), ermite *m*

recognition [rekəg'nɪʃən] *n* reconnaissance *f*; **to gain ~** être reconnu(e); **transformed beyond ~** méconnaissable

recognize ['rekəgnaɪz] *vt*: **to ~ (by/as)** reconnaître (à/comme étant)

recoil [rɪ'kɔɪl] *vi* (*person*): **to ~ (from sth/doing sth)** reculer (devant qch/l'idée de faire qch) ◆ *n* (*of gun*) recul *m*

recollect [rekə'lekt] *vt* se rappeler, se souvenir de; **~ion** [rekə'lekʃən] *n* souvenir *m*

recommend [rekə'mend] *vt* recommander

reconcile ['rekənsaɪl] *vt* (*two people*) réconcilier; (*two facts*) concilier, accorder; **to ~ o.s. to** se résigner à

recondition ['riːkən'dɪʃən] *vt* remettre à neuf; réviser entièrement

reconnoitre [rekə'nɔɪtə*] (*US* **reconnoiter**) *vt* (*MIL*) reconnaître

reconstruct ['riːkən'strʌkt] *vt* (*building*) reconstruire; (*crime, policy, system*) reconstituer

record [*n* 'rekɔːd, *vb* rɪ'kɔːd] *n* rapport *m*, récit *m*; (*of meeting etc*) procès-verbal *m*; (*register*) registre *m*; (*file*) dossier *m*; (*also*: *criminal* ~) casier *m* judiciaire; (*MUS*: *disc*) disque *m*; (*SPORT*) record *m*; (*COMPUT*) article *m* ◆ *vt* (*set down*) noter; (*MUS*: *song etc*) enregistrer; **in ~ time** en un temps record *inv*; **off the ~** *adj* officieux(euse) ◆ *adv* officieusement; **~ card** *n* (*in file*) fiche *f*; **~ed delivery** [rɪ'kɔːdɪd-] *n* (*BRIT*: *POST*): **~ed delivery letter** *etc* lettre *etc* recommandée; **~er** [rɪ'kɔːdə*] *n* (*MUS*) flûte *f* à bec; **~ holder** *n* (*SPORT*) détenteur(trice) du record; **~ing** [rɪ'kɔːdɪŋ] *n* (*MUS*) enregistrement *m*; **~ player** *n* tourne-disque *m*

recount [rɪ'kaunt] *vt* raconter

re-count ['riːkaunt] *n* (*POL*: *of votes*) deuxième compte *m* ◆ *vt* recompter

recoup [rɪ'kuːp] *vt*: **to ~ one's losses** récupérer ce qu'on a perdu, se refaire

recourse [rɪ'kɔːs] *n*: **to have ~ to** avoir recours à

recover [rɪ'kʌvə*] *vt* récupérer ◆ *vi*: **to ~ (from)** (*illness*) se rétablir (de); (*from shock*) se remettre (de); **~y** [rɪ'kʌvərɪ] *n* récupération *f*; rétablissement *m*; (*ECON*) redressement *m*

recreation [rekrɪ'eɪʃən] *n* récréation *f*, détente *f*; **~al** *adj* pour la détente, récréatif(ive)

recruit [rɪ'kruːt] *n* recrue *f* ◆ *vt* recruter

rectangle ['rektæŋgl] *n* rectangle *m*; **rectangular** [rek'tæŋgjulə*] *adj* rectangulaire

rectify ['rektɪfaɪ] *vt* (*error*) rectifier, corriger

rector ['rektə*] *n* (*REL*) pasteur *m*

recuperate [rɪ'kuːpəreɪt] *vi* récupérer; (*from illness*) se rétablir

recur [rɪ'kɜː*] *vi* se reproduire; (*symptoms*) réapparaître; **~rence** *n* répétition *f*; réapparition *f*; **~rent** *adj* périodique, fréquent(e)

recycle *vt* recycler

red [red] *n* rouge *m*; (*POL*: *pej*) rouge *m/f* ◆ *adj* rouge; (*hair*) roux(rousse); **in the ~** (*account*) à découvert; (*business*) en déficit; **~ carpet treatment** *n* réception *f* en grande pompe; **R~ Cross** *n* Croix-Rouge *f*; **~currant** *n* groseille *f* (rouge); **~den** *vt, vi* rougir; **~dish** *adj* rougeâtre; (*hair*) qui tirent sur le roux

redeem [rɪ'diːm] *vt* (*debt*) rembourser; (*sth in pawn*) dégager; (*fig, also REL*) racheter; **~ing** *adj* (*feature*) qui sauve, qui rachète (le reste)

redeploy ['riːdɪ'plɔɪ] *vt* (*resources*) réorganiser

red: **~-haired** ['hɛəd] *adj* roux(rousse); **~-handed** [-'hændɪd] *adj*: **to be caught ~-handed** être pris(e) en flagrant délit *or* la main dans le sac; **~head** [-'hed] *n* roux(rousse); **~ herring** *n* (*fig*) diversion *f*, fausse piste; **~-hot** [-'hɒt] *adj* chauffé(e) au rouge, brûlant(e)

redirect ['riːdaɪ'rekt] *vt* (*mail*) faire suivre

red light *n*: **to go through a ~** (*AUT*) brûler un feu rouge; **red-light district** *n* quartier *m* des prostituées

redo ['riː'duː] (*irreg*) *vt* refaire

redolent ['redəulənt] *adj*: **~ of** qui sent; (*fig*) qui évoque

redress [rɪ'dres] *n* réparation *f* ◆ *vt* redresser

Red Sea *n*: **the ~** la mer Rouge

redskin ['redskɪn] *n* Peau-Rouge *m/f*

red tape *n* (*fig*) paperasserie (administrative)

reduce [rɪ'djuːs] *vt* réduire; (*lower*) abaisser; **"~ speed now"** (*AUT*) "ralentir"; **reduction** [rɪ'dʌkʃən] *n* réduction *f*; (*discount*) rabais *m*

redundancy [rɪ'dʌndənsɪ] (*BRIT*) *n* licenciement *m*, mise *f* au chômage

redundant [rɪ'dʌndənt] *adj* (*BRIT*: *worker*) mis(e) au chômage, licencié(e); (*detail,*

object) superflu(e); **to be made ~** être licencié(e), être mis(e) au chômage
reed [ri:d] *n* (*BOT*) roseau *m*; (*MUS: of clarinet etc*) hanche *f*
reef [ri:f] *n* (*at sea*) récif *m*, écueil *m*
reek [ri:k] *vi*: **to ~ (of)** puer, empester
reel [ri:l] *n* bobine *f*; (*FISHING*) moulinet *m*; (*CINEMA*) bande *f*; (*dance*) quadrille écossais ◆ *vi* (*sway*) chanceler; **~ in** *vt* (*fish, line*) ramener
ref [ref] (*inf*) *n abbr* (= *referee*) arbitre *m*
refectory [rɪ'fektərɪ] *n* réfectoire *m*
refer [rɪ'fɜ:*] *vt*: **to ~ sb to** (*inquirer: for information, patient: to specialist*) adresser qn à; (*reader: to text*) renvoyer qn à; (*dispute, decision*): **to ~ sth to** soumettre qch à ◆ *vi*: **~ to** (*allude to*) parler de, faire allusion à; (*consult*) se reporter à
referee [refə'ri:] *n* arbitre *m*; (*BRIT: for job application*) répondant(e)
reference ['refrəns] *n* référence *f*, renvoi *m*; (*mention*) allusion *f*, mention *f*; (*for job application: letter*) références, lettre *f* de recommandation; **with ~ to** (*COMM: in letter*) me référant à, suite à; **~ book** *n* ouvrage *m* de référence
refill [*vb* 'ri:'fɪl, *n* 'ri:fɪl] *vt* remplir à nouveau; (*pen, lighter etc*) recharger ◆ *n* (*for pen etc*) recharge *f*
refine [rɪ'faɪn] *vt* (*sugar, oil*) raffiner; (*taste*) affiner; (*theory, idea*) fignoler (*inf*); **~d** *adj* (*person, taste*) raffiné(e)
reflect [rɪ'flekt] *vt* (*light, image*) réfléchir, refléter; (*fig*) refléter ◆ *vi* (*think*) réfléchir, méditer; **it ~s badly on him** cela le discrédite; **it ~s well on him** c'est tout à son honneur; **~ion** [rɪ'flekʃən] *n* réflexion *f*; (*image*) reflet *m*; (*criticism*): **~ion on** critique *f* de; atteinte *f* à; **on ~ion** réflexion faite
reflex ['ri:fleks] *adj* réflexe ◆ *n* réflexe *m*; **~ive** [rɪ'fleksɪv] *adj* (*LING*) réfléchi(e)
reform [rɪ'fɔ:m] *n* réforme *f* ◆ *vt* réformer; **R~ation** [refə'meɪʃən] *n*: **the R~ation** la Réforme; **~atory** (*US*) *n* ≈ centre *m* d'éducation surveillée
refrain [rɪ'freɪn] *vi*: **to ~ from doing** s'abstenir de faire ◆ *n* refrain *m*
refresh [rɪ'freʃ] *vt* rafraîchir; (*subj: sleep*) reposer; **~er course** (*BRIT*) *n* cours *m* de recyclage; **~ing** *adj* (*drink*) rafraîchissant(e); (*sleep*) réparateur(trice); **~ments** *npl* rafraîchissements *mpl*
refrigerator [rɪ'frɪdʒəreɪtə*] *n* réfrigérateur *m*, frigidaire *m* (®)
refuel ['ri:'fjuəl] *vi* se ravitailler en carburant
refuge ['refju:dʒ] *n* refuge *m*; **to take ~ in** se réfugier dans
refugee [refju'dʒi:] *n* réfugié(e)
refund [*n* 'ri:fʌnd, *vb* rɪ'fʌnd] *n* remboursement *m* ◆ *vt* rembourser
refurbish ['ri:'fɜ:bɪʃ] *vt* remettre à neuf
refusal [rɪ'fju:zəl] *n* refus *m*; **to have first ~ on** avoir droit de préemption sur
refuse[1] [rɪ'fju:z] *vt, vi* refuser
refuse[2] ['refju:s] *n* ordures *fpl*, détritus *mpl*; **~ collection** *n* ramassage *m* d'ordures
regain [rɪ'geɪn] *vt* regagner; retrouver
regal ['ri:gəl] *adj* royal(e)
regard [rɪ'gɑ:d] *n* respect *m*, estime *f*, considération *f* ◆ *vt* considérer; **to give one's ~s to** faire ses amitiés à; **"with kindest ~s"** "bien amicalement"; **as ~s, with ~ to** = **regarding**; **~ing** *prep* en ce qui concerne; **~less** *adv* quand même; **~less of** sans se soucier de
régime [reɪ'ʒi:m] *n* régime *m*
regiment [*n* 'redʒɪmənt, *vb* 'redʒɪment] *n* régiment *m*; **~al** [redʒɪ'mentl] *adj* d'un *or* du régiment
region ['ri:dʒən] *n* région *f*; **in the ~ of** (*fig*) aux alentours de; **~al** *adj* régional(e)
register ['redʒɪstə*] *n* registre *m*; (*also: electoral ~*) liste électorale ◆ *vt* enregistrer; (*birth, death*) déclarer; (*vehicle*) immatriculer; (*POST: letter*) envoyer en recommandé; (*subj: instrument*) marquer ◆ *vi* s'inscrire; (*at hotel*) signer le registre; (*make impression*) être (bien) compris(e); **~ed** *adj* (*letter, parcel*) recommandé(e); **~ed trademark** *n* marque déposée;
registrar [redʒɪs'trɑ:*] *n* officier *m* de l'état civil; **registration** [redʒɪs'treɪʃən] *n* enregistrement *m*; (*AUT: also: ~ number*) numéro *m* d'immatriculation
registry ['redʒɪstrɪ] *n* bureau *m* de l'enregistrement; **~ office** (*BRIT*) *n* bureau *m* de l'état civil; **to get married in a ~ office** ≈ se marier à la mairie
regret [rɪ'gret] *n* regret *m* ◆ *vt* regretter; **~fully** *adv* à *or* avec regret
regular ['regjʊlə*] *adj* régulier(ère); (*usual*) habituel(le); (*soldier*) de métier ◆ *n* (*client etc*) habitué(e); **~ly** *adv* régulièrement
regulate ['regjʊleɪt] *vt* régler; **regulation** [regjʊ'leɪʃən] *n* (*rule*) règlement *m*; (*adjustment*) réglage *m*
rehabilitation ['ri:həbɪlɪ'teɪʃən] *n* (*of offender*) réinsertion *f*; (*of addict*) réadaptation *f*
rehearsal [rɪ'hɜ:səl] *n* répétition *f*
rehearse [rɪ'hɜ:s] *vt* répéter
reign [reɪn] *n* règne *m* ◆ *vi* régner
reimburse [ri:ɪm'bɜ:s] *vt* rembourser
rein [reɪn] *n* (*for horse*) rêne *f*
reindeer ['reɪndɪə*] *n, pl inv* renne *m*
reinforce [ri:ɪn'fɔ:s] *vt* renforcer; **~d concrete** *n* béton armé; **~ments** *npl* (*MIL*) renfort(s) *m(pl)*
reinstate ['ri:ɪn'steɪt] *vt* rétablir, réintégrer
reject [*n* 'ri:dʒekt, *vb* rɪ'dʒekt] *n* (*COMM*) article *m* de rebut ◆ *vt* refuser; (*idea*) rejeter; **~ion** [rɪ'dʒekʃən] *n* rejet *m*, refus *m*
rejoice [rɪ'dʒɔɪs] *vi*: **to ~ (at *or* over)** se réjouir (de)
rejuvenate [rɪ'dʒu:vɪneɪt] *vt* rajeunir
relapse [rɪ'læps] *n* (*MED*) rechute *f*
relate [rɪ'leɪt] *vt* (*tell*) raconter; (*connect*) établir un rapport entre ◆ *vi*: **this ~s to** cela se rapporte à; **to ~ to sb** entretenir des rapports avec qn; **~d** *adj* apparenté(e); **relating to** *prep* concernant
relation [rɪ'leɪʃən] *n* (*person*) parent(e); (*link*) rapport *m*, lien *m*; **~ship** *n* rapport *m*, lien *m*; (*personal ties*) relations *fpl*, rapports; (*also: family ~ship*) lien de parenté
relative ['relətɪv] *n* parent(e) ◆ *adj* relatif(ive); **all her ~s** toute sa famille; **~ly** *adv* relativement
relax [rɪ'læks] *vi* (*muscle*) se relâcher; (*person: unwind*) se détendre ◆ *vt* relâcher; (*mind, person*) détendre; **~ation** [ri:læk'seɪʃən] *n* relâchement *m*; (*of mind*) détente *f*, relaxation *f*; (*recreation*) détente, délassement *m*; **~ed** *adj* détendu(e); **~ing** *adj* délassant(e)
relay ['ri:leɪ] *n* (*SPORT*) course *f* de relais ◆ *vt* (*message*) retransmettre, relayer
release [rɪ'li:s] *n* (*from prison, obligation*) libération *f*; (*of gas etc*) émission *f*; (*of film etc*) sortie *f*; (*new recording*) disque *m* ◆ *vt* (*prisoner*) libérer; (*gas etc*) émettre, dégager; (*free: from wreckage etc*) dégager; (*TECH: catch, spring etc*) faire jouer; (*book, film*) sortir; (*report, news*) rendre public, publier
relegate ['reləgeɪt] *vt* reléguer; (*BRIT: SPORT*): **to be ~d** descendre dans une division inférieure
relent [rɪ'lent] *vi* se laisser fléchir; **~less** *adj* implacable; (*unceasing*) continuel(le)
relevant ['reləvənt] *adj* (*question*) pertinent(e); (*fact*) significatif(ive); (*information*) utile; **~ to** ayant rapport à, approprié à
reliable [rɪ'laɪəbl] *adj* (*person, firm*) sérieux(euse), fiable; (*method, machine*) fiable; (*news, information*) sûr(e); **reliably** *adv*: **to be reliably informed** savoir de source sûre
reliance [rɪ'laɪəns] *n*: **~ (on)** (*person*) confiance *f* (en); (*drugs, promises*) besoin *m* (de), dépendance *f* (de)
relic ['relɪk] *n* (*REL*) relique *f*; (*of the past*) vestige *m*
relief [rɪ'li:f] *n* (*from pain, anxiety etc*) soulagement *m*; (*help, supplies*) secours *m(pl)*; (*ART, GEO*) relief *m*
relieve [rɪ'li:v] *vt* (*pain, patient*) soulager; (*fear, worry*) dissiper; (*bring help*) secourir; (*take over from: gen*) relayer; (*: guard*) relever; **to ~ sb of sth** débarrasser qn de qch; **to ~ o.s.** se soulager
religion [rɪ'lɪdʒən] *n* religion *f*; **religious** [rɪ'lɪdʒəs] *adj* religieux(euse); (*book*) de piété
relinquish [rɪ'lɪŋkwɪʃ] *vt* abandonner; (*plan, habit*) renoncer à
relish ['relɪʃ] *n* (*CULIN*) condiment *m*; (*enjoyment*) délectation *f* ◆ *vt* (*food etc*) savourer; **to ~ doing** se délecter à faire
relocate ['ri:ləʊ'keɪt] *vt* installer ailleurs ◆ *vi* déménager, s'installer ailleurs
reluctance [rɪ'lʌktəns] *n* répugnance *f*
reluctant [rɪ'lʌktənt] *adj* peu disposé(e), qui hésite; **~ly** *adv* à contrecœur
rely on [rɪlaɪ] *vt fus* (*be dependent*) dépendre de; (*trust*) compter sur
remain [rɪ'meɪn] *vi* rester; **~der** *n* reste *m*; **~ing** *adj* qui reste; **~s** *npl* restes *mpl*
remand [rɪ'mɑ:nd] *n*: **on ~** en détention préventive ◆ *vt*: **to be ~ed in custody** être placé(e) en détention préventive; **~ home** (*BRIT*) *n* maison *f* d'arrêt
remark [rɪ'mɑ:k] *n* remarque *f*, observation *f* ◆ *vt* (faire) remarquer, dire; **~able** *adj* remarquable
remedial [rɪ'mi:dɪəl] *adj* (*tuition, classes*) de rattrapage; **~ exercises** gymnastique corrective
remedy ['remədɪ] *n*: **~ (for)** remède *m* (contre *or* à) ◆ *vt* remédier à
remember [rɪ'membə*] *vt* se rappeler, se souvenir de; (*send greetings*): **~ me to him** saluez-le de ma part; **remembrance** [rɪ'membrəns] *n* souvenir *m*; mémoire *f*
remind [rɪ'maɪnd] *vt*: **to ~ sb of** rappeler à qn; **to ~ sb to do** faire penser à qn à faire, rappeler à qn qu'il doit faire; **~er** *n* (*souvenir*) souvenir *m*; (*letter*) rappel *m*
reminisce [remɪ'nɪs] *vi*: **to ~ (about)** évoquer ses souvenirs (de)
reminiscent [remɪ'nɪsnt] *adj*: **to be ~ of** rappeler, faire penser à
remiss [rɪ'mɪs] *adj* négligent(e)
remission [rɪ'mɪʃən] *n* (*of illness, sins*) rémission *f*; (*of debt, prison sentence*) remise *f*
remit [rɪ'mɪt] *vt* (*send: money*) envoyer; **~tance** *n* paiement *m*
remnant ['remnənt] *n* reste *m*, restant *m*; (*of cloth*) coupon *m*; **~s** *npl* (*COMM*) fins *fpl* de série
remorse [rɪ'mɔ:s] *n* remords *m*; **~ful** *adj* plein(e) de remords; **~less** *adj* (*fig*) impitoyable
remote [rɪ'məʊt] *adj* éloigné(e), lointain(e); (*person*) distant(e); (*possibility*) vague; **~ control** *n* télécommande *f*; **~ly** *adv* au loin; (*slightly*) très vaguement
remould ['ri:məʊld] (*BRIT*) *n* (*tyre*) pneu rechapé
removable [rɪ'mu:vəbl] *adj* (*detachable*) amovible
removal [rɪ'mu:vəl] *n* (*taking away*) enlèvement *m*; suppression *f*; (*BRIT: from house*) déménagement *m*; (*from office: dismissal*) renvoi *m*; (*of stain*) nettoyage *m*; (*MED*) ablation *f*; **~ van** (*BRIT*) *n* camion *m* de déménagement
remove [rɪ'mu:v] *vt* enlever, retirer; (*employee*) renvoyer; (*stain*) faire partir; (*abuse*) supprimer; (*doubt*) chasser
render ['rendə*] *vt* rendre; **~ing** *n* (*MUS etc*) interprétation *f*
rendezvous *n* rendez-vous *m inv*
renew [rɪ'nju:] *vt* renouveler; (*negotiations*) reprendre; (*acquaintance*) renouer; **~able** *adj* (*energy*) renouvelable; **~al** *n* renouvellement *m*; reprise *f*
renounce [rɪ'naʊns] *vt* renoncer à
renovate ['renəveɪt] *vt* rénover; (*art work*) restaurer
renown [rɪ'naʊn] *n* renommée *f*; **~ed** *adj* renommé(e)
rent [rent] *n* loyer *m* ◆ *vt* louer; **~al** *n* (*for television, car*) (prix *m* de) location *f*
rep [rep] *n abbr* = **representative**; = **repertory**
repair [rɪ'peə*] *n* réparation *f* ◆ *vt* réparer; **in good/bad ~** en bon/mauvais état; **~ kit** *n* trousse *f* de réparation
repatriate [ri:'pætrɪeɪt] *vt* rapatrier
repay [ri:'peɪ] (*irreg*) *vt* (*money, creditor*) rembourser; (*sb's efforts*) récompenser; **~ment** *n* remboursement *m*
repeal [rɪ'pi:l] *n* (*of law*) abrogation *f* ◆ *vt* (*law*) abroger
repeat [rɪ'pi:t] *n* (*RADIO, TV*) reprise *f* ◆ *vt* répéter; (*COMM: order*) renouveler; (*SCOL: a class*) redoubler ◆ *vi* répéter; **~edly** *adv* souvent, à plusieurs reprises
repel [rɪ'pel] *vt* repousser ◆ **~lent** *n*: **insect ~lent** insectifuge *m*
repent [rɪ'pent] *vi*: **to ~ (of)** se repentir (de); **~ance** *n* repentir *m*
repertory ['repətərɪ] *n* (*also: ~ theatre*) théâtre *m* de répertoire
repetition [repə'tɪʃən] *n* répétition *f*
repetitive [rɪ'petɪtɪv] *adj* (*movement, work*) répétitif(ive); (*speech*) plein(e) de redites
replace [rɪ'pleɪs] *vt* (*put back*) remettre, replacer; (*take the place of*) remplacer; **~ment** *n* (*substitution*) remplacement *m*; (*person*) remplaçant(e)
replay ['ri:pleɪ] *n* (*of match*) match rejoué; (*of tape, film*) répétition *f*
replenish [rɪ'plenɪʃ] *vt* (*glass*) remplir (de nouveau); (*stock etc*) réapprovisionner
replica ['replɪkə] *n* réplique *f*, copie exacte
reply [rɪ'plaɪ] *n* réponse *f* ◆ *vi* répondre; **~ coupon** *n* coupon-réponse *m*
report [rɪ'pɔ:t] *n* rapport *m*; (*PRESS etc*) reportage *m*; (*BRIT: also: school ~*) bulletin *m* (scolaire); (*of gun*) détonation *f* ◆ *vt* rapporter, faire un compte rendu de; (*PRESS etc*) faire un reportage sur; (*bring to notice: occurrence*) signaler ◆ *vi* (*make a ~*) faire un rapport (*or* un reportage); (*present o.s.*): **to ~ (to sb)** se présenter (chez qn); (*be responsible to*): **to ~ to sb** être sous les ordres de qn; **~ card** (*US, SCOTTISH*) *n* bulletin *m* scolaire; **~edly** *adv*: **she is ~edly living in ...** elle habiterait ...; **he ~edly told them to ...** il leur aurait ordonné de ...; **~er** *n* reporter *m*
repose [rɪ'pəʊz] *n*: **in ~** en *or* au repos
represent [reprɪ'zent] *vt* représenter; (*view, belief*) présenter, expliquer; (*describe*): **to ~ sth as** présenter *or* décrire qch comme; **~ation** [reprɪzen'teɪʃən] *n* représentation *f*; **~ations** *npl* (*protest*) démarche *f*; **~ative** *n* représentant(e); (*US: POL*) député *m* ◆ *adj* représentatif(ive), caractéristique
repress [rɪ'pres] *vt* réprimer; **~ion** [rɪ'preʃən] *n* répression *f*
reprieve [rɪ'pri:v] *n* (*LAW*) grâce *f*; (*fig*) sursis *m*, délai *m*
reprisal [rɪ'praɪzəl] *n*: **~s** *npl* représailles *fpl*
reproach [rɪ'prəʊtʃ] *vt*: **to ~ sb with sth** reprocher qch à qn; **~ful** *adj* de reproche
reproduce [ri:prə'dju:s] *vt* reproduire ◆ *vi* se reproduire; **reproduction** [ri:prə'dʌkʃən] *n* reproduction *f*
reproof [rɪ'pru:f] *n* reproche *m*
reptile ['reptaɪl] *n* reptile *m*
republic [rɪ'pʌblɪk] *n* république *f*; **~an** *adj* républicain(e)
repudiate [rɪ'pju:dɪeɪt] *vt* répudier, rejeter
repulsive [rɪ'pʌlsɪv] *adj* repoussant(e), répulsif(ive)
reputable ['repjʊtəbl] *adj* de bonne réputation; (*occupation*) honorable
reputation [repjʊ'teɪʃən] *n* réputation *f*
reputed [rɪ'pju:tɪd] *adj* (*supposed*) supposé(e); **~ly** *adv* d'après ce qu'on dit
request [rɪ'kwest] *n* demande *f*; (*formal*) requête *f* ◆ *vt*: **to ~ (of *or* from sb)** demander (à qn); **~ stop** (*BRIT*) *n* (*for bus*) arrêt facultatif
require [rɪ'kwaɪə*] *vt* (*need: subj: person*) avoir besoin de; (*: thing, situation*) demander; (*want*) exiger; (*order*): **to ~ sb to do sth/sth of sb** exiger que qn fasse qch/qch de qn; **~ment** *n* exigence *f*; besoin *m*; condition requise
requisite ['rekwɪzɪt] *n* chose *f* nécessaire ◆ *adj* requis(e), nécessaire; **toilet ~s** accessoires *mpl* de toilette
requisition [rekwɪ'zɪʃən] *n*: **~ (for)** demande *f* (de) ◆ *vt* (*MIL*) réquisitionner
rescue ['reskju:] *n* (*from accident*) sauvetage *m*; (*help*) secours *mpl* ◆ *vt* sauver; **~ party** *n* équipe *f* de sauvetage; **~r** *n* sauveteur *m*
research [rɪ'sɜ:tʃ] *n* recherche(s) *f(pl)* ◆ *vt* faire des recherches sur
resemblance [rɪ'zembləns] *n* ressemblance *f*
resemble [rɪ'zembl] *vt* ressembler à
resent [rɪ'zent] *vt* être contrarié(e) par; **~ful** *adj* irrité(e), plein(e) de ressentiment; **~ment** *n* ressentiment *m*
reservation [rezə'veɪʃən] *n* (*booking*) réservation *f*; (*doubt*) réserve *f*; (*for tribe*) réserve; **to make a ~ (in a hotel/a restaurant/on a plane)** réserver *or* retenir une chambre/une table/une place
reserve [rɪ'zɜ:v] *n* réserve *f*; (*SPORT*) remplaçant(e) ◆ *vt* (*seats etc*) réserver, retenir; **~s** *npl* (*MIL*) réservistes *mpl*; **in ~** en réserve; **~d** *adj* réservé(e)
reshuffle ['ri:'ʃʌfl] *n*: **Cabinet ~** (*POL*) remaniement ministériel
residence ['rezɪdəns] *n* résidence *f*; **~ permit** (*BRIT*) *n* permis *m* de séjour
resident ['rezɪdənt] *n* résident(e) ◆ *adj* résidant(e); **~ial** [rezɪ'denʃəl] *adj* (*area*) résidentiel(le); (*course*) avec hébergement sur place; **~ial school** *n* internat *m*
residue ['rezɪdju:] *n* reste *m*; (*CHEM, PHYSICS*) résidu *m*
resign [rɪ'zaɪn] *vt* (*one's post*) démissionner de ◆ *vi* démissionner; **to ~ o.s. to** se résigner à; **~ation** [rezɪg'neɪʃən] *n* (*of post*) démission *f*; (*state of mind*) résignation *f*; **~ed** *adj* résigné(e)
resilient [rɪ'zɪlɪənt] *adj* (*material*) élastique; (*person*) qui réagit, qui a du ressort
resist [rɪ'zɪst] *vt* résister à; **~ance** *n* résistance *f*
resolution [rezə'lu:ʃən] *n* résolution *f*
resolve [rɪ'zɒlv] *n* résolution *f* ◆ *vt* (*problem*) résoudre ◆ *vi*: **to ~ to do** résoudre *or* décider de faire
resort [rɪ'zɔ:t] *n* (*town*) station *f*; (*recourse*) recours *m* ◆ *vi*: **to ~ to** avoir recours à; **in the last ~** en dernier ressort
resound [rɪ'zaʊnd] *vi*: **to ~ (with)** retentir *or* résonner (de); **~ing** [rɪ'zaʊndɪŋ] *adj* retentissant(e)
resource [rɪ'sɔ:s] *n* ressource *f*; **~s** *npl* (*supplies, wealth etc*) ressources; **~ful** *adj* ingénieux(euse), débrouillard(e)
respect [rɪs'pekt] *n* respect *m* ◆ *vt* respecter; **~s** *npl* (*compliments*) respects, hommages *mpl*; **with ~ to** en ce qui concerne; **in this ~** à cet égard; **~able** *adj* respectable; **~ful** *adj* respectueux(euse)
respite ['respaɪt] *n* répit *m*
resplendent [rɪs'plendənt] *adj* resplendissant(e)
respond [rɪs'pɒnd] *vi* répondre; (*react*) réagir; **response** [rɪs'pɒns] *n* réponse *f*; réaction *f*
responsibility [rɪspɒnsə'bɪlɪtɪ] *n* responsabilité *f*
responsible [rɪs'pɒnsəbl] *adj* (*liable*): **~ (for)** responsable (de); (*person*) digne de confiance; (*job*) qui comporte des responsabilités
responsive [rɪs'pɒnsɪv] *adj* qui réagit; (*person*) qui n'est pas réservé(e) *or* indifférent(e)
rest [rest] *n* repos *m*; (*stop*) arrêt *m*, pause *f*; (*MUS*) silence *m*; (*support*) support *m*, appui *m*; (*remainder*) reste *m*, restant *m* ◆ *vi* se reposer; (*be supported*): **to ~ on** appuyer *or* reposer sur; (*remain*) rester ◆ *vt* (*lean*): **to ~ sth on/against** appuyer

qch sur/contre; **the ~ of them** les autres; **it ~s with him to ...** c'est à lui de ...
restaurant ['restərɒŋ] *n* restaurant *m*; **~ car** (*BRIT*) *n* wagon-restaurant *m*
restful ['restful] *adj* reposant(e)
restive ['restɪv] *adj* agité(e), impatient(e); (*horse*) rétif(ive)
restless ['restləs] *adj* agité(e)
restoration [restə'reɪʃən] *n* restauration *f*; restitution *f*; rétablissement *m*
restore [rɪ'stɔː*] *vt* (*building*) restaurer; (*sth stolen*) restituer; (*peace, health*) rétablir; **to ~ to** (*former state*) ramener à
restrain [rɪs'treɪn] *vt* contenir; (*person*): **to ~ (from doing)** retenir (de faire); **~ed** *adj* (*style*) sobre; (*manner*) mesuré(e); **~t** *n* (*restriction*) contrainte *f*; (*moderation*) retenue *f*
restrict [rɪs'trɪkt] *vt* restreindre, limiter; **~ion** [rɪs'trɪkʃən] *n* restriction *f*, limitation *f*
rest room (*US*) *n* toilettes *fpl*
result [rɪ'zʌlt] *n* résultat *m* ◆ *vi*: **to ~ in** aboutir à, se terminer par; **as a ~ of** à la suite de
resume [rɪ'zjuːm] *vt, vi* (*work, journey*) reprendre
résumé ['reɪzjuːmeɪ] *n* résumé *m*; (*US*) curriculum vitae *m*
resumption [rɪ'zʌmpʃən] *n* reprise *f*
resurgence [rɪ'sɜːdʒəns] *n* (*of energy, activity*) regain *m*
resurrection [rezə'rekʃən] *n* résurrection *f*
resuscitate [rɪ'sʌsɪteɪt] *vt* (*MED*) réanimer
retail ['riːteɪl] *adj* de *or* au détail ◆ *adv* au détail; **~er** ['riːteɪlə*] *n* détaillant(e); **~ price** *n* prix *m* de détail
retain [rɪ'teɪn] *vt* (*keep*) garder, conserver; **~er** *n* (*fee*) acompte *m*, provision *f*
retaliate [rɪ'tælɪeɪt] *vi*: **to ~ (against)** se venger (de); **retaliation** [rɪtælɪ'eɪʃən] *n* représailles *fpl*, vengeance *f*
retarded [rɪ'tɑːdɪd] *adj* retardé(e)
retch [retʃ] *vi* avoir des haut-le-cœur
retentive [rɪ'tentɪv] *adj*: **~ memory** excellente mémoire
retina ['retɪnə] *n* rétine *f*
retire [rɪ'taɪə*] *vi* (*give up work*) prendre sa retraite; (*withdraw*) se retirer, partir; (*go to bed*) (aller) se coucher; **~d** *adj* (*person*) retraité(e); **~ment** *n* retraite *f*; **retiring** [rɪ'taɪərɪŋ] *adj* (*shy*) réservé(e); (*leaving*) sortant(e)
retort [rɪ'tɔːt] *vi* riposter
retrace [rɪ'treɪs] *vt*: **to ~ one's steps** revenir sur ses pas
retract [rɪ'trækt] *vt* (*statement, claws*) rétracter; (*undercarriage, aerial*) rentrer, escamoter
retrain ['riː'treɪn] *vt* (*worker*) recycler
retread ['riːtred] *n* (*tyre*) pneu rechapé
retreat [rɪ'triːt] *n* retraite *f* ◆ *vi* battre en retraite
retribution [retrɪ'bjuːʃən] *n* châtiment *m*
retrieval [rɪ'triːvəl] *n* (*see vb*) récupération *f*; réparation *f*
retrieve [rɪ'triːv] *vt* (*sth lost*) récupérer; (*situation, honour*) sauver; (*error, loss*) réparer; **~r** *n* chien *m* d'arrêt
retrospect ['retrəuspekt] *n*: **in ~** rétrospectivement, après coup; **~ive** [retrəu'spektɪv] *adj* rétrospectif(ive); (*law*) rétroactif(ive)
return [rɪ'tɜːn] *n* (*going or coming back*) retour *m*; (*of sth stolen etc*) restitution *f*; (*FINANCE: from land, shares*) rendement *m*, rapport *m* ◆ *cpd* (*journey*) de retour; (*BRIT: ticket*) aller et retour; (*match*) retour ◆ *vi* (*come back*) revenir; (*go back*) retourner ◆ *vt* rendre; (*bring back*) rapporter; (*send back; also: ball*) renvoyer; (*put back*) remettre; (*POL: candidate*) élire; **~s** *npl* (*COMM*) recettes *fpl*; (*FINANCE*) bénéfices *mpl*; **in ~ (for)** en échange (de); **by ~ (of post)** par retour (du courrier); **many happy ~s (of the day)!** bon anniversaire!
reunion [riː'juːnjən] *n* réunion *f*
reunite ['riːjuː'naɪt] *vt* réunir
rev [rev] *n abbr* (*AUT: = revolution*) tour *m* ◆ *vt* (*also: ~ up*) emballer
revamp [riː'væmp] *vt* (*firm, system etc*) réorganiser
reveal [rɪ'viːl] *vt* (*make known*) révéler; (*display*) laisser voir; **~ing** *adj* révélateur(trice); (*dress*) au décolleté généreux *or* suggestif
revel ['revl] *vi*: **to ~ in sth/in doing** se délecter de qch/à faire
revelry ['revlrɪ] *n* festivités *fpl*
revenge [rɪ'vendʒ] *n* vengeance *f*; **to take ~ on** (*enemy*) se venger sur
revenue ['revənjuː] *n* revenu *m*
reverberate [rɪ'vɜːbəreɪt] *vi* (*sound*) retentir, se répercuter; (*fig: shock etc*) se propager
reverence ['revərəns] *n* vénération *f*, révérence *f*
Reverend ['revərənd] *adj* (*in titles*): **the ~ John Smith** (*Anglican*) le révérend John Smith; (*Catholic*) l'abbé (John) Smith; (*Protestant*) le pasteur (John) Smith
reversal [rɪ'vɜːsəl] *n* (*of opinion*) revirement *m*; (*of order*) renversement *m*; (*of direction*) changement *m*
reverse [rɪ'vɜːs] *n* contraire *m*, opposé *m*; (*back*) dos *m*, envers *m*; (*of paper*) verso *m*; (*of coin; also: setback*) revers *m*; (*AUT: also: ~ gear*) marche *f* arrière ◆ *adj* (*order, direction*) opposé(e), inverse ◆ *vt* (*order, position*) changer, inverser; (*direction, policy*) changer complètement de; (*decision*) annuler; (*roles*) renverser; (*car*) faire marche arrière avec ◆ *vi* (*BRIT: AUT*) faire marche arrière; **he ~d (the car) into a wall** il a embouti un mur en marche arrière; **~d charge call** (*BRIT*) *n* (*TEL*) communication *f* en PCV; **reversing lights** (*BRIT*) *npl* (*AUT*) feux *mpl* de marche arrière *or* de recul
revert [rɪ'vɜːt] *vi*: **to ~ to** revenir à, retourner à
review [rɪ'vjuː] *n* revue *f*; (*of book, film*) critique *f*, compte rendu; (*of situation, policy*) examen *m*, bilan *m* ◆ *vt* passer en revue; faire la critique de; examiner; **~er** *n* critique *m*
revile [rɪ'vaɪl] *vt* injurier
revise [rɪ'vaɪz] *vt* réviser, modifier; (*manuscript*) revoir, corriger ◆ *vi* (*study*) réviser; **revision** [rɪ'vɪʒən] *n* révision *f*
revival [rɪ'vaɪvəl] *n* reprise *f*; (*recovery*) rétablissement *m*; (*of faith*) renouveau *m*
revive [rɪ'vaɪv] *vt* (*person*) ranimer; (*custom*) rétablir; (*economy*) relancer; (*hope, courage*) raviver, faire renaître; (*play*) reprendre ◆ *vi* (*person*) reprendre connaissance; (*: from ill health*) se rétablir; (*hope etc*) renaître; (*activity*) reprendre
revoke [rɪ'vəuk] *vt* révoquer; (*law*) abroger
revolt [rɪ'vəult] *n* révolte *f* ◆ *vi* se révolter, se rebeller ◆ *vt* révolter, dégoûter; **~ing** *adj* dégoûtant(e)
revolution [revə'luːʃən] *n* révolution *f*; (*of wheel etc*) tour *m*, révolution; **~ary** *adj* révolutionnaire ◆ *n* révolutionnaire *m/f*
revolve [rɪ'vɒlv] *vi* tourner
revolver [rɪ'vɒlvə*] *n* revolver *m*
revolving [rɪ'vɒlvɪŋ] *adj* tournant(e); (*chair*) pivotant(e); **~ door** *n* (porte *f* à) tambour *m*
revulsion [rɪ'vʌlʃən] *n* dégoût *m*, répugnance *f*
reward [rɪ'wɔːd] *n* récompense *f* ◆ *vt*: **to ~ (for)** récompenser (de); **~ing** *adj* (*fig*) qui (en) vaut la peine, gratifiant(e)
rewind ['riː'waɪnd] (*irreg*) *vt* (*tape*) rembobiner
rewire ['riː'waɪə*] *vt* (*house*) refaire l'installation électrique de
rheumatism ['ruːmətɪzəm] *n* rhumatisme *m*
Rhine [raɪn] *n*: **the ~** le Rhin
rhinoceros [raɪ'nɒsərəs] *n* rhinocéros *m*
Rhone [rəun] *n*: **the ~** le Rhône
rhubarb ['ruːbɑːb] *n* rhubarbe *f*
rhyme [raɪm] *n* rime *f*; (*verse*) vers *mpl*
rhythm ['rɪðəm] *n* rythme *m*
rib [rɪb] *n* (*ANAT*) côte *f*
ribbon ['rɪbən] *n* ruban *m*; **in ~s** (*torn*) en lambeaux
rice [raɪs] *n* riz *m*; **~ pudding** *n* riz au lait
rich [rɪtʃ] *adj* riche; (*gift, clothes*) somptueux(euse) ◆ *npl*: **the ~** les riches *mpl*; **~es** *npl* richesses *fpl*; **~ly** *adv* richement; (*deserved, earned*) largement
rickets ['rɪkɪts] *n* rachitisme *m*
rickety ['rɪkɪtɪ] *adj* branlant(e)
rickshaw ['rɪkʃɔː] *n* pousse-pousse *m inv*
rid [rɪd] (*pt, pp* **rid**) *vt*: **to ~ sb of** débarrasser qn de; **to get ~ of** se débarrasser de
riddle ['rɪdl] *n* (*puzzle*) énigme *f* ◆ *vt*: **to be ~d with** être criblé(e) de; (*fig: guilt, corruption, doubts*) être en proie à
ride [raɪd] (*pt* **rode**, *pp* **ridden**) *n* promenade *f*, tour *m*; (*distance covered*) trajet *m* ◆ *vi* (*as sport*) monter (à cheval), faire du cheval; (*go somewhere: on horse, bicycle*) aller (à cheval *or* bicyclette *etc*); (*journey: on bicycle, motorcycle, bus*) rouler ◆ *vt* (*a certain horse*) monter; (*distance*) parcourir, faire; **to take sb for a ~** (*fig*) faire marcher qn; **to ~ a horse/bicycle** monter à cheval/à bicyclette; **~r** *n* cavalier(ère); (*in race*) jockey *m*; (*on bicycle*) cycliste *m/f*; (*on motorcycle*) motocycliste *m*
ridge [rɪdʒ] *n* (*of roof, mountain*) arête *f*; (*of hill*) faîte *m*; (*on object*) strie *f*
ridicule ['rɪdɪkjuːl] *n* ridicule *m*; dérision *f*
ridiculous [rɪ'dɪkjuləs] *adj* ridicule
riding ['raɪdɪŋ] *n* équitation *f*; **~ school** *n* manège *m*, école *f* d'équitation
rife [raɪf] *adj* répandu(e); **~ with** abondant(e) en, plein(e) de
riffraff ['rɪfræf] *n* racaille *f*
rifle ['raɪfl] *n* fusil *m* (à canon rayé) ◆ *vt* vider, dévaliser; **~ through** *vt* (*belongings*) fouiller; (*papers*) feuilleter; **~ range** *n* champ *m* de tir; (*at fair*) stand *m* de tir
rift [rɪft] *n* fente *f*, fissure *f*; (*fig: disagreement*) désaccord *m*
rig [rɪg] *n* (*also: oil ~: at sea*) plate-forme pétrolière ◆ *vt* (*election etc*) truquer; **~ out** (*BRIT*) *vt*: **to ~ out as/in** habiller en/de; **~ up** *vt* arranger, faire avec des moyens de fortune; **~ging** *n* (*NAUT*) gréement *m*
right [raɪt] *adj* (*correctly chosen: answer, road etc*) bon(bonne); (*true*) juste, exact(e); (*suitable*) approprié(e), convenable; (*just*) juste, équitable; (*morally good*) bien *inv*; (*not left*) droit(e) ◆ *n* (*what is morally right*) bien *m*; (*title, claim*) droit *m*; (*not left*) droite *f* ◆ *adv* (*answer*) correctement, juste; (*treat*) bien, comme il faut; (*not on the left*) à droite ◆ *vt* redresser ◆ *excl* bon!; **to be ~** (*person*) avoir raison; (*answer*) être juste *or* correct(e); (*clock*) à l'heure (juste); **by ~s** en toute justice; **on the ~** à droite; **to be in the ~** avoir raison; **~ now** en ce moment même; tout de suite; **~ in the middle** en plein milieu; **~ away** immédiatement; **~ angle** *n* (*MATH*) angle droit; **~eous** ['raɪtʃəs] *adj* droit(e), vertueux(euse); (*anger*) justifié(e); **~ful** *adj* légitime; **~-handed** *adj* (*person*) droitier(ère); **~-hand man** *n* bras droit (*fig*); **~-hand side** *n* côté droit; **~ly** *adv* (*with reason*) à juste titre; **~ of way** *n* droit *m* de passage; (*AUT*) priorité *f*; **~-wing** *adj* (*POL*) de droite
rigid ['rɪdʒɪd] *adj* rigide; (*principle, control*) strict(e)
rigmarole ['rɪgmərəul] *n* comédie *f*
rigorous ['rɪgərəs] *adj* rigoureux(euse)
rile [raɪl] *vt* agacer
rim [rɪm] *n* bord *m*; (*of spectacles*) monture *f*; (*of wheel*) jante *f*
rind [raɪnd] *n* (*of bacon*) couenne *f*; (*of lemon etc*) écorce *f*, zeste *m*; (*of cheese*) croûte *f*
ring [rɪŋ] (*pt* **rang**, *pp* **rung**) *n* anneau *m*; (*on finger*) bague *f*; (*also: wedding ~*) alliance *f*; (*of people, objects*) cercle *m*; (*of spies*) réseau *m*; (*of smoke etc*) rond *m*; (*arena*) piste *f*, arène *f*; (*for boxing*) ring *m*; (*sound of bell*) sonnerie *f* ◆ *vi* (*telephone, bell*) sonner; (*person: by telephone*) téléphoner; (*also: ~ out: voice, words*) retentir; (*ears*) bourdonner ◆ *vt* (*BRIT: TEL: also: ~ up*) téléphoner à, appeler; (*bell*) faire sonner; **to ~ the bell** sonner; **to give sb a ~** (*BRIT: TEL*) appeler qn; **~ back** (*BRIT*) *vt, vi* (*TEL*) rappeler; **~ off** (*BRIT*) *vi* (*TEL*) raccrocher; **~ up** (*BRIT*) *vt* (*TEL*) appeler; **~ing** *n* (*of telephone*) sonnerie *f*; (*of bell*) tintement *m*; (*in ears*) bourdonnement *m*; **~ing tone** (*BRIT*) *n* (*TEL*) sonnerie *f*; **~leader** *n* (*of gang*) chef *m*, meneur *m*
ringlets ['rɪŋlɪts] *npl* anglaises *fpl*
ring road: (*BRIT*) *n* route *f* de ceinture; (*motorway*) périphérique *m*
rink [rɪŋk] *n* (*also: ice ~*) patinoire *f*
rinse [rɪns] *vt* rincer
riot ['raɪət] *n* émeute *f*; (*of flowers, colour*) profusion *f* ◆ *vi* faire une émeute, manifester avec violence; **to run ~** se déchaîner; **~ous** *adj* (*mob, assembly*) séditieux(euse), déchaîné(e); (*living, behaviour*) débauché(e); (*party*) très animé(e); (*welcome*) délirant(e)
rip [rɪp] *n* déchirure *f* ◆ *vt* déchirer ◆ *vi* se déchirer; **~cord** ['rɪpkɔːd] *n* poignée *f* d'ouverture
ripe [raɪp] *adj* (*fruit*) mûr(e); (*cheese*) fait(e); **~n** *vt* mûrir ◆ *vi* mûrir
ripple ['rɪpl] *n* ondulation *f*; (*of applause, laughter*) cascade *f* ◆ *vi* onduler
rise [raɪz] (*pt* **rose**, *pp* **risen**) *n* (*slope*) côte *f*, pente *f*; (*hill*) hauteur *f*; (*increase: in wages: BRIT*) augmentation *f*; (*: in prices, temperature*) hausse *f*, augmentation; (*fig: to power etc*) ascension *f* ◆ *vi* s'élever, monter; (*prices, numbers*) augmenter; (*waters*) monter; (*sun; person: from chair, bed*) se lever; (*also: ~ up: tower, building*) s'élever; (*: rebel*) se révolter; se rebeller; (*in rank*) s'élever; **to give ~ to** donner lieu à; **to ~ to the occasion** se montrer à la hauteur; **rising** *adj* (*increasing: number, prices*) en hausse; (*tide*) montant(e); (*sun, moon*) levant(e)
risk [rɪsk] *n* risque *m* ◆ *vt* risquer; **at ~** en danger; **at one's own ~** à ses risques et périls; **~y** *adj* risqué(e)
rissole ['rɪsəul] *n* croquette *f*
rite [raɪt] *n* rite *m*; **last ~s** derniers sacrements; **ritual** ['rɪtjuəl] *adj* rituel(le) ◆ *n* rituel *m*
rival ['raɪvəl] *adj, n* rival(e); (*in business*) concurrent(e) ◆ *vt* (*match*) égaler; **~ry** *n* rivalité *f*, concurrence *f*
river ['rɪvə*] *n* rivière *f*; (*major, also fig*) fleuve *m* ◆ *cpd* (*port, traffic*) fluvial(e); **up/down ~** en amont/aval; **~bank** *n* rive *f*, berge *f*
rivet ['rɪvɪt] *n* rivet *m* ◆ *vt* (*fig*) river, fixer
Riviera [rɪvɪ'ɛərə] *n*: **the (French) ~** la Côte d'Azur; **the Italian ~** la Riviera (italienne)
road [rəud] *n* route *f*; (*in town*) rue *f*; (*fig*) chemin, voie *f*; **major/minor ~** route principale *or* à priorité/voie secondaire; **~ accident** *n* accident *m* de la circulation; **~block** *n* barrage routier; **~hog** *n* chauffard *m*; **~ map** *n* carte routière; **~ safety** *n* sécurité routière; **~side** *n* bord *m* de la route, bas-côté *m*; **~sign** *n* panneau *m* de signalisation; **~way** *n* chaussée *f*; **~ works** *npl* travaux *mpl* (de réfection des routes); **~worthy** *adj* en bon état de marche
roam [rəum] *vi* errer, vagabonder
roar [rɔː*] *n* rugissement *m*; (*of crowd*) hurlements *mpl*; (*of vehicle, thunder, storm*) grondement *m* ◆ *vi* rugir; hurler; gronder; **to ~ with laughter** éclater de rire; **to do a ~ing trade** faire des affaires d'or
roast [rəust] *n* rôti *m* ◆ *vt* (faire) rôtir; (*coffee*) griller, torréfier; **~ beef** *n* rôti *m* de bœuf, rosbif *m*
rob [rɒb] *vt* (*person*) voler; (*bank*) dévaliser; **to ~ sb of sth** voler *or* dérober qch à qn; (*fig: deprive*) priver qn de qch; **~ber** *n* bandit *m*, voleur *m*; **~bery** *n* vol *m*
robe [rəub] *n* (*for ceremony etc*) robe *f*; (*also: bath~*) peignoir *m*; (*US*) couverture *f*
robin ['rɒbɪn] *n* rouge-gorge *m*
robust [rəu'bʌst] *adj* robuste; (*material, appetite*) solide
rock [rɒk] *n* (*substance*) roche *f*, roc *m*; (*boulder*) rocher *m*; (*US: small stone*) caillou *m*; (*BRIT: sweet*) ≈ sucre *m* d'orge ◆ *vt* (*swing gently: cradle*) balancer; (*: child*) bercer; (*shake*) ébranler, secouer ◆ *vi* (se) balancer; être ébranlé(e) *or* secoué(e); **on the ~s** (*drink*) avec des glaçons; (*marriage etc*) en train de craquer; **~ and roll** *n* rock (and roll) *m*, rock'n'roll *m*; **~-bottom** *adj* (*fig: prices*) sacrifié(e); **~ery** *n* (jardin *m* de) rocaille *f*
rocket ['rɒkɪt] *n* fusée *f*; (*MIL*) fusée, roquette *f*
rocking chair ['rɒkɪŋ-] *n* fauteuil *m* à bascule
rocking horse *n* cheval *m* à bascule
rocky ['rɒkɪ] *adj* (*hill*) rocheux(euse); (*path*) rocailleux(euse)
rod [rɒd] *n* (*wooden*) baguette *f*; (*metallic*) tringle *f*; (*TECH*) tige *f*; (*also: fishing ~*) canne *f* à pêche
rode [rəud] *pt of* **ride**
rodent ['rəudənt] *n* rongeur *m*
rodeo ['rəudɪəu] (*US*) *n* rodéo *m*
roe [rəu] *n* (*species: also: ~ deer*) chevreuil *m*; (*of fish, also: hard ~*) œufs *mpl* de poisson; **soft ~** laitance *f*
rogue [rəug] *n* coquin(e)
role [rəul] *n* rôle *m*
roll [rəul] *n* rouleau *m*; (*of banknotes*) liasse *f*; (*also: bread ~*) petit pain; (*register*) liste *f*; (*sound: of drums etc*) roulement *m* ◆ *vt* rouler; (*also: ~ up: string*) enrouler; (*: sleeves*) retrousser; (*: ~ out: pastry*) étendre au rouleau, abaisser ◆ *vi* rouler; **~ about** *vi* rouler çà et là; (*person*) se rouler par terre; **~ around** *vi* = **roll about**; **~ by** *vi* (*time*) s'écouler, passer; **~ in** *vi* (*mail, cash*) affluer; **~ over** *vi* se retourner; **~ up** *vi* (*inf: arrive*) arriver, s'amener ◆ *vt* rouler; **~ call** *n* appel *m*; **~er** *n* rouleau *m*; (*wheel*) roulette *f*; (*for road*) rouleau compresseur; **~er coaster** *n* montagnes *fpl* russes; **~er skates** *npl* patins *mpl* à roulettes; **~ing** ['rəulɪŋ] *adj* (*landscape*) onduleux(euse); **~ing pin** *n* rouleau *m* à pâtisserie; **~ing stock** *n* (*RAIL*) matériel roulant
ROM [rɒm] *n abbr* (= *read only memory*) mémoire morte
Roman ['rəumən] *adj* romain(e); **~ Catholic** *adj, n* catholique (*m/f*)
romance [rəu'mæns] *n* (*love affair*) idylle *f*; (*charm*) poésie *f*; (*novel*) roman *m* à l'eau de rose
Romania [rəu'meɪnɪə] *n* Roumanie *f*; **~n** *adj* roumain(e) ◆ *n* Roumain(e); (*LING*) roumain *m*
Roman numeral *n* chiffre romain
romantic [rəu'mæntɪk] *adj* romantique; sentimental(e)
Rome [rəum] *n* Rome
romp [rɒmp] *n* jeux bruyants ◆ *vi* (*also: ~ about*) s'ébattre, jouer bruyamment; **~ers** ['rɒmpəz] *npl* barboteuse *f*
roof [ruːf] (*pl* **~s**) *n* toit *m* ◆ *vt* couvrir (d'un toit); **the ~ of the mouth** la voûte du palais; **~ing** *n* toiture *f*; **~ rack** *n* (*AUT*) galerie *f*
rook [ruk] *n* (*bird*) freux *m*; (*CHESS*) tour *f*
room [rum] *n* (*in house*) pièce *f*; (*also: bed~*) chambre *f* (à coucher); (*in school etc*) salle *f*; (*space*) place *f*; **~s** *npl* (*lodging*) meublé *m*; **"~s to let"** (*BRIT*), **"~s for rent"** (*US*) "chambres à louer"; **single/double ~** chambre pour une personne/deux personnes; **there is ~ for improvement** cela laisse à désirer; **~ing house** (*US*) *n* maison *f or* immeuble *m* de rapport; **~mate** *n* camarade *m/f* de chambre; **~ service** *n* service *m* des chambres (*dans un hôtel*); **~y** *adj* spacieux(euse); (*garment*) ample
roost [ruːst] *vi* se jucher
rooster ['ruːstə*] *n* (*esp US*) coq *m*
root [ruːt] *n* (*BOT, MATH*) racine *f*; (*fig: of*

problem) origine *f*, fond *m* ◆ *vi* (*plant*) s'enraciner; ~ **about** *vi* (*fig*) fouiller; ~ **for** *vt fus* encourager, applaudir; ~ **out** *vt* (*find*) dénicher

rope [rəup] *n* corde *f*; (*NAUT*) cordage *m* ◆ *vt* (*tie up or together*) attacher; (*climbers*: *also*: ~ *together*) encorder; (*area*: ~ *off*) interdire l'accès de; (*divide off*) séparer; **to know the ~s** (*fig*) être au courant, connaître les ficelles; ~ **in** *vt* (*fig*: *person*) embringuer

rosary ['rəuzərɪ] *n* chapelet *m*

rose [rəuz] *pt of* **rise** ◆ *n* rose *f*; (*also*: ~*bush*) rosier *m*; (*on watering can*) pomme *f*

rosé ['rəuzeɪ] *n* rosé *m*

rosebud ['rəuzbʌd] *n* bouton *m* de rose

rosemary ['rəuzmərɪ] *n* romarin *m*

roster ['rɒstə*] *n*: **duty** ~ tableau *m* de service

rostrum ['rɒstrəm] *n* tribune *f* (*pour un orateur etc*)

rosy ['rəuzɪ] *adj* rose; **a ~ future** un bel avenir

rot [rɒt] *n* (*decay*) pourriture *f*; (*fig*: *pej*) idioties *fpl* ◆ *vt*, *vi* pourrir

rota ['rəutə] *n* liste *f*, tableau *m* de service; **on a ~ basis** par roulement

rotary ['rəutərɪ] *adj* rotatif(ive)

rotate [rəu'teɪt] *vt* (*revolve*) faire tourner; (*change round*: *jobs*) faire à tour de rôle ◆ *vi* (*revolve*) tourner; **rotating** *adj* (*movement*) tournant(e)

rote [rəut] *n*: **by** ~ machinalement, par cœur

rotten ['rɒtn] *adj* (*decayed*) pourri(e); (*dishonest*) corrompu(e); (*inf*: *bad*) mauvais(e), moche; **to feel** ~ (*ill*) être mal fichu(e)

rotund [rəu'tʌnd] *adj* (*person*) rondelet(te)

rough [rʌf] *adj* (*cloth, skin*) rêche, rugueux(euse); (*terrain*) accidenté(e); (*path*) rocailleux(euse); (*voice*) rauque, rude; (*person, manner*: *coarse*) rude, fruste; (: *violent*) brutal(e); (*district, weather*) mauvais(e); (*sea*) houleux(euse); (*plan etc*) ébauché(e); (*guess*) approximatif(ive) ◆ *n* (*GOLF*) rough *m*; **to ~ it** vivre à la dure; **to sleep ~** (*BRIT*) coucher à la dure; **~age** *n* fibres *fpl* alimentaires; **~-and-ready** *adj* rudimentaire; **~ copy**, **~draft** *n* brouillon *m*; **~ly** *adv* (*handle*) rudement, brutalement; (*speak*) avec brusquerie; (*make*) grossièrement; (*approximately*) à peu près, en gros

roulette [ru:'let] *n* roulette *f*

Roumania [ru:'meɪnɪə] *n* = **Romania**

round [raund] *adj* rond(e) ◆ *n* (*BRIT*: *of toast*) tranche *f*; (*duty*: *of policeman, milkman etc*) tournée *f*; (: *of doctor*) visites *fpl*; (*game*: *of cards, in competition*) partie *f*; (*BOXING*) round *m*; (*of talks*) série *f* ◆ *vt* (*corner*) tourner ◆ *prep* autour de ◆ *adv*: **all ~** tout autour; **the long way ~** (par) le chemin le plus long; **all the year ~** toute l'année; **it's just ~ the corner** (*fig*) c'est tout près; ~ **the clock** 24 heures sur 24; **to go ~ to sb's (house)** aller chez qn; **go ~ the back** passez par derrière; **to go ~ a house** visiter une maison, faire le tour d'une maison; **enough to go ~** assez pour tout le monde; ~ **of ammunition** cartouche *f*; ~ **of applause** ban *m*, applaudissements *mpl*; ~ **of drinks** tournée *f*; ~ **of sandwiches** sandwich *m*; ~ **off** *vt* (*speech etc*) terminer; ~ **up** *vt* rassembler; (*criminals*) effectuer une rafle de; (*price, figure*) arrondir (au chiffre supérieur); **~about** *n* (*BRIT*: *AUT*) rond-point *m* (à sens giratoire); (: *at fair*) manège *m* (de chevaux de bois) ◆ *adj* (*route, means*) détourné(e); **~ers** *n* (*game*) *sorte de baseball*; **~ly** *adv* (*fig*) tout net, carrément; **~-shouldered** *adj* au dos rond; ~ **trip** *n* (voyage *m*) aller et retour *m*; **~up** *n* rassemblement *m*; (*of criminals*) rafle *f*

rouse [rauz] *vt* (*wake up*) réveiller; (*stir up*) susciter; provoquer; éveiller; **rousing** ['rauzɪŋ] *adj* (*welcome*) enthousiaste

rout [raut] *n* (*MIL*) déroute *f*

route [ru:t] *n* itinéraire *m*; (*of bus*) parcours *m*; (*of trade, shipping*) route *f*; ~ **map** (*BRIT*) *n* (*for journey*) croquis *m* d'itinéraire

routine [ru:'ti:n] *adj* (*work*) ordinaire, courant(e); (*procedure*) d'usage ◆ *n* (*habits*) habitudes *fpl*; (*pej*) train-train *m*; (*THEATRE*) numéro *m*

rove [rəuv] *vt* (*area, streets*) errer dans

row[1] [rəu] *n* (*line*) rangée *f*; (*of people, seats, KNITTING*) rang *m*; (*behind one another*: *of cars, people*) file *f* ◆ *vi* (*in boat*) ramer; (*as sport*) faire de l'aviron ◆ *vt* (*boat*) faire aller à la rame *or* à l'aviron; **in a row** (*fig*) d'affilée

row[2] [rau] *n* (*noise*) vacarme *m*; (*dispute*) dispute *f*, querelle *f*; (*scolding*) réprimande *f*, savon *m* ◆ *vi* se disputer, se quereller

rowboat ['rəubəut] (*US*) *n* canot *m* (à rames)

rowdy ['raudɪ] *adj* chahuteur(euse); (*occasion*) tapageur(euse)

rowing ['rəuɪŋ] *n* canotage *m*; (*as sport*) aviron *m*; ~ **boat** (*BRIT*) *n* canot *m* (à rames)

royal ['rɔɪəl] *adj* royal(e); **R~ Air Force** (*BRIT*) *n armée de l'air britannique*

royalty ['rɔɪəltɪ] *n* (*royal persons*) (membres *mpl* de la) famille royale; (*payment*: *to author*) droits *mpl* d'auteur; (: *to inventor*) royalties *fpl*

rpm *abbr* (*AUT*: = *revs per minute*) tr/mn

RSVP *abbr* (= *répondez s'il vous plaît*) R.S.V.P.

Rt Hon. *abbr* (*BRIT*: = *Right Honourable*) *titre donné aux députés de la chambre des Communes*

rub [rʌb] *vt* frotter; frictionner; (*hands*) se frotter ◆ *n* (*with cloth*) coup *m* chiffon *or* de torchon; **to give sth a ~** donner un coup de chiffon *or* de torchon à; **to ~ sb up** (*BRIT*) *or* **to ~ sb** (*US*) **the wrong way** prendre qn à rebrousse-poil; ~ **off** *vi* partir; ~ **off on** *vt fus* déteindre sur; ~ **out** *vt* effacer

rubber ['rʌbə*] *n* caoutchouc *m*; (*BRIT*: *eraser*) gomme *f* (à effacer); ~ **band** *n* élastique *m*; ~ **plant** *n* caoutchouc *m* (*plante verte*)

rubbish ['rʌbɪʃ] *n* (*from household*) ordures *fpl*; (*fig*: *pej*) camelote *f*; (: *nonsense*) bêtises *fpl*, idioties *fpl*; ~ **bin** (*BRIT*) *n* poubelle *f*; ~ **dump** *n* décharge publique, dépotoir *m*

rubble ['rʌbl] *n* décombres *mpl*; (*smaller*) gravats *mpl*; (*CONSTR*) blocage *m*

ruby ['ru:bɪ] *n* rubis *m*

rucksack ['rʌksæk] *n* sac *m* à dos

rudder ['rʌdə*] *n* gouvernail *m*

ruddy ['rʌdɪ] *adj* (*face*) coloré(e); (*inf*: *damned*) sacré(e), fichu(e)

rude [ru:d] *adj* (*impolite*) impoli(e); (*coarse*) grossier(ère); (*shocking*) indécent(e), inconvenant(e)

ruffian ['rʌfɪən] *n* brute *f*, voyou *m*

ruffle ['rʌfl] *vt* (*hair*) ébouriffer; (*clothes*) chiffonner; (*fig*: *person*): **to get ~d** s'énerver

rug [rʌg] *n* petit tapis; (*BRIT*: *blanket*) couverture *f*

rugby ['rʌgbɪ] *n* (*also*: ~ *football*) rugby *m*

rugged ['rʌgɪd] *adj* (*landscape*) accidenté(e); (*features, character*) rude

rugger ['rʌgə*] (*BRIT*: *inf*) *n* rugby *m*

ruin ['ru:ɪn] *n* ruine *f* ◆ *vt* ruiner; (*spoil, clothes*) abîmer; (*event*) gâcher; **~s** *npl* (*of building*) ruine(s)

rule [ru:l] *n* règle *f*; (*regulation*) règlement *m*; (*government*) autorité *f*, gouvernement *m* ◆ *vt* (*country*) gouverner; (*person*) dominer ◆ *vi* commander; (*LAW*) statuer; **as a ~** normalement, en règle générale; ~ **out** *vt* exclure; **~d** *adj* (*paper*) réglé(e); **~r** *n* (*sovereign*) souverain(e); (*for measuring*) règle *f*; **ruling** *adj* (*party*) au pouvoir; (*class*) dirigeant(e) ◆ *n* (*LAW*) décision *f*

rum [rʌm] *n* rhum *m*

Rumania [ru:'meɪnɪə] *n* = **Romania**

rumble ['rʌmbl] *vi* gronder; (*stomach, pipe*) gargouiller

rummage ['rʌmɪdʒ] *vi* fouiller

rumour ['ru:mə*] (*US* **rumor**) *n* rumeur *f*, bruit *m* (qui court) ◆ *vt*: **it is ~ed that** le bruit court que

rump [rʌmp] *n* (*of animal*) croupe *f*; (*inf*: *of person*) postéritur *m*; ~ **steak** *n* rumsteck *m*

rumpus ['rʌmpəs] (*inf*) *n* tapage *m*, chahut *m*

run [rʌn] (*pt* **ran**, *pp* **run**) *n* (*fast pace*) (pas *m* de) course *f*; (*outing*) tour *m or* promenade *f* (en voiture); (*distance travelled*) parcours *m*, trajet *m*; (*series*) suite *f*, série *f*; (*THEATRE*) série de représentations; (*SKI*) piste *f*; (*CRICKET, BASEBALL*) point *m*; (*in tights, stockings*) maille filée, échelle *f* ◆ *vt* (*operate*: *business*) diriger; (: *competition, course*) organiser; (: *hotel, house*) tenir; (*race*) participer à; (*COMPUT*) exécuter; (*to pass*: *hand, finger*) passer; (*water, bath*) faire couler; (*PRESS*: *feature*) publier ◆ *vi* courir; (*flee*) s'enfuir; (*work*: *machine, factory*) marcher; (*bus, train*) circuler; (*continue*: *play*) se jouer; (: *contract*) être valide; (*flow*: *river, bath; nose*) couler; (*colours, washing*) déteindre; (*in election*) être candidat, se présenter; **to go for a ~** faire un peu de course à pied; **there was a ~ on ...** (*meat, tickets*) les gens se sont rués sur ...; **in the long ~** à longue échéance; à la longue; en fin de compte; **on the ~** en fuite; **I'll ~ you to the station** je vais vous emmener *or* conduire à la gare; **to ~ a risk** courir un risque; ~ **about** *vi* (*children*) courir çà et là; ~ **across** *vt fus* (*find*) trouver par hasard; ~ **around** *vi* = **run about**; ~ **down** *vt* (*production*) réduire progressivement; (*factory*) réduire progressivement la production de; (*AUT*) renverser; (*criticize*) critiquer, dénigrer; **to be ~ down** (*person*: *tired*) être fatigué(e) *or* à plat; ~ **in** (*BRIT*) *vt* (*car*) roder; ~ **into** *vt fus* (*meet*: *person*) rencontrer par hasard; (: *trouble*) se heurter à; (*collide with*) heurter; ~ **off** *vi* s'enfuir ◆ *vt* (*water*) laisser s'écouler; (*copies*) tirer; ~ **out** *vi* (*person*) sortir en courant; (*liquid*) couler; (*lease*) expirer; (*money*) être épuisé(e); ~ **out of** *vt fus* se trouver à court de; ~ **over** *vt* (*AUT*) écraser ◆ *vt fus* (*revise*) revoir, reprendre; ~ **through** *vt fus* (*recapitulate*) reprendre; (*play*) répéter; ~ **up** *vt*: **to ~ up against** (*difficulties*) se heurter à; **to ~ up a debt** s'endetter; **~away** *adj* (*horse*) emballé(e); (*truck*) fou(folle); (*person*) fugitif(ive); (*teenager*) fugeur(euse)

rung [rʌŋ] *pp of* **ring** ◆ *n* (*of ladder*) barreau *m*

runner ['rʌnə*] *n* (*in race*: *person*) coureur(euse); (: *horse*) partant *m*; (*on sledge*) patin *m*; (*for drawer etc*) coulisseau *m*; ~ **bean** (*BRIT*) *n* haricot *m* (à rames); **~-up** *n* second(e)

running ['rʌnɪŋ] *n* course *f*; (*of business, organization*) gestion *f*, direction *f* ◆ *adj* (*water*) courant(e); **to be in/out of the ~ for sth** être/ne pas être sur les rangs pour qch; **6 days ~** 6 jours de suite; ~ **commentary** *n* commentaire détaillé; ~ **costs** *npl* frais *mpl* d'exploitation

runny ['rʌnɪ] *adj* qui coule

run-of-the-mill ['rʌnəvðə'mɪl] *adj* ordinaire, banal(e)

runt [rʌnt] (*also pej*) *n* avorton *m*

run-up ['rʌnʌp] *n*: ~ **to sth** (*election etc*) période *f* précédant qch

runway ['rʌnweɪ] *n* (*AVIAT*) piste *f*

rupee [ru:'pi:] *n* roupie *f*

rupture ['rʌptʃə*] *n* (*MED*) hernie *f*

rural ['ruərəl] *adj* rural(e)

rush [rʌʃ] *n* (*hurry*) hâte *f*, précipitation *f*; (*of crowd*; *COMM*: *sudden demand*) ruée *f*; (*current*) flot *m*; (*of emotion*) vague *f*; (*BOT*) jonc *m* ◆ *vt* (*hurry*) transporter *or* envoyer d'urgence ◆ *vi* se précipiter; ~ **hour** *n* heures *fpl* de pointe

rusk [rʌsk] *n* biscotte *f*

Russia ['rʌʃə] *n* Russie *f*; **~n** *adj* russe ◆ *n* Russe *m/f*; (*LING*) russe *m*

rust [rʌst] *n* rouille *f* ◆ *vi* rouiller

rustic ['rʌstɪk] *adj* rustique

rustle ['rʌsl] *vi* bruire, produire un bruissement ◆ *vt* (*paper*) froisser; (*US*: *cattle*) voler

rustproof ['rʌstpru:f] *adj* inoxydable

rusty ['rʌstɪ] *adj* rouillé(e)

rut [rʌt] *n* ornière *f*; (*ZOOL*) rut *m*; **to be in a ~** suivre l'ornière, s'encroûter

ruthless ['ru:θləs] *adj* sans pitié, impitoyable

rye [raɪ] *n* seigle *m*; ~ **bread** *n* pain de seigle

S

Sabbath ['sæbəθ] *n* (*Jewish*) sabbat *m*; (*Christian*) dimanche *m*

sabotage ['sæbətɑ:ʒ] *n* sabotage *m* ◆ *vt* saboter

saccharin(e) ['sækərɪn] *n* saccharine *f*

sachet ['sæʃeɪ] *n* sachet *m*

sack [sæk] *n* (*bag*) sac *m* ◆ *vt* (*dismiss*) renvoyer, mettre à la porte; (*plunder*) piller, mettre à sac; **to get the ~** être renvoyé(e), être mis(e) à la porte; **~ing** *n* (*material*) toile *f* à sac; (*dismissal*) renvoi *m*

sacrament ['sækrəmənt] *n* sacrement *m*

sacred ['seɪkrɪd] *adj* sacré(e)

sacrifice ['sækrɪfaɪs] *n* sacrifice *m* ◆ *vt* sacrifier

sad [sæd] *adj* triste; (*deplorable*) triste, fâcheux(euse)

saddle ['sædl] *n* selle *f* ◆ *vt* (*horse*) seller; **to be ~d with sth** (*inf*) avoir qch sur les bras; **~bag** *n* sacoche *f*

sadistic [sə'dɪstɪk] *adj* sadique

sadly *adv* tristement; (*unfortunately*) malheureusement; (*seriously*) fort

sadness ['sædnəs] *n* tristesse *f*

s.a.e. *n abbr* = **stamped addressed envelope**

safe [seɪf] *adj* (*out of danger*) hors de danger, en sécurité; (*not dangerous*) sans danger; (*unharmed*): ~ **journey!** bon voyage!; (*cautious*) prudent(e); (*sure*: *bet etc*) assuré(e) ◆ *n* coffre-fort *m*; ~ **from** à l'abri de; ~ **and sound** sain(e) et sauf(sauve); **(just) to be on the ~ side** pour plus de sûreté, par précaution; **~-conduct** *n* sauf-conduit *m*; **~-deposit** *n* (*vault*) dépôt *m* de coffres-forts; (*box*) coffre-fort *m*; **~guard** *n* sauvegarde *f*, protection *f* ◆ *vt* sauvegarder, protéger; **~keeping** *n* bonne garde; **~ly** *adv* (*assume, say*) sans risque d'erreur; (*drive, arrive*) sans accident; ~ **sex** *n* rapports *mpl* sexuels sans risque

safety ['seɪftɪ] *n* sécurité *f*; ~ **belt** *n* ceinture *f* de sécurité; ~ **pin** *n* épingle *f* de sûreté *or* de nourrice; ~ **valve** *n* soupape *f* de sûreté

sag [sæg] *vi* s'affaisser; (*hem, breasts*) pendre

sage [seɪdʒ] *n* (*herb*) sauge *f*; (*person*) sage *m*

Sagittarius [sædʒɪ'tɛərɪəs] *n* le Sagittaire

Sahara [sə'hɑ:rə] *n*: **the ~ (Desert)** le (désert du) Sahara

said [sed] *pt, pp of* **say**

sail [seɪl] *n* (*on boat*) voile *f*; (*trip*): **to go for a ~** faire un tour en bateau ◆ *vt* (*boat*) manœuvrer, piloter ◆ *vi* (*travel*: *ship*) avancer, naviguer; (*set off*) partir, prendre la mer; (*SPORT*) faire de la voile; **they ~ed into Le Havre** ils sont entrés dans le port du Havre; ~ **through** *vi, vt fus* (*fig*) réussir haut la main; **~boat** (*US*) *n* bateau *m* à voiles, voilier *m*; **~ing** *n* (*SPORT*) voile *f*; **to go ~ing** faire de la voile; **~ing boat** *n* bateau *m* à voiles, voilier *m*; **~ing ship** *n* grand voilier; **~or** *n* marin *m*, matelot *m*

saint [seɪnt] *n* saint(e)

sake [seɪk] *n*: **for the ~ of** pour (l'amour de), dans l'intérêt de; par égard pour

salad ['sæləd] *n* salade *f*; ~ **bowl** *n* saladier *m*; ~ **cream** (*BRIT*) *n* (sorte *f* de) mayonnaise *f*; ~ **dressing** *n* vinaigrette *f*

salary ['sælərɪ] *n* salaire *m*

sale [seɪl] *n* vente *f*; (*at reduced prices*) soldes *mpl*; **"for ~"** "à vendre"; **on ~** en vente; **on ~ or return** vendu(e) avec faculté de retour; **~room** *n* salle *f* des ventes; **~s assistant** *n* vendeur(euse); **~s clerk** (*US*) *n* vendeur(euse); **~sman** (*irreg*) *n* vendeur *m*; (*representative*) représentant *m* de commerce; **~swoman** (*irreg*) *n* vendeuse *f*; (*representative*) représentante *f* de commerce

sallow ['sæləu] *adj* cireux(euse)

salmon ['sæmən] *n inv* saumon *m*

saloon [sə'lu:n] *n* (*US*) bar *m*; (*BRIT*: *AUT*) berline *f*; (*ship's lounge*) salon *m*

salt [sɔ:lt] *n* sel *m* ◆ *vt* saler; ~ **cellar** *n* salière *f*; **~water** *adj* de mer; **~y** *adj* salé(e)

salute [sə'lu:t] *n* salut *m* ◆ *vt* saluer

salvage ['sælvɪdʒ] *n* (*saving*) sauvetage *m*; (*things saved*) biens sauvés *or* récupérés ◆ *vt* sauver, récupérer

salvation [sæl'veɪʃən] *n* salut *m*; **S~ Army** *n* armée *f* du Salut

same [seɪm] *adj* même ◆ *pron*: **the ~** le(la) même, les mêmes; **the ~ book as** le même livre que; **at the ~ time** en même temps; **all** *or* **just the ~** tout de même, quand même; **to do the ~** faire de même, en faire autant; **to do the ~ as sb** faire comme qn; **the ~ to you!** à vous de même!; (*after insult*) toi-même!

sample ['sɑ:mpl] *n* échantillon *m*; (*blood*) prélèvement *m* ◆ *vt* (*food, wine*) goûter

sanctimonious [sæŋktɪ'məunɪəs] *adj* moralisateur(trice)

sanction ['sæŋkʃən] *n* approbation *f*, sanction *f*

sanctity ['sæŋktɪtɪ] *n* sainteté *f*, caractère sacré

sanctuary ['sæŋktjuərɪ] *n* (*holy place*) sanctuaire *m*; (*refuge*) asile *m*; (*for wild life*) réserve *f*

sand [sænd] *n* sable *m* ◆ *vt* (*furniture*: *also*: ~ *down*) poncer

sandal ['sændl] *n* sandale *f*

sand: **~box** (*US*) *n* tas *m* de sable; **~castle** *n* château *m* de sable; **~paper** *n* papier *m* de verre; **~pit** (*BRIT*) *n* (*for children*) tas *m* de sable; **~stone** *n* grès *m*

sandwich ['sænwɪdʒ] *n* sandwich *m*; **cheese/ham ~** sandwich au fromage/jambon; ~ **course** (*BRIT*) *n* cours *m* de formation professionnelle

sandy ['sændɪ] *adj* sablonneux(euse); (*colour*) sable *inv*, blond roux *inv*

sane [seɪn] *adj* (*person*) sain(e) d'esprit; (*outlook*) sensé(e), sain(e)

sang [sæŋ] *pt of* **sing**

sanitary ['sænɪtərɪ] *adj* (*system, arrangements*) sanitaire; (*clean*) hygiénique; ~ **towel** (*US* ~ **napkin**) *n* serviette *f* hygiénique

sanitation [sænɪ'teɪʃən] *n* (*in house*) installations *fpl* sanitaires; (*in town*) système *m* sanitaire; ~ **department** (*US*) *n* service *m* de voirie

sanity ['sænɪtɪ] *n* santé mentale; (*common sense*) bon sens

sank [sæŋk] *pt of* **sink**

Santa Claus [sæntə'klɔ:z] *n* le père Noël

sap [sæp] *n* (*of plants*) sève *f* ◆ *vt* (*strength*) saper, miner

sapling ['sæplɪŋ] *n* jeune arbre *m*

sapphire ['sæfaɪə*] *n* saphir *m*

sarcasm ['sɑ:kæzəm] *n* sarcasme *m*, raillerie *f*

sardine [sɑ:'di:n] *n* sardine *f*

Sardinia [sɑ:'dɪnɪə] *n* Sardaigne *f*

sash [sæʃ] *n* écharpe *f*

sat [sæt] *pt, pp of* **sit**

satchel ['sætʃəl] *n* cartable *m*

satellite ['sætəlaɪt] *n* satellite *m*; ~ **dish** *n* antenne *f* parabolique; ~ **television** *n* télévision *f* par câble

satin ['sætɪn] *n* satin *m* ◆ *adj* en *or* de satin, satiné(e)

satisfaction [sætɪs'fækʃən] *n* satisfaction *f*; **satisfactory** [sætɪs'fæktərɪ] *adj* satisfaisant(e)

satisfy ['sætɪsfaɪ] *vt* satisfaire, contenter; (*convince*) convaincre, persuader; ~**ing** *adj* satisfaisant(e)

Saturday ['sætədeɪ] *n* samedi *m*

sauce [sɔːs] *n* sauce *f*; ~**pan** *n* casserole *f*

saucer ['sɔːsə*] *n* soucoupe *f*

saucy ['sɔːsɪ] *adj* impertinent(e)

Saudi ['saudɪ]: ~ **Arabia** *n* Arabie Saoudite; ~ **(Arabian)** *adj* saoudien(ne)

sauna ['sɔːnə] *n* sauna *m*

saunter ['sɔːntə*] *vi*: **to ~ along/in/out** *etc* marcher/entrer/sortir *etc* d'un pas nonchalant

sausage ['sɒsɪdʒ] *n* saucisse *f*; ~ **roll** *n* (*cold meat*) saucisson *m*; ≈ friand *m*

savage ['sævɪdʒ] *adj* (*cruel, fierce*) brutal(e), féroce; (*primitive*) primitif(ive), sauvage ◆ *n* sauvage *m/f*

save [seɪv] *vt* (*person, belongings*) sauver; (*money*) mettre de côté, économiser; (*time*) (faire) gagner; (*keep*) garder; (COMPUT) sauvegarder; (SPORT: *stop*) arrêter; (*avoid: trouble*) éviter ◆ *vi* (*also*: ~ *up*) mettre de l'argent de côté ◆ *n* (SPORT) arrêt *m* (du ballon) ◆ *prep* sauf, à l'exception de

saving ['seɪvɪŋ] *n* économie *f* ◆ *adj*: **the ~ grace of sth** ce qui rachète qch; ~**s** *npl* (*money saved*) économies *fpl*; ~**s account** *n* compte *m* d'épargne; ~**s bank** *n* caisse *f* d'épargne

saviour ['seɪvjə*] (*US* **savior**) *n* sauveur *m*

savour ['seɪvə*] (*US* **savor**) *vt* savourer; ~**y** (*US* **savory**) *adj* (*dish: not sweet*) salé(e)

saw [sɔː] (*pt* ~**ed**, *pp* ~**ed** *or* **sawn**) *vt* scier ◆ *n* (*tool*) scie *f* ◆ *pt of* **see**; ~**dust** *n* sciure *f*; ~**mill** *n* scierie *f*; ~**n-off** *adj*: ~**n-off shotgun** carabine *f* à canon scié

saxophone ['sæksəfəun] *n* saxophone *m*

say [seɪ] (*pt, pp* **said**) *n*: **to have one's ~** dire ce qu'on a à dire ◆ *vt* dire; **to have a** *or* **some ~ in sth** avoir voix au chapitre; **could you ~ that again?** pourriez-vous répéter ce que vous venez de dire?; **that goes without ~ing** cela va sans dire, cela va de soi; ~**ing** *n* dicton *m*, proverbe *m*

scab [skæb] *n* croûte *f*; (*pej*) jaune *m*

scaffold ['skæfəuld] *n* échafaud *m*; ~**ing** *n* échafaudage *m*

scald [skɔːld] *n* brûlure *f* ◆ *vt* ébouillanter

scale [skeɪl] *n* (*of fish*) écaille *f*; (MUS) gamme *f*; (*of ruler, thermometer etc*) graduation *f*, échelle (graduée); (*of salaries, fees etc*) barème *m*; (*of map, also size, extent*) échelle ◆ *vt* (*mountain*) escalader; ~**s** *npl* (*for weighing*) balance *f*; (*also*: *bathroom* ~) pèse-personne *m inv*; **on a large ~** sur une grande échelle, en grand; ~ **of charges** tableau *m* des tarifs; ~ **down** *vt* réduire

scallop ['skɒləp] *n* coquille *f* Saint-Jacques; (SEWING) feston *m*

scalp [skælp] *n* cuir chevelu ◆ *vt* scalper

scamper ['skæmpə*] *vi*: **to ~ away** *or* **off** détaler

scampi ['skæmpɪ] *npl* langoustines (frites), scampi *mpl*

scan [skæn] *vt* scruter, examiner; (*glance at quickly*) parcourir; (TV, RADAR) balayer ◆ *n* (MED) scanographie *f*

scandal ['skændl] *n* scandale *m*; (*gossip*) ragots *mpl*

Scandinavian [skændɪ'neɪvɪən] *adj* scandinave

scant [skænt] *adj* insuffisant(e); ~**y** *adj* peu abondant(e), insuffisant(e); (*underwear*) minuscule

scapegoat ['skeɪpgəut] *n* bouc *m* émissaire

scar [skɑː*] *n* cicatrice *f* ◆ *vt* marquer (d'une cicatrice)

scarce [skɛəs] *adj* rare, peu abondant(e); **to make o.s. ~** (*inf*) se sauver; ~**ly** *adv* à peine; **scarcity** *n* manque *m*, pénurie *f*

scare [skɛə*] *n* peur *f*, panique *f* ◆ *vt* effrayer, faire peur à; **to ~ sb stiff** faire une peur bleue à qn; **bomb ~** alerte *f* à la bombe; ~ **away** *vt* faire fuir; ~ **off** *vt* = **scare away**; ~**crow** *n* épouvantail *m*; ~**d** *adj*: **to be ~d** avoir peur

scarf [skɑːf] (*pl* ~**s** *or* **scarves**) *n* (*long*) écharpe *f*; (*square*) foulard *m*

scarlet ['skɑːlət] *adj* écarlate; ~ **fever** *n* scarlatine *f*

scary ['skɛərɪ] (*inf*) *adj* effrayant(e)

scathing ['skeɪðɪŋ] *adj* cinglant(e), acerbe

scatter ['skætə*] *vt* éparpiller, répandre; (*crowd*) disperser ◆ *vi* se disperser; ~**brained** *adj* écervelé(e), étourdi(e)

scavenger ['skævɪndʒə*] *n* (*person: in bins etc*) pilleur *m* de poubelles

scene [siːn] *n* scène *f*; (*of crime, accident*) lieu(x) *m(pl)*; (*sight, view*) spectacle *m*, vue *f*; ~**ry** ['siːnərɪ] *n* (THEATRE) décor(s) *m(pl)*; (*landscape*) paysage *m*; **scenic** ['siːnɪk] *adj* (*picturesque*) offrant de beaux paysages *or* panoramas

scent [sent] *n* parfum *m*, odeur *f*; (*track*) piste *f*

sceptical ['skeptɪkəl] (*US* **skeptical**) *adj* sceptique

schedule ['ʃedjuːl, (*US*) 'skedjuːl] *n* programme *m*, plan *m*; (*of trains*) horaire *m*; (*of prices etc*) barème *m*, tarif *m* ◆ *vt* prévoir; **on ~** à l'heure (prévue); à la date prévue; **to be ahead of/behind ~** avoir de l'avance/du retard; ~**d flight** *n* vol régulier

scheme [skiːm] *n* plan *m*, projet *m*; (*dishonest plan, plot*) complot *m*, combine *f*; (*arrangement*) arrangement *m*, classification *f*; (*pension ~ etc*) régime *m* ◆ *vi* comploter, manigancer; **scheming** ['skiːmɪŋ] *adj* rusé(e), intrigant(e) ◆ *n* manigances *fpl*, intrigues *fpl*

scholar ['skɒlə*] *n* érudit(e); (*pupil*) boursier(ière); ~**ly** *adj* érudit(e), savant(e); ~**ship** *n* (*knowledge*) érudition *f*; (*grant*) bourse *f* (d'études)

school [skuːl] *n* école *f*; (*secondary* ~) collège *m*, lycée *m*; (*US*: *university*) université *f*; (*in university*) faculté *f* ◆ *cpd* scolaire; ~**book** *n* livre *m* scolaire *or* de classe; ~**boy** *n* écolier *m*; collégien *m*, lycéen *m*; ~**children** *npl* écoliers *mpl*; collégiens *mpl*, lycéens *mpl*; ~**days** *npl* années *fpl* de scolarité; ~**girl** *n* écolière *f*; collégienne *f*, lycéenne *f*; ~**ing** *n* instruction *f*, études *fpl*; ~**master** *n* (*primary*) instituteur *m*; (*secondary*) professeur *m*; ~**mistress** *n* institutrice *f*; professeur *m*; ~**teacher** *n* instituteur(trice); professeur *m*

sciatica [saɪ'ætɪkə] *n* sciatique *f*

science ['saɪəns] *n* science *f*; ~ **fiction** *n* science-fiction *f*; **scientific** [saɪən'tɪfɪk] *adj* scientifique; **scientist** ['saɪəntɪst] *n* scientifique *m/f*; (*eminent*) savant *m*

scissors ['sɪzəz] *npl* ciseaux *mpl*

scoff [skɒf] *vt* (BRIT: *inf*: *eat*) avaler, bouffer ◆ *vi*: **to ~ (at)** (*mock*) se moquer (de)

scold [skəuld] *vt* gronder

scone [skɒn] *n sorte de petit pain rond au lait*

scoop [skuːp] *n* pelle *f* (à main); (*for ice cream*) boule *f* à glace; (PRESS) scoop *m*; ~ **out** *vt* évider, creuser; ~ **up** *vt* ramasser

scooter ['skuːtə*] *n* (*also*: *motor* ~) scooter *m*; (*toy*) trottinette *f*

scope [skəup] *n* (*capacity*: *of plan, undertaking*) portée *f*, envergure *f*; (: *of person*) compétence *f*, capacités *fpl*; (*opportunity*) possibilités *fpl*; **within the ~ of** dans les limites de

scorch [skɔːtʃ] *vt* (*clothes*) brûler (légèrement), roussir; (*earth, grass*) dessécher, brûler

score [skɔː*] *n* score *m*, décompte *m* des points; (MUS) partition *f*; (*twenty*) vingt ◆ *vt* (*goal, point*) marquer; (*success*) remporter ◆ *vi* marquer des points; (FOOTBALL) marquer un but; (*keep* ~) compter les points; ~**s of** (*very many*) beaucoup de, un tas de (*fam*); **on that ~** sur ce chapitre, à cet égard; **to ~ 6 out of 10** obtenir 6 sur 10; ~ **out** *vt* rayer, barrer, biffer; ~**board** *n* tableau *m*

scorn ['skɔːn] *n* mépris *m*, dédain *m*

Scorpio ['skɔːpɪəu] *n* le Scorpion

Scot [skɒt] *n* Écossais(e)

Scotch [skɒtʃ] *n* whisky *m*, scotch *m*

scotch *vt* (*plan*) faire échouer; (*rumour*) étouffer

scot-free ['skɒt'friː] *adv*: **to get off ~** s'en tirer sans être puni(e)

Scotland ['skɒtlənd] *n* Écosse *f*

Scots [skɒts] *adj* écossais(e); ~**man** (*irreg*) *n* Écossais; ~**woman** (*irreg*) *n* Écossaise *f*

Scottish ['skɒtɪʃ] *adj* écossais(e)

scoundrel ['skaundrəl] *n* vaurien *m*

scour ['skauə*] *vt* (*search*) battre, parcourir

scourge [skəːdʒ] *n* fléau *m*

scout [skaut] *n* (MIL) éclaireur *m*; (*also*: *boy* ~) scout *m*; **girl ~** (*US*) guide *f*; ~ **around** *vi* explorer, chercher

scowl [skaul] *vi* se renfrogner, avoir l'air maussade; **to ~ at** regarder de travers

scrabble ['skræbl] *vi* (*also*: ~ *around*: *search*) chercher à tâtons; (*claw*): **to ~ (at)** gratter ◆ *n*: **S~** (®) Scrabble *m* (®)

scram [skræm] (*inf*) *vi* ficher le camp

scramble ['skræmbl] *n* (*rush*) bousculade *f*, ruée *f* ◆ *vi*: **to ~ up/down** grimper/descendre tant bien que mal; **to ~ out** sortir *or* descendre à toute vitesse; **to ~ through** se frayer un passage (à travers); **to ~ for** se bousculer *or* se disputer pour (avoir); ~**d eggs** *npl* œufs brouillés

scrap [skræp] *n* bout *m*, morceau *m*; (*fight*) bagarre *f*; (*also*: ~ *iron*) ferraille *f* ◆ *vt* jeter, mettre au rebut; (*fig*) abandonner, laisser tomber ◆ *vi* (*fight*) se bagarrer; ~**s** *npl* (*waste*) déchets *mpl*; ~**book** *n* album *m*; ~ **dealer** *n* marchand *m* de ferraille

scrape [skreɪp] *vt, vi* gratter, racler ◆ *n*: **to get into a ~** s'attirer des ennuis; **to ~ through** réussir de justesse; ~ **together** *vt* (*money*) racler ses fonds de tiroir pour réunir

scrap: ~ **heap** *n*: **on the ~ heap** (*fig*) au rancart *or* rebut; ~ **merchant** (BRIT) *n* marchand *m* de ferraille; ~ **paper** *n* papier *m* brouillon; ~**py** *adj* décousu(e)

scratch [skrætʃ] *n* égratignure *f*, rayure *f*; éraflure *f*; (*from claw*) coup *m* de griffe ◆ *cpd*: ~ **team** équipe de fortune *or* improvisée ◆ *vt* (*rub*) (se) gratter; (*record*) rayer; (*paint etc*) érafler; (*with claw, nail*) griffer ◆ *vi* (se) gratter; **to start from ~** partir de zéro; **to be up to ~** être à la hauteur

scrawl [skrɔːl] *vi* gribouiller

scrawny ['skrɔːnɪ] *adj* décharné(e)

scream [skriːm] *n* cri perçant, hurlement *m* ◆ *vi* crier, hurler

screech [skriːtʃ] *vi* hurler; (*tyres*) crisser; (*brakes*) grincer

screen [skriːn] *n* écran *m*; (*in room*) paravent *m*; (*fig*) écran, rideau *m* ◆ *vt* (*conceal*) masquer, cacher; (*from the wind etc*) abriter, protéger; (*film*) projeter; (*candidates etc*) filtrer; ~**ing** *n* (MED) test *m* (*or* tests) de dépistage; ~**play** *n* scénario *m*

screw [skruː] *n* vis *f* ◆ *vt* (*also*: ~ *in*) visser; ~ **up** *vt* (*paper etc*) froisser; **to ~ up one's eyes** plisser les yeux; ~**driver** *n* tournevis *m*

scribble ['skrɪbl] *vt, vi* gribouiller, griffonner

script [skrɪpt] *n* (CINEMA *etc*) scénario *m*, texte *m*; (*system of writing*) (écriture *f*) script *m*

Scripture(s) ['skrɪptʃə*(z)] *n(pl)* (*Christian*) Écriture sainte; (*other religions*) écritures saintes

scroll [skrəul] *n* rouleau *m*

scrounge [skraundʒ] (*inf*) *vt*: **to ~ sth off** *or* **from sb** taper qn de qch; ~**r** (*inf*) *n* parasite *m*

scrub [skrʌb] *n* (*land*) broussailles *fpl* ◆ *vt* (*floor*) nettoyer à la brosse; (*pan*) récurer; (*washing*) frotter; (*inf*: *cancel*) annuler

scruff [skrʌf] *n*: **by the ~ of the neck** par la peau du cou

scruffy ['skrʌfɪ] *adj* débraillé(e)

scrum(mage) ['skrʌm(ɪdʒ)] *n* (RUGBY) mêlée *f*

scruple ['skruːpl] *n* scrupule *m*

scrutiny ['skruːtɪnɪ] *n* examen minutieux

scuff [skʌf] *vt* érafler

scuffle ['skʌfl] *n* échauffourée *f*, rixe *f*

sculptor ['skʌlptə*] *n* sculpteur *m*

sculpture ['skʌlptʃə*] *n* sculpture *f*

scum [skʌm] *n* écume *f*, mousse *f*; (*pej*: *people*) rebut *m*, lie *f*

scurrilous ['skʌrɪləs] *adj* calomnieux(euse)

scurry ['skʌrɪ] *vi* filer à toute allure; **to ~ off** détaler, se sauver

scuttle ['skʌtl] *n* (*also*: *coal* ~) seau *m* (à charbon) ◆ *vt* (*ship*) saborder ◆ *vi* (*scamper*): **to ~ away** *or* **off** détaler

scythe [saɪð] *n* faux *f*

sea [siː] *n* mer *f* ◆ *cpd* marin(e), de (la) mer; **by ~** (*travel*) par mer, en bateau; **on the ~** (*boat*) en mer; (*town*) au bord de la mer; **to be all at ~** (*fig*) nager complètement; **out to ~** au large; **(out) at ~** en mer; ~**board** *n* côte *f*; ~**food** *n* fruits *mpl* de mer; ~**front** *n* bord *m* de mer; ~**going** *adj* (*ship*) de mer; ~**gull** *n* mouette *f*

seal [siːl] *n* (*animal*) phoque *m*; (*stamp*) sceau *m*, cachet *m* ◆ *vt* sceller; (*envelope*) coller; (: *with seal*) cacheter; ~ **off** *vt* (*forbid entry to*) interdire l'accès de

sea level *n* niveau *m* de la mer

sea lion *n* otarie *f*

seam [siːm] *n* couture *f*; (*of coal*) veine *f*, filon *m*

seaman ['siːmən] (*irreg*) *n* marin *m*

seance ['seɪɑ̃ns] *n* séance *f* de spiritisme

seaplane ['siːpleɪn] *n* hydravion *m*

search [səːtʃ] *n* (*for person, thing*, COMPUT) recherche(s) *f(pl)*; (LAW: *at sb's home*) perquisition *f* ◆ *vt* fouiller; (*examine*) examiner minutieusement; scruter ◆ *vi*: **to ~ for** chercher; **in ~ of** à la recherche de; ~ **through** *vt fus* fouiller; ~**ing** *adj* pénétrant(e); ~**light** *n* projecteur *m*; ~ **party** *n* expédition *f* de secours; ~ **warrant** *n* mandat *m* de perquisition

sea: ~**shore** ['siːʃɔː*] *n* rivage *m*, plage *f*, bord *m* de (la) mer; ~**sick** ['siːsɪk] *adj*: **to be ~sick** avoir le mal de mer; ~**side** ['siːsaɪd] *n* bord *m* de la mer; ~**side resort** *n* station *f* balnéaire

season ['siːzn] *n* saison *f* ◆ *vt* assaisonner, relever; **to be in/out of ~** être/ne pas être de saison; ~**al** *adj* (*work*) saisonnier(ère); ~**ed** *adj* (*fig*) expérimenté(e); ~ **ticket** *n* carte *f* d'abonnement

seat [siːt] *n* siège *m*; (*in bus, train*: *place*) place *f*; (*buttocks*) postérieur *m*; (*of trousers*) fond *m* ◆ *vt* faire asseoir, placer; (*have room for*) avoir des places assises pour, pouvoir accueillir; ~ **belt** *n* ceinture *f* de sécurité

sea: ~ **water** *n* eau *f* de mer; ~**weed** ['siːwiːd] *n* algues *fpl*; ~**worthy** ['siːwəːðɪ] *adj* en état de naviguer

sec. *abbr* = **second(s)**

secluded [sɪ'kluːdɪd] *adj* retiré(e), à l'écart

seclusion [sɪ'kluːʒən] *n* solitude *f*

second[1] [sɪ'kɒnd] (BRIT) *vt* (*employee*) affecter provisoirement

second[2] ['sekənd] *adj* deuxième, second(e) ◆ *adv* (*in race etc*) en seconde position ◆ *n* (*unit of time*) seconde *f*; (AUT: ~ *gear*) seconde; (COMM: *imperfect*) article *m* de second choix; (BRIT: UNIV) licence *f* avec mention ◆ *vt* (*motion*) appuyer; ~**ary** *adj* secondaire; ~**ary school** *n* collège *m*, lycée *m*; ~**-class** *adj* de deuxième classe; (RAIL) de seconde (classe) (POST) au tarif réduit (*pej*) de qualité inférieure ◆ *adv* (RAIL) en seconde; (POST) au tarif réduit; ~**hand** *adj* d'occasion; de seconde main; ~ **hand** *n* (*on clock*) trotteuse *f*; ~**ly** *adv* deuxièmement; ~**ment** [sɪ'kɒndmənt] (BRIT) *n* détachement *m*; ~**-rate** *adj* de deuxième ordre, de qualité inférieure; ~ **thoughts** *npl* doutes *mpl*; **on ~ thoughts** *or* (*US*) **thought** à la réflexion

secrecy ['siːkrəsɪ] *n* secret *m*

secret ['siːkrət] *adj* secret(ète) ◆ *n* secret *m*; **in ~** en secret, secrètement, en cachette

secretary ['sekrətrɪ] *n* secrétaire *m/f*; (COMM) secrétaire général; **S~ of State (for)** (BRIT: POL) ministre *m* (de)

secretive ['siːkrətɪv] *adj* dissimulé

sectarian [sek'tɛərɪən] *adj* sectaire

section ['sekʃən] *n* section *f*; (*of document*) section, article *m*, paragraphe *m*; (*cut*) coupe *f*

sector ['sektə*] *n* secteur *m*

secular ['sekjulə*] *adj* profane; laïque; séculier(ère)

secure [sɪ'kjuə*] *adj* (*free from anxiety*) sans inquiétude, sécurisé(e); (*firmly fixed*) solide, bien attaché(e) (*or* fermé(e) *etc*); (*in safe place*) en lieu sûr, en sûreté ◆ *vt* (*fix*) fixer, attacher; (*get*) obtenir, se procurer

security [sɪ'kjuərɪtɪ] *n* sécurité *f*, mesures *fpl* de sécurité; (*for loan*) caution *f*, garantie *f*

sedan [sɪ'dæn] (*US*) *n* (AUT) berline *f*

sedate [sɪ'deɪt] *adj* calme; posé(e) ◆ *vt* (MED) donner des sédatifs à

sedative ['sedətɪv] *n* calmant *m*, sédatif *m*

seduce [sɪ'djuːs] *vt* séduire; **seduction** [sɪ'dʌkʃən] *n* séduction *f*; **seductive** [sɪ'dʌktɪv] *adj* séduisant(e); (*smile*) séducteur(trice); (*fig*: *offer*) alléchant(e)

see [siː] (*pt* **saw**, *pp* **seen**) *vt* voir; (*accompany*): **to ~ sb to the door** reconduire *or* raccompagner qn jusqu'à la porte ◆ *vi* voir ◆ *n* évêché *m*; **to ~ that** (*ensure*) veiller à ce que *+sub*, faire en sorte que *+sub*, s'assurer que; ~ **you soon!** à bientôt!; ~ **about** *vt fus* s'occuper de; ~ **off** *vt* accompagner (à la gare *or* à l'aéroport *etc*); ~ **through** *vt* mener à bonne fin ◆ *vt fus* voir clair dans; ~ **to** *vt fus* s'occuper de, se charger de

seed [siːd] *n* graine *f*; (*sperm*) semence *f*; (*fig*) germe *m*; (TENNIS) tête *f* de série; **to go to ~** monter en graine; (*fig*) se laisser aller; ~**ling** *n* jeune plant *m*, semis *m*; ~**y** *adj* (*shabby*) minable, miteux(euse)

seeing ['siːɪŋ] *conj*: ~ **(that)** vu que, étant donné que

seek [siːk] (*pt, pp* **sought**) *vt* chercher, rechercher

seem [siːm] *vi* sembler, paraître; **there ~s to be ...** il semble qu'il y a ...; on dirait qu'il y a ...; ~**ingly** *adv* apparemment

seen [siːn] *pp of* **see**

seep [siːp] *vi* suinter, filtrer

seesaw ['siːsɔː] *n* bascule *f*

seethe [siːð] *vi* être en effervescence; **to ~ with anger** bouillir de colère

see-through ['siːθruː] *adj* transparent(e)

segment *n* segment *m*; (*of orange*) quartier *m*

segregate ['segrɪgeɪt] *vt* séparer, isoler

seize [siːz] *vt* saisir, attraper; (*take possession of*) s'emparer de; (*opportunity*) saisir; ~ **up** *vi* (TECH) se gripper; ~ **(up)on** *vt fus* saisir, sauter sur

seizure ['siːʒə*] *n* (MED) crise *f*, attaque *f*; (*of power*) prise *f*

seldom ['seldəm] *adv* rarement

select [sɪ'lekt] *adj* choisi(e), d'élite ◆ *vt* sélectionner, choisir; ~**ion** *n* sélection *f*, choix *m*

self [self] (*pl* **selves**) *n*: **the ~** le moi *inv* ◆ *prefix* auto-; ~**-assured** *adj* sûr(e) de soi; ~**-catering** (BRIT) *adj* avec cuisine, où l'on peut faire sa cuisine; ~**-centred** (*US* ~**-centered**) *adj* égocentrique; ~**-confidence** *n* confiance *f* en soi; ~**-conscious** *adj* timide, qui manque d'assurance; ~**-contained** (BRIT) *adj* (*flat*) avec entrée particulière, indépendant(e);

~-control n maîtrise f de soi; **~-defence** (US **~-defense**) n autodéfense f; (LAW) légitime défense f; **~-discipline** n discipline personnelle; **~-employed** adj qui travaille à son compte; **~-evident** adj: **to be ~-evident** être évident(e), aller de soi; **~-governing** adj autonome; **~-indulgent** adj qui ne se refuse rien; **~-interest** n intérêt personnel; **~ish** adj égoïste; **~ishness** n égoïsme m; **~less** adj désintéressé(e); **~-pity** n apitoiement m sur soi-même; **~-possessed** adj assuré(e); **~-preservation** n instinct m de conservation; **~-respect** n respect m de soi, amour-propre m; **~-righteous** adj suffisant(e); **~-sacrifice** n abnégation f; **~-satisfied** adj content(e) de soi, suffisant(e); **~-service** adj libre-service, self-service; **~-sufficient** adj autosuffisant(e); (*person: independent*) indépendant(e); **~-taught** adj (*artist, pianist*) qui a appris par lui-même

sell [sel] (pt, pp **sold**) vt vendre ◆ vi se vendre; **to ~ at** or **for 10 F** se vendre 10 F; **~ off** vt liquider; **~ out** vi: **to ~ (of sth)** (*use up stock*) vendre tout son stock (de qch); **the tickets are all sold out** il ne reste plus de billets; **~-by date** n date f limite de vente; **~er** n vendeur(euse), marchand(e); **~ing price** n prix m de vente

Sellotape ['seləuteɪp] (®: BRIT) n papier collant m, scotch m (®)

selves [selvz] npl of **self**

semblance ['sembləns] n semblant m

semen ['si:mən] n sperme m

semester [sɪ'mestə*] (esp US) n semestre m

semi ['semɪ] prefix semi-, demi-; à demi, à moitié; **~circle** n demi-cercle m; **~colon** n point-virgule m; **~detached (house)** (BRIT) n maison jumelée or jumelle; **~final** n demi-finale f

seminar ['semɪnɑ:*] n séminaire m

seminary ['semɪnərɪ] n (REL: for priests) séminaire m

semiskilled ['semɪ'skɪld] adj: **~ worker** ouvrier(ère) spécialisé(e)

senate ['senɪt] n sénat m; **senator** n sénateur m

send [send] (pt, pp **sent**) vt envoyer; **~ away** vt (*letter, goods*) envoyer, expédier; (*unwelcome visitor*) renvoyer; **~ away for** vt fus commander par correspondance, se faire envoyer; **~ back** vt renvoyer; **~ for** vt fus envoyer chercher; faire venir; **~ off** vt (*goods*) envoyer, expédier; (BRIT: SPORT: *player*) expulser or renvoyer du terrain; **~ out** vt (*invitation*) envoyer (par la poste); (*light, heat, signal*) émettre; **~ up** vt faire monter; (BRIT: *parody*) mettre en boîte, parodier; **~er** n expéditeur(trice); **~-off** n: **a good ~-off** des adieux chaleureux

senior ['si:nɪə*] adj (*high-ranking*) de haut niveau; (*of higher rank*): **to be ~ to sb** être le supérieur de qn ◆ n (*older*): **she is 15 years his ~** elle est son aînée de 15 ans, elle est plus âgée que lui de 15 ans; **~ citizen** n personne âgée; **~ity** [si:nɪ'ɔrɪtɪ] n (*in service*) ancienneté f

sensation [sen'seɪʃən] n sensation f; **~al** adj qui fait sensation; (*marvellous*) sensationnel(le)

sense [sens] n sens m; (*feeling*) sentiment m; (*meaning*) sens, signification f; (*wisdom*) bon sens ◆ vt sentir, pressentir; **it makes ~** c'est logique; **~less** adj insensé(e), stupide; (*unconscious*) sans connaissance

sensible ['sensəbl] adj sensé(e), raisonnable; sage

sensitive ['sensɪtɪv] adj sensible

sensual ['sensjuəl] adj sensuel(le)

sensuous ['sensjuəs] adj voluptueux(euse), sensuel(le)

sent [sent] pt, pp of **send**

sentence ['sentəns] n (LING) phrase f; (LAW: *judgment*) condamnation f, sentence f; (: *punishment*) peine f ◆ vt: **to ~ sb to death/to 5 years in prison** condamner qn à mort/à 5 ans de prison

sentiment ['sentɪmənt] n sentiment m; (*opinion*) opinion f, avis m; **~al** [sentɪ'mentl] adj sentimental(e)

sentry ['sentrɪ] n sentinelle f

separate [adj 'seprət, vb 'sepəreɪt] adj séparé(e), indépendant(e), différent(e) ◆ vt séparer; (*make a distinction between*) distinguer ◆ vi se séparer; **~ly** adv séparément; **~s** npl (*clothes*) coordonnés mpl; **separation** [sepə'reɪʃən] n séparation f

September [sep'tembə*] n septembre m

septic ['septɪk] adj (*wound*) infecté(e); **~ tank** n fosse f septique

sequel ['si:kwəl] n conséquence f; séquelles fpl; (*of story*) suite f

sequence ['si:kwəns] n ordre m, suite f; (*film* ~) séquence f; (*dance* ~) numéro m

sequin ['si:kwɪn] n paillette f

serene [sə'ri:n] adj serein(e), calme, paisible

sergeant ['sɑ:dʒənt] n sergent m; (POLICE) brigadier m

serial ['sɪərɪəl] n feuilleton m; **~ number** n numéro m de série

series ['sɪərɪz] n inv série f; (PUBLISHING) collection f

serious ['sɪərɪəs] adj sérieux(euse); (*illness*) grave; **~ly** adv sérieusement; (*hurt*) gravement

sermon ['sɜ:mən] n sermon m

serrated [se'reɪtɪd] adj en dents de scie

servant ['sɜ:vənt] n domestique m/f; (*fig*) serviteur/servante

serve [sɜ:v] vt (*employer etc*) servir, être au service de; (*purpose*) servir à; (*customer, food, meal*) servir; (*subj: train*) desservir; (*apprenticeship*) faire, accomplir; (*prison term*) purger ◆ vi servir; (*be useful*): **to ~ as/for/to do** servir de/à/à faire ◆ n (TENNIS) service m; **it ~s him right** c'est bien fait pour lui; **~ out, ~ up** vt (*food*) servir

service ['sɜ:vɪs] n service m; (AUT: *maintenance*) révision f ◆ vt (*car, washing machine*) réviser; **the S~s** les forces armées; **to be of ~ to sb** rendre service à qn; **~able** adj pratique, commode; **~ charge** (BRIT) n service m; **~man** (irreg) n militaire m; **~ station** n station-service f

serviette [sɜ:vɪ'et] (BRIT) n serviette f (de table)

session ['seʃən] n séance f

set [set] (pt, pp **set**) n série f, assortiment m; (*of tools etc*) jeu m; (RADIO, TV) poste m; (TENNIS) set m; (*group of people*) cercle m, milieu m; (THEATRE: *stage*) scène f; (: *scenery*) décor m; (MATH) ensemble m; (HAIRDRESSING) mise f en plis ◆ adj (*fixed*) fixe, déterminé(e); (*ready*) prêt(e) ◆ vt (*place*) poser, placer; (*fix, establish*) fixer; (: *record*) établir; (*adjust*) régler; (*decide: rules etc*) fixer, choisir; (*task*) donner; (*exam*) composer ◆ vi (*sun*) se coucher; (*jam, jelly, concrete*) prendre; (*bone*) se ressouder; **to be ~ on doing** être résolu à faire; **to ~ the table** mettre la table; **to ~ (to music)** mettre en musique; **to ~ on fire** mettre le feu à; **to ~ free** libérer; **to ~ sth going** déclencher qch; **to ~ sail** prendre la mer; **~ about** vt fus (*task*) entreprendre, se mettre à; **~ aside** vt mettre de côté; (*time*) garder; **~ back** vt (*in time*): **to ~ back (by)** retarder (de); (*cost*): **to ~ sb back £5** coûter 5 livres à qn; **~ off** vi se mettre en route, partir ◆ vt (*bomb*) faire exploser; (*cause to start*) déclencher; (*show up well*) mettre en valeur, faire valoir; **~ out** vi se mettre en route, partir ◆ vt (*arrange*) disposer; (*arguments*) présenter, exposer; **to ~ out to do** entreprendre de faire, avoir pour but or intention de faire; **~ up** vt (*organization*) fonder, créer; **~back** n (*hitch*) revers m, contretemps m; **~ menu** n menu m

settee [se'ti:] n canapé m

setting ['setɪŋ] n cadre m; (*of jewel*) monture f; (*position: of controls*) réglage m

settle ['setl] vt (*argument, matter, account*) régler; (*problem*) résoudre; (MED: *calm*) calmer ◆ vi (*bird, dust etc*) se poser; (*also: ~ down*) s'installer, se fixer; (*calm down*) se calmer; **to ~ for sth** accepter qch, se contenter de qch; **to ~ on sth** opter or se décider pour qch; **~ in** vi s'installer; **~ up** vi: **to ~ up with sb** régler (ce que l'on doit) à qn; **~ment** n (*payment*) règlement m; (*agreement*) accord m; (*village etc*) établissement m; hameau m; **~r** n colon m

setup ['setʌp] n (*arrangement*) manière f dont les choses sont organisées; (*situation*) situation f

seven ['sevn] num sept; **~teen** num dix-sept; **~th** num septième; **~ty** num soixante-dix

sever ['sevə*] vt couper, trancher; (*relations*) rompre

several ['sevrəl] adj, pron plusieurs m/fpl; **~ of us** plusieurs d'entre nous

severance ['sevərəns] n (*of relations*) rupture f; **~ pay** n indemnité f de licenciement

severe [sɪ'vɪə*] adj (*stern*) sévère, strict(e); (*serious*) grave, sérieux(euse); (*plain*) sévère, austère; **severity** [sɪ'verɪtɪ] n sévérité f; gravité f; rigueur f

sew [səu] (pt **sewed**, pp **sewn**) vt, vi coudre; **~ up** vt (re)coudre

sewage ['sju:ɪdʒ] n vidange(s) f(pl)

sewer ['sjuə*] n égout m

sewing ['səuɪŋ] n couture f; (*item(s)*) ouvrage m; **~ machine** n machine f à coudre

sewn [səun] pp of **sew**

sex [seks] n sexe m; **to have ~ with** avoir des rapports (sexuels) avec; **~ist** adj sexiste; **~ual** ['seksjuəl] adj sexuel(le); **~y** ['seksɪ] adj sexy inv

shabby ['ʃæbɪ] adj miteux(euse); (*behaviour*) mesquin(e), méprisable

shack [ʃæk] n cabane f, hutte f

shackles ['ʃæklz] npl chaînes fpl, entraves fpl

shade [ʃeɪd] n ombre f; (*for lamp*) abat-jour m inv; (*of colour*) nuance f, ton m ◆ vt abriter du soleil, ombrager; **in the ~** à l'ombre; **a ~ too large/more** un tout petit peu trop grand(e)/plus

shadow ['ʃædəu] n ombre f ◆ vt (*follow*) filer; **~ cabinet** (BRIT) n (POL) *cabinet parallèle formé par l'Opposition*; **~y** adj ombragé(e); (*dim*) vague, indistinct(e)

shady ['ʃeɪdɪ] adj ombragé(e); (*fig: dishonest*) louche, véreux(euse)

shaft [ʃɑ:ft] n (*of arrow, spear*) hampe f; (AUT, TECH) arbre m; (*of mine*) puits m; (*of lift*) cage f; (*of light*) rayon m, trait m

shaggy ['ʃægɪ] adj hirsute; en broussaille

shake [ʃeɪk] (pt **shook**, pp **shaken**) vt secouer; (*bottle, cocktail*) agiter; (*house, confidence*) ébranler ◆ vi trembler; **to ~ one's head** (*in refusal*) dire or faire non de la tête; (*in dismay*) secouer la tête; **to ~ hands with sb** serrer la main à qn; **~ off** vt secouer; (*pursuer*) se débarrasser de; **~ up** vt secouer; **~n** ['ʃeɪkn] pp of **shake**; **shaky** ['ʃeɪkɪ] adj (*hand, voice*) tremblant(e); (*building*) branlant(e), peu solide

shall [ʃæl] aux vb: **I ~ go** j'irai; **~ I open the door?** j'ouvre la porte?; **I'll get the coffee, ~ I?** je vais chercher le café, d'accord?

shallow ['ʃæləu] adj peu profond(e); (*fig*) superficiel(le)

sham [ʃæm] n frime f ◆ vt simuler

shambles ['ʃæmblz] n (*muddle*) confusion f, pagaïe f, fouillis m

shame [ʃeɪm] n honte f ◆ vt faire honte à; **it is a ~ (that/to do)** c'est dommage (que +sub/de faire); **what a ~!** quel dommage!; **~faced** adj honteux(euse), penaud(e); **~ful** adj honteux(euse), scandaleux(euse); **~less** adj éhonté(e), effronté(e)

shampoo [ʃæm'pu:] n shampooing m ◆ vt faire un shampooing à; **~ and set** n shampooing m (et) mise f en plis

shamrock ['ʃæmrɒk] n trèfle m (*emblème de l'Irlande*)

shandy ['ʃændɪ] n bière panachée

shan't [ʃɑ:nt] = **shall not**

shanty town ['ʃæntɪ-] n bidonville m

shape [ʃeɪp] n forme f ◆ vt façonner, modeler; (*sb's ideas*) former; (*sb's life*) déterminer ◆ vi (*also*: **~ up**: *events*) prendre tournure; (: *person*) faire des progrès, s'en sortir; **to take ~** prendre forme or tournure; **-shaped** suffix: **heart-shaped** en forme de cœur; **~less** adj informe, sans forme; **~ly** adj bien proportionné(e), beau(belle)

share [ʃɛə*] n part f; (COMM) action f ◆ vt partager; (*have in common*) avoir en commun; **~ out** vi partager; **~holder** n actionnaire m/f

shark [ʃɑ:k] n requin m

sharp [ʃɑ:p] adj (*razor, knife*) tranchant(e), bien aiguisé(e); (*point, voice*) aigu(guë); (*nose, chin*) pointu(e); (*outline, increase*) net(te); (*cold, pain*) vif(vive); (*taste*) piquant(e), âcre; (MUS) dièse; (*person: quick-witted*) vif(vive), éveillé(e); (: *unscrupulous*) malhonnête ◆ n (MUS) dièse m ◆ adv (*precisely*): **at 2 o'clock ~** à 2 heures pile or précises; **~en** vt aiguiser; (*pencil*) tailler; **~ener** n (*also*: *pencil ~ener*) taille-crayon(s) m inv; **~-eyed** adj à qui rien n'échappe; **~ly** adv (*turn, stop*) brusquement; (*stand out*) nettement; (*criticize, retort*) sèchement, vertement

shatter ['ʃætə*] vt briser; (*fig: upset*) bouleverser; (: *ruin*) briser, ruiner ◆ vi voler en éclats, se briser

shave [ʃeɪv] vt raser ◆ vi se raser ◆ n: **to have a ~** se raser; **~r** n (*also*: *electric ~r*) rasoir m électrique

shaving ['ʃeɪvɪŋ] n (*action*) rasage m; **~s** npl (*of wood etc*) copeaux mpl; **~ brush** n blaireau m; **~ cream** n crème f à raser; **~ foam** n mousse f à raser

shawl [ʃɔ:l] n châle m

she [ʃi:] pron elle ◆ prefix: **~-cat** chatte f; **~-elephant** éléphant m femelle

sheaf [ʃi:f] (pl **sheaves**) n gerbe f; (*of papers*) liasse f

shear [ʃɪə*] (pt **~ed**, pp **shorn**) vt (*sheep*) tondre; **~ off** vi (*branch*) partir, se détacher; **~s** npl (*for hedge*) cisaille(s) f(pl)

sheath [ʃi:θ] n gaine f, fourreau m, étui m; (*contraceptive*) préservatif m

shed [ʃed] (pt, pp **shed**) n remise f, resserre f ◆ vt perdre; (*tears*) verser, répandre; (*workers*) congédier

she'd [ʃi:d] = **she had; she would**

sheen [ʃi:n] n lustre m

sheep [ʃi:p] n inv mouton m; **~dog** n chien m de berger; **~ish** adj penaud(e); **~skin** n peau f de mouton

sheer [ʃɪə*] adj (*utter*) pur(e), pur et simple; (*steep*) à pic, abrupt(e); (*almost transparent*) extrêmement fin(e) ◆ adv à pic, abruptement

sheet [ʃi:t] n (*on bed*) drap m; (*of paper*) feuille f; (*of glass, metal etc*) feuille, plaque f

sheik(h) [ʃeɪk] n cheik m

shelf [ʃelf] (pl **shelves**) n étagère f, rayon m

shell [ʃel] n (*on beach*) coquillage m; (*of egg, nut etc*) coquille f; (*explosive*) obus m; (*of building*) carcasse f ◆ vt (*peas*) écosser; (MIL) bombarder (d'obus)

she'll [ʃi:l] = **she will; she shall**

shellfish ['ʃelfɪʃ] n inv (*crab etc*) crustacé m; (*scallop etc*) coquillage m ◆ npl (*as food*) fruits mpl de mer

shell suit n survêtement m (*en synthétique froissé*)

shelter ['ʃeltə*] n abri m, refuge m ◆ vt abriter, protéger; (*give lodging to*) donner asile à ◆ vi s'abriter, se mettre à l'abri; **~ed housing** n foyers mpl (*pour personnes âgées ou handicapées*)

shelve [ʃelv] vt (*fig*) mettre en suspens or en sommeil; **~s** npl of **shelf**

shepherd ['ʃepəd] n berger m ◆ vt (*guide*) guider, escorter; **~'s pie** (BRIT) n ≈ hachis m Parmentier

sheriff ['ʃerɪf] (US) n shérif m

sherry ['ʃerɪ] n xérès m, sherry m

she's [ʃi:z] = **she is; she has**

Shetland ['ʃetlənd] n (*also*: *the ~s, the ~ Islands*) les îles fpl Shetland

shield [ʃi:ld] n bouclier m; (*protection*) écran m de protection ◆ vt: **to ~ (from)** protéger (de or contre)

shift [ʃɪft] n (*change*) changement m; (*work period*) période f de travail; (*of workers*) équipe f, poste m ◆ vt déplacer, changer de place; (*remove*) enlever ◆ vi changer de place, bouger; **~less** adj (*person*) fainéant(e); **~ work** n travail m en équipe or par relais or par roulement; **~y** adj sournois(e); (*eyes*) fuyant(e)

shilly-shally ['ʃɪlɪʃælɪ] vi tergiverser, atermoyer

shimmer ['ʃɪmə*] vi miroiter, chatoyer

shin [ʃɪn] n tibia m

shine [ʃaɪn] (pt, pp **shone**) n éclat m, brillant m ◆ vi briller ◆ vt (*torch etc*): **to ~ on** braquer sur; (*polish: pt, pp ~d*) faire briller or reluire

shingle ['ʃɪŋgl] n (*on beach*) galets mpl; **~s** n (MED) zona m

shiny ['ʃaɪnɪ] adj brillant(e)

ship [ʃɪp] n bateau m; (*large*) navire m ◆ vt transporter (par mer); (*send*) expédier (par mer); **~building** n construction navale; **~ment** n cargaison f; **~per** n affréteur m; **~ping** n (*ships*) navires mpl; (*the industry*) industrie navale; (*transport*) transport m; **~wreck** n (*ship*) épave f; (*event*) naufrage m ◆ vt: **to be ~wrecked** faire naufrage; **~yard** n chantier naval

shire ['ʃaɪə*] (BRIT) n comté m

shirk [ʃɜ:k] vt esquiver, se dérober à

shirt [ʃɜ:t] n (*man's*) chemise f; (*woman's*) chemisier m; **in (one's) ~ sleeves** en bras de chemise

shit [ʃɪt] (*inf!*) n, excl merde f (*!*)

shiver ['ʃɪvə*] n frisson m ◆ vi frissonner

shoal [ʃəul] n (*of fish*) banc m; (*fig*: *also*: **~s**) masse f, foule f

shock [ʃɒk] n choc m; (ELEC) secousse f; (MED) commotion f, choc ◆ vt (*offend*) choquer, scandaliser; (*upset*) bouleverser; **~ absorber** n amortisseur m; **~ing** adj (*scandalizing*) choquant(e), scandaleux(euse); (*appalling*) épouvantable

shod [ʃɒd] pt, pp of **shoe**

shoddy ['ʃɒdɪ] adj de mauvaise qualité, mal fait(e)

shoe [ʃu:] (pt, pp **shod**) n chaussure f, soulier m; (*also*: *horse~*) fer m à cheval ◆ vt (*horse*) ferrer; **~lace** n lacet m (de soulier); **~ polish** n cirage m; **~ shop** n magasin m de chaussures; **~string** n (*fig*): **on a ~string** avec un budget dérisoire

shone [ʃɒn] pt, pp of **shine**

shoo [ʃu:] excl ouste!

shook [ʃuk] pt of **shake**

shoot [ʃu:t] (pt, pp **shot**) n (*on branch, seedling*) pousse f ◆ vt (*game*) chasser; tirer; abattre; (*person*) blesser (or tuer) d'un coup de fusil (or de revolver); (*execute*) fusiller; (*arrow*) tirer; (*gun*) tirer un coup de; (*film*) tourner ◆ vi (*with gun, bow*): **to ~ (at)** tirer (sur); (FOOTBALL) shooter, tirer; **~ down** vt (*plane*) abattre; **~ in** vi entrer comme une flèche; **~ out** vi sortir comme une flèche; **~ up** vi (*fig*) monter en flèche; **~ing** n (*shots*) coups mpl de feu, fusillade f; (HUNTING) chasse f; **~ing star** n étoile filante

shop [ʃɒp] n magasin m; (*workshop*) atelier m ◆ vi (*also*: *go ~ping*) faire ses courses or ses achats; **~ assistant** (BRIT) n vendeur(euse); **~ floor** (BRIT) n (INDUSTRY: *fig*) ouvriers mpl; **~keeper** n commerçant(e); **~lifting** n vol m à l'étalage; **~per** n personne f qui fait ses courses, acheteur(euse); **~ping** n (*goods*) achats *mpl*, provisions *fpl*; **~ping bag** *n* sac *m* (à provisions); **~ping centre** (*US* **~ping center**) *n* centre commercial; **~-soiled** *adj* défraîchi(e), qui a fait la vitrine; **~ steward** (*BRIT*) *n* (*INDUSTRY*) délégué(e) syndical(e); **~ window** *n* vitrine *f*

shore [ʃɔː*] *n* (*of sea, lake*) rivage *m*, rive *f* ◆ *vt*: **to ~ (up)** étayer; **on ~** à terre

shorn [ʃɔːn] *pp of* **shear**

short [ʃɔːt] *adj* (*not long*) court(e); (*soon finished*) court, bref(brève); (*person, step*) petit(e); (*curt*) brusque, sec(sèche); (*insufficient*) insuffisant(e); **to be/run ~ of sth** être à court de *or* manquer de qch; **in ~** bref; en bref; **~ of doing ...** à moins de faire ...; **everything ~ of** tout sauf; **it is ~ for** c'est l'abréviation *or* le diminutif de; **to cut ~** (*speech, visit*) abréger, écourter; **to fall ~ of** ne pas être à la hauteur de; **to run ~ of** arriver à court de, venir à manquer de; **to stop ~** s'arrêter net; **to stop ~ of** ne pas aller jusqu'à; **~age** *n* manque *m*, pénurie *f*; **~bread** *n* ≈ sablé *m*; **~-change** *vt* ne pas rendre assez à; **~-circuit** *n* court-circuit *m*; **~coming** *n* défaut *m*; **~(crust) pastry** (*BRIT*) *n* pâte brisée; **~cut** *n* raccourci *m*; **~en** *vt* raccourcir; (*text, visit*) abréger; **~fall** *n* déficit *m*; **~hand** (*BRIT*) *n* sténo(graphie) *f*; **~hand typist** (*BRIT*) *n* sténodactylo *m/f*; **~list** (*BRIT*) *n* (*for job*) liste *f* des candidats sélectionnés; **~-lived** *adj* de courte durée; **~ly** *adv* bientôt, sous peu; **~s** *npl*: **(a pair of) ~s** un short; **~-sighted** *adj* (*BRIT*) myope; (*fig*) qui manque de clairvoyance; **~-staffed** *adj* à court de personnel; **~ story** *n* nouvelle *f*; **~-tempered** *adj* qui s'emporte facilement; **~-term** *adj* (*effect*) à court terme; **~ wave** *n* (*RADIO*) ondes courtes

shot [ʃɔt] *pt, pp of* **shoot** ◆ *n* coup *m* (de feu); (*try*) coup, essai *m*; (*injection*) piqûre *f*; (*PHOT*) photo *f*; **he's a good/poor ~** il tire bien/mal; **like a ~** comme une flèche; (*very readily*) sans hésiter; **~gun** *n* fusil *m* de chasse

should [ʃud] *aux vb*: **I ~ go now** je devrais partir maintenant; **he ~ be there now** il devrait être arrivé maintenant; **I ~ go if I were you** si j'étais vous, j'irais; **I ~ like to** j'aimerais bien, volontiers

shoulder ['ʃəuldə*] *n* épaule *f* ◆ *vt* (*fig*) endosser, se charger de; **~ bag** *n* sac *m* à bandoulière; **~ blade** *n* omoplate *f*; **~ strap** *n* bretelle *f*

shouldn't ['ʃudnt] = **should not**

shout [ʃaut] *n* cri *m* ◆ *vt* crier ◆ *vi* (*also*: **~ out**) crier, pousser des cris; **~ down** *vt* huer; **~ing** *n* cris *mpl*

shove [ʃʌv] *vt* pousser; (*inf*: *put*): **to ~ sth in** fourrer *or* ficher qch dans; **~ off** (*inf*) *vi* ficher le camp

shovel ['ʃʌvl] *n* pelle *f*

show [ʃəu] (*pt* **~ed**, *pp* **shown**) *n* (*of emotion*) manifestation *f*, démonstration *f*; (*semblance*) semblant *m*, apparence *f*; (*exhibition*) exposition *f*, salon *m*; (*THEATRE, TV*) spectacle *m* ◆ *vt* montrer; (*film*) donner; (*courage etc*) faire preuve de, manifester; (*exhibit*) exposer ◆ *vi* se voir, être visible; **for ~** pour l'effet; **on ~** (*exhibits etc*) exposé(e); **~ in** *vt* (*person*) faire entrer; **~ off** *vi* (*pej*) crâner ◆ *vt* (*display*) faire valoir; **~ out** *vt* (*person*) reconduire (jusqu'à la porte); **~ up** *vi* (*stand out*) ressortir; (*inf*: *turn up*) se montrer ◆ *vt* (*flaw*) faire ressortir; **~ business** *n* le monde du spectacle; **~down** *n* épreuve *f* de force

shower ['ʃauə*] *n* (*rain*) averse *f*; (*of stones etc*) pluie *f*, grêle *f*; (*also*: **~bath**) douche *f* ◆ *vi* prendre une douche, se doucher ◆ *vt*: **to ~ sb with** (*gifts etc*) combler qn de; **to have** *or* **take a ~** prendre une douche; **~proof** *adj* imperméabilisé(e)

showing ['ʃəuiŋ] *n* (*of film*) projection *f*

show jumping *n* concours *m* hippique

shown [ʃəun] *pp of* **show**

show: **~-off** ['ʃəuɔf] (*inf*) *n* (*person*) crâneur(euse), m'as-tu-vu(e); **~piece** *n* (*of exhibition*) trésor *m*; **~room** ['ʃəurum] *n* magasin *m* *or* salle *f* d'exposition

shrank [ʃræŋk] *pt of* **shrink**

shrapnel ['ʃræpnl] *n* éclats *mpl* d'obus

shred [ʃred] *n* (*gen pl*) lambeau *m*, petit morceau ◆ *vt* mettre en lambeaux, déchirer; (*CULIN*) râper; couper en lanières; **~der** *n* (*for vegetables*) râpeur *m*; (*for documents*) déchiqueteuse *f*

shrewd [ʃruːd] *adj* astucieux(euse), perspicace; (*businessman*) habile

shriek [ʃriːk] *vi* hurler, crier

shrill [ʃril] *adj* perçant(e), aigu(guë), strident(e)

shrimp [ʃrimp] *n* crevette *f*

shrine [ʃrain] *n* (*place*) lieu *m* de pèlerinage

shrink [ʃriŋk] (*pt* **shrank**, *pp* **shrunk**) *vi* rétrécir; (*fig*) se réduire, diminuer; (*move*: *also*: **~ away**) reculer ◆ *vt* (*wool*) (faire) rétrécir ◆ *n* (*inf*: *pej*) psychiatre *m/f*, psy *mf*; **to ~ from (doing) sth** reculer devant (la pensée de faire) qch; **~age** *n* rétrécissement *m*; **~wrap** *vt* emballer sous film plastique

shrivel ['ʃrivl] *vt* (*also*: **~ up**) ratatiner, flétrir ◆ *vi* se ratatiner, se flétrir

shroud [ʃraud] *n* linceul *m* ◆ *vt*: **~ed in mystery** enveloppé(e) de mystère

Shrove Tuesday ['ʃrəuv-] *n* (le) Mardi gras

shrub [ʃrʌb] *n* arbuste *m*; **~bery** *n* massif *m* d'arbustes

shrug [ʃrʌg] *vt, vi*: **to ~ (one's shoulders)** hausser les épaules; **~ off** *vt* faire fi de

shrunk [ʃrʌŋk] *pp of* **shrink**

shudder ['ʃʌdə*] *vi* frissonner, frémir

shuffle ['ʃʌfl] *vt* (*cards*) battre ◆ *vt, vi*: **to ~ (one's feet)** traîner les pieds

shun [ʃʌn] *vt* éviter, fuir

shunt [ʃʌnt] *vt* (*RAIL*) aiguiller

shut [ʃʌt] (*pt, pp* **shut**) *vt* fermer ◆ *vi* (se) fermer; **~ down** *vt, vi* fermer définitivement; **~ off** *vt* couper, arrêter; **~ up** *vi* (*inf*: *keep quiet*) se taire ◆ *vt* (*close*) fermer; (*silence*) faire taire; **~ter** *n* volet *m*; (*PHOT*) obturateur *m*

shuttle ['ʃʌtl] *n* navette *f*; (*also*: **~ service**) (service *m* de) navette *f*

shuttlecock ['ʃʌtlkɔk] *n* volant *m* (*de badminton*)

shy [ʃai] *adj* timide

sibling ['sibliŋ] *n*: **~s** enfants *mpl* de mêmes parents

Sicily ['sisili] *n* Sicile *f*

sick [sik] *adj* (*ill*) malade; (*vomiting*): **to be ~** vomir; (*humour*) noir(e), macabre; **to feel ~** avoir envie de vomir, avoir mal au cœur; **to be ~ of** (*fig*) en avoir assez de; **~ bay** *n* infirmerie *f*; **~en** *vt* écœurer; **~ening** *adj* (*fig*) écœurant(e), dégoûtant(e)

sickle ['sikl] *n* faucille *f*

sick: **~ leave** *n* congé *m* de maladie; **~ly** *adj* maladif(ive), souffreteux(euse); (*causing nausea*) écœurant(e); **~ness** *n* maladie *f*; (*vomiting*) vomissement(s) *m(pl)*; **~ pay** *n* indemnité *f* de maladie

side [said] *n* côté *m*; (*of lake, road*) bord *m*; (*team*) camp *m*, équipe *f* ◆ *adj* (*door, entrance*) latéral(e) ◆ *vi*: **to ~ with sb** prendre le parti de qn, se ranger du côté de qn; **by the ~ of** au bord de; **~ by ~** côte à côte; **from ~ to ~** d'un côté à l'autre; **to take ~s (with)** prendre parti (pour); **~board** *n* buffet *m*; **~boards** (*BRIT*), **~burns** *npl* (*whiskers*) pattes *fpl*; **~ drum** *n* tambour plat; **~ effect** *n* effet *m* secondaire; **~light** *n* (*AUT*) veilleuse *f*; **~line** *n* (*SPORT*) (ligne *f* de) touche *f*; (*fig*) travail *m* secondaire; **~long** *adj* oblique; **~-saddle** *adv* en amazone; **~show** *n* attraction *f*; **~step** *vt* (*fig*) éluder; éviter; **~ street** *n* (petite) rue transversale; **~track** *vt* (*fig*) faire dévier de son sujet; **~walk** (*US*) *n* trottoir *m*; **~ways** *adv* de côté

siding ['saidiŋ] *n* (*RAIL*) voie *f* de garage

sidle ['saidl] *vi*: **to ~ up (to)** s'approcher furtivement (de)

siege [siːdʒ] *n* siège *m*

sieve [siv] *n* tamis *m*, passoire *f*

sift [sift] *vt* (*fig*: *also*: **~ through**) passer en revue; (*lit*: *flour etc*) passer au tamis

sigh [sai] *n* soupir *m* ◆ *vi* soupirer, pousser un soupir

sight [sait] *n* (*faculty*) vue *f*; (*spectacle*) spectacle *m*; (*on gun*) mire *f* ◆ *vt* apercevoir; **in ~** visible; **out of ~** hors de vue; **~seeing** *n* tourisme *m*; **to go ~seeing** faire du tourisme

sign [sain] *n* signe *m*; (*with hand etc*) signe, geste *m*; (*notice*) panneau *m*, écriteau *m* ◆ *vt* signer; **~ on** *vi* (*MIL*) s'engager; (*as unemployed*) s'inscrire au chômage; (*for course*) s'inscrire ◆ *vt* (*MIL*) engager; (*employee*) embaucher; **~ over** *vt*: **to ~ sth over to sb** céder qch par écrit à qn; **~ up** *vt* engager ◆ *vi* (*MIL*) s'engager; (*for course*) s'inscrire

signal ['signl] *n* signal *m* ◆ *vi* (*AUT*) mettre son clignotant ◆ *vt* (*person*) faire signe à; (*message*) communiquer par signaux; **~man** (*irreg*) *n* (*RAIL*) aiguilleur *m*

signature ['signətʃə*] *n* signature *f*; **~ tune** *n* indicatif musical

signet ring ['signət-] *n* chevalière *f*

significance [sig'nifikəns] *n* signification *f*; importance *f*; **significant** [sig'nifikənt] *adj* significatif(ive); (*important*) important(e), considérable

signpost ['sainpəust] *n* poteau indicateur

silence ['sailəns] *n* silence *m* ◆ *vt* faire taire, réduire au silence; **~r** *n* (*on gun, BRIT*: *AUT*) silencieux *m*

silent ['sailənt] *adj* silencieux(euse); (*film*) muet(te); **to remain ~** garder le silence, ne rien dire; **~ partner** *n* (*COMM*) bailleur *m* de fonds, commanditaire *m*

silhouette [siluː'et] *n* silhouette *f*

silicon chip ['silikən-] *n* puce *f* électronique

silk [silk] *n* soie *f* ◆ *cpd* de *or* en soie; **~y** *adj* soyeux(euse)

silly ['sili] *adj* stupide, sot(te), bête

silt [silt] *n* vase *f*; limon *m*

silver ['silvə*] *n* argent *m*; (*money*) monnaie *f* (en pièces d'argent); (*also*: **~ware**) argenterie *f* ◆ *adj* d'argent, en argent; **~ paper** (*BRIT*) *n* papier *m* d'argent *or* d'étain; **~-plated** *adj* plaqué(e) argent; **~smith** *n* orfèvre *m/f*; **~y** *adj* argenté(e)

similar ['similə*] *adj*: **~ (to)** semblable (à); **~ly** *adv* de la même façon, de même

simile ['simili] *n* comparaison *f*

simmer ['simə*] *vi* cuire à feu doux, mijoter

simple ['simpl] *adj* simple; **simplicity** [sim'plisiti] *n* simplicité *f*; **simply** *adv* (*without fuss*) avec simplicité

simultaneous [siməl'teiniəs] *adj* simultané(e)

sin [sin] *n* péché *m* ◆ *vi* pécher

since [sins] *adv, prep* depuis ◆ *conj* (*time*) depuis que; (*because*) puisque, étant donné que, comme; **~ then, ever ~** depuis ce moment-là

sincere [sin'siə*] *adj* sincère; **~ly** *adv see* **yours**; **sincerity** [sin'seriti] *n* sincérité *f*

sinew ['sinjuː] *n* tendon *m*

sinful ['sinful] *adj* coupable; (*person*) pécheur(eresse)

sing [siŋ] (*pt* **sang**, *pp* **sung**) *vt, vi* chanter

singe [sindʒ] *vt* brûler légèrement; (*clothes*) roussir

singer ['siŋə*] *n* chanteur(euse)

singing ['siŋiŋ] *n* chant *m*

single ['siŋgl] *adj* seul(e), unique; (*unmarried*) célibataire; (*not double*) simple ◆ *n* (*BRIT*: *also*: **~ ticket**) aller *m* (simple); (*record*) 45 tours *m*; **~ out** *vt* choisir; (*distinguish*) distinguer; **~-breasted** *adj* droit(e); **~ file** *n*: **in ~ file** en file indienne; **~-handed** *adv* tout(e) seul(e), sans (aucune) aide; **~-minded** *adj* résolu(e), tenace; **~ room** *n* chambre *f* à un lit *or* pour une personne; **~s** *n* (*TENNIS*) simple *m*; **singly** *adv* séparément

singular ['siŋgjulə*] *adj* singulier(ère), étrange; (*outstanding*) remarquable; (*LING*) (au) singulier, du singulier ◆ *n* singulier *m*

sinister ['sinistə*] *adj* sinistre

sink [siŋk] (*pt* **sank**, *pp* **sunk**) *n* évier *m* ◆ *vt* (*ship*) (faire) couler, faire sombrer; (*foundations*) creuser ◆ *vi* couler, sombrer; (*ground etc*) s'affaisser; (*also*: **~ back, ~ down**) s'affaisser, se laisser retomber; **to ~ sth into** enfoncer qch dans; **my heart sank** j'ai complètement perdu courage; **~ in** *vi* (*fig*) pénétrer, être compris(e)

sinner ['sinə*] *n* pécheur(eresse)

sinus ['sainəs] *n* sinus *m inv*

sip [sip] *n* gorgée *f* ◆ *vt* boire à petites gorgées

siphon ['saifən] *n* siphon *m*; **~ off** *vt* siphonner; (*money*: *illegally*) détourner

sir [səː*] *n* monsieur *m*; **S~ John Smith** sir John Smith; **yes ~** oui, Monsieur

siren ['saiərən] *n* sirène *f*

sirloin ['səːlɔin] *n* (*also*: **~ steak**) aloyau *m*

sissy ['sisi] (*inf*) *n* (*coward*) poule mouillée

sister ['sistə*] *n* sœur *f*; (*nun*) religieuse *f*, sœur; (*BRIT*: *nurse*) infirmière *f* en chef; **~-in-law** *n* belle-sœur *f*

sit [sit] (*pt, pp* **sat**) *vi* s'asseoir; (*be sitting*) être assis(e); (*assembly*) être en séance, siéger; (*for painter*) poser ◆ *vt* (*exam*) passer, se présenter à; **~ down** *vi* s'asseoir; **~ in on** *vt fus* assister à; **~ up** *vi* s'asseoir; (*straight*) se redresser; (*not go to bed*) rester debout, ne pas se coucher

sitcom ['sitkɔm] *n abbr* (= *situation comedy*) comédie *f* de situation

site [sait] *n* emplacement *m*, site *m*; (*also*: *building ~*) chantier *m* ◆ *vt* placer

sit-in ['sitin] *n* (*demonstration*) sit-in *m inv*, occupation *f* (de locaux)

sitting ['sitiŋ] *n* (*of assembly etc*) séance *f*; (*in canteen*) service *m*; **~ room** *n* salon *m*

situated ['sitjueitid] *adj* situé(e)

situation [sitju'eiʃən] *n* situation *f*; "**~s vacant**" (*BRIT*) "offres d'emploi"

six [siks] *num* six; **~teen** *num* seize; **~th** *num* sixième; **~ty** *num* soixante

size [saiz] *n* taille *f*; dimensions *fpl*; (*of clothing*) taille; (*of shoes*) pointure *f*; (*fig*) ampleur *f*; (*glue*) colle *f*; **~ up** *vt* juger, jauger; **~able** *adj* assez grand(e); assez important(e)

sizzle ['sizl] *vi* grésiller

skate [skeit] *n* patin *m*; (*fish*: *pl inv*) raie *f* ◆ *vi* patiner; **~board** *n* skateboard *m*, planche *f* à roulettes; **~r** *n* patineur(euse); **skating** ['skeitiŋ] *n* patinage *m*; **skating rink** *n* patinoire *f*

skeleton ['skelitn] *n* squelette *m*; (*outline*) schéma *m*; **~ staff** *n* effectifs réduits

skeptical ['skeptikl] (*US*) *adj* = **sceptical**

sketch [sketʃ] *n* (*drawing*) croquis *m*, esquisse *f*; (*THEATRE*) sketch *m*, saynète *f* ◆ *vt* esquisser, faire un croquis *or* une esquisse de; **~ book** *n* carnet *m* à dessin; **~y** *adj* incomplet(ète), fragmentaire

skewer ['skjuə*] *n* brochette *f*

ski [skiː] *n* ski *m* ◆ *vi* skier, faire du ski; **~ boot** *n* chaussure *f* de ski

skid [skid] *vi* déraper

ski: **~er** ['skiːə*] *n* skieur(euse); **~ing** ['skiːiŋ] *n* ski *m*; **~ jump** *n* saut *m* à skis

skilful ['skilful] (*US* **skillful**) *adj* habile, adroit(e)

ski lift *n* remonte-pente *m inv*

skill [skil] *n* habileté *f*, adresse *f*, talent *m*; (*requiring training*: *gen pl*) compétences *fpl*; **~ed** *adj* habile, adroit(e); (*worker*) qualifié(e)

skim [skim] *vt* (*milk*) écrémer; (*glide over*) raser; , effleurer ◆ *vi*: **to ~ through** (*fig*) parcourir; **~med milk** *n* lait écrémé

skimp [skimp] *vt* (*also*: **~ on**: *work*) bâcler, faire à la va-vite; (: *cloth etc*) lésiner sur; **~y** *adj* maigre; (*skirt*) étriqué(e)

skin [skin] *n* peau *f* ◆ *vt* (*fruit etc*) éplucher; (*animal*) écorcher; **~ cancer** *n* cancer *m* de la peau; **~-deep** *adj* superficiel(le); **~-diving** *n* plongée sous-marine; **~ny** *adj* maigre, maigrichon(ne); **~tight** *adj* (*jeans etc*) collant(e), ajusté(e)

skip [skip] *n* petit bond *or* saut; (*BRIT*: *container*) benne *f* ◆ *vi* gambader, sautiller; (*with rope*) sauter à la corde ◆ *vt* sauter

ski pants *npl* fuseau *m* (de ski)

ski pole *n* bâton *m* de ski

skipper ['skipə*] *n* capitaine *m*; (*in race*) skipper *m*

skipping rope ['skipiŋ-] (*BRIT*) *n* corde *f* à sauter

skirmish ['skəːmiʃ] *n* escarmouche *f*, accrochage *m*

skirt [skəːt] *n* jupe *f* ◆ *vt* longer, contourner; **~ing board** (*BRIT*) *n* plinthe *f*

ski slope *n* piste *f* de ski

ski suit *n* combinaison *f* (de ski)

skittle ['skitl] *n* quille *f*; **skittles** *n* (*game*) (jeu *m* de) quilles *fpl*

skive [skaiv] (*BRIT*: *inf*) *vi* tirer au flanc

skulk [skʌlk] *vi* rôder furtivement

skull [skʌl] *n* crâne *m*

skunk [skʌŋk] *n* mouffette *f*

sky [skai] *n* ciel *m*; **~light** *n* lucarne *f*; **~scraper** *n* gratte-ciel *m inv*

slab [slæb] *n* (*of stone*) dalle *f*; (*of food*) grosse tranche

slack [slæk] *adj* (*loose*) lâche, desserré(e); (*slow*) stagnant(e); (*careless*) négligent(e), peu sérieux(euse) *or* consciencieux(euse); **~s** *npl* (*trousers*) pantalon *m*; **~en** *vi* ralentir, diminuer ◆ *vt* (*speed*) réduire; (*grip*) relâcher; (*clothing*) desserrer

slag heap [slæg-] *n* crassier *m*

slag off (*BRIT*: *inf*) *vt* dire du mal de

slain [slein] *pp of* **slay**

slam [slæm] *vt* (*door*) (faire) claquer; (*throw*) jeter violemment, flanquer (*fam*); (*criticize*) démolir ◆ *vi* claquer

slander ['slɑːndə*] *n* calomnie *f*; diffamation *f*

slang [slæŋ] *n* argot *m*

slant [slɑːnt] *n* inclinaison *f*; (*fig*) angle *m*, point *m* de vue; **~ed** *adj* = **slanting**; **~ing** *adj* en pente, incliné(e); **~ing eyes** yeux bridés

slap [slæp] *n* claque *f*, gifle *f*; tape *f* ◆ *vt* donner une claque *or* une gifle *or* une tape à; (*paint*) appliquer rapidement ◆ *adv* (*directly*) tout droit, en plein; **~dash** *adj* fait(e) sans soin *or* à la va-vite; (*person*) insouciant(e), négligent(e); **~stick** *n* (*comedy*) grosse farce, style *m* tarte à la crème; **~-up** (*BRIT*) *adj*: **a ~-up meal** un repas extra *or* fameux

slash [slæʃ] *vt* entailler, taillader; (*fig*: *prices*) casser

slat [slæt] *n* latte *f*, lame *f*

slate [sleit] *n* ardoise *f* ◆ *vt* (*fig*: *criticize*) éreinter, démolir

slaughter ['slɔːtə*] *n* carnage *m*, massacre *m* ◆ *vt* (*animal*) abattre; (*people*) massacrer; **~house** *n* abattoir *m*

slave [sleiv] *n* esclave *m/f* ◆ *vi* (*also*: **~ away**) trimer, travailler comme un forçat; **~ry** *n* esclavage *m*; **slavish** *adj* servile

slay [slei] (*pt* **slew**, *pp* **slain**) *vt* tuer

sleazy ['sliːzi] *adj* miteux(euse), minable

sledge [sledʒ] *n* luge *f*

sledgehammer *n* marteau *m* de forgeron

sleek [sliːk] *adj* (*hair, fur etc*) brillant(e), lisse; (*car, boat etc*) aux lignes pures *or* élégantes

sleep [sliːp] (*pt, pp* **slept**) *n* sommeil *m* ◆ *vi* dormir; (*spend night*) dormir, coucher; **to go to ~** s'endormir; **~ around** *vi* coucher à droite et à gauche; **~ in** *vi* (*over~*) se réveiller trop tard; **~er** (*BRIT*) *n* (*RAIL*: *train*) train-couchettes *m*; (: *berth*) couchette *f*; **~ing bag** *n* sac *m* de couchage; **~ing car** *n* (*RAIL*) wagon-lit *m*, voiture-lit *f*; **~ing partner** (*BRIT*) *n* associé *m* commanditaire; **~ing pill** *n* somnifère *m*; **~less** *adj*: **a ~less night** une nuit blanche; **~walker** *n* somnambule *m/f*; **~y** *adj* qui a sommeil; (*fig*) endormi(e)

sleet [sliːt] *n* neige fondue

sleeve [sliːv] *n* manche *f*; (*of record*) pochette *f*
sleigh [sleɪ] *n* traîneau *m*
sleight [slaɪt] *n*: ~ **of hand** tour *m* de passe-passe
slender ['slendə*] *adj* svelte, mince; (*fig*) faible, ténu(e)
slept [slept] *pt, pp of* **sleep**
slew [sluː] *vi* (*also*: ~ *around*) virer, pivoter ♦ *pt of* **slay**
slice [slaɪs] *n* tranche *f*; (*round*) rondelle *f*; (*utensil*) spatule *f*, truelle *f* ♦ *vt* couper en tranches (*or* en rondelles)
slick [slɪk] *adj* (*skilful*) brillant(e) (en apparence); (*salesman*) qui a du bagout ♦ *n* (*also*: *oil* ~) nappe *f* de pétrole, marée noire
slide [slaɪd] (*pt, pp* **slid**) *n* (*in playground*) toboggan *m*; (*PHOT*) diapositive *f*; (*BRIT*: *also*: *hair* ~) barrette *f*; (*in prices*) chute *f*, baisse *f* ♦ *vt* (faire) glisser ♦ *vi* glisser; **sliding** ['slaɪdɪŋ] *adj* (*door*) coulissant(e); **sliding scale** *n* échelle *f* mobile
slight [slaɪt] *adj* (*slim*) mince, menu(e); (*frail*) frêle; (*trivial*) faible, insignifiant(e); (*small*) petit(e), léger(ère) (*before n*) ♦ *n* offense *f*, affront *m*; **not in the ~est** pas le moins du monde, pas du tout; **~ly** *adv* légèrement, un peu
slim [slɪm] *adj* mince ♦ *vi* maigrir; (*diet*) suivre un régime amaigrissant
slime [slaɪm] *n* (*mud*) vase *f*; (*other substance*) substance visqueuse
slimming ['slɪmɪŋ] *adj* (*diet, pills*) amaigrissant(e); (*foodstuff*) qui ne fait pas grossir
sling [slɪŋ] (*pt, pp* **slung**) *n* (*MED*) écharpe *f*; (*for baby*) porte-bébé *m*; (*weapon*) fronde *f*, lance-pierre *m* ♦ *vt* lancer, jeter
slip [slɪp] *n* faux pas; (*mistake*) erreur *f*; étourderie *f*; bévue *f*; (*underskirt*) combinaison *f*; (*of paper*) petite feuille, fiche *f* ♦ *vt* (*slide*) glisser ♦ *vi* glisser; (*decline*) baisser; (*move smoothly*): **to ~ into/out of** se glisser *or* se faufiler dans/ hors de; **to ~ sth on/off** enfiler/enlever qch; **to give sb the ~** fausser compagnie à qn; **a ~ of the tongue** un lapsus; **~ away** *vi* s'esquiver; **~ in** *vt* glisser ♦ *vi* (*errors*) s'y glisser; **~ out** *vi* sortir; **~ up** *vi* faire une erreur, gaffer; **~ped disc** *n* déplacement *m* de vertèbre
slipper ['slɪpə*] *n* pantoufle *f*
slippery ['slɪpərɪ] *adj* glissant(e)
slip road (*BRIT*) *n* (*to motorway*) bretelle *f* d'accès
slipshod ['slɪpʃɒd] *adj* négligé(e), peu soigné(e)
slip-up ['slɪpʌp] *n* bévue *f*
slipway ['slɪpweɪ] *n* cale *f* (de construction *or* de lancement)
slit [slɪt] (*pt, pp* **slit**) *n* fente *f*; (*cut*) incision *f* ♦ *vt* fendre; couper; inciser
slither ['slɪðə*] *vi* glisser; (*snake*) onduler
sliver ['slɪvə*] *n* (*of glass, wood*) éclat *m*; (*of cheese etc*) petit morceau, fine tranche
slob [slɒb] (*inf*) *n* rustaud(e)
slog [slɒg] (*BRIT*) *vi* travailler très dur ♦ *n* gros effort; tâche fastidieuse
slogan ['sləʊgən] *n* slogan *m*
slop [slɒp] *vi* (*also*: ~ *over*) se renverser; déborder ♦ *vt* répandre; renverser
slope [sləʊp] *n* pente *f*, côte *f*; (*side of mountain*) versant *m*; (*slant*) inclinaison *f* ♦ *vi*: **to ~ down** être *or* descendre en pente; **to ~ up** monter; **sloping** *adj* en pente; (*writing*) penché(e)
sloppy ['slɒpɪ] *adj* (*work*) peu soigné(e), bâclé(e); (*appearance*) négligé(e), débraillé(e)
slot [slɒt] *n* fente *f* ♦ *vt*: **to ~ sth into** encastrer *or* insérer qch dans
sloth [sləʊθ] *n* (*laziness*) paresse *f*
slot machine *n* (*BRIT*: *vending machine*) distributeur *m* (automatique); (*for gambling*) machine *f* à sous
slouch [slaʊtʃ] *vi* avoir le dos rond, être voûté(e)
slovenly ['slʌvnlɪ] *adj* sale, débraillé(e); (*work*) négligé(e)
slow [sləʊ] *adj* lent(e); (*watch*): **to be ~** retarder ♦ *adv* lentement ♦ *vt, vi* (*also*: ~ *down*, ~ *up*) ralentir; "~" (*road sign*) "ralentir"; **~ly** *adv* lentement; **~ motion** *n*: **in ~ motion** au ralenti
sludge [slʌdʒ] *n* boue *f*
slue [sluː] (*US*) *vi* = **slew**
slug [slʌg] *n* limace *f*; (*bullet*) balle *f*
sluggish ['slʌgɪʃ] *adj* (*person*) mou(molle), lent(e); (*stream, engine, trading*) lent
sluice [sluːs] *n* (*also*: ~ *gate*) vanne *f*
slum [slʌm] *n* (*house*) taudis *m*
slump [slʌmp] *n* baisse soudaine, effondrement *m*; (*ECON*) crise *f* ♦ *vi* s'effondrer, s'affaisser
slung [slʌŋ] *pt, pp of* **sling**
slur [slɜː*] *n* (*fig*: *smear*): ~ **(on)** atteinte *f* (à); insinuation *f* (contre) mal articuler
slush [slʌʃ] *n* neige fondue; **~ fund** *n* caisse noire, fonds secrets
slut [slʌt] (*pej*) *n* souillon *f*
sly [slaɪ] *adj* (*person*) rusé(e); (*smile, expression, remark*) sournois(e)
smack [smæk] *n* (*slap*) tape *f*; (*on face*) gifle *f* ♦ *vt* donner une tape à; (*on face*) gifler; (*on bottom*) donner la fessée à ♦ *vi*: **to ~ of** avoir des relents de, sentir
small [smɔːl] *adj* petit(e); **~ ads** (*BRIT*) *npl* petites annonces; **~ change** *n* petite *or* menue monnaie; **~ fry** *n* (*fig*) menu fretin; **~holder** (*BRIT*) *n* petit cultivateur; **~ hours** *npl*: **in the ~ hours** au petit matin; **~pox** *n* variole *f*; **~ talk** *n* menus propos
smart [smɑːt] *adj* (*neat, fashionable*) élégant(e), chic *inv*; (*clever*) intelligent(e), astucieux(euse), futé(e); (*quick*) rapide, vif(vive), prompt(e) ♦ *vi* faire mal, brûler; (*fig*) être piqué(e) au vif; **~en up** *vi* devenir plus élégant(e), se faire beau(belle) ♦ *vt* rendre plus élégant(e)
smash [smæʃ] *n* (*also*: ~*-up*) collision *f*, accident *m*; (: ~ *hit*) succès foudroyant ♦ *vt* casser, briser, fracasser; (*opponent*) écraser; (*SPORT*: *record*) pulvériser ♦ *vi* se briser, se fracasser; s'écraser; **~ing** (*inf*) *adj* formidable
smattering ['smætərɪŋ] *n*: **a ~ of** quelques notions de
smear [smɪə*] *n* tache *f*, salissure *f*; trace *f*; (*MED*) frottis *m* ♦ *vt* enduire; (*make dirty*) salir; **~ campaign** *n* campagne *f* de diffamation
smell [smel] (*pt, pp* **smelt** *or* **smelled**) *n* odeur *f*; (*sense*) odorat *m* ♦ *vt* sentir ♦ *vi* (*food etc*): **to ~ (of)** sentir; (*pej*) sentir mauvais
smelly ['smelɪ] *adj* qui sent mauvais, malodorant(e)
smile [smaɪl] *n* sourire *m* ♦ *vi* sourire
smirk [smɜːk] *n* petit sourire suffisant *or* affecté
smock [smɒk] *n* blouse *f*
smog [smɒg] *n* brouillard mêlé de fumée, smog *m*
smoke [sməʊk] *n* fumée *f* ♦ *vt, vi* fumer; **~d** *adj* (*bacon, glass*) fumé(e); **~r** *n* (*person*) fumeur(euse); (*RAIL*) wagon *m* fumeurs; **~ screen** *n* rideau *m* *or* écran *m* de fumée; (*fig*) paravent *m*; **smoking** ['sməʊkɪŋ] *n* tabagisme *m*; **"no smoking"** (*sign*) "défense de fumer"; **to give up smoking** arrêter de fumer; **smoky** ['sməʊkɪ] *adj* enfumé(e); (*taste*) fumé(e)
smolder ['sməʊldə*] (*US*) *vi* = **smoulder**
smooth [smuːð] *adj* lisse; (*sauce*) onctueux(euse); (*flavour, whisky*) moelleux(euse); (*movement*) régulier(ère), sans à-coups *or* heurts; (*pej*: *person*) doucereux(euse), mielleux(euse) ♦ *vt* (*also*: ~ *out*: *skirt, paper*) lisser, défroisser; (: *creases, difficulties*) faire disparaître
smother ['smʌðə*] *vt* étouffer
smoulder ['sməʊldə*] (*US* **smolder**) *vi* couver
smudge [smʌdʒ] *n* tache *f*, bavure *f* ♦ *vt* salir, maculer
smug [smʌg] *adj* suffisant(e)
smuggle ['smʌgl] *vt* passer en contrebande *or* en fraude; **~r** *n* contrebandier(ère); **smuggling** ['smʌglɪŋ] *n* contrebande *f*
smutty ['smʌtɪ] *adj* (*fig*) grossier(ère), obscène
snack [snæk] *n* casse-croûte *m inv*; **~ bar** *n* snack(-bar) *m*
snag [snæg] *n* inconvénient *m*, difficulté *f*
snail [sneɪl] *n* escargot *m*
snake [sneɪk] *n* serpent *m*
snap [snæp] *n* (*sound*) claquement *m*, bruit sec; (*photograph*) photo *f*, instantané *m* ♦ *adj* subit(e); fait(e) sans réfléchir ♦ *vt* (*break*) casser net; (*fingers*) faire claquer ♦ *vi* se casser net *or* avec un bruit sec; (*speak sharply*) parler d'un ton brusque; **to ~ shut** se refermer brusquement; **~ at** *vt fus* (*subj*: *dog*) essayer de mordre; **~ off** *vi* (*break*) casser net; **~ up** *vt* sauter sur, saisir; **~py** (*inf*) *adj* prompt(e); (*slogan*) qui a du punch; **make it ~py!** grouille-toi!, et que ça saute!; **~shot** *n* photo *f*, instantané *m*
snare [snɛə*] *n* piège *m*
snarl [snɑːl] *vi* gronder
snatch [snætʃ] *n* (*small amount*): **~es of** des fragments *mpl* *or* bribes *fpl* de ♦ *vt* saisir (*d'un geste vif*); (*steal*) voler
sneak [sniːk] (*pt* (*US*) *also* **snuck**) *vi*: **to ~ in/out** entrer/sortir furtivement *or* à la dérobée ♦ *n* (*inf, pej*: *informer*) faux jeton; **to ~ up on sb** s'approcher de qn sans faire de bruit; **~ers** ['sniːkəz] *npl* tennis *mpl* *or* baskets *mpl*
sneer [snɪə*] *vi* ricaner; **to ~ at** traiter avec mépris
sneeze [sniːz] *vi* éternuer
sniff [snɪf] *vi* renifler ♦ *vt* renifler, flairer; (*glue, drugs*) sniffer, respirer
snigger ['snɪgə*] *vi* ricaner; pouffer de rire
snip [snɪp] *n* (*cut*) petit coup; (*BRIT*: *inf*: *bargain*) (bonne) occasion *or* affaire ♦ *vt* couper
sniper ['snaɪpə*] *n* tireur embusqué
snippet ['snɪpɪt] *n* bribe(s) *f(pl)*
snivelling ['snɪvlɪŋ] *adj* larmoyant(e), pleurnicheur(euse)
snob [snɒb] *n* snob *m/f*; **~bish** *adj* snob *inv*
snooker ['snuːkə*] *n* *sorte de jeu de billard*
snoop [snuːp] *vi*: **to ~ about** fureter
snooty ['snuːtɪ] *adj* snob *inv*
snooze [snuːz] *n* petit somme ♦ *vi* faire un petit somme
snore [snɔː*] *vi* ronfler
snorkel ['snɔːkl] *n* tuba *m*
snort [snɔːt] *vi* grogner; (*horse*) renâcler
snout [snaʊt] *n* museau *m*
snow [snəʊ] *n* neige *f* ♦ *vi* neiger; **~ball** *n* boule *f* de neige; **~bound** *adj* enneigé(e), bloqué(e) par la neige; **~drift** *n* congère *f*; **~drop** *n* perce-neige *m or f*; **~fall** *n* chute *f* de neige; **~flake** *n* flocon *m* de neige; **~man** (*irreg*) *n* bonhomme *m* de neige; **~plough** (*US* **~plow**) *n* chasse-neige *m inv*; **~shoe** *n* raquette *f* (*pour la neige*); **~storm** *n* tempête *f* de neige
snub [snʌb] *vt* repousser, snober ♦ *n* rebuffade *f*; **~-nosed** *adj* au nez retroussé
snuff [snʌf] *n* tabac *m* à priser
snug [snʌg] *adj* douillet(te), confortable; (*person*) bien au chaud
snuggle ['snʌgl] *vi*: **to ~ up to sb** se serrer *or* se blottir contre qn

KEYWORD

so [səʊ] *adv* [1] (*thus, likewise*) ainsi; **if ~** si oui; **~ do** *or* **have I** moi aussi; **it's 5 o'clock - ~ it is!** il est 5 heures - en effet! *or* c'est vrai!; **I hope/think ~** je l'espère/le crois; **~ far** jusqu'ici, jusqu'à maintenant; (*in past*) jusque-là
[2] (*in comparisons etc*: *to such a degree*) si, tellement; **~ big (that)** si *or* tellement grand (que); **she's not ~ clever as her brother** elle n'est pas aussi intelligente que son frère
[3]: **~ much** *adj, adv* tant (de); **I've got ~ much work** j'ai tant de travail; **I love you ~ much** je vous aime tant; **~ many** tant (de)
[4] (*phrases*): **10 or ~** à peu près *or* environ 10; **~ long!** (*inf*: *goodbye*) au revoir!, à un de ces jours!
♦ *conj* [1] (*expressing purpose*): **~ as to do** pour *or* afin de faire; **~ (that)** pour que *or* afin que *+sub*
[2] (*expressing result*) donc, par conséquent; **~ that** si bien que, de (telle) sorte que

soak [səʊk] *vt* faire tremper; (*drench*) tremper ♦ *vi* tremper; **~ in** *vi* être absorbé(e); **~ up** *vt* absorber
soap [səʊp] *n* savon *m*; **~flakes** *npl* paillettes *fpl* de savon; **~ opera** *n* feuilleton télévisé; **~ powder** *n* lessive *f*; **~y** *adj* savonneux(euse)
soar [sɔː*] *vi* monter (en flèche), s'élancer; (*building*) s'élancer
sob [sɒb] *n* sanglot *m* ♦ *vi* sangloter
sober ['səʊbə*] *adj* qui n'est pas (*or* plus) ivre; (*serious*) sérieux(euse), sensé(e); (*colour, style*) sobre, discret(ète); **~ up** *vt* dessoûler (*inf*) ♦ *vi* dessoûler (*inf*)
so-called ['səʊ'kɔːld] *adj* soi-disant *inv*
soccer ['sɒkə*] *n* football *m*
social ['səʊʃəl] *adj* social(e); (*sociable*) sociable ♦ *n* (petite) fête; **~ club** *n* amicale *f*, foyer *m*; **~ism** *n* socialisme *m*; **~ist** *adj* socialiste ♦ *n* socialiste *m/f*; **~ize** *vi*: **to ~ize (with)** lier connaissance (avec); parler (avec); **~ security** (*BRIT*) *n* aide sociale; **~ work** *n* assistance sociale, travail social; **~ worker** *n* assistant(e) social(e)
society [sə'saɪətɪ] *n* société *f*; (*club*) société, association *f*; (*also*: *high* ~) (haute) société, grand monde
sociology [səʊsɪ'ɒlədʒɪ] *n* sociologie *f*
sock [sɒk] *n* chaussette *f*
socket ['sɒkɪt] *n* cavité *f*; (*BRIT*: *ELEC*: *also*: *wall* ~) prise *f* de courant
sod [sɒd] *n* (*of earth*) motte *f*; (*BRIT*: *inf!*) con *m* (*!*); salaud *m* (*!*)
soda ['səʊdə] *n* (*CHEM*) soude *f*; (*also*: ~ *water*) eau *f* de Seltz; (*US*: *also*: ~ *pop*) soda *m*
sodden ['sɒdn] *adj* trempé(e); détrempé(e)
sofa ['səʊfə] *n* sofa *m*, canapé *m*
soft [sɒft] *adj* (*not rough*) doux(douce); (*not hard*) doux; mou(molle); (*not loud*) doux, léger(ère); (*kind*) doux, gentil(le); **~ drink** *n* boisson non alcoolisée; **~en** ['sɒfn] *vt* (r)amollir; (*fig*) adoucir; atténuer ♦ *vi* se ramollir; s'adoucir; s'atténuer; **~ly** *adv* doucement; gentiment; **~ness** *n* douceur *f*; **~ spot** *n*: **to have a ~ spot for sb** avoir un faible pour qn; **~ware** ['sɒftwɛə*] *n* (*COMPUT*) logiciel *m*, software *m*
soggy ['sɒgɪ] *adj* trempé(e); détrempé(e)
soil [sɔɪl] *n* (*earth*) sol *m*, terre *f* ♦ *vt* salir; (*fig*) souiller
solace ['sɒləs] *n* consolation *f*
solar ['səʊlə*] *adj* solaire; **~ panel** *n* panneau *m* solaire; **~ power** *n* énergie solaire
sold [səʊld] *pt, pp of* **sell**
solder ['səʊldə*] *vt* souder (*au fil à souder*) ♦ *n* soudure *f*
soldier ['səʊldʒə*] *n* soldat *m*, militaire *m*
sole [səʊl] *n* (*of foot*) plante *f*; (*of shoe*) semelle *f*; (*fish*: *pl inv*) sole *f* ♦ *adj* seul(e), unique
solemn ['sɒləm] *adj* solennel(le); (*person*) sérieux(euse), grave
sole trader *n* (*COMM*) chef *m* d'entreprise individuelle
solicit [sə'lɪsɪt] *vt* (*request*) solliciter ♦ *vi* (*prostitute*) racoler
solicitor [sə'lɪsɪtə*] *n* (*for wills etc*) ≈ notaire *m*; (*in court*) ≈ avocat *m*
solid ['sɒlɪd] *adj* solide; (*not hollow*) plein(e), compact(e), massif(ive); (*entire*): **3 ~ hours** 3 heures entières ♦ *n* solide *m*
solidarity [sɒlɪ'dærɪtɪ] *n* solidarité *f*
solitary ['sɒlɪtərɪ] *adj* solitaire; **~ confinement** *n* (*LAW*) isolement *m*
solo ['səʊləʊ] *n* solo *m* ♦ *adv* (*fly*) en solitaire; **~ist** *n* soliste *m/f*
soluble ['sɒljʊbl] *adj* soluble
solution [sə'luːʃən] *n* solution *f*
solve [sɒlv] *vt* résoudre
solvent ['sɒlvənt] *adj* (*COMM*) solvable ♦ *n* (*CHEM*) (dis)solvant *m*

KEYWORD

some [sʌm] *adj* [1] (*a certain amount or number of*): **~ tea/water/ice cream** du thé/de l'eau/de la glace; **~ children/apples** des enfants/pommes
[2] (*certain*: *in contrasts*): **~ people say that ...** il y a des gens qui disent que ...; **~ films were excellent, but most ...** certains films étaient excellents, mais la plupart ...
[3] (*unspecified*): **~ woman was asking for you** il y avait une dame qui vous demandait; **he was asking for ~ book (or other)** il demandait un livre quelconque; **~ day** un de ces jours; **~ day next week** un jour la semaine prochaine
♦ *pron* [1] (*a certain number*) quelques-un(e)s, certain(e)s; **I've got ~** (*books etc*) j'en ai (quelques-uns); **~ (of them) have been sold** certains ont été vendus
[2] (*a certain amount*) un peu; **I've got ~** (*money, milk*) j'en ai un peu
♦ *adv*: **~ 10 people** quelque 10 personnes, 10 personnes environ

some: **~body** ['sʌmbədɪ] *pron* = **someone**; **~how** ['sʌmhaʊ] *adv* d'une façon ou d'une autre; (*for some reason*) pour une raison ou une autre; **~one** ['sʌmwʌn] *pron* quelqu'un; **~place** ['sʌmpleɪs] (*US*) *adv* = **somewhere**
somersault ['sʌməsɔːlt] *n* culbute *f*, saut périlleux ♦ *vi* faire la culbute *or* un saut périlleux; (*car*) faire un tonneau
something ['sʌmθɪŋ] *pron* quelque chose; **~ interesting** quelque chose d'intéressant
sometime ['sʌmtaɪm] *adv* (*in future*) un de ces jours, un jour ou l'autre; (*in past*): **~ last month** au cours du mois dernier
some: **~times** ['sʌmtaɪmz] *adv* quelquefois, parfois; **~what** ['sʌmwɒt] *adv* quelque peu, un peu; **~where** ['sʌmwɛə*] *adv* quelque part
son [sʌn] *n* fils *m*
song [sɒŋ] *n* chanson *f*; (*of bird*) chant *m*
son-in-law ['sʌnɪnlɔː] *n* gendre *m*, beau-fils *m*
sonny ['sʌnɪ] (*inf*) *n* fiston *m*
soon [suːn] *adv* bientôt; (*early*) tôt; **~ afterwards** peu après; *see also* **as**; **~er** *adv* (*time*) plus tôt; (*preference*): **I would ~er do** j'aimerais autant *or* je préférerais faire; **~er or later** tôt ou tard
soot [sʊt] *n* suie *f*
soothe [suːð] *vt* calmer, apaiser
sophisticated [sə'fɪstɪkeɪtɪd] *adj* raffiné(e); sophistiqué(e); (*machinery*) hautement perfectionné(e), très complexe
sophomore ['sɒfəmɔː*] (*US*) *n* étudiant(e) de seconde année
sopping ['sɒpɪŋ] *adj* (*also*: ~ *wet*) complètement trempé(e)
soppy ['sɒpɪ] (*pej*) *adj* sentimental(e)
soprano [sə'prɑːnəʊ] *n* (*singer*) soprano *m/f*
sorcerer ['sɔːsərə*] *n* sorcier *m*
sore [sɔː*] *adj* (*painful*) douloureux(euse), sensible ♦ *n* plaie *f*; **~ly** *adv* (*tempted*) fortement
sorrow ['sɒrəʊ] *n* peine *f*, chagrin *m*
sorry ['sɒrɪ] *adj* désolé(e); (*condition, excuse*) triste, déplorable; **~!** pardon!, excusez-moi!; **~?** pardon?; **to feel ~ for sb** plaindre qn
sort [sɔːt] *n* genre *m*, espèce *f*, sorte *f* ♦ *vt* (*also*: ~ *out*) trier; classer; ranger; (: *problems*) résoudre, régler; **~ing office** *n* bureau *m* de tri
SOS *n abbr* (= *save our souls*) S.O.S. *m*
so-so ['səʊ'səʊ] *adv* comme ci comme ça

sought [sɔːt] *pt, pp of* **seek**

soul [səul] *n* âme *f*; **~-destroying** *adj* démoralisant(e); **~ful** *adj* sentimental(e); (*eyes*) expressif(ive)

sound [saund] *adj* (*healthy*) en bonne santé, sain(e); (*safe, not damaged*) solide, en bon état; (*reliable, not superficial*) sérieux(euse), solide; (*sensible*) sensé(e) ♦ *adv*: **~ asleep** profondément endormi(e) ♦ *n* son *m*; bruit *m*; (*GEO*) détroit *m*, bras *m* de mer ♦ *vt* (*alarm*) sonner ♦ *vi* sonner, retentir; (*fig: seem*) sembler (être); **to ~ like** ressembler à; **~ out** *vt* sonder; **~ barrier** *n* mur *m* du son; **~ effects** *npl* bruitage *m*; **~ly** *adv* (*sleep*) profondément; (*beat*) complètement, à plate couture; **~proof** *adj* insonorisé(e); **~track** *n* (*of film*) bande *f* sonore

soup [suːp] *n* soupe *f*, potage *m*; **in the ~** (*fig*) dans le pétrin; **~ plate** *n* assiette creuse *or* à soupe; **~spoon** *n* cuiller *f* à soupe

sour ['sauə*] *adj* aigre; **it's ~ grapes** (*fig*) c'est du dépit

source [sɔːs] *n* source *f*

south [sauθ] *n* sud *m* ♦ *adj* sud *inv*, du sud ♦ *adv* au sud, vers le sud; **S~ Africa** *n* Afrique *f* du Sud; **S~ African** *adj* sud-africain(e) ♦ *n* Sud-Africain(e); **S~ America** *n* Amérique *f* du Sud; **S~ American** *adj* sud-américain(e) ♦ *n* Sud-Américain(e); **~-east** *n* sud-est *m*; **~erly** ['sʌðəlɪ] *adj* du sud; au sud; **~ern** ['sʌðən] *adj* (du) sud; méridional(e); **S~ Pole** *n* Pôle *m* Sud; **~ward(s)** *adv* vers le sud; **~-west** *n* sud-ouest *m*

souvenir [suːvə'nɪə*] *n* (*objet*) souvenir *m*

sovereign ['sɒvrɪn] *n* souverain(e)

soviet ['səuvɪət] *adj* soviétique; **the S~ Union** l'Union *f* soviétique

sow[1] [sau] *n* truie *f*

sow[2] [səu] (*pt* **~ed**, *pp* **sown**) *vt* semer; **~n** [səun] *pp of* **sow**[2]

soya ['sɔɪə] (*US* **soy**) *n*: **~ bean** graine *f* de soja; **~ sauce** sauce *f* de soja

spa [spɑː] *n* (*town*) station thermale; (*US: also: health ~*) établissement *m* de cure de rajeunissement *etc*

space [speɪs] *n* espace *m*; (*room*) place *f*; espace; (*length of time*) laps *m* de temps ♦ *cpd* spatial(e) ♦ *vt* (*also:* **~ out**) espacer; **~craft** *n* engin spatial; **~man** (*irreg*) *n* astronaute *m*, cosmonaute *m*; **~ship** *n* = **spacecraft**; **~woman** (*irreg*) *n* astronaute *f*, cosmonaute *f*; **spacing** *n* espacement *m*

spade [speɪd] *n* (*tool*) bêche *f*, pelle *f*; (*child's*) pelle; **~s** *npl* (*CARDS*) pique *m*

Spain [speɪn] *n* Espagne *f*

span [spæn] *n* (*of bird, plane*) envergure *f*; (*of arch*) portée *f*; (*in time*) espace *m* de temps, durée *f* ♦ *vt* enjamber, franchir; (*fig*) couvrir, embrasser

Spaniard ['spænjəd] *n* Espagnol(e)

spaniel ['spænjəl] *n* épagneul *m*

Spanish ['spænɪʃ] *adj* espagnol(e) ♦ *n* (*LING*) espagnol *m*; **the ~** *npl* les Espagnols *mpl*

spank [spæŋk] *vt* donner une fessée à

spanner ['spænə*] (*BRIT*) *n* clé *f* (de mécanicien)

spar [spɑː*] *n* espar *m* ♦ *vi* (*BOXING*) s'entraîner

spare [speə*] *adj* de réserve, de rechange; (*surplus*) de *or* en trop, de reste ♦ *n* (*part*) pièce *f* de rechange, pièce détachée ♦ *vt* (*do without*) se passer de; (*afford to give*) donner, accorder; (*refrain from hurting*) épargner; **to ~** (*surplus*) en surplus, de trop; **~ part** *n* pièce *f* de rechange, pièce détachée; **~ time** *n* moments *mpl* de loisir, temps *m* libre; **~ wheel** *n* (*AUT*) roue *f* de secours; **sparing** ['speərɪŋ] *adj*: **to be sparing with** ménager; **sparingly** *adv* avec modération

spark [spɑːk] *n* étincelle *f*; **~(ing) plug** *n* bougie *f*

sparkle ['spɑːkl] *n* scintillement *m*, éclat *m* ♦ *vi* étinceler, scintiller; **sparkling** ['spɑːklɪŋ] *adj* (*wine*) mousseux(euse), pétillant(e); (*water*) pétillant(e); (*fig: conversation, performance*) étincelant(e), pétillant(e)

sparrow ['spærəu] *n* moineau *m*

sparse [spɑːs] *adj* clairsemé(e)

spartan ['spɑːtən] *adj* (*fig*) spartiate

spasm ['spæzəm] *n* (*MED*) spasme *m*; **~odic** [spæz'mɒdɪk] *adj* (*fig*) intermittent(e)

spastic ['spæstɪk] *n* handicapé(e) moteur

spat [spæt] *pt, pp of* **spit**

spate [speɪt] *n* (*fig*): **a ~ of** une avalanche *or* un torrent de

spatter ['spætə*] *vt* éclabousser

spawn [spɔːn] *vi* frayer ♦ *n* frai *m*

speak [spiːk] (*pt* **spoke**, *pp* **spoken**) *vt* parler; (*truth*) dire ♦ *vi* parler; (*make a speech*) prendre la parole; **to ~ to sb/of** *or* **about sth** parler à qn/de qch; **~ up!** parle plus fort!; **~er** *n* (*in public*) orateur *m*; (*also: loud~er*) haut-parleur *m*; **the S~er** (*BRIT POL*) *le président de la chambre des Communes*; (*US POL*) *le président de la chambre des Représentants*

spear [spɪə*] *n* lance *f* ♦ *vt* transpercer; **~head** *vt* (*attack etc*) mener

spec [spek] (*inf*) *n*: **on ~** à tout hasard

special ['speʃəl] *adj* spécial(e); **~ist** *n* spécialiste *m/f*; **~ity** *n* spécialité *f*; **~ize** *vi*: **to ~ize (in)** se spécialiser (dans); **~ly** *adv* spécialement, particulièrement; **~ty** (*esp US*) *n* = **speciality**

species ['spiːʃiːz] *n inv* espèce *f*

specific [spə'sɪfɪk] *adj* précis(e); particulier(ère); (*BOT, CHEM etc*) spécifique; **~ally** *adv* expressément, explicitement; **~ation** *n* (*TECH*) spécification *f*; (*requirement*) stipulation *f*

specimen ['spesɪmɪn] *n* spécimen *m*, échantillon *m*; (*of blood*) prélèvement *m*

speck [spek] *n* petite tache, petit point; (*particle*) grain *m*; **~led** ['spekld] *adj* tacheté(e), moucheté(e)

specs [speks] (*inf*) *npl* lunettes *fpl*

spectacle ['spektəkl] *n* spectacle *m*; **~s** *npl* (*glasses*) lunettes *fpl*; **spectacular** [spek'tækjulə*] *adj* spectaculaire

spectator [spek'teɪtə*] *n* spectateur(trice)

spectrum ['spektrəm] (*pl* **spectra**) *n* spectre *m*

speculation [spekju'leɪʃən] *n* spéculation *f*

speech [spiːtʃ] *n* (*faculty*) parole *f*; (*talk*) discours *m*, allocution *f*; (*manner of speaking*) façon *f* de parler, langage *m*; (*enunciation*) élocution *f*; **~less** *adj* muet(te)

speed [spiːd] *n* vitesse *f*; (*promptness*) rapidité *f* ♦ *vi*: **to ~ along/past** *etc* aller/passer *etc* à toute vitesse; **at full** *or* **top ~** à toute vitesse *or* allure; **~ up** *vi* aller plus vite, accélérer ♦ *vt* accélérer; **~boat** *n* vedette *f*, hors-bord *m inv*; **~ily** *adv* rapidement, promptement; **~ing** *n* (*AUT*) excès *m* de vitesse; **~ limit** *n* limitation *f* de vitesse, vitesse maximale permise; **~ometer** [spɪ'dɒmɪtə*] *n* compteur *m* (de vitesse); **~way** *n* (*SPORT: also: ~way racing*) épreuve(s) *f(pl)* de vitesse de motos; **~y** *adj* rapide, prompt(e)

spell [spel] (*pt, pp* **spelt** (*BRIT*) *or* **~ed**) *n* (*also: magic ~*) sortilège *m*, charme *m*; (*period of time*) (courte) période ♦ *vt* (*in writing*) écrire, orthographier; (*aloud*) épeler; (*fig*) signifier; **to cast a ~ on sb** jeter un sort à qn; **he can't ~** il fait des fautes d'orthographe; **~bound** *adj* envoûté(e), subjugué(e); **~ing** *n* orthographe *f*

spend [spend] (*pt, pp* **spent**) *vt* (*money*) dépenser; (*time, life*) passer; consacrer; **~thrift** *n* dépensier(ère)

sperm [spɜːm] *n* sperme *m*

spew [spjuː] *vt* (*also:* **~ out**) vomir

sphere [sfɪə*] *n* sphère *f*

spice [spaɪs] *n* épice *f*

spick-and-span ['spɪkən'spæn] *adj* impeccable

spicy ['spaɪsɪ] *adj* épicé(e), relevé(e); (*fig*) piquant(e)

spider ['spaɪdə*] *n* araignée *f*

spike [spaɪk] *n* pointe *f*; (*BOT*) épi *m*

spill [spɪl] (*pt, pp* **spilt** *or* **~ed**) *vt* renverser; répandre ♦ *vi* se répandre; **~ over** *vi* déborder

spin [spɪn] (*pt* **spun** *or* **span**, *pp* **spun**) *n* (*revolution of wheel*) tour *m*; (*AVIAT*) (chute *f* en) vrille *f*; (*trip in car*) petit tour, balade *f* ♦ *vt* (*wool etc*) filer; (*wheel*) faire tourner ♦ *vi* filer; (*turn*) tourner, tournoyer; **~ out** *vt* faire durer

spinach ['spɪnɪtʃ] *n* épinard *m*; (*as food*) épinards

spinal ['spaɪnl] *adj* vertébral(e), spinal(e); **~ cord** *n* moelle épinière

spindly ['spɪndlɪ] *adj* grêle, filiforme

spin-dryer ['spɪn'draɪə*] (*BRIT*) *n* essoreuse *f*

spine [spaɪn] *n* colonne vertébrale; (*thorn*) épine *f*; **~less** *adj* (*fig*) mou(molle)

spinning ['spɪnɪŋ] *n* (*of thread*) filature *f*; **~ top** *n* toupie *f*; **~ wheel** *n* rouet *m*

spin-off ['spɪnɒf] *n* avantage inattendu; sous-produit *m*

spinster ['spɪnstə*] *n* célibataire *f*; vieille fille (*péj*)

spiral ['spaɪərl] *n* spirale *f* ♦ *vi* (*fig*) monter en flèche; **~ staircase** *n* escalier *m* en colimaçon

spire ['spaɪə*] *n* flèche *f*, aiguille *f*

spirit ['spɪrɪt] *n* esprit *m*; (*mood*) état *m* d'esprit; (*courage*) courage *m*, énergie *f*; **~s** *npl* (*drink*) spiritueux *mpl*, alcool *m*; **in good ~s** de bonne humeur; **~ed** *adj* vif(vive), fougueux(euse), plein(e) d'allant; **~ual** ['spɪrɪtjuəl] *adj* spirituel(le); (*religious*) religieux(euse)

spit [spɪt] (*pt, pp* **spat**) *n* (*for roasting*) broche *f*; (*saliva*) salive *f* ♦ *vi* cracher; (*sound*) crépiter

spite [spaɪt] *n* rancune *f*, dépit *m* ♦ *vt* contrarier, vexer; **in ~ of** en dépit de, malgré; **~ful** *adj* méchant(e), malveillant(e)

spittle ['spɪtl] *n* salive *f*; (*of animal*) bave *f*; (*spat out*) crachat *m*

splash [splæʃ] *n* (*sound*) plouf *m*; (*of colour*) tache *f* ♦ *vt* éclabousser ♦ *vi* (*also:* **~ about**) barboter, patauger

spleen [spliːn] *n* (*ANAT*) rate *f*

splendid ['splendɪd] *adj* splendide, superbe, magnifique

splint [splɪnt] *n* attelle *f*, éclisse *f*

splinter ['splɪntə*] *n* (*wood*) écharde *f*; (*glass*) éclat *m* ♦ *vi* se briser, se fendre

split [splɪt] (*pt, pp* **split**) *n* fente *f*, déchirure *f*; (*fig: POL*) scission *f* ♦ *vt* diviser; (*work, profits*) partager, répartir ♦ *vi* (*divide*) se diviser; **~ up** *vi* (*couple*) se séparer, rompre; (*meeting*) se disperser

splutter ['splʌtə*] *vi* bafouiller; (*spit*) postillonner

spoil [spɔɪl] (*pt, pp* **spoilt** *or* **~ed**) *vt* (*damage*) abîmer; (*mar*) gâcher; (*child*) gâter; **~s** *npl* butin *m*; (*fig: profits*) bénéfices *npl*; **~sport** *n* trouble-fête *m*, rabat-joie *m*

spoke [spəuk] *pt* **speak** ♦ *n* (*of wheel*) rayon *m*; **~n** ['spəukn] *pp of* **speak**; **~sman** ['spəuksmən] (*irreg*) *n* porte-parole *m inv*; **~swoman** ['spəukswumən] (*irreg*) *n* porte-parole *m inv*

sponge [spʌndʒ] *n* éponge *f*; (*also:* **~ cake**) ≈ biscuit *m* de Savoie ♦ *vt* éponger ♦ *vi*: **to ~ off** *or* **on** vivre aux crochets de; **~ bag** (*BRIT*) *n* trousse *f* de toilette

sponsor ['spɒnsə*] *n* (*RADIO, TV, SPORT*) sponsor *m*; (*for application*) parrain *m*, marraine *f*; (*BRIT: for fund-raising event*) donateur(trice) ♦ *vt* sponsoriser; parrainer; faire un don à; **~ship** *n* sponsoring *m*; parrainage *m*; dons *mpl*

spontaneous [spɒn'teɪnɪəs] *adj* spontané(e)

spooky ['spuːkɪ] (*inf*) *adj* qui donne la chair de poule

spool [spuːl] *n* bobine *f*

spoon [spuːn] *n* cuiller *f*; **~-feed** *vt* nourrir à la cuiller; (*fig*) mâcher le travail à; **~ful** *n* cuillerée *f*

sport [spɔːt] *n* sport *m*; (*person*) chic type(fille) ♦ *vt* arborer; **~ing** *adj* sportif(ive); **to give sb a ~ing chance** donner sa chance à qn; **~ jacket** (*US*) *n* = **sports jacket**; **~s car** *n* voiture *f* de sport; **~s jacket** (*BRIT*) *n* veste *f* de sport; **~sman** (*irreg*) *n* sportif *m*; **~smanship** *n* esprit sportif, sportivité *f*; **~swear** *n* vêtements *mpl* de sport; **~swoman** (*irreg*) *n* sportive *f*; **~y** *adj* sportif(ive)

spot [spɒt] *n* tache *f*; (*dot: on pattern*) pois *m*; (*pimple*) bouton *m*; (*place*) endroit *m*, coin *m*; (*RADIO, TV: in programme: for person*) numéro *m*; (*: for activity*) rubrique *f*; (*small amount*): **a ~ of** un peu de ♦ *vt* (*notice*) apercevoir, repérer; **on the ~** sur place, sur les lieux; (*immediately*) sur-le-champ; (*in difficulty*) dans l'embarras; **~ check** *n* sondage *m*, vérification ponctuelle; **~less** *adj* immaculé(e); **~light** *n* projecteur *m*; **~ted** *adj* (*fabric*) à pois; **~ty** *adj* (*face, person*) boutonneux(euse)

spouse [spauz] *n* époux(épouse)

spout [spaut] *n* (*of jug*) bec *m*; (*of pipe*) orifice *m* ♦ *vi* jaillir

sprain [spreɪn] *n* entorse *f*, foulure *f* ♦ *vt*: **to ~ one's ankle** *etc* se fouler *or* se tordre la cheville *etc*

sprang [spræŋ] *pt of* **spring**

sprawl [sprɔːl] *vi* s'étaler

spray [spreɪ] *n* jet *m* (en fines gouttelettes); (*from sea*) embruns *mpl*; (*container*) vaporisateur *m*; (*for garden*) pulvérisateur *m*; (*aerosol*) bombe *f*; (*of flowers*) petit bouquet ♦ *vt* vaporiser, pulvériser; (*crops*) traiter

spread [spred] (*pt, pp* **spread**) *n* (*distribution*) répartition *f*; (*CULIN*) pâte *f* à tartiner; (*inf: meal*) festin *m* ♦ *vt* étendre, étaler; répandre; (*wealth, workload*) distribuer ♦ *vi* (*disease, news*) se propager; (*also:* **~ out**: *stain*) s'étaler; **~ out** *vi* (*people*) se disperser; **~-eagled** ['sprediːgld] *adj* étendu(e) bras et jambes écartés; **~sheet** *n* (*COMPUT*) tableur *m*

spree [spriː] *n*: **to go on a ~** faire la fête

sprightly ['spraɪtlɪ] *adj* alerte

spring [sprɪŋ] (*pt* **sprang**, *pp* **sprung**) *n* (*leap*) bond *m*, saut *m*; (*coiled metal*) ressort *m*; (*season*) printemps *m*; (*of water*) source *f* ♦ *vi* (*leap*) bondir, sauter; **in ~** au printemps; **to ~ from** provenir de; **~ up** *vi* (*problem*) se présenter, surgir; (*plant, buildings*) surgir de terre; **~board** *n* tremplin *m*; **~-clean(ing)** *n* grand nettoyage de printemps; **~time** *n* printemps *m*

sprinkle ['sprɪŋkl] *vt*: **to ~ water** *etc* **on**, **~ with water** *etc* asperger d'eau *etc*; **to ~ sugar** *etc* **on**, **~ with sugar** *etc* saupoudrer de sucre *etc*; **~r** ['sprɪŋklə*] *n* (*for lawn*) arroseur *m*; (*to put out fire*) diffuseur *m* d'extincteur automatique d'incendie

sprint [sprɪnt] *n* sprint *m* ♦ *vi* courir à toute vitesse; (*SPORT*) sprinter

sprout [spraut] *vi* germer, pousser; **~s** *npl* (*also: Brussels ~s*) choux *mpl* de Bruxelles

spruce [spruːs] *n inv* épicéa *m* ♦ *adj* net(te), pimpant(e)

sprung [sprʌŋ] *pp of* **spring**

spry [spraɪ] *adj* alerte, vif(vive)

spun [spʌn] *pt, pp of* **spin**

spur [spɜː*] *n* éperon *m*; (*fig*) aiguillon *m* ♦ *vt* (*also:* **~ on**) éperonner; aiguillonner; **on the ~ of the moment** sous l'impulsion du moment

spurious ['spjuərɪəs] *adj* faux(fausse)

spurn [spɜːn] *vt* repousser avec mépris

spurt [spɜːt] *n* (*of blood*) jaillissement *m*; (*of energy*) regain *m*, sursaut *m* ♦ *vi* jaillir, gicler

spy [spaɪ] *n* espion(ne) ♦ *vi*: **to ~ on** espionner, épier; (*see*) apercevoir; **~ing** *n* espionnage *m*

sq. *abbr* = **square**

squabble ['skwɒbl] *vi* se chamailler

squad [skwɒd] *n* (*MIL, POLICE*) escouade *f*, groupe *m*; (*FOOTBALL*) contingent *m*

squadron ['skwɒdrən] *n* (*MIL*) escadron *m*; (*AVIAT, NAUT*) escadrille *f*

squalid ['skwɒlɪd] *adj* sordide

squall [skwɔːl] *n* rafale *f*, bourrasque *f*

squalor ['skwɒlə*] *n* conditions *fpl* sordides

squander ['skwɒndə*] *vt* gaspiller, dilapider

square [skweə*] *n* carré *m*; (*in town*) place *f* ♦ *adj* carré(e); (*inf: ideas, tastes*) vieux jeu *inv* ♦ *vt* (*arrange*) régler; arranger; (*MATH*) élever au carré ♦ *vi* (*reconcile*) concilier; **all ~** quitte; à égalité; **a ~ meal** un repas convenable; **2 metres ~** (de) 2 mètres sur 2; **2 ~ metres** 2 mètres carrés; **~ly** *adv* carrément

squash [skwɒʃ] *n* (*BRIT: drink*): **lemon/orange ~** citronnade *f*/orangeade *f*; (*US: marrow*) courge *f*; (*SPORT*) squash *m* ♦ *vt* écraser

squat [skwɒt] *adj* petit(e) et épais(se), ramassé(e) ♦ *vi* (*also:* **~ down**) s'accroupir; **~ter** *n* squatter *m*

squawk [skwɔːk] *vi* pousser un *or* des gloussement(s)

squeak [skwiːk] *vi* grincer, crier; (*mouse*) pousser un petit cri

squeal [skwiːl] *vi* pousser un *or* des cri(s) aigu(s) *or* perçant(s); (*brakes*) grincer

squeamish ['skwiːmɪʃ] *adj* facilement dégoûté(e)

squeeze [skwiːz] *n* pression *f*; (*ECON*) restrictions *fpl* de crédit ♦ *vt* presser; (*hand, arm*) serrer; **~ out** *vt* exprimer

squelch [skweltʃ] *vi* faire un bruit de succion

squid [skwɪd] *n* calmar *m*

squiggle ['skwɪgl] *n* gribouillis *m*

squint [skwɪnt] *vi* loucher ♦ *n*: **he has a ~** il louche, il souffre de strabisme

squirm [skwɜːm] *vi* se tortiller

squirrel ['skwɪrəl] *n* écureuil *m*

squirt [skwɜːt] *vi* jaillir, gicler

Sr *abbr* = **senior**

St *abbr* = **saint**; **street**

stab [stæb] *n* (*with knife etc*) coup *m* (de couteau *etc*); (*of pain*) lancée *f*; (*inf: try*): **to have a ~ at (doing) sth** s'essayer à (faire) qch ♦ *vt* poignarder

stable ['steɪbl] *n* écurie *f* ♦ *adj* stable

stack [stæk] *n* tas *m*, pile *f* ♦ *vt* (*also:* **~ up**) empiler, entasser

stadium ['steɪdɪəm] (*pl* **stadia** *or* **~s**) *n* stade *m*

staff [stɑːf] *n* (*workforce*) personnel *m*; (*BRIT: SCOL*) professeurs *mpl* ♦ *vt* pourvoir en personnel

stag [stæg] *n* cerf *m*

stage [steɪdʒ] *n* scène *f*; (*platform*) estrade *f* ♦ *n* (*profession*): **the ~** le théâtre; (*point*) étape *f*, stade *m* ♦ *vt* (*play*) monter, mettre en scène; (*demonstration*) organiser; **in ~s** par étapes, par degrés; **~coach** *n* diligence *f*; **~ manager** *n* régisseur *m*

stagger ['stægə*] *vi* chanceler, tituber ♦ *vt* (*person: amaze*) stupéfier; (*hours, holidays*) étaler, échelonner; **~ing** *adj* (*amazing*) stupéfiant(e), renversant(e)

stagnate [stæg'neɪt] *vi* stagner, croupir

stag party *n* enterrement *m* de vie de garçon

staid [steɪd] *adj* posé(e), rassis(e)

stain [steɪn] *n* tache *f*; (*colouring*) colorant *m* ♦ *vt* tacher; (*wood*) teindre; **~ed glass window** *n* vitrail *m*; **~less steel** *n* acier *m* inoxydable, inox *m*; **~ remover** *n* détachant *m*

stair [steə*] *n* (*step*) marche *f*; **~s** *npl* (*flight of steps*) escalier *m*; **~case** *n* escalier *m*; **~way** *n* = **staircase**

stake [steɪk] *n* pieu *m*, poteau *m*; (*BETTING*) enjeu *m*; (*COMM: interest*) intérêts *mpl* ♦ *vt* risquer, jouer; **to be at ~** être en jeu; **to ~ one's claim (to)** revendiquer

stale [steɪl] *adj* (*bread*) rassis(e); (*food*) pas frais(fraîche); (*beer*) éventé(e); (*smell*) de renfermé; (*air*) confiné(e)

stalemate ['steɪlmeɪt] *n* (*CHESS*) pat *m*;

(*fig*) impasse *f*

stalk [stɔːk] *n* tige *f* ◆ *vt* traquer ◆ *vi*: **to ~ out/off** sortir/partir d'un air digne

stall [stɔːl] *n* (*BRIT*: *in street, market etc*) éventaire *m*, étal *m*; (*in stable*) stalle *f* ◆ *vt* (*AUT*) caler; (*delay*) retarder ◆ *vi* (*AUT*) caler; (*fig*) essayer de gagner du temps; **~s** *npl* (*BRIT*: *in cinema, theatre*) orchestre *m*

stallion ['stæljən] *n* étalon *m* (*cheval*)

stalwart ['stɔːlwət] *adj* dévoué(e); fidèle

stamina ['stæmɪnə] *n* résistance *f*, endurance *f*

stammer ['stæmə*] *n* bégaiement *m* ◆ *vi* bégayer

stamp [stæmp] *n* timbre *m*; (*rubber ~*) tampon *m*; (*mark, also fig*) empreinte *f* ◆ *vi* (*also*: *~ one's foot*) taper du pied ◆ *vt* (*letter*) timbrer; (*with rubber ~*) tamponner; **~ album** *n* album *m* de timbres(-poste); **~ collecting** *n* philatélie *f*

stampede [stæm'piːd] *n* ruée *f*

stance [stæns] *n* position *f*

stand [stænd] (*pt, pp* **stood**) *n* (*position*) position *f*; (*for taxis*) station *f* (de taxis); (*music ~*) pupitre *m* à musique; (*COMM*) étalage *m*, stand *m*; (*SPORT*) tribune *f* ◆ *vi* être *or* se tenir (debout); (*rise*) se lever, se mettre debout; (*be placed*) se trouver; (*remain*: *offer etc*) rester valable; (*BRIT*: *in election*) être candidat(e), se présenter ◆ *vt* (*place*) mettre, poser; (*tolerate, withstand*) supporter; (*treat, invite to*) offrir (*treat, invite*), payer; **to make** *or* **take a ~** prendre position; **to ~ at** (*score, value etc*) être de; **to ~ for parliament** (*BRIT*) se présenter aux élections législatives; **~ by** *vi* (*be ready*) se tenir prêt(e) ◆ *vt fus* (*opinion*) s'en tenir à; (*person*) ne pas abandonner, soutenir; **~ down** *vi* (*withdraw*) se retirer; **~ for** *vt fus* (*signify*) représenter, signifier; (*tolerate*) supporter, tolérer; **~ in for** *vt fus* remplacer; **~ out** *vi* (*be prominent*) ressortir; **~ up** *vi* (*rise*) se lever, se mettre debout; **~ up for** *vt fus* défendre; **~ up to** *vt fus* tenir tête à, résister à

standard ['stændəd] *n* (*level*) niveau (voulu); (*norm*) norme *f*, étalon *m*; (*criterion*) critère *m*; (*flag*) étendard *m* ◆ *adj* (*size etc*) ordinaire, normal(e); courant(e); (*text*) de base; **~s** *npl* (*morals*) morale *f*, principes *mpl*; **~ lamp** (*BRIT*) *n* lampadaire *m*; **~ of living** *n* niveau *m* de vie

stand-by ['stændbaɪ] *n* remplaçant(e); **to be on ~** se tenir prêt(e) (à intervenir); être de garde; **~ ticket** *n* (*AVIAT*) billet *m* stand-by

stand-in ['stændɪn] *n* remplaçant(e)

standing ['stændɪŋ] *adj* debout *inv*; (*permanent*) permanent(e) ◆ *n* réputation *f*, rang *m*, standing *m*; **of many years' ~** qui dure *or* existe depuis longtemps; **~ joke** *n* vieux sujet de plaisanterie; **~ order** (*BRIT*) *n* (*at bank*) virement *m* automatique, prélèvement *m* bancaire; **~ room** *n* places *fpl* debout

standoffish [-'ɒfɪʃ] *adj* distant(e), froid(e)

standpoint ['stændpɔɪnt] *n* point *m* de vue

standstill ['stændstɪl] *n*: **at a ~** paralysé(e); **to come to a ~** s'immobiliser, s'arrêter

stank [stæŋk] *pt of* **stink**

staple ['steɪpl] *n* (*for papers*) agrafe *f* ◆ *adj* (*food etc*) de base ◆ *vt* agrafer; **~r** *n* agrafeuse *f*

star [stɑː*] *n* étoile *f*; (*celebrity*) vedette *f* ◆ *vi*: **to ~ (in)** être la vedette (de) ◆ *vt* (*CINEMA etc*) avoir pour vedette; **the ~s** *npl* l'horoscope *m*

starboard ['stɑːbəd] *n* tribord *m*

starch [stɑːtʃ] *n* amidon *m*; (*in food*) fécule *f*

stardom ['stɑːdəm] *n* célébrité *f*

stare [steə*] *n* regard *m* fixe ◆ *vi*: **to ~ at** regarder fixement

starfish ['stɑːfɪʃ] *n* étoile *f* de mer

stark [stɑːk] *adj* (*bleak*) désolé(e), morne ◆ *adv*: **~ naked** complètement nu(e)

starling ['stɑːlɪŋ] *n* étourneau *m*

starry ['stɑːrɪ] *adj* étoilé(e); **~-eyed** *adj* (*innocent*) ingénu(e)

start [stɑːt] *n* commencement *m*, début *m*; (*of race*) départ *m*; (*sudden movement*) sursaut *m*; (*advantage*) avance *f*, avantage *m* ◆ *vt* commencer; (*found*) créer; (*engine*) mettre en marche ◆ *vi* partir, se mettre en route; (*jump*) sursauter; **to ~ doing** *or* **to do sth** se mettre à faire qch; **~ off** *vi* commencer; (*leave*) partir; **~ up** *vi* commencer; (*car*) démarrer ◆ *vt* (*business*) créer; (*car*) mettre en marche; **~er** *n* (*AUT*) démarreur *m*; (*SPORT*: *official*) starter *m*; (*BRIT*: *CULIN*) entrée *f*; **~ing point** *n* point *m* de départ

startle ['stɑːtl] *vt* faire sursauter; donner un choc à; **startling** *adj* (*news*) surprenant(e)

starvation [stɑː'veɪʃən] *n* faim *f*, famine *f*; **starve** [stɑːv] *vi* mourir de faim; être affamé(e) ◆ *vt* affamer

state [steɪt] *n* état *m*; (*POL*) État ◆ *vt* déclarer, affirmer; **the S~s** *npl* (*America*) les États-Unis *mpl*; **to be in a ~** être dans tous ses états; **~ly** *adj* majestueux(euse), imposant(e); **~ment** *n* déclaration *f*; **~sman** (*irreg*) *n* homme *m* d'État

static ['stætɪk] *n* (*RADIO, TV*) parasites *mpl* ◆ *adj* statique

station ['steɪʃən] *n* gare *f*; (*police ~*) poste *m* de police ◆ *vt* placer, poster

stationary ['steɪʃənərɪ] *adj* à l'arrêt, immobile

stationer ['steɪʃənə*] *n* papetier(ère); **~'s (shop)** *n* papeterie *f*; **~y** *n* papier *m* à lettres, petit matériel de bureau

stationmaster ['steɪʃənmɑːstə*] *n* (*RAIL*) chef *m* de gare

station wagon (*US*) *n* break *m*

statistic [stə'tɪstɪk] *n* statistique *f*; **~s** *n* (*science*) statistique *f*

statue ['stætjuː] *n* statue *f*

status ['steɪtəs] *n* position *f*, situation *f*; (*official*) statut *m*; (*prestige*) prestige *m*; **~ symbol** *n* signe extérieur de richesse

statute ['stætjuːt] *n* loi *f*, statut *m*; **statutory** *adj* statutaire, prévu(e) par un article de loi

staunch [stɔːntʃ] *adj* sûr(e), loyal(e)

stave off [steɪv] *vt* (*attack*) parer; (*threat*) conjurer

stay [steɪ] *n* (*period of time*) séjour *m* ◆ *vi* rester; (*reside*) loger; (*spend some time*) séjourner; **to ~ put** ne pas bouger; **to ~ with friends** loger chez des amis; **to ~ the night** passer la nuit; **~ behind** *vi* rester en arrière; **~ in** *vi* (*at home*) rester à la maison; **~ on** *vi* rester; **~ out** *vi* (*of house*) ne pas rentrer; **~ up** *vi* (*at night*) ne pas se coucher; **~ing power** *n* endurance *f*

stead [sted] *n*: **in sb's ~** à la place de qn; **to stand sb in good ~** être très utile à qn

steadfast ['stedfəst] *adj* ferme, résolu(e)

steadily ['stedɪlɪ] *adv* (*regularly*) progressivement; (*firmly*) fermement; (: *walk*) d'un pas ferme; (*fixedly*: *look*) sans détourner les yeux

steady ['stedɪ] *adj* stable, solide, ferme; (*regular*) constant(e), régulier(ère); (*person*) calme, pondéré(e) ◆ *vt* stabiliser; (*nerves*) calmer; **a ~ boyfriend** un petit ami

steak [steɪk] *n* (*beef*) bifteck *m*, steak *m*; (*fish, pork*) tranche *f*

steal [stiːl] (*pt* **stole**, *pp* **stolen**) *vt* voler ◆ *vi* voler; (*move secretly*) se faufiler, se déplacer furtivement

stealth [stelθ] *n*: **by ~** furtivement

steam [stiːm] *n* vapeur *f* ◆ *vt* (*CULIN*) cuire à la vapeur ◆ *vi* fumer; **~ engine** *n* locomotive *f* à vapeur; **~er** *n* (bateau *m* à) vapeur *m*; **~ship** *n* = **steamer**; **~y** *adj* embué(e), humide

steel [stiːl] *n* acier *m* ◆ *adj* d'acier; **~works** *n* aciérie *f*

steep [stiːp] *adj* raide, escarpé(e); (*price*) excessif(ive)

steeple ['stiːpl] *n* clocher *m*

steer [stɪə*] *vt* diriger; (*boat*) gouverner; (*person*) guider, conduire ◆ *vi* tenir le gouvernail; **~ing** *n* (*AUT*) conduite *f*; **~ing wheel** *n* volant *m*

stem [stem] *n* (*of plant*) tige *f*; (*of glass*) pied *m* ◆ *vt* contenir, arrêter, juguler; **~ from** *vt fus* provenir de, découler de

stench [stentʃ] *n* puanteur *f*

stencil ['stensl] *n* stencil *m*; (*pattern used*) pochoir *m* ◆ *vt* polycopier

stenographer [ste'nɒgrəfə*] (*US*) *n* sténographe *m/f*

step [step] *n* pas *m*; (*stair*) marche *f*; (*action*) mesure *f*, disposition *f* ◆ *vi*: **to ~ forward/back** faire un pas en avant/arrière, avancer/reculer; **~s** *npl* (*BRIT*) = **stepladder**; **to be in/out of ~ (with)** (*fig*) aller dans le sens (de)/être déphasé(e) (par rapport à); **~ down** *vi* (*fig*) se retirer, se désister; **~ up** *vt* augmenter; intensifier; **~brother** *n* demi-frère *m*; **~daughter** *n* belle-fille *f*; **~father** *n* beau-père *m*; **~ladder** (*BRIT*) *n* escabeau *m*; **~mother** *n* belle-mère *f*; **~ping stone** *n* pierre *f* de gué; (*fig*) tremplin *m*; **~sister** *n* demi-sœur *f*; **~son** *n* beau-fils *m*

stereo ['sterɪəʊ] *n* (*sound*) stéréo *f*; (*hi-fi*) chaîne *f* stéréo *inv* ◆ *adj* (*also*: **~phonic**) stéréo(phonique)

sterile ['steraɪl] *adj* stérile; **sterilize** ['sterɪlaɪz] *vt* stériliser

sterling ['stɜːlɪŋ] *adj* (*silver*) de bon aloi, fin(e) ◆ *n* (*ECON*) livres *fpl* sterling *inv*; **a pound ~** une livre sterling

stern [stɜːn] *adj* sévère ◆ *n* (*NAUT*) arrière *m*, poupe *f*

stew [stjuː] *n* ragoût *m* ◆ *vt, vi* cuire (à la casserole)

steward ['stjuːəd] *n* (*on ship, plane, train*) steward *m*; **~ess** *n* hôtesse *f* (de l'air)

stick [stɪk] (*pt, pp* **stuck**) *n* bâton *m*; (*walking ~*) canne *f* ◆ *vt* (*glue*) coller; (*inf*: *put*) mettre, fourrer; (: *tolerate*) supporter; (*thrust*): **to ~ sth into** planter *or* enfoncer qch dans ◆ *vi* (*become attached*) rester collé(e) *or* fixé(e); (*be unmoveable*: *wheels etc*) se bloquer; (*remain*) rester; **~ out** *vi* dépasser, sortir; **~ up** *vi* = **stick out**; **~ up for** *vt fus* défendre; **~er** *n* auto-collant *m*; **~ing plaster** *n* sparadrap *m*, pansement adhésif

stickler ['stɪklə*] *n*: **to be a ~ for** être pointilleux(euse) sur

stick-up ['stɪkʌp] (*inf*) *n* braquage *m*, hold-up *m inv*

sticky ['stɪkɪ] *adj* poisseux(euse); (*label*) adhésif(ive); (*situation*) délicat(e)

stiff [stɪf] *adj* raide; rigide; dur(e); (*difficult*) difficile, ardu(e); (*cold*) froid(e), distant(e); (*strong, high*) fort(e), élevé(e) ◆ *adv*: **to be bored/scared/frozen ~** s'ennuyer à mort/être mort(e) de peur/froid; **~en** *vi* se raidir; **~ neck** *n* torticolis *m*

stifle ['staɪfl] *vt* étouffer, réprimer

stigma ['stɪgmə] *n* stigmate *m*

stile [staɪl] *n* échalier *m*

stiletto [stɪ'letəʊ] (*BRIT*) *n* (*also*: *~ heel*) talon *m* aiguille

still [stɪl] *adj* immobile ◆ *adv* (*up to this time*) encore, toujours; (*even*) encore; (*nonetheless*) quand même, tout de même; **~born** *adj* mort-né(e); **~ life** *n* nature morte

stilt [stɪlt] *n* (*for walking on*) échasse *f*; (*pile*) pilotis *m*

stilted ['stɪltɪd] *adj* guindé(e), emprunté(e)

stimulate ['stɪmjʊleɪt] *vt* stimuler

stimulus ['stɪmjʊləs] (*pl* **stimuli**) *n* stimulant *m*; (*BIOL, PSYCH*) stimulus *m*

sting [stɪŋ] (*pt, pp* **stung**) *n* piqûre *f*; (*organ*) dard *m* ◆ *vt, vi* piquer

stingy ['stɪndʒɪ] *adj* avare, pingre

stink [stɪŋk] (*pt* **stank**, *pp* **stunk**) *n* puanteur *f* ◆ *vi* puer, empester; **~ing** (*inf*) *adj* (*fig*) infect(e), vache; **a ~ing ...** un(e) foutu(e) ...

stint [stɪnt] *n* part *f* de travail ◆ *vi*: **to ~ on** lésiner sur, être chiche de

stir [stɜː*] *n* agitation *f*, sensation *f* ◆ *vt* remuer ◆ *vi* remuer, bouger; **~ up** *vt* (*trouble*) fomenter, provoquer

stirrup ['stɪrəp] *n* étrier *m*

stitch [stɪtʃ] *n* (*SEWING*) point *m*; (*KNITTING*) maille *f*; (*MED*) point de suture; (*pain*) point de côté ◆ *vt* coudre, piquer; (*MED*) suturer

stoat [stəʊt] *n* hermine *f* (*avec son pelage d'été*)

stock [stɒk] *n* réserve *f*, provision *f*; (*COMM*) stock *m*; (*AGR*) cheptel *m*, bétail *m*; (*CULIN*) bouillon *m*; (*descent, origin*) souche *f*; (*FINANCE*) valeurs *fpl*, titres *mpl* ◆ *adj* (*fig*: *reply etc*) classique ◆ *vt* (*have in ~*) avoir, vendre; **~s and shares** valeurs (mobilières), titres; **in/out of ~** en stock *or* en magasin/épuisé(e); **to take ~ of** (*fig*) faire le point de; **~ up** *vi*: **to ~ up (with)** s'approvisionner (en); **~broker** ['stɒkbrəʊkə*] *n* agent *m* de change; **~ cube** *n* bouillon-cube *m*; **~ exchange** *n* Bourse *f*

stocking ['stɒkɪŋ] *n* bas *m*

stock: **~ market** *n* Bourse *f*, marché financier; **~ phrase** *n* cliché *m*; **~pile** *n* stock *m*, réserve *f* ◆ *vt* stocker, accumuler; **~taking** (*BRIT*) *n* (*COMM*) inventaire *m*

stocky ['stɒkɪ] *adj* trapu(e), râblé(e)

stodgy ['stɒdʒɪ] *adj* bourratif(ive), lourd(e)

stoke [stəʊk] *vt* (*fire*) garnir, entretenir; (*boiler*) chauffer

stole [stəʊl] *pt of* **steal** ◆ *n* étole *f*

stolen ['stəʊlən] *pp of* **steal**

stolid ['stɒlɪd] *adj* impassible, flegmatique

stomach ['stʌmək] *n* estomac *m*; (*abdomen*) ventre *m* ◆ *vt* digérer, supporter; **~ache** *n* mal *m* à l'estomac *or* au ventre

stone [stəʊn] *n* pierre *f*; (*pebble*) caillou *m*, galet *m*; (*in fruit*) noyau *m*; (*MED*) calcul *m*; (*BRIT*: *weight*) = *6,348 kg* ◆ *adj* de *or* en pierre ◆ *vt* (*person*) lancer des pierres sur, lapider; **~-cold** *adj* complètement froid(e); **~-deaf** *adj* sourd(e) comme un pot; **~work** *n* maçonnerie *f*

stood [stʊd] *pt, pp of* **stand**

stool [stuːl] *n* tabouret *m*

stoop [stuːp] *vi* (*also*: *have a ~*) être voûté(e); (: *~ down*: *bend*) se baisser

stop [stɒp] *n* arrêt *m*; halte *f*; (*in punctuation*: *also*: *full ~*) point *m* ◆ *vt* arrêter, bloquer; (*break off*) interrompre; (*also*: *put a ~ to*) mettre fin à ◆ *vi* s'arrêter; (*rain, noise etc*) cesser, s'arrêter; **to ~ doing sth** cesser *or* arrêter de faire qch; **~ dead** *vi* s'arrêter net; **~ off** *vi* faire une courte halte; **~ up** *vt* (*hole*) boucher; **~gap** *n* (*person*) bouche-trou *m*; (*measure*) mesure *f* intérimaire; **~over** *n* halte *f*; (*AVIAT*) escale *f*; **~page** ['stɒpɪdʒ] *n* (*strike*) arrêt de travail; (*blockage*) obstruction *f*; **~per** ['stɒpə*] *n* bouchon *m*; **~ press** *n* nouvelles *fpl* de dernière heure; **~watch** ['stɒpwɒtʃ] *n* chronomètre *m*

storage ['stɔːrɪdʒ] *n* entreposage *m*; **~ heater** *n* radiateur *m* électrique par accumulation

store [stɔː*] *n* (*stock*) provision *f*, réserve *f*; (*depot*) entrepôt *m*; (*BRIT*: *large shop*) grand magasin; (*US*) magasin *m* ◆ *vt* emmagasiner; (*information*) enregistrer; **~s** *npl* (*food*) provisions; **in ~** en réserve; **~ up** *vt* mettre en réserve; accumuler; **~room** *n* réserve *f*, magasin *m*

storey ['stɔːrɪ] (*US* **story**) *n* étage *m*

stork [stɔːk] *n* cigogne *f*

storm [stɔːm] *n* tempête *f*; (*thunder~*) orage *m* ◆ *vi* (*fig*) fulminer ◆ *vt* prendre d'assaut; **~y** *adj* orageux(euse)

story ['stɔːrɪ] *n* histoire *f*; récit *m*; (*US*) = **storey**; **~book** *n* livre *m* d'histoires *or* de contes

stout [staʊt] *adj* solide; (*fat*) gros(se), corpulent(e) ◆ *n* bière brune

stove [stəʊv] *n* (*for cooking*) fourneau *m*; (: *small*) réchaud *m*; (*for heating*) poêle *m*

stow [stəʊ] *vt* (*also*: *~ away*) ranger; **~away** *n* passager(ère) clandestin(e)

straddle ['strædl] *vt* enjamber, être à cheval sur

straggle ['strægl] *vi* être (*or* marcher) en désordre; (*houses*) être disséminé(e)

straight [streɪt] *adj* droit(e); (*hair*) raide; (*frank*) honnête, franc(franche); (*simple*) simple ◆ *adv* (tout) droit; (*drink*) sec, sans eau; **to put** *or* **get ~** (*fig*) mettre au clair; **~ away, ~ off** (*at once*) tout de suite; **~en** *vt* ajuster; (*bed*) arranger; **~en out** *vt* (*fig*) débrouiller; **~-faced** *adj* impassible; **~forward** *adj* simple; (*honest*) honnête, direct(e)

strain [streɪn] *n* tension *f*; pression *f*; (*physical*) effort *m*; (*mental*) tension (nerveuse); (*breed*) race *f* ◆ *vt* (*stretch*: *resources etc*) mettre à rude épreuve, grever; (*hurt*: *back etc*) se faire mal à; (*vegetables*) égoutter; **~s** *npl* (*MUS*) accords *mpl*, accents *mpl*; **back ~** tour *m* de rein; **~ed** *adj* (*muscle*) froissé(e); (*laugh etc*) forcé(e), contraint(e); (*relations*) tendu(e); **~er** *n* passoire *f*

strait [streɪt] *n* (*GEO*) détroit *m*; **~s** *npl*: **to be in dire ~s** avoir de sérieux ennuis (d'argent); **~jacket** *n* camisole *f* de force; **~-laced** *adj* collet monté *inv*

strand [strænd] *n* (*of thread*) fil *m*, brin *m*; (*of rope*) toron *m*; (*of hair*) mèche *f*; **~ed** *adj* en rade, en plan

strange [streɪndʒ] *adj* (*not known*) inconnu(e); (*odd*) étrange, bizarre; **~ly** *adv* étrangement, bizarrement; *see also* **enough**; **~r** *n* inconnu(e); (*from another area*) étranger(ère)

strangle ['stræŋgl] *vt* étrangler; **~hold** *n* (*fig*) emprise totale, mainmise *f*

strap [stræp] *n* lanière *f*, courroie *f*, sangle *f*; (*of slip, dress*) bretelle *f*

strapping ['stræpɪŋ] *adj* costaud(e)

strategic [strə'tiːdʒɪk] *adj* stratégique; **strategy** ['strætɪdʒɪ] *n* stratégie *f*

straw [strɔː] *n* paille *f*; **that's the last ~!** ça, c'est le comble!

strawberry ['strɔːbərɪ] *n* fraise *f*

stray [streɪ] *adj* (*animal*) perdu(e), errant(e); (*scattered*) isolé(e) ◆ *vi* s'égarer; **~ bullet** *n* balle perdue

streak [striːk] *n* bande *f*, filet *m*; (*in hair*) raie *f* ◆ *vt* zébrer, strier ◆ *vi*: **to ~ past** passer à toute allure

stream [striːm] *n* ruisseau *m*; courant *m*, flot *m*; (*of people*) défilé ininterrompu, flot ◆ *vt* (*SCOL*) répartir par niveau ◆ *vi* ruisseler; **to ~ in/out** entrer/sortir à flots; **~er** ['striːmə*] *n* serpentin *m*; (*banner*) banderole *f*; **~lined** ['striːmlaɪnd] *adj* aérodynamique; (*fig*) rationalisé(e)

street [striːt] *n* rue *f*; **~car** (*US*) *n* tramway *m*; **~ lamp** *n* réverbère *m*; **~ plan** *n* plan *m* (des rues); **~wise** (*inf*) *adj* futé(e), réaliste

strength [streŋθ] *n* force *f*; (*of girder, knot etc*) solidité *f*; **~en** *vt* fortifier; renforcer; consolider

strenuous ['strenjʊəs] *adj* vigoureux(euse), énergique

stress [stres] *n* (*force, pressure*) pression *f*; (*mental strain*) tension (nerveuse), stress *m*; (*accent*) accent *m* ◆ *vt* insister sur, souligner

stretch [stretʃ] *n* (*of sand etc*) étendue *f* ◆ *vi* s'étirer; (*extend*): **to ~ to** *or* **as far as** s'étendre jusqu'à ◆ *vt* tendre, étirer; (*fig*) pousser (au maximum); **~ out** *vi* s'étendre ◆ *vt* (*arm etc*) allonger, tendre; (*spread*) étendre

stretcher ['stretʃə*] *n* brancard *m*, civière *f*

strewn [struːn] *adj*: **~ with** jonché(e) de

stricken ['strɪkən] *adj* (*person*) très éprouvé(e); (*city, industry etc*) dévasté(e); **~ with** (*disease etc*) frappé(e) *or* atteint(e) de

strict [strɪkt] *adj* strict(e)

stride [straɪd] (*pt* **strode**, *pp* **stridden**) *n* grand pas, enjambée *f* ◆ *vi* marcher à grands pas

strife [straɪf] *n* conflit *m*, dissensions *fpl*

strike [straɪk] (*pt, pp* **struck**) *n* grève *f*; (*of oil etc*) découverte *f*; (*attack*) raid *m* ◆ *vt* frapper; (*oil etc*) trouver, découvrir; (*deal*) conclure ◆ *vi* faire grève; (*attack*) attaquer; (*clock*) sonner; **on ~** (*workers*) en grève; **to ~ a match** frotter une allumette; **~ down** *vt* terrasser; **~ up** *vt* (*MUS*) se mettre à jouer; **to ~ up a friendship with** se lier d'amitié avec; **to ~ up a conversation (with)** engager une conversation (avec); **~r** *n* gréviste *m/f*; (*SPORT*) buteur *m*; **striking** ['straɪkɪŋ] *adj* frappant(e), saisissant(e); (*attractive*) éblouissant(e)

string [strɪŋ] (*pt, pp* **strung**) *n* ficelle *f*; (*row: of beads*) rang *m*; (*: of onions*) chapelet *m*; (*MUS*) corde *f* ◆ *vt*: **to ~ out** échelonner; **the ~s** *npl* (*MUS*) les instruments *mpl* à cordes; **to ~ together** enchaîner; **to pull ~s** (*fig*) faire jouer le piston; **~ bean** *n* haricot vert; **~(ed) instrument** *n* (*MUS*) instrument *m* à cordes

stringent ['strɪndʒənt] *adj* rigoureux(euse)

strip [strɪp] *n* bande *f* ◆ *vt* (*undress*) déshabiller; (*paint*) décaper; (*also: ~ down: machine*) démonter ◆ *vi* se déshabiller; **~ cartoon** *n* bande dessinée

stripe [straɪp] *n* raie *f*, rayure *f*; (*MIL*) galon *m*; **~d** *adj* rayé(e), à rayures

strip lighting (*BRIT*) *n* éclairage *m* au néon *or* fluorescent

stripper ['strɪpə*] *n* strip-teaseur(euse) *f*

strive [straɪv] (*pt* **strove**, *pp* **striven**) *vi*: **to ~ to do/for sth** s'efforcer de faire/ d'obtenir qch

strode [strəud] *pt of* **stride**

stroke [strəuk] *n* coup *m*; (*SWIMMING*) nage *f*; (*MED*) attaque *f* ◆ *vt* caresser; **at a ~** d'un (seul) coup

stroll [strəul] *n* petite promenade ◆ *vi* flâner, se promener nonchalamment; **~er** (*US*) *n* (*pushchair*) poussette *f*

strong [strɒŋ] *adj* fort(e); vigoureux(euse); (*heart, nerves*) solide; **they are 50 ~** ils sont au nombre de 50; **~hold** *n* bastion *m*; **~ly** *adv* fortement, avec force; vigoureusement; solidement; **~room** *n* chambre forte

strove [strəuv] *pt of* **strive**

struck [strʌk] *pt, pp of* **strike**

structural ['strʌktʃərəl] *adj* structural(e); (*CONSTR: defect*) de construction; (*damage*) affectant les parties portantes

structure ['strʌktʃə*] *n* structure *f*; (*building*) construction *f*

struggle ['strʌgl] *n* lutte *f* ◆ *vi* lutter, se battre

strum [strʌm] *vt* (*guitar*) jouer (en sourdine) de

strung [strʌŋ] *pt, pp of* **string**

strut [strʌt] *n* étai *m*, support *m* ◆ *vi* se pavaner

stub [stʌb] *n* (*of cigarette*) bout *m*, mégot *m*; (*of cheque etc*) talon *m* ◆ *vt*: **to ~ one's toe** se cogner le doigt de pied; **~ out** *vt* écraser

stubble ['stʌbl] *n* chaume *m*; (*on chin*) barbe *f* de plusieurs jours

stubborn ['stʌbən] *adj* têtu(e), obstiné(e), opiniâtre

stuck [stʌk] *pt, pp of* **stick** ◆ *adj* (*jammed*) bloqué(e), coincé(e); **~-up** (*inf*) *adj* prétentieux(euse)

stud [stʌd] *n* (*on boots etc*) clou *m*; (*on collar*) bouton *m* de col; (*earring*) petite boucle d'oreille; (*of horses: also: ~ farm*) écurie *f*, haras *m*; (*also: ~ horse*) étalon *m* ◆ *vt* (*fig*): **~ded with** parsemé(e) *or* criblé(e) de

student ['stju:dənt] *n* étudiant(e) ◆ *adj* estudiantin(e); d'étudiant; **~ driver** (*US*) *n* (conducteur(trice)) débutant(e)

studio ['stju:dɪəu] *n* studio *m*, atelier *m*; (*TV etc*) studio

studious ['stju:dɪəs] *adj* studieux(euse), appliqué(e); (*attention*) soutenu(e); **~ly** *adv* (*carefully*) soigneusement

study ['stʌdɪ] *n* étude *f*; (*room*) bureau *m* ◆ *vt* étudier; (*examine*) examiner ◆ *vi* étudier, faire ses études

stuff [stʌf] *n* chose(s) *f(pl)*; affaires *fpl*, trucs *mpl*; (*substance*) substance *f* ◆ *vt* rembourrer; (*CULIN*) farcir; (*inf: push*) fourrer; **~ing** *n* bourre *f*, rembourrage *m*; (*CULIN*) farce *f*; **~y** *adj* (*room*) mal ventilé(e) *or* aéré(e); (*ideas*) vieux jeu *inv*

stumble ['stʌmbl] *vi* trébucher; **to ~ across** *or* **on** (*fig*) tomber sur; **stumbling block** *n* pierre *f* d'achoppement

stump [stʌmp] *n* souche *f*; (*of limb*) moignon *m* ◆ *vt*: **to be ~ed** sécher, ne pas savoir que répondre

stun [stʌn] *vt* étourdir; abasourdir

stung [stʌŋ] *pt, pp of* **sting**

stunk [stʌŋk] *pp of* **stink**

stunning *adj* (*news etc*) stupéfiant(e); (*girl etc*) éblouissant(e)

stunt [stʌnt] *n* (*in film*) cascade *f*, acrobatie *f*; (*publicity ~*) truc *m* publicitaire ◆ *vt* retarder, arrêter(r) **~ed** *adj* rabougri(e); (*growth*) retardé(e); **~man** (*irreg*) *n* cascadeur *m*

stupendous [stju'pendəs] *adj* prodigieux(euse), fantastique

stupid ['stju:pɪd] *adj* stupide, bête; **~ity** *n* stupidité *f*, bêtise *f*

sturdy ['stɜ:dɪ] *adj* robuste; solide

stutter ['stʌtə*] *vi* bégayer

sty [staɪ] *n* (*for pigs*) porcherie *f*

stye [staɪ] *n* (*MED*) orgelet *m*

style [staɪl] *n* style *m*; (*distinction*) allure *f*, cachet *m*, style; **stylish** ['staɪlɪʃ] *adj* élégant(e), chic *inv*

stylus ['staɪləs] (*pl* **styli** *or* **~es**) *n* (*of record player*) pointe *f* de lecture

suave [swɑ:v] *adj* doucereux(euse), onctueux(euse)

sub... [sʌb] *prefix* sub..., sous-; **~conscious** *adj* subconscient(e); **~contract** *vt* sous-traiter

subdue [səb'dju:] *vt* subjuguer, soumettre; **~d** *adj* (*light*) tamisé(e); (*person*) qui a perdu de son entrain

subject [*n* 'sʌbdʒɪkt, *vb* səb'dʒekt] *n* sujet *m*; (*SCOL*) matière *f* ◆ *vt*: **to ~ to** soumettre à; exposer à; **to be ~ to** (*law*) être soumis(e) à; (*disease*) être sujet(te) à; **~ive** [səb'dʒektɪv] *adj* subjectif(ive); **~ matter** *n* (*content*) contenu *m*

sublet ['sʌb'let] *vt* sous-louer

submarine [sʌbmə'ri:n] *n* sous-marin *m*

submerge [səb'mɜ:dʒ] *vt* submerger ◆ *vi* plonger

submission [səb'mɪʃən] *n* soumission *f*; **submissive** [səb'mɪsɪv] *adj* soumis(e)

submit [səb'mɪt] *vt* soumettre ◆ *vi* se soumettre

subnormal ['sʌb'nɔ:məl] *adj* au-dessous de la normale

subordinate [sə'bɔ:dɪnət] *adj* subalterne ◆ *n* subordonné(e)

subpoena [səb'pi:nə] *n* (*LAW*) citation *f*, assignation *f*

subscribe [səb'skraɪb] *vi* cotiser; **to ~ to** (*opinion, fund*) souscrire à; (*newspaper*) s'abonner à; être abonné(e) à; **~r** *n* (*to periodical, telephone*) abonné(e); **subscription** [səb'skrɪpʃən] *n* (*to magazine etc*) abonnement *m*

subsequent ['sʌbsɪkwənt] *adj* ultérieur(e), suivant(e); consécutif(ive); **~ly** *adv* par la suite

subside [səb'saɪd] *vi* (*flood*) baisser; (*wind, feelings*) tomber; **~nce** [sʌb'saɪdəns] *n* affaissement *m*

subsidiary [səb'sɪdɪərɪ] *adj* subsidiaire; accessoire ◆ *n* (*also: ~ company*) filiale *f*

subsidize ['sʌbsɪdaɪz] *vt* subventionner; **subsidy** ['sʌbsɪdɪ] *n* subvention *f*

substance ['sʌbstəns] *n* substance *f*

substantial [səb'stænʃəl] *adj* substantiel(le); (*fig*) important(e); **~ly** *adv* considérablement; (*in essence*) en grande partie

substantiate [səb'stænʃɪeɪt] *vt* étayer, fournir des preuves à l'appui de

substitute ['sʌbstɪtju:t] *n* (*person*) remplaçant(e); (*thing*) succédané *m* ◆ *vt*: **to ~ sth/sb for** substituer qch/qn à, remplacer par qch/qn

subterranean [sʌbtə'reɪnɪən] *adj* souterrain(e)

subtitle ['sʌbtaɪtl] *n* (*CINEMA*) sous-titre *m*

subtle ['sʌtl] *adj* subtil(e)

subtotal [sʌb'təutl] *n* total partiel

subtract [səb'trækt] *vt* soustraire, retrancher; **~ion** *n* soustraction *f*

suburb ['sʌbɜ:b] *n* faubourg *m*; **the ~s** *npl* la banlieue; **~an** [sə'bɜ:bən] *adj* de banlieue, suburbain(e); **~ia** [sə'bɜ:bɪə] *n* la banlieue

subway ['sʌbweɪ] *n* (*US: railway*) métro *m*; (*BRIT: underpass*) passage souterrain

succeed [sək'si:d] *vi* réussir ◆ *vt* succéder à; **to ~ in doing** réussir à faire; **~ing** *adj* (*following*) suivant(e)

success [sək'ses] *n* succès *m*; réussite *f*; **~ful** *adj* (*venture*) couronné(e) de succès; **to be ~ful (in doing)** réussir (à faire); **~fully** *adv* avec succès

succession [sək'seʃən] *n* succession *f*; **3 days in ~** 3 jours de suite

successive [sək'sesɪv] *adj* successif(ive); consécutif(ive)

such [sʌtʃ] *adj* tel(telle); (*of that kind*): **~ a book** un livre de ce genre, un livre pareil, un tel livre; (*so much*): **~ courage** un tel courage ◆ *adv* si; **~ books** des livres de ce genre, des livres pareils, de tels livres; **~ a long trip** un si long voyage; **~ a lot of** tellement *or* tant de; **~ as** (*like*) tel que, comme; **as ~** en tant que tel, à proprement parler; **~-and-such** *adj* tel ou tel

suck [sʌk] *vt* sucer; (*breast, bottle*) téter; **~er** *n* ventouse *f*; (*inf*) poire *f*

suction ['sʌkʃən] *n* succion *f*

sudden ['sʌdn] *adj* soudain(e), subit(e); **all of a ~** soudain, tout à coup; **~ly** *adv* brusquement, tout à coup, soudain

suds [sʌdz] *npl* eau savonneuse

sue [su:] *vt* poursuivre en justice, intenter un procès à

suede [sweɪd] *n* daim *m*

suet [su:ɪt] *n* graisse *f* de rognon

suffer ['sʌfə*] *vt* souffrir, subir; (*bear*) tolérer, supporter ◆ *vi* souffrir; **~er** *n* (*MED*) malade *m/f*; **~ing** *n* souffrance(s) *f(pl)*

sufficient [sə'fɪʃənt] *adj* suffisant(e); **~ money** suffisamment d'argent; **~ly** *adv* suffisamment, assez

suffocate ['sʌfəkeɪt] *vi* suffoquer; étouffer

sugar ['ʃugə*] *n* sucre *m* ◆ *vt* sucrer; **~ beet** *n* betterave sucrière; **~ cane** *n* canne *f* à sucre

suggest [sə'dʒest] *vt* suggérer, proposer; (*indicate*) dénoter; **~ion** *n* suggestion *f*

suicide ['suɪsaɪd] *n* suicide *m*; *see also* **commit**

suit [su:t] *n* (*man's*) costume *m*, complet *m*; (*woman's*) tailleur *m*, ensemble *m*; (*LAW*) poursuite(s) procès *m*; (*CARDS*) couleur *f* ◆ *vt* aller à; convenir à; (*adapt*): **to ~ sth to** adapter *or* approprier qch à; **well ~ed** (*couple*) faits l'un pour l'autre, très bien assortis; **~able** *adj* qui convient; approprié(e); **~ably** *adv* comme il se doit (*or* se devait *etc*), convenablement

suitcase ['su:tkeɪs] *n* valise *f*

suite [swi:t] *n* (*of rooms, also MUS*) suite *f*; (*furniture*): **bedroom/dining room ~** (ensemble *m* de) chambre *f* à coucher/ salle *f* à manger

suitor ['su:tə*] *n* soupirant *m*, prétendant *m*

sulfur ['sʌlfə*] (*US*) *n* = **sulphur**

sulk [sʌlk] *vi* bouder; **~y** *adj* boudeur(euse), maussade

sullen ['sʌlən] *adj* renfrogné(e), maussade

sulphur ['sʌlfə*] (*US* **sulfur**) *n* soufre *m*

sultana [sʌl'tɑ:nə] *n* (*CULIN*) raisin (sec) de Smyrne

sultry ['sʌltrɪ] *adj* étouffant(e)

sum [sʌm] *n* somme *f*; (*SCOL etc*) calcul *m*; **~ up** *vt, vi* résumer

summarize ['sʌməraɪz] *vt* résumer

summary ['sʌmərɪ] *n* résumé *m*

summer ['sʌmə*] *n* été *m* ◆ *adj* d'été, estival(e); **~house** *n* (*in garden*) pavillon *m*; **~time** *n* été *m*; **~ time** *n* (*by clock*) heure *f* d'été

summit ['sʌmɪt] *n* sommet *m*

summon ['sʌmən] *vt* appeler, convoquer; **~ up** *vt* rassembler, faire appel à; **~s** *n* citation *f*, assignation *f*

sump [sʌmp] (*BRIT*) *n* (*AUT*) carter *m*

sun [sʌn] *n* soleil *m*; **in the ~** au soleil; **~bathe** *vi* prendre un bain de soleil; **~burn** *n* coup *m* de soleil; **~burned** *adj* = **sunburnt**; **~burnt** *adj* (*tanned*) bronzé(e)

Sunday ['sʌndeɪ] *n* dimanche *m*; **~ school** *n* ≈ catéchisme *m*

sundial ['sʌndaɪəl] *n* cadran *m* solaire

sundown ['sʌndaun] *n* coucher *m* du (*or* de) soleil

sundries ['sʌndrɪz] *npl* articles divers

sundry ['sʌndrɪ] *adj* divers(e), différent(e) ◆ *n*: **all and ~** tout le monde, n'importe qui

sunflower ['sʌnflauə*] *n* tournesol *m*

sung [sʌŋ] *pp of* **sing**

sunglasses ['sʌnglɑ:sɪz] *npl* lunettes *fpl* de soleil

sunk [sʌŋk] *pp of* **sink**

sun: **~light** ['sʌnlaɪt] *n* (lumière *f* du) soleil *m*; **~lit** *adj* ensoleillé(e); **~ny** *adj* ensoleillé(e); **~rise** *n* lever *m* du (*or* de) soleil; **~ roof** *n* (*AUT*) toit ouvrant; **~set** *n* coucher *m* du (*or* de) soleil; **~shade** *n* (*over table*) parasol *m*; **~shine** *n* (lumière *f* du) soleil *m*; **~stroke** *n* insolation *f*; **~tan** *n* bronzage *m*; **~tan lotion** *n* lotion *f* *or* lait *m* solaire; **~tan oil** *n* huile *f* solaire

super ['su:pə*] (*inf*) *adj* formidable

superannuation [su:pərænju'eɪʃən] *n* (*contribution*) cotisations *fpl* pour la pension

superb [su:'pɜ:b] *adj* superbe, magnifique

supercilious [su:pə'sɪlɪəs] *adj* hautain(e), dédaigneux(euse)

superficial [su:pə'fɪʃəl] *adj* superficiel(le)

superimpose [su:pərɪm'pəuz] *vt* superposer

superintendent [su:pərɪn'tendənt] *n* directeur(trice); (*POLICE*) ≈ commissaire *m*

superior [su'pɪərɪə*] *adj, n* supérieur(e); **~ity** [supɪərɪ'ɒrɪtɪ] *n* supériorité *f*

superlative [su'pɜ:lətɪv] *n* (*LING*) superlatif *m*

superman ['su:pəmæn] (*irreg*) *n* surhomme *m*

supermarket ['su:pəmɑ:kɪt] *n* supermarché *m*

supernatural [su:pə'nætʃərəl] *adj* surnaturel(le)

superpower ['su:pəpauə*] *n* (*POL*) superpuissance *f*

supersede [su:pə'si:d] *vt* remplacer, supplanter

superstitious [su:pə'stɪʃəs] *adj* superstitieux(euse)

supervise ['su:pəvaɪz] *vt* surveiller; diriger; **supervision** [su:pə'vɪʒən] *n* surveillance *f*; contrôle *m*; **supervisor** ['su:pəvaɪzə*] *n* surveillant(e); (*in shop*) chef *m* de rayon

supine ['su:paɪn] *adj* couché(e) *or* étendu(e) sur le dos

supper ['sʌpə*] *n* dîner *m*; (*late*) souper *m*

supple ['sʌpl] *adj* souple

supplement [*n* 'sʌplɪmənt, *vb* sʌplɪ'ment] *n* supplément *m* ◆ *vt* compléter; **~ary** *adj* supplémentaire; **~ary benefit** (*BRIT*) *n* allocation *f* (supplémentaire) d'aide sociale

supplier [sə'plaɪə*] *n* fournisseur *m*

supply [sə'plaɪ] *vt* (*provide*) fournir; (*equip*): **to ~ (with)** approvisionner *or* ravitailler (en); fournir (en) provision *f*, réserve *f*; (*~ing*) approvisionnement *m*; **supplies** *npl* (*food*) vivres *mpl*; (*MIL*) subsistances *fpl*; **~ teacher** (*BRIT*) *n* suppléant(e)

support [sə'pɔ:t] *n* (*moral, financial etc*) soutien *m*, appui *m*; (*TECH*) support *m*, soutien ◆ *vt* soutenir, supporter; (*financially*) subvenir aux besoins de; (*uphold*) être pour, être partisan de, appuyer; **~er** *n* (*POL etc*) partisan(e); (*SPORT*) supporter *m*

suppose [sə'pəuz] *vt* supposer; imaginer; **to be ~d to do** être censé(e) faire; **~dly** [sə'pəuzɪdlɪ] *adv* soi-disant; **supposing** [sə'pəuzɪŋ] *conj* si, à supposer que *+sub*

suppress [sə'pres] *vt* (*revolt*) réprimer; (*information*) supprimer; (*yawn*) étouffer; (*feelings*) refouler

supreme [su'pri:m] *adj* suprême

surcharge ['sɜ:tʃɑ:dʒ] *n* surcharge *f*

sure [ʃuə*] *adj* sûr(e); (*definite, convinced*) sûr, certain(e); **~!** (*of course*) bien sûr!; **~ enough** effectivement; **to make ~ of sth** s'assurer de *or* vérifier qch; **to make ~ that** s'assurer *or* vérifier que; **~ly** *adv* sûrement; certainement

surety ['ʃuərətɪ] *n* caution *f*

surf [sɜ:f] *n* (*waves*) ressac *m*

surface ['sɜ:fɪs] *n* surface *f* ◆ *vt* (*road*) poser un revêtement sur ◆ *vi* remonter à la surface; faire surface; **~ mail** *n* courrier *m* par voie de terre (*or* maritime)

surfboard ['sɜ:fbɔ:d] *n* planche *f* de surf

surfeit ['sɜ:fɪt] *n*: **a ~ of** un excès de; une indigestion de

surfing ['sɜ:fɪŋ] *n* surf *m*

surge [sɜ:dʒ] *n* vague *f*, montée *f* ◆ *vi* déferler

surgeon ['sɜ:dʒən] *n* chirurgien *m*

surgery ['sɜ:dʒərɪ] *n* chirurgie *f*; (*BRIT: room*) cabinet *m* (de consultation); (*: also: ~ hours*) heures *fpl* de consultation

surgical ['sɜ:dʒɪkəl] *adj* chirurgical(e); **~ spirit** (*BRIT*) *n* alcool *m* à 90°

surly ['sɜ:lɪ] *adj* revêche, maussade

surname ['sɜ:neɪm] *n* nom *m* de famille

surplus ['sɜ:pləs] *n* surplus *m*, excédent *m* ◆ *adj* en surplus, de trop; (*COMM*) excédentaire

surprise [sə'praɪz] *n* surprise *f*; (*astonishment*) étonnement *m* ◆ *vt* surprendre; (*astonish*) étonner; **surprising** [sə'praɪzɪŋ] *adj* surprenant(e), étonnant(e); **surprisingly** *adv* (*easy, helpful*) étonnamment

surrender [sə'rendə*] *n* reddition *f*, capitulation *f* ◆ *vi* se rendre, capituler

surreptitious [sʌrəp'tɪʃəs] *adj* subreptice, furtif(ive)

surrogate ['sʌrəgɪt] *n* substitut *m*; **~ mother** *n* mère porteuse *or* de substitution

surround [sə'raund] *vt* entourer; (*MIL etc*) encercler; **~ing** *adj* environnant(e); **~ings** *npl* environs *mpl*, alentours *mpl*

surveillance [sɜ:'veɪləns] *n* surveillance *f*

survey [*n* 'sɜ:veɪ, *vb* sɜ:'veɪ] *n* enquête *f*, étude *f*; (*in housebuying etc*) inspection *f*, (rapport *m* d')expertise *f*; (*of land*) levé *m* ◆ *vt* enquêter sur; inspecter; (*look at*) embrasser du regard; **~or** [sə'veɪə*] *n* (*of house*) expert *m*; (*of land*) (arpenteur *m*) géomètre *m*

survival [sə'vaɪvəl] *n* survie *f*; (*relic*) vestige *m*

survive [sə'vaɪv] *vi* survivre; (*custom etc*) subsister ◆ *vt* survivre à; **survivor** [sə'vaɪvə*] *n* survivant(e); (*fig*) battant(e)

susceptible [sə'septəbl] *adj*: **~ (to)** sensible (à); (*disease*) prédisposé(e) (à)

suspect [*n, adj* 'sʌspekt, *vb* səs'pekt] *adj, n* suspect(e) ◆ *vt* soupçonner, suspecter

suspend [səs'pend] *vt* suspendre; **~ed sentence** *n* condamnation *f* avec sursis; **~er belt** *n* porte-jarretelles *m inv*; **~ers** *npl* (*BRIT*) jarretelles *fpl*; (*US*) bretelles *fpl*

suspense [səs'pens] *n* attente *f*, incertitude *f*; (*in film etc*) suspense *m*

suspension [səs'penʃən] *n* suspension *f*; (*of driving licence*) retrait *m* provisoire; **~ bridge** *n* pont suspendu

suspicion [səs'pɪʃən] *n* soupçon(s) *m(pl)*

suspicious [səs'pɪʃəs] *adj (suspecting)* soupçonneux(euse), méfiant(e); *(causing suspicion)* suspect(e)

sustain [səs'teɪn] *vt* soutenir; *(food etc)* nourrir, donner des forces à; *(suffer)* subir; recevoir; **~able** *adj (development, growth etc)* viable; **~ed** *adj (effort)* soutenu(e), prolongé(e)

sustenance ['sʌstɪnəns] *n* nourriture *f*; *(money)* moyens *mpl* de subsistance

swab [swɒb] *n (MED)* tampon *m*

swagger ['swægə*] *vi* plastronner

swallow ['swɒləu] *n (bird)* hirondelle *f* ♦ *vt* avaler; ~ **up** *vt* engloutir

swam [swæm] *pt of* **swim**

swamp [swɒmp] *n* marais *m*, marécage *m* ♦ *vt* submerger

swan [swɒn] *n* cygne *m*

swap [swɒp] *vt*: **to ~ (for)** échanger (contre), troquer (contre)

swarm [swɔːm] *n* essaim *m* ♦ *vi* fourmiller, grouiller

swarthy ['swɔːðɪ] *adj* basané(e), bistré(e)

swastika ['swɒstɪkə] *n* croix gammée

swat [swɒt] *vt* écraser

sway [sweɪ] *vi* se balancer, osciller ♦ *vt (influence)* influencer

swear [sweə*] *(pt* **swore**, *pp* **sworn**) *vt, vi* jurer; **~word** *n* juron *m*, gros mot

sweat [swet] *n* sueur *f*, transpiration *f* ♦ *vi* suer

sweater ['swetə*] *n* tricot *m*, pull *m*

sweaty ['swetɪ] *adj* en sueur, moite *or* mouillé(e) de sueur

Swede [swiːd] *n* Suédois(e)

swede [swiːd] *(BRIT) n* rutabaga *m*

Sweden ['swiːdn] *n* Suède *f*; **Swedish** ['swiːdɪʃ] *adj* suédois(e) ♦ *n (LING)* suédois *m*

sweep [swiːp] *(pt, pp* **swept**) *n* coup *m* de balai; *(also: chimney ~)* ramoneur *m* ♦ *vt* balayer; *(subj: current)* emporter ♦ *vi (hand, arm)* faire un mouvement; *(wind)* souffler; ~ **away** *vt* balayer; entraîner; emporter; ~ **past** *vi* passer majestueusement *or* rapidement; ~ **up** *vi* balayer; **~ing** *adj (gesture)* large; circulaire; **a ~ing statement** une généralisation hâtive

sweet [swiːt] *n (candy)* bonbon *m*; *(BRIT: pudding)* dessert *m* ♦ *adj* doux(douce); *(not savoury)* sucré(e); *(fig: kind)* gentil(le); *(baby)* mignon(ne); **~corn** *n* maïs *m*; **~en** *vt* adoucir; *(with sugar)* sucrer; **~heart** *n* amoureux(euse); **~ness** *n* goût sucré; douceur *f*; **~pea** *n* pois *m* de senteur

swell [swel] *(pt* **~ed**, *pp* **swollen** *or* **~ed**) *n (of sea)* houle *f* ♦ *adj (US: inf: excellent)* chouette ♦ *vi* grossir, augmenter; *(sound)* s'enfler; *(MED)* enfler; **~ing** *n (MED)* enflure *f*; *(lump)* grosseur *f*

sweltering ['sweltərɪŋ] *adj* étouffant(e), oppressant(e)

swept [swept] *pt, pp of* **sweep**

swerve [swɜːv] *vi* faire une embardée *or* un écart; dévier

swift [swɪft] *n (bird)* martinet *m* ♦ *adj* rapide, prompt(e)

swig [swɪg] *(inf) n (drink)* lampée *f*

swill [swɪl] *vt (also: ~ out, ~ down)* laver à grande eau

swim [swɪm] *(pt* **swam**, *pp* **swum**) *n*: **to go for a ~** aller nager *or* se baigner ♦ *vi* nager; *(SPORT)* faire de la natation; *(head, room)* tourner ♦ *vt* traverser (à la nage); *(a length)* faire (à la nage); **~mer** *n* nageur(euse); **~ming** *n* natation *f*; **~ming cap** *n* bonnet *m* de bain; **~ming costume** *(BRIT) n* maillot *m* (de bain); **~ming pool** *n* piscine *f*; **~ming trunks** *npl* caleçon *m or* slip *m* de bain; **~suit** *n* maillot *m* (de bain)

swindle ['swɪndl] *n* escroquerie *f*

swine [swaɪn] *(inf!) n inv* salaud *m (!)*

swing [swɪŋ] *(pt, pp* **swung**) *n* balançoire *f*; *(movement)* balancement *m*, oscillations *fpl*; *(MUS: also rhythm)* rythme *m*; *(change: in opinion etc)* revirement *m* ♦ *vt* balancer, faire osciller; *(also: ~ round)* tourner, faire virer ♦ *vi* se balancer, osciller; *(also: ~ round)* virer, tourner; **to be in full ~** battre son plein; ~ **bridge** *n* pont tournant; ~ **door** *(US* **~ing door**) *n* porte battante

swingeing ['swɪndʒɪŋ] *(BRIT) adj* écrasant(e); *(cuts etc)* considérable

swipe [swaɪp] *(inf) vt (steal)* piquer

swirl [swɜːl] *vi* tourbillonner, tournoyer

swish [swɪʃ] *vi (tail)* remuer; *(clothes)* froufrouter

Swiss [swɪs] *adj* suisse ♦ *n inv* Suisse *m/f*

switch [swɪtʃ] *n (for light, radio etc)* bouton *m*; *(change)* changement *m*, revirement *m* ♦ *vt* changer; ~ **off** *vt* éteindre; *(engine)* arrêter; ~ **on** *vt* allumer; *(engine, machine)* mettre en marche; **~board** *n (TEL)* standard *m*

Switzerland ['swɪtsələnd] *n* Suisse *f*

swivel ['swɪvl] *vi (also: ~ round)* pivoter, tourner

swollen ['swəulən] *pp of* **swell**

swoon [swuːn] *vi* se pâmer

swoop [swuːp] *n (by police)* descente *f* ♦ *vi (also: ~ down)* descendre en piqué, piquer

swop [swɒp] *vt* = **swap**

sword [sɔːd] *n* épée *f*; **~fish** *n* espadon *m*

swore [swɔː*] *pt of* **swear**

sworn [swɔːn] *pp of* **swear** ♦ *adj (statement, evidence)* donné(e) sous serment

swot [swɒt] *vi* bûcher, potasser

swum [swʌm] *pp of* **swim**

swung [swʌŋ] *pt, pp of* **swing**

syllable ['sɪləbl] *n* syllabe *f*

syllabus ['sɪləbəs] *n* programme *m*

symbol ['sɪmbəl] *n* symbole *m*

symmetry ['sɪmɪtrɪ] *n* symétrie *f*

sympathetic [sɪmpə'θetɪk] *adj* compatissant(e); bienveillant(e), compréhensif(ive); *(likeable)* sympathique; ~ **towards** bien disposé(e) envers

sympathize ['sɪmpəθaɪz] *vi*: **to ~ with sb** plaindre qn; *(in grief)* s'associer à la douleur de qn; **to ~ with sth** comprendre qch; **~r** *n (POL)* sympathisant(e)

sympathy ['sɪmpəθɪ] *n (pity)* compassion *f*; **sympathies** *npl (support)* soutien *m*; **left-wing** *etc* **sympathies** penchants *mpl* à gauche *etc*; **in ~ with** *(strike)* en *or* par solidarité avec; **with our deepest ~** en vous priant d'accepter nos sincères condoléances

symphony ['sɪmfənɪ] *n* symphonie *f*

symptom ['sɪmptəm] *n* symptôme *m*; indice *m*

syndicate ['sɪndɪkət] *n* syndicat *m*, coopérative *f*

synonym ['sɪnənɪm] *n* synonyme *m*

synopsis [sɪ'nɒpsɪs, *pl* -siːz] *(pl* **synopses**) *n* résumé *m*

syntax ['sɪntæks] *n* syntaxe *f*

synthetic [sɪn'θetɪk] *adj* synthétique

syphon ['saɪfən] *n, vb* = **siphon**

Syria ['sɪrɪə] *n* Syrie *f*

syringe [sɪ'rɪndʒ] *n* seringue *f*

syrup ['sɪrəp] *n* sirop *m*; *(also: golden ~)* mélasse raffinée

system ['sɪstəm] *n* système *m*; *(ANAT)* organisme *m*; **~atic** [sɪstə'mætɪk] *adj* systématique; méthodique; ~ **disk** *n (COMPUT)* disque *m* système; **~s analyst** *n* analyste fonctionnel(le)

T

ta [tɑː] *(BRIT: inf) excl* merci!

tab [tæb] *n (label)* étiquette *f*; *(on drinks can etc)* languette *f*; **to keep ~s on** *(fig)* surveiller

tabby ['tæbɪ] *n (also: ~ cat)* chat(te) tigré(e)

table ['teɪbl] *n* table *f* ♦ *vt (BRIT: motion etc)* présenter; **to lay** *or* **set the ~** mettre le couvert *or* la table; **~cloth** ['-klɒθ] *n* nappe *f*; ~ **d'hôte** ['tɑːbl'dəut] *adj (meal)* à prix fixe; ~ **lamp** *n* lampe *f* de table; **~mat** ['teɪblmæt] *n (for plate)* napperon *m*, set *m*; *(for hot dish)* dessous-de-plat *m inv*; ~ **of contents** *n* table *f* des matières; **~spoon** ['teɪblspuːn] *n* cuiller *f* de service; *(also: ~spoonful: as measurement)* cuillerée *f* à soupe

tablet ['tæblət] *n (MED)* comprimé *m*; *(of stone)* plaque *f*

table tennis *n* ping-pong *m* ®, tennis *m* de table

table wine *n* vin *m* de table

tabloid ['tæblɔɪd] *n* quotidien *m* populaire

tabulate ['tæbjuleɪt] *vt (data, figures)* présenter sous forme de table(s)

tack [tæk] *n (nail)* petit clou ♦ *vt* clouer; *(fig)* direction *f*; *(BRIT: stitch)* faufiler ♦ *vi* tirer un *or* des bord(s)

tackle ['tækl] *n* matériel *m*, équipement *m*; *(for lifting)* appareil *m* de levage; *(RUGBY)* plaquage *m* ♦ *vt (difficulty, animal, burglar etc)* s'attaquer à; *(person: challenge)* s'expliquer avec; *(RUGBY)* plaquer

tacky ['tækɪ] *adj* collant(e); *(pej: of poor quality)* miteux(euse)

tact [tækt] *n* tact *m*; **~ful** *adj* plein(e) de tact

tactical ['tæktɪkəl] *adj* tactique

tactics ['tæktɪks] *npl* tactique *f*

tactless ['tæktləs] *adj* qui manque de tact

tadpole ['tædpəul] *n* têtard *m*

taffy ['tæfɪ] *(US) n* (bonbon *m* au) caramel *m*

tag [tæg] *n* étiquette *f*; ~ **along** *vi* suivre

tail [teɪl] *n* queue *f*; *(of shirt)* pan *m* ♦ *vt (follow)* suivre, filer; **~s** *npl* habit *m*; ~ **away**, ~ **off** *vi (in size, quality etc)* baisser peu à peu; **~back** *(BRIT) n (AUT)* bouchon *m*; ~ **end** *n* bout *m*, fin *f*; **~gate** *n (AUT)* hayon *m* arrière

tailor ['teɪlə*] *n* tailleur *m*; **~ing** *n (cut)* coupe *f*; **~-made** *adj* fait(e) sur mesure; *(fig)* conçu(e) spécialement

tailwind ['teɪlwɪnd] *n* vent *m* arrière *inv*

tainted ['teɪntɪd] *adj (food)* gâté(e); *(water, air)* infecté(e); *(fig)* souillé(e)

take [teɪk] *(pt* **took**, *pp* **taken**) *vt* prendre; *(gain: prize)* remporter; *(require: effort, courage)* demander; *(tolerate)* accepter, supporter; *(hold: passengers etc)* contenir; *(accompany)* emmener, accompagner; *(bring, carry)* apporter, emporter; *(exam)* passer, se présenter à; **to ~ sth from** *(drawer etc)* prendre qch dans; *(person)* prendre qch à; **I ~ it that ...** je suppose que ...; ~ **after** *vt fus* ressembler à; ~ **apart** *vt* démonter; ~ **away** *vt* enlever; *(carry off)* emporter; ~ **back** *vt (return)* rendre, rapporter; *(one's words)* retirer; ~ **down** *vt (building)* démolir; *(letter etc)* prendre, écrire; ~ **in** *vt (deceive)* tromper, rouler; *(understand)* comprendre, saisir; *(include)* comprendre, inclure; *(lodger)* prendre; ~ **off** *vi (AVIAT)* décoller ♦ *vt (go away)* s'en aller; *(remove)* enlever; ~ **on** *vt (work)* accepter, se charger de; *(employee)* prendre, embaucher; *(opponent)* accepter de se battre contre; ~ **out** *vt (invite)* emmener, sortir; *(remove)* enlever; **to ~ sth out of sth** *(drawer, pocket etc)* prendre qch dans qch; ~ **over** *vt (business)* reprendre ♦ *vi*: **to ~ over from sb** prendre la relève de qn; ~ **to** *vt fus (person)* se prendre d'amitié pour; *(thing)* prendre goût à; ~ **up** *vt (activity)* se mettre à; *(dress)* raccourcir; *(occupy: time, space)* prendre, occuper; **to ~ sb up on an offer** accepter la proposition de qn; **~away** *(BRIT) adj (food)* à emporter ♦ *n (shop, restaurant)* qui vend de plats à emporter; **~off** *n (AVIAT)* décollage *m*; **~over** *n (COMM)* rachat *m*; **takings** ['teɪkɪŋz] *npl (COMM)* recette *f*

talc [tælk] *n (also: ~um powder)* talc *m*

tale [teɪl] *n (story)* conte *m*, histoire *f*; *(account)* récit *m*; **to tell ~s** *(fig)* rapporter

talent ['tælənt] *n* talent *m*, don *m*; **~ed** *adj* doué(e), plein(e) de talent

talk [tɔːk] *n (a speech)* causerie *f*, exposé *m*; *(conversation)* discussion *f*, entretien *m*; *(gossip)* racontars *mpl* ♦ *vi* parler; **~s** *npl (POL etc)* entretiens *mpl*; **to ~ about** parler de; **to ~ sb into/out of doing** persuader qn de faire/ne pas faire; **to ~ shop** parler métier *or* affaires; ~ **over** *vt* discuter (de); **~ative** *adj* bavard(e); ~ **show** *n* causerie (télévisée *or* radiodiffusée)

tall [tɔːl] *adj (person)* grand(e); *(building, tree)* haut(e); **to be 6 feet ~** ≈ mesurer 1 mètre 80; ~ **story** *n* histoire *f* invraisemblable

tally ['tælɪ] *n* compte *m* ♦ *vi*: **to ~ (with)** correspondre (à)

talon ['tælən] *n* griffe *f*; *(of eagle)* serre *f*

tame [teɪm] *adj* apprivoisé(e); *(fig: story, style)* insipide

tamper ['tæmpə*] *vi*: **to ~ with** toucher à

tampon ['tæmpən] *n* tampon *m* (hygiénique *or* périodique)

tan [tæn] *n (also: sun~)* bronzage *m* ♦ *vt, vi* bronzer ♦ *adj (colour)* brun roux *inv*

tang [tæŋ] *n* odeur (*or* saveur) piquante

tangent ['tændʒənt] *n (MATH)* tangente *f*; **to go off at a ~** *(fig)* changer de sujet

tangerine [tændʒə'riːn] *n* mandarine *f*

tangle ['tæŋgl] *n* enchevêtrement *m*; **to get in(to) a ~** s'embrouiller

tank [tæŋk] *n (water ~)* réservoir *m*; *(for fish)* aquarium *m*; *(MIL)* char *m* d'assaut, tank *m*

tanker ['tæŋkə*] *n (ship)* pétrolier *m*, tanker *m*; *(truck)* camion-citerne *m*

tantalizing ['tæntəlaɪzɪŋ] *adj (smell)* extrêmement appétissant(e); *(offer)* terriblement tentant(e)

tantamount ['tæntəmaunt] *adj*: ~ **to** qui équivaut à

tantrum ['tæntrəm] *n* accès *m* de colère

tap [tæp] *n (on sink etc)* robinet *m*; *(gentle blow)* petite tape ♦ *vt* frapper *or* taper légèrement; *(resources)* exploiter, utiliser; *(telephone)* mettre sur écoute; **on ~** *(fig: resources)* disponible; **~-dancing** ['tæpdɑːnsɪŋ] *n* claquettes *fpl*

tape [teɪp] *n* ruban *m*; *(also: magnetic ~)* bande *f* (magnétique); *(cassette)* cassette *f*; *(sticky)* scotch *m* ♦ *vt (record)* enregistrer; *(stick with ~)* coller avec du scotch; ~ **deck** *n* platine *f* d'enregistrement; ~ **measure** *n* mètre *m* à ruban

taper ['teɪpə*] *n* cierge *m* ♦ *vi* s'effiler

tape recorder *n* magnétophone *m*

tapestry ['tæpɪstrɪ] *n* tapisserie *f*

tar [tɑː*] *n* goudron *m*

target ['tɑːgɪt] *n* cible *f*; *(fig)* objectif *m*

tariff ['tærɪf] *n (COMM)* tarif *m*; *(taxes)* tarif douanier

tarmac ['tɑːmæk] *n (BRIT: on road)* macadam *m*; *(AVIAT)* piste *f*

tarnish ['tɑːnɪʃ] *vt* ternir

tarpaulin [tɑː'pɔːlɪn] *n* bâche (goudronnée)

tarragon ['tærəgən] *n* estragon *m*

tart [tɑːt] *n (CULIN)* tarte *f*; *(BRIT: inf: prostitute)* putain *f* ♦ *adj (flavour)* âpre, aigrelet(te); ~ **up** *(BRIT: inf) vt (object)* retaper; **to ~ o.s. up** se faire beau(belle), s'attifer *(pej)*

tartan ['tɑːtən] *n* tartan *m* ♦ *adj* écossais(e)

tartar ['tɑːtə*] *n (on teeth)* tartre *m*; **~(e) sauce** *n* sauce *f* tartare

task [tɑːsk] *n* tâche *f*; **to take sb to ~** prendre qn à partie; ~ **force** *n (MIL, POLICE)* détachement spécial

tassel ['tæsəl] *n* gland *m*; pompon *m*

taste [teɪst] *n* goût *m*; *(fig: glimpse, idea)* idée *f*, aperçu *m* ♦ *vt* goûter ♦ *vi*: **to ~ of** *or* **like** *(fish etc)* avoir le *or* un goût de; **you can ~ the garlic (in it)** on sent bien l'ail; **can I have a ~ of this wine?** puis-je goûter un peu de ce vin?; **in good/bad ~** de bon/mauvais goût; **~ful** *adj* de bon goût; **~less** *adj (food)* fade; *(remark)* de mauvais goût; **tasty** ['teɪstɪ] *adj* savoureux(euse), délicieux(euse)

tatters ['tætəz] *npl*: **in ~** en lambeaux

tattoo [tə'tuː] *n* tatouage *m*; *(spectacle)* parade *f* militaire ♦ *vt* tatouer

tatty ['tætɪ] *(BRIT: inf) adj (clothes)* frippé(e); *(shop, area)* délabré(e)

taught [tɔːt] *pt, pp of* **teach**

taunt [tɔːnt] *n* raillerie *f* ♦ *vt* railler

Taurus ['tɔːrəs] *n* le Taureau

taut [tɔːt] *adj* tendu(e)

tax [tæks] *n (on goods etc)* taxe *f*; *(on income)* impôts *mpl*, contributions *fpl* ♦ *vt* taxer; imposer; *(fig: patience etc)* mettre à l'épreuve; **~able** *adj (income)* imposable; **~ation** [tæk'seɪʃən] *n* taxation *f*; impôts *mpl*, contributions *fpl*; ~ **avoidance** *n* dégrèvement fiscal; ~ **disc** *(BRIT) n (AUT)* vignette *f* (automobile); ~ **evasion** *n* fraude fiscale; **~-free** *adj* exempt(e) d'impôts

taxi ['tæksɪ] *n* taxi *m* ♦ *vi (AVIAT)* rouler (lentement) au sol; ~ **driver** *n* chauffeur *m* de taxi; ~ **rank** *(BRIT) n* station *f* de taxis; ~ **stand** *n* = **taxi rank**

tax: ~ **payer** *n* contribuable *m/f*; ~ **relief** *n* dégrèvement fiscal; ~ **return** *n* déclaration *f* d'impôts *or* de revenus

TB *n abbr* = **tuberculosis**

tea [tiː] *n* thé *m*; *(BRIT: snack: for children)* goûter *m*; **high ~** *collation combinant goûter et dîner*; ~ **bag** *n* sachet *m* de thé; ~ **break** *(BRIT) n* pause-thé *f*

teach [tiːtʃ] *(pt, pp* **taught**) *vt*: **to ~ sb sth, ~ sth to sb** apprendre qch à qn; *(in school etc)* enseigner qch à qn ♦ *vi* enseigner; **~er** *n (in secondary school)* professeur *m*; *(in primary school)* instituteur(trice); **~ing** *n* enseignement *m*

tea cosy *n* cloche *f* à thé

teacup ['tiːkʌp] *n* tasse *f* à thé

teak [tiːk] *n* teck *m*

team [tiːm] *n* équipe *f*; *(of animals)* attelage *m*; **~work** *n* travail *m* d'équipe

teapot ['tiːpɒt] *n* théière *f*

tear[1] [teə*] *(pt* **tore**, *pp* **torn**) *n* déchirure *f* ♦ *vt* déchirer ♦ *vi* se déchirer; ~ **along** *vi (rush)* aller à toute vitesse; ~ **up** *vt (sheet of paper etc)* déchirer, mettre en morceaux *or* pièces

tear[2] [tɪə*] *n* larme *f*; **in ~s** en larmes; **~ful** *adj* larmoyant(e); ~ **gas** *n* gaz *m* lacrymogène

tearoom ['tiːrum] *n* salon *m* de thé

tease [tiːz] *vt* taquiner; *(unkindly)* tourmenter

tea set *n* service *m* à thé

teaspoon ['tiːspuːn] *n* petite cuiller; *(also: ~ful: as measurement)* ≈ cuillerée *f* à café

teat [tiːt] *n* tétine *f*

teatime ['tiːtaɪm] *n* l'heure *f* du thé

tea towel *(BRIT) n* torchon *m* (à vaisselle)

technical ['teknɪkəl] *adj* technique; **~ity** [teknɪ'kælɪtɪ] *n (detail)* détail *m* technique; *(point of law)* vice *m* de forme; **~ly** *adv* techniquement; *(strictly speaking)* en théorie

technician [tek'nɪʃən] *n* technicien(ne)

technique [tek'niːk] *n* technique *f*

technological [teknə'lɒdʒɪkəl] *adj* technologique; **technology** [tek'nɒlədʒɪ] *n* technologie *f*

teddy (bear) ['tedɪ(beə*)] *n* ours *m* en peluche

tedious ['tiːdɪəs] *adj* fastidieux(euse)

tee [tiː] *n (GOLF)* tee *m*

teem [tiːm] *vi*: **to ~ (with)** grouiller (de); **it is ~ing (with rain)** il pleut à torrents

teenage ['tiːneɪdʒ] *adj (fashions etc)* pour jeunes, pour adolescents; *(children)* adolescent(e); **~r** *n* adolescent(e)

teens [tiːnz] *npl*: **to be in one's ~** être adolescent(e)

tee-shirt ['tiːʃɜːt] *n* = **T-shirt**

teeter ['tiːtə*] *vi* chanceler, vaciller

teeth [tiːθ] *npl of* **tooth**

teethe [tiːð] *vi* percer ses dents

teething ring ['tiːðɪŋ-] *n anneau pour bébé qui perce ses dents*

teething troubles *npl (fig)* difficultés initiales

teetotal ['tiː'təutl] *adj (person)* qui ne boit jamais d'alcool

telegram ['telɪgræm] *n* télégramme *m*
telegraph ['telɪgrɑːf] *n* télégraphe *m*; ~ **pole** *n* poteau *m* télégraphique
telephone ['telɪfəun] *n* téléphone *m* ◆ *vt* (*person*) téléphoner à; (*message*) téléphoner; **on the** ~ au téléphone; **to be on the** ~ (*BRIT*: *have a* ~) avoir le téléphone; ~ **booth** (*BRIT*) *n* = **telephone box**; ~ **box** *n* cabine *f* téléphonique; ~ **call** *n* coup *m* de téléphone, appel *m* téléphonique; ~ **directory** *n* annuaire *m* (du téléphone); ~ **number** *n* numéro *m* de téléphone; **telephonist** [tə'lefənɪst] (*BRIT*) *n* téléphoniste *m/f*
telescope ['telɪskəup] *n* télescope *m*
television ['telɪvɪʒən] *n* télévision *f*; **on** ~ à la télévision; ~ **set** *n* (poste *f* de) télévision *m*
telex ['teleks] *n* télex *m*
tell [tel] (*pt, pp* **told**) *vt* dire; (*relate*: *story*) raconter; (*distinguish*): **to** ~ **sth from** distinguer qch de ◆ *vi* (*talk*): **to** ~ **(of)** parler (de); (*have effect*) se faire sentir, se voir; **to** ~ **sb to do** dire à qn de faire; ~ **off** *vt* réprimander, gronder; ~**er** *n* (*in bank*) caissier(ère); ~**ing** *adj* (*remark, detail*) révélateur(trice); ~**tale** *adj* (*sign*) éloquent(e), révélateur(trice)
telly ['telɪ] (*BRIT*: *inf*) *n abbr* (= *television*) télé *f*
temp [temp] *n abbr* (= *temporary*) (secrétaire *f*) intérimaire *f*
temper ['tempə*] *n* (*nature*) caractère *m*; (*mood*) humeur *f*; (*fit of anger*) colère *f* ◆ *vt* (*moderate*) tempérer, adoucir; **to be in a** ~ être en colère; **to lose one's** ~ se mettre en colère
temperament ['temprəmənt] *n* (*nature*) tempérament *m*; ~**al** [temprə'mentl] *adj* capricieux(euse)
temperate ['tempərət] *adj* (*climate, country*) tempéré(e)
temperature ['temprɪtʃə*] *n* température *f*; **to have** *or* **run a** ~ avoir de la fièvre
temple ['templ] *n* (*building*) temple *m*; (*ANAT*) tempe *f*
temporary ['tempərərɪ] *adj* temporaire, provisoire; (*job, worker*) temporaire
tempt [tempt] *vt* tenter; **to** ~ **sb into doing** persuader qn de faire; ~**ation** [temp'teɪʃən] *n* tentation *f*
ten [ten] *num* dix
tenacity [tə'næsɪtɪ] *n* ténacité *f*
tenancy ['tenənsɪ] *n* location *f*; état *m* de locataire
tenant ['tenənt] *n* locataire *m/f*
tend [tend] *vt* s'occuper de ◆ *vi*: **to** ~ **to do** avoir tendance à faire
tendency ['tendənsɪ] *n* tendance *f*
tender ['tendə*] *adj* tendre; (*delicate*) délicat(e); (*sore*) sensible ◆ *n* (*COMM*: *offer*) soumission *f* ◆ *vt* offrir
tenement ['tenəmənt] *n* immeuble *m*
tenet ['tenət] *n* principe *m*
tennis ['tenɪs] *n* tennis *m*; ~ **ball** *n* balle *f* de tennis; ~ **court** *n* (court *m* de) tennis; ~ **player** *n* joueur(euse) de tennis; ~ **racket** *n* raquette *f* de tennis; ~ **shoes** *npl* (chaussures *fpl* de) tennis *mpl*
tenor ['tenə*] *n* (*MUS*) ténor *m*
tenpin bowling (*BRIT*) *n* bowling *m* (à dix quilles)
tense [tens] *adj* tendu(e) ◆ *n* (*LING*) temps *m*
tension ['tenʃən] *n* tension *f*
tent [tent] *n* tente *f*
tentative ['tentətɪv] *adj* timide, hésitant(e); (*conclusion*) provisoire
tenterhooks ['tentəhuks] *npl*: **on** ~ sur des charbons ardents
tenth [tenθ] *num* dixième
tent peg *n* piquet *m* de tente
tent pole *n* montant *m* de tente
tenuous ['tenjuəs] *adj* ténu(e)
tenure ['tenjuə*] *n* (*of property*) bail *m*; (*of job*) période *f* de jouissance
tepid ['tepɪd] *adj* tiède
term [tɜːm] *n* terme *m*; (*SCOL*) trimestre *m* ◆ *vt* appeler; ~**s** *npl* (*conditions*) conditions *fpl*; (*COMM*) tarif *m*; **in the short/long** ~ à court/long terme; **to come to** ~**s with** (*problem*) faire face à
terminal ['tɜːmɪnl] *adj* (*disease*) dans sa phase terminale; (*patient*) incurable ◆ *n* (*ELEC*) borne *f*; (*for oil, ore etc, COMPUT*) terminal *m*; (*also*: *air* ~) aérogare *f*; (*BRIT*: *also*: *coach* ~) gare routière
terminate ['tɜːmɪneɪt] *vt* mettre fin à; (*pregnancy*) interrompre
terminus ['tɜːmɪnəs] (*pl* **termini**) *n* terminus *m inv*
terrace ['terəs] *n* terrasse *f*; (*BRIT*: *row of houses*) rangée *f* de maisons (*attenantes*); **the** ~**s** *npl* (: *SPORT*) les gradins *mpl*; ~**d** *adj* (*garden*) en terrasses
terracotta ['terə'kɔtə] *n* terre cuite
terrain [te'reɪn] *n* terrain *m* (*sol*)
terrible ['terɪbl] *adj* terrible, atroce; (*weather, conditions*) affreux(euse), épouvantable; **terribly** ['terəblɪ] *adv* terriblement; (*very badly*) affreusement mal
terrier ['terɪə*] *n* terrier *m* (*chien*)
terrific [tə'rɪfɪk] *adj* fantastique, incroyable, terrible; (*wonderful*) formidable, sensationnel(le)
terrify ['terɪfaɪ] *vt* terrifier
territory ['terɪtərɪ] *n* territoire *m*
terror ['terə*] *n* terreur *f*; ~**ism** *n* terrorisme *m*; ~**ist** *n* terroriste *m/f*
terse [tɜːs] *adj* (*style*) concis(e); (*reply*) sec(sèche)
Terylene ['terɪliːn] (®) *n* tergal *m* (®)
test [test] *n* (*trial, check*) essai *m*; (*of courage etc*) épreuve *f*; (*MED*) examen *m*; (*CHEM*) analyse *f*; (*SCOL*) interrogation *f*; (*also*: *driving* ~) (examen du) permis *m* de conduire ◆ *vt* essayer; mettre à l'épreuve; examiner; analyser; faire subir une interrogation à
testament ['testəmənt] *n* testament *m*; **the Old/New T**~ l'Ancien/le Nouveau Testament
testicle ['testɪkl] *n* testicule *m*
testify ['testɪfaɪ] *vi* (*LAW*) témoigner, déposer; **to** ~ **to sth** attester qch
testimony ['testɪmənɪ] *n* témoignage *m*; (*clear proof*): **to be (a)** ~ **to** être la preuve de
test: ~ **match** *n* (*CRICKET, RUGBY*) match international; ~ **pilot** *n* teste *m* d'essai; ~ **tube** *n* éprouvette *f*
tetanus ['tetənəs] *n* tétanos *m*
tether ['teðə*] *vt* attacher ◆ *n*: **at the end of one's** ~ à bout (de patience)
text [tekst] *n* texte *m*; ~**book** *n* manuel *m*
textile *n* textile *m*
texture ['tekstʃə*] *n* texture *f*; (*of skin, paper etc*) grain *m*
Thames [temz] *n*: **the** ~ la Tamise
than [ðæn, ðən] *conj* que; (*with numerals*): **more** ~ **10/once** plus de 10/d'une fois; **I have more/less** ~ **you** j'en ai plus/moins que toi; **she has more apples** ~ **pears** elle a plus de pommes que de poires
thank [θæŋk] *vt* remercier, dire merci à; ~**s** *npl* (*gratitude*) remerciements *mpl* ◆ *excl* merci!; ~ **you (very much)** merci (beaucoup); ~**s to** grâce à; ~ **God!** Dieu merci!; ~**ful** *adj*: ~**ful (for)** reconnaissant(e) (de); ~**less** *adj* ingrat(e); **T**~**sgiving (Day)** *n* jour *m* d'action de grâce (*fête américaine*)

KEYWORD

that [ðæt] *adj* (*demonstrative*: *pl those*) ce, cet *+vowel or h mute*, *f* cette; ~ **man/woman/book** cet homme/cette femme/ce livre; (*not this*) cet homme-là/cette femme-là/ce livre-là; ~ **one** celui-là(celle-là)
◆ *pron* 1 (*demonstrative*: *pl those*) ce; (*not this one*) cela, ça; **who's** ~? qui est-ce?; **what's** ~? qu'est-ce que c'est?; **is** ~ **you?** c'est toi?; **I prefer this to** ~ je préfère ceci à cela *or* ça; ~**'s what he said** c'est *or* voilà ce qu'il a dit; ~ **is (to say)** c'est-à-dire, à savoir
2 (*relative*: *subject*) qui; (: *object*) que; (: *indirect*) lequel(laquelle), lesquels(lesquelles) *pl*; **the book** ~ **I read** le livre que j'ai lu; **the books** ~ **are in the library** les livres qui sont dans la bibliothèque; **all** ~ **I have** tout ce que j'ai; **the box** ~ **I put it in** la boîte dans laquelle je l'ai mis; **the people** ~ **I spoke to** les gens auxquels *or* à qui j'ai parlé
3 (*relative*: *of time*) où; **the day** ~ **he came** le jour où il est venu
◆ *conj* que; **he thought** ~ **I was ill** il pensait que j'étais malade
◆ *adv* (*demonstrative*): **I can't work** ~ **much** je ne peux pas travailler autant que cela; **I didn't know it was** ~ **bad** je ne savais pas que c'était si *or* aussi mauvais; **it's about** ~ **high** c'est à peu près de cette hauteur

thatched [θætʃt] *adj* (*roof*) de chaume; ~ **cottage** chaumière *f*
thaw [θɔː] *n* dégel *m* ◆ *vi* (*ice*) fondre; (*food*) dégeler ◆ *vt* (: *also*: ~ *out*) (faire) dégeler

KEYWORD

the [ðiː, ðə] *def art* 1 (*gen*) le, la, *f*, l' *+vowel or h mute*, les *pl*; ~ **boy/girl/ink** le garçon/la fille/l'encre; ~ **children** les enfants; ~ **history of the world** l'histoire du monde; **give it to** ~ **postman** donne-le au facteur; **to play** ~ **piano/flute** jouer du piano/de la flûte; ~ **rich and** ~ **poor** les riches et les pauvres
2 (*in titles*): **Elizabeth** ~ **First** Elisabeth première; **Peter** ~ **Great** Pierre le Grand
3 (*in comparisons*): ~ **more he works,** ~ **more he earns** plus il travaille, plus il gagne de l'argent

theatre ['θɪətə*] *n* théâtre *m*; (*also*: *lecture* ~) amphi(théâtre) *m*; (*MED*: *also*: *operating* ~) salle *f* d'opération; ~**-goer** *n* habitué(e) du théâtre; **theatrical** [θɪ'ætrɪkəl] *adj* théâtral(e)
theft [θeft] *n* vol *m* (*larcin*)
their [ðɛə*] *adj* leur; (*pl*) leurs; *see also* **my**; ~**s** *pron* le(la) leur; (*pl*) les leurs; *see also* **mine**[1]
them [ðem, ðəm] *pron* (*direct*) les; (*indirect*) leur; (*stressed, after prep*) eux(elles); *see also* **me**
theme [θiːm] *n* thème *m*; ~ **park** *n* parc *m* (d'attraction) à thème; ~ **song** *n* chanson principale
themselves [ðəm'selvz] *pl pron* (*reflexive*) se; (*emphatic, after prep*) eux-mêmes(elles-mêmes); *see also* **oneself**
then [ðen] *adv* (*at that time*) alors, à ce moment-là; (*next*) puis, ensuite; (*and also*) et puis ◆ *conj* (*therefore*) alors, dans ce cas ◆ *adj*: **the** ~ **president** le président d'alors *or* de l'époque; **by** ~ (*past*) à ce moment-là; (*future*) d'ici là; **from** ~ **on** dès lors
theology [θɪ'ɒlədʒɪ] *n* théologie *f*
theoretical [θɪə'retɪkəl] *adj* théorique
theorize ['θɪəraɪz] *vi* faire des théories
theory ['θɪərɪ] *n* théorie *f*
therapy ['θerəpɪ] *n* thérapie *f*

KEYWORD

there [ðɛə*] *adv* 1: ~ **is,** ~ **are** il y a; ~ **are 3 of them** (*people, things*) il y en a 3; ~ **has been an accident** il y a eu un accident
2 (*referring to place*) là, là-bas; **it's** ~ c'est là(-bas); **in/on/up/down** ~ là-dedans/là-dessus/là-haut/en bas; **he went** ~ **on Friday** il y est allé vendredi; **I want that book** ~ je veux ce livre-là; ~ **he is!** le voilà!
3: ~, ~ (*esp to child*) allons, allons!

thereabouts [ðɛərə'bauts] *adv* (*place*) par là, près de là; (*amount*) environ, à peu près
thereafter [ðɛər'ɑːftə*] *adv* par la suite
thereby [ðɛə'baɪ] *adv* ainsi
therefore ['ðɛəfɔː*] *adv* donc, par conséquent
there's ['ðɛəz] = **there is; there has**
thermal ['θəːml] *adj* (*springs*) thermal(e); (*underwear*) en thermolactyl (®); (*COMPUT*: *paper*) thermosensible; (: *printer*) thermique
thermometer [θə'mɒmɪtə*] *n* thermomètre *m*
Thermos ['θɜːməs] (®) *n* (*also*: ~ *flask*) thermos *m or f inv* (®)
thermostat ['θɜːməustæt] *n* thermostat *m*
thesaurus [θɪ'sɔːrəs] *n* dictionnaire *m* des synonymes
these [ðiːz] *pl adj* ces; (*not "those"*): ~ **books** ces livres-ci ◆ *pl pron* ceux-ci(celles-ci)
thesis ['θiːsɪs] (*pl* **theses**) *n* thèse *f*
they [ðeɪ] *pl pron* ils(elles); (*stressed*) eux(elles); ~ **say that ...** (*it is said that*) on dit que ...; ~**'d** = ~ **had;** ~ **would;** ~**'ll** = **they shall;** ~ **will;** ~**'re** = ~ **are;** ~**'ve** = **they have**
thick [θɪk] *adj* épais(se); (*stupid*) bête, borné(e) ◆ *n*: **in the** ~ **of** au beau milieu de, en plein cœur de; **it's 20 cm** ~ il/elle a 20 cm d'épaisseur; ~**en** *vi* s'épaissir ◆ *vt* (*sauce etc*) épaissir; ~**ness** *n* épaisseur *f*; ~**set** *adj* trapu(e), costaud(e); ~**skinned** *adj* (*fig*) peu sensible
thief [θiːf] (*pl* **thieves**) *n* voleur(euse)
thigh [θaɪ] *n* cuisse *f*
thimble ['θɪmbl] *n* dé *m* (à coudre)
thin [θɪn] *adj* mince; (*skinny*) maigre; (*soup, sauce*) peu épais(se), clair(e); (*hair, crowd*) clairsemé(e) ◆ *vt*: **to** ~ **(down)** (*sauce, paint*) délayer
thing [θɪŋ] *n* chose *f*; (*object*) objet *m*; (*contraption*) truc *m*; (*mania*): **to have a** ~ **about** être obsédé(e) par; ~**s** *npl* (*belongings*) affaires *fpl*; **poor** ~**!** le(la) pauvre!; **the best** ~ **would be to** le mieux serait de; **how are** ~**s?** comment ça va?
think [θɪŋk] (*pt, pp* **thought**) *vi* penser, réfléchir; (*believe*) penser ◆ *vt* (*imagine*) imaginer; **what did you** ~ **of them?** qu'avez-vous pensé d'eux?; **to** ~ **about sth/sb** penser à qch/qn; **I'll** ~ **about it** je vais y réfléchir; **to** ~ **of doing** avoir l'idée de faire; **I** ~ **so/not** je crois *or* pense que oui/non; **to** ~ **well of** avoir une haute opinion de; ~ **over** *vt* bien réfléchir à; ~ **up** *vt* inventer, trouver; ~ **tank** *n* groupe *m* de réflexion
thinly *adv* (*cut*) en fines tranches; (*spread*) en une couche mince
third [θɜːd] *num* troisième ◆ *n* (*fraction*) tiers *m*; (*AUT*) troisième (vitesse) *f*; (*BRIT*: *SCOL*: *degree*) ≈ licence *f* sans mention; ~**ly** *adv* troisièmement; ~ **party insurance** (*BRIT*) *n* assurance *f* au tiers; ~**-rate** *adj* de qualité médiocre; **the T**~ **World** *n* le tiers monde
thirst [θɜːst] *n* soif *f*; ~**y** *adj* (*person*) qui a soif, assoiffé(e); (*work*) qui donne soif; **to be** ~**y** avoir soif
thirteen ['θɜː'tiːn] *num* treize
thirty ['θɜːtɪ] *num* trente

KEYWORD

this [ðɪs] *adj* (*demonstrative*: *pl these*) ce, cet *+vowel or h mute*, cette *f*; ~ **man/woman/book** cet homme/cette femme/ce livre; (*not that*) cet homme-ci/cette femme-ci/ce livre-ci; ~ **one** celui-ci(celle-ci)
◆ *pron* (*demonstrative*: *pl these*) ce; (*not that one*) celui-ci(celle-ci), ceci; **who's** ~? qui est-ce?; **what's** ~? qu'est-ce que c'est?; **I prefer** ~ **to that** je préfère ceci à cela; ~ **is what he said** voici ce qu'il a dit; ~ **is Mr Brown** (*in introductions*) je vous présente Mr Brown; (*in photo*) c'est Mr Brown; (*on telephone*) ici Mr Brown
◆ *adv* (*demonstrative*): **it was about** ~ **big** c'était à peu près de cette grandeur *or* grand comme ça; **I didn't know it was** ~ **bad** je ne savais pas qu c'était si *or* aussi mauvais

thistle ['θɪsl] *n* chardon *m*
thorn [θɔːn] *n* épine *f*
thorough ['θʌrə] *adj* (*search*) minutieux(euse); (*knowledge, research*) approfondi(e); (*work, person*) consciencieux(euse); (*cleaning*) à fond; ~**bred** *n* (*horse*) pur-sang *m inv*; ~**fare** *n* route *f*; **"no** ~**fare"** "passage interdit"; ~**ly** *adv* minutieusement; en profondeur; à fond; (*very*) tout à fait
those [ðəuz] *pl adj* ces; (*not "these"*): ~ **books** ces livres-là ◆ *pl pron* ceux-là(celles-là)
though [ðəu] *conj* bien que *+sub*, quoique *+sub* ◆ *adv* pourtant
thought [θɔːt] *pt, pp of* **think** ◆ *n* pensée *f*; (*idea*) idée *f*; (*opinion*) avis *m*; ~**ful** *adj* (*deep in thought*) pensif(ive); (*serious*) réfléchi(e); (*considerate*) prévenant(e); ~**less** *adj* étourdi(e); qui manque de considération
thousand ['θauzənd] *num* mille; **two** ~ deux mille; ~**s of** des milliers de; ~**th** *num* millième
thrash [θræʃ] *vt* rouer de coups; donner une correction à; (*defeat*) battre à plate couture; ~ **about,** ~ **around** *vi* se débattre; ~ **out** *vt* débattre de
thread [θred] *n* fil *m*; (*of screw*) pas *m*, filetage *m* ◆ *vt* (*needle*) enfiler; ~**bare** *adj* râpé(e), élimé(e)
threat [θret] *n* menace *f*; ~**en** *vi* menacer ◆ *vt*: **to** ~**en sb with sth/to do** menacer qn de qch/de faire
three [θriː] *num* trois; ~**-dimensional** *adj* à trois dimensions; ~**-piece suit** *n* complet *m* (avec gilet); ~**-piece suite** *n* salon *m* comprenant un canapé et deux fauteuils assortis; ~**-ply** *adj* (*wool*) trois fils *inv*
thresh [θreʃ] *vt* (*AGR*) battre
threshold ['θreʃhəuld] *n* seuil *m*
threw [θruː] *pt of* **throw**
thrift [θrɪft] *n* économie *f*; ~**y** *adj* économe
thrill [θrɪl] *n* (*excitement*) émotion *f*, sensation forte; (*shudder*) frisson *m* ◆ *vt* (*audience*) électriser; **to be** ~**ed** (*with gift etc*) être ravi(e); ~**er** *n* film *m* (*or* roman *m or* pièce *f*) à suspense; ~**ing** *adj* saisissant(e), palpitant(e)
thrive [θraɪv] (*pt* ~**d, throve,** *pp* ~**d**) *vi* pousser, se développer; (*business*) prospérer; **he** ~**s on it** cela lui réussit; **thriving** ['θraɪvɪŋ] *adj* (*business, community*) prospère
throat [θrəut] *n* gorge *f*; **to have a sore** ~ avoir mal à la gorge
throb [θrɒb] *vi* (*heart*) palpiter; (*engine*) vibrer; **my head is** ~**bing** j'ai des élancements dans la tête
throes [θrəuz] *npl*: **in the** ~ **of** au beau milieu de
throne [θrəun] *n* trône *m*
throng [θrɒŋ] *n* foule *f* ◆ *vt* se presser dans
throttle ['θrɒtl] *n* (*AUT*) accélérateur *m* ◆ *vt* étrangler
through [θruː] *prep* à travers; (*time*) pendant, durant; (*by means of*) par, par l'intermédiaire de; (*owing to*) à cause de ◆ *adj* (*ticket, train, passage*) direct(e) ◆ *adv* à travers; **to put sb** ~ **to sb** (*BRIT*: *TEL*) passer qn à qn; **to be** ~ avoir la communication; (*esp US*: *have finished*) avoir fini; **to be** ~ **with sb** (*relationship*) avoir rompu avec qn; **"no** ~ **road"** (*BRIT*) "impasse"; ~**out** [θru'aut] *prep* (*place*) partout dans; (*time*) durant tout(e) le(la) ◆ *adv* partout
throve [θrəuv] *pt of* **thrive**
throw [θrəu] (*pt* **threw,** *pp* **thrown**) *n* jet *m*; (*SPORT*) lancer *m* ◆ *vt* lancer, jeter; (*SPORT*) lancer; (*rider*) désarçonner; (*fig*) décontenancer; **to** ~ **a party** donner une réception; ~ **away** *vt* jeter; ~ **off** *vt* se débarrasser de; ~ **out** *vt* jeter; (*reject*) rejeter; (*person*) mettre à la porte; ~ **up** *vi* vomir; ~**away** *adj* à jeter; (*remark*) fait(e) en passant; ~**-in** *n* (*SPORT*) remise *f* en jeu
thru [θruː] (*US*) = **through**
thrush [θrʌʃ] *n* (*bird*) grive *f*

thrust [θrʌst] (*pt, pp* **thrust**) *n* (*TECH*) poussée *f* ◆ *vt* pousser brusquement; (*push in*) enfoncer

thud [θʌd] *n* bruit sourd

thug [θʌg] *n* voyou *m*

thumb [θʌm] *n* (*ANAT*) pouce *m*, arrêter une voiture; **to ~ a lift** faire de l'auto-stop; **~ through** *vt* (*book*) feuilleter; **~tack** (*US*) *n* punaise *f* (*clou*)

thump [θʌmp] *n* grand coup; (*sound*) bruit sourd ◆ *vt* cogner sur ◆ *vi* cogner, battre fort

thunder ['θʌndə*] *n* tonnerre *m* ◆ *vi* tonner; (*train etc*): **to ~ past** passer dans un grondement *or* un bruit de tonnerre; **~bolt** *n* foudre *f*; **~clap** *n* coup *m* de tonnerre; **~storm** *n* orage *m*; **~y** *adj* orageux(euse)

Thursday ['θɜːzdeɪ] *n* jeudi *m*

thus [ðʌs] *adv* ainsi

thwart [θwɔːt] *vt* contrecarrer

thyme [taɪm] *n* thym *m*

tiara [tɪ'ɑːrə] *n* (*woman's*) diadème *m*

tick [tɪk] *n* (*sound: of clock*) tic-tac *m*; (*mark*) coche *f*; (*ZOOL*) tique *f*; (*BRIT: inf*): **in a ~** dans une seconde ◆ *vi* faire tic-tac ◆ *vt* (*item on list*) cocher; **~ off** *vt* (*item on list*) cocher; (*person*) réprimander, attraper; **~ over** *vi* (*engine*) tourner au ralenti; (*fig*) aller *or* marcher doucettement

ticket ['tɪkɪt] *n* billet *m*; (*for bus, tube*) ticket *m*; (*in shop: on goods*) étiquette *f*; (*for library*) carte *f*; (*parking ~*) papillon *m*, p.-v. *m*; **~ collector** *n* contrôleur(euse); **~ office** *n* guichet *m*, bureau *m* de vente des billets

tickle ['tɪkl] *vt, vi* chatouiller; **ticklish** *adj* (*person*) chatouilleux(euse); (*problem*) épineux(euse)

tidal ['taɪdl] *adj* (*force*) de la marée; (*estuary*) à marée; **~ wave** *n* raz-de-marée *m inv*

tidbit ['tɪdbɪt] (*US*) *n* = **titbit**

tiddlywinks ['tɪdlɪwɪŋks] *n* jeu *m* de puce

tide [taɪd] *n* marée *f*; (*fig: of events*) cours *m* ◆ *vt*: **to ~ sb over** dépanner qn; **high/low ~** marée haute/basse

tidy ['taɪdɪ] *adj* (*room*) bien rangé(e); (*dress, work*) net(te), soigné(e); (*person*) ordonné(e), qui a de l'ordre ◆ *vt* (*also: ~ up*) ranger

tie [taɪ] *n* (*string etc*) cordon *m*; (*BRIT: also: neck~*) cravate *f*; (*fig: link*) lien *m*; (*SPORT: draw*) égalité *f* de points; match nul ◆ *vt* (*parcel*) attacher; (*ribbon, shoelaces*) nouer ◆ *vi* (*SPORT*) faire match nul; finir à égalité de points; **to ~ sth in a bow** faire un nœud à *or* avec qch; **to ~ a knot in sth** faire un nœud à qch; **~ down** *vt* (*fig*): **to ~ sb down (to)** contraindre qn (à accepter); **to be ~d down** (*by relationship*) se fixer; **~ up** *vt* (*parcel*) ficeler; (*dog, boat*) attacher; (*prisoner*) ligoter; (*arrangements*) conclure; **to be ~d up** (*busy*) être pris(e) *or* occupé(e)

tier [tɪə*] *n* gradin *m*; (*of cake*) étage *m*

tiger ['taɪgə*] *n* tigre *m*

tight [taɪt] *adj* (*rope*) tendu(e), raide; (*clothes*) étroit(e), très juste; (*budget, programme, bend*) serré(e); (*control*) strict(e), sévère; (*inf: drunk*) ivre, rond(e) ◆ *adv* (*squeeze*) très fort; (*shut*) hermétiquement, bien; **~en** *vt* (*rope*) tendre; (*screw*) resserrer; (*control*) renforcer ◆ *vi* se tendre, se resserrer; **~fisted** *adj* avare; **~ly** *adv* (*grasp*) bien, très fort; **~rope** *n* corde *f* raide; **~s** (*BRIT*) *npl* collant *m*

tile [taɪl] *n* (*on roof*) tuile *f*; (*on wall or floor*) carreau *m*; **~d** *adj* en tuiles; carrelé(e)

till [tɪl] *n* caisse (enregistreuse) ◆ *vt* (*land*) cultiver ◆ *prep, conj* = **until**

tiller ['tɪlə*] *n* (*NAUT*) barre *f* (du gouvernail)

tilt [tɪlt] *vt* pencher, incliner ◆ *vi* pencher, être incliné(e)

timber ['tɪmbə*] *n* (*material*) bois *m* (de construction); (*trees*) arbres *mpl*

time [taɪm] *n* temps *m*; (*epoch: often pl*) époque *f*, temps; (*by clock*) heure *f*; (*moment*) moment *m*; (*occasion, also MATH*) fois *f*; (*MUS*) mesure *f* ◆ *vt* (*race*) chronométrer; (*programme*) minuter; (*visit*) fixer; (*remark etc*) choisir le moment de; **a long ~** un long moment, longtemps; **for the ~ being** pour le moment; **4 at a ~** 4 à la fois; **from ~ to ~** de temps en temps; **at ~s** parfois; **in ~** (*soon enough*) à temps; (*after some ~*) avec le temps, à la longue; (*MUS*) en mesure; **in a week's ~** dans une semaine; **in no ~** en un rien de temps; **any ~** n'importe quand; **on ~** à l'heure; **5 ~s 5** 5 fois 5; **what ~ is it?** quelle heure est-il?; **to have a good ~** bien s'amuser; **~ bomb** *n* bombe *f* à retardement; **~ lag** (*BRIT*) *n* décalage *m*; (*in travel*) décalage horaire; **~less** *adj* éternel(le); **~ly** *adj* opportun(e); **~ off** *n* temps *m* libre; **~r** *n* (*TECH*) minuteur *m*; (*in kitchen*) compte-minutes *m inv*; **~scale** *n* délais *mpl*; **~-share** *n* maison *f* (*or* appartement *m*) en multipropriété; **~ switch** (*BRIT*) *n* minuteur *m*; (*for lighting*) minuterie *f*; **~table** *n* (*RAIL*) (indicateur *m*) horaire *m*; (*SCOL*) emploi *m* du temps; **~ zone** *n* fuseau *m* horaire

timid ['tɪmɪd] *adj* timide; (*easily scared*) peureux(euse)

timing ['taɪmɪŋ] *n* minutage *m*; chronométrage *m*; **the ~ of his resignation** le moment choisi pour sa démission

timpani ['tɪmpənɪ] *npl* timbales *fpl*

tin [tɪn] *n* étain *m*; (*also: ~ plate*) fer-blanc *m*; (*BRIT: can*) boîte *f* (de conserve); (*for storage*) boîte *f*; **~foil** *n* papier *m* d'étain *or* aluminium

tinge [tɪndʒ] *n* nuance *f* ◆ *vt*: **~d with** teinté(e) de

tingle ['tɪŋgl] *vi* picoter; (*person*) avoir des picotements

tinker ['tɪŋkə*] *n* (*gipsy*) romanichel *m*; **~ with** *vt fus* bricoler, rafistoler

tinkle ['tɪŋkl] *vi* tinter

tinned [tɪnd] (*BRIT*) *adj* (*food*) en boîte, en conserve

tin opener ['-əʊpnə*] (*BRIT*) *n* ouvre-boîte(s) *m*

tinsel ['tɪnsəl] *n* guirlandes *fpl* de Noël (*argentées*)

tint [tɪnt] *n* teinte *f*; (*for hair*) shampooing colorant; **~ed** *adj* (*hair*) teint(e); (*spectacles, glass*) teinté(e)

tiny ['taɪnɪ] *adj* minuscule

tip [tɪp] *n* (*end*) bout *m*; (*gratuity*) pourboire *m*; (*BRIT: for rubbish*) décharge *f*; (*advice*) tuyau *m* ◆ *vt* (*waiter*) donner un pourboire à; (*tilt*) incliner; (*overturn: also: ~ over*) renverser; (*empty: ~ out*) déverser; **~-off** *n* (*hint*) tuyau *m*; **~ped** (*BRIT*) *adj* (*cigarette*) (à bout) filtre *inv*

tipsy ['tɪpsɪ] (*inf*) *adj* un peu ivre, éméché(e)

tiptoe ['tɪptəʊ] *n*: **on ~** sur la pointe des pieds

tiptop ['tɪp'tɒp] *adj*: **in ~ condition** en excellent état

tire ['taɪə*] *n* (*US*) = **tyre** ◆ *vt* fatiguer ◆ *vi* se fatiguer; **~d** *adj* fatigué(e); **to be ~d of** en avoir assez de, être las(lasse) de; **~less** *adj* (*person*) infatigable; (*efforts*) inlassable; **~some** *adj* ennuyeux(euse); **tiring** ['taɪərɪŋ] *adj* fatigant(e)

tissue ['tɪʃuː] *n* tissu *m*; (*paper handkerchief*) mouchoir *m* en papier, kleenex *m* (®); **~ paper** *n* papier *m* de soie

tit [tɪt] *n* (*bird*) mésange *f*; **to give ~ for tat** rendre la pareille

titbit ['tɪtbɪt] *n* (*food*) friandise *f*; (*news*) potin *m*

title ['taɪtl] *n* titre *m*; **~ deed** *n* (*LAW*) titre (constitutif) de propriété; **~ role** *n* rôle principal

titter ['tɪtə*] *vi* rire (bêtement)

TM *abbr* = **trademark**

KEYWORD

to [tuː, tə] *prep* 1 (*direction*) à; **~ go ~ France/Portugal/London/school** aller en France/au Portugal/à Londres/à l'école; **~ go ~ Claude's/the doctor's** aller chez Claude/le docteur; **the road ~ Edinburgh** la route d'Édimbourg

2 (*as far as*) (jusqu')à; **~ count ~ 10** compter jusqu'à 10; **from 40 ~ 50 people** de 40 à 50 personnes

3 (*with expressions of time*): **a quarter ~ 5** 5 heures moins le quart; **it's twenty ~ 3** il est 3 heures moins vingt

4 (*for, of*) de; **the key ~ the front door** la clé de la porte d'entrée; **a letter ~ his wife** une lettre (adressée) à sa femme

5 (*expressing indirect object*) à; **~ give sth ~ sb** donner qch à qn; **~ talk ~ sb** parler à qn

6 (*in relation to*) à; **3 goals ~ 2** 3 (buts) à 2; **30 miles ~ the gallon** ≈ 9,4 litres aux cent (km)

7 (*purpose, result*): **~ come ~ sb's aid** venir au secours de qn, porter secours à qn; **~ sentence sb ~ death** condamner qn à mort; **~ my surprise** à ma grande surprise

◆ *with vb* 1 (*simple infinitive*): **~ go/eat** aller/manger

2 (*following another vb*): **~ want/try/start ~ do** vouloir/essayer de/commencer à faire

3 (*with vb omitted*): **I don't want ~** je ne veux pas

4 (*purpose, result*) pour; **I did it ~ help you** je l'ai fait pour vous aider

5 (*equivalent to relative clause*): **I have things ~ do** j'ai des choses à faire; **the main thing is ~ try** l'important est d'essayer

6 (*after adjective etc*): **ready ~ go** prêt(e) à partir; **too old/young ~ ...** trop vieux/jeune pour ...

◆ *adv*: **push/pull the door ~** tirez/poussez la porte

toad [təʊd] *n* crapaud *m*

toadstool *n* champignon (vénéneux)

toast [təʊst] *n* (*CULIN*) pain grillé, toast *m*; (*drink, speech*) toast ◆ *vt* (*CULIN*) faire griller; (*drink to*) porter un toast à; **~er** *n* grille-pain *m inv*

tobacco [tə'bækəʊ] *n* tabac *m*; **~nist** [tə'bækənɪst] *n* marchand(e) de tabac; **~nist's (shop)** *n* (bureau *m* de) tabac *m*

toboggan [tə'bɒgən] *n* toboggan *m*; (*child's*) luge *f*

today [tə'deɪ] *adv* (*also fig*) aujourd'hui ◆ *n* aujourd'hui *m*

toddler ['tɒdlə*] *n* enfant *m/f* qui commence à marcher, bambin *m*

to-do [tə'duː] *n* (*fuss*) histoire *f*, affaire *f*

toe [təʊ] *n* doigt *m* de pied, orteil *m*; (*of shoe*) bout *m* ◆ *vt*: **to ~ the line** (*fig*) obéir, se conformer; **~nail** *n* ongle *m* du pied

toffee ['tɒfɪ] *n* caramel *m*; **~ apple** (*BRIT*) *n* pomme caramélisée

toga ['təʊgə] *n* toge *f*

together [tə'geðə*] *adv* ensemble; (*at same time*) en même temps; **~ with** avec

toil [tɔɪl] *n* dur travail, labeur *m* ◆ *vi* peiner

toilet ['tɔɪlət] *n* (*BRIT: lavatory*) toilettes *fpl* ◆ *cpd* (*accessories etc*) de toilette; **~ paper** *n* papier *m* hygiénique; **~ries** ['tɔɪlətrɪz] *npl* articles *mpl* de toilette; **~ roll** *n* rouleau *m* de papier hygiénique; **~ water** *n* eau *f* de toilette

token ['təʊkən] *n* (*sign*) marque *f*, témoignage *m*; (*metal disc*) jeton *m* ◆ *adj* (*strike, payment etc*) symbolique; **book/record ~** (*BRIT*) chèque-livre/-disque *m*; **gift ~** bon-cadeau *m*

told [təʊld] *pt, pp of* **tell**

tolerable ['tɒlərəbl] *adj* (*bearable*) tolérable; (*fairly good*) passable

tolerant ['tɒlərnt] *adj*: **~ (of)** tolérant(e) (à l'égard de)

tolerate ['tɒləreɪt] *vt* supporter, tolérer

toll [təʊl] *n* (*tax, charge*) péage *m* ◆ *vi* (*bell*) sonner; **the accident ~ on the roads** le nombre des victimes de la route

tomato [tə'mɑːtəʊ] (*pl* **~es**) *n* tomate *f*

tomb [tuːm] *n* tombe *f*

tomboy ['tɒmbɔɪ] *n* garçon manqué

tombstone ['tuːmstəʊn] *n* pierre tombale

tomcat ['tɒmkæt] *n* matou *m*

tomorrow [tə'mɒrəʊ] *adv* (*also fig*) demain ◆ *n* demain *m*; **the day after ~** après-demain; **~ morning** demain matin

ton [tʌn] *n* tonne *f* (*BRIT = 1016kg; US = 907kg*); (*metric*) tonne (= *1000 kg*); **~s of** (*inf*) des tas de

tone [təʊn] *n* ton *m* ◆ *vi* (*also: ~ in*) s'harmoniser; **~ down** *vt* (*colour, criticism*) adoucir; (*sound*) baisser; **~ up** *vt* (*muscles*) tonifier; **~-deaf** *adj* qui n'a pas d'oreille

tongs [tɒŋz] *npl* (*for coal*) pincettes *fpl*; (*for hair*) fer *m* à friser

tongue [tʌŋ] *n* langue *f*; **~ in cheek** ironiquement; **~-tied** *adj* (*fig*) muet(te); **~ twister** *n* phrase *f* très difficile à prononcer

tonic ['tɒnɪk] *n* (*MED*) tonique *m*; (*also: ~ water*) tonic *m*, Schweppes *m* (®)

tonight [tə'naɪt] *adv, n* cette nuit; (*this evening*) ce soir

tonsil ['tɒnsl] *n* amygdale *f*; **~litis** *n* angine *f*

too [tuː] *adv* (*excessively*) trop; (*also*) aussi; **~ much** *adv* trop de ◆ *adj* trop; **~ many** trop de; **~ bad!** tant pis!

took [tʊk] *pt of* **take**

tool [tuːl] *n* outil *m*; **~ box** *n* boîte *f* à outils

toot [tuːt] *n* (*of car horn*) coup *m* de klaxon; (*of whistle*) coup de sifflet ◆ *vi* (*with car horn*) klaxonner

tooth [tuːθ] (*pl* **teeth**) *n* (*ANAT, TECH*) dent *f*; **~ache** *n* mal *m* de dents; **~brush** *n* brosse *f* à dents; **~paste** *n* (pâte *f*) dentifrice *m*; **~pick** *n* cure-dent *m*

top [tɒp] *n* (*of mountain, head*) sommet *m*; (*of page, ladder, garment*) haut *m*; (*of box, cupboard, table*) dessus *m*; (*lid: of box, jar*) couvercle *m*; (*: of bottle*) bouchon *m*; (*toy*) toupie *f* ◆ *adj* du haut; (*in rank*) premier(ère); (*best*) meilleur(e) ◆ *vt* (*exceed*) dépasser; (*be first in*) être en tête de; **on ~ of** sur; (*in addition to*) en plus de; **from ~ to bottom** de fond en comble; **~ up** (*US* **~ off**) *vt* (*bottle*) remplir; (*salary*) compléter; **~ floor** *n* dernier étage; **~ hat** *n* haut-de-forme *m*; **~-heavy** *adj* (*object*) trop lourd(e) du haut

topic ['tɒpɪk] *n* sujet *m*, thème *m*; **~al** *adj* d'actualité

top: ~less ['tɒpləs] *adj* (*bather etc*) aux seins nus; **~-level** ['tɒp'levl] *adj* (*talks*) au plus haut niveau; **~most** ['tɒpməʊst] *adj* le(la) plus haut(e)

topple ['tɒpl] *vt* renverser, faire tomber ◆ *vi* basculer; tomber

top-secret ['tɒp'siːkrət] *adj* top secret(ète)

topsy-turvy ['tɒpsɪ'tɜːvɪ] *adj, adv* sens dessus dessous

torch [tɔːtʃ] *n* torche *f*; (*BRIT: electric*) lampe *f* de poche

tore [tɔː*] *pt of* **tear**[1]

torment [*n* 'tɔːment, *vb* tɔː'ment] *n* tourment *m* ◆ *vt* tourmenter; (*fig: annoy*) harceler

torn [tɔːn] *pp of* **tear**[1]

tornado [tɔː'neɪdəʊ] (*pl* **~es**) *n* tornade *f*

torpedo [tɔː'piːdəʊ] (*pl* **~es**) *n* torpille *f*

torrent ['tɒrənt] *n* torrent *m*

tortoise ['tɔːtəs] *n* tortue *f*; **~shell** *adj* en écaille

torture ['tɔːtʃə*] *n* torture *f* ◆ *vt* torturer

Tory ['tɔːrɪ] (*BRIT POL*) *adj* tory, conservateur(trice) ◆ *n* tory *m/f*, conservateur(trice)

toss [tɒs] *vt* lancer, jeter; (*pancake*) faire sauter; (*head*) rejeter en arrière; **to ~ a coin** jouer à pile ou face; **to ~ up for sth** jouer qch à pile ou face; **to ~ and turn** (*in bed*) se tourner et se retourner

tot [tɒt] *n* (*BRIT: drink*) petit verre; (*child*) bambin *m*

total ['təʊtl] *adj* total(e) ◆ *n* total *m* ◆ *vt* (*add up*) faire le total de, additionner; (*amount to*) s'élever à; **~ly** ['təʊtəlɪ] *adv* totalement

totter ['tɒtə*] *vi* chanceler

touch [tʌtʃ] *n* contact *m*, toucher *m*; (*sense, also skill: of pianist etc*) toucher ◆ *vt* toucher; (*tamper with*) toucher à; **a ~ of** (*fig*) un petit peu de; une touche de; **to get in ~ with** prendre contact avec; **to lose ~** (*friends*) se perdre de vue; **~ on** *vt fus* (*topic*) effleurer, aborder; **~ up** *vt* (*paint*) retoucher; **~-and-go** *adj* incertain(e); **~down** *n* atterrissage *m*; (*on sea*) amerrissage *m*; (*US: FOOTBALL*) touché-en-but *m*; **~ed** *adj* (*moved*) touché(e); **~ing** *adj* touchant(e), attendrissant(e); **~line** *n* (*SPORT*) (ligne *f* de) touche *f*; **~y** *adj* (*person*) susceptible

tough [tʌf] *adj* dur(e); (*resistant*) résistant(e), solide; (*meat*) dur, coriace; (*firm*) inflexible; (*task*) dur, pénible; **~en** *vt* (*character*) endurcir; (*glass etc*) renforcer

toupee ['tuːpeɪ] *n* postiche *m*

tour ['tʊə*] *n* voyage *m*; (*also: package ~*) voyage organisé; (*of town, museum*) tour *m*, visite *f*; (*by artist*) tournée *f* ◆ *vt* visiter

tourism ['tʊərɪzm] *n* tourisme *m*

tourist ['tʊərɪst] *n* touriste *m/f* ◆ *cpd* touristique; **~ office** *n* syndicat *m* d'initiative

tournament ['tʊənəmənt] *n* tournoi *m*

tousled ['taʊzld] *adj* (*hair*) ébouriffé(e)

tout [taʊt] *vi*: **to ~ for** essayer de raccrocher, racoler (*also: ticket ~*) revendeur *m* de billets

tow [təʊ] *vt* remorquer; (*caravan, trailer*) tracter; **"on** (*BRIT*) *or* **in** (*US*) **~"** (*AUT*) "véhicule en remorque"

toward(s) [tə'wɔːd(z)] *prep* vers; (*of attitude*) envers, à l'égard de; (*of purpose*) pour

towel ['taʊəl] *n* serviette *f* (de toilette); **~ling** *n* (*fabric*) tissu éponge *m*; **~ rail** (*US* **~ rack**) *n* porte-serviettes *m inv*

tower ['taʊə*] *n* tour *f*; **~ block** (*BRIT*) *n* tour *f* (d'habitation); **~ing** *adj* très haut(e), imposant(e)

town [taʊn] *n* ville *f*; **to go to ~** aller en ville; (*fig*) y mettre le paquet; **~ centre** *n* centre *m* de la ville, centre-ville *m*; **~ council** *n* conseil municipal; **~ hall** *n* ≈ mairie *f*; **~ plan** *n* plan *m* de ville; **~ planning** *n* urbanisme *m*

towrope ['təʊrəʊp] *n* (câble *m* de) remorque *f*

tow truck (*US*) *n* dépanneuse *f*

toy [tɔɪ] *n* jouet *m*; **~ with** *vt fus* jouer avec; (*idea*) caresser

trace [treɪs] *n* trace *f* ◆ *vt* (*draw*) tracer, dessiner; (*follow*) suivre la trace de; (*locate*) retrouver; **tracing paper** *n* papier-calque *m*

track [træk] *n* (*mark*) trace *f*; (*path: gen*) chemin *m*, piste *f*; (*: of bullet etc*) trajectoire *f*; (*: of suspect, animal*) piste; (*RAIL*) voie ferrée, rails *mpl*; (*on tape, SPORT*) piste; (*on record*) plage *f* ◆ *vt* suivre la trace *or* la piste de; **to keep ~ of** suivre; **~ down** *vt* (*prey*) trouver et capturer; (*sth lost*) finir par retrouver; **~suit** *n* survêtement *m*

tract [trækt] *n* (*GEO*) étendue *f*, zone *f*; (*pamphlet*) tract *m*

traction ['trækʃən] *n* traction *f*; (*MED*): **in ~** en extension

tractor ['træktə*] *n* tracteur *m*

trade [treɪd] *n* commerce *m*; (*skill, job*) métier *m* ◆ *vi* faire du commerce ◆ *vt* (*exchange*): **to ~ sth (for sth)** échanger qch (contre qch); **~ in** *vt* (*old car etc*) faire reprendre; **~ fair** *n* foire(-exposition) commerciale; **~-in price** *n* prix *m* à la reprise; **~mark** *n* marque *f* de fabrique; **~ name** *n* nom *m* de marque; **~r** *n* commerçant(e), négociant(e); **~sman** (*irreg*) *n* (*shopkeeper*) commerçant; **~ union** *n* syndicat *m*; **~ unionist** *n* syndicaliste *m/f*

tradition [trə'dɪʃən] *n* tradition *f*; **~al** *adj* traditionnel(le)

traffic ['træfɪk] *n* trafic *m*; (*cars*) circulation *f* ◆ *vi*: **to ~ in** (*pej*: *liquor, drugs*) faire le trafic de; **~ circle** (*US*) *n* rond-point *m*; **~ jam** *n* embouteillage *m*; **~ lights** *npl* feux *mpl* (de signalisation); **~ warden** *n* contractuel(le)

tragedy ['trædʒədɪ] *n* tragédie *f*

tragic ['trædʒɪk] *adj* tragique

trail [treɪl] *n* (*tracks*) trace *f*, piste *f*; (*path*) chemin *m*, piste; (*of smoke etc*) traînée *f* ◆ *vt* traîner, tirer; (*follow*) suivre ◆ *vi* traîner; (*in game, contest*) être en retard; **~ behind** *vi* traîner, être à la traîne; **~er** *n* (*AUT*) remorque *f*; (*US*) caravane *f*; (*CINEMA*) bande-annonce *f*; **~er truck** (*US*) *n* (camion *m*) semi-remorque *m*

train [treɪn] *n* train *m*; (*in underground*) rame *f*; (*of dress*) traîne *f* ◆ *vt* (*apprentice, doctor etc*) former; (*sportsman*) entraîner; (*dog*) dresser; (*memory*) exercer; (*point*: *gun etc*): **to ~ sth on** braquer qch sur ◆ *vi* suivre une formation; (*SPORT*) s'entraîner; **one's ~ of thought** le fil de sa pensée; **~ed** *adj* qualifié(e), qui a reçu une formation; (*animal*) dressé(e); **~ee** *n* stagiaire *m/f*; (*in trade*) apprenti(e); **~er** *n* (*SPORT*: *coach*) entraîneur(euse); (: *shoe*) chaussure *f* de sport; (*of dogs etc*) dresseur(euse); **~ing** *n* formation *f*; entraînement *m*; **in ~ing** (*SPORT*) à l'entraînement; (*fit*) en forme; **~ing college** *n* école professionnelle; (*for teachers*) ≈ école normale; **~ing shoes** *npl* chaussures *fpl* de sport

traipse [treɪps] *vi*: **to ~ in/out** entrer/sortir d'un pas traînant

trait [treɪ(t)] *n* trait *m* (de caractère)

traitor ['treɪtə*] *n* traître *m*

tram ['træm] (*BRIT*) *n* (*also*: **~car**) tram(way) *m*

tramp [træmp] *n* (*person*) vagabond(e), clochard(e); (*inf*: *pej*: *woman*): **to be a ~** être coureuse ◆ *vi* marcher d'un pas lourd

trample ['træmpl] *vt*: **to ~ (underfoot)** piétiner

trampoline ['træmpəliːn] *n* trampoline *m*

tranquil ['træŋkwɪl] *adj* tranquille; **~lizer** (*US* **~izer**) *n* (*MED*) tranquillisant *m*

transact [træn'zækt] *vt* (*business*) traiter; **~ion** *n* transaction *f*

transatlantic ['trænzət'læntɪk] *adj* transatlantique

transfer [*n* 'trænsfə*, *vt* træns'fɜː*] *n* (*gen, also SPORT*) transfert *m*; (*POL*: *of power*) passation *f*; (*picture, design*) décalcomanie *f*; (: *stick-on*) autocollant *m* ◆ *vt* transférer; passer; **to ~ the charges** (*BRIT*: *TEL*) téléphoner en P.C.V.

transform [træns'fɔːm] *vt* transformer

transfusion [træns'fjuːʒən] *n* transfusion *f*

transient ['trænzɪənt] *adj* transitoire, éphémère

transistor [træn'zɪstə*] *n* (*ELEC, also*: **~ radio**) transistor *m*

transit ['trænzɪt] *n*: **in ~** en transit

transitive ['trænzɪtɪv] *adj* (*LING*) transitif(ive)

transit lounge *n* salle *f* de transit

translate [trænz'leɪt] *vt* traduire; **translation** [trænz'leɪʃən] *n* traduction *f*; **translator** [trænz'leɪtə*] *n* traducteur(trice)

transmission [trænz'mɪʃən] *n* transmission *f*

transmit [trænz'mɪt] *vt* transmettre; (*RADIO, TV*) émettre

transparency [træns'pærənsɪ] *n* (*of glass etc*) transparence *f*; (*BRIT*: *PHOT*) diapositive *f*; **transparent** [træns'pærənt] *adj* transparent(e)

transpire [træns'paɪə*] *vi* (*turn out*): **it ~d that ...** on a appris que ...; (*happen*) arriver

transplant [*vb* træns'plɑːnt, *n* 'trænsplɑːnt] *vt* transplanter; (*seedlings*) repiquer ◆ *n* (*MED*) transplantation *f*

transport [*n* 'trænspɔːt, *vb* træns'pɔːt] *n* transport *m*; (*car*) moyen *m* de transport, voiture *f* ◆ *vt* transporter; **~ation** [trænspɔː'teɪʃən] *n* transport *m*; (*means of ~*) moyen *m* de transport; **~ café** (*BRIT*) *n* ≈ restaurant *m* de routiers

trap [træp] *n* (*snare, trick*) piège *m*; (*carriage*) cabriolet *m* ◆ *vt* prendre au piège; (*confine*) coincer; **~ door** *n* trappe *f*

trapeze [trə'piːz] *n* trapèze *m*

trappings ['træpɪŋz] *npl* ornements *mpl*; attributs *mpl*

trash [træʃ] (*pej*) *n* (*goods*) camelote *f*; (*nonsense*) sottises *fpl*; **~ can** (*US*) *n* poubelle *f*

trauma ['trɔːmə] *n* traumatisme *m*; **~tic** *adj* traumatisant(e)

travel ['trævl] *n* voyage(s) *m(pl)* ◆ *vi* voyager; (*news, sound*) circuler, se propager ◆ *vt* (*distance*) parcourir; **~ agency** *n* agence *f* de voyages; **~ agent** *n* agent *m* de voyages; **~ler** (*US* **~er**) *n* voyageur(euse); **~ler's cheque** (*US* **~er's check**) *n* chèque *m* de voyage; **~ling** (*US* **~ing**) *n* voyage(s) *m(pl)*; **~ sickness** *n* mal *m* de la route (*or* de mer *or* de l'air)

travesty ['trævəstɪ] *n* parodie *f*

trawler ['trɔːlə*] *n* chalutier *m*

tray [treɪ] *n* (*for carrying*) plateau *m*; (*on desk*) corbeille *f*

treacherous *adj* (*person, look*) traître(esse); (*ground, tide*) dont il faut se méfier

treachery ['tretʃərɪ] *n* traîtrise *f*

treacle ['triːkl] *n* mélasse *f*

tread [tred] (*pt* **trod**, *pp* **trodden**) *n* pas *m*; (*sound*) bruit *m* de pas; (*of tyre*) chape *f*, bande *f* de roulement ◆ *vi* marcher; **~ on** *vt fus* marcher sur

treason ['triːzn] *n* trahison *f*

treasure ['treʒə*] *n* trésor *m* ◆ *vt* (*value*) tenir beaucoup à

treasurer ['treʒərə*] *n* trésorier(ère)

treasury ['treʒərɪ] *n*: **the T~**, (*US*) **the T~ Department** le ministère des Finances

treat [triːt] *n* petit cadeau, petite surprise ◆ *vt* traiter; **to ~ sb to sth** offrir qch à qn

treatment ['triːtmənt] *n* traitement *m*

treaty ['triːtɪ] *n* traité *m*

treble ['trebl] *adj* triple ◆ *vt, vi* tripler; **~ clef** *n* (*MUS*) clé *f* de sol

tree [triː] *n* arbre *m*

trek [trek] *n* (*long*) voyage; (*on foot*) (longue) marche, tirée *f*

tremble ['trembl] *vi* trembler

tremendous [trə'mendəs] *adj* (*enormous*) énorme, fantastique; (*excellent*) formidable

tremor ['tremə*] *n* tremblement *m*; (*also*: *earth ~*) secousse *f* sismique

trench [trentʃ] *n* tranchée *f*

trend [trend] *n* (*tendency*) tendance *f*; (*of events*) cours *m*; (*fashion*) mode *f*; **~y** *adj* (*idea, person*) dans le vent; (*clothes*) dernier cri *inv*

trepidation [trepɪ'deɪʃən] *n* vive agitation *or* inquiétude *f*

trespass ['trespəs] *vi*: **to ~ on** s'introduire sans permission dans; **"no ~ing"** "propriété privée", "défense d'entrer"

trestle ['tresl] *n* tréteau *m*

trial ['traɪəl] *n* (*LAW*) procès *m*, jugement *m*; (*test*: *of machine etc*) essai *m*; **~s** *npl* (*unpleasant experiences*) épreuves *fpl*; **to be on ~** (*LAW*) passer en jugement; **by ~ and error** par tâtonnements; **~ period** *n* période *f* d'essai

triangle ['traɪæŋgl] *n* (*MATH, MUS*) triangle *m*

tribe [traɪb] *n* tribu *f*; **~sman** (*irreg*) *n* membre *m* d'une tribu

tribunal [traɪ'bjuːnl] *n* tribunal *m*

tributary ['trɪbjutərɪ] *n* (*river*) affluent *m*

tribute ['trɪbjuːt] *n* tribut *m*, hommage *m*; **to pay ~ to** rendre hommage à

trice [traɪs] *n*: **in a ~** en un clin d'œil

trick [trɪk] *n* (*magic ~*) tour *m*; (*joke, prank*) tour, farce *f*; (*skill, knack*) astuce *f*, truc *m*; (*CARDS*) levée *f* ◆ *vt* attraper, rouler; **to play a ~ on sb** jouer un tour à qn; **that should do the ~** ça devrait faire l'affaire; **~ery** *n* ruse *f*

trickle ['trɪkl] *n* (*of water etc*) filet *m* ◆ *vi* couler en un filet *or* goutte à goutte

tricky ['trɪkɪ] *adj* difficile, délicat(e)

tricycle ['traɪsɪkl] *n* tricycle *m*

trifle ['traɪfl] *n* bagatelle *f*; (*CULIN*) ≈ diplomate *m* ◆ *adv*: **a ~ long** un peu long; **trifling** *adj* insignifiant(e)

trigger ['trɪgə*] *n* (*of gun*) gâchette *f*; **~ off** *vt* déclencher

trim [trɪm] *adj* (*house, garden*) bien tenu(e); (*figure*) svelte ◆ *n* (*haircut etc*) légère coupe; (*on car*) garnitures *fpl* ◆ *vt* (*cut*) couper légèrement; (*NAUT*: *a sail*) gréer; (*decorate*): **to ~ (with)** décorer (de); **~mings** *npl* (*CULIN*) garniture *f*

trinket ['trɪŋkɪt] *n* bibelot *m*; (*piece of jewellery*) colifichet *m*

trip [trɪp] *n* voyage *m*; (*excursion*) excursion *f*; (*stumble*) faux pas ◆ *vi* faire un faux pas, trébucher; (*go lightly*) marcher d'un pas léger; **on a ~** en voyage; **~ up** *vi* trébucher ◆ *vt* faire un croc-en-jambe à

tripe [traɪp] *n* (*CULIN*) tripes *fpl*; (*pej*: *rubbish*) idioties *fpl*

triple ['trɪpl] *adj* triple; **~ts** ['trɪplɪts] *npl* triplés(ées); **triplicate** ['trɪplɪkɪt] *n*: **in triplicate** en trois exemplaires

tripod ['traɪpɒd] *n* trépied *m*

trite [traɪt] (*pej*) *adj* banal(e)

triumph ['traɪʌmf] *n* triomphe *m* ◆ *vi*: **to ~ (over)** triompher (de)

trivia ['trɪvɪə] (*pej*) *npl* futilités *fpl*

trivial ['trɪvɪəl] *adj* insignifiant(e); (*commonplace*) banal(e)

trod [trɒd] *pt of* **tread**

trodden ['trɒdn] *pp of* **tread**

trolley ['trɒlɪ] *n* chariot *m*

trombone [trɒm'bəun] *n* trombone *m*

troop [truːp] *n* bande *f*, groupe *m* ◆ *vi*: **~ in/out** entrer/sortir en groupe; **~s** *npl* (*MIL*) troupes *fpl*; (: *men*) hommes *mpl*, soldats *mpl*; **~ing the colour** (*BRIT*) *n* (*ceremony*) le salut au drapeau

trophy ['trəufɪ] *n* trophée *m*

tropic ['trɒpɪk] *n* tropique *m*; **~al** *adj* tropical(e)

trot [trɒt] *n* trot *m* ◆ *vi* trotter; **on the ~** (*BRIT*: *fig*) d'affilée

trouble ['trʌbl] *n* difficulté(s) *f(pl)*, problème(s) *m(pl)*; (*worry*) ennuis *mpl*, soucis *mpl*; (*bother, effort*) peine *f*; (*POL*) troubles *mpl*; (*MED*): **stomach** *etc* **~** troubles gastriques *etc* ◆ *vt* (*disturb*) déranger, gêner; (*worry*) inquiéter ◆ *vi*: **to ~ to do** prendre la peine de faire; **~s** *npl* (*POL etc*) troubles *mpl*; (*personal*) ennuis, soucis; **to be in ~** avoir des ennuis; (*ship, climber etc*) être en difficulté; **what's the ~?** qu'est-ce qui ne va pas?; **~d** *adj* (*person*) inquiet(ète); (*epoch, life*) agité(e); **~maker** *n* élément perturbateur, fauteur *m* de troubles; **~shooter** *n* (*in conflict*) médiateur *m*; **~some** *adj* (*child*) fatigant(e), difficile; (*cough etc*) gênant(e)

trough [trɒf] *n* (*also*: *drinking ~*) abreuvoir *m*; (: *feeding ~*) auge *f*; (*depression*) creux *m*

trousers ['trauzəz] *npl* pantalon *m*; **short ~** culottes courtes

trout [traut] *n inv* truite *f*

trowel ['trauəl] *n* truelle *f*; (*garden tool*) déplantoir *m*

truant ['truənt] (*BRIT*) *n*: **to play ~** faire l'école buissonnière

truce [truːs] *n* trêve *f*

truck [trʌk] *n* camion *m*; (*RAIL*) wagon *m* à plate-forme; **~ driver** *n* camionneur *m*; **~ farm** (*US*) *n* jardin maraîcher

trudge [trʌdʒ] *vi* marcher lourdement, se traîner

true [truː] *adj* vrai(e); (*accurate*) exact(e); (*genuine*) vrai, véritable; (*faithful*) fidèle; **to come ~** se réaliser

truffle ['trʌfl] *n* truffe *f*

truly ['truːlɪ] *adv* vraiment, réellement; (*truthfully*) sans mentir; *see also* **yours**

trump [trʌmp] *n* (*also*: *~ card*) atout *m*; **~ed up** *adj* inventé(e) (de toutes pièces)

trumpet ['trʌmpɪt] *n* trompette *f*

truncheon ['trʌntʃən] (*BRIT*) *n* bâton *m* (d'agent de police); matraque *f*

trundle ['trʌndl] *vt, vi*: **to ~ along** rouler lentement (et bruyamment)

trunk [trʌŋk] *n* (*of tree, person*) tronc *m*; (*of elephant*) trompe *f*; (*case*) malle *f*; (*US*: *AUT*) coffre *m*; **~s** *npl* (*also*: *swimming ~s*) maillot *m or* slip *m* de bain

truss [trʌs] *n* (*MED*) bandage *m* herniaire ◆ *vt*: **to ~ (up)** (*CULIN*) brider, trousser

trust [trʌst] *n* confiance *f*; (*responsibility*) charge *f*; (*LAW*) fidéicommis *m* ◆ *vt* (*rely on*) avoir confiance en; (*hope*) espérer; (*entrust*): **to ~ sth to sb** confier qch à qn; **to take sth on ~** accepter qch les yeux fermés; **~ed** *adj* en qui l'on a confiance; **~ee** *n* (*LAW*) fidéicommissaire *m/f*; (*of school etc*) administrateur(trice); **~ful, ~ing** *adj* confiant(e); **~worthy** *adj* digne de confiance

truth [truːθ, *pl* truːðz] *n* vérité *f*; **~ful** *adj* (*person*) qui dit la vérité; (*answer*) sincère

try [traɪ] *n* essai *m*, tentative *f*; (*RUGBY*) essai ◆ *vt* (*attempt*) essayer, tenter; (*test*: *sth new*: *also*: **~ out**) essayer, tester; (*LAW*: *person*) juger; (*strain*) éprouver ◆ *vi* essayer; **to have a ~** essayer; **to ~ to do** essayer de faire; (*seek*) chercher à faire; **~ on** *vt* (*clothes*) essayer; **~ing** *adj* pénible

T-shirt ['tiːʃɜːt] *n* tee-shirt *m*

T-square ['tiːskweə*] *n* équerre *f* en T, té *m*

tub [tʌb] *n* cuve *f*; (*for washing clothes*) baquet *m*; (*bath*) baignoire *f*

tubby ['tʌbɪ] *adj* rondelet(te)

tube [tjuːb] *n* tube *m*; (*BRIT*: *underground*) métro *m*; (*for tyre*) chambre *f* à air

TUC *n abbr* (*BRIT*: *= Trades Union Congress*) *confédération f des syndicats britanniques*

tuck [tʌk] *vt* (*put*) mettre; **~ away** *vt* cacher, ranger; **~ in** *vt* rentrer; (*child*) border ◆ *vi* (*eat*) manger (de bon appétit); **~ up** *vt* (*child*) border; **~ shop** (*BRIT*) *n* boutique *f* à provisions (*dans une école*)

Tuesday ['tjuːzdeɪ] *n* mardi *m*

tuft [tʌft] *n* touffe *f*

tug [tʌg] *n* (*ship*) remorqueur *m* ◆ *vt* tirer (sur); **~-of-war** *n* lutte *f* à la corde; (*fig*) lutte acharnée

tuition [tjuː'ɪʃən] *n* (*BRIT*) leçons *fpl*; (: *private ~*) cours particuliers; (*US*: *school fees*) frais *mpl* de scolarité

tulip ['tjuːlɪp] *n* tulipe *f*

tumble ['tʌmbl] *n* (*fall*) chute *f*, culbute *f* ◆ *vi* tomber, dégringoler; **to ~ to sth** (*inf*) réaliser qch; **~down** *adj* délabré(e); **~ dryer** (*BRIT*) *n* séchoir *m* à air chaud

tumbler ['tʌmblə*] *n* (*glass*) verre (droit), gobelet *m*

tummy ['tʌmɪ] (*inf*) *n* ventre *m*

tumour ['tjuːmə*] (*US* **tumor**) *n* tumeur *f*

tuna ['tjuːnə] *n inv* (*also*: *~ fish*) thon *m*

tune [tjuːn] *n* (*melody*) air *m* ◆ *vt* (*MUS*) accorder; (*RADIO, TV, AUT*) régler; **to be in/out of ~** (*instrument*) être accordé/désaccordé; (*singer*) chanter juste/faux; **to be in/out of ~ with** (*fig*) être en accord/désaccord avec; **~ in** *vi* (*RADIO, TV*): **to ~ in (to)** se mettre à l'écoute (de); **~ up** *vi* (*musician*) accorder son instrument; **~ful** *adj* mélodieux(euse); **~r** *n*: **piano ~r** accordeur *m* (de pianos)

tunic ['tjuːnɪk] *n* tunique *f*

Tunisia [tjuː'nɪzɪə] *n* Tunisie *f*

tunnel ['tʌnl] *n* tunnel *m*; (*in mine*) galerie *f* ◆ *vi* percer un tunnel

turbulence ['tɜːbjuləns] *n* (*AVIAT*) turbulence *f*

tureen [tju'riːn] *n* (*for soup*) soupière *f*; (*for vegetables*) légumier *m*

turf [tɜːf] *n* gazon *m*; (*clod*) motte *f* (de gazon) ◆ *vt* gazonner; **~ out** (*inf*) *vt* (*person*) jeter dehors

turgid ['tɜːdʒɪd] *adj* (*speech*) pompeux(euse)

Turk [tɜːk] *n* Turc(Turque) *m(f)*

Turkey ['tɜːkɪ] *n* Turquie *f*

turkey ['tɜːkɪ] *n* dindon *m*, dinde *f*

Turkish ['tɜːkɪʃ] *adj* turc(turque) ◆ *n* (*LING*) turc *m*

turmoil ['tɜːmɔɪl] *n* trouble *m*, bouleversement *m*; **in ~** en émoi, en effervescence

turn [tɜːn] *n* tour *m*; (*in road*) tournant *m*; (*of mind, events*) tournure *f*; (*performance*) numéro *m*; (*MED*) crise *f*, attaque *f* ◆ *vt* tourner; (*collar, steak*) retourner; (*change*): **to ~ sth into** changer qch en ◆ *vi* (*object, wind, milk*) tourner; (*person*: *look back*) se (re)tourner; (*reverse direction*) faire demi-tour; (*become*) devenir; (*age*) atteindre; **to ~ into** se changer en; **a good ~** un service; **it gave me quite a ~** ça m'a fait un coup; **"no left ~"** (*AUT*) "défense de tourner à gauche"; **it's your ~** c'est (à) votre tour; **in ~** à son tour; à tour de rôle; **to take ~s (at)** se relayer (pour *or* à); **~ away** *vi* se détourner ◆ *vt* (*applicants*) refuser; **~ back** *vi* revenir, faire demi-tour ◆ *vt* (*person, vehicle*) faire faire demi-tour à; (*clock*) reculer; **~ down** *vt* (*refuse*) rejeter, refuser; (*reduce*) baisser; (*fold*) rabattre; **~ in** *vi* (*inf*: *go to bed*) aller se coucher ◆ *vt* (*fold*) rentrer; **~ off** *vi* (*from road*) tourner ◆ *vt* (*light, radio etc*) éteindre; (*tap*) fermer; (*engine*) arrêter; **~ on** *vt* (*light, radio etc*) allumer; (*tap*) ouvrir; (*engine*) mettre en marche; **~ out** *vt* (*light, gas*) éteindre; (*produce*) produire ◆ *vi* (*voters, troops etc*) se présenter; **to ~ out to be ...** s'avérer ..., se révéler ...; **~ over** *vi* (*person*) se retourner ◆ *vt* (*object*) retourner; (*page*) tourner; **~ round** *vi* faire demi-tour; (*rotate*) tourner; **~ up** *vi* (*person*) arriver, se pointer (*inf*); (*lost object*) être retrouvé(e) ◆ *vt* (*collar*) remonter; (*radio, heater*) mettre plus fort; **~ing** *n* (*in road*) tournant *m*; **~ing point** *n* (*fig*) tournant *m*, moment décisif

turnip ['tɜːnɪp] *n* navet *m*

turnout ['tɜːnaut] *n* (*of voters*) taux *m* de participation

turnover ['tɜːnəuvə*] *n* (*COMM*: *amount of money*) chiffre *m* d'affaires; (: *of goods*) roulement *m*; (*of staff*) renouvellement *m*, changement *m*

turnpike ['tɜːnpaɪk] (*US*) *n* autoroute *f* à péage

turnstile ['tɜːnstaɪl] *n* tourniquet *m* (*d'entrée*)

turntable ['tɜːnteɪbl] *n* (*on record player*) platine *f*

turn-up ['tɜːnʌp] (*BRIT*) *n* (*on trousers*) revers *m*

turpentine ['tɜːpəntaɪn] *n* (*also*: *turps*) (essence *f* de) térébenthine *f*

turquoise ['tɜːkwɔɪz] *n* (*stone*) turquoise *f* ◆ *adj* turquoise *inv*

turret ['tʌrɪt] *n* tourelle *f*

turtle ['tɜːtl] *n* tortue marine *or* d'eau douce; **~neck (sweater)** *n* (*BRIT*) pullover *m* à col montant; (*US*) pullover à col roulé

tusk [tʌsk] *n* défense *f*

tussle ['tʌsl] *n* bagarre *f*, mêlée *f*

tutor ['tjuːtə*] *n* (*in college*) directeur(trice) d'études; (*private teacher*) précepteur(trice); **~ial** [tjuː'tɔːrɪəl] *n* (*SCOL*) (séance *f* de) travaux *mpl* pratiques

tuxedo [tʌk'siːdəu] (*US*) *n* smoking *m*

TV [tiː'viː] *n abbr* (= *television*) télé *f*

twang [twæŋ] *n* (*of instrument*) son vibrant; (*of voice*) ton nasillard

tweed [twiːd] *n* tweed *m*

tweezers ['twiːzəz] *npl* pince *f* à épiler

twelfth [twelfθ] *num* douzième

twelve [twelv] *num* douze; **at ~ (o'clock)** à midi; (*midnight*) à minuit

twentieth ['twentɪɪθ] *num* vingtième

twenty ['twentɪ] *num* vingt

twice [twaɪs] *adv* deux fois; **~ as much** deux fois plus

twiddle ['twɪdl] *vt, vi*: **to ~ (with) sth** tripoter qch; **to ~ one's thumbs** (*fig*) se tourner les pouces

twig [twɪg] *n* brindille *f* ◆ *vi* (*inf*) piger

twilight ['twaɪlaɪt] *n* crépuscule *m*

twin [twɪn] *adj*, *n* jumeau(elle) ◆ *vt* jumeler; **~(-bedded) room** *n* chambre *f* à deux lits

twine [twaɪn] *n* ficelle *f* ◆ *vi* (*plant*) s'enrouler

twinge [twɪndʒ] *n* (*of pain*) élancement *m*; **a ~ of conscience** un certain remords; **a ~ of regret** un pincement au cœur

twinkle ['twɪŋkl] *vi* scintiller; (*eyes*) pétiller

twirl [twɜːl] *vt* faire tournoyer ◆ *vi* tournoyer

twist [twɪst] *n* torsion *f*, tour *m*; (*in road*) virage *m*; (*in wire, flex*) tortillon *m*; (*in story*) coup *m* de théâtre ◆ *vt* tordre; (*weave*) entortiller; (*roll around*) enrouler; (*fig*) déformer ◆ *vi* (*road, river*) serpenter

twit [twɪt] (*inf*) *n* crétin(e)

twitch [twɪtʃ] *n* (*pull*) coup sec, saccade *f*; (*nervous*) tic *m* ◆ *vi* se convulser; avoir un tic

two [tuː] *num* deux; **to put ~ and ~ together** (*fig*) faire le rapprochement; **~-door** *adj* (*AUT*) à deux portes; **~-faced** (*pej*) *adj* (*person*) faux(fausse); **~fold** *adv*: **to increase ~fold** doubler; **~-piece (suit)** *n* (*man's*) costume *m* (deux-pièces); (*woman's*) (tailleur *m*) deux-pièces *m inv*; **~-piece (swimsuit)** *n* (maillot *m* de bain) deux-pièces *m inv*; **~some** *n* (*people*) couple *m*; **~-way** *adj* (*traffic*) dans les deux sens

tycoon [taɪ'kuːn] *n*: **(business) ~** gros homme d'affaires

type [taɪp] *n* (*category*) type *m*, genre *m*, espèce *f*; (*model, example*) type *m*, modèle *m*; (*TYP*) type, caractère *m* ◆ *vt* (*letter etc*) taper (à la machine); **~-cast** *adj* (*actor*) condamné(e) à toujours jouer le même rôle; **~face** *n* (*TYP*) œil *m* de caractère; **~script** *n* texte dactylographié; **~writer** *n* machine *f* à écrire; **~written** *adj* dactylographié(e)

typhoid ['taɪfɔɪd] *n* typhoïde *f*

typical ['tɪpɪkəl] *adj* typique, caractéristique

typing ['taɪpɪŋ] *n* dactylo(graphie) *f*

typist ['taɪpɪst] *n* dactylo *m/f*

tyrant ['taɪərnt] *n* tyran *m*

tyre [taɪə*] (*US* **tire**) *n* pneu *m*; **~ pressure** *n* pression *f* (de gonflage)

U

U-bend ['juː'bend] *n* (*in pipe*) coude *m*

ubiquitous *adj* omniprésent(e)

udder ['ʌdə*] *n* pis *m*, mamelle *f*

UFO ['juːfəʊ] *n abbr* (= *unidentified flying object*) ovni *m*

Uganda [juː'gændə] *n* Ouganda *m*

ugh [ɜːh] *excl* pouah!

ugly ['ʌglɪ] *adj* laid(e), vilain(e); (*situation*) inquiétant(e)

UK *n abbr* = **United Kingdom**

ulcer ['ʌlsə*] *n* ulcère *m*; (*also*: *mouth ~*) aphte *f*

Ulster ['ʌlstə*] *n* Ulster *m*; (*inf*: *Northern Ireland*) Irlande *f* du Nord

ulterior [ʌl'tɪərɪə*] *adj*: **~ motive** arrière-pensée *f*

ultimate ['ʌltɪmət] *adj* ultime, final(e); (*authority*) suprême; **~ly** *adv* en fin de compte; finalement

ultrasound ['ʌltrə'saʊnd] *n* ultrason *m*

umbilical cord [ʌm'bɪlɪkl-] *n* cordon ombilical

umbrella [ʌm'brelə] *n* parapluie *m*; (*for sun*) parasol *m*

umpire ['ʌmpaɪə*] *n* arbitre *m*

umpteen ['ʌmptiːn] *adj* je ne sais combien de; **~th** *adj*: **for the ~th time** pour la nième fois

UN *n abbr* = **United Nations**

unable ['ʌn'eɪbl] *adj*: **to be ~ to** ne pas pouvoir, être dans l'impossibilité de; (*incapable*) être incapable de

unaccompanied ['ʌnə'kʌmpənɪd] *adj* (*child, lady*) non accompagné(e); (*song*) sans accompagnement

unaccountably ['ʌnə'kaʊntəblɪ] *adv* inexplicablement

unaccustomed ['ʌnə'kʌstəmd] *adj*: **to be ~ to** ne pas avoir l'habitude de qch

unanimous [juː'nænɪməs] *adj* unanime; **~ly** *adv* à l'unanimité

unarmed [ʌn'ɑːmd] *adj* (*without a weapon*) non armé(e); (*combat*) sans armes

unashamed [ʌnə'ʃeɪmd] *adj* effronté(e), impudent(e)

unassuming [ʌnə'sjuːmɪŋ] *adj* modeste, sans prétentions

unattached ['ʌnə'tætʃt] *adj* libre, sans attaches; (*part*) non attaché(e), indépendant(e)

unattended ['ʌnə'tendɪd] *adj* (*car, child, luggage*) sans surveillance

unattractive [ʌnə'træktɪv] *adj* peu attrayant(e); (*character*) peu sympathique

unauthorized ['ʌn'ɔːθəraɪzd] *adj* non autorisé(e), sans autorisation

unavoidable [ʌnə'vɔɪdəbl] *adj* inévitable

unaware ['ʌnə'weə*] *adj*: **to be ~ of** ignorer, être inconscient(e) de; **~s** *adv* à l'improviste, au dépourvu

unbalanced ['ʌn'bælənst] *adj* déséquilibré(e); (*report*) peu objectif(ive)

unbearable [ʌn'beərəbl] *adj* insupportable

unbeatable [ʌn'biːtəbl] *adj* imbattable

unbeknown(st) ['ʌnbɪ'nəʊn(st)] *adv*: **~ to me/Peter** à mon insu/l'insu de Peter

unbelievable [ʌnbɪ'liːvəbl] *adj* incroyable

unbend ['ʌn'bend] (*irreg*) *vi* se détendre ◆ *vt* (*wire*) redresser, détordre

unbiased [ʌn'baɪəst] *adj* impartial(e)

unborn [ʌn'bɔːn] *adj* à naître, qui n'est pas encore né(e)

unbreakable ['ʌn'breɪkəbl] *adj* incassable

unbroken ['ʌn'brəʊkən] *adj* intact(e); (*fig*) continu(e), ininterrompu(e)

unbutton ['ʌn'bʌtn] *vt* déboutonner

uncalled-for [ʌn'kɔːldfɔː*] *adj* déplacé(e), injustifié(e)

uncanny [ʌn'kænɪ] *adj* étrange, troublant(e)

unceasing [ʌn'siːsɪŋ] *adj* incessant(e), continu(e)

unceremonious ['ʌnserɪ'məʊnɪəs] *adj* (*abrupt, rude*) brusque

uncertain [ʌn'sɜːtn] *adj* incertain(e); (*hesitant*) hésitant(e); **in no ~ terms** sans équivoque possible; **~ty** *n* incertitude *f*, doute(s) *m(pl)*

unchecked ['ʌn'tʃekt] *adv* sans contrôle *or* opposition

uncivilized ['ʌn'sɪvɪlaɪzd] *adj* (*gen*) non civilisé(e); (*fig*: *behaviour etc*) barbare; (*hour*) indu(e)

uncle ['ʌŋkl] *n* oncle *m*

uncomfortable [ʌn'kʌmfətəbl] *adj* inconfortable, peu confortable; (*uneasy*) mal à l'aise, gêné(e); (*situation*) désagréable

uncommon [ʌn'kɒmən] *adj* rare, singulier(ère), peu commun(e)

uncompromising [ʌn'kɒmprəmaɪzɪŋ] *adj* intransigeant(e), inflexible

unconcerned [ʌnkən'sɜːnd] *adj*: **to be ~ (about)** ne pas s'inquiéter (de)

unconditional ['ʌnkən'dɪʃənl] *adj* sans conditions

unconscious [ʌn'kɒnʃəs] *adj* sans connaissance, évanoui(e); (*unaware*): **~ of** inconscient(e) de ◆ *n*: **the ~** l'inconscient *m*; **~ly** *adv* inconsciemment

uncontrollable ['ʌnkən'trəʊləbl] *adj* indiscipliné(e); (*temper, laughter*) irrépressible

unconventional [ʌnkən'venʃənl] *adj* peu conventionnel(le)

uncouth [ʌn'kuːθ] *adj* grossier(ère), fruste

uncover [ʌn'kʌvə*] *vt* découvrir

undecided ['ʌndɪ'saɪdɪd] *adj* indécis(e), irrésolu(e)

under ['ʌndə*] *prep* sous; (*less than*) (de) moins de; au-dessous de; (*according to*) selon, en vertu de ◆ *adv* au-dessous; en dessous; **~ there** là-dessous; **~ repair** en (cours de) réparation

under: ~age *adj* (*person*) qui n'a pas l'âge réglementaire; **~carriage** *n* (*AVIAT*) train *m* d'atterrissage; **~charge** *vt* ne pas faire payer assez à; **~coat** *n* (*paint*) couche *f* de fond; **~cover** *adj* secret(ète), clandestin(e); **~current** *n* courant *or* sentiment sous-jacent; **~cut** (*irreg*) *vt* vendre moins cher que; **~dog** *n* opprimé *m*; **~done** *adj* (*CULIN*) saignant(e); (*pej*) pas assez cuit(e); **~estimate** *vt* sous-estimer; **~fed** *adj* sous-alimenté(e); **~foot** *adv* sous les pieds; **~go** (*irreg*) *vt* subir; (*treatment*) suivre; **~graduate** *n* étudiant(e) (qui prépare la licence); **~ground** *n* (*BRIT*: *railway*) métro *m*; (*POL*) clandestinité *f* ◆ *adj* souterrain(e); (*fig*) clandestin(e) ◆ *adv* dans la clandestinité, clandestinement; **~growth** *n* broussailles *fpl*, sous-bois *m*; **~hand(ed)** *adj* (*fig*: *behaviour, method etc*) en dessous; **~lie** (*irreg*) *vt* être à la base de; **~line** *vt* souligner; **~ling** (*pej*) *n* sous-fifre *m*, subalterne *m*; **~mine** *vt* saper, miner; **~neath** ['ʌndə'niːθ] *adv* (en) dessous ◆ *prep* sous, au-dessous de; **~paid** *adj* sous-payé(e); **~pants** *npl* caleçon *m*, slip *m*; **~pass** (*BRIT*) *n* passage souterrain; (*on motorway*) passage inférieur; **~privileged** ['ʌndə'prɪvɪlɪdʒd] *adj* défavorisé(e), économiquement faible; **~rate** *vt* sous-estimer; **~shirt** (*US*) *n* tricot *m* de corps; **~shorts** (*US*) *npl* caleçon *m*, slip *m*; **~side** *n* dessous *m*; **~skirt** (*BRIT*) *n* jupon *m*

understand [ʌndə'stænd] (*irreg*: *like* **stand**) *vt, vi* comprendre; **I ~ that ...** je me suis laissé dire que ...; je crois comprendre que ...; **~able** *adj* compréhensible; **~ing** *adj* compréhensif(ive) ◆ *n* compréhension *f*; (*agreement*) accord *m*

understatement ['ʌndəsteɪtmənt] *n*: **that's an ~** c'est (bien) peu dire, le terme est faible

understood [ʌndə'stʊd] *pt, pp of* **understand** ◆ *adj* entendu(e); (*implied*) sous-entendu(e)

understudy ['ʌndəstʌdɪ] *n* doublure *f*

undertake [ʌndə'teɪk] (*irreg*) *vt* entreprendre; se charger de; **to ~ to do sth** s'engager à faire qch

undertaker ['ʌndəteɪkə*] *n* entrepreneur *m* des pompes funèbres, croque-mort *m*

undertaking [ʌndə'teɪkɪŋ] *n* entreprise *f*; (*promise*) promesse *f*

undertone ['ʌndətəʊn] *n*: **in an ~** à mi-voix

under: ~water ['ʌndə'wɔːtə*] *adv* sous l'eau ◆ *adj* sous-marin(e); **~wear** ['ʌndəweə*] *n* sous-vêtements *mpl*; (*women's only*) dessous *mpl*; **~world** ['ʌndəwɜːld] *n* (*of crime*) milieu *m*, pègre *f*; **~writer** ['ʌndəraɪtə*] *n* (*INSURANCE*) assureur *m*

undies ['ʌndɪz] (*inf*) *npl* dessous *mpl*, lingerie *f*

undiplomatic [ʌndɪplə'mætɪk] *adj* peu diplomatique

undo ['ʌn'duː] (*irreg*) *vt* défaire; **~ing** *n* ruine *f*, perte *f*

undoubted [ʌn'daʊtɪd] *adj* indubitable, certain(e); **~ly** *adv* sans aucun doute

undress ['ʌn'dres] *vi* se déshabiller

undue ['ʌndjuː] *adj* indu(e), excessif(ive)

undulating ['ʌndjʊleɪtɪŋ] *adj* ondoyant(e), onduleux(euse)

unduly ['ʌn'djuːlɪ] *adv* trop, excessivement

unearth ['ʌn'ɜːθ] *vt* déterrer; (*fig*) dénicher

unearthly [ʌn'ɜːθlɪ] *adj* (*hour*) indu(e), impossible

uneasy [ʌn'iːzɪ] *adj* mal à l'aise, gêné(e); (*worried*) inquiet(ète); (*feeling*) désagréable; (*peace, truce*) fragile

uneconomic(al) [ʌniːkə'nɒmɪk(l)] *adj* peu économique

uneducated [ʌn'edjukeɪtɪd] *adj* (*person*) sans instruction

unemployed ['ʌnɪm'plɔɪd] *adj* sans travail, en *or* au chômage ◆ *n*: **the ~** les chômeurs *mpl*; **unemployment** ['ʌnɪm'plɔɪmənt] *n* chômage *m*

unending [ʌn'endɪŋ] *adj* interminable, sans fin

unerring ['ʌn'ɜːrɪŋ] *adj* infaillible, sûr(e)

uneven ['ʌn'iːvən] *adj* inégal(e); irrégulier(ère)

unexpected [ʌnɪk'spektɪd] *adj* inattendu(e), imprévu(e); **~ly** *adv* (*arrive*) à l'improviste; (*succeed*) contre toute attente

unfailing [ʌn'feɪlɪŋ] *adj* inépuisable; infaillible

unfair ['ʌn'feə*] *adj*: **~ (to)** injuste (envers)

unfaithful ['ʌn'feɪθfʊl] *adj* infidèle

unfamiliar [ʌnfə'mɪlɪə*] *adj* étrange, inconnu(e); **to be ~ with** mal connaître

unfashionable [ʌn'fæʃnəbl] *adj* (*clothes*) démodé(e); (*place*) peu chic *inv*

unfasten ['ʌn'fɑːsn] *vt* défaire; détacher; (*open*) ouvrir

unfavourable ['ʌn'feɪvərəbl] (*US* **unfavorable**) *adj* défavorable

unfeeling [ʌn'fiːlɪŋ] *adj* insensible, dur(e)

unfinished [ʌn'fɪnɪʃt] *adj* inachevé(e)

unfit ['ʌn'fɪt] *adj* en mauvaise santé; pas en forme; (*incompetent*): **~ (for)** impropre (à); (*work, service*) inapte (à)

unfold [ʌn'fəʊld] *vt* déplier ◆ *vi* se dérouler

unforeseen ['ʌnfɔː'siːn] *adj* imprévu(e)

unforgettable [ʌnfə'getəbl] *adj* inoubliable

unfortunate [ʌn'fɔːtʃnət] *adj* malheureux(euse); (*event, remark*) malencontreux(euse); **~ly** *adv* malheureusement

unfounded ['ʌn'faʊndɪd] *adj* sans fondement

unfriendly ['ʌn'frendlɪ] *adj* inamical(e), peu aimable

ungainly [ʌn'geɪnlɪ] *adj* gauche, dégingandé(e)

ungodly [ʌn'gɒdlɪ] *adj* (*hour*) indu(e)

ungrateful [ʌn'greɪtfʊl] *adj* ingrat(e)

unhappiness [ʌn'hæpɪnəs] *n* tristesse *f*, peine *f*

unhappy [ʌn'hæpɪ] *adj* triste, malheureux(euse); **~ about** *or* **with** (*arrangements etc*) mécontent(e) de, peu satisfait(e) de

unharmed ['ʌn'hɑːmd] *adj* indemne, sain(e) et sauf(sauve)

unhealthy [ʌn'helθɪ] *adj* malsain(e); (*person*) maladif(ive)

unheard-of [ʌn'hɜːdɒv] *adj* inouï(e), sans précédent

unhurt [ʌn'hɜːt] *adj* indemne

unidentified [ʌnaɪ'dentɪfaɪd] *adj* non identifié(e); *see also* **UFO**

uniform ['juːnɪfɔːm] *n* uniforme *m* ◆ *adj* uniforme

uninhabited [ʌnɪn'hæbɪtɪd] *adj* inhabité(e)

unintentional [ʌnɪn'tenʃənəl] *adj* involontaire

union ['juːnjən] *n* union *f*; (*also*: *trade ~*) syndicat *m* ◆ *cpd* du syndicat, syndical(e); **U~ Jack** *n drapeau du Royaume-Uni*

unique [juː'niːk] *adj* unique

unison ['juːnɪsn] *n*: **in ~** (*sing*) à l'unisson; (*say*) en chœur

unit ['juːnɪt] *n* unité *f*; (*section*: *of furniture etc*) élément *m*, bloc *m*; **kitchen ~** élément de cuisine

unite [juː'naɪt] *vt* unir ◆ *vi* s'unir; **~d** *adj* uni(e); unifié(e); (*effort*) conjugué(e); **U~d Kingdom** *n* Royaume-Uni *m*; **U~d Nations (Organization)** *n* (Organisation *f* des) Nations unies; **U~d States (of America)** *n* États-Unis *mpl*

unit trust (*BRIT*) *n* fonds commun de placement

unity ['juːnɪtɪ] *n* unité *f*

universal [juːnɪ'vɜːsəl] *adj* universel(le)

universe ['juːnɪvɜːs] *n* univers *m*

university [juːnɪ'vɜːsɪtɪ] *n* université *f*

unjust ['ʌn'dʒʌst] *adj* injuste

unkempt ['ʌn'kempt] *adj* négligé(e), débraillé(e); (*hair*) mal peigné(e)

unkind [ʌn'kaɪnd] *adj* peu gentil(le), méchant(e)

unknown ['ʌn'nəʊn] *adj* inconnu(e)

unlawful [ʌn'lɔːfʊl] *adj* illégal(e)

unleaded [ʌn'ledɪd] *adj* (*petrol, fuel*) sans plomb

unleash ['ʌn'liːʃ] *vt* (*fig*) déchaîner, déclencher

unless [ən'les] *conj*: **~ he leaves** à moins qu'il ne parte

unlike ['ʌn'laɪk] *adj* dissemblable, différent(e) ◆ *prep* contrairement à

unlikely [ʌn'laɪklɪ] *adj* improbable; invraisemblable

unlimited [ʌn'lɪmɪtɪd] *adj* illimité(e)

unlisted [ʌn'lɪstɪd] (*US*) *adj* (*TEL*) sur la liste rouge

unload ['ʌn'ləʊd] *vt* décharger

unlock ['ʌn'lɒk] *vt* ouvrir

unlucky [ʌn'lʌkɪ] *adj* (*person*) malchanceux(euse); (*object, number*) qui porte malheur; **to be ~** (*person*) ne pas avoir de chance

unmarried ['ʌn'mærɪd] *adj* célibataire

unmistak(e)able [ʌnmɪs'teɪkəbl] *adj* indubitable; qu'on ne peut pas ne pas reconnaître

unmitigated [ʌn'mɪtɪgeɪtɪd] *adj* non mitigé(e), absolu(e), pur(e)

unnatural [ʌn'nætʃrəl] *adj* non naturel(le); (*habit*) contre nature

unnecessary ['ʌn'nesəsərɪ] *adj* inutile, superflu(e)

unnoticed [ʌn'nəʊtɪst] *adj*: **(to go** *or* **pass) ~** (passer) inaperçu(e)

UNO ['juːnəʊ] *n abbr* = **United Nations Organization**

unobtainable ['ʌnəb'teɪnəbl] *adj* impossible à obtenir

unobtrusive [ʌnəb'truːsɪv] *adj* discret(ète)

unofficial [ʌnə'fɪʃl] *adj* (*news*) officieux(euse); (*strike*) sauvage

unorthodox [ʌn'ɔːθədɒks] *adj* peu orthodoxe; (*REL*) hétérodoxe

unpack ['ʌn'pæk] *vi* défaire sa valise ◆ *vt* (*suitcase*) défaire; (*belongings*) déballer

unpalatable [ʌn'pælətəbl] *adj* (*meal*) mauvais(e); (*truth*) désagréable (à entendre)

unparalleled [ʌn'pærəleld] *adj* incomparable, sans égal

unpleasant [ʌn'pleznt] *adj* déplaisant(e), désagréable

unplug ['ʌn'plʌg] *vt* débrancher

unpopular [ʌn'pɒpjʊlə*] *adj* impopulaire

unprecedented [ʌn'presɪdəntɪd] *adj* sans précédent

unpredictable [ʌnprɪ'dɪktəbl] *adj* imprévisible

unprofessional [ʌnprə'feʃənl] *adj*: **~ conduct** manquement *m* aux devoirs de la profession

unqualified ['ʌn'kwɒlɪfaɪd] *adj* (*teacher*) non diplômé(e), sans titres; (*success, disaster*) sans réserve, total(e)

unquestionably [ʌn'kwestʃənəblɪ] *adv* incontestablement

unravel [ʌn'rævəl] *vt* démêler

unreal ['ʌn'rɪəl] *adj* irréel(le); (*extraordinary*) incroyable; **~istic** [ʌnrɪə'lɪstɪk] *adj* irréaliste; peu réaliste

unreasonable [ʌn'riːznəbl] *adj* qui n'est pas raisonnable

unrelated [ʌnrɪ'leɪtɪd] *adj* sans rapport; sans lien de parenté

unrelenting [ʌnrɪ'lentɪŋ] *adj* implacable

unreliable [ʌnrɪ'laɪəbl] *adj* sur qui (*or* quoi) on ne peut pas compter, peu fiable

unremitting [ʌnrɪ'mɪtɪŋ] *adj* inlassable, infatigable, acharné(e)

unreservedly [ʌnrɪ'zɜːvɪdlɪ] *adv* sans réserve

unrest [ʌn'rest] *n* agitation *f*, troubles *mpl*

unroll ['ʌn'rəʊl] *vt* dérouler

unruly [ʌn'ru:lɪ] *adj* indiscipliné(e)

unsafe ['ʌn'seɪf] *adj* (*in danger*) en danger; (*journey, car*) dangereux(euse)

unsaid ['ʌn'sed] *adj*: **to leave sth ~** passer qch sous silence

unsatisfactory ['ʌnsætɪs'fæktərɪ] *adj* peu satisfaisant(e)

unsavoury ['ʌn'seɪvərɪ] (*US* **unsavory**) *adj* (*fig*) peu recommandable

unscathed [ʌn'skeɪðd] *adj* indemne

unscrew ['ʌn'skru:] *vt* dévisser

unscrupulous [ʌn'skru:pjʊləs] *adj* sans scrupules

unsettled ['ʌn'setld] *adj* perturbé(e); instable

unshaven ['ʌn'ʃeɪvn] *adj* non *or* mal rasé(e)

unsightly [ʌn'saɪtlɪ] *adj* disgracieux(euse), laid(e)

unskilled ['ʌn'skɪld] *adj*: **~ worker** manœuvre *m*

unspeakable [ʌn'spi:kəbl] *adj* indicible; (*awful*) innommable

unstable [ʌn'steɪbl] *adj* instable

unsteady [ʌn'stedɪ] *adj* mal assuré(e), chancelant(e), instable

unstuck ['ʌn'stʌk] *adj*: **to come ~** se décoller; (*plan*) tomber à l'eau

unsuccessful ['ʌnsək'sesfʊl] *adj* (*attempt*) infructueux(euse), vain(e); (*writer, proposal*) qui n'a pas de succès; **to be ~** (*in attempting sth*) ne pas réussir; ne pas avoir de succès; (*application*) ne pas être retenu(e)

unsuitable ['ʌn'su:təbl] *adj* qui ne convient pas, peu approprié(e); inopportun(e)

unsure [ʌn'ʃʊə*] *adj* pas sûr(e); **to be ~ of o.s.** manquer de confiance en soi

unsuspecting [ʌnsə'spektɪŋ] *adj* qui ne se doute de rien

unsympathetic ['ʌnsɪmpə'θetɪk] *adj* (*person*) antipathique; (*attitude*) peu compatissant(e)

untapped ['ʌn'tæpt] *adj* (*resources*) inexploité(e)

unthinkable [ʌn'θɪŋkəbl] *adj* impensable, inconcevable

untidy [ʌn'taɪdɪ] *adj* (*room*) en désordre; (*appearance, person*) débraillé(e); (*person: in character*) sans ordre, désordonné

untie ['ʌn'taɪ] *vt* (*knot, parcel*) défaire; (*prisoner, dog*) détacher

until [ən'tɪl] *prep* jusqu'à; (*after negative*) avant ◆ *conj* jusqu'à ce que *+sub*; (*in past, after negative*) avant que *+sub*; **~ he comes** jusqu'à ce qu'il vienne, jusqu'à son arrivée; **~ now** jusqu'à présent, jusqu'ici; **~ then** jusque-là

untimely [ʌn'taɪmlɪ] *adj* inopportun(e); (*death*) prématuré(e)

untold ['ʌn'təʊld] *adj* (*story*) jamais raconté(e); (*wealth*) incalculable; (*joy, suffering*) indescriptible

untoward [ʌntə'wɔ:d] *adj* fâcheux(euse), malencontreux(euse)

unused[1] [ʌn'ju:zd] *adj* (*clothes*) neuf(neuve)

unused[2] [ʌn'ju:st] *adj*: **to be unused to sth/to doing sth** ne pas avoir l'habitude de qch/de faire qch

unusual [ʌn'ju:ʒʊəl] *adj* insolite, exceptionnel(le), rare

unveil [ʌn'veɪl] *vt* dévoiler

unwanted [ʌn'wɒntɪd] *adj* (*child, pregnancy*) non désiré(e); (*clothes etc*) à donner

unwelcome [ʌn'welkəm] *adj* importun(e); (*news*) fâcheux(euse)

unwell ['ʌn'wel] *adj* souffrant(e); **to feel ~** ne pas se sentir bien

unwieldy [ʌn'wi:ldɪ] *adj* (*object*) difficile à manier; (*system*) lourd(e)

unwilling ['ʌn'wɪlɪŋ] *adj*: **to be ~ to do** ne pas vouloir faire; **~ly** *adv* à contrecœur, contre son gré

unwind ['ʌn'waɪnd] (*irreg*) *vt* dérouler ◆ *vi* (*relax*) se détendre

unwise [ʌn'waɪz] *adj* irréfléchi(e), imprudent(e)

unwitting [ʌn'wɪtɪŋ] *adj* involontaire

unworkable [ʌn'wɜ:kəbl] *adj* (*plan*) impraticable

unworthy [ʌn'wɜ:ðɪ] *adj* indigne

unwrap ['ʌn'ræp] *vt* défaire; ouvrir

unwritten ['ʌn'rɪtn] *adj* (*agreement*) tacite

KEYWORD

up [ʌp] *prep*: **he went ~ the stairs/the hill** il a monté l'escalier/la colline; **the cat was ~ a tree** le chat était dans un arbre; **they live further ~ the street** ils habitent plus haut dans la rue

◆ *adv* [1] (*upwards, higher*): **~ in the sky/the mountains** (là-haut) dans le ciel/les montagnes; **put it a bit higher ~** mettez-le un peu plus haut; **~ there** là-haut; **~ above** au-dessus

[2]: **to be ~** (*out of bed*) être levé(e); (*prices*) avoir augmenté *or* monté

[3]: **~ to** (*as far as*) jusqu'à; **~ to now** jusqu'à présent

[4]: **to be ~ to** (*depending on*): **it's ~ to you** c'est à vous de décider; (*equal to*): **he's not ~ to it** (*job, task etc*) il n'en est pas capable; (*inf: be doing*): **what is he ~ to?** qu'est-ce qu'il peut bien faire?

◆ *n*: **~s and downs** hauts et bas *mpl*

up-and-coming [ʌpənd'kʌmɪŋ] *adj* plein(e) d'avenir *or* de promesses

upbringing ['ʌpbrɪŋɪŋ] *n* éducation *f*

update [ʌp'deɪt] *vt* mettre à jour

upgrade *vt* (*house*) moderniser; (*job*) revaloriser; (*employee*) promouvoir

upheaval [ʌp'hi:vəl] *n* bouleversement *m*; branle-bas *m*; crise *f*

uphill ['ʌp'hɪl] *adj* qui monte; (*fig: task*) difficile, pénible ◆ *adv* (*face, look*) en amont; **to go ~** monter

uphold [ʌp'həʊld] (*irreg*) *vt* (*law, decision*) maintenir

upholstery [ʌp'həʊlstərɪ] *n* rembourrage *m*; (*cover*) tissu *m* d'ameublement; (*of car*) garniture *f*

upkeep ['ʌpki:p] *n* entretien *m*

upon [ə'pɒn] *prep* sur

upper ['ʌpə*] *adj* supérieur(e); du dessus ◆ *n* (*of shoe*) empeigne *f*; **~-class** *adj* de la haute société, aristocratique; **~ hand** *n*: **to have the ~ hand** avoir le dessus; **~most** *adj* le(la) plus haut(e); **what was ~most in my mind** ce à quoi je pensais surtout

upright ['ʌpraɪt] *adj* droit(e); vertical(e); (*fig*) droit, honnête

uprising ['ʌp'raɪzɪŋ] *n* soulèvement *m*, insurrection *f*

uproar ['ʌprɔ:*] *n* tumulte *m*; (*protests*) tempête *f* de protestations

uproot [ʌp'ru:t] *vt* déraciner

upset [*n* 'ʌpset, *vb, adj* ʌp'set] (*irreg: like* **set**) *n* bouleversement *m*; (*stomach ~*) indigestion *f* ◆ *vt* (*glass etc*) renverser; (*plan*) déranger; (*person: offend*) contrarier; (*: grieve*) faire de la peine à; bouleverser ◆ *adj* contrarié(e); peiné(e); (*stomach*) dérangé(e)

upshot ['ʌpʃɒt] *n* résultat *m*

upside-down ['ʌpsaɪd'daʊn] *adv* à l'envers; **to turn ~** mettre sens dessus dessous

upstairs ['ʌp'steəz] *adv* en haut ◆ *adj* (*room*) du dessus, d'en haut ◆ *n*: **the ~** l'étage *m*

upstart ['ʌpstɑ:t] (*pej*) *n* parvenu(e)

upstream ['ʌp'stri:m] *adv* en amont

uptake ['ʌpteɪk] *n*: **to be quick/slow on the ~** comprendre vite/être lent à comprendre

uptight ['ʌp'taɪt] (*inf*) *adj* très tendu(e), crispé(e)

up-to-date ['ʌptə'deɪt] *adj* moderne; (*information*) très récent(e)

upturn ['ʌptɜ:n] *n* (*in luck*) retournement *m*; (*COMM: in market*) hausse *f*

upward ['ʌpwəd] *adj* ascendant(e); vers le haut; **~(s)** *adv* vers le haut; **~(s) of 200** 200 et plus

urban ['ɜ:bən] *adj* urbain(e); **~e** [ɜ:'beɪn] *adj* urbain(e), courtois(e)

urchin ['ɜ:tʃɪn] *n* polisson *m*

urge [ɜ:dʒ] *n* besoin *m*; envie *f*; forte envie, désir *m* ◆ *vt*: **to ~ sb to do** exhorter qn à faire, pousser qn à faire; recommander vivement à qn de faire

urgency ['ɜ:dʒənsɪ] *n* urgence *f*; (*of tone*) insistance *f*

urgent ['ɜ:dʒənt] *adj* urgent(e); (*tone*) insistant(e), pressant(e)

urinal *n* urinoir *m*; (*vessel*) urinal *m*

urine ['jʊərɪn] *n* urine *f*

urn [ɜ:n] *n* urne *f*; (*also: tea ~*) fontaine *f* à thé

US *n abbr* = **United States**

us [ʌs] *pron* nous; *see also* **me**

USA *n abbr* = **United States of America**

use [*n* ju:s, *vb* ju:z] *n* emploi *m*, utilisation *f*; usage *m*; (*usefulness*) utilité *f* ◆ *vt* se servir de, utiliser, employer; **in ~** en usage; **out of ~** hors d'usage; **to be of ~** servir, être utile; **it's no ~** ça ne sert à rien; **she ~d to do it** elle le faisait (autrefois), elle avait coutume de le faire; **~d to**: **to be ~d to** avoir l'habitude de, être habitué(e) à; **~ up** *vt* finir, épuiser; consommer; **~d** *adj* (*car*) d'occasion; **~ful** *adj* utile; **~fulness** *n* utilité *f*; **~less** *adj* inutile; (*person: hopeless*) nul(le); **~r** *n* utilisateur(trice), usager *m*; **~r-friendly** *adj* (*computer*) convivial(e), facile d'emploi

usher ['ʌʃə*] *n* (*at wedding ceremony*) placeur *m*; **~ette** [ʌʃə'ret] *n* (*in cinema*) ouvreuse *f*

usual ['ju:ʒʊəl] *adj* habituel(le); **as ~** comme d'habitude; **~ly** *adv* d'habitude, d'ordinaire

utensil [ju:'tensl] *n* ustensile *m*

uterus ['ju:tərəs] *n* utérus *m*

utility [ju:'tɪlɪtɪ] *n* utilité *f*; (*also: public ~*) service public; **~ room** *n* buanderie *f*

utmost ['ʌtməʊst] *adj* extrême, le(la) plus grand(e) ◆ *n*: **to do one's ~** faire tout son possible

utter ['ʌtə*] *adj* total(e), complet(ète) ◆ *vt* (*words*) prononcer, proférer; (*sounds*) émettre; **~ance** *n* paroles *fpl*; **~ly** *adv* complètement, totalement

U-turn ['ju:'tɜ:n] *n* demi-tour *m*

V

v. *abbr* = **verse**; **versus**; **volt**; (= *vide*) voir

vacancy ['veɪkənsɪ] *n* (*BRIT: job*) poste vacant; (*room*) chambre *f* disponible

vacant ['veɪkənt] *adj* (*seat etc*) libre, disponible; (*expression*) distrait(e); **~ lot** (*US*) *n* terrain inoccupé; (*for sale*) terrain à vendre

vacate [və'keɪt] *vt* quitter

vacation [və'keɪʃən] *n* vacances *fpl*

vaccinate ['væksɪneɪt] *vt* vacciner

vacuum ['vækjʊm] *n* vide *m*; **~ cleaner** *n* aspirateur *m*; **~-packed** *adj* emballé(e) sous vide

vagina [və'dʒaɪnə] *n* vagin *m*

vagrant ['veɪgrənt] *n* vagabond(e)

vague [veɪg] *adj* vague, imprécis(e); (*blurred: photo, outline*) flou(e); **~ly** *adv* vaguement

vain [veɪn] *adj* (*useless*) vain(e); (*conceited*) vaniteux(euse); **in ~** en vain

valentine ['væləntaɪn] *n* (*also: ~ card*) carte *f* de la Saint-Valentin; (*person*) bien-aimé(e) (*le jour de la Saint-Valentin*)

valiant ['vælɪənt] *adj* vaillant(e)

valid ['vælɪd] *adj* valable; (*document*) valable, valide

valley ['vælɪ] *n* vallée *f*

valour ['vælə*] (*US* **valor**) *n* courage *m*

valuable ['væljʊəbl] *adj* (*jewel*) de valeur; (*time, help*) précieux(euse); **~s** *npl* objets *mpl* de valeur

valuation [vælju'eɪʃən] *n* (*price*) estimation *f*; (*quality*) appréciation *f*

value ['vælju:] *n* valeur *f* ◆ *vt* (*fix price*) évaluer, expertiser; (*appreciate*) apprécier; **~ added tax** (*BRIT*) *n* taxe *f* à la valeur ajoutée; **~d** *adj* (*person*) estimé(e); (*advice*) précieux(euse)

valve [vælv] *n* (*in machine*) soupape *f*, valve *f*; (*MED*) valve, valvule *f*

van [væn] *n* (*AUT*) camionnette *f*

vandal ['vændl] *n* vandale *m/f*; **~ism** *n* vandalisme *m*; **~ize** ['vændəlaɪz] *vt* saccager

vanguard ['vængɑ:d] *n* (*fig*): **in the ~ of** à l'avant-garde de

vanilla [və'nɪlə] *n* vanille *f*

vanish ['vænɪʃ] *vi* disparaître

vanity ['vænɪtɪ] *n* vanité *f*

vantage point ['vɑ:ntɪdʒ-] *n* bonne position

vapour ['veɪpə*] (*US* **vapor**) *n* vapeur *f*; (*on window*) buée *f*

variable ['veərɪəbl] *adj* variable; (*mood*) changeant(e)

variance ['veərɪəns] *n*: **to be at ~ (with)** être en désaccord (avec); (*facts*) être en contradiction (avec)

varicose ['værɪkəʊs] *adj*: **~ veins** varices *fpl*

varied ['veərɪd] *adj* varié(e), divers(e)

variety [və'raɪətɪ] *n* variété *f*; (*quantity*) nombre *m*, quantité *f*; **~ show** *n* (spectacle *m* de) variétés *fpl*

various ['veərɪəs] *adj* divers(e), différent(e); (*several*) divers, plusieurs

varnish ['vɑ:nɪʃ] *n* vernis *m* ◆ *vt* vernir

vary ['veərɪ] *vt, vi* varier, changer

vase [vɑ:z] *n* vase *m*

Vaseline ['væsɪli:n] (®) *n* vaseline *f*

vast [vɑ:st] *adj* vaste, immense; (*amount, success*) énorme

VAT [væt] *n abbr* (= *value added tax*) TVA *f*

vat [væt] *n* cuve *f*

vault [vɔ:lt] *n* (*of roof*) voûte *f*; (*tomb*) caveau *m*; (*in bank*) salle *f* des coffres; chambre forte ◆ *vt* (*also: ~ over*) sauter (d'un bond)

vaunted ['vɔ:ntɪd] *adj*: **much-vaunted** tant vanté(e)

VCR *n abbr* = **video cassette recorder**

VD *n abbr* = **venereal disease**

VDU *n abbr* = **visual display unit**

veal [vi:l] *n* veau *m*

veer [vɪə*] *vi* tourner; virer

vegetable ['vedʒətəbl] *n* légume *m* ◆ *adj* végétal(e)

vegetarian [vedʒɪ'teərɪən] *adj, n* végétarien(ne)

vehement ['vi:ɪmənt] *adj* violent(e), impétueux(euse); (*impassioned*) ardent(e)

vehicle ['vi:ɪkl] *n* véhicule *m*

veil [veɪl] *n* voile *m*

vein [veɪn] *n* veine *f*; (*on leaf*) nervure *f*

velocity [vɪ'lɒsɪtɪ] *n* vitesse *f*

velvet ['velvɪt] *n* velours *m*

vending machine ['vendɪŋ-] *n* distributeur *m* automatique

veneer [və'nɪə*] *n* (*on furniture*) placage *m*; (*fig*) vernis *m*

venereal [vɪ'nɪərɪəl] *adj*: **~ disease** maladie vénérienne

Venetian blind [vɪ'ni:ʃən-] *n* store vénitien

vengeance ['vendʒəns] *n* vengeance *f*; **with a ~** (*fig*) vraiment, pour de bon

venison ['venɪsn] *n* venaison *f*

venom ['venəm] *n* venin *m*

vent [vent] *n* conduit *m* d'aération; (*in dress, jacket*) fente *f* ◆ *vt* (*fig: one's feelings*) donner libre cours à

ventilator ['ventɪleɪtə*] *n* ventilateur *m*

ventriloquist [ven'trɪləkwɪst] *n* ventriloque *m/f*

venture ['ventʃə*] *n* entreprise *f* ◆ *vt* risquer, hasarder ◆ *vi* s'aventurer, se risquer

venue ['venju:] *n* lieu *m*

verb [vɜ:b] *n* verbe *m*; **~al** *adj* verbal(e); (*translation*) littéral(e)

verbatim [vɜ:'beɪtɪm] *adj, adv* mot pour mot

verdict ['vɜ:dɪkt] *n* verdict *m*

verge [vɜ:dʒ] *n* (*BRIT*) bord *m*, bas-côté *m*; **"soft ~s"** (*: AUT*) "accotement non stabilisé"; **on the ~ of doing** sur le point de faire; **~ on** *vt fus* approcher de

verify ['verɪfaɪ] *vt* vérifier; (*confirm*) confirmer

vermin ['vɜ:mɪn] *npl* animaux *mpl* nuisibles; (*insects*) vermine *f*

vermouth ['vɜ:məθ] *n* vermouth *m*

versatile ['vɜ:sətaɪl] *adj* polyvalent(e)

verse [vɜ:s] *n* (*poetry*) vers *mpl*; (*stanza*) strophe *f*; (*in Bible*) verset *m*

version ['vɜ:ʃən] *n* version *f*

versus ['vɜ:səs] *prep* contre

vertical ['vɜ:tɪkəl] *adj* vertical(e) ◆ *n* verticale *f*

vertigo ['vɜ:tɪgəʊ] *n* vertige *m*

verve [vɜ:v] *n* brio *m*; enthousiasme *m*

very ['verɪ] *adv* très ◆ *adj*: **the ~ book which** le livre même que; **the ~ last** le tout dernier; **at the ~ least** tout au moins; **~ much** beaucoup

vessel ['vesl] *n* (*ANAT, NAUT*) vaisseau *m*; (*container*) récipient *m*

vest [vest] *n* (*BRIT*) tricot *m* de corps; (*US: waistcoat*) gilet *m*

vested interest ['vestɪd-] *n* (*COMM*) droits acquis

vet [vet] *n abbr* (*BRIT:* = *veterinary surgeon*) vétérinaire *m/f* ◆ *vt* examiner soigneusement

veteran ['vetərn] *n* vétéran *m*; (*also: war ~*) ancien combattant

veterinarian [vetrə'neərɪən] (*US*) *n* = **veterinary surgeon**

veterinary surgeon ['vetrɪnərɪ-] (*BRIT*) *n* vétérinaire *m/f*

veto ['vi:təʊ] *n* (*pl* **~es**) veto *m* ◆ *vt* opposer son veto à

vex [veks] *vt* fâcher, contrarier; **~ed** *adj* (*question*) controversé(e)

via ['vaɪə] *prep* par, via

viable ['vaɪəbl] *adj* viable

vibrate [vaɪ'breɪt] *vi* vibrer

vicar ['vɪkə*] *n* pasteur *m* (*de l'Église anglicane*); **~age** *n* presbytère *m*

vicarious [vɪ'keərɪəs] *adj* indirect(e)

vice [vaɪs] *n* (*evil*) vice *m*; (*TECH*) étau *m*

vice- *prefix* vice-

vice squad *n* ≈ brigade mondaine

vice versa ['vaɪsɪ'vɜ:sə] *adv* vice versa

vicinity [vɪ'sɪnɪtɪ] *n* environs *mpl*, alentours *mpl*

vicious ['vɪʃəs] *adj* (*remark*) cruel(le), méchant(e); (*blow*) brutal(e); (*dog*) méchant(e), dangereux(euse); (*horse*) vicieux(euse); **~ circle** *n* cercle vicieux

victim ['vɪktɪm] *n* victime *f*

victor ['vɪktə*] *n* vainqueur *m*

Victorian [vɪk'tɔ:rɪən] *adj* victorien(ne)

victory ['vɪktərɪ] *n* victoire *f*

video ['vɪdɪəʊ] *cpd* vidéo *inv* ◆ *n* (*~ film*) vidéo *f*; (*also: ~ cassette*) vidéocassette *f*; (*: ~ cassette recorder*) magnétoscope *m*; **~ tape** *n* bande *f* vidéo *inv*; (*cassette*) vidéocassette *f*

vie [vaɪ] *vi*: **to ~ with** rivaliser avec

Vienna [vɪ'enə] *n* Vienne

Vietnam [vjet'næm] *n* Viêt-nam *m*, Vietnam *m*; **~ese** [vjetnə'mi:z] *adj* vietnamien(ne) ◆ *n inv* Vietnamien(ne); (*LING*) vietnamien *m*

view [vju:] *n* vue *f*; (*opinion*) avis *m*, vue ◆ *vt* voir, regarder; (*situation*) considérer; (*house*) visiter; **in full ~ of** sous les yeux de; **in ~ of the weather/the fact that** étant donné le temps/que; **in my ~** à mon avis; **~er** *n* (*TV*) téléspectateur(trice); **~finder** *n* viseur *m*; **~point** *n* point *m* de vue

vigorous ['vɪgərəs] *adj* vigoureux(euse)

vile [vaɪl] *adj* (*action*) vil(e); (*smell, food*) abominable; (*temper*) massacrant(e)

villa ['vɪlə] *n* villa *f*

village ['vɪlɪdʒ] *n* village *m*; **~r** *n* villageois(e)

villain ['vɪlən] *n* (*scoundrel*) scélérat *m*; (*BRIT: criminal*) bandit *m*; (*in novel etc*) traître *m*

vindicate ['vɪndɪkeɪt] *vt* (*person*) innocenter; (*action*) justifier

vindictive [vɪn'dɪktɪv] *adj* vindicatif(ive), rancunier(ère)

vine [vaɪn] *n* vigne *f*; (*climbing plant*) plante grimpante

vinegar ['vɪnɪgə*] *n* vinaigre *m*

vineyard ['vɪnjəd] *n* vignoble *m*

vintage ['vɪntɪdʒ] *n* (*year*) année *f*, millésime *m*; ~ **car** *n* voiture *f* d'époque; ~ **wine** *n* vin *m* de grand cru

viola [vɪ'əulə] *n* (MUS) alto *m*

violate ['vaɪəleɪt] *vt* violer

violence ['vaɪələns] *n* violence *f*

violent ['vaɪələnt] *adj* violent(e)

violet ['vaɪələt] *adj* violet(te) ◆ *n* (*colour*) violet *m*; (*plant*) violette *f*

violin [vaɪə'lɪn] *n* violon *m*; ~**ist** *n* violoniste *m/f*

VIP *n abbr* (= *very important person*) V.I.P. *m*

virgin ['vɜːdʒɪn] *n* vierge *f* ◆ *adj* vierge

Virgo ['vɜːgəu] *n* la Vierge

virile ['vɪraɪl] *adj* viril(e)

virtually ['vɜːtjuəlɪ] *adv* (*almost*) pratiquement

virtual reality *n* (COMPUT) réalité virtuelle

virtue ['vɜːtjuː] *n* vertu *f*; (*advantage*) mérite *m*, avantage *m*; **by** ~ **of** en vertu *or* en raison de; **virtuous** ['vɜːtjuəs] *adj* vertueux(euse)

virus ['vaɪərəs] *n* (*also*: COMPUT) virus *m*

visa ['viːzə] *n* visa *m*

visibility [vɪzɪ'bɪlɪtɪ] *n* visibilité *f*

visible ['vɪzəbl] *adj* visible

vision ['vɪʒən] *n* (*sight*) vue *f*, vision *f*; (*foresight, in dream*) vision

visit ['vɪzɪt] *n* visite *f*; (*stay*) séjour *m* ◆ *vt* (*person*) rendre visite à; (*place*) visiter; ~**ing hours** *npl* (*in hospital etc*) heures *fpl* de visite; ~**or** *n* visiteur(euse); (*to one's house*) visite *f*, invité(e)

visor ['vaɪzə*] *n* visière *f*

vista ['vɪstə] *n* vue *f*

visual ['vɪzjuəl] *adj* visuel(le); ~ **aid** *n* support visuel; ~ **display unit** *n* console *f* de visualisation, visuel *m*; ~**ize** ['vɪzjuəlaɪz] *vt* se représenter, s'imaginer

vital ['vaɪtl] *adj* vital(e); (*person*) plein(e) d'entrain; ~**ly** *adv* (*important*) absolument; ~ **statistics** *npl* (*fig*) mensurations *fpl*

vitamin ['vɪtəmɪn] *n* vitamine *f*

vivacious [vɪ'veɪʃəs] *adj* animé(e), qui a de la vivacité

vivid ['vɪvɪd] *adj* (*account*) vivant(e); (*light, imagination*) vif(vive); ~**ly** *adv* (*describe*) d'une manière vivante; (*remember*) de façon précise

V-neck ['viː'nek] *n* décolleté *m* en V

vocabulary [vəu'kæbjulərɪ] *n* vocabulaire *m*

vocal ['vəukəl] *adj* vocal(e); (*articulate*) qui sait s'exprimer; ~ **cords** *npl* cordes vocales

vocation [vəu'keɪʃən] *n* vocation *f*; ~**al** *adj* professionnel(le)

vociferous [vəu'sɪfərəs] *adj* bruyant(e)

vodka ['vɒdkə] *n* vodka *f*

vogue [vəug] *n*: **in** ~ en vogue *f*

voice [vɔɪs] *n* voix *f* ◆ *vt* (*opinion*) exprimer, formuler

void [vɔɪd] *n* vide *m* ◆ *adj* nul(le); ~ **of** vide de, dépourvu(e) de

volatile ['vɒlətaɪl] *adj* volatil(e); (*person*) versatile; (*situation*) explosif(ive)

volcano [vɒl'keɪnəu] (*pl* ~**es**) *n* volcan *m*

volition [və'lɪʃən] *n*: **of one's own** ~ de son propre gré

volley ['vɒlɪ] *n* (*of gunfire*) salve *f*; (*of stones etc*) grêle *f*, volée *f*; (*of questions*) multitude *f*, série *f*; (TENNIS *etc*) volée *f*; ~**ball** *n* volley(-ball) *m*

volt [vəult] *n* volt *m*; ~**age** *n* tension *f*, voltage *m*

volume ['vɒljuːm] *n* volume *m*

voluntarily *adv* volontairement

voluntary ['vɒləntərɪ] *adj* volontaire; (*unpaid*) bénévole

volunteer [vɒlən'tɪə*] *n* volontaire *m/f* ◆ *vt* (*information*) fournir (spontanément) ◆ *vi* (MIL) s'engager comme volontaire; **to** ~ **to do** se proposer pour faire

vomit ['vɒmɪt] *vt, vi* vomir

vote [vəut] *n* vote *m*, suffrage *m*; (*cast*) voix *f*, vote; (*franchise*) droit *m* de vote ◆ *vt* (*elect*): **to be** ~**d chairman** *etc* être élu président *etc*; (*propose*): **to** ~ **that** proposer que ◆ *vi* voter; ~ **of thanks** discours *m* de remerciement; ~**r** *n* électeur(trice); **voting** ['vəutɪŋ] *n* scrutin *m*, vote *m*

voucher ['vautʃə*] *n* (*for meal, petrol, gift*) bon *m*

vouch for [vautʃ] *vt fus* se porter garant de

vow [vau] *n* vœu *m*, serment *m* ◆ *vi* jurer

vowel ['vauəl] *n* voyelle *f*

voyage ['vɔɪɪdʒ] *n* voyage *m* par mer, traversée *f*; (*by spacecraft*) voyage

vulgar ['vʌlgə*] *adj* vulgaire

vulnerable ['vʌlnərəbl] *adj* vulnérable

vulture ['vʌltʃə*] *n* vautour *m*

W

wad [wɒd] *n* (*of cotton wool, paper*) tampon *m*; (*of banknotes etc*) liasse *f*

waddle ['wɒdl] *vi* se dandiner

wade [weɪd] *vi*: **to** ~ **through** marcher dans, patauger dans; (*fig*: *book*) s'evertuer à lire

wafer ['weɪfə*] *n* (CULIN) gaufrette *f*

waffle ['wɒfl] *n* (CULIN) gaufre *f*; (*inf*) verbiage *m*, remplissage *m* ◆ *vi* parler pour ne rien dire, faire du remplissage

waft [wɒːft] *vt* porter ◆ *vi* flotter

wag [wæg] *vt* agiter, remuer ◆ *vi* remuer

wage [weɪdʒ] *n* (*also*: ~*s*) salaire *m*, paye *f* ◆ *vt*: **to** ~ **war** faire la guerre; ~ **earner** *n* salarié(e); ~ **packet** *n* (enveloppe *f* de) paye *f*

wager ['weɪdʒə*] *n* pari *m*

waggle ['wægl] *vt, vi* remuer

wag(g)on ['wægən] *n* (*horse-drawn*) chariot *m*; (BRIT: RAIL) wagon *m* (de marchandises)

wail [weɪl] *vi* gémir; (*siren*) hurler

waist [weɪst] *n* taille *f*; ~**coat** (BRIT) *n* gilet *m*; ~**line** *n* (tour *m* de) taille *f*

wait [weɪt] *n* attente *f* ◆ *vi* attendre; **to keep sb** ~**ing** faire attendre qn; **to** ~ **for** attendre; **I can't** ~ **to ...** (*fig*) je meurs d'envie de ...; ~ **behind** *vi* rester (à attendre); ~ **on** *vt fus* servir; ~**er** *n* garçon *m* (de café), serveur *m*; ~**ing** *n*: "**no** ~**ing**" (BRIT: AUT) "stationnement interdit"; ~**ing list** *n* liste *f* d'attente; ~**ing room** *n* salle *f* d'attente; ~**ress** *n* serveuse *f*

waive [weɪv] *vt* renoncer à, abandonner

wake [weɪk] (*pt* **woke**, ~**d**, *pp* **woken**, ~**d**) *vt* (*also*: ~ *up*) réveiller ◆ *vi* (also: ~ **up**) se réveiller ◆ *n* (*for dead person*) veillée *f* mortuaire; (NAUT) sillage *m*

Wales [weɪlz] *n* pays *m* de Galles; **the Prince of** ~ le prince de Galles

walk [wɔːk] *n* promenade *f*; (*short*) petit tour; (*gait*) démarche *f*; (*path*) chemin *m*; (*in park etc*) allée *f* ◆ *vi* marcher; (*for pleasure, exercise*) se promener ◆ *vt* (*distance*) faire à pied; (*dog*) promener; **10 minutes'** ~ **from** à 10 minutes à pied de; **from all** ~**s of life** de toutes conditions sociales; ~ **out** *vi* (*audience*) sortir, quitter la salle; (*workers*) se mettre en grève; ~ **out on** (*inf*) *vt fus* quitter, plaquer; ~**er** *n* (*person*) marcheur(euse); ~**ie-talkie** *n* talkie-walkie *m*; ~**ing** *n* marche *f* à pied; ~**ing shoes** *npl* chaussures *fpl* de marche; ~**ing stick** *n* canne *f*; ~**out** *n* (*of workers*) grève-surprise *f*; ~**over** (*inf*) *n* victoire *f or* examen *m etc* facile; ~**way** *n* promenade *f*

wall [wɔːl] *n* mur *m*; (*of tunnel, cave etc*) paroi *m*; ~**ed** *adj* (*city*) fortifié(e); (*garden*) entouré(e) d'un mur, clos(e)

wallet ['wɒlɪt] *n* portefeuille *m*

wallflower ['wɔːlflauə*] *n* giroflée *f*; **to be a** ~ (*fig*) faire tapisserie

wallop ['wɒləp] (BRIT: *inf*) *vt* donner un grand coup à

wallow ['wɒləu] *vi* se vautrer

wallpaper ['wɔːlpeɪpə*] *n* papier peint ◆ *vt* tapisser

walnut ['wɔːlnʌt] *n* noix *f*; (*tree, wood*) noyer *m*

walrus ['wɔːlrəs] (*pl* ~ *or* ~**es**) *n* morse *m*

waltz [wɔːlts] *n* valse *f* ◆ *vi* valser

wan [wɒn] *adj* pâle; triste

wand [wɒnd] *n* (*also*: *magic* ~) baguette *f* (magique)

wander ['wɒndə*] *vi* (*person*) errer; (*thoughts*) vagabonder, errer ◆ *vt* errer dans

wane [weɪn] *vi* (*moon*) décroître; (*reputation*) décliner

wangle ['wæŋgl] (BRIT: *inf*) *vt* se débrouiller pour avoir; carotter

want [wɒnt] *vt* vouloir; (*need*) avoir besoin de ◆ *n*: **for** ~ **of** par manque de, faute de; ~**s** *npl* (*needs*) besoins *mpl*; **to** ~ **to do** vouloir faire; **to** ~ **sb to do** vouloir que qn fasse; ~**ed** *adj* (*criminal*) recherché(e) par la police; "**cook** ~**ed**" "on recherche un cuisinier"; ~**ing** *adj*: **to be found** ~**ing** ne pas être à la hauteur

wanton ['wɒntən] *adj* (*gratuitous*) gratuit(e); (*promiscuous*) dévergondé(e)

war [wɔː*] *n* guerre *f*; **to make** ~ **(on)** faire la guerre (à)

ward [wɔːd] *n* (*in hospital*) salle *f*; (POL) canton *m*; (LAW: *child*) pupille *m/f*; ~ **off** *vt* (*attack, enemy*) repousser, éviter

warden ['wɔːdən] *n* gardien(ne); (BRIT: *of institution*) directeur(trice); (: *also*: *traffic* ~) contractuel(le); (*of youth hostel*) père *m or* mère *f* aubergiste

warder ['wɔːdə*] (BRIT) *n* gardien *m* de prison

wardrobe ['wɔːdrəub] *n* (*cupboard*) armoire *f*; (*clothes*) garde-robe *f*; (THEATRE) costumes *mpl*

warehouse ['wɛəhaus] *n* entrepôt *m*

wares [wɛəz] *npl* marchandises *fpl*

warfare ['wɔːfɛə*] *n* guerre *f*

warhead ['wɔːhed] *n* (MIL) ogive *f*

warily ['wɛərɪlɪ] *adv* avec prudence

warm [wɔːm] *adj* chaud(e); (*thanks, welcome, applause, person*) chaleureux(euse); **it's** ~ il fait chaud; **I'm** ~ j'ai chaud; ~ **up** *vi* (*person, room*) se réchauffer; (*water*) chauffer; (*athlete*) s'échauffer ◆ *vt* (*food*) (faire) réchauffer, (faire) chauffer; (*engine*) faire chauffer; ~**-hearted** *adj* affectueux(euse); ~**ly** *adv* chaudement; chaleureusement; ~**th** *n* chaleur *f*

warn [wɔːn] *vt* avertir, prévenir; **to** ~ **sb (not) to do** conseiller à qn de (ne pas) faire; ~**ing** *n* avertissement *m*; (*notice*) avis *m*; (*signal*) avertisseur *m*; ~**ing light** *n* avertisseur lumineux; ~**ing triangle** *n* (AUT) triangle *m* de présignalisation

warp [wɔːp] *vi* (*wood*) travailler, se déformer ◆ *vt* (*fig*: *character*) pervertir

warrant ['wɒrənt] *n* (*guarantee*) garantie *f*; (LAW: *to arrest*) mandat *m* d'arrêt; (: *to search*) mandat de perquisition

warranty ['wɒrəntɪ] *n* garantie *f*

warren ['wɒrən] *n* (*of rabbits*) terrier *m*; (*fig*: *of streets etc*) dédale *m*

warrior ['wɒrɪə*] *n* guerrier(ère)

Warsaw ['wɔːsɔː] *n* Varsovie

warship ['wɔːʃɪp] *n* navire *m* de guerre

wart [wɔːt] *n* verrue *f*

wartime ['wɔːtaɪm] *n*: **in** ~ en temps de guerre

wary ['wɛərɪ] *adj* prudent(e)

was [wɒz, wəz] *pt of* **be**

wash [wɒʃ] *vt* laver ◆ *vi* se laver; (*sea*): **to** ~ **over/against sth** inonder/baigner qch ◆ *n* (*clothes*) lessive *f*; (~*ing programme*) lavage *m*; (*of ship*) sillage *m*; **to have a** ~ se laver, faire sa toilette; **to give sth a** ~ laver qch; ~ **away** *vt* (*stain*) enlever au lavage; (*subj*: *river etc*) emporter; ~ **off** *vi* partir au lavage; ~ **up** *vi* (BRIT) faire la vaisselle; (US) se débarbouiller; ~**able** *adj* lavable; ~**basin** (US ~**bowl**) *n* lavabo *m*; ~**cloth** (US) *n* gant *m* de toilette; ~**er** *n* (TECH) rondelle *f*, joint *m*; ~**ing** *n* (*dirty*) linge *m*; (*clean*) lessive *f*; ~**ing machine** *n* machine *f* à laver; ~**ing powder** (BRIT) *n* lessive *f* (en poudre); ~**ing-up** *n* vaisselle *f*; ~**ing-up liquid** *n* produit *m* pour la vaisselle; ~**-out** (*inf*) *n* désastre *m*; ~**room** (US) *n* toilettes *fpl*

wasn't ['wɒznt] = **was not**

wasp [wɒsp] *n* guêpe *f*

wastage ['weɪstɪdʒ] *n* gaspillage *m*; (*in manufacturing, transport etc*) pertes *fpl*, déchets *mpl*; **natural** ~ départs naturels

waste [weɪst] *n* gaspillage *m*; (*of time*) perte *f*; (*rubbish*) déchets *mpl*; (*also*: *household* ~) ordures *fpl* ◆ *adj* (*leftover*): ~ **material** déchets *mpl*; (*land, ground*: *in city*) à l'abandon ◆ *vt* gaspiller; (*time, opportunity*) perdre; ~**s** *npl* (*area*) étendue *f* désertique; ~ **away** *vi* dépérir; ~ **disposal unit** (BRIT) *n* broyeur *m* d'ordures; ~**ful** *adj* gaspilleur(euse); (*process*) peu économique; ~ **ground** (BRIT) *n* terrain *m* vague; ~**paper basket** *n* corbeille *f* à papier; ~ **pipe** *n* (tuyau *m* de) vidange *f*

watch [wɒtʃ] *n* montre *f*; (*act of* ~*ing*) surveillance *f*; guet *m*; (MIL: *guards*) garde *f*; (NAUT: *guards, spell of duty*) quart *m* ◆ *vt* (*look at*) observer; (: *match, programme, TV*) regarder; (*spy on, guard*) surveiller; (*be careful of*) faire attention à ◆ *vi* regarder; (*keep guard*) monter la garde; ~ **out** *vi* faire attention; ~**dog** *n* chien *m* de garde; (*fig*) gardien(ne); ~**ful** *adj* attentif(ive), vigilant(e); ~**maker** *n* horloger(ère); ~**man** (*irreg*) *n see* **night**; ~**strap** *n* bracelet *m* de montre

water ['wɔːtə*] *n* eau *f* ◆ *vt* (*plant, garden*) arroser ◆ *vi* (*eyes*) larmoyer; (*mouth*): **it makes my mouth** ~ j'en ai l'eau à la bouche; **in British** ~**s** dans les eaux territoriales britanniques; ~ **down** *vt* (*milk*) couper d'eau; (*fig*: *story*) édulcorer; ~**colour** (US ~**color**) *n* aquarelle *f*; ~**cress** *n* cresson *m* (de fontaine); ~**fall** *n* chute *f* d'eau; ~ **heater** *n* chauffe-eau *m*; ~**ing can** *n* arrosoir *m*; ~ **lily** *n* nénuphar *m*; ~**line** *n* (NAUT) ligne *f* de flottaison; ~**logged** *adj* (*ground*) détrempé(e); ~ **main** *n* canalisation *f* d'eau; ~**melon** *n* pastèque *f*; ~**proof** *adj* imperméable; ~**shed** *n* (GEO) ligne *f* de partage des eaux; (*fig*) moment *m* critique, point décisif; ~**-skiing** *n* ski *m* nautique; ~**tight** *adj* étanche; ~**way** *n* cours *m* d'eau navigable; ~**works** *n* (*building*) station *f* hydraulique; ~**y** *adj* (*coffee, soup*) trop faible; (*eyes*) humide, larmoyant(e)

watt [wɒt] *n* watt *m*

wave [weɪv] *n* vague *f*; (*of hand*) geste *m*, signe *m*; (RADIO) onde *f*; (*in hair*) ondulation *f* ◆ *vi* faire signe de la main; (*flag*) flotter au vent; (*grass*) ondoyer ◆ *vt* (*handkerchief*) agiter; (*stick*) brandir; ~**length** *n* longueur *f* d'ondes

waver ['weɪvə*] *vi* vaciller; (*voice*) trembler; (*person*) hésiter

wavy ['weɪvɪ] *adj* ondulé(e); onduleux(euse)

wax [wæks] *n* cire *f*; (*for skis*) fart *m* ◆ *vt* cirer; (*car*) lustrer; (*skis*) farter ◆ *vi* (*moon*) croître; ~**works** *npl* personnages *mpl* de cire ◆ *n* musée *m* de cire

way [weɪ] *n* chemin *m*, voie *f*; (*distance*) distance *f*; (*direction*) chemin, direction *f*; (*manner*) façon *f*, manière *f*; (*habit*) habitude *f*, façon; **which** ~? **- this** ~ par où? - par ici; **on the** ~ (*en route*) en route; **to be on one's** ~ être en route; **to go out of one's** ~ **to do** (*fig*) se donner du mal pour faire; **to be in the** ~ bloquer le passage; (*fig*) gêner; **to lose one's** ~ perdre son chemin; **under** ~ en cours; **in a** ~ dans un sens; **in some** ~**s** à certains égards; **no** ~! (*inf*) pas question!; **by the** ~ ... à propos ...; "~ **in**" (BRIT) "entrée"; "~ **out**" (BRIT) "sortie"; **the** ~ **back** le chemin du retour; "**give** ~" (BRIT: AUT) "cédez le passage"; ~**lay** [weɪ'leɪ] (*irreg*) *vt* attaquer

wayward ['weɪwəd] *adj* capricieux(euse), entêté(e)

we [wiː] *pl pron* nous

weak [wiːk] *adj* faible; (*health*) fragile; (*beam etc*) peu solide; ~**en** *vi* faiblir, décliner ◆ *vt* affaiblir; ~**ling** *n* (*physically*) gringalet *m*; (*morally etc*) faible *m/f*; ~**ness** *n* faiblesse *f*; (*fig*) point *m* faible; **to have a** ~**ness for** avoir un faible pour

wealth [welθ] *n* (*money, resources*) richesse(s) *f(pl)*; (*of details*) profusion *f*; ~**y** *adj* riche

wean [wiːn] *vt* sevrer

weapon ['wepən] *n* arme *f*

wear [wɛə*] (*pt* **wore**, *pp* **worn**) *n* (*use*) usage *m*; (*deterioration through use*) usure *f*; (*clothing*): **sports/baby**~ vêtements *mpl* de sport/pour bébés ◆ *vt* (*clothes*) porter; (*put on*) mettre; (*damage*: *through use*) user ◆ *vi* (*last*) faire de l'usage; (*rub etc through*) s'user; **town/evening** ~ tenue *f* de ville/soirée; ~ **away** *vt* user, ronger ◆ *vi* (*inscription*) s'effacer; ~ **down** *vt* user; (*strength, person*) épuiser; ~ **off** *vi* disparaître; ~ **out** *vt* user; (*person, strength*) épuiser; ~ **and tear** *n* usure *f*

weary ['wɪərɪ] *adj* (*tired*) épuisé(e); (*dispirited*) las(lasse); abattu(e) ◆ *vi*: **to** ~ **of** se lasser de

weasel ['wiːzl] *n* (ZOOL) belette *f*

weather ['weðə*] *n* temps *m* ◆ *vt* (*tempest, crisis*) essuyer, réchapper à, survivre à; **under the** ~ (*fig*: *ill*) mal fichu(e); ~**-beaten** *adj* (*person*) hâlé(e); (*building*) dégradé(e) par les intempéries; ~**cock** *n* girouette *f*; ~ **forecast** *n* prévisions *fpl* météorologiques, météo *f*; ~ **man** (*irreg*: *inf*) *n* météorologue *m*; ~ **vane** *n* = ~**cock**

weave [wiːv] (*pt* **wove**, *pp* **woven**) *vt* (*cloth*) tisser; (*basket*) tresser; ~**r** *n* tisserand(e)

web [web] *n* (*of spider*) toile *f*; (*on foot*) palmure *f*; (*fabric, also fig*) tissu *m*

wed [wed] (*pt, pp* **wedded**) *vt* épouser ◆ *vi* se marier

we'd [wiːd] = **we had; we would**

wedding ['wedɪŋ] *n* mariage *m*; **silver/golden** ~ **(anniversary)** noces *fpl* d'argent/d'or; ~ **day** *n* jour *m* du mariage; ~ **dress** *n* robe *f* de mariée; ~ **ring** *n* alliance *f*

wedge [wedʒ] *n* (*of wood etc*) coin *m*, cale *f*; (*of cake*) part *f* ◆ *vt* (*fix*) caler; (*pack tightly*) enfoncer

Wednesday ['wenzdeɪ] *n* mercredi *m*

wee [wiː] *adj* (SCOTTISH) petit(e); tout(e) petit(e)

weed [wiːd] *n* mauvaise herbe ◆ *vt* désherber; ~**killer** *n* désherbant *m*; ~**y** *adj* (*man*) gringalet

week [wiːk] *n* semaine *f*; **a** ~ **today/on Friday** aujourd'hui/vendredi en huit; ~**day** *n* jour *m* de semaine; (COMM) jour ouvrable; ~**end** *n* week-end *m*; ~**ly** *adv* une fois par semaine, chaque semaine ◆ *adj* hebdomadaire ◆ *n* hebdomadaire *m*

weep [wiːp] (*pt, pp* **wept**) *vi* (*person*) pleurer; ~**ing willow** *n* saule pleureur

weigh [weɪ] *vt, vi* peser; **to** ~ **anchor** lever l'ancre; ~ **down** *vt* (*person, animal*) écraser; (*fig*: *with worry*) accabler; ~ **up** *vt* examiner

weight [weɪt] *n* poids *m*; **to lose/put on** ~ maigrir/grossir; ~**ing** *n* (*allowance*) indemnité *f*, allocation *f*; ~**lifter** *n* haltérophile *m*; ~**y** *adj* lourd(e); (*important*) de poids, important(e)

weir [wɪə*] *n* barrage *m*

weird [wɪəd] *adj* bizarre

welcome ['welkəm] *adj* bienvenu(e) ◆ *n* accueil *m* ◆ *vt* accueillir; (*also*: *bid* ~) souhaiter la bienvenue à; (*be glad of*) se réjouir de; **thank you - you're** ~! merci - de rien *or* il n'y a pas de quoi!

weld [weld] *vt* souder; ~**er** *n*

soudeur(euse)
welfare ['welfɛə*] *n* (*well-being*) bien-être *m*; (*social aid*) assistance sociale; ~ **state** *n* État-providence *m*; ~ **work** *n* travail social
well [wel] *n* puits *m* ◆ *adv* bien ◆ *adj*: **to be** ~ aller bien ◆ *excl* eh bien!; bon!; enfin!; **as** ~ aussi, également; **as** ~ **as** (*in addition to*) en plus de; ~ **done!** bravo!; **get** ~ **soon** remets-toi vite!; **to do** ~ bien réussir; (*business*) prospérer; ~ **up** *vi* monter
we'll [wi:l] = **we will; we shall**
well: ~**-behaved** ['welbɪ'heɪvd] *adj* sage, obéissant(e); ~**-being** ['wel'bi:ɪŋ] *n* bien-être *m*; ~**-built** ['wel'bɪlt] *adj* (*person*) bien bâti(e); ~**-deserved** *adj* (bien) mérité(e); ~**-dressed** *adj* bien habillé(e); ~**-heeled** (*inf*) *adj* (*wealthy*) nanti(e)
wellingtons ['welɪŋtənz] *npl* (*also*: *wellington boots*) bottes *fpl* de caoutchouc
well: ~**-known** ['wel'nəun] *adj* (*person*) bien connu(e); ~**-mannered** ['wel'mænəd] *adj* bien élevé(e); ~**-meaning** ['wel'mi:nɪŋ] *adj* bien intentionné(e); ~**-off** ['wel'ɒf] *adj* aisé(e); ~**-read** ['wel'red] *adj* cultivé(e); ~**-to-do** ['weltə'du:] *adj* aisé(e); ~**-wishers** ['welwɪʃəz] *npl* amis *mpl* et admirateurs *mpl*; (*friends*) amis *mpl*
Welsh [welʃ] *adj* gallois(e) ◆ *n* (LING) gallois *m*; **the** ~ *npl* (*people*) les Gallois *mpl*; ~**man** (*irreg*) *n* Gallois *m*; ~ **rarebit** *n* toast *m* au fromage; ~**woman** (*irreg*) *n* Galloise *f*
went [went] *pt of* **go**
wept [wept] *pt, pp of* **weep**
were [wɜ:*] *pt of* **be**
we're [wɪə*] = **we are**
weren't [wɜ:nt] = **were not**
west [west] *n* ouest *m* ◆ *adj* ouest *inv*, de *or* à l'ouest ◆ *adv* à *or* vers l'ouest; **the W**~ *n* l'Occident *m*, l'Ouest; **the W**~ **Country** (BRIT) *n* le sud-ouest de l'Angleterre; ~**erly** *adj* (*wind*) d'ouest; (*point*) à l'ouest; ~**ern** *adj* occidental(e), de *or* à l'ouest ◆ *n* (CINEMA) western *m*; **W**~ **Indian** *adj* antillais(e) ◆ *n* Antillais(e); **W**~ **Indies** *npl* Antilles *fpl*; ~**ward(s)** *adv* vers l'ouest
wet [wet] *adj* mouillé(e); (*damp*) humide; (*soaked*) trempé(e); (*rainy*) pluvieux(euse) ◆ *n* (BRIT: POL) modéré *m* du parti conservateur; **to get** ~ se mouiller; "~ **paint**" "attention peinture fraîche"; ~ **blanket** *n* (*fig*) rabat-joie *m inv*; ~ **suit** *n* combinaison *f* de plongée
we've [wi:v] = **we have**
whack [wæk] *vt* donner un grand coup à
whale [weɪl] *n* (ZOOL) baleine *f*
wharf [wɔ:f] (*pl* **wharves**) *n* quai *m*

KEYWORD
what [wɒt] *adj* quel(le); ~ **size is he?** quelle taille fait-il?; ~ **colour is it?** de quelle couleur est-ce?; ~ **books do you need?** quels livres vous faut-il?; ~ **a mess!** quel désordre!
◆ *pron* [1] (*interrogative*) que, *prep* +quoi; ~ **are you doing?** que faites-vous?, qu'est-ce que vous faites?; ~ **is happening?** qu'est-ce qui se passe?, que se passe-t-il?; ~ **are you talking about?** de quoi parlez-vous?; ~ **is it called?** comment est-ce que ça s'appelle?; ~ **about me?** et moi?; ~ **about doing ...?** et si on faisait ...?
[2] (*relative*: *subject*) ce qui; (: *direct object*) ce que; (: *indirect object*) ce +*prep* +quoi, ce dont; **I saw** ~ **you did/was on the table** j'ai vu ce que vous avez fait/ce qui était sur la table; **tell me** ~ **you remember** dites-moi ce dont vous vous souvenez
◆ *excl* (*disbelieving*) quoi!, comment!

whatever [wɒt'evə*] *adj*: ~ **book** quel que soit le livre que (*or* qui) +*sub*; n'importe quel livre ◆ *pron*: **do** ~ **is necessary** faites (tout) ce qui est nécessaire; ~ **happens** quoi qu'il arrive; **no reason** ~ pas la moindre raison; **nothing** ~ rien du tout
whatsoever [wɒtsəu'evə*] *adj* = **whatever**
wheat [wi:t] *n* blé *m*, froment *m*
wheedle ['wi:dl] *vt*: **to** ~ **sb into doing sth** cajoler *or* enjôler qn pour qu'il fasse qch; **to** ~ **sth out of sb** obtenir qch de qn par des cajoleries
wheel [wi:l] *n* roue *f*; (*also*: *steering* ~) volant *m*; (NAUT) gouvernail *m* ◆ *vt* (*pram etc*) pousser ◆ *vi* (*birds*) tournoyer; (*also*: ~ *round*: *person*) virevolter; ~**barrow** *n* brouette *f*; ~**chair** *n* fauteuil roulant; ~ **clamp** *n* (AUT) sabot *m* (de Denver)
wheeze [wi:z] *vi* respirer bruyamment

KEYWORD
when [wen] *adv* quand; ~ **did he go?** quand est-ce qu'il est parti?
◆ *conj* [1] (*at, during, after the time that*) quand, lorsque; **she was reading** ~ **I came in** elle lisait quand *or* lorsque je suis entré
[2] (*on, at which*): **on the day** ~ **I met him** le jour où je l'ai rencontré
[3] (*whereas*) alors que; **I thought I was wrong** ~ **in fact I was right** j'ai cru que j'avais tort alors qu'en fait j'avais raison

whenever [wen'evə*] *adv* quand donc ◆ *conj* quand; (*every time that*) chaque fois que
where [wɛə*] *adv, conj* où; **this is** ~ c'est là que; ~**abouts** ['wɛərə'bauts] *adv* où donc ◆ *n*: **nobody knows his** ~**abouts** personne ne sait où il se trouve; ~**as** [wɛər'æz] *conj* alors que; ~**by** *adv* par lequel (*or* laquelle *etc*); ~**upon** *adv* sur quoi; ~**ver** [wɛər'evə*] *adv* où donc ◆ *conj* où que +*sub*; ~**withal** ['wɛəwɪðɔ:l] *n* moyens *mpl*
whet [wet] *vt* aiguiser
whether ['weðə*] *conj* si; **I don't know** ~ **to accept or not** je ne sais pas si je dois accepter ou non; **it's doubtful** ~ il est peu probable que +*sub*; ~ **you go or not** que vous y alliez ou non

KEYWORD
which [wɪtʃ] *adj* [1] (*interrogative*: *direct, indirect*) quel(le); ~ **picture do you want?** quel tableau voulez-vous?; ~ **one?** lequel(laquelle)?
[2]: **in** ~ **case** auquel cas
◆ *pron* [1] (*interrogative*) lequel(laquelle), lesquels(lesquelles) *pl*; **I don't mind** ~ peu importe lequel; ~ **(of these) are yours?** lesquels sont à vous?; **tell me** ~ **you want** dites-moi lesquels *or* ceux que vous voulez
[2] (*relative*: *subject*) qui; (: *object*) que, *prep* +lequel(laquelle); **the apple** ~ **you ate/**~ **is on the table** la pomme que vous avez mangée/qui est sur la table; **the chair on** ~ **you are sitting** la chaise sur laquelle vous êtes assis; **the book of** ~ **you spoke** le livre dont vous avez parlé; **he knew,** ~ **is true/I feared** il le savait, ce qui est vrai/ce que je craignais; **after** ~ après quoi

whichever [wɪtʃ'evə*] *adj*: **take** ~ **book you prefer** prenez le livre que vous préférez, peu importe lequel; ~ **book you take** quel que soit le livre que vous preniez
whiff [wɪf] *n* bouffée *f*
while [waɪl] *n* moment *m* ◆ *conj* pendant que; (*as long as*) tant que; (*whereas*) alors que; bien que +*sub*; **for a** ~ pendant quelque temps; ~ **away** *vt* (*time*) (faire) passer
whim [wɪm] *n* caprice *m*
whimper ['wɪmpə*] *vi* geindre
whimsical ['wɪmzɪkəl] *adj* (*person*) capricieux(euse); (*look, story*) étrange
whine [waɪn] *vi* gémir, geindre
whip [wɪp] *n* fouet *m*; (*for riding*) cravache *f*; (POL: *person*) *chef de file assurant la discipline dans son groupe parlementaire* ◆ *vt* fouetter; (*eggs*) battre; (*move quickly*) enlever (*or* sortir) brusquement; ~**ped cream** *n* crème fouettée; ~**-round** (BRIT) *n* collecte *f*
whirl [wɜ:l] *vt* faire tourbillonner; faire tournoyer ◆ *vi* tourbillonner; (*dancers*) tournoyer; ~**pool** *n* tourbillon *m*; ~**wind** *n* tornade *f*
whirr [wɜ:*] *vi* (*motor etc*) ronronner; (: *louder*) vrombir
whisk [wɪsk] *n* (CULIN) fouet *m* ◆ *vt* fouetter; (*eggs*) battre; **to** ~ **sb away** *or* **off** emmener qn rapidement
whiskers ['wɪskəz] *npl* (*of animal*) moustaches *fpl*; (*of man*) favoris *mpl*
whisky ['wɪskɪ] (IRELAND, US **whiskey**) *n* whisky *m*
whisper ['wɪspə*] *vt, vi* chuchoter
whistle ['wɪsl] *n* (*sound*) sifflement *m*; (*object*) sifflet *m* ◆ *vi* siffler
white [waɪt] *adj* blanc(blanche); (*with fear*) blême ◆ *n* blanc *m*; (*person*) blanc(blanche); ~ **coffee** (BRIT) *n* café *m* au lait, (café) crème *m*; ~**-collar worker** *n* employé(e) de bureau; ~ **elephant** *n* (*fig*) objet dispendieux et superflu; ~ **lie** *n* pieux mensonge; ~ **paper** *n* (POL) livre blanc; ~**wash** *vt* blanchir à la chaux; (*fig*) blanchir ◆ *n* (*paint*) blanc *m* de chaux
whiting ['waɪtɪŋ] *n inv* (*fish*) merlan *m*
Whitsun ['wɪtsn] *n* la Pentecôte
whittle ['wɪtl] *vt*: **to** ~ **away,** ~ **down** (*costs*) réduire
whizz [wɪz] *vi*: **to** ~ **past** *or* **by** passer à toute vitesse; ~ **kid** (*inf*) *n* petit prodige
who [hu:] *pron* qui; ~**dunit** [hu:'dʌnɪt] (*inf*) *n* roman policier
whoever [hu:'evə*] *pron*: ~ **finds it** celui(celle) qui le trouve(, qui que ce soit), quiconque le trouve; **ask** ~ **you like** demandez à qui vous voulez; ~ **he marries** quelle que soit la personne qu'il épouse; ~ **told you that?** qui a bien pu vous dire ça?
whole [həul] *adj* (*complete*) entier(ère), tout(e); (*not broken*) intact(e), complet(ète) ◆ *n* (*all*): **the** ~ **of** la totalité de, tout(e) le(la); (*entire unit*) tout *m*; **the** ~ **of the town** la ville tout entière; **on the** ~, **as a** ~ dans l'ensemble; ~**food(s)** *n(pl)* aliments complets; ~**hearted** *adj* sans réserve(s); ~**meal** (BRIT) *adj* (*bread, flour*) complet(ète); ~**sale** *n* (vente *f* en) gros *m* ◆ *adj* (*price*) de gros; (*destruction*) systématique ◆ *adv* en gros; ~**saler** *n* grossiste *m/f*; ~**some** *adj* sain(e); ~**wheat** *adj* = ~**meal**; **wholly** ['həulɪ] *adv* entièrement, tout à fait

KEYWORD
whom [hu:m] *pron* [1] (*interrogative*) qui; ~ **did you see?** qui avez-vous vu?; **to** ~ **did you give it?** à qui l'avez-vous donné?
[2] (*relative*) que, *prep* + qui; **the man** ~ **I saw/to** ~ **I spoke** l'homme que j'ai vu/à qui j'ai parlé

whooping cough ['hu:pɪŋ-] *n* coqueluche *f*
whore ['hɔ:*] *n* (*inf*: *pej*) *n* putain *f*

KEYWORD
whose [hu:z] *adj* [1] (*possessive*: *interrogative*): ~ **book is this?** à qui est ce livre?; ~ **pencil have you taken?** à qui est le crayon que vous avez pris?, c'est le crayon de qui que vous avez pris?; ~ **daughter are you?** de qui êtes-vous la fille?
[2] (*possessive*: *relative*): **the man** ~ **son you rescued** l'homme dont *or* de qui vous avez sauvé le fils; **the girl** ~ **sister you were speaking to** la fille à la sœur de qui *or* de laquelle vous parliez; **the woman** ~ **car was stolen** la femme dont la voiture a été volée
◆ *pron* à qui; ~ **is this?** à qui est ceci?; **I know** ~ **it is** je sais à qui c'est

why [waɪ] *adv* pourquoi ◆ *excl* eh bien!, tiens!; **the reason** ~ la raison pour laquelle; **tell me** ~ dites-moi pourquoi; ~ **not?** pourquoi pas?; ~**ever** *adv* pourquoi donc, mais pourquoi
wicked ['wɪkɪd] *adj* mauvais(e), méchant(e); (*crime*) pervers(e); (*mischievous*) malicieux(euse)
wicket ['wɪkɪt] *n* (CRICKET) guichet *m*; terrain *m* (*entre les deux guichets*)
wide [waɪd] *adj* large; (*area, knowledge*) vaste, très étendu(e); (*choice*) grand(e) ◆ *adv*: **to open** ~ ouvrir tout grand; **to shoot** ~ tirer à côté; ~**-angle lens** *n* objectif *m* grand angle; ~**-awake** *adj* bien éveillé(e); ~**ly** *adv* (*differing*) radicalement; (*spaced*) sur une grande étendue; (*believed*) généralement; (*travel*) beaucoup; ~**n** *vt* élargir ◆ *vi* s'élargir; ~ **open** *adj* grand(e) ouvert(e); ~**spread** *adj* (*belief etc*) très répandu(e)
widow ['wɪdəu] *n* veuve *f*; ~**ed** *adj* veuf(veuve); ~**er** *n* veuf *m*
width [wɪdθ] *n* largeur *f*
wield [wi:ld] *vt* (*sword*) manier; (*power*) exercer
wife [waɪf] (*pl* **wives**) *n* femme *f*, épouse *f*
wig [wɪg] *n* perruque *f*
wiggle ['wɪgl] *vt* agiter, remuer
wild [waɪld] *adj* sauvage; (*sea*) déchaîné(e); (*idea, life*) fou(folle); (*behaviour*) extravagant(e), déchaîné(e); ~**s** *npl* (*remote area*) régions *fpl* sauvages; **to make a** ~ **guess** émettre une hypothèse à tout hasard; ~**erness** ['wɪldənəs] *n* désert *m*, région *f* sauvage; ~**-goose chase** *n* (*fig*) fausse piste; ~**life** *n* (*animals*) faune *f*; ~**ly** *adv* (*behave*) de manière déchaînée; (*applaud*) frénétiquement; (*hit, guess*) au hasard; (*happy*) follement
wilful ['wɪlful] (US **willful**) *adj* (*person*) obstiné(e); (*action*) délibéré(e)

KEYWORD
will [wɪl] (*vt*: *pt, pp* **willed**) *aux vb* [1] (*forming future tense*): **I** ~ **finish it tomorrow** je le finirai demain; **I** ~ **have finished it by tomorrow** je l'aurai fini d'ici demain; ~ **you do it?** - **yes I** ~/**no I won't** le ferez-vous? - oui/non
[2] (*in conjectures, predictions*): **he** ~ *or* **he'll be there by now** il doit être arrivé à l'heure qu'il est; **that** ~ **be the postman** ça doit être le facteur
[3] (*in commands, requests, offers*): ~ **you be quiet!** voulez-vous bien vous taire!; ~ **you help me?** est-ce que vous pouvez m'aider?; ~ **you have a cup of tea?** voulez-vous une tasse de thé?; **I won't put up with it!** je ne le tolérerai pas!
◆ *vt*: **to** ~ **sb to do** souhaiter ardemment que qn fasse; **he** ~**ed himself to go on** par un suprême effort de volonté, il continua
◆ *n* volonté *f*; testament *m*

willing ['wɪlɪŋ] *adj* de bonne volonté, serviable; **he's** ~ **to do it** il est disposé à le faire, il veut bien le faire; ~**ly** *adv* volontiers; ~**ness** *n* bonne volonté
willow ['wɪləu] *n* saule *m*
willpower ['wɪl'pauə*] *n* volonté *f*
willy-nilly ['wɪlɪ'nɪlɪ] *adv* bon gré mal gré
wilt [wɪlt] *vi* dépérir; (*flower*) se faner
wily ['waɪlɪ] *adj* rusé(e)
win [wɪn] (*pt, pp* **won**) *n* (*in sports etc*) victoire *f* ◆ *vt* gagner; (*prize*) remporter; (*popularity*) acquérir ◆ *vi* gagner; ~ **over** *vt* convaincre; ~ **round** (BRIT) *vt* = ~ **over**
wince [wɪns] *vi* tressaillir
winch [wɪntʃ] *n* treuil *m*
wind[1] [wɪnd] *n* (*also MED*) vent *m*; (*breath*) souffle *m* ◆ *vt* (*take breath*) couper le souffle à
wind[2] [waɪnd] (*pt, pp* **wound**) *vt* enrouler; (*wrap*) envelopper; (*clock, toy*) remonter ◆ *vi* (*road, river*) serpenter; **wind up** *vt* (*clock*) remonter; (*debate*) terminer, clôturer
windfall ['wɪndfɔ:l] *n* coup *m* de chance
winding ['waɪndɪŋ] *adj* (*road*) sinueux(euse); (*staircase*) tournant(e)
wind instrument *n* (MUS) instrument *m* à vent
windmill ['wɪndmɪl] *n* moulin *m* à vent
window ['wɪndəu] *n* fenêtre *f*; (*in car, train, also*: ~ *pane*) vitre *f*; (*in shop etc*) vitrine *f*; ~ **box** *n* jardinière *f*; ~ **cleaner** *n* (*person*) laveur(euse) de vitres; ~ **ledge** *n* rebord *m* de la fenêtre; ~ **pane** *n* vitre *f*, carreau *m*; ~**-shopping** *n*: **to go** ~**-shopping** faire du lèche-vitrines; ~**sill** *n* (*inside*) appui *m* de la fenêtre; (*outside*) rebord *m* de la fenêtre
windpipe ['wɪndpaɪp] *n* trachée *f*
wind power *n* énergie éolienne
windscreen ['wɪndskri:n] *n* pare-brise *m inv*; ~ **washer** *n* lave-glace *m inv*; ~ **wiper** *n* essuie-glace *m inv*
windshield ['wɪndʃi:ld] (US) *n* = **windscreen**
windswept ['wɪndswept] *adj* balayé(e) par le vent; (*person*) ébouriffé(e)
windy ['wɪndɪ] *adj* venteux(euse); **it's** ~ il y a du vent
wine [waɪn] *n* vin *m*; ~ **bar** *n* bar *m* à vin; ~ **cellar** *n* cave *f* à vin; ~ **glass** *n* verre *m* à vin; ~ **list** *n* carte *f* des vins; ~ **waiter** *n* sommelier *m*
wing [wɪŋ] *n* aile *f*; ~**s** *npl* (THEATRE) coulisses *fpl*; ~**er** *n* (SPORT) ailier *m*
wink [wɪŋk] *n* clin *m* d'œil ◆ *vi* faire un clin d'œil; (*blink*) cligner des yeux
winner ['wɪnə*] *n* gagnant(e)
winning ['wɪnɪŋ] *adj* (*team*) gagnant(e); (*goal*) décisif(ive); ~**s** *npl* gains *mpl*
winter ['wɪntə*] *n* hiver *m*; **in** ~ en hiver; ~ **sports** *npl* sports *mpl* d'hiver; **wintry** ['wɪntrɪ] *adj* hivernal(e)
wipe [waɪp] *n*: **to give sth a** ~ donner un coup de torchon (*or* de chiffon *or* d'éponge) à qch ◆ *vt* essuyer; (*erase*: *tape*) effacer; ~ **off** *vt* enlever; ~ **out** *vt* (*debt*) éteindre, amortir; (*memory*) effacer; (*destroy*) anéantir; ~ **up** *vt* essuyer
wire ['waɪə*] *n* fil *m* (de fer); (ELEC) fil électrique; (TEL) télégramme *m* ◆ *vt* (*house*) faire l'installation électrique de; (*also*: ~ *up*) brancher; (*person*: *send telegram to*) télégraphier à; ~**less** ['waɪəlɪs] (BRIT) *n* poste *m* de radio; **wiring** ['waɪərɪŋ] *n* installation *f* électrique
wiry ['waɪərɪ] *adj* noueux(euse), nerveux(euse); (*hair*) dru(e)
wisdom ['wɪzdəm] *n* sagesse *f*; (*of action*) prudence *f*; ~ **tooth** *n* dent *f* de sagesse
wise [waɪz] *adj* sage, prudent(e); (*remark*) judicieux(euse) ◆ *suffix*: **...wise**: **timewise** *etc* en ce qui concerne le temps *etc*; ~**crack** *n* remarque *f* ironique
wish [wɪʃ] *n* (*desire*) désir *m*; (*specific desire*) souhait *m*, vœu *m* ◆ *vt* souhaiter, désirer, vouloir; **best** ~**es** (*on birthday etc*) meilleurs vœux; **with best** ~**es** (*in letter*) bien amicalement; **to** ~ **sb goodbye** dire au revoir à qn; **he** ~**ed me well** il m'a souhaité bonne chance; **to** ~ **to do/sb to do** désirer *or* vouloir faire/que qn fasse; **to** ~ **for** souhaiter; ~**ful** *adj*: **it's** ~**ful thinking** c'est prendre ses désirs pour des réalités
wistful ['wɪstful] *adj* mélancolique
wit [wɪt] *n* (*gen pl*) intelligence *f*, esprit *m*; (*presence of mind*) présence *f* d'esprit; (*wittiness*) esprit; (*person*) homme/femme d'esprit
witch [wɪtʃ] *n* sorcière *f*; ~**craft** *n* sorcellerie *f*

KEYWORD
with [wɪð, wɪθ] *prep* [1] (*in the company of*) avec; (*at the home of*) chez; **we stayed** ~ **friends** nous avons logé chez des amis; **I'll be** ~ **you in a minute** je suis à vous dans un instant
[2] (*descriptive*): **a room** ~ **a view** une chambre avec vue; **the man** ~ **the grey hat/blue eyes** l'homme au chapeau gris/aux yeux bleus
[3] (*indicating manner, means, cause*): ~

tears in her eyes les larmes aux yeux; **to walk ~ a stick** marcher avec une canne; **red ~ anger** rouge de colère; **to shake ~ fear** trembler de peur; **to fill sth ~ water** remplir qch d'eau
[4]: **I'm ~ you** (*I understand*) je vous suis; **to be ~ it** (*inf: up-to-date*) être dans le vent

withdraw [wɪθ'drɔː] (*irreg*) *vt* retirer ◆ *vi* se retirer; **~al** *n* retrait *m*; **~al symptoms** *npl* (MED): **to have ~al symptoms** être en état de manque; **~n** *adj* (*person*) renfermé(e)
wither ['wɪðə*] *vi* (*plant*) se faner
withhold [wɪθ'həuld] (*irreg*) *vt* (*money*) retenir; **to ~ (from)** (*information*) cacher (à); (*permission*) refuser (à)
within [wɪð'ɪn] *prep* à l'intérieur de ◆ *adv* à l'intérieur; **~ his reach** à sa portée; **~ sight of** en vue de; **~ a kilometre of** à moins d'un kilomètre de; **~ the week** avant la fin de la semaine
without [wɪð'aut] *prep* sans; **~ a coat** sans manteau; **~ speaking** sans parler; **to go ~ sth** se passer de qch
withstand [wɪθ'stænd] (*irreg*) *vt* résister à
witness ['wɪtnəs] *n* (*person*) témoin *m* ◆ *vt* (*event*) être témoin de; (*document*) attester l'authenticité de; **to bear ~ (to)** (*fig*) attester; **~ box** *n* barre *f* des témoins; **~ stand** (US) *n* = **~ box**
witticism ['wɪtɪsɪzəm] *n* mot *m* d'esprit; **witty** ['wɪtɪ] *adj* spirituel(le), plein(e) d'esprit
wives [waɪvz] *npl of* **wife**
wizard ['wɪzəd] *n* magicien *m*
wk *abbr* = **week**
wobble ['wɒbl] *vi* trembler; (*chair*) branler
woe [wəu] *n* malheur *m*
woke [wəuk] *pt of* **wake**
woken ['wəukən] *pp of* **wake**
wolf [wulf, *pl* wulvz] (*pl* **wolves**) *n* loup *m*
woman ['wumən] (*pl* **women**) *n* femme *f*; **~ doctor** *n* femme *f* médecin; **~ly** *adj* féminin(e)
womb [wuːm] *n* (ANAT) utérus *m*
women ['wɪmɪn] *npl of* **woman**; **~'s lib** (*inf*) *n* MLF *m*; **W~'s (Liberation) Movement** *n* mouvement *m* de libération de la femme
won [wʌn] *pt, pp of* **win**
wonder ['wʌndə*] *n* merveille *f*, miracle *m*; (*feeling*) émerveillement *m* ◆ *vi*: **to ~ whether/why** se demander si/pourquoi; **to ~ at** (*marvel*) s'émerveiller de; **to ~ about** songer à; **it's no ~ (that)** il n'est pas étonnant (que +*sub*); **~ful** *adj* merveilleux(euse)
won't [wəunt] = **will not**
woo [wuː] *vt* (*woman*) faire la cour à; (*audience etc*) chercher à plaire à
wood [wud] *n* (*timber, forest*) bois *m*; **~ carving** *n* sculpture *f* en *or* sur bois; **~ed** *adj* boisé(e); **~en** *adj* en bois; (*fig*) raide; inexpressif(ive); **~pecker** *n* pic *m* (*oiseau*); **~wind** *n* (MUS): **the ~wind** les bois; **~work** *n* menuiserie *f*; **~worm** *n* ver *m* du bois
wool [wul] *n* laine *f*; **to pull the ~ over sb's eyes** (*fig*) en faire accroire à qn; **~len** (US **~en**) *adj* de *or* en laine; (*industry*) lainier(ère); **~lens** *npl* (*clothes*) lainages *mpl*; **~ly** (US **~y**) *adj* laineux(euse); (*fig*: *ideas*) confus(e)
word [wɜːd] *n* mot *m*; (*promise*) parole *f*; (*news*) nouvelles *fpl* ◆ *vt* rédiger, formuler; **in other ~s** en d'autres termes; **to break/keep one's ~** manquer à sa parole/tenir parole; **~ing** *n* termes *mpl*; libellé *m*; **~ processing** *n* traitement *m* de texte; **~ processor** *n* machine *f* de traitement de texte
wore [wɔː*] *pt of* **wear**
work [wɜːk] *n* travail *m*; (ART, LITERATURE) œuvre *f* ◆ *vi* travailler; (*mechanism*) marcher, fonctionner; (*plan etc*) marcher; (*medicine*) agir ◆ *vt* (*clay, wood etc*) travailler; (*mine etc*) exploiter; (*machine*) faire marcher *or* fonctionner; (*miracles, wonders etc*) faire; **to be out of ~** être sans emploi; **to ~ loose** se défaire, se desserrer; **~ on** *vt fus* travailler à; (*principle*) se baser sur; (*person*) (essayer d')influencer; **~ out** *vi* (*plans etc*) marcher ◆ *vt* (*problem*) résoudre; (*plan*) élaborer; **it ~s out at £100** ça fait 100 livres; **~ up** *vt*: **to get ~ed up** se mettre dans tous ses états; **~able** *adj* (*solution*) réalisable; **~aholic** [wɜːkə'hɒlɪk] *n* bourreau *m* de travail; **~er** *n* travailleur(euse), ouvrier(ère); **~force** *n* main-d'œuvre *f*; **~ing class** *n* classe ouvrière; **~ing-class** *adj* ouvrier(ère); **~ing order** *n*: **in ~ing order** en état de marche; **~man** (*irreg*) *n* ouvrier *m*; **~manship** *n* (*skill*) métier *m*, habileté *f*; **~s** *n* (BRIT: *factory*) usine *f* ◆ *npl* (*of clock, machine*) mécanisme *m*; **~ sheet** *n* (COMPUT) feuille *f* de programmation; **~shop** *n* atelier *m*; **~ station** *n* poste *m* de travail; **~-to-rule** (BRIT) *n* grève *f* du zèle
world [wɜːld] *n* monde *m* ◆ *cpd* (*champion*) du monde; (*power, war*) mondial(e); **to think the ~ of sb** (*fig*) ne jurer que par qn; **~ly** *adj* de ce monde; (*knowledgeable*) qui a l'expérience du monde; **~wide** *adj* universel(le)
worm [wɜːm] *n* ver *m*
worn [wɔːn] *pp of* **wear** ◆ *adj* usé(e); **~-out** *adj* (*object*) complètement usé(e); (*person*) épuisé(e)
worried ['wʌrɪd] *adj* inquiet(ète)
worry ['wʌrɪ] *n* souci *m* ◆ *vt* inquiéter ◆ *vi* s'inquiéter, se faire du souci
worse [wɜːs] *adj* pire, plus mauvais(e) ◆ *adv* plus mal ◆ *n* pire *m*; **a change for the ~** une détérioration; **~n** *vt, vi* empirer; **~ off** *adj* moins à l'aise financièrement; (*fig*): **you'll be ~ off this way** ça ira moins bien de cette façon
worship ['wɜːʃɪp] *n* culte *m* ◆ *vt* (*God*) rendre un culte à; (*person*) adorer; **Your W~** (BRIT: *to mayor*) Monsieur le maire; (: *to judge*) Monsieur le juge
worst [wɜːst] *adj* le(la) pire, le(la) plus mauvais(e) ◆ *adv* le plus mal ◆ *n* pire *m*; **at ~** au pis aller
worth [wɜːθ] *n* valeur *f* ◆ *adj*: **to be ~** valoir; **it's ~ it** cela en vaut la peine, ça vaut la peine; **it is ~ one's while (to do)** on gagne (à faire); **~less** *adj* qui ne vaut rien; **~while** *adj* (*activity, cause*) utile, louable
worthy [wɜːðɪ] *adj* (*person*) digne; (*motive*) louable; **~ of** digne de

KEYWORD

would [wud] *aux vb* [1] (*conditional tense*): **if you asked him he ~ do it** si vous le lui demandiez, il le ferait; **if you had asked him he ~ have done it** si vous le lui aviez demandé, il l'aurait fait
[2] (*in offers, invitations, requests*): **~ you like a biscuit?** voulez-vous *or* voudriez-vous un biscuit?; **~ you close the door please?** voulez-vous fermer la porte, s'il vous plaît?
[3] (*in indirect speech*): **I said I ~ do it** j'ai dit que je le ferais
[4] (*emphatic*): **it WOULD have to snow today!** naturellement il neige aujourd'hui! *or* il fallait qu'il neige aujourd'hui!
[5] (*insistence*): **she ~n't do it** elle n'a pas voulu *or* elle a refusé de le faire
[6] (*conjecture*): **it ~ have been midnight** il devait être minuit
[7] (*indicating habit*): **he ~ go there on Mondays** il y allait le lundi

would-be ['wudbiː] (*pej*) *adj* soi-disant
wouldn't ['wudnt] = **would not**
wound[1] [wuːnd] *n* blessure *f* ◆ *vt* blesser
wound[2] [waund] *pt, pp of* **wind[2]**
wove [wəuv] *pt of* **weave**
woven ['wəuvən] *pp of* **weave**
wrap [ræp] *vt* (*also*: **~ up**) envelopper, emballer; (*wind*) enrouler; **~per** *n* (BRIT: *of book*) couverture *f*; (*on chocolate*) emballage *m*, papier *m*; **~ping paper** *n* papier *m* d'emballage; (*for gift*) papier cadeau
wrath [rɒθ] *n* courroux *m*
wreak [riːk] *vt*: **to ~ havoc (on)** avoir un effet désastreux (sur)
wreath [riːθ, *pl* riːðz] (*pl* **~s**) *n* couronne *f*
wreck [rek] *n* (*ship*) épave *f*; (*vehicle*) véhicule accidenté; (*pej*: *person*) loque humaine ◆ *vt* démolir; (*fig*) briser, ruiner; **~age** *n* débris *mpl*; (*of building*) décombres *mpl*; (*of ship*) épave *f*
wren [ren] *n* (ZOOL) roitelet *m*
wrench [rentʃ] *n* (TECH) clé *f* (à écrous); (*tug*) violent mouvement de torsion; (*fig*) déchirement *m* ◆ *vt* tirer violemment sur, tordre; **to ~ sth from** arracher qch à *or* de
wrestle ['resl] *vi*: **to ~ (with sb)** lutter (avec qn); **~r** *n* lutteur(euse); **wrestling** *n* lutte *f*; (*also*: *all-in wrestling*) catch *m*
wretched ['retʃɪd] *adj* misérable; (*inf*) maudit(e)
wriggle ['rɪgl] *vi* (*also*: **~ about**) se tortiller
wring [rɪŋ] (*pt, pp* **wrung**) *vt* tordre; (*wet clothes*) essorer; (*fig*): **to ~ sth out of sb** arracher qch à qn
wrinkle ['rɪŋkl] *n* (*on skin*) ride *f*; (*on paper etc*) pli *m* ◆ *vt* plisser ◆ *vi* se plisser
wrist [rɪst] *n* poignet *m*; **~watch** *n* montre-bracelet *f*
writ [rɪt] *n* acte *m* judiciaire
write [raɪt] (*pt* **wrote**, *pp* **written**) *vt, vi* écrire; (*prescription*) rédiger; **~ down** *vt* noter; (*put in writing*) mettre par écrit; **~ off** *vt* (*debt*) passer aux profits et pertes; (*project*) mettre une croix sur; **~ out** *vt* écrire; **~ up** *vt* rédiger; **~-off** *n* perte totale; **~r** *n* auteur *m*, écrivain *m*
writhe [raɪð] *vi* se tordre
writing ['raɪtɪŋ] *n* écriture *f*; (*of author*) œuvres *fpl*; **in ~** par écrit; **~ paper** *n* papier *m* à lettres
wrong [rɒŋ] *adj* (*incorrect*: *answer, information*) faux(fausse); (*inappropriate*: *choice, action etc*) mauvais(e); (*wicked*) mal; (*unfair*) injuste ◆ *adv* mal ◆ *n* tort *m* ◆ *vt* faire du tort à, léser; **you are ~ to do it** tu as tort de le faire; **you are ~ about that, you've got it ~** tu te trompes; **what's ~?** qu'est-ce qui ne va pas?; **to go ~** (*person*) se tromper; (*plan*) mal tourner; (*machine*) tomber en panne; **to be in the ~** avoir tort; **~ful** *adj* injustifié(e); **~ly** *adv* mal, incorrectement; **~ side** *n* (*of material*) envers *m*
wrote [rəut] *pt of* **write**
wrought [rɔːt] *adj*: **~ iron** fer forgé
wrung [rʌŋ] *pt, pp of* **wring**
wry [raɪ] *adj* désabusé(e)
wt. *abbr* = **weight**

X, Y, Z

Xmas ['eksməs] *n abbr* = **Christmas**
X-ray ['eks'reɪ] *n* (*ray*) rayon *m* X; (*photo*) radio(graphie) *f*
xylophone ['zaɪləfəun] *n* xylophone *m*
yacht [jɒt] *n* yacht *m*; voilier *m*; **~ing** *n* yachting *m*, navigation *f* de plaisance; **~sman** (*irreg*) *n* plaisancier *m*
Yank [jæŋk] (*pej*) *n* Amerloque *m/f*
Yankee ['jæŋkɪ] *n* = **Yank**
yap [jæp] *vi* (*dog*) japper
yard [jɑːd] *n* (*of house etc*) cour *f*; (*measure*) yard *m* (= *91,4 cm*); **~stick** *n* (*fig*) mesure *f*, critères *mpl*
yarn [jɑːn] *n* fil *m*; (*tale*) longue histoire
yawn [jɔːn] *n* bâillement *m* ◆ *vi* bâiller; **~ing** *adj* (*gap*) béant(e)
yd. *abbr* = **yard(s)**
yeah [jɛə] (*inf*) *adv* ouais
year [jɪə*] *n* an *m*, année *f*; **to be 8 ~s old** avoir 8 ans; **an eight-~-old child** un enfant de huit ans; **~ly** *adj* annuel(le) ◆ *adv* annuellement
yearn [jɜːn] *vi*: **to ~ for sth** aspirer à qch, languir après qch; **to ~ to do** aspirer à faire
yeast [jiːst] *n* levure *f*
yell [jel] *vi* hurler
yellow ['jeləu] *adj* jaune
yelp [jelp] *vi* japper; glapir
yeoman ['jəumən] (*irreg*) *n*: **~ of the guard** hallebardier *m* de la garde royale
yes [jes] *adv* oui; (*answering negative question*) si ◆ *n* oui *m*; **to say/answer ~** dire/répondre oui
yesterday ['jestədeɪ] *adv* hier ◆ *n* hier *m*; **~ morning/evening** hier matin/soir; **all day ~** toute la journée d'hier
yet [jet] *adv* encore; déjà ◆ *conj* pourtant, néanmoins; **it is not finished ~** ce n'est pas encore fini *or* toujours pas fini; **the best ~** le meilleur jusqu'ici *or* jusque-là; **as ~** jusqu'ici, encore
yew [juː] *n* if *m*
yield [jiːld] *n* production *f*, rendement *m*; rapport *m* ◆ *vt* produire, rendre, rapporter; (*surrender*) céder ◆ *vi* céder; (US: AUT) céder la priorité
YMCA *n abbr* (= *Young Men's Christian Association*) YMCA *m*
yoghourt ['jɒgət] *n* yaourt *m*
yog(h)urt ['jɒgət] *n* = **yoghourt**
yoke [jəuk] *n* joug *m*
yolk [jəuk] *n* jaune *m* (d'œuf)

KEYWORD

you [juː] *pron* [1] (*subject*) tu; (*polite form*) vous; (*plural*) vous; **~ French enjoy your food** vous autres Français, vous aimez bien manger; **~ and I will go** toi et moi *or* vous et moi, nous irons
[2] (*object*: *direct, indirect*) te, t' +*vowel*; vous; **I know ~** je te *or* vous connais; **I gave it to ~**, je vous l'ai donné, je te l'ai donné
[3] (*stressed*) toi; vous; **I told YOU to do it** c'est à toi *or* vous que j'ai dit de le faire
[4] (*after prep, in comparisons*) toi; vous; **it's for ~** c'est pour toi *or* vous; **she's younger than ~** elle est plus jeune que toi *or* vous
[5] (*impersonal*: *one*) on; **fresh air does ~ good** l'air frais fait du bien; **~ never know** on ne sait jamais

you'd [juːd] = **you had; you would**
you'll [juːl] = **you will; you shall**
young [jʌŋ] *adj* jeune ◆ *npl* (*of animal*) petits *mpl*; (*people*): **the ~** les jeunes, la jeunesse; **~er** *adj* (*brother etc*) cadet(te); **~ster** *n* jeune *m* (garçon *m*); (*child*) enfant *m/f*
your ['jɔː*] *adj* ton(ta), tes *pl*; (*polite form, pl*) votre, vos *pl*; *see also* **my**
you're ['juə*] = **you are**
yours [jɔːz] *pron* le(la) tien(ne), les tiens(tiennes); (*polite form, pl*) le(la) vôtre, les vôtres; **~ sincerely/faithfully/truly** veuillez agréer l'expression de mes sentiments les meilleurs; *see also* **mine[1]**
yourself [jɔː'self] *pron* (*reflexive*) te; (: *polite form*) vous; (*after prep*) toi; vous; (*emphatic*) toi-même; vous-même; *see also* **oneself**; **yourselves** *pl pron* vous; (*emphatic*) vous-mêmes
youth [juːθ, *pl* juːðz] *n* jeunesse *f*; (*young man*: *pl youths*) jeune homme *m*; **~ club** *n* centre *m* de jeunes; **~ful** *adj* jeune; (*enthusiasm*) de jeunesse, juvénile; **~ hostel** *n* auberge *f* de jeunesse
you've [juːv] = **you have**
YTS (BRIT) *n abbr* (= Youth Training Scheme) ≈ TUC *m*
Yugoslav *adj* yougoslave ◆ *n* Yougoslave *m/f*; **~ia** *n* Yougoslavie *f*
yuppie ['jʌpɪ] (*inf*) *n* yuppie *m/f*
YWCA *n abbr* (= *Young Women's Christian Association*) YWCA *m*
zany ['zeɪnɪ] *adj* farfelu(e), loufoque
zap [zæp] *vt* (COMPUT) effacer
zeal [ziːl] *n* zèle *m*, ferveur *f*; empressement *m*
zebra ['ziːbrə] *n* zèbre *m*; **~ crossing** (BRIT) *n* passage clouté *or* pour piétons
zero ['zɪərəu] *n* zéro *m*
zest [zest] *n* entrain *m*, élan *m*; (*of orange*) zeste *m*
zigzag ['zɪgzæg] *n* zigzag *m*
Zimbabwe [zɪm'bɑːbwɪ] *n* Zimbabwe *m*
zinc [zɪŋk] *n* zinc *m*
zip [zɪp] *n* (*also*: **~ fastener**) fermeture *f* éclair (®) ◆ *vt* (: **~ up**) fermer avec une fermeture éclair (®); **~ code** (US) *n* code postal; **~per** (US) *n* = **zip**
zodiac ['zəudiæk] *n* zodiaque *m*
zone [zəun] *n* zone *f*
zoo [zuː] *n* zoo *m*
zoom [zuːm] *vi*: **to ~ past** passer en trombe; **~ lens** *n* zoom *m*
zucchini [zuː'kiːnɪ] (US) *n(pl)* courgette(s) *f(pl)*

FRANÇAIS - ANGLAIS
FRENCH - ENGLISH
A

A *abr* = **autoroute**
a *vb voir* **avoir**

MOT-CLÉ

à [a] (*à* + *le* = **au**, *à* + *les* = **aux**) *prép* 1 (*endroit, situation*) at, in; **être ~ Paris/au Portugal** to be in Paris/Portugal; **être ~ la maison/~ l'école** to be at home/at school; **~ la campagne** in the country; **c'est ~ 10 km/~ 20 minutes (d'ici)** it's 10 km/20 minutes away
2 (*direction*) to; **aller ~ Paris/au Portugal** to go to Paris/Portugal; **aller ~ la maison/~ l'école** to go home/to school; **~ la campagne** to the country
3 (*temps*): **~ 3 heures/minuit** at 3 o'clock/midnight; **au printemps/mois de juin** in the spring/the month of June
4 (*attribution, appartenance*) to; **le livre est ~ Paul/~ lui/~ nous** this book is Paul's/his/ours; **donner qch ~ qn** to give sth to sb
5 (*moyen*) with; **se chauffer au gaz** to have gas heating; **~ bicyclette** on a *ou* by bicycle; **~ la main/machine** by hand/machine
6 (*provenance*) from; **boire ~ la bouteille** to drink from the bottle
7 (*caractérisation, manière*): **l'homme aux yeux bleus** the man with the blue eyes; **~ la russe** the Russian way
8 (*but, destination*): **tasse ~ café** coffee cup; **maison ~ vendre** house for sale
9 (*rapport, évaluation, distribution*): **100 km/unités ~ l'heure** 100 km/units per *ou* an hour; **payé ~ l'heure** paid by the hour; **cinq ~ six** five to six

abaisser [abese] *vt* to lower, bring down; (*manette*) to pull down; (*fig*) to debase; to humiliate; **s'~** *vi* to go down; (*fig*) to demean o.s.
abandon [abɑ̃dɔ̃] *nm* abandoning; giving up; withdrawal; **être à l'~** to be in a state of neglect
abandonner [abɑ̃dɔne] *vt* (*personne*) to abandon; (*projet, activité*) to abandon, give up; (*SPORT*) to retire *ou* withdraw from; (*céder*) to surrender; **s'~** *vi* to let o.s. go; **s'~ à** (*paresse, plaisirs*) to give o.s. up to
abasourdir [abazuʀdiʀ] *vt* to stun, stagger
abat-jour [abaʒuʀ] *nm inv* lampshade
abats [aba] *nmpl* (*de bœuf, porc*) offal *sg*; (*de volaille*) giblets
abattement [abatmɑ̃] *nm* (*déduction*) reduction; **~ fiscal** ≈ tax allowance
abattoir [abatwaʀ] *nm* slaughterhouse
abattre [abatʀ(ə)] *vt* (*arbre*) to cut down, fell; (*mur, maison*) to pull down; (*avion, personne*) to shoot down; (*animal*) to shoot, kill; (*fig*) to wear out, tire out; to demoralize; **s'~** *vi* to crash down; **s'~ sur** to beat down on; to rain down on
abbaye [abei] *nf* abbey
abbé [abe] *nm* priest; (*d'une abbaye*) abbot
abcès [apsɛ] *nm* abscess
abdiquer [abdike] *vi* to abdicate ◆ *vt* to renounce, give up
abeille [abɛj] *nf* bee
aberrant, e [abɛʀɑ̃, -ɑ̃t] *adj* absurd
abêtir [abetiʀ] *vt* to make morons of (*ou* a moron of)
abîme [abim] *nm* abyss, gulf
abîmer [abime] *vt* to spoil, damage; **s'~** *vi* to get spoilt *ou* damaged
ablation [ablɑsjɔ̃] *nf* removal
abois [abwa] *nmpl*: **aux ~** at bay
abolir [abɔliʀ] *vt* to abolish
abondance [abɔ̃dɑ̃s] *nf* abundance; (*richesse*) affluence
abondant, e [abɔ̃dɑ̃, -ɑ̃t] *adj* plentiful, abundant, copious
abonder [abɔ̃de] *vi* to abound, be plentiful; **~ dans le sens de qn** to concur with sb
abonné, e [abɔne] *nm/f* subscriber; season ticket holder
abonnement [abɔnmɑ̃] *nm* subscription; (*transports, concerts*) season ticket
abonner [abɔne] *vt*: **s'~ à** to subscribe to, take out a subscription to
abord [abɔʀ] *nm*: **être d'un ~ facile** to be approachable; **~s** *nmpl* (*environs*) surroundings; **au premier ~** at first sight, initially; **d'~** first
abordable [abɔʀdabl(ə)] *adj* approachable; reasonably priced
aborder [abɔʀde] *vi* to land ◆ *vt* (*sujet, difficulté*) to tackle; (*personne*) to approach; (*rivage etc*) to reach; (*NAVIG: attaquer*) to board
aboutir [abutiʀ] *vi* (*négociations etc*) to succeed; **~ à/dans/sur** to end up at/in/on
aboyer [abwaje] *vi* to bark
abrégé [abʀeʒe] *nm* summary
abréger [abʀeʒe] *vt* to shorten
abreuver [abʀœve] *vt* (*fig*): **~ qn de** to shower *ou* swamp sb with; **s'~** *vi* to drink; **abreuvoir** *nm* watering place
abréviation [abʀevjɑsjɔ̃] *nf* abbreviation
abri [abʀi] *nm* shelter; **à l'~** under cover; **à l'~ de** sheltered from; (*fig*) safe from
abricot [abʀiko] *nm* apricot
abriter [abʀite] *vt* to shelter; (*loger*) to accommodate; **s'~** *vt* to shelter, take cover
abroger [abʀɔʒe] *vt* to repeal
abrupt, e [abʀypt] *adj* sheer, steep; (*ton*) abrupt
abrutir [abʀytiʀ] *vt* to daze; to exhaust; to stupefy
absence [apsɑ̃s] *nf* absence; (*MÉD*) blackout; mental blank
absent, e [apsɑ̃, -ɑ̃t] *adj* absent; (*distrait: air*) vacant, faraway ◆ *nm/f* absentee; **s'~er** *vi* to take time off work; (*sortir*) to leave, go out
absolu, e [apsɔly] *adj* absolute; (*caractère*) rigid, uncompromising; **absolument** *adv* absolutely
absorber [apsɔʀbe] *vt* to absorb; (*gén MÉD: manger, boire*) to take
absoudre [apsudʀ(ə)] *vt* to absolve
abstenir [apstəniʀ] : **s'~** *vi* (*POL*) to abstain; **s'~ de qch/de faire** to refrain from sth/from doing
abstraction [apstʀaksjɔ̃] *nf* abstraction; **faire ~ de** to set *ou* leave aside
abstrait, e [apstʀɛ, -ɛt] *adj* abstract
absurde [apsyʀd(ə)] *adj* absurd
abus [aby] *nm* abuse; **~ de confiance** breach of trust
abuser [abyze] *vi* to go too far, overstep the mark ◆ *vt* to deceive, mislead; **s'~** *vi* to be mistaken; **~ de** to misuse; (*violer, duper*) to take advantage of; **abusif, ive** *adj* exorbitant; excessive; improper
acabit [akabi] *nm*: **de cet ~** of that type
académie [akademi] *nf* academy; (*ART: nu*) nude; (*SCOL: circonscription*) ≈ regional education authority
acajou [akaʒu] *nm* mahogany
acariâtre [akaʀjɑtʀ(ə)] *adj* cantankerous
accablant, e [akɑblɑ̃, -ɑ̃t] *adj* (*témoignage, preuve*) overwhelming
accablement [akɑbləmɑ̃] *nm* despondency
accabler [akɑble] *vt* to overwhelm, overcome; (*suj: témoignage*) to condemn, damn; **~ qn d'injures** to heap *ou* shower abuse on sb
accalmie [akalmi] *nf* lull
accaparer [akapaʀe] *vt* to monopolize; (*suj: travail etc*) to take up (all) the time *ou* attention of
accéder [aksede]: **~ à** *vt* (*lieu*) to reach; (*fig*) to accede to, attain; (*accorder: requête*) to grant, accede to
accélérateur [akseleʀatœʀ] *nm* accelerator
accélération [akseleʀɑsjɔ̃] *nf* acceleration
accélérer [akseleʀe] *vt* to speed up ◆ *vi* to accelerate
accent [aksɑ̃] *nm* accent; (*inflexions expressives*) tone (of voice); (*PHONÉTIQUE, fig*) stress; **mettre l'~ sur** (*fig*) to stress; **~ aigu/grave** acute/grave accent
accentuer [aksɑ̃tɥe] *vt* (*LING*) to accent; (*fig*) to accentuate, emphasize; **s'~** *vi* to become more marked *ou* pronounced
acceptation [akseptɑsjɔ̃] *nf* acceptance
accepter [aksɛpte] *vt* to accept; (*tolérer*): **~ que qn fasse** to agree to sb doing; **~ de faire** to agree to do
accès [aksɛ] *nm* (*à un lieu*) access; (*MÉD*) attack; fit, bout; outbreak ◆ *nmpl* (*routes etc*) means of access, approaches; **d'~ facile** easily accessible; **~ de colère** fit of anger
accessible [aksesibl(ə)] *adj* accessible; (*livre, sujet*): **~ à qn** within the reach of sb; (*sensible*): **~ à** open to
accessoire [akseswaʀ] *adj* secondary; incidental ◆ *nm* accessory; (*THÉÂTRE*) prop
accident [aksidɑ̃] *nm* accident; **par ~** by chance; **~ de la route** road accident; **~ du travail** industrial injury *ou* accident; **~é, e** *adj* damaged; injured; (*relief, terrain*) uneven; hilly
acclamer [aklame] *vt* to cheer, acclaim
accolade [akɔlad] *nf* (*amicale*) embrace; (*signe*) brace
accommodant, e [akɔmɔdɑ̃, -ɑ̃t] *adj* accommodating; easy-going
accommoder [akɔmɔde] *vt* (*CULIN*) to prepare; (*points de vue*) to reconcile; **s'~ de** *vt* to put up with; to make do with
accompagnateur, trice [akɔ̃paɲatœʀ, -tʀis] *nm/f* (*MUS*) accompanist; (*de voyage: guide*) guide; (: *d'enfants*) accompanying adult; (*de voyage organisé*) courier
accompagner [akɔ̃paɲe] *vt* to accompany, be *ou* go *ou* come with; (*MUS*) to accompany
accompli, e [akɔ̃pli] *adj* accomplished
accomplir [akɔ̃pliʀ] *vt* (*tâche, projet*) to carry out; (*souhait*) to fulfil; **s'~** *vi* to be fulfilled
accord [akɔʀ] *nm* agreement; (*entre des styles, tons etc*) harmony; (*MUS*) chord; **d'~!** OK!; **se mettre d'~** to come to an agreement; **être d'~** to agree
accordéon [akɔʀdeɔ̃] *nm* (*MUS*) accordion
accorder [akɔʀde] *vt* (*faveur, délai*) to grant; (*harmoniser*) to match; (*MUS*) to tune; **s'~** *vt* to get on together; to agree
accoster [akɔste] *vt* (*NAVIG*) to draw alongside ◆ *vi* to berth
accotement [akɔtmɑ̃] *nm* verge (*BRIT*), shoulder
accouchement [akuʃmɑ̃] *nm* delivery, (child)birth; labour
accoucher [akuʃe] *vi* to give birth, have a baby; (*être en travail*) to be in labour ◆ *vt* to deliver; **~ d'un garçon** to give birth to a boy
accouder [akude]: **s'~** *vi* to rest one's elbows on/against; **accoudoir** *nm* armrest
accoupler [akuple] *vt* to couple; (*pour la reproduction*) to mate; **s'~** *vt* to mate
accourir [akuʀiʀ] *vi* to rush *ou* run up
accoutrement [akutʀəmɑ̃] (*péj*) *nm* (*tenue*) outfit
accoutumance [akutymɑ̃s] *nf* (*gén*) adaptation; (*MÉD*) addiction
accoutumé, e [akutyme] *adj* (*habituel*) customary, usual
accoutumer [akutyme] *vt*: **s'~ à** to get accustomed *ou* used to
accréditer [akʀedite] *vt* (*nouvelle*) to substantiate
accroc [akʀo] *nm* (*déchirure*) tear; (*fig*) hitch, snag
accrochage [akʀɔʃaʒ] *nm* (*AUTO*) collision
accrocher [akʀɔʃe] *vt* (*suspendre*): **~ qch à** to hang sth (up) on; (*attacher: remorque*): **~ qch à** to hitch sth (up) to; (*heurter*) to catch; to catch on; to hit; (*déchirer*): **~ qch (à)** to catch sth (on); (*MIL*) to engage; (*fig*) to catch, attract; **s'~** (*se disputer*) to have a clash *ou* brush; **s'~ à** (*rester pris à*) to catch on; (*agripper, fig*) to hang on *ou* cling to
accroître [akʀwatʀ(ə)] *vt* to increase; **s'~** *vi* to increase
accroupir [akʀupiʀ]: **s'~** *vi* to squat, crouch (down)
accru, e [akʀy] *pp de* **accroître**
accueil [akœj] *nm* welcome; **comité d'~** reception committee
accueillir [akœjiʀ] *vt* to welcome; (*loger*) to accommodate
acculer [akyle] *vt*: **~ qn à** *ou* **contre** to drive sb back against
accumuler [akymyle] *vt* to accumulate, amass; **s'~** *vi* to accumulate; to pile up
accusation [akyzɑsjɔ̃] *nf* (*gén*) accusation; (*JUR*) charge; (*partie*): **l'~** the prosecution; **mettre en ~** to indict
accusé, e [akyze] *nm/f* accused; defendant; **~ de réception** acknowledgement of receipt
accuser [akyze] *vt* to accuse; (*fig*) to emphasize, bring out; to show; **~ qn de** to accuse sb of; (*JUR*) to charge sb with; **~ qch de** (*rendre responsable*) to blame sth for; **~ réception de** to acknowledge receipt of
acerbe [asɛʀb(ə)] *adj* caustic, acid
acéré, e [aseʀe] *adj* sharp
achalandé, e [aʃalɑ̃de] *adj*: **bien ~** well-stocked; well-patronized
acharné, e [aʃaʀne] *adj* (*lutte, adversaire*) fierce, bitter; (*travail*) relentless, unremitting
acharner [aʃaʀne]: **s'~** *vi* to go at fiercely; **s'~ contre** to set o.s. against; to dog; **s'~ à faire** to try doggedly to do; to persist in doing
achat [aʃa] *nm* buying *no pl*; purchase; **faire des ~s** to do some shopping
acheminer [aʃmine] *vt* (*courrier*) to forward, dispatch; (*troupes*) to convey, transport; (*train*) to route; **s'~ vers** to head for
acheter [aʃte] *vt* to buy, purchase; (*soudoyer*) to buy; **~ qch à** (*marchand*) to buy *ou* purchase sth from; (*ami etc: offrir*) to buy sth for; **acheteur, euse** *nm/f* buyer; shopper; (*COMM*) buyer
achever [aʃve] *vt* to complete, finish; (*blessé*) to finish off; **s'~** *vi* to end
acide [asid] *adj* sour, sharp; (*CHIMIE*) acid(ic) ◆ *nm* acid
acier [asje] *nm* steel; **aciérie** *nf* steelworks *sg*
acné [akne] *nf* acne
acolyte [akɔlit] (*péj*) *nm* associate
acompte [akɔ̃t] *nm* deposit; (*versement régulier*) instalment; (*sur somme due*) payment on account
à-côté [akote] *nm* side-issue; (*argent*) extra
à-coup [aku] *nm* (*du moteur*) (hic)cough; (*fig*) jolt; **par ~s** by fits and starts
acoustique [akustik] *nf* (*d'une salle*) acoustics *pl*
acquéreur [akeʀœʀ] *nm* buyer, purchaser
acquérir [akeʀiʀ] *vt* to acquire
acquis, e [aki, -iz] *pp de* **acquérir** ◆ *nm* (accumulated) experience; **être ~ à** (*plan, idée*) to fully agree with; **son aide nous est ~e** we can count on her help
acquit [aki] *vb voir* **acquérir** ◆ *nm* (*quittance*) receipt; **par ~ de conscience** to set one's mind at rest
acquitter [akite] *vt* (*JUR*) to acquit; (*facture*) to pay, settle; **s'~ de** *vt* to discharge, fulfil
âcre [ɑkʀ(ə)] *adj* acrid, pungent
acrobate [akʀɔbat] *nm/f* acrobat
acte [akt(ə)] *nm* act, action; (*THÉÂTRE*) act; **~s** *nmpl* (*compte-rendu*) proceedings; **prendre ~ de** to note, take note of; **faire ~ de candidature** to apply; **faire ~ de présence** to put in an appearance; **~ de naissance** birth certificate
acteur [aktœʀ] *nm* actor
actif, ive [aktif, -iv] *adj* active ◆ *nm* (*COMM*) assets *pl*; (*fig*): **avoir à son ~** to have to one's credit; **population active** working population
action [aksjɔ̃] *nf* (*gén*) action; (*COMM*) share; **une bonne ~** a good deed; **~naire** *nm/f* shareholder; **~ner** *vt* to work; to activate; to operate
activer [aktive] *vt* to speed up; **s'~** *vi* to bustle about; to hurry up
activité [aktivite] *nf* activity
actrice [aktʀis] *nf* actress
actualiser [aktɥalize] *vt* to actualize; to bring up to date
actualité [aktɥalite] *nf* (*d'un problème*) topicality; (*événements*): **l'~** current events; **les ~s** *nfpl* (*CINÉMA, TV*) the news
actuel, le [aktɥɛl] *adj* (*présent*) present; (*d'actualité*) topical; **actuellement** *adv* at present; at the present time
acuité [akɥite] *nf* acuteness
adaptateur [adaptatœʀ] *nm* (*ÉLEC*) adapter
adapter [adapte] *vt* to adapt; **s'~ (à)** (*suj: personne*) to adapt (to); **~ qch à** (*approprier*) to adapt sth to (fit); **~ qch sur/dans/à** (*fixer*) to fit sth on/into/to
additif [aditif] *nm* additive
addition [adisjɔ̃] *nf* addition; (*au café*) bill; **~ner** [adisjɔne] *vt* to add (up)
adepte [adɛpt(ə)] *nm/f* follower
adéquat, e [adekwa, -at] *adj* appropriate, suitable
adhérent, e [adeʀɑ̃, -ɑ̃t] *nm/f* (*de club*) member
adhérer [adeʀe]: **~ à** *vi* (*coller*) to adhere *ou* stick to; (*se rallier à*) to join; to support; **adhésif, ive** *adj* adhesive, sticky ◆ *nm* adhesive; **adhésion** *nf* joining; membership; support
adieu, x [adjø] *excl* goodbye ◆ *nm* farewell; **dire ~ à qn** to say goodbye *ou* farewell to sb
adjectif [adʒɛktif] *nm* adjective
adjoindre [adʒwɛ̃dʀ(ə)] *vt*: **~ qch à** to attach sth to; to add sth to; **s'~** *vt* (*collaborateur etc*) to take on, appoint; **adjoint, e** *nm/f* assistant; **adjoint au maire** deputy mayor; **directeur adjoint** assistant manager
adjudant [adʒydɑ̃] *nm* (*MIL*) warrant officer
adjudication [adʒydikɑsjɔ̃] *nf* sale by auction; (*pour travaux*) invitation to tender (*BRIT*) *ou* bid (*US*)
adjuger [adʒyʒe] *vt* (*prix, récompense*) to award; (*lors d'une vente*) to auction (off); **s'~** *vt* to take for o.s.
adjurer [adʒyʀe] *vt*: **~ qn de faire** to implore *ou* beg sb to do
admettre [admɛtʀ(ə)] *vt* (*laisser entrer*) to

admit; (*candidat*: *SCOL*) to pass; (*tolérer*) to allow, accept; (*reconnaître*) to admit, acknowledge

administrateur, trice [administʀatœʀ, -tʀis] *nm/f* (*COMM*) director; (*ADMIN*) administrator; ~ **judiciaire** receiver

administration [administʀɑsjɔ̃] *nf* administration; **l'A~** ≈ the Civil Service

administrer [administʀe] *vt* (*firme*) to manage, run; (*biens, remède, sacrement etc*) to administer

admirable [admiʀabl(ə)] *adj* admirable, wonderful

admirateur, trice [admiʀatœʀ, -tʀis] *nm/f* admirer

admiration [admiʀɑsjɔ̃] *nf* admiration

admirer [admiʀe] *vt* to admire

admis, e *pp de* **admettre**

admissible [admisibl(ə)] *adj* (*candidat*) eligible; (*comportement*) admissible, acceptable

admission [admisjɔ̃] *nf* admission; acknowledgement; **demande d'~** application for membership

adolescence [adɔlesɑ̃s] *nf* adolescence

adolescent, e [adɔlesɑ̃, -ɑ̃t] *nm/f* adolescent, teenager

adonner [adɔne]: **s'~ à** *vt* (*sport*) to devote o.s. to; (*boisson*) to give o.s. over to

adopter [adɔpte] *vt* to adopt; (*projet de loi etc*) to pass; **adoptif, ive** *adj* (*parents*) adoptive; (*fils, patrie*) adopted

adorer [adɔʀe] *vt* to adore; (*REL*) to worship

adosser [adose] *vt*: ~ **qch à** *ou* **contre** to stand sth against; **s'~ à** *ou* **contre** to lean with one's back against

adoucir [adusiʀ] *vt* (*goût, température*) to make milder; (*avec du sucre*) to sweeten; (*peau, voix*) to soften; (*caractère*) to mellow

adresse [adʀɛs] *nf* (*voir adroit*) skill, dexterity; (*domicile*) address; **à l'~ de** (*pour*) for the benefit of

adresser [adʀese] *vt* (*lettre*: *expédier*) to send; (: *écrire l'adresse sur*) to address; (*injure, compliments*) to address; **s'~ à** (*parler à*) to speak to, address; (*s'informer auprès de*) to go and see; (: *bureau*) to enquire at; (*suj*: *livre, conseil*) to be aimed at; ~ **la parole à** to speak to, address

adroit, e [adʀwa, -wat] *adj* skilful, skilled

adulte [adylt(ə)] *nm/f* adult, grown-up ◆ *adj* (*chien, arbre*) fully-grown, mature; (*attitude*) adult, grown-up

adultère [adyltɛʀ] *nm* (*acte*) adultery

advenir [advəniʀ] *vi* to happen

adverbe [advɛʀb(ə)] *nm* adverb

adversaire [advɛʀsɛʀ] *nm/f* (*SPORT, gén*) opponent, adversary; (*MIL*) adversary, enemy

adverse [advɛʀs(ə)] *adj* opposing

aération [aeʀɑsjɔ̃] *nf* airing; ventilation

aérer [aeʀe] *vt* to air; (*fig*) to lighten

aérien, ne [aeʀjɛ̃, -jɛn] *adj* (*AVIAT*) air *cpd*, aerial; (*câble, métro*) overhead; (*fig*) light

aéro... [aeʀɔ] *préfixe*: **~bic** *nm* aerobics *sg*; **~gare** *nf* airport (buildings); (*en ville*) air terminal; **~glisseur** *nm* hovercraft; **~naval, e** *adj* air and sea *cpd*; **~phagie** [aeʀɔfaʒi] *nf* (*MÉD*) wind, aerophagia (*TECH*); **~port** *nm* airport; **~porté, e** *adj* airborne, airlifted; **~sol** *nm* aerosol

affable [afabl(ə)] *adj* affable

affaiblir [afebliʀ] *vt* to weaken; **s'~** *vi* to weaken

affaire [afɛʀ] *nf* (*problème, question*) matter; (*criminelle, judiciaire*) case; (*scandaleuse etc*) affair; (*entreprise*) business; (*marché, transaction*) deal; business *no pl*; (*occasion intéressante*) bargain; **~s** *nfpl* (*intérêts publics et privés*) affairs; (*activité commerciale*) business *sg*; (*effets personnels*) things, belongings; **ce sont mes ~s** (*cela me concerne*) that's my business; **ceci fera l'~** this will do (nicely); **avoir ~ à** to be faced with; to be dealing with; **les A~s étrangères** Foreign Affairs; **s'affairer** *vi* to busy o.s., bustle about

affaisser [afese]: **s'~** *vi* (*terrain, immeuble*) to subside, sink; (*personne*) to collapse

affaler [afale]: **s'~** *vi*: **s'~ dans/sur** to collapse *ou* slump into/onto

affamé, e [afame] *adj* starving

affecter [afɛkte] *vt* to affect; (*telle ou telle forme etc*) to take on; ~ **qch à** to allocate *ou* allot sth to; ~ **qn à** to appoint sb to; (*diplomate*) to post sb to

affectif, ive [afɛktif, -iv] *adj* emotional

affection [afɛksjɔ̃] *nf* affection; (*mal*) ailment; **~ner** *vt* to be fond of

affectueux, euse [afɛktɥø, -øz] *adj* affectionate

afférent, e [afeʀɑ̃, -ɑ̃t] *adj*: ~ **à** pertaining *ou* relating to

affermir [afɛʀmiʀ] *vt* to consolidate, strengthen

affichage [afiʃaʒ] *nm* billposting; (*électronique*) display

affiche [afiʃ] *nf* poster; (*officielle*) notice; (*THÉÂTRE*) bill; **tenir l'~** to run

afficher [afiʃe] *vt* (*affiche*) to put up; (*réunion*) to put up a notice about; (*électroniquement*) to display; (*fig*) to exhibit, display

affilée [afile] : **d'~** *adv* at a stretch

affiler [afile] *vt* to sharpen

affilier [afilje]: **s'~ à** *vt* (*club, société*) to join

affiner [afine] *vt* to refine

affirmatif, ive [afiʀmatif, -iv] *adj* affirmative

affirmation [afiʀmɑsjɔ̃] *nf* assertion

affirmer [afiʀme] *vt* (*prétendre*) to maintain, assert; (*autorité etc*) to assert

affligé, e [afliʒe] *adj* distressed, grieved; ~ **de** (*maladie, tare*) afflicted with

affliger [afliʒe] *vt* (*peiner*) to distress, grieve

affluence [aflyɑ̃s] *nf* crowds *pl*; **heures d'~** rush hours; **jours d'~** busiest days

affluent [aflyɑ̃] *nm* tributary

affluer [aflye] *vi* (*secours, biens*) to flood in, pour in; (*sang*) to rush, flow

affolement [afɔlmɑ̃] *nm* panic

affoler [afɔle] *vt* to throw into a panic; **s'~** *vi* to panic

affranchir [afʀɑ̃ʃiʀ] *vt* to put a stamp *ou* stamps on; (*à la machine*) to frank (*BRIT*), meter (*US*); (*fig*) to free, liberate; **affranchissement** *nm* postage

affréter [afʀete] *vt* to charter

affreux, euse [afʀø, -øz] *adj* dreadful, awful

affront [afʀɔ̃] *nm* affront

affrontement [afʀɔ̃tmɑ̃] *nm* clash, confrontation

affronter [afʀɔ̃te] *vt* to confront, face

affubler [afyble] (*péj*) *vt*: ~ **qn de** to rig *ou* deck sb out in; (*surnom*) to attach to sb

affût [afy] *nm*: **à l'~ (de)** (*gibier*) lying in wait (for); (*fig*) on the look-out (for)

affûter [afyte] *vt* to sharpen, grind

afin [afɛ̃]: ~ **que** *conj* so that, in order that; ~ **de faire** in order to do, so as to do

africain, e [afʀikɛ̃, -ɛn] *adj, nm/f* African

Afrique [afʀik] *nf*: **l'~** Africa; **l'~ du Sud** South Africa

agacer [agase] *vt* to pester, tease; (*involontairement*) to irritate

âge [ɑʒ] *nm* age; **quel ~ as-tu?** how old are you?; **prendre de l'~** to be getting on (in years); **l'~ ingrat** the awkward age; **l'~ mûr** maturity; **âgé, e** *adj* old, elderly; **âgé de 10 ans** 10 years old

agence [aʒɑ̃s] *nf* agency, office; (*succursale*) branch; ~ **de voyages** travel agency; ~ **immobilière** estate (*BRIT*) *ou* real estate (*US*) agent's (office); ~ **matrimoniale** marriage bureau

agencer [aʒɑ̃se] *vt* to put together; to arrange, lay out

agenda [aʒɛ̃da] *nm* diary

agenouiller [aʒnuje]: **s'~** *vi* to kneel (down)

agent [aʒɑ̃] *nm* (*aussi*: ~ *de police*) policeman; (*ADMIN*) official, officer; (*fig*: *élément, facteur*) agent; ~ **d'assurances** insurance broker; ~ **de change** stockbroker

agglomération [aglɔmeʀɑsjɔ̃] *nf* town; built-up area; **l'~ parisienne** the urban area of Paris

aggloméré [aglɔmeʀe] *nm* (*bois*) chipboard; (*pierre*) conglomerate

agglomérer [aglɔmeʀe] *vt* to pile up; (*TECH*: *bois, pierre*) to compress

aggraver [agʀave] *vt* to worsen, aggravate; (*JUR*: *peine*) to increase; **s'~** *vi* to worsen

agile [aʒil] *adj* agile, nimble

agir [aʒiʀ] *vi* to act; **il s'agit de** it's a matter *ou* question of; it is about; (*il importe que*): **il s'agit de faire** we (*ou* you *etc*) must do

agitation [aʒitɑsjɔ̃] *nf* (hustle and) bustle; agitation, excitement; (*politique*) unrest, agitation

agité, e [aʒite] *adj* fidgety, restless; agitated, perturbed; (*mer*) rough

agiter [aʒite] *vt* (*bouteille, chiffon*) to shake; (*bras, mains*) to wave; (*préoccuper, exciter*) to perturb

agneau, x [aɲo] *nm* lamb

agonie [agɔni] *nf* mortal agony, death pangs *pl*; (*fig*) death throes *pl*

agrafe [agʀaf] *nf* (*de vêtement*) hook, fastener; (*de bureau*) staple; **agrafer** *vt* to fasten; to staple; **agrafeuse** *nf* stapler

agraire [agʀɛʀ] *adj* land *cpd*

agrandir [agʀɑ̃diʀ] *vt* to enlarge; (*magasin, domaine*) to extend, enlarge; **s'~** *vi* to be extended; to be enlarged; **agrandissement** *nm* (*PHOTO*) enlargement

agréable [agʀeabl(ə)] *adj* pleasant, nice

agréé, e [agʀee] *adj*: **concessionnaire ~** registered dealer

agréer [agʀee] *vt* (*requête*) to accept; ~ **à** to please, suit; **veuillez ~ ...** (*formule épistolaire*) yours faithfully

agrégation [agʀegɑsjɔ̃] *nf highest teaching diploma in France*; **agrégé, e** *nm/f* holder of the *agrégation*

agrément [agʀemɑ̃] *nm* (*accord*) consent, approval; (*attraits*) charm, attractiveness; (*plaisir*) pleasure

agrémenter [agʀemɑ̃te] *vt* to embellish, adorn

agresser [agʀese] *vt* to attack

agresseur [agʀesœʀ] *nm* aggressor, attacker; (*POL, MIL*) aggressor

agressif, ive [agʀesif, -iv] *adj* aggressive

agricole [agʀikɔl] *adj* agricultural

agriculteur [agʀikyltœʀ] *nm* farmer

agriculture [agʀikyltyʀ] *nf* agriculture; farming

agripper [agʀipe] *vt* to grab, clutch; (*pour arracher*) to snatch, grab; **s'~ à** to cling (on) to, clutch, grip

agrumes [agʀym] *nmpl* citrus fruit(s)

aguerrir [ageʀiʀ] *vt* to harden

aguets [agɛ] *nmpl*: **être aux ~** to be on the look out

aguicher [agiʃe] *vt* to entice

ahuri, e [ayʀi] *adj* (*stupéfait*) flabbergasted; (*idiot*) dim-witted

ai *vb voir* **avoir**

aide [ɛd] *nm/f* assistant; carer ◆ *nf* assistance, help; (*secours financier*) aid; **à l'~ de** (*avec*) with the help *ou* aid of; **appeler (qn) à l'~** to call for help (from sb); ~ **judiciaire** *nf* legal aid; ~ **sociale** *nf* (*assistance*) state aid; **~-mémoire** *nm inv* memoranda pages *pl*; (key facts) handbook; **~-soignant, e** *nm/f* auxiliary nurse

aider [ede] *vt* to help; **s'~ de** (*se servir de*) to use, make use of; ~ **à qch** (*faciliter*) to help (towards) sth

aie *etc vb voir* **avoir**

aïe [aj] *excl* ouch!

aïeul, e [ajœl] *nm/f* grandparent, grandfather(mother); forebear

aïeux [ajø] *nmpl* grandparents; forebears, forefathers

aigle [ɛgl(ə)] *nm* eagle

aigre [ɛgʀ(ə)] *adj* sour, sharp; (*fig*) sharp, cutting; **aigreur** *nf* sourness; sharpness; **aigreurs d'estomac** heartburn *sg*; **aigrir** *vt* (*personne*) to embitter; (*caractère*) to sour

aigu, ë [egy] *adj* (*objet, arête, douleur, intelligence*) sharp; (*son, voix*) high-pitched, shrill; (*note*) high (-pitched)

aiguille [egɥij] *nf* needle; (*de montre*) hand; ~ **à tricoter** knitting needle

aiguiller [egɥije] *vt* (*orienter*) to direct; **aiguilleur du ciel** [egɥijœʀ] *nm* air-traffic controller

aiguillon [egɥijɔ̃] *nm* (*d'abeille*) sting; **~ner** *vt* to spur *ou* goad on

aiguiser [egize] *vt* to sharpen; (*fig*) to stimulate; to excite

ail [aj] *nm* garlic

aile [ɛl] *nf* wing; **aileron** *nm* (*de requin*) fin; **ailier** *nm* winger

aille *etc vb voir* **aller**

ailleurs [ajœʀ] *adv* elsewhere, somewhere else; **partout/nulle part ~** everywhere/ nowhere else; **d'~** (*du reste*) moreover, besides; **par ~** (*d'autre part*) moreover, furthermore

aimable [ɛmabl(ə)] *adj* kind, nice

aimant [ɛmɑ̃] *nm* magnet

aimer [eme] *vt* to love; (*d'amitié, affection, par goût*) to like; (*souhait*): **j'~ais ...** I would like ...; **bien ~ qn/qch** to like sb/ sth; **j'aime mieux** *ou* **autant vous dire que** I may as well tell you that; **j'~ais autant y aller maintenant** I'd rather go now; **j'~ais mieux faire** I'd much rather do

aine [ɛn] *nf* groin

aîné, e [ene] *adj* elder, older; (*le plus âgé*) eldest, oldest ◆ *nm/f* oldest child *ou* one, oldest boy *ou* son/girl *ou* daughter; **aînesse** *nf*: **droit d'aînesse** birthright

ainsi [ɛ̃si] *adv* (*de cette façon*) like this, in this way, thus; (*ce faisant*) thus ◆ *conj* thus, so; ~ **que** (*comme*) (just) as; (*et aussi*) as well as; **pour ~ dire** so to speak; **et ~ de suite** and so on

air [ɛʀ] *nm* air; (*mélodie*) tune; (*expression*) look, air; **prendre l'~** to get some (fresh) air; (*avion*) to take off; **avoir l'~** (*sembler*) to look, appear; **avoir l'~ de** to look like; **avoir l'~ de faire** to look as though one is doing, appear to be doing

aire [ɛʀ] *nf* (*zone, fig, MATH*) area

aisance [ɛzɑ̃s] *nf* ease; (*richesse*) affluence

aise [ɛz] *nf* comfort ◆ *adj*: **être bien ~ que** to be delighted that; **être à l'~** *ou* **à son ~** to be comfortable; (*pas embarrassé*) to be at ease; (*financièrement*) to be comfortably off; **se mettre à l'~** to make o.s. comfortable; **être mal à l'~** *ou* **à son ~** to be uncomfortable; to be ill at ease; **en faire à son ~** to do as one likes; **aisé, e** *adj* easy; (*assez riche*) well-to-do, well-off

aisselle [ɛsɛl] *nf* armpit

ait *vb voir* **avoir**

ajonc [aʒɔ̃] *nm* gorse *no pl*

ajourner [aʒuʀne] *vt* (*réunion*) to adjourn; (*décision*) to defer, postpone

ajouter [aʒute] *vt* to add; ~ **foi à** to lend *ou* give credence to

ajusté, e [aʒyste] *adj*: **bien ~** (*robe etc*) close-fitting

ajuster [aʒyste] *vt* (*régler*) to adjust; (*vêtement*) to alter; (*coup de fusil*) to aim; (*cible*) to aim at; (*TECH, gén*: *adapter*): ~ **qch à** to fit sth to

alarme [alaʀm(ə)] *nf* alarm; **donner l'~** to give *ou* raise the alarm; **alarmer** *vt* to alarm; **s'~r** *vi* to become alarmed

album [albɔm] *nm* album

albumine [albymin] *nf* albumin; **avoir** *ou* **faire de l'~** to suffer from albuminuria

alcool [alkɔl] *nm*: **l'~** alcohol; **un ~** a spirit, a brandy; ~ **à brûler** methylated spirits (*BRIT*), wood alcohol (*US*); ~ **à 90°** surgical spirit; **~ique** *adj, nm/f* alcoholic; **~isé, e** *adj* alcoholic; **~isme** *nm* alcoholism; **alco(o)test** (®) *nm* Breathalyser (®); (*test*) breath-test

aléas [alea] *nmpl* hazards; **aléatoire** *adj* uncertain; (*INFORM*) random

alentour [alɑ̃tuʀ] *adv* around (about) (*environs*) surroundings; **aux ~s de** in the vicinity *ou* neighbourhood of, around about; (*temps*) around about

alerte [alɛʀt(ə)] *adj* agile, nimble; brisk, lively ◆ *nf* alert; warning; **alerter** *vt* to alert

algèbre [alʒɛbʀ(ə)] *nf* algebra

Alger [alʒe] *n* Algiers

Algérie [alʒeʀi] *nf*: **l'~** Algeria; **algérien, ne** *adj, nm/f* Algerian

algue [alg(ə)] *nf* (*gén*) seaweed *no pl*; (*BOT*) alga

alibi [alibi] *nm* alibi

aliéné, e [aljene] *nm/f* insane person, lunatic (*péj*)

aligner [aliɲe] *vt* to align, line up; (*idées, chiffres*) to string together; (*adapter*): ~ **qch sur** to bring sth into alignment with; **s'~** (*soldats etc*) to line up; **s'~ sur** (*POL*) to align o.s. on

aliment [alimɑ̃] *nm* food

alimentation [alimɑ̃tɑsjɔ̃] *nf* feeding; supplying; (*commerce*) food trade; (*produits*) groceries *pl*; (*régime*) diet; (*INFORM*) feed

alimenter [alimɑ̃te] *vt* to feed; (*TECH*): ~ **(en)** to supply (with); to feed (with); (*fig*) to sustain, keep going

alinéa [alinea] *nm* paragraph

aliter [alite]: **s'~** *vi* to take to one's bed

allaiter [alete] *vt* to (breast-)feed, nurse; (*suj*: *animal*) to suckle

allant [alɑ̃] *nm* drive, go

allécher [aleʃe] *vt*: ~ **qn** to make sb's mouth water; to tempt *ou* entice sb

allée [ale] *nf* (*de jardin*) path; (*en ville*) avenue, drive; **~s et venues** comings and goings

alléger [aleʒe] *vt* (*voiture*) to make lighter; (*chargement*) to lighten; (*souffrance*) to alleviate, soothe

allègre [alɛgʀ(ə)] *adj* lively, cheerful

alléguer [alege] *vt* to put forward (as proof *ou* an excuse)

Allemagne [alemaɲ] *nf*: **l'~** Germany; **allemand, e** *adj, nm/f* German ◆ *nm* (*LING*) German

aller [ale] *nm* (*trajet*) outward journey; (*billet*: *aussi*: ~ *simple*) single (*BRIT*) *ou* one-way (*US*) ticket ◆ *vi* (*gén*) to go; ~ **à** (*convenir*) to suit; (*suj*: *forme, pointure etc*) to fit; ~ **avec** (*couleurs, style etc*) to go (well) with; **je vais y ~/me fâcher** I'm going to go/to get angry; ~ **voir** to go and see, go to see; **allez!** come on!; **allons!** come now!; **comment allez-vous?** how are you?; **comment ça va?** how are you?; (*affaires etc*) how are things?; **il va bien/mal** he's well/not well, he's fine/ill; **ça va bien/mal** (*affaires etc*) it's going well/not going well; ~ **mieux** to be better; **cela va sans dire** that goes without saying; **il y va de leur vie** their lives are at stake; **s'en ~** (*partir*) to be off, go, leave; (*disparaître*) to go away; ~ **(et) retour** return journey (*BRIT*), round trip; (*billet*) return (ticket) (*BRIT*), round trip ticket (*US*)

allergique [alɛʀʒik] *adj*: ~ **à** allergic to

alliage [aljaʒ] *nm* alloy

alliance [aljɑ̃s] *nf* (*MIL, POL*) alliance; (*mariage*) marriage; (*bague*) wedding ring

allier [alje] *vt* (*métaux*) to alloy; (*POL, gén*) to ally; (*fig*) to combine; **s'~** to become allies; to combine

allô [alo] *excl* hullo, hallo

allocation [alɔkɑsjɔ̃] *nf* allowance; ~ **(de) chômage** unemployment benefit; ~ **(de) logement** rent allowance; **~s familiales** ≈ child benefit

allocution [alɔkysjɔ̃] *nf* short speech

allonger [alɔ̃ʒe] *vt* to lengthen, make longer; (*étendre*: *bras, jambe*) to stretch (out); **s'~** *vi* to get longer; (*se coucher*) to lie down, stretch out; ~ **le pas** to hasten one's step(s)

allouer [alwe] *vt* to allocate, allot

allumage [alymaʒ] *nm* (*AUTO*) ignition

allume-cigare [alymsigaʀ] *nm inv* cigar lighter
allumer [alyme] *vt (lampe, phare, radio)* to put *ou* switch on; *(pièce)* to put *ou* switch the light(s) on in; *(feu)* to light; **s'~** *vi (lumière, lampe)* to come *ou* go on
allumette [alymɛt] *nf* match
allure [alyʀ] *nf (vitesse)* speed, pace; *(démarche)* walk; *(maintien)* bearing; *(aspect, air)* look; **avoir de l'~** to have style; **à toute ~** at top speed
allusion [alyzjɔ̃] *nf* allusion; *(sous-entendu)* hint; **faire ~ à** to allude *ou* refer to; to hint at
aloi [alwa] *nm*: **de bon ~** of genuine worth *ou* quality

MOT-CLÉ

alors [alɔʀ] *adv* 1 *(à ce moment-là)* then, at that time; **il habitait ~ à Paris** he lived in Paris at that time
2 *(par conséquent)* then; **tu as fini? ~ je m'en vais** have you finished? I'm going then; **et ~?** so what?
~ que *conj* 1 *(au moment où)* when, as; **il est arrivé alors que je partais** he arrived as I was leaving
2 *(pendant que)* while, when; **~ qu'il était à Paris, il a visité ...** while *ou* when he was in Paris, he visited ...
3 *(tandis que)* whereas, while; **~ que son frère travaillait dur, lui se reposait** while his brother was working hard, HE would rest

alouette [alwɛt] *nf* (sky)lark
alourdir [aluʀdiʀ] *vt* to weigh down, make heavy
alpage [alpaʒ] *nm* pasture
Alpes [alp(ə)] *nfpl*: **les ~** the Alps
alphabet [alfabɛ] *nm* alphabet; *(livre)* ABC (book); **alphabétiser** *vt* to teach to read and write; to eliminate illiteracy in
alpinisme [alpinism(ə)] *nm* mountaineering, climbing; **alpiniste** *nm/f* mountaineer, climber
Alsace [alzas] *nf* Alsace; **alsacien, ne** *adj, nm/f* Alsatian
altercation [altɛʀkɑsjɔ̃] *nf* altercation
altérer [alteʀe] *vt* to falsify; to distort; to debase; to impair
alternateur [altɛʀnatœʀ] *nm* alternator
alternatif, ive [altɛʀnatif, -iv] *adj* alternating; **alternative** *nf (choix)* alternative; **alternativement** *adv* alternately
Altesse [altɛs] *nf* Highness
altitude [altityd] *nf* altitude, height
alto [alto] *nm (instrument)* viola
altruisme [altʀɥism(ə)] *nm* altruism
aluminium [alyminjɔm] *nm* aluminium (BRIT), aluminum (US)
amabilité [amabilite] *nf* kindness, amiability
amadouer [amadwe] *vt* to coax, cajole; to mollify, soothe
amaigrir [amegʀiʀ] *vt* to make thin(ner)
amalgame [amalgam] *nm (alliage pour les dents)* amalgam
amande [amɑ̃d] *nf (de l'amandier)* almond; *(de noyau de fruit)* kernel; **amandier** *nm* almond (tree)
amant [amɑ̃] *nm* lover
amarrer [amaʀe] *vt (NAVIG)* to moor; *(gén)* to make fast
amas [amɑ] *nm* heap, pile
amasser [amɑse] *vt* to amass
amateur [amatœʀ] *nm* amateur; **en ~** *(péj)* amateurishly; **~ de musique/sport** *etc* music/sport *etc* lover
amazone [amazon] *nf*: **en ~** sidesaddle
ambages [ɑ̃baʒ]: **sans ~** *adv* plainly
ambassade [ɑ̃basad] *nf* embassy; *(mission)*: **en ~** on a mission; **ambassadeur, drice** *nm/f* ambassador(dress)
ambiance [ɑ̃bjɑ̃s] *nf* atmosphere
ambiant, e [ɑ̃bjɑ̃, -ɑ̃t] *adj (air, milieu)* surrounding; *(température)* ambient
ambigu, ë [ɑ̃bigy] *adj* ambiguous
ambitieux, euse [ɑ̃bisjø, -øz] *adj* ambitious
ambition [ɑ̃bisjɔ̃] *nf* ambition
ambulance [ɑ̃bylɑ̃s] *nf* ambulance; **ambulancier, ière** *nm/f* ambulance man(woman) (BRIT), paramedic (US)
ambulant, e [ɑ̃bylɑ̃, -ɑ̃t] *adj* travelling, itinerant
âme [ɑm] *nf* soul
améliorer [ameljɔʀe] *vt* to improve; **s'~** *vi* to improve, get better
aménagements [amenaʒmɑ̃] *nmpl* developments; **~ fiscaux** tax adjustments
aménager [amenaʒe] *vt (agencer, transformer)* to fit out; to lay out; (: *quartier, territoire*) to develop; *(installer)* to fix up, put in; **ferme aménagée** converted farmhouse
amende [amɑ̃d] *nf* fine; **mettre à l'~** to penalize; **faire ~ honorable** to make amends
amender [amɑ̃de] *vt (loi)* to amend; **s'~** *vi* to mend one's ways
amener [amne] *vt* to bring; *(causer)* to bring about; *(baisser: drapeau, voiles)* to strike; **s'~** *vi* to show up *(fam)*, turn up
amenuiser [amənɥize]: **s'~** *vi* to grow slimmer, lessen; to dwindle
amer, amère [amɛʀ] *adj* bitter
américain, e [ameʀikɛ̃, -ɛn] *adj, nm/f* American
Amérique [ameʀik] *nf* America; **l'~ centrale/latine** Central/Latin America; **l'~ du Nord/du Sud** North/South America
amerrir [ameʀiʀ] *vi* to land (on the sea)
amertume [amɛʀtym] *nf* bitterness
ameublement [amœbləmɑ̃] *nm* furnishing; *(meubles)* furniture
ameuter [amøte] *vt (badauds)* to draw a crowd of; *(peuple)* to rouse
ami, e [ami] *nm/f* friend; *(amant/maîtresse)* boyfriend/girlfriend ♦ *adj*: **pays/groupe ~** friendly country/group; **être ~ de l'ordre** to be a lover of order; **un ~ des arts** a patron of the arts
amiable [amjabl(ə)]: **à l'~** *adv (JUR)* out of court; *(gén)* amicably
amiante [amjɑ̃t] *nm* asbestos
amical, e, aux [amikal, -o] *adj* friendly; **amicale** *nf (club)* association; **amicalement** *adv* in a friendly way; *(formule épistolaire)* regards
amidon [amidɔ̃] *nm* starch
amincir [amɛ̃siʀ] *vt (objet)* to thin (down); **s'~** *vi* to get thinner *ou* slimmer; **~ qn** to make sb thinner *ou* slimmer
amincissant, e *adj*: **régime ~** (slimming) diet; **crème ~e** slenderizing cream
amiral, aux [amiʀal, -o] *nm* admiral
amitié [amitje] *nf* friendship; **prendre en ~** to befriend; **faire ou présenter ses ~s à qn** to send sb one's best wishes
ammoniac [amɔnjak] *nm*: **(gaz) ~** ammonia
ammoniaque [amɔnjak] *nf* ammonia (water)
amoindrir [amwɛ̃dʀiʀ] *vt* to reduce
amollir [amɔliʀ] *vt* to soften
amonceler [amɔ̃sle] *vt* to pile *ou* heap up; **s'~** *vi* to pile *ou* heap up; *(fig)* to accumulate
amont [amɔ̃] : **en ~** *adv* upstream; *(sur une pente)* uphill
amorce [amɔʀs(ə)] *nf (sur un hameçon)* bait; *(explosif)* cap; primer; priming; *(fig: début)* beginning(s), start
amorphe [amɔʀf(ə)] *adj* passive, lifeless
amortir [amɔʀtiʀ] *vt (atténuer: choc)* to absorb, cushion; *(bruit, douleur)* to deaden; *(COMM: dette)* to pay off; (: *mise de fonds, matériel*) to write off; **~ un abonnement** to make a season ticket pay (for itself); **amortisseur** *nm* shock absorber
amour [amuʀ] *nm* love; *(liaison)* love affair, love; **faire l'~** to make love; **amouracher: s'amouracher de** *(péj) vt* to become infatuated with; **amoureux, euse** *adj (regard, tempérament)* amorous; *(vie, problèmes)* love *cpd*; *(personne)*: **amoureux (de qn)** in love (with sb) ♦ *nmpl* courting couple(s); **amour-propre** *nm* self-esteem, pride
amovible [amɔvibl(ə)] *adj* removable, detachable
ampère [ɑ̃pɛʀ] *nm* amp(ere)
amphithéâtre [ɑ̃fiteɑtʀ(ə)] *nm* amphitheatre; *(d'université)* lecture hall *ou* theatre
ample [ɑ̃pl(ə)] *adj (vêtement)* roomy, ample; *(gestes, mouvement)* broad; *(ressources)* ample; **ampleur** *nf (importance)* scale, size; extent
amplificateur [ɑ̃plifikatœʀ] *nm* amplifier
amplifier [ɑ̃plifje] *vt (son, oscillation)* to amplify; *(fig)* to expand, increase
ampoule [ɑ̃pul] *nf (électrique)* bulb; *(de médicament)* phial; *(aux mains, pieds)* blister; **ampoulé, e** [ɑ̃pule] *(péj) adj* pompous, bombastic
amputer [ɑ̃pyte] *vt (MÉD)* to amputate; *(fig)* to cut *ou* reduce drastically
amusant, e [amyzɑ̃, -ɑ̃t] *adj (divertissant, spirituel)* entertaining, amusing; *(comique)* funny, amusing
amuse-gueule [amyzgœl] *nm inv* appetizer, snack
amusement [amyzmɑ̃] *nm* amusement; *(jeu etc)* pastime, diversion
amuser [amyze] *vt (divertir)* to entertain, amuse; *(égayer, faire rire)* to amuse; *(détourner l'attention de)* to distract; **s'~** *vi (jouer)* to amuse o.s., play; *(se divertir)* to enjoy o.s., have fun; *(fig)* to mess around
amygdale [amidal] *nf* tonsil
an [ɑ̃] *nm* year; **le jour de l'~, le premier de l'~, le nouvel ~** New Year's Day
analogique [analɔʒik] *adj* analogical; *(INFORM, montre)* analog
analogue [analɔg] *adj*: **~ (à)** analogous (to), similar (to)
analphabète [analfabɛt] *nm/f* illiterate
analyse [analiz] *nf* analysis; *(MÉD)* test; **analyser** *vt* to analyse; to test
ananas [anana] *nm* pineapple
anarchie [anaʀʃi] *nf* anarchy
anathème [anatɛm] *nm*: **jeter l'~ sur** to curse
anatomie [anatɔmi] *nf* anatomy
ancêtre [ɑ̃sɛtʀ(ə)] *nm/f* ancestor
anchois [ɑ̃ʃwa] *nm* anchovy
ancien, ne [ɑ̃sjɛ̃, -jɛn] *adj* old; *(de jadis, de l'antiquité)* ancient; *(précédent, ex-)* former, old ♦ *nm/f (dans une tribu)* elder; **anciennement** *adv* formerly; **ancienneté** *nf* oldness; antiquity; *(ADMIN)* (length of) service; seniority
ancre [ɑ̃kʀ(ə)] *nf* anchor; **jeter/lever l'~** to cast/weigh anchor; **à l'~** at anchor; **ancrer** [ɑ̃kʀe] *vt (CONSTR: câble etc)* to anchor; *(fig)* to fix firmly; **s'~r** *vi (NAVIG)* to (cast) anchor
Andorre [ɑ̃dɔʀ] *nf* Andorra
andouille [ɑ̃duj] *nf (CULIN) sausage made of chitterlings*; *(fam)* clot, nit
âne [ɑn] *nm* donkey, ass; *(péj)* dunce
anéantir [aneɑ̃tiʀ] *vt* to annihilate, wipe out; *(fig)* to obliterate, destroy; to overwhelm
anémie [anemi] *nf* anaemia; **anémique** *adj* anaemic
ânerie [ɑnʀi] *nf* stupidity; stupid *ou* idiotic comment *etc*
anesthésie [anɛstezi] *nf* anaesthesia; **faire une ~ locale/générale à qn** to give sb a local/general anaesthetic
ange [ɑ̃ʒ] *nm* angel; **être aux ~s** to be over the moon
angélus [ɑ̃ʒelys] *nm* angelus; evening bells *pl*
angine [ɑ̃ʒin] *nf* throat infection; **~ de poitrine** angina
anglais, e [ɑ̃glɛ, -ɛz] *adj* English ♦ *nm/f*: **A~, e** Englishman(woman) ♦ *nm (LING)* English; **les A~** the English; **filer à l'~e** to take French leave
angle [ɑ̃gl(ə)] *nm* angle; *(coin)* corner; **~ droit** right angle
Angleterre [ɑ̃glətɛʀ] *nf*: **l'~** England
anglo... [ɑ̃glɔ] *préfixe* Anglo-, anglo (-); **~phone** *adj* English-speaking
angoissé, e [ɑ̃gwase] *adj (personne)* full of anxieties *ou* hang-ups *(inf)*
angoisser [ɑ̃gwase] *vt* to harrow, cause anguish to ♦ *vi* to worry, fret
anguille [ɑ̃gij] *nf* eel
anicroche [anikʀɔʃ] *nf* hitch, snag
animal, e, aux [animal, -o] *adj, nm* animal
animateur, trice [animatœʀ, -tʀis] *nm/f (de télévision)* host; *(de groupe)* leader, organizer
animation [animɑsjɔ̃] *nf (voir animé)* busyness; liveliness; *(CINÉMA: technique)* animation
animé, e [anime] *adj (lieu)* busy, lively; *(conversation, réunion)* lively, animated; *(opposé à in~)* animate
animer [anime] *vt (ville, soirée)* to liven up; *(mettre en mouvement)* to drive
anis [ani] *nm (CULIN)* aniseed; *(BOT)* anise
ankyloser [ɑ̃kiloze]: **s'~** *vi* to get stiff
anneau, x [ano] *nm (de rideau, bague)* ring; *(de chaîne)* link
année [ane] *nf* year
annexe [anɛks(ə)] *adj (problème)* related; *(document)* appended; *(salle)* adjoining ♦ *nf (bâtiment)* annex(e); *(de document, ouvrage)* annex, appendix; *(jointe à une lettre)* enclosure
anniversaire [anivɛʀsɛʀ] *nm* birthday; *(d'un événement, bâtiment)* anniversary
annonce [anɔ̃s] *nf* announcement; *(signe, indice)* sign; *(aussi: ~ publicitaire)* advertisement; **les petites ~s** the classified advertisements, the small ads
annoncer [anɔ̃se] *vt* to announce; *(être le signe de)* to herald; **s'~ bien/difficile** to look promising/difficult; **annonceur, euse** *nm/f (TV, RADIO: speaker)* announcer; *(publicitaire)* advertiser
annuaire [anɥɛʀ] *nm* yearbook, annual; **~ téléphonique** (telephone) directory, phone book
annuel, le [anɥɛl] *adj* annual, yearly
annuité [anɥite] *nf* annual instalment
annuler [anyle] *vt (rendez-vous, voyage)* to cancel, call off; *(mariage)* to annul; *(jugement)* to quash (BRIT), repeal (US); *(résultats)* to declare void; *(MATH, PHYSIQUE)* to cancel out
anodin, e [anɔdɛ̃, -in] *adj* harmless; insignificant, trivial
anonyme [anɔnim] *adj* anonymous; *(fig)* impersonal
ANPE *sigle f (= Agence nationale pour l'emploi) national employment agency*
anse [ɑ̃s] *nf (de panier, tasse)* handle; *(GÉO)* cove
antan [ɑ̃tɑ̃]: **d'~** *adj* of long ago
antarctique [ɑ̃taʀktik] *adj* Antarctic ♦ *nm*: **l'A~** the Antarctic
antécédents [ɑ̃tesedɑ̃] *nmpl (MÉD etc)* past history *sg*
antenne [ɑ̃tɛn] *nf (de radio)* aerial; *(d'insecte)* antenna, feeler; *(poste avancé)* outpost; *(petite succursale)* sub-branch; **passer à l'~** to go on the air; **prendre l'~** to tune in; **2 heures d'~** 2 hours' broadcasting time
antérieur, e [ɑ̃teʀjœʀ] *adj (d'avant)* previous, earlier; *(de devant)* front
anti... [ɑ̃ti] *préfixe* anti...; **~alcoolique** *adj* anti-alcohol; **~atomique** *adj*: **abri ~atomique** fallout shelter; **~biotique** *nm* antibiotic; **~brouillard** *adj*: **phare ~brouillard** fog lamp
anticipation [ɑ̃tisipɑsjɔ̃] *nf*: **livre/film d'~** science fiction book/film
anticipé, e [ɑ̃tisipe] *adj*: **avec mes remerciements ~s** thanking you in advance *ou* anticipation
anticiper [ɑ̃tisipe] *vt (événement, coup)* to anticipate, foresee
anti: ~conceptionnel, le *adj* contraceptive; **~corps** *nm* antibody; **~dote** *nm* antidote
antigel [ɑ̃tiʒɛl] *nm* antifreeze
antihistaminique [ɑ̃tiistaminik] *nm* antihistamine
Antilles [ɑ̃tij] *nfpl*: **les ~** the West Indies
antilope [ɑ̃tilɔp] *nf* antelope
anti: ~mite(s) *adj, nm*: **(produit) ~mite(s)** mothproofer; moth repellent; **~parasite** *adj (RADIO, TV)*: **dispositif ~parasite** suppressor; **~pathique** *adj* unpleasant, disagreeable; **~pelliculaire** *adj* anti-dandruff
antipodes [ɑ̃tipɔd] *nmpl (GÉO)*: **les ~** the antipodes; *(fig)*: **être aux ~ de** to be the opposite extreme of
antiquaire [ɑ̃tikɛʀ] *nm/f* antique dealer
antique [ɑ̃tik] *adj* antique; *(très vieux)* ancient, antiquated
antiquité [ɑ̃tikite] *nf (objet)* antique; **l'A~** Antiquity; **magasin d'~s** antique shop
anti: ~rabique *adj* rabies *cpd*; **~rouille** *adj inv* anti-rust *cpd*; **traitement ~rouille** rustproofing; **~sémite** *adj* anti-Semitic; **~septique** *adj, nm* antiseptic; **~vol** *adj, nm*: **(dispositif) ~vol** anti-theft device
antre [ɑ̃tʀ(ə)] *nm* den, lair
anxieux, euse [ɑ̃ksjø, -øz] *adj* anxious, worried
AOC *sigle f (= appellation d'origine contrôlée) label guaranteeing the quality of wine*
août [u] *nm* August
apaiser [apeze] *vt (colère, douleur)* to soothe; *(faim)* to appease; *(personne)* to calm (down), pacify; **s'~** *vi (tempête, bruit)* to die down, subside
apanage [apanaʒ] *nm*: **être l'~ de** to be the privilege *ou* prerogative of
aparté [apaʀte] *nm (THÉÂTRE)* aside; *(entretien)* private conversation
apathique [apatik] *adj* apathetic
apatride [apatʀid] *nm/f* stateless person
apercevoir [apɛʀsəvwaʀ] *vt* to see; **s'~ de** *vt* to notice; **s'~ que** to notice that
aperçu [apɛʀsy] *nm (vue d'ensemble)* general survey; *(intuition)* insight
apéritif [apeʀitif] *nm (boisson)* aperitif; *(réunion)* drinks *pl*
à-peu-près [apøpʀɛ] *(péj) nm inv* vague approximation
apeuré, e [apœʀe] *adj* frightened, scared
aphone [afɔn] *adj* voiceless
aphte [aft(ə)] *nm* mouth ulcer
apiculture [apikyltyʀ] *nf* beekeeping, apiculture
apitoyer [apitwaje] *vt* to move to pity; **s'~ (sur)** to feel pity (for)
aplanir [aplaniʀ] *vt* to level; *(fig)* to smooth away, iron out
aplatir [aplatiʀ] *vt* to flatten; **s'~** *vi* to become flatter; to be flattened; *(fig)* to lie flat on the ground
aplomb [aplɔ̃] *nm (équilibre)* balance, equilibrium; *(fig)* self-assurance; nerve; **d'~** steady; *(CONSTR)* plumb
apogée [apɔʒe] *nm (fig)* peak, apogee
apologie [apɔlɔʒi] *nf* vindication, praise
apostrophe [apɔstʀɔf] *nf (signe)* apostrophe
apostropher [apɔstʀɔfe] *vt (interpeller)* to shout at, address sharply
apothéose [apɔteoz] *nf* pinnacle (of achievement); *(MUS)* grand finale
apôtre [apotʀ(ə)] *nm* apostle
apparaître [apaʀɛtʀ(ə)] *vi* to appear
apparat [apaʀa] *nm*: **tenue/dîner d'~** ceremonial dress/dinner
appareil [apaʀɛj] *nm (outil, machine)* piece of apparatus, device; appliance; *(politique, syndical)* machinery; *(avion)* (aero)plane, aircraft *inv*; *(téléphonique)* phone; *(dentier)* brace (BRIT), braces (US); **qui est à l'~?** who's speaking?; **dans le plus simple ~** in one's birthday suit; **~ler** [apaʀeje] *vi (NAVIG)* to cast off, get under way ♦ *vt (assortir)* to match up; **~(-photo)** [apaʀɛj(fɔto)] *nm* camera
apparemment [apaʀamɑ̃] *adv* apparently
apparence [apaʀɑ̃s] *nf* appearance
apparent, e [apaʀɑ̃, -ɑ̃t] *adj* visible; obvious; *(superficiel)* apparent
apparenté, e [apaʀɑ̃te] *adj*: **~ à** related to; *(fig)* similar to

apparition [apaʀisjɔ̃] *nf* appearance; (*surnaturelle*) apparition

appartement [apaʀtəmɑ̃] *nm* flat (*BRIT*), apartment (*US*)

appartenir [apaʀtəniʀ]: ~ **à** *vt* to belong to; **il lui appartient de** it is up to him to, it is his duty to

apparu, e *pp de* **apparaître**

appât [apɑ] *nm* (*PÊCHE*) bait; (*fig*) lure, bait

appauvrir [apovʀiʀ] *vt* to impoverish

appel [apɛl] *nm* call; (*nominal*) roll call; (: *SCOL*) register; (*MIL: recrutement*) call-up; **faire ~ à** (*invoquer*) to appeal to; (*avoir recours à*) to call on; (*nécessiter*) to call for, require; **faire ~** (*JUR*) to appeal; **faire l'~** to call the roll; to call the register; **sans ~** (*fig*) final, irrevocable; **~ d'offres** (*COMM*) invitation to tender; **faire un ~ de phares** to flash one's headlights; **~ (téléphonique)** (tele)phone call

appelé [aple] *nm* (*MIL*) conscript

appeler [aple] *vt* to call; (*faire venir: médecin etc*) to call, send for; (*fig: nécessiter*) to call for, demand; **s'~: elle s'appelle Gabrielle** her name is Gabrielle, she's called Gabrielle; **comment ça s'appelle?** what is it called?; **être appelé à** (*fig*) to be destined to; **~ qn à comparaître** (*JUR*) to summon sb to appear; **en ~ à** to appeal to

appendice [apɛ̃dis] *nm* appendix; **appendicite** *nf* appendicitis

appentis [apɑ̃ti] *nm* lean-to

appesantir [apzɑ̃tiʀ]: **s'~** *vi* to grow heavier; **s'~ sur** (*fig*) to dwell on

appétissant, e [apetisɑ̃, -ɑ̃t] *adj* appetizing, mouth-watering

appétit [apeti] *nm* appetite; **bon ~!** enjoy your meal!

applaudir [aplodiʀ] *vt* to applaud ◆ *vi* to applaud, clap; **applaudissements** *nmpl* applause *sg*, clapping *sg*

application [aplikasjɔ̃] *nf* application

applique [aplik] *nf* wall lamp

appliquer [aplike] *vt* to apply; (*loi*) to enforce; **s'~** *vi* (*élève etc*) to apply o.s.

appoint [apwɛ̃] *nm* (extra) contribution *ou* help; **avoir/faire l'~** (*en payant*) to have/give the right change *ou* money; **chauffage d'~** extra heating

appointements [apwɛ̃tmɑ̃] *nmpl* salary *sg*

appontement [apɔ̃tmɑ̃] *nm* landing stage, wharf

apport [apɔʀ] *nm* supply; contribution

apporter [apɔʀte] *vt* to bring

apposer [apoze] *vt* to append; to affix

appréciable [apʀesjabl(ə)] *adj* appreciable

apprécier [apʀesje] *vt* to appreciate; (*évaluer*) to estimate, assess

appréhender [apʀeɑ̃de] *vt* (*craindre*) to dread; (*arrêter*) to apprehend

apprendre [apʀɑ̃dʀ(ə)] *vt* to learn; (*événement, résultats*) to learn of, hear of; **~ qch à qn** (*informer*) to tell sb (of) sth; (*enseigner*) to teach sb sth; **~ à faire qch** to learn to do sth; **~ à qn à faire qch** to teach sb to do sth; **apprenti, e** *nm/f* apprentice; (*fig*) novice, beginner; **apprentissage** *nm* learning; (*COMM, SCOL: période*) apprenticeship

apprêté, e [apʀete] *adj* (*fig*) affected

apprêter [apʀete] *vt* to dress, finish

appris, e *pp de* **apprendre**

apprivoiser [apʀivwaze] *vt* to tame

approbation [apʀɔbasjɔ̃] *nf* approval

approche [apʀɔʃ] *nf* approaching; approach

approcher [apʀɔʃe] *vi* to approach, come near ◆ *vt* to approach; (*rapprocher*): **~ qch (de qch)** to bring *ou* put sth near (to sth); **s'~ de** to approach, go *ou* come near to; **~ de** to draw near to; (*quantité, moment*) to approach

approfondir [apʀɔfɔ̃diʀ] *vt* to deepen; (*question*) to go further into

approprié, e [apʀɔpʀije] *adj*: **~ (à)** appropriate (to), suited to

approprier [apʀɔpʀije]: **s'~** *vt* to appropriate, take over

approuver [apʀuve] *vt* to agree with; (*autoriser: loi, projet*) to approve, pass; (*trouver louable*) to approve of

approvisionner [apʀɔvizjɔne] *vt* to supply; (*compte bancaire*) to pay funds into; **s'~ en** to stock up with

approximatif, ive [apʀɔksimatif, -iv] *adj* approximate, rough; vague

appui [apɥi] *nm* support; **prendre ~ sur** to lean on; to rest on; **l'~ de la fenêtre** the windowsill, the window ledge; **appui(e)-tête** *nm inv* headrest

appuyer [apɥije] *vt* (*poser*): **~ qch sur/contre** to lean *ou* rest sth on/against; (*soutenir: personne, demande*) to support, back (up) ◆ *vi*: **~ sur** (*bouton, frein*) to press, push; (*mot, détail*) to stress, emphasize; (*suj: chose: peser sur*) to rest (heavily) on, press against; **s'~ sur** to lean on; to rely on; **~ à droite** to bear (to the) right

âpre [ɑpʀ(ə)] *adj* acrid, pungent; (*fig*) harsh; bitter; **~ au gain** grasping

après [apʀɛ] *prép* after ◆ *adv* afterwards; **2 heures ~** 2 hours later; **~ qu'il est parti** after he left; **~ avoir fait** after having done; **d'~** (*selon*) according to; **~ coup** after the event, afterwards; **~ tout** (*au fond*) after all; **et (puis) ~?** so what?; **après-demain** *adv* the day after tomorrow; **après-guerre** *nm* post-war years *pl*; **après-midi** *nm ou nf* (*inv*) afternoon

à-propos [apʀɔpo] *nm* (*d'une remarque*) aptness; **faire preuve d'~** to show presence of mind

apte [apt(ə)] *adj* capable; (*MIL*) fit

aquarelle [akwaʀɛl] *nf* (*tableau*) watercolour; (*genre*) watercolours *pl*

aquarium [akwaʀjɔm] *nm* aquarium

arabe [aʀab] *adj* Arabic; (*désert, cheval*) Arabian; (*nation, peuple*) Arab ◆ *nm/f*: **A~** Arab ◆ *nm* (*LING*) Arabic

Arabie [aʀabi] *nf*: **l'~ (Saoudite)** Saudi Arabia

arachide [aʀaʃid] *nf* (*plante*) groundnut (plant); (*graine*) peanut, groundnut

araignée [aʀeɲe] *nf* spider

arbitraire [aʀbitʀɛʀ] *adj* arbitrary

arbitre [aʀbitʀ(ə)] *nm* (*SPORT*) referee; (: *TENNIS, CRICKET*) umpire; (*fig*) arbiter, judge; (*JUR*) arbitrator; **arbitrer** *vt* to referee; to umpire; to arbitrate

arborer [aʀbɔʀe] *vt* to bear, display

arbre [aʀbʀ(ə)] *nm* tree; (*TECH*) shaft; **~ de transmission** (*AUTO*) driveshaft; **~ généalogique** family tree

arbuste [aʀbyst(ə)] *nm* small shrub

arc [aʀk] *nm* (*arme*) bow; (*GÉOM*) arc; (*ARCHIT*) arch; **en ~ de cercle** semi-circular

arcade [aʀkad] *nf* arch(way); **~s** *nfpl* (*série*) arcade *sg*, arches

arcanes [aʀkan] *nmpl* mysteries

arc-boutant [aʀkbutɑ̃] *nm* flying buttress

arceau, x [aʀso] *nm* (*métallique etc*) hoop

arc-en-ciel [aʀkɑ̃sjɛl] *nm* rainbow

arche [aʀʃ(ə)] *nf* arch; **~ de Noé** Noah's Ark

archéologie [aʀkeɔlɔʒi] *nf* archeology; **archéologue** *nm/f* archeologist

archet [aʀʃɛ] *nm* bow

archevêque [aʀʃəvɛk] *nm* archbishop

archipel [aʀʃipɛl] *nm* archipelago

architecte [aʀʃitɛkt(ə)] *nm* architect

architecture [aʀʃitɛktyʀ] *nf* architecture

archive [aʀʃiv] *nf* file; **~s** *nfpl* (*collection*) archives

arctique [aʀktik] *adj* Arctic ◆ *nm*: **l'A~** the Arctic

ardemment [aʀdamɑ̃] *adv* ardently, fervently

ardent, e [aʀdɑ̃, -ɑ̃t] *adj* (*soleil*) blazing; (*fièvre*) raging; (*amour*) ardent, passionate; (*prière*) fervent

ardoise [aʀdwaz] *nf* slate

ardt *abr* = **arrondissement**

ardu, e [aʀdy] *adj* (*travail*) arduous; (*problème*) difficult; (*pente*) steep

arène [aʀɛn] *nf* arena; **~s** *nfpl* (*amphithéâtre*) bull-ring *sg*

arête [aʀɛt] *nf* (*de poisson*) bone; (*d'une montagne*) ridge; (*GÉOM etc*) edge

argent [aʀʒɑ̃] *nm* (*métal*) silver; (*monnaie*) money; **~ de poche** pocket money; **~ liquide** ready money, (ready) cash; **argenterie** *nf* silverware; silver plate

argentin, e [aʀʒɑ̃tɛ̃, -in] *adj* (*son*) silvery; (*d'Argentine*) Argentinian, Argentine

Argentine [aʀʒɑ̃tin] *nf*: **l'~** Argentina, the Argentine

argile [aʀʒil] *nf* clay

argot [aʀgo] *nm* slang; **argotique** *adj* slang *cpd*; slangy

arguer [aʀgɥe]: **~ de** *vt* to put forward as a pretext *ou* reason

argument [aʀgymɑ̃] *nm* argument

argumentaire [aʀgymɑ̃tɛʀ] *nm* sales leaflet

argumenter [aʀgymɑ̃te] *vi* to argue

argus [aʀgys] *nm guide to second-hand car etc prices*

aristocratique [aʀistɔkʀatik] *adj* aristocratic

arithmétique [aʀitmetik] *adj* arithmetic(al) ◆ *nf* arithmetic

armateur [aʀmatœʀ] *nm* shipowner

armature [aʀmatyʀ] *nf* framework; (*de tente etc*) frame

arme [aʀm(ə)] *nf* weapon; (*section de l'armée*) arm; **~s** *nfpl* (*armement*) weapons, arms; (*blason*) (coat of) arms; **~ à feu** firearm

armée [aʀme] *nf* army; **~ de l'air** Air Force; **~ de terre** Army

armement [aʀməmɑ̃] *nm* (*matériel*) arms *pl*, weapons *pl*; (: *d'un pays*) arms *pl*, armament

armer [aʀme] *vt* to arm; (*arme à feu*) to cock; (*appareil-photo*) to wind on; **~ qch de** to fit sth with; to reinforce sth with

armistice [aʀmistis] *nm* armistice; **l'A~** ≈ Remembrance (*BRIT*) *ou* Veterans (*US*) Day

armoire [aʀmwaʀ] *nf* (tall) cupboard; (*penderie*) wardrobe (*BRIT*), closet (*US*)

armoiries [aʀmwaʀi] *nfpl* coat *sg* of arms

armure [aʀmyʀ] *nf* armour *no pl*, suit of armour; **armurier** [aʀmyʀje] *nm* gunsmith; armourer

arnaquer [aʀnake] *vt* to swindle

aromates [aʀɔmat] *nmpl* seasoning *sg*, herbs (and spices)

aromatisé, e [aʀɔmatize] *adj* flavoured

arôme [aʀom] *nm* aroma; fragrance

arpenter [aʀpɑ̃te] *vt* (*salle, couloir*) to pace up and down

arpenteur [aʀpɑ̃tœʀ] *nm* surveyor

arqué, e [aʀke] *adj* bandy; arched

arrache-pied [aʀaʃpje]: **d'~** *adv* relentlessly

arracher [aʀaʃe] *vt* to pull out; (*page etc*) to tear off, tear out; (*légumes, herbe*) to pull up; (*bras etc*) to tear off; **s'~** *vt* (*article recherché*) to fight over; **~ qch à qn** to snatch sth from sb; (*fig*) to wring sth out of sb

arraisonner [aʀɛzɔne] *vt* (*bateau*) to board and search

arrangeant, e [aʀɑ̃ʒɑ̃, -ɑ̃t] *adj* accommodating, obliging

arrangement [aʀɑ̃ʒmɑ̃] *nm* agreement, arrangement

arranger [aʀɑ̃ʒe] *vt* (*gén*) to arrange; (*réparer*) to fix, put right; (*régler*) to settle, sort out; (*convenir à*) to suit, be convenient for; **s'~** *vi* (*se mettre d'accord*) to come to an agreement; **je vais m'~** I'll manage; **ça va s'~** it'll sort itself out

arrestation [aʀɛstasjɔ̃] *nf* arrest

arrêt [aʀɛ] *nm* stopping; (*de bus etc*) stop; (*JUR*) judgment, decision; **rester** *ou* **tomber en ~ devant** to stop short in front of; **sans ~** non-stop; continually; **~ de mort** capital sentence; **~ de travail** stoppage (of work)

arrêté [aʀete] *nm* order, decree

arrêter [aʀete] *vt* to stop; (*chauffage etc*) to turn off, switch off; (*fixer: date etc*) to appoint, decide on; (*criminel, suspect*) to arrest; **s'~** *vi* to stop; **~ de faire** to stop doing

arrhes [aʀ] *nfpl* deposit *sg*

arrière [aʀjɛʀ] *nm* back; (*SPORT*) fullback ◆ *adj inv*: **siège/roue ~** back *ou* rear seat/wheel; **à l'~** behind, at the back; **en ~** behind; (*regarder*) back, behind; (*tomber, aller*) backwards; **arriéré, e** *adj* (*péj*) backward ◆ *nm* (*d'argent*) arrears *pl*; **~-goût** *nm* aftertaste; **~-grand-mère** *nf* great-grandmother; **~-grand-père** *nm* great-grandfather; **~-pays** *nm inv* hinterland; **~-pensée** *nf* ulterior motive; mental reservation; **~-plan** *nm* background; **~-saison** *nf* late autumn; **~-train** *nm* hindquarters *pl*

arrimer [aʀime] *vt* to stow; to secure

arrivage [aʀivaʒ] *nm* arrival

arrivée [aʀive] *nf* arrival; (*ligne d'~*) finish; **~ d'air** air inlet

arriver [aʀive] *vi* to arrive; (*survenir*) to happen, occur; **il arrive à Paris à 8h** he gets to *ou* arrives in Paris at 8; **~ à** (*atteindre*) to reach; **~ à faire qch** to succeed in doing sth; **il arrive que** it happens that; **il lui arrive de faire** he sometimes does; **arriviste** *nm/f* go-getter

arrogant, e [aʀɔgɑ̃, -ɑ̃t] *adj* arrogant

arroger [aʀɔʒe]: **s'~** *vt* to assume (without right)

arrondir [aʀɔ̃diʀ] *vt* (*forme, objet*) to round; (*somme*) to round off; **s'~** *vi* to become round(ed)

arrondissement [aʀɔ̃dismɑ̃] *nm* (*ADMIN*) ≈ district

arroser [aʀoze] *vt* to water; (*victoire*) to celebrate (over a drink); (*CULIN*) to baste; **arrosoir** *nm* watering can

arsenal, aux [aʀsənal, -o] *nm* (*NAVIG*) naval dockyard; (*MIL*) arsenal; (*fig*) gear, paraphernalia

art [aʀ] *nm* art; **~s ménagers** home economics *sg*

artère [aʀtɛʀ] *nf* (*ANAT*) artery; (*rue*) main road

arthrite [aʀtʀit] *nf* arthritis

artichaut [aʀtiʃo] *nm* artichoke

article [aʀtikl(ə)] *nm* article; (*COMM*) item, article; **à l'~ de la mort** at the point of death; **~ de fond** (*PRESSE*) feature article

articulation [aʀtikylasjɔ̃] *nf* articulation; (*ANAT*) joint

articuler [aʀtikyle] *vt* to articulate

artifice [aʀtifis] *nm* device, trick

artificiel, le [aʀtifisjɛl] *adj* artificial

artificieux, euse [aʀtifisjø, -øz] *adj* guileful, deceitful

artisan [aʀtizɑ̃] *nm* artisan, (self-employed) craftsman; **artisanal, e, aux** *adj* of *ou* made by craftsmen; (*péj*) cottage industry *cpd*, unsophisticated; **artisanat** *nm* arts and crafts *pl*

artiste [aʀtist(ə)] *nm/f* artist; (*de variétés*) entertainer; performer; **artistique** *adj* artistic

as[1] [a] *vb voir* **avoir**

as[2] [as] *nm* ace

ascendance [asɑ̃dɑ̃s] *nf* (*origine*) ancestry

ascendant, e [asɑ̃dɑ̃, -ɑ̃t] *adj* upward ◆ *nm* influence

ascenseur [asɑ̃sœʀ] *nm* lift (*BRIT*), elevator (*US*)

ascension [asɑ̃sjɔ̃] *nf* ascent; climb; **l'A~** (*REL*) the Ascension

aseptiser [aseptize] *vt* to sterilize; to disinfect

asiatique [azjatik] *adj, nm/f* Asiatic, Asian

Asie [azi] *nf*: **l'~** Asia

asile [azil] *nm* (*refuge*) refuge, sanctuary; (*POL*): **droit d'~** (political) asylum; (*pour malades etc*) home

aspect [aspɛ] *nm* appearance, look; (*fig*) aspect, side; **à l'~ de** at the sight of

asperge [aspɛʀʒ(ə)] *nf* asparagus *no pl*

asperger [aspɛʀʒe] *vt* to spray, sprinkle

aspérité [aspeʀite] *nf* excrescence, protruding bit (of rock *etc*)

asphalte [asfalt(ə)] *nm* asphalt

asphyxier [asfiksje] *vt* to suffocate, asphyxiate; (*fig*) to stifle

aspirateur [aspiʀatœʀ] *nm* vacuum cleaner

aspirer [aspiʀe] *vt* (*air*) to inhale; (*liquide*) to suck (up); (*suj: appareil*) to suck up; **~ à** to aspire to

aspirine [aspiʀin] *nf* aspirin

assagir [asaʒiʀ] *vt* to quieten down; **s'~** *vi* to quieten down, sober down

assaillir [asajiʀ] *vt* to assail, attack

assainir [aseniʀ] *vt* to clean up; to purify

assaisonner [asɛzɔne] *vt* to season

assassin [asasɛ̃] *nm* murderer; assassin; **~er** [asasine] *vt* to murder; (*esp POL*) to assassinate

assaut [aso] *nm* assault, attack; **prendre d'~** to storm, assault; **donner l'~** to attack; **faire ~ de** (*rivaliser*) to vie with each other in

assécher [aseʃe] *vt* to drain

assemblée [asɑ̃ble] *nf* (*réunion*) meeting; (*public, assistance*) gathering; assembled people; (*POL*) assembly

assembler [asɑ̃ble] *vt* (*joindre, monter*) to assemble, put together; (*amasser*) to gather (together), collect (together); **s'~** *vi* to gather

assener [asene] *vt*: **~ un coup à qn** to deal sb a blow

asséner [asene] *vt* = **assener**

assentiment [asɑ̃timɑ̃] *nm* assent, consent; approval

asseoir [aswaʀ] *vt* (*malade, bébé*) to sit up; to sit down; (*autorité, réputation*) to establish; **s'~** *vi* to sit (o.s.) down

assermenté, e [asɛʀmɑ̃te] *adj* sworn, on oath

asservir [asɛʀviʀ] *vt* to subjugate, enslave

assez [ase] *adv* (*suffisamment*) enough, sufficiently; (*passablement*) rather, quite, fairly; **~ de pain/livres** enough *ou* sufficient bread/books; **vous en avez ~?** have you got enough?

assidu, e [asidy] *adj* assiduous, painstaking; regular; **assiduités** *nfpl* assiduous attentions

assied *etc vb voir* **asseoir**

assiéger [asjeʒe] *vt* to besiege

assiérai *etc vb voir* **asseoir**

assiette [asjɛt] *nf* plate; (*contenu*) plate(ful); **~ à dessert** dessert plate; **~ anglaise** assorted cold meats; **~ creuse** (soup) dish, soup plate; **~ de l'impôt** basis of (tax) assessment; **~ plate** (dinner) plate

assigner [asiɲe] *vt*: **~ qch à** (*poste, part, travail*) to assign sth to; (*limites*) to set sth to; (*cause, effet*) to ascribe sth to; **~ qn à** to assign sb to

assimiler [asimile] *vt* to assimilate, absorb; (*comparer*): **~ qch/qn à** to liken *ou* compare sth/sb to; **s'~** *vi* (*s'intégrer*) to be assimilated *ou* absorbed

assis, e [asi, -iz] *pp de* **asseoir** ◆ *adj* sitting (down), seated; **assise** *nf* (*fig*) basis, foundation; **~es** *nfpl* (*JUR*) assizes; (*congrès*) (annual) conference

assistance [asistɑ̃s] *nf* (*public*) audience; (*aide*) assistance

assistant, e [asistɑ̃, -ɑ̃t] *nm/f* assistant; (*d'université*) probationary lecturer; **~e sociale** social worker

assisté, e [asiste] *adj* (*AUTO*) power assisted

assister [asiste] *vt* to assist; **~ à** (*scène, événement*) to witness; (*conférence, séminaire*) to attend, be at; (*spectacle, match*) to be at, see

association [asɔsjasjɔ̃] *nf* association

associé, e [asɔsje] *nm/f* associate; partner

associer [asɔsje] *vt* to associate; **s'~** *vi* to join together ◆ *vt* (*collaborateur*) to take on (as a partner); **s'~ à qn pour faire** to join (forces) with sb to do; **s'~ à** to be combined with; (*opinions, joie de qn*) to share in; **~ qn à** (*profits*) to give sb a share of; (*affaire*) to make sb a partner in; (*joie, triomphe*) to include sb in; **~ qch à** (*joindre, allier*) to combine sth with

assoiffé, e [aswafe] *adj* thirsty

assombrir [asɔ̃bʀiʀ] *vt* to darken; (*fig*) to fill with gloom

assommer [asɔme] *vt* to batter to death; (*étourdir, abrutir*) to knock out; to stun
Assomption [asɔ̃psjɔ̃] *nf*: **l'~** the Assumption
assorti, e [asɔʀti] *adj* matched, matching; (*varié*) assorted; **~ à** matching
assortiment [asɔʀtimɑ̃] *nm* assortment, selection
assortir [asɔʀtiʀ] *vt* to match; **s'~ de** to be accompanied by; **~ qch à** to match sth with; **~ qch de** to accompany sth with
assoupi, e [asupi] *adj* dozing, sleeping; (*fig*) (be)numbed; dulled; stilled
assouplir [asupliʀ] *vt* to make supple; (*fig*) to relax
assourdir [asuʀdiʀ] *vt* (*bruit*) to deaden, muffle; (*suj: bruit*) to deafen
assouvir [asuviʀ] *vt* to satisfy, appease
assujettir [asyʒetiʀ] *vt* to subject
assumer [asyme] *vt* (*fonction, emploi*) to assume, take on
assurance [asyʀɑ̃s] *nf* (*certitude*) assurance; (*confiance en soi*) (self-)confidence; (*contrat*) insurance (policy); (*secteur commercial*) insurance; **~ maladie** health insurance; **~ tous risques** (*AUTO*) comprehensive insurance; **~s sociales** ≈ National Insurance (*BRIT*), ≈ Social Security (*US*); **~-vie** *nf* life assurance *ou* insurance
assuré, e [asyʀe] *adj* (*certain*): **~ de** confident of ◆ *nm/f* insured (person); **assurément** *adv* assuredly, most certainly
assurer [asyʀe] *vt* to insure; (*stabiliser*) to steady; to stabilize; (*victoire etc*) to ensure; (*frontières, pouvoir*) to make secure; (*service, garde*) to provide; to operate; **s'~ (contre)** (*COMM*) to insure o.s. (against); **s'~ de/que** (*vérifier*) to make sure of/that; **s'~ (de)** (*aide de qn*) to secure; **~ qch à qn** (*garantir*) to secure sth for sb; (*certifier*) to assure sb of sth; **~ à qn que** to assure sb that; **~ qn de** to assure sb of
asthme [asm(ə)] *nm* asthma
asticot [astiko] *nm* maggot
astiquer [astike] *vt* to polish, shine
astre [astʀ(ə)] *nm* star
astreignant, e [astʀɛɲɑ̃, -ɑ̃t] *adj* demanding
astreindre [astʀɛ̃dʀ(ə)] *vt*: **~ qn à qch** to force sth upon sb; **~ qn à faire** to compel *ou* force sb to do
astrologie [astʀɔlɔʒi] *nf* astrology
astronaute [astʀɔnot] *nm/f* astronaut
astronomie [astʀɔnɔmi] *nf* astronomy
astuce [astys] *nf* shrewdness, astuteness; (*truc*) trick, clever way; (*plaisanterie*) wisecrack; **astucieux, euse** *adj* clever
atelier [atəlje] *nm* workshop; (*de peintre*) studio
athée [ate] *adj* atheistic ◆ *nm/f* atheist
Athènes [atɛn] *n* Athens
athlète [atlɛt] *nm/f* (*SPORT*) athlete; **athlétisme** *nm* athletics *sg*
atlantique [atlɑ̃tik] *adj* Atlantic ◆ *nm*: **l'(océan) A~** the Atlantic (Ocean)
atlas [atlɑs] *nm* atlas
atmosphère [atmɔsfɛʀ] *nf* atmosphere
atome [atom] *nm* atom; **atomique** *adj* atomic, nuclear; (*nombre, masse*) atomic
atomiseur [atɔmizœʀ] *nm* atomizer
atone [atɔn] *adj* lifeless
atours [atuʀ] *nmpl* attire *sg*, finery *sg*
atout [atu] *nm* trump; (*fig*) asset; trump card
âtre [ɑtʀ(ə)] *nm* hearth
atroce [atʀɔs] *adj* atrocious
attabler [atable] : **s'~** *vi* to sit down at (the) table
attachant, e [ataʃɑ̃, -ɑ̃t] *adj* engaging, lovable, likeable
attache [ataʃ] *nf* clip, fastener; (*fig*) tie
attacher [ataʃe] *vt* to tie up; (*étiquette*) to attach, tie on; (*souliers*) to do up ◆ *vi* (*poêle, riz*) to stick; **s'~ à** (*par affection*) to become attached to; **s'~ à faire** to endeavour to do; **~ qch à** to tie *ou* attach sth to
attaque [atak] *nf* attack; (*cérébrale*) stroke; (*d'épilepsie*) fit
attaquer [atake] *vt* to attack; (*en justice*) to bring an action against, sue; (*travail*) to tackle, set about ◆ *vi* to attack
attardé, e [ataʀde] *adj* (*passants*) late; (*enfant*) backward; (*conceptions*) old-fashioned
attarder [ataʀde]: **s'~** *vi* to linger; to stay on
atteindre [atɛ̃dʀ(ə)] *vt* to reach; (*blesser*) to hit; (*émouvoir*) to affect
atteint, e [atɛ̃, -ɛ̃t] *adj* (*MÉD*): **être ~ de** to be suffering from attack; **atteinte** *nf* attack; **hors d'~e** out of reach; **porter ~e à** to strike a blow at; to undermine
atteler [atle] *vt* (*cheval, bœufs*) to hitch up; (*wagons*) to couple; **s'~ à** (*travail*) to buckle down to
attelle [atɛl] *nf* splint
attenant, e [atnɑ̃, -ɑ̃t] *adj*: **~ (à)** adjoining
attendant [atɑ̃dɑ̃] *adv*: **en ~** meanwhile, in the meantime
attendre [atɑ̃dʀ(ə)] *vt* (*gén*) to wait for; (*être destiné ou réservé à*) to await, be in store for ◆ *vi* to wait; **s'~ à (ce que)** to expect (that); **~ un enfant** to be expecting a baby; **~ de faire/d'être** to wait until one does/is; **~ que** to wait until; **~ qch de** to expect sth of
attendrir [atɑ̃dʀiʀ] *vt* to move (to pity); (*viande*) to tenderize
attendu, e [atɑ̃dy] *adj* (*visiteur*) expected; **~ que** considering that, since
attentat [atɑ̃ta] *nm* assassination attempt; **~ à la bombe** bomb attack; **~ à la pudeur** indecent exposure *no pl*; indecent assault *no pl*
attente [atɑ̃t] *nf* wait; (*espérance*) expectation
attenter [atɑ̃te]: **~ à** *vt* (*liberté*) to violate; **~ à la vie de qn** to make an attempt on sb's life
attentif, ive [atɑ̃tif, -iv] *adj* (*auditeur*) attentive; (*travail*) scrupulous; careful; **~ à** mindful of; careful to
attention [atɑ̃sjɔ̃] *nf* attention; (*prévenance*) attention, thoughtfulness *no pl*; **à l'~ de** for the attention of; **faire ~ (à)** to be careful (of); **faire ~ (à ce) que** to be *ou* make sure that; **~!** careful!, watch out!; **attentionné, e** *adj* thoughtful, considerate
atténuer [atenɥe] *vt* to alleviate, ease; to lessen
atterrer [ateʀe] *vt* to dismay, appal
atterrir [ateʀiʀ] *vi* to land; **atterrissage** *nm* landing
attestation [atɛstɑsjɔ̃] *nf* certificate
attester [atɛste] *vt* to testify to
attirail [atiʀaj] *nm* gear; (*péj*) paraphernalia
attirant, e [atiʀɑ̃, -ɑ̃t] *adj* attractive, appealing
attirer [atiʀe] *vt* to attract; (*appâter*) to lure, entice; **~ qn dans un coin/vers soi** to draw sb into a corner/towards one; **~ l'attention de qn (sur)** to attract sb's attention (to); to draw sb's attention (to); **s'~ des ennuis** to bring trouble upon o.s., get into trouble
attiser [atize] *vt* (*feu*) to poke (up)
attitré, e [atitʀe] *adj* qualified; accredited; appointed
attitude [atityd] *nf* attitude; (*position du corps*) bearing
attouchements [atuʃmɑ̃] *nmpl* touching *sg*; (*sexuels*) fondling *sg*
attraction [atʀaksjɔ̃] *nf* (*gén*) attraction; (*de cabaret, cirque*) number
attrait [atʀɛ] *nm* appeal, attraction; lure
attrape-nigaud [atʀapnigo] *nm* con
attraper [atʀape] *vt* (*gén*) to catch; (*habitude, amende*) to get, pick up; (*fam: duper*) to con
attrayant, e [atʀɛjɑ̃, -ɑ̃t] *adj* attractive
attribuer [atʀibɥe] *vt* (*prix*) to award; (*rôle, tâche*) to allocate, assign; (*imputer*): **~ qch à** to attribute sth to; **s'~** *vt* (*s'approprier*) to claim for o.s.
attribut [atʀiby] *nm* attribute; (*LING*) complement
attrister [atʀiste] *vt* to sadden
attroupement [atʀupmɑ̃] *nm* crowd, mob
attrouper [atʀupe]: **s'~** *vi* to gather
au [o] *prép +dét* = **à +le**
aubade [obad] *nf* dawn serenade
aubaine [obɛn] *nf* godsend; (*financière*) windfall
aube [ob] *nf* dawn, daybreak; **à l'~** at dawn *ou* daybreak
aubépine [obepin] *nf* hawthorn
auberge [obɛʀʒ(ə)] *nf* inn; **~ de jeunesse** youth hostel
aubergine [obɛʀʒin] *nf* aubergine
aubergiste [obɛʀʒist(ə)] *nm/f* inn-keeper, hotel-keeper
aucun, e [okœ̃, -yn] *dét* no, *tournure négative* +any; (*positif*) any ◆ *pron* none, *tournure négative* +any; any(one); **sans ~ doute** without any doubt; **plus qu'~ autre** more than any other; **~ des deux** neither of the two; **~ d'entre eux** none of them; **d'~s** (*certains*) some; **aucunement** *adv* in no way, not in the least
audace [odas] *nf* daring, boldness; (*péj*) audacity; **audacieux, euse** *adj* daring, bold
au-delà [odla] *adv* beyond ◆ *nm*: **l'~** the hereafter; **~ de** beyond
au-dessous [odsu] *adv* underneath; below; **~ de** under(neath), below; (*limite, somme etc*) below, under; (*dignité, condition*) below
au-dessus [odsy] *adv* above; **~ de** above
au-devant [odvɑ̃] : **~ de** *prép*: **aller ~ de** (*personne, danger*) to go (out) and meet; (*souhaits de qn*) to anticipate
audience [odjɑ̃s] *nf* audience; (*JUR: séance*) hearing
audimat [odimat] ® *nm* (*taux d'écoute*) ratings *pl*
audio-visuel, le [odjɔvizɥɛl] *adj* audio-visual
auditeur, trice [oditœʀ, -tʀis] *nm/f* listener
audition [odisjɔ̃] *nf* (*ouïe, écoute*) hearing; (*JUR: de témoins*) examination; (*MUS, THÉÂTRE: épreuve*) audition
auditoire [oditwaʀ] *nm* audience
auge [oʒ] *nf* trough
augmentation [ɔgmɑ̃tɑsjɔ̃] *nf*: **~ (de salaire)** rise (in salary) (*BRIT*), (pay) raise (*US*)
augmenter [ɔgmɑ̃te] *vt* (*gén*) to increase; (*salaire, prix*) to increase, raise, put up; (*employé*) to increase the salary of ◆ *vi* to increase
augure [ɔgyʀ] *nm* soothsayer, oracle; **de bon/mauvais ~** of good/ill omen; **~r** [ɔgyʀe] *vt*: **~r bien de** to augur well for
aujourd'hui [oʒuʀdɥi] *adv* today
aumône [ɔmon] *nf inv* alms *sg*; **faire l'~ (à qn)** to give alms (to sb)
aumônier [ɔmonje] *nm* chaplain
auparavant [opaʀavɑ̃] *adv* before(hand)
auprès [opʀɛ]: **~ de** *prép* next to, close to; (*recourir, s'adresser*) to; (*en comparaison de*) compared with
auquel [okɛl] *prép +pron* = **à +lequel**
aurai *etc vb voir* **avoir**
auréole [ɔʀeɔl] *nf* halo; (*tache*) ring
auriculaire [ɔʀikylɛʀ] *nm* little finger
aurons *etc vb voir* **avoir**
aurore [ɔʀɔʀ] *nf* dawn, daybreak
ausculter [ɔskylte] *vt* to sound
aussi [osi] *adv* (*également*) also, too; (*de comparaison*) as ◆ *conj* therefore, consequently; **~ fort que** as strong as; **moi ~** me too; **~ bien que** (*de même que*) as well as
aussitôt [osito] *adv* straight away, immediately; **~ que** as soon as
austère [ɔstɛʀ] *adj* austere; stern
austral, e [ɔstʀal] *adj* southern
Australie [ɔstʀali] *nf*: **l'~** Australia; **australien, ne** *adj, nm/f* Australian
autant [otɑ̃] *adv* so much; (*comparatif*): **~ (que)** as much (as); (*nombre*) as many (as); **~ (de)** so much (*ou* many); as much (*ou* many); **~ partir** we (*ou* you *etc*) may as well leave; **~ dire que ...** one might as well say that ...; **pour ~** for all that; **pour ~ que** assuming, as long as; **d'~ plus/mieux (que)** all the more/the better (since)
autel [otɛl] *nm* altar
auteur [otœʀ] *nm* author
authentique [otɑ̃tik] *adj* authentic, genuine
auto [oto] *nf* car
auto: **~biographie** *nf* autobiography; **~bus** *nm* bus; **~car** *nm* coach
autochtone [otɔktɔn] *nm/f* native
auto: **~-collant, e** *adj* self-adhesive; (*enveloppe*) self-seal ◆ *nm* sticker; **~couchettes** *adj*: **train ~couchettes** car sleeper train; **~cuiseur** *nm* pressure cooker; **~défense** *nf* self-defence; **groupe d'~défense** vigilante committee; **~didacte** *nm/f* self-taught person; **~école** *nf* driving school; **~gestion** *nf* self-management; **~graphe** *nm* autograph
automate [ɔtɔmat] *nm* (*machine*) (automatic) machine
automatique [ɔtɔmatik] *adj* automatic ◆ *nm*: **l'~** direct dialling; **automatiser** *vt* to automate
automne [ɔtɔn] *nm* autumn (*BRIT*), fall (*US*)
automobile [ɔtɔmɔbil] *adj* motor *cpd* ◆ *nf* (motor) car; **l'~** motoring; the car industry; **automobiliste** *nm/f* motorist
autonome [ɔtɔnɔm] *adj* autonomous; **autonomie** *nf* autonomy; (*POL*) self-government, autonomy
autopsie [ɔtɔpsi] *nf* post-mortem (examination), autopsy
autoradio [ɔtɔʀadjo] *nm* car radio
autorisation [ɔtɔʀizɑsjɔ̃] *nf* permission, authorization; (*papiers*) permit
autorisé, e [ɔtɔʀize] *adj* (*opinion, sources*) authoritative
autoriser [ɔtɔʀize] *vt* to give permission for, authorize; (*fig*) to allow (of), sanction
autoritaire [ɔtɔʀitɛʀ] *adj* authoritarian
autorité [ɔtɔʀite] *nf* authority; **faire ~** to be authoritative
autoroute [ɔtɔʀut] *nf* motorway (*BRIT*), highway (*US*)
auto-stop [ɔtɔstɔp] *nm*: **faire de l'~** to hitch-hike; **auto-stoppeur, euse** *nm/f* hitch-hiker
autour [otuʀ] *adv* around; **~ de** around; **tout ~** all around

MOT-CLÉ

autre [otʀ(ə)] *adj* 1 (*différent*) other, different; **je préférerais un ~ verre** I'd prefer another *ou* a different glass
2 (*supplémentaire*) other; **je voudrais un ~ verre d'eau** I'd like another glass of water
3: **~ chose** something else; **~ part** somewhere else; **d'~ part** on the other hand
◆ *pron*: **un ~** another (one); **nous/vous ~s** us/you; **d'~s** others; **l'~** the other (one); **les ~s** the others; (*autrui*) others; **l'un et l'~** both of them; **se détester l'un l'~/les uns les ~s** to hate each other *ou* one another; **d'une semaine à l'~** from one week to the next; (*incessamment*) any week now; **entre ~s** among other things

autrefois [otʀəfwa] *adv* in the past
autrement [otʀəmɑ̃] *adv* differently; in another way; (*sinon*) otherwise; **~ dit** in other words
Autriche [otʀiʃ] *nf*: **l'~** Austria; **autrichien, ne** *adj, nm/f* Austrian
autruche [otʀyʃ] *nf* ostrich
autrui [otʀɥi] *pron* others
auvent [ovɑ̃] *nm* canopy
aux [o] *prép +dét* = **à +les**
auxiliaire [ɔksiljɛʀ] *adj, nm/f* auxiliary
auxquelles [okɛl] *prép +pron* = **à +lesquelles**
auxquels [okɛl] *prép +pron* = **à +lesquels**
avachi, e [avaʃi] *adj* limp, flabby
aval [aval] *nm* (*accord*) endorsement, backing; (*GÉO*): **en ~** downstream, downriver; (*sur une pente*) downhill
avalanche [avalɑ̃ʃ] *nf* avalanche
avaler [avale] *vt* to swallow
avance [avɑ̃s] *nf* (*de troupes etc*) advance; progress; (*d'argent*) advance; (*opposé à retard*) lead; being ahead of schedule; **~s** *nfpl* (*ouvertures*) overtures; (*amoureuses*) advances; **(être) en ~** (to be) early; (*sur un programme*) (to be) ahead of schedule; **à l'~, d'~** in advance
avancé, e [avɑ̃se] *adj* advanced; well on, well under way
avancement [avɑ̃smɑ̃] *nm* (*professionnel*) promotion
avancer [avɑ̃se] *vi* to move forward, advance; (*projet, travail*) to make progress; (*être en saillie*) to overhang; to jut out; (*montre, réveil*) to be fast; to gain ◆ *vt* to move forward, advance; (*argent*) to advance; (*montre,pendule*) to put forward; **s'~** *vi* to move forward, advance; (*fig*) to commit o.s.; to overhang; to jut out
avant [avɑ̃] *prép* before ◆ *adv*: **trop/plus ~** too far/further forward ◆ *adj inv*: **siège/roue ~** front seat/wheel ◆ *nm* (*d'un véhicule, bâtiment*) front; (*SPORT: joueur*) forward; **~ qu'il parte/de faire** before he leaves/doing; **~ tout** (*surtout*) above all; **à l'~** (*dans un véhicule*) in (the) front; **en ~** forward(s); **en ~ de** in front of
avantage [avɑ̃taʒ] *nm* advantage; **~s sociaux** fringe benefits; **avantager** *vt* (*favoriser*) to favour; (*embellir*) to flatter; **avantageux, euse** *adj* attractive; attractively priced
avant: **~-bras** *nm inv* forearm; **~coureur** *adj inv*: **signe ~coureur** advance indication *ou* sign; **~-dernier, ière** *adj, nm/f* next to last, last but one; **~-goût** *nm* foretaste; **~-hier** *adv* the day before yesterday; **~-première** *nf* (*de film*) preview; **~-projet** *nm* (preliminary) draft; **~-propos** *nm* foreword; **~-veille** *nf*: **l'~-veille** two days before
avare [avaʀ] *adj* miserly, avaricious ◆ *nm/f* miser; **~ de** (*compliments etc*) sparing of
avarié, e [avaʀje] *adj* rotting
avaries [avaʀi] *nfpl* (*NAVIG*) damage *sg*
avec [avɛk] *prép* with; (*à l'égard de*) to(wards), with
avenant, e [avnɑ̃, -ɑ̃t] *adj* pleasant; **à l'~** in keeping
avènement [avɛnmɑ̃] *nm* (*d'un roi*) accession, succession; (*d'un changement*) advent, coming
avenir [avniʀ] *nm* future; **à l'~** in future; **politicien d'~** politician with prospects *ou* a future
Avent [avɑ̃] *nm*: **l'~** Advent
aventure [avɑ̃tyʀ] *nf* adventure; (*amoureuse*) affair; **s'aventurer** *vi* to venture; **aventureux, euse** *adj* adventurous, venturesome; (*projet*) risky, chancy
avenue [avny] *nf* avenue
avérer [aveʀe]: **s'~** *vb +attrib* to prove (to be)
averse [avɛʀs(ə)] *nf* shower
averti, e [avɛʀti] *adj* (well-)informed
avertir [avɛʀtiʀ] *vt*: **~ qn (de qch/que)** to warn sb (of sth/that); (*renseigner*) to inform sb (of sth/that); **avertissement** *nm* warning; **avertisseur** *nm* horn, siren
aveu, x [avø] *nm* confession
aveugle [avœgl(ə)] *adj* blind; **aveuglément** *adv* blindly; **~r** *vt* to blind
aviateur, trice [avjatœʀ, -tʀis] *nm/f* aviator, pilot
aviation [avjɑsjɔ̃] *nf* aviation; (*sport*) flying; (*MIL*) air force
avide [avid] *adj* eager; (*péj*) greedy, grasping
avilir [aviliʀ] *vt* to debase
avion [avjɔ̃] *nm* (aero)plane (*BRIT*),

(air)plane (*US*); **aller (quelque part) en ~** to go (somewhere) by plane, fly (somewhere); **par ~** by airmail; **~ à réaction** jet (plane)

aviron [aviʀɔ̃] *nm* oar; (*sport*): **l'~** rowing

avis [avi] *nm* opinion; (*notification*) notice; **changer d'~** to change one's mind; **jusqu'à nouvel ~** until further notice

avisé, e [avize] *adj* sensible, wise

aviser [avize] *vt* (*voir*) to notice, catch sight of; (*informer*): **~ qn de/que** to advise *ou* inform sb of/that ◆ *vi* to think about things, assess the situation; **s'~ de qch/que** to become suddenly aware of sth/that; **s'~ de faire** to take it into one's head to do

avocat, e [avɔka, -at] *nm/f* (*JUR*) barrister (*BRIT*), lawyer ◆ *nm* (*CULIN*) avocado (pear); **~ général** assistant public prosecutor

avoine [avwan] *nf* oats *pl*

MOT-CLÉ

avoir [avwaʀ] *nm* assets *pl*, resources *pl*; (*COMM*) credit
◆ *vt* [1] (*posséder*) to have; **elle a 2 enfants/une belle maison** she has (got) 2 children/a lovely house; **il a les yeux bleus** he has (got) blue eyes
[2] (*âge, dimensions*) to be; **il a 3 ans** he is 3 (years old); **le mur a 3 mètres de haut** the wall is 3 metres high; *voir aussi* **faim**; **peur** *etc*
[3] (*fam: duper*) to do, have; **on vous a eu!** you've been done *ou* had!
[4]: **en ~ contre qn** to have a grudge against sb; **en ~ assez** to be fed up; **j'en ai pour une demi-heure** it'll take me half an hour
◆ *vb aux* [1] to have; **~ mangé/dormi** to have eaten/slept
[2] (*avoir à +infinitif*): **~ à faire qch** to have to do sth; **vous n'avez qu'à lui demander** you only have to ask him
◆ *vb impers* [1]: **il y a** (+ *singulier*) there is; (+ *pluriel*) there are; **qu'y-a-t-il?, qu'est-ce qu'il y a?** what's the matter?, what is it?; **il doit y avoir une explication** there must be an explanation; **il n'y a qu'à ...** we (*ou* you *etc*) will just have to ...
[2] (*temporel*): **il y a 10 ans** 10 years ago; **il y a 10 ans/longtemps que je le sais** I've known it for 10 years/a long time; **il y a 10 ans qu'il est arrivé** it's 10 years since he arrived

avoisiner [avwazine] *vt* to be near *ou* close to; (*fig*) to border *ou* verge on

avortement [avɔʀtəmɑ̃] *nm* abortion

avorter [avɔʀte] *vi* (*MÉD*) to have an abortion; (*fig*) to fail

avoué, e [avwe] *adj* avowed ◆ *nm* (*JUR*) ≈ solicitor

avouer [avwe] *vt* (*crime, défaut*) to confess (to); **~ avoir fait/que** to admit *ou* confess to having done/that

avril [avʀil] *nm* April

axe [aks(ə)] *nm* axis; (*de roue etc*) axle; (*fig*) main line; **~ routier** main road, trunk road; **axer** *vt*: **axer qch sur** to centre sth on

ayons *etc vb voir* **avoir**

azote [azɔt] *nm* nitrogen

B

babines [babin] *nfpl* chops

babiole [babjɔl] *nf* (*bibelot*) trinket; (*vétille*) trifle

bâbord [babɔʀ] *nm*: **à** *ou* **par ~** to port, on the port side

baby-foot [babifut] *nm* table football

bac [bak] *abr m* = **baccalauréat**; ◆ *nm* (*bateau*) ferry; (*récipient*) tub; tray; tank

baccalauréat [bakalɔʀea] *nm* high school diploma

bachelier, ière [baʃəlje, -jɛʀ] *nm/f holder of the baccalauréat*

bachoter [baʃɔte] (*fam*) *vi* to cram (for an exam)

bâcler [bɑkle] *vt* to botch (up)

badaud, e [bado, -od] *nm/f* idle onlooker, stroller

badigeonner [badiʒɔne] *vt* to distemper; to colourwash; (*barbouiller*) to daub

badin, e [badɛ̃, -in] *adj* playful

badiner [badine] *vi*: **~ avec qch** to treat sth lightly

baffe [baf] (*fam*) *nf* slap, clout

bafouer [bafwe] *vt* to deride, ridicule

bafouiller [bafuje] *vi, vt* to stammer

bagage [bagaʒ] *nm*: **~s** luggage *sg*; **~s à main** hand-luggage

bagarre [bagaʀ] *nf* fight, brawl; **bagarrer: se bagarrer** *vi* to have a fight *ou* scuffle, fight

bagatelle [bagatɛl] *nf* trifle

bagne [baɲ] *nm* penal colony

bagnole [baɲɔl] (*fam*) *nf* car

bagout [bagu] *nm*: **avoir du ~** to have the gift of the gab

bague [bag] *nf* ring; **~ de fiançailles** engagement ring; **~ de serrage** clip

baguette [bagɛt] *nf* stick; (*cuisine chinoise*) chopstick; (*de chef d'orchestre*) baton; (*pain*) stick of (French) bread; **~ magique** magic wand

baie [bɛ] *nf* (*GÉO*) bay; (*fruit*) berry; **~ (vitrée)** picture window

baignade [bɛɲad] *nf* bathing

baigner [beɲe] *vt* (*bébé*) to bath; **se ~** *vi* to have a swim, go swimming *ou* bathing; **baignoire** *nf* bath(tub)

bail [baj] (*pl* **baux**) *nm* lease

bâiller [bɑje] *vi* to yawn; (*être ouvert*) to gape

bâillon [bɑjɔ̃] *nm* gag; **bâillonner** *vt* to gag

bain [bɛ̃] *nm* bath; **prendre un ~** to have a bath; **se mettre dans le ~** (*fig*) to get into it *ou* things; **~ de foule** walkabout; **~ de soleil: prendre un ~ de soleil** to sunbathe; **~s de mer** sea bathing *sg*; **bain-marie** *nm*: **faire chauffer au bain-marie** (*boîte etc*) to immerse in boiling water

baiser [beze] *nm* kiss ◆ *vt* (*main, front*) to kiss; (*fam!*) to screw (*!*)

baisse [bɛs] *nf* fall, drop; **"~ sur la viande"** "meat prices down"

baisser [bese] *vt* lower; (*radio, chauffage*) to turn down; (*AUTO: phares*) to dip (*BRIT*), lower (*US*) ◆ *vi* to fall, drop, go down; **se ~** *vi* to bend down

bal [bal] *nm* dance; (*grande soirée*) ball; **~ costumé** fancy-dress ball

balader [balade] *vt* (*traîner*) to trail round; **se ~** *vi* to go for a walk *ou* stroll; to go for a drive

baladeur [baladœʀ] *nm* personal stereo, Walkman (®)

balafre [balafʀ(ə)] *nf* gash, slash; (*cicatrice*) scar

balai [balɛ] *nm* broom, brush; **balai-brosse** *nm* (long-handled) scrubbing brush

balance [balɑ̃s] *nf* scales *pl*; (*de précision*) balance; (*signe*): **la B~** Libra

balancer [balɑ̃se] *vt* to swing; (*lancer*) to fling, chuck; (*renvoyer, jeter*) to chuck out ◆ *vi* to swing; **se ~** *vi* to swing; to rock; to sway; **se ~ de** (*fam*) not to care about; **balancier** *nm* (*de pendule*) pendulum; (*perche*) (balancing) pole; **balançoire** *nf* swing; (*sur pivot*) seesaw

balayer [baleje] *vt* (*feuilles etc*) to sweep up, brush up; (*pièce*) to sweep; (*chasser*) to sweep away; to sweep aside; (*suj: radar*) to scan; **balayeur, euse** *nm/f* roadsweeper; **balayeuse** *nf* (*machine*) roadsweeper

balbutier [balbysje] *vi, vt* to stammer

balcon [balkɔ̃] *nm* balcony; (*THÉÂTRE*) dress circle

baleine [balɛn] *nf* whale; (*de parapluie, corset*) rib; **baleinière** *nf* whaleboat

balise [baliz] *nf* (*NAVIG*) beacon; (marker) buoy; (*AVIAT*) runway light, beacon; (*AUTO, SKI*) sign, marker; **baliser** *vt* to mark out (with lights *etc*)

balivernes [balivɛʀn(ə)] *nfpl* nonsense *sg*

ballant, e [balɑ̃, -ɑ̃t] *adj* dangling

balle [bal] *nf* (*de fusil*) bullet; (*de sport*) ball; (*paquet*) bale; (*fam: franc*) franc; **~ perdue** stray bullet

ballerine [balʀin] *nf* ballet dancer

ballet [balɛ] *nm* ballet

ballon [balɔ̃] *nm* (*de sport*) ball; (*jouet, AVIAT*) balloon; (*de vin*) glass; **~ de football** football

ballot [balo] *nm* bundle; (*péj*) nitwit

ballottage [balɔtaʒ] *nm* (*POL*) second ballot

ballotter [balɔte] *vi* to roll around; to toss ◆ *vt* to shake about; to toss

balnéaire [balneɛʀ] *adj* seaside *cpd*

balourd, e [baluʀ, -uʀd(ə)] *adj* clumsy ◆ *nm/f* clodhopper

balustrade [balystʀad] *nf* railings *pl*, handrail

bambin [bɑ̃bɛ̃] *nm* little child

ban [bɑ̃] *nm* cheer; **~s** *nmpl* (*de mariage*) banns; **mettre au ~ de** to outlaw from

banal, e [banal] *adj* banal, commonplace; (*péj*) trite

banane [banan] *nf* banana

banc [bɑ̃] *nm* seat, bench; (*de poissons*) shoal; **~ d'essai** (*fig*) testing ground; **~ de sable** sandbank

bancaire [bɑ̃kɛʀ] *adj* banking, bank *cpd*

bancal, e [bɑ̃kal] *adj* wobbly; bow-legged

bandage [bɑ̃daʒ] *nm* bandage

bande [bɑ̃d] *nf* (*de tissu etc*) strip; (*MÉD*) bandage; (*motif*) stripe; (*magnétique etc*) tape; (*groupe*) band; (*: péj*) bunch; **par la ~** in a roundabout way; **faire ~ à part** to keep to o.s.; **~ dessinée** comic strip; **~ sonore** sound track

bandeau, x [bɑ̃do] *nm* headband; (*sur les yeux*) blindfold; (*MÉD*) head bandage

bander [bɑ̃de] *vt* (*blessure*) to bandage; (*muscle*) to tense; **~ les yeux à qn** to blindfold sb

banderole [bɑ̃dʀɔl] *nf* banner, streamer

bandit [bɑ̃di] *nm* bandit; **banditisme** *nm* violent crime, armed robberies *pl*

bandoulière [bɑ̃duljɛʀ] *nf*: **en ~** (slung *ou* worn) across the shoulder

banlieue [bɑ̃ljø] *nf* suburbs *pl*; **lignes/quartiers de ~** suburban lines/areas; **trains de ~** commuter trains

bannière [banjɛʀ] *nf* banner

bannir [baniʀ] *vt* to banish

banque [bɑ̃k] *nf* bank; (*activités*) banking; **~ d'affaires** merchant bank; **~route** [bɑ̃kʀut] *nf* bankruptcy

banquet [bɑ̃kɛ] *nm* dinner; (*d'apparat*) banquet

banquette [bɑ̃kɛt] *nf* seat

banquier [bɑ̃kje] *nm* banker

banquise [bɑ̃kiz] *nf* ice field

baptême [batɛm] *nm* christening; baptism; **~ de l'air** first flight

baquet [bakɛ] *nm* tub, bucket

bar [baʀ] *nm* bar

baraque [baʀak] *nf* shed; (*fam*) house; **~ foraine** fairground stand

baraqué, e [baʀake] *adj* well-built, hefty

baraquements [baʀakmɑ̃] *nmpl* (*for refugees, workers etc*) huts

baratin [baʀatɛ̃] (*fam*) *nm* smooth talk, patter; **baratiner** *vt* to chat up

barbare [baʀbaʀ] *adj* barbaric

barbe [baʀb(ə)] *nf* beard; **quelle ~!** (*fam*) what a drag *ou* bore!; **à la ~ de qn** under sb's nose; **~ à papa** candy-floss (*BRIT*), cotton candy (*US*)

barbelé [baʀbəle] *nm* barbed wire *no pl*

barboter [baʀbɔte] *vi* to paddle, dabble; **barboteuse** [baʀbɔtøz] *nf* rompers *pl*

barbouiller [baʀbuje] *vt* to daub; **avoir l'estomac barbouillé** to feel queasy

barbu, e [baʀby] *adj* bearded

barda [baʀda] (*fam*) *nm* kit, gear

barder [baʀde] (*fam*) *vi*: **ça va ~** sparks will fly, things are going to get hot

barème [baʀɛm] *nm* scale; table

baril [baʀil] *nm* barrel; keg

bariolé, e [baʀjɔle] *adj* gaudily-coloured

baromètre [baʀɔmɛtʀ(ə)] *nm* barometer

baron [baʀɔ̃] *nm* baron; **baronne** *nf* baroness

baroque [baʀɔk] *adj* (*ART*) baroque; (*fig*) weird

barque [baʀk(ə)] *nf* small boat

barquette [baʀkɛt] *nf* (*pour repas*) tray; (*pour fruits*) punnet

barrage [baʀaʒ] *nm* dam; (*sur route*) roadblock, barricade

barre [baʀ] *nf* bar; (*NAVIG*) helm; (*écrite*) line, stroke

barreau, x [baʀo] *nm* bar; (*JUR*): **le ~** the Bar

barrer [baʀe] *vt* (*route etc*) to block; (*mot*) to cross out; (*chèque*) to cross (*BRIT*); (*NAVIG*) to steer; **se ~** *vi* (*fam*) to clear off

barrette [baʀɛt] *nf* (*pour cheveux*) (hair) slide (*BRIT*) *ou* clip (*US*)

barricader [baʀikade] *vt* to barricade

barrière [baʀjɛʀ] *nf* fence; (*obstacle*) barrier; (*porte*) gate

barrique [baʀik] *nf* barrel, cask

bas, basse [bɑ, bɑs] *adj* low ◆ *nm* bottom, lower part; (*vêtement*) stocking ◆ *adv* low; (*parler*) softly; **au ~ mot** at the lowest estimate; **en ~** down below; at (*ou* to) the bottom; (*dans une maison*) downstairs; **en ~ de** at the bottom of; **mettre ~** to give birth; **à ~ ...!** down with ...!; **~ morceaux** *nmpl* (*viande*) cheap cuts

basané, e [bazane] *adj* tanned, bronzed

bas-côté [bakote] *nm* (*de route*) verge (*BRIT*), shoulder (*US*)

bascule [baskyl] *nf*: **(jeu de) ~** seesaw; **(balance à) ~** scales *pl*; **fauteuil à ~** rocking chair

basculer [baskyle] *vi* to fall over, topple (over); (*benne*) to tip up ◆ *vt* to topple over; to tip out, tip up

base [bɑz] *nf* base; (*POL*) rank and file; (*fondement, principe*) basis; **de ~** basic; **à ~ de café** *etc* coffee *etc* -based; **~ de données** database; **baser** *vt* to base; **se ~r sur** *vt* (*preuves*) to base one's argument on

bas-fond [bafɔ̃] *nm* (*NAVIG*) shallow; **~s** *nmpl* (*fig*) dregs

basilic [bazilik] *nm* (*CULIN*) basil

basket [baskɛt] *nm* trainer (*BRIT*), sneaker (*US*); (*aussi*: **~-ball**) basketball

basque [bask(ə)] *adj, nm/f* Basque

basse [bɑs] *adj voir* **bas** ◆ *nf* (*MUS*) bass; **~-cour** *nf* farmyard

bassin [basɛ̃] *nm* (*cuvette*) bowl; (*pièce d'eau*) pond, pool; (*de fontaine, GÉO*) basin; (*ANAT*) pelvis; (*portuaire*) dock

bassine [basin] *nf* (*ustensile*) basin; (*contenu*) bowl(ful)

basson [basɔ̃] *nm* bassoon

bas-ventre [bavɑ̃tʀ(ə)] *nm* (lower part of the) stomach

bat *vb voir* **battre**

bât [bɑ] *nm* packsaddle

bataille [bataj] *nf* battle; fight

bâtard, e [bɑtaʀ, -aʀd(ə)] *nm/f* illegitimate child, bastard (*pej*)

bateau, x [bato] *nm* boat, ship; **bateau-mouche** *nm* passenger pleasure boat (*on the Seine*)

batelier, ière [batəlje, -jɛʀ] *nm/f* (*de bac*) ferryman(woman)

bâti, e [bɑti] *adj*: **bien ~** well-built

batifoler [batifɔle] *vi* to frolic about

bâtiment [bɑtimɑ̃] *nm* building; (*NAVIG*) ship, vessel; (*industrie*) building trade

bâtir [bɑtiʀ] *vt* to build

bâtisse [bɑtis] *nf* building

bâton [bɑtɔ̃] *nm* stick; **à ~s rompus** informally

bats *vb voir* **battre**

battage [bataʒ] *nm* (*publicité*) (hard) plugging

battant [batɑ̃] *nm* (*de cloche*) clapper; (*de volets*) shutter, flap; (*de porte*) side; (*fig: personne*) fighter; **porte à double ~** double door

battement [batmɑ̃] *nm* (*de cœur*) beat; (*intervalle*) interval (*between classes, trains*); **10 minutes de ~** 10 minutes to spare; **~ de paupières** blinking *no pl* (*of eyelids*)

batterie [batʀi] *nf* (*MIL, ÉLEC*) battery; (*MUS*) drums *pl*, drum kit; **~ de cuisine** pots and pans *pl*; kitchen utensils *pl*

batteur [batœʀ] *nm* (*MUS*) drummer; (*appareil*) whisk

battre [batʀ(ə)] *vt* to beat; (*suj: pluie, vagues*) to beat *ou* lash against; (*blé*) to thresh; (*passer au peigne fin*) to scour ◆ *vi* (*cœur*) to beat; (*volets etc*) to bang, rattle; **se ~** *vi* to fight; **~ la mesure** to beat time; **~ en brèche** to demolish; **~ son plein** to be at its height, be going full swing; **~ des mains** to clap one's hands

battue [baty] *nf* (*chasse*) beat; (*policière etc*) search, hunt

baume [bom] *nm* balm

baux [bo] *nmpl de* **bail**

bavard, e [bavaʀ, -aʀd(ə)] *adj* (very) talkative; gossipy; **bavarder** *vi* to chatter; (*indiscrètement*) to gossip; to blab

bave [bav] *nf* dribble; (*de chien etc*) slobber; (*d'escargot*) slime; **~r** *vi* to dribble; to slobber; **en ~r** (*fam*) to have a hard time (of it); **~tte** *nf* bib; **baveux, euse** *adj* (*omelette*) runny

bavure [bavyʀ] *nf* smudge; (*fig*) hitch; blunder

bayer [baje] *vi*: **~ aux corneilles** to stand gaping

bazar [bazaʀ] *nm* general store; (*fam*) jumble; **~der** (*fam*) *vt* to chuck out

B.C.B.G. *sigle adj* (= *bon chic bon genre*) preppy, smart and trendy

B.C.G. *sigle m* (= *bacille Calmette-Guérin*) BCG

bd. *abr* = **boulevard**

B.D. *sigle f* = **bande dessinée**

béant, e [beɑ̃, -ɑ̃t] *adj* gaping

béat, e [bea, -at] *adj* showing open-eyed wonder; blissful; **béatitude** *nf* bliss

beau(bel), belle [bo, bɛl] (*mpl* **~x**) *adj* beautiful, lovely; (*homme*) handsome ◆ *adv*: **il fait ~** the weather's fine; **un ~ jour** one (fine) day; **de plus belle** more than ever, even more; **on a ~ essayer** however hard we try; **bel et bien** well and truly; **faire le ~** (*chien*) to sit up and beg

MOT-CLÉ

beaucoup [boku] *adv* [1] a lot; **il boit ~** he drinks a lot; **il ne boit pas ~** he doesn't drink much *ou* a lot
[2] (*suivi de plus, trop etc*) much, a lot, far; **il est ~ plus grand** he is much *ou* a lot *ou* far taller
[3]: **~ de** (*nombre*) many, a lot of; (*quantité*) a lot of; **~ d'étudiants/de touristes** a lot of *ou* many students/tourists; **~ de courage** a lot of courage; **il n'a pas ~ d'argent** he hasn't got much *ou* at lot of money
[4]: **de ~** by far

beau: ~-fils *nm* son-in-law; (*remariage*) stepson; **~-frère** *nm* brother-in-law; **~-père** *nm* father-in-law; (*remariage*) stepfather

beauté [bote] *nf* beauty; **de toute ~** beautiful; **en ~** brilliantly

beaux-arts [bozaʀ] *nmpl* fine arts

beaux-parents [bopaʀɑ̃] *nmpl* wife's (*ou* husband's) family, in-laws

bébé [bebe] *nm* baby

bec [bɛk] *nm* beak, bill; (*de récipient*) spout; lip; (*fam*) mouth; **~ de gaz** (street) gaslamp; **~ verseur** pouring lip

bécane [bekan] (*fam*) *nf* bike

bec-de-lièvre [bɛkdəljɛvʀ(ə)] *nm* harelip

bêche [bɛʃ] *nf* spade; **bêcher** *vt* to dig

bécoter [bekɔte]: **se ~** *vi* to smooch

becqueter [bɛkte] (*fam*) *vt* to eat

bedaine [bədɛn] *nf* paunch

bedonnant, e [bədɔnɑ̃, -ɑ̃t] *adj* potbellied

bée [be] *adj*: **bouche ~** gaping
beffroi [befʀwa] *nm* belfry
bégayer [begeje] *vt, vi* to stammer
bègue [bɛg] *nm/f*: **être ~** to have a stammer
béguin [begɛ̃] *nm*: **avoir le ~ de** *ou* **pour** to have a crush on
beige [bɛʒ] *adj* beige
beignet [bɛɲɛ] *nm* fritter
bel [bɛl] *adj voir* **beau**
bêler [bele] *vi* to bleat
belette [bəlɛt] *nf* weasel
belge [bɛlʒ(ə)] *adj, nm/f* Belgian
Belgique [bɛlʒik] *nf*: **la ~** Belgium
bélier [belje] *nm* ram; (*signe*): **le B~** Aries
belle [bɛl] *adj voir* **beau** ◆ *nf* (SPORT) decider; **~-fille** *nf* daughter-in-law; (*remariage*) stepdaughter; **~-mère** *nf* mother-in-law; stepmother; **~-sœur** *nf* sister-in-law
belliqueux, euse [belikø, -øz] *adj* aggressive, warlike
belvédère [bɛlvedɛʀ] *nm* panoramic viewpoint (*or small building there*)
bémol [bemɔl] *nm* (MUS) flat
bénédiction [benediksjɔ̃] *nf* blessing
bénéfice [benefis] *nm* (COMM) profit; (*avantage*) benefit; **bénéficier de** *vt* to enjoy; to benefit by *ou* from; to get, be given; **bénéfique** *adj* beneficial
benêt [bənɛ] *nm* simpleton
bénévole [benevɔl] *adj* voluntary, unpaid
bénin, igne [benɛ̃, -iɲ] *adj* minor, mild; (*tumeur*) benign
bénir [beniʀ] *vt* to bless; **bénit, e** *adj* consecrated; **eau bénite** holy water
benjamin, e [bɛ̃ʒamɛ̃, -in] *nm/f* youngest child
benne [bɛn] *nf* skip; (*de téléphérique*) (cable) car; **~ basculante** tipper (BRIT), dump truck (US)
B.E.P.C. *sigle m* = **brevet d'études du premier cycle**
béquille [bekij] *nf* crutch; (*de bicyclette*) stand
berceau, x [bɛʀso] *nm* cradle, crib
bercer [bɛʀse] *vt* to rock, cradle; (*suj: musique etc*) to lull; **~ qn de** (*promesses etc*) to delude sb with; **berceuse** *nf* lullaby
béret (basque) [beʀɛ(bask(ə))] *nm* beret
berge [bɛʀʒ(ə)] *nf* bank
berger, ère [bɛʀʒe, -ɛʀ] *nm/f* shepherd(ess)
berlingot [bɛʀlɛ̃go] *nm* (*emballage*) carton (*pyramid shaped*)
berlue [bɛʀly] *nf*: **j'ai la ~** I must be seeing things
berner [bɛʀne] *vt* to fool
besogne [bəzɔɲ] *nf* work *no pl*, job
besoin [bəzwɛ̃] *nm* need; (*pauvreté*): **le ~** need, want; **faire ses ~s** to relieve o.s.; **avoir ~ de qch/faire qch** to need sth/to do sth; **au ~** if need be
bestiaux [bɛstjo] *nmpl* cattle
bestiole [bɛstjɔl] *nf* (tiny) creature
bétail [betaj] *nm* livestock, cattle *pl*
bête [bɛt] *nf* animal; (*bestiole*) insect, creature ◆ *adj* stupid, silly; **il cherche la petite ~** he's being pernickety *ou* overfussy; **~ noire** pet hate
bêtise [betiz] *nf* stupidity; stupid thing (to say *ou* do)
béton [betɔ̃] *nm* concrete; **(en) ~** (*alibi, argument*) cast iron; **~ armé** reinforced concrete; **bétonnière** *nf* cement mixer
betterave [bɛtʀav] *nf* beetroot (BRIT), beet (US); **~ sucrière** sugar beet
beugler [bøgle] *vi* to low; (*radio etc*) to blare ◆ *vt* (*chanson*) to bawl out
Beur [bœʀ] *nm/f person of North African origin living in France*
beurre [bœʀ] *nm* butter; **beurrer** *vt* to butter; **beurrier** [bœʀje] *nm* butter dish
beuverie [bœvʀi] *nf* drinking session
bévue [bevy] *nf* blunder
Beyrouth [beʀut] *n* Beirut
bi... [bi] *préfixe* bi..., two-
biais [bjɛ] *nm* (*moyen*) device, expedient; (*aspect*) angle; **en ~, de ~** (*obliquement*) at an angle; (*fig*) indirectly; **biaiser** *vi* (*fig*) to sidestep the issue
bibelot [biblo] *nm* trinket, curio
biberon [bibʀɔ̃] *nm* (feeding) bottle; **nourrir au ~** to bottle-feed
bible [bibl(ə)] *nf* bible
biblio... *préfixe*: **~bus** *nm* mobile library van; **~phile** *nm/f* booklover; **~thécaire** *nm/f* librarian; **~thèque** *nf* library; (*meuble*) bookcase
bicarbonate [bikaʀbɔnat] *nm*: **~ (de soude)** bicarbonate of soda
biceps [bisɛps] *nm* biceps
biche [biʃ] *nf* doe
bichonner [biʃɔne] *vt* to groom
bicolore [bikɔlɔʀ] *adj* two-coloured
bicoque [bikɔk] (*péj*) *nf* shack
bicyclette [bisiklɛt] *nf* bicycle
bide [bid] *nm* (*fam: ventre*) belly; (THÉÂTRE) flop
bidet [bidɛ] *nm* bidet
bidon [bidɔ̃] *nm* can ◆ *adj inv* (*fam*) phoney
bidonville [bidɔ̃vil] *nm* shanty town
bidule [bidyl] (*fam*) *nm* thingumajig
bielle [bjɛl] *nf* connecting rod

MOT-CLÉ

bien [bjɛ̃] *nm* 1 (*avantage, profit*): **faire du ~ à qn** to do sb good; **dire du ~ de** to speak well of; **c'est pour son ~** it's for his own good
2 (*possession, patrimoine*) possession, property; **son ~ le plus précieux** his most treasured possession; **avoir du ~** to have property; **~s (de consommation** *etc***)** (consumer *etc*) goods
3 (*moral*): **le ~** good; **distinguer le ~ du mal** to tell good from evil
◆ *adv* 1 (*de façon satisfaisante*) well; **elle travaille/mange ~** she works/eats well; **croyant ~ faire, je/il ...** thinking I/he was doing the right thing, I/he ...; **c'est ~ fait!** it serves him (*ou her etc*) right!
2 (*valeur intensive*) quite; **~ jeune** quite young; **~ assez** quite enough; **~ mieux** (very) much better; **j'espère ~ y aller** I do hope to go; **je veux ~ le faire** (*concession*) I'm quite willing to do it; **il faut ~ le faire** it has to be done
3: **~ du temps/des gens** quite a time/a number of people
◆ *adj inv* 1 (*en bonne forme, à l'aise*): **je me sens ~** I feel fine; **je ne me sens pas ~** I don't feel well; **on est ~ dans ce fauteuil** this chair is very comfortable
2 (*joli, beau*) good-looking; **tu es ~ dans cette robe** you look good in that dress
3 (*satisfaisant*) good; **elle est ~, cette maison/secrétaire** it's a good house/she's a good secretary
4 (*moralement*) right; (: *personne*) good, nice; (*respectable*) respectable; **ce n'est pas ~ de ...** it's not right to ...; **elle est ~, cette femme** she's a nice woman, she's a good sort; **des gens ~s** respectable people
5 (*en bons termes*): **être ~ avec qn** to be on good terms with sb
◆ *préfixe*: **~-aimé** *adj, nm/f* beloved; **~-être** *nm* well-being; **~faisance** *nf* charity; **~faisant, e** *adj* (*chose*) beneficial; **~fait** *nm* act of generosity, benefaction; (*de la science etc*) benefit; **~faiteur, trice** *nm/f* benefactor/benefactress; **~-fondé** *nm* soundness; **~-fonds** *nm* property; **~heureux, euse** *adj* happy; (REL) blessed, blest; **~ que** *conj* (al)though; **~ sûr** *adv* certainly

bienséant, e [bjɛ̃seɑ̃, -ɑ̃t] *adj* seemly
bientôt [bjɛ̃to] *adv* soon; **à ~** see you soon
bienveillant, e [bjɛ̃vɛjɑ̃, -ɑ̃t] *adj* kindly
bienvenu, e [bjɛ̃vny] *adj* welcome; **bienvenue** *nf*: **souhaiter la ~e à** to welcome; **~e à** welcome to
bière [bjɛʀ] *nf* (*boisson*) beer; (*cercueil*) bier; **~ (à la) pression** draught beer; **~ blonde** lager; **~ brune** brown ale
biffer [bife] *vt* to cross out
bifteck [biftɛk] *nm* steak
bifurquer [bifyʀke] *vi* (*route*) to fork; (*véhicule*) to turn off
bigarré, e [bigaʀe] *adj* multicoloured; (*disparate*) motley
bigorneau, x [bigɔʀno] *nm* winkle
bigot, e [bigo, -ɔt] (*péj*) *adj* bigoted
bigoudi [bigudi] *nm* curler
bijou, x [biʒu] *nm* jewel; **bijouterie** *nf* jeweller's (shop); jewellery; **bijoutier, ière** *nm/f* jeweller
bilan [bilɑ̃] *nm* (COMM) balance sheet(s); end of year statement; (*fig*) (net) outcome; (: *de victimes*) toll; **faire le ~ de** to assess; to review; **déposer son ~** to file a bankruptcy statement
bile [bil] *nf* bile; **se faire de la ~** (*fam*) to worry o.s. sick
bilieux, euse [biljø, -øz] *adj* bilious; (*fig: colérique*) testy
bilingue [bilɛ̃g] *adj* bilingual
billard [bijaʀ] *nm* billiards *sg*; billiard table; **c'est du ~** (*fam*) it's a cinch
bille [bij] *nf* (*gén*) ball; (*du jeu de billes*) marble; (*de bois*) log
billet [bijɛ] *nm* (*aussi*: **~ de banque**) (bank)note; (*de cinéma, de bus etc*) ticket; (*courte lettre*) note; **~ circulaire** round-trip ticket
billetterie [bijɛtʀi] *nf* ticket office; (*distributeur*) ticket machine; (BANQUE) cash dispenser
billion [biljɔ̃] *nm* billion (BRIT), trillion (US)
billot [bijo] *nm* block
bimensuel, le [bimɑ̃sɥɛl] *adj* bimonthly
binette [binɛt] *nf* hoe
binocle [binɔkl(ə)] *nm* pince-nez
bio... *préfixe* bio...; **~graphie** *nf* biography; **~logie** *nf* biology; **~logique** *adj* biological
Birmanie [biʀmani] *nf* Burma
bis[1]**, e** [bi, biz] *adj* (*couleur*) greyish brown
bis[2] [bis] *adv*: **12 bis** 12a *ou* A ◆ *excl, nm* encore
bisannuel, le [bizanɥɛl] *adj* biennial
biscornu, e [biskɔʀny] *adj* twisted
biscotte [biskɔt] *nf* (breakfast) rusk
biscuit [biskɥi] *nm* biscuit; sponge cake
bise [biz] *nf* (*baiser*) kiss; (*vent*) North wind
bissextile [bisɛkstil] *adj*: **année ~** leap year
bistouri [bistuʀi] *nm* lancet
bistro(t) [bistʀo] *nm* bistro, café
bitume [bitym] *nm* asphalt
bizarre [bizaʀ] *adj* strange, odd
blafard, e [blafaʀ, -aʀd(ə)] *adj* wan
blague [blag] *nf* (*propos*) joke; (*farce*) trick; **sans ~!** no kidding!; **~ à tabac** tobacco pouch
blaguer [blage] *vi* to joke ◆ *vt* to tease
blaireau, x [blɛʀo] *nm* (ZOOL) badger; (*brosse*) shaving brush
blairer [bleʀe] (*fam*) *vt*: **je ne peux pas le ~** I can't bear *ou* stand him
blâme [blɑm] *nm* blame; (*sanction*) reprimand
blâmer [blɑme] *vt* to blame
blanc, blanche [blɑ̃, blɑ̃ʃ] *adj* white; (*non imprimé*) blank; (*innocent*) pure ◆ *nm/f* white, white man(woman) ◆ *nm* (*couleur*) white; (*espace non écrit*) blank; (*aussi*: **~ d'œuf**) (egg-)white; (: **~ de poulet**) breast, white meat; (: **vin ~**) white wine; **~ cassé** off-white; **chèque en ~** blank cheque; **à ~** (*chauffer*) white-hot; (*tirer, charger*) with blanks; **~-bec** *nm* greenhorn; **blanche** *nf* (MUS) minim (BRIT), half-note (US); **blancheur** *nf* whiteness
blanchir [blɑ̃ʃiʀ] *vt* (*gén*) to whiten; (*linge*) to launder; (CULIN) to blanch; (*fig: disculper*) to clear ◆ *vi* to grow white; (*cheveux*) to go white
blanchisserie *nf* laundry
blason [blazɔ̃] *nm* coat of arms
blazer [blazɛʀ] *nm* blazer
blé [ble] *nm* wheat; **~ noir** (*nm*) buckwheat
bled [blɛd] (*péj*) *nm* hole
blême [blɛm] *adj* pale
blessé, e [blese] *adj* injured ◆ *nm/f* injured person; casualty
blesser [blese] *vt* to injure; (*délibérément*: MIL *etc*) to wound; (*suj: souliers etc, offenser*) to hurt; **se ~** to injure o.s.; **se ~ au pied** *etc* to injure one's foot *etc*
blessure [blesyʀ] *nf* injury; wound
bleu, e [blø] *adj* blue; (*bifteck*) very rare ◆ *nm* (*couleur*) blue; (*novice*) greenhorn; (*contusion*) bruise; (*vêtement: aussi*: **~s**) overalls *pl*; **~ marine** navy blue
bleuet [bløɛ] *nm* cornflower
bleuté, e [bløte] *adj* blue-shaded
blinder [blɛ̃de] *vt* to armour; (*fig*) to harden
bloc [blɔk] *nm* (*de pierre etc*) block; (*de papier à lettres*) pad; (*ensemble*) group, block; **serré à ~** tightened right down; **en ~** as a whole; wholesale; **~ opératoire** operating *ou* theatre block; **~ sanitaire** toilet block; **~age** [blɔkaʒ] *nm* blocking; jamming; freezing; (PSYCH) hang-up
bloc-notes [blɔknɔt] *nm* note pad
blocus [blɔkys] *nm* blockade
blond, e [blɔ̃, -ɔ̃d] *adj* fair; blond; (*sable, blés*) golden; **~ cendré** ash blond
bloquer [blɔke] *vt* (*passage*) to block; (*pièce mobile*) to jam; (*crédits, compte*) to freeze
blottir [blɔtiʀ]: **se ~** *vi* to huddle up
blouse [bluz] *nf* overall
blouson [bluzɔ̃] *nm* blouson jacket; **~ noir** (*fig*) ≈ rocker
bluff [blœf] *nm* bluff
bluffer [blœfe] *vi* to bluff
bobard [bɔbaʀ] (*fam*) *nm* tall story
bobine [bɔbin] *nf* reel; (ÉLEC) coil
bocal, aux [bɔkal, -o] *nm* jar
bock [bɔk] *nm* glass of beer
bœuf [bœf, *pl* bø] *nm* ox, steer; (CULIN) beef
bof! [bɔf] (*fam*) *excl* don't care!; (*pas terrible*) nothing special
bohème [bɔɛm] *adj* happy-go-lucky, unconventional; **bohémien, ne** [bɔemjɛ̃, -jɛn] *nm/f* gipsy
boire [bwaʀ] *vt* to drink; (*s'imprégner de*) to soak up; **~ un coup** to have a drink
bois [bwa] *nm* wood; **de ~, en ~** wooden
boisé, e [bwaze] *adj* woody, wooded
boisson [bwasɔ̃] *nf* drink; **pris de ~** drunk, intoxicated
boîte [bwat] *nf* box; (*entreprise*) place, firm; **aliments en ~** canned *ou* tinned (BRIT) foods; **~ à gants** glove compartment; **~ aux lettres** letter box; **~ d'allumettes** box of matches; (*vide*) matchbox; **~ (de conserves)** can *ou* tin (BRIT) (of food); **~ de nuit** night club; **~ de vitesses** gear box; **~ postale** PO Box
boiter [bwate] *vi* to limp; (*fig*) to wobble; to be shaky
boîtier [bwatje] *nm* case
boive *etc vb voir* **boire**
bol [bɔl] *nm* bowl; **un ~ d'air** a breath of fresh air; **j'en ai ras le ~** (*fam*) I'm fed up with this
bolide [bɔlid] *nm* racing car; **comme un ~** at top speed, like a rocket
bombance [bɔ̃bɑ̃s] *nf*: **faire ~** to have a feast, revel
bombarder [bɔ̃baʀde] *vt* to bomb; **~ qn de** (*cailloux, lettres*) to bombard sb with; **bombardier** *nm* bomber
bombe [bɔ̃b] *nf* bomb; (*atomiseur*) (aerosol) spray
bomber [bɔ̃be] *vi* to bulge; to camber ◆ *vt*: **~ le torse** to swell out one's chest

MOT-CLÉ

bon, bonne [bɔ̃, bɔn] *adj* 1 (*agréable, satisfaisant*) good; **un ~ repas/restaurant** a good meal/restaurant; **être ~ en maths** to be good at maths
2 (*charitable*): **être ~ (envers)** to be good (to)
3 (*correct*) right; **le ~ numéro/moment** the right number/moment
4 (*souhaits*): **~ anniversaire** happy birthday; **~ voyage** have a good trip; **bonne chance** good luck; **bonne année** happy New Year; **bonne nuit** good night
5 (*approprié*): **~ à/pour** fit to/for
6: **~ enfant** *adj inv* accommodating, easy-going; **bonne femme** (*péj*) woman; **de bonne heure** early; **~ marché** *adj inv* cheap ◆ *adv* cheap; **~ mot** witticism; **~ sens** common sense; **~ vivant** jovial chap; **bonnes œuvres** charitable works, charities
◆ *nm* 1 (*billet*) voucher; (*aussi*: **~ cadeau**) gift voucher; **~ d'essence** petrol coupon; **~ du Trésor** Treasury bond
2: **avoir du ~** to have its good points; **pour de ~** for good
◆ *adv*: **il fait ~** it's *ou* the weather is fine; **sentir ~** to smell good; **tenir ~** to stand firm
◆ *excl* good!; **ah ~?** really?; *voir aussi* **bonne**

bonbon [bɔ̃bɔ̃] *nm* (boiled) sweet
bonbonne [bɔ̃bɔn] *nf* demijohn
bond [bɔ̃] *nm* leap; **faire un ~** to leap in the air; **~e** [bɔ̃d] *nf* bunghole
bondé, e [bɔ̃de] *adj* packed (full)
bondir [bɔ̃diʀ] *vi* to leap
bonheur [bɔnœʀ] *nm* happiness; **porter ~ (à qn)** to bring (sb) luck; **au petit ~** haphazardly; **par ~** fortunately
bonhomie [bɔnɔmi] *nf* goodnaturedness
bonhomme [bɔnɔm] (*pl* **bonshommes**) *nm* fellow; **~ de neige** snowman
bonification [bɔnifikɑsjɔ̃] *nf* bonus
bonifier [bɔnifje] *vt* to improve
boniment [bɔnimɑ̃] *nm* patter *no pl*
bonjour [bɔ̃ʒuʀ] *excl, nm* hello; good morning (*ou* afternoon)
bonne [bɔn] *adj voir* **bon** ◆ *nf* (*domestique*) maid; **~ à tout faire** general help; **~ d'enfant** nanny; **~ment** *adv*: **tout ~ment** quite simply
bonnet [bɔnɛ] *nm* bonnet, hat; (*de soutien-gorge*) cup; **~ d'âne** dunce's cap; **~ de bain** bathing cap
bonneterie [bɔnɛtʀi] *nf* hosiery
bonshommes [bɔ̃zɔm] *nmpl de* **bonhomme**
bonsoir [bɔ̃swaʀ] *excl* good evening
bonté [bɔ̃te] *nf* kindness *no pl*
bonus [bɔnys] *nm* no-claims bonus
bord [bɔʀ] *nm* (*de table, verre, falaise*) edge; (*de rivière, lac*) bank; (*de route*) side; **(monter) à ~** (to go) on board; **jeter par-dessus ~** to throw overboard; **le commandant/les hommes du ~** the ship's master/crew; **au ~ de la mer** at the seaside; **être au ~ des larmes** to be on the verge of tears
bordeaux [bɔʀdo] *nm* Bordeaux (wine) ◆ *adj inv* maroon
bordel [bɔʀdɛl] *nm* brothel; (*fam!*) bloody mess (*!*)
border [bɔʀde] *vt* (*être le long de*) to border; to line; (*garnir*): **~ qch de** to line sth with; to trim sth with; (*qn dans son lit*) to tuck up
bordereau, x [bɔʀdəʀo] *nm* slip; statement
bordure [bɔʀdyʀ] *nf* border; **en ~ de** on the edge of
borgne [bɔʀɲ(ə)] *adj* one-eyed
borne [bɔʀn(ə)] *nf* boundary stone; (*aussi*: **~ kilométrique**) kilometre-marker, ≈ milestone; **~s** *nfpl* (*fig*) limits; **dépasser les ~s** to go too far
borné, e [bɔʀne] *adj* narrow; narrow-minded
borner [bɔʀne] *vt* to limit; to confine; **se ~ à faire** to content o.s. with doing; to limit o.s. to doing
Bosnie-Herzégovine [bɔzni-ɛʀzegɔvin] *nf* Bosnia (and) Herzegovina
bosquet [bɔskɛ] *nm* grove
bosse [bɔs] *nf* (*de terrain etc*) bump; (*enflure*) lump; (*du bossu, du chameau*) hump; **avoir la ~ des maths** *etc* to have a gift for maths *etc*; **il a roulé sa ~** he's been around
bosser [bɔse] (*fam*) *vi* to work; to slave

(away)

bossu, e [bɔsy] *nm/f* hunchback

bot [bo] *adj m*: **pied ~** club foot

botanique [bɔtanik] *nf* botany ◆ *adj* botanic(al)

botte [bɔt] *nf* (*soulier*) (high) boot; (*gerbe*): **~ de paille** bundle of straw; **~ de radis** bunch of radishes; **~s de caoutchouc** wellington boots; **~r** [bɔte] *vt* to put boots on; to kick; (*fam*): **ça me botte** I fancy that

bottin [bɔtɛ̃] *nm* directory

bottine [bɔtin] *nf* ankle boot

bouc [buk] *nm* goat; (*barbe*) goatee; **~ émissaire** scapegoat

boucan [bukɑ̃] *nm* din, racket

bouche [buʃ] *nf* mouth; **le ~ à ~** the kiss of life; **~ d'égout** manhole; **~ d'incendie** fire hydrant; **~ de métro** métro entrance

bouché, e [buʃe] *adj* (*temps, ciel*) overcast; (*péj*: *personne*) thick

bouchée [buʃe] *nf* mouthful; **~s à la reine** chicken vol-au-vents

boucher, ère [buʃe, -ɛʀ] *nm/f* butcher ◆ *vt* (*pour colmater*) to stop up; to fill up; (*obstruer*) to block (up); **se ~** *vi* (*tuyau etc*) to block up, get blocked up; **se ~ le nez** to hold one's nose; **~rie** [buʃʀi] *nf* butcher's (shop); (*fig*) slaughter

bouche-trou [buʃtʀu] *nm* (*fig*) stop-gap

bouchon [buʃɔ̃] *nm* stopper; (*en liège*) cork; (*fig*: *embouteillage*) holdup; (*PÊCHE*) float; **~ doseur** measuring cap

boucle [bukl(ə)] *nf* (*forme, figure*) loop; (*objet*) buckle; **~ (de cheveux)** curl; **~ d'oreilles** earring

bouclé, e [bukle] *adj* curly

boucler [bukle] *vt* (*fermer*: *ceinture etc*) to fasten; (: *magasin*) to shut; (*terminer*) to finish off; (: *budget*) to balance; (*enfermer*) to shut away; (: *quartier*) to seal off ◆ *vi* to curl

bouclier [buklije] *nm* shield

bouddhiste [budist(ə)] *nm/f* Buddhist

bouder [bude] *vi* to sulk ◆ *vt* to turn one's nose up at; to refuse to have anything to do with

boudin [budɛ̃] *nm* (*CULIN*) black pudding

boue [bu] *nf* mud

bouée [bwe] *nf* buoy; **~ (de sauvetage)** lifebuoy

boueux, euse [bwø, -øz] *adj* muddy ◆ *nm* refuse collector

bouffe [buf] (*fam*) *nf* grub (*fam*), food

bouffée [bufe] *nf* puff; **~ de fièvre/de honte** flush of fever/shame

bouffer [bufe] (*fam*) *vi* to eat

bouffi, e [bufi] *adj* swollen

bouge [buʒ] *nm* (low) dive; hovel

bougeoir [buʒwaʀ] *nm* candlestick

bougeotte [buʒɔt] *nf*: **avoir la ~** to have the fidgets

bouger [buʒe] *vi* to move; (*dent etc*) to be loose; (*changer*) to alter; (*agir*) to stir ◆ *vt* to move

bougie [buʒi] *nf* candle; (*AUTO*) spark(ing) plug

bougon, ne [bugɔ̃, -ɔn] *adj* grumpy

bougonner [bugɔne] *vi, vt* to grumble

bouillabaisse [bujabɛs] *nf type of fish soup*

bouillant, e [bujɑ̃, -ɑ̃t] *adj* (*qui bout*) boiling; (*très chaud*) boiling (hot)

bouillie [buji] *nf* gruel; (*de bébé*) cereal; **en ~** (*fig*) crushed

bouillir [bujiʀ] *vi, vt* to boil

bouilloire [bujwaʀ] *nf* kettle

bouillon [bujɔ̃] *nm* (*CULIN*) stock *no pl*; **~ner** [bujɔne] *vi* to bubble; (*fig*) to bubble up; to foam

bouillotte [bujɔt] *nf* hot-water bottle

boulanger, ère [bulɑ̃ʒe, -ɛʀ] *nm/f* baker

boulangerie [bulɑ̃ʒʀi] *nf* bakery

boule [bul] *nf* (*gén*) ball; (*pour jouer*) bowl; (*de machine à écrire*) golf-ball; **se mettre en ~** (*fig*: *fam*) to fly off the handle, to blow one's top; **~ de neige** snowball

bouleau, x [bulo] *nm* (silver) birch

boulet [bulɛ] *nm* (*aussi*: **~ de canon**) cannonball

boulette [bulɛt] *nf* ball

boulevard [bulvaʀ] *nm* boulevard

bouleversement [bulvɛʀsəmɑ̃] *nm* upheaval

bouleverser [bulvɛʀse] *vt* (*émouvoir*) to overwhelm; (*causer du chagrin*) to distress; (*pays, vie*) to disrupt; (*papiers, objets*) to turn upside down

boulier [bulje] *nm* abacus

boulon [bulɔ̃] *nm* bolt

boulot, te [bulo, -ɔt] *adj* plump, tubby ◆ *nm* (*fam*: *travail*) work

boum [bum] *nm* bang ◆ *nf* party

bouquet [bukɛ] *nm* (*de fleurs*) bunch (of flowers), bouquet; (*de persil etc*) bunch; (*parfum*) bouquet

bouquin [bukɛ̃] (*fam*) *nm* book; **bouquiner** (*fam*) *vi* to read; to browse around (in a bookshop); **bouquiniste** *nm/f* bookseller

bourbeux, euse [buʀbø, -øz] *adj* muddy

bourbier [buʀbje] *nm* (quag)mire

bourde [buʀd(ə)] *nf* (*erreur*) howler; (*gaffe*) blunder

bourdon [buʀdɔ̃] *nm* bumblebee

bourdonner [buʀdɔne] *vi* to buzz

bourg [buʀ] *nm* small market town

bourgeois, e [buʀʒwa, -waz] *adj* (*péj*) ≈ (upper) middle class; bourgeois; **~ie** [buʀʒwazi] *nf* ≈ upper middle classes *pl*; bourgeoisie

bourgeon [buʀʒɔ̃] *nm* bud

Bourgogne [buʀgɔɲ] *nf*: **la ~** Burgundy ◆ *nm*: **b~** burgundy (wine)

bourguignon, ne [buʀgiɲɔ̃, -ɔn] *adj* of *ou* from Burgundy, Burgundian

bourlinguer [buʀlɛ̃ge] *vi* to knock about a lot, get around a lot

bourrade [buʀad] *nf* shove, thump

bourrage [buʀaʒ] *nm*: **~ de crâne** brainwashing; (*SCOL*) cramming

bourrasque [buʀask(ə)] *nf* squall

bourratif, ive [buʀatif, -iv] (*fam*) *adj* filling, stodgy (*pej*)

bourré, e [buʀe] *adj* (*rempli*): **~ de** crammed full of; (*fam*: *ivre*) plastered, tanked up (*BRIT*)

bourreau, x [buʀo] *nm* executioner; (*fig*) torturer; **~ de travail** workaholic

bourrelet [buʀlɛ] *nm* draught excluder; (*de peau*) fold *ou* roll (of flesh)

bourrer [buʀe] *vt* (*pipe*) to fill; (*poêle*) to pack; (*valise*) to cram (full)

bourrique [buʀik] *nf* (*âne*) ass

bourru, e [buʀy] *adj* surly, gruff

bourse [buʀs(ə)] *nf* (*subvention*) grant; (*porte-monnaie*) purse; **la B~** the Stock Exchange

boursoufler [buʀsufle] *vt* to puff up, bloat

bous *vb voir* **bouillir**

bousculade [buskylad] *nf* rush; crush; **bousculer** [buskyle] *vt* to knock over; to knock into; (*fig*) to push, rush

bouse [buz] *nf* dung *no pl*

boussole [busɔl] *nf* compass

bout [bu] *vb voir* **bouillir** ◆ *nm* bit; (*d'un bâton etc*) tip; (*d'une ficelle, table, rue, période*) end; **au ~ de** at the end of, after; **pousser qn à ~** to push sb to the limit; **venir à ~ de** to manage to finish; **à ~ portant** at point-blank range; **~ filtre** filter tip

boutade [butad] *nf* quip, sally

boute-en-train [butɑ̃tʀɛ̃] *nm inv* (*fig*) live wire

bouteille [butɛj] *nf* bottle; (*de gaz butane*) cylinder

boutique [butik] *nf* shop

bouton [butɔ̃] *nm* button; (*BOT*) bud; (*sur la peau*) spot; (*de porte*) knob; **~ de manchette** cuff-link; **~ d'or** buttercup; **boutonner** *vt* to button up; **boutonnière** *nf* buttonhole; **bouton-pression** *nm* press stud

bouture [butyʀ] *nf* cutting

bovins [bɔvɛ̃] *nmpl* cattle *pl*

bowling [bɔliŋ] *nm* (tenpin) bowling; (*salle*) bowling alley

box [bɔks] *nm* lock-up (garage); (*d'écurie*) loose-box

boxe [bɔks(ə)] *nf* boxing

boyau, x [bwajo] *nm* (*galerie*) passage(way); (narrow) gallery; **~x** *nmpl* (*viscères*) entrails, guts

B.P. *abr* = **boîte postale**

bracelet [bʀaslɛ] *nm* bracelet; **bracelet-montre** *nm* wristwatch

braconnier [bʀakɔnje] *nm* poacher

brader [bʀade] *vt* to sell off; **~ie** [bʀadʀi] *nf* cut-price shop *ou* stall

braguette [bʀagɛt] *nf* fly *ou* flies *pl* (*BRIT*), zipper (*US*)

brailler [bʀɑje] *vi* to bawl, yell

braire [bʀɛʀ] *vi* to bray

braise [bʀɛz] *nf* embers *pl*

brancard [bʀɑ̃kaʀ] *nm* (*civière*) stretcher; **brancardier** *nm* stretcher-bearer

branchages [bʀɑ̃ʃaʒ] *nmpl* boughs

branche [bʀɑ̃ʃ] *nf* branch

branché, e [bʀɑ̃ʃe] (*fam*) *adj* trendy

brancher [bʀɑ̃ʃe] *vt* to connect (up); (*en mettant la prise*) to plug in

branle [bʀɑ̃l] *nm*: **donner le ~ à, mettre en ~** to set in motion

branle-bas [bʀɑ̃lba] *nm inv* commotion

braquer [bʀake] *vi* (*AUTO*) to turn (the wheel) ◆ *vt* (*revolver etc*): **~ qch sur** to aim sth at, point sth at; (*mettre en colère*): **~ qn** to put sb's back up

bras [bʀa] *nm* arm ◆ *nmpl* (*fig*: *travailleurs*) labour *sg*, hands; **à ~ raccourcis** with fists flying; **~ droit** (*fig*) right hand man

brasier [bʀɑzje] *nm* blaze, inferno

bras-le-corps [bʀalkɔʀ] : **à ~** *adv* (a)round the waist

brassard [bʀasaʀ] *nm* armband

brasse [bʀas] *nf* (*nage*) breast-stroke; **~ papillon** butterfly

brassée [bʀase] *nf* armful

brasser [bʀase] *vt* to mix; **~ l'argent/les affaires** to handle a lot of money/business

brasserie [bʀasʀi] *nf* (*restaurant*) café-restaurant; (*usine*) brewery

brave [bʀav] *adj* (*courageux*) brave; (*bon, gentil*) good, kind

braver [bʀave] *vt* to defy

bravo [bʀavo] *excl* bravo ◆ *nm* cheer

bravoure [bʀavuʀ] *nf* bravery

break [bʀɛk] *nm* (*AUTO*) estate car

brebis [bʀəbi] *nf* ewe; **~ galeuse** black sheep

brèche [bʀɛʃ] *nf* breach, gap; **être sur la ~** (*fig*) to be on the go

bredouille [bʀəduj] *adj* empty-handed

bredouiller [bʀəduje] *vi, vt* to mumble, stammer

bref, brève [bʀɛf, bʀɛv] *adj* short, brief ◆ *adv* in short; **d'un ton ~** sharply, curtly; **en ~** in short, in brief

Brésil [bʀezil] *nm* Brazil

Bretagne [bʀətaɲ] *nf* Brittany

bretelle [bʀətɛl] *nf* (*de fusil etc*) sling; (*de vêtement*) strap; (*d'autoroute*) slip road (*BRIT*), entrance/exit ramp (*US*); **~s** *nfpl* (*pour pantalon*) braces (*BRIT*), suspenders (*US*)

breton, ne [bʀətɔ̃, -ɔn] *adj, nm/f* Breton

breuvage [bʀœvaʒ] *nm* beverage, drink

brève [bʀɛv] *adj voir* **bref**

brevet [bʀəvɛ] *nm* diploma, certificate; **~ d'études du premier cycle** *school certificate (taken at age 16)*; **~ (d'invention)** patent; **breveté, e** *adj* patented; (*diplômé*) qualified

bribes [bʀib] *nfpl* bits, scraps; snatches; **par ~** piecemeal

bricolage [bʀikɔlaʒ] *nm*: **le ~** do-it-yourself

bricole [bʀikɔl] *nf* trifle; small job

bricoler [bʀikɔle] *vi* to do DIY jobs; to potter about ◆ *vt* to fix up; to tinker with; **bricoleur, euse** *nm/f* handyman(woman), DIY enthusiast

bride [bʀid] *nf* bridle; (*d'un bonnet*) string, tie; **à ~ abattue** flat out, hell for leather; **laisser la ~ sur le cou à** to give free rein to

bridé, e [bʀide] *adj*: **yeux ~s** slit eyes

bridge [bʀidʒ(ə)] *nm* bridge

brièvement [bʀijɛvmɑ̃] *adv* briefly

brigade [bʀigad] *nf* (*POLICE*) squad; (*MIL*) brigade; (*gén*) team

brigadier [bʀigadje] *nm* sergeant

brigandage [bʀigɑ̃daʒ] *nm* robbery

briguer [bʀige] *vt* to aspire to

brillamment [bʀijamɑ̃] *adv* brilliantly

brillant, e [bʀijɑ̃, -ɑ̃t] *adj* brilliant; bright; (*luisant*) shiny, shining ◆ *nm* (*diamant*) brilliant

briller [bʀije] *vi* to shine

brimer [bʀime] *vt* to harass; to bully

brin [bʀɛ̃] *nm* (*de laine, ficelle etc*) strand; (*fig*): **un ~ de** a bit of; **~ d'herbe** blade of grass; **~ de muguet** sprig of lily of the valley

brindille [bʀɛ̃dij] *nf* twig

brio [bʀijo] *nm*: **avec ~** with panache

brioche [bʀijɔʃ] *nf* brioche (bun); (*fam*: *ventre*) paunch

brique [bʀik] *nf* brick ◆ *adj inv* brick red

briquer [bʀike] *vt* to polish up

briquet [bʀikɛ] *nm* (cigarette) lighter

brise [bʀiz] *nf* breeze

briser [bʀize] *vt* to break; **se ~** *vi* to break

britannique [bʀitanik] *adj* British ◆ *nm/f*: **B~** British person, Briton; **les B~s** the British

brocante [bʀɔkɑ̃t] *nf* junk, second-hand goods *pl*

brocanteur, euse [bʀɔkɑ̃tœʀ, -øz] *nm/f* junkshop owner; junk dealer

broche [bʀɔʃ] *nf* brooch; (*CULIN*) spit; (*MÉD*) pin; **à la ~** spit-roasted

broché, e [bʀɔʃe] *adj* (*livre*) paper-backed

brochet [bʀɔʃɛ] *nm* pike *inv*

brochette [bʀɔʃɛt] *nf* skewer

brochure [bʀɔʃyʀ] *nf* pamphlet, brochure, booklet

broder [bʀɔde] *vt* to embroider ◆ *vi* to embroider the facts; **broderie** *nf* embroidery

broncher [bʀɔ̃ʃe] *vi*: **sans ~** without flinching; without turning a hair

bronches [bʀɔ̃ʃ] *nfpl* bronchial tubes; **bronchite** *nf* bronchitis

bronze [bʀɔ̃z] *nm* bronze

bronzer [bʀɔ̃ze] *vt* to tan ◆ *vi* to get a tan; **se ~** to sunbathe

brosse [bʀɔs] *nf* brush; **coiffé en ~** with a crewcut; **~ à cheveux** hairbrush; **~ à dents** toothbrush; **~ à habits** clothesbrush; **brosser** *vt* (*nettoyer*) to brush; (*fig*: *tableau etc*) to paint; to draw; **se brosser les dents** to brush one's teeth

brouette [bʀuɛt] *nf* wheelbarrow

brouhaha [bʀuaa] *nm* hubbub

brouillard [bʀujaʀ] *nm* fog

brouille [bʀuj] *nf* quarrel

brouiller [bʀuje] *vt* to mix up; to confuse; (*rendre trouble*) to cloud; (*désunir*: *amis*) to set at odds; **se ~** *vi* (*vue*) to cloud over; (*détails*) to become confused; (*gens*) to fall out

brouillon, ne [bʀujɔ̃, -ɔn] *adj* disorganized; unmethodical ◆ *nm* draft

broussailles [bʀusaj] *nfpl* undergrowth *sg*; **broussailleux, euse** *adj* bushy

brousse [bʀus] *nf*: **la ~** the bush

brouter [bʀute] *vi* to graze

broutille [bʀutij] *nf* trifle

broyer [bʀwaje] *vt* to crush; **~ du noir** to be down in the dumps

bru [bʀy] *nf* daughter-in-law

brugnon [bʀyɲɔ̃] *nm* (*BOT*) nectarine

bruiner [bʀɥine] *vb impers*: **il bruine** it's drizzling, there's a drizzle

bruire [bʀɥiʀ] *vi* to murmur; to rustle

bruit [bʀɥi] *nm*: **un ~** a noise, a sound; (*fig*: *rumeur*) a rumour; **le ~** noise; **sans ~** without a sound, noiselessly; **~ de fond** background noise

bruitage [bʀɥitaʒ] *nm* sound effects *pl*

brûlant, e [bʀylɑ̃, -ɑ̃t] *adj* burning; (*liquide*) boiling (hot); (*regard*) fiery

brûlé, e [bʀyle] *adj* (*fig*: *démasqué*) blown ◆ *nm*: **odeur de ~** smell of burning

brûle-pourpoint [bʀylpuʀpwɛ̃] : **à ~** *adv* point-blank

brûler [bʀyle] *vt* to burn; (*suj*: *eau bouillante*) to scald; (*consommer*: *électricité, essence*) to use; (*feu rouge, signal*) to go through ◆ *vi* to burn; (*jeu*) to be warm; **se ~** to burn o.s.; to scald o.s.; **se ~ la cervelle** to blow one's brains out

brûlure [bʀylyʀ] *nf* (*lésion*) burn; (*sensation*) burning (sensation); **~s d'estomac** heartburn *sg*

brume [bʀym] *nf* mist

brun, e [bʀœ̃, -yn] *adj* brown; (*cheveux, personne*) dark; **brunir** *vi* to get a tan

brusque [bʀysk(ə)] *adj* abrupt; **brusquer** *vt* to rush

brut, e [bʀyt] *adj* raw, crude, rough; (*COMM*) gross; (*données*) raw; **(pétrole) ~** crude (oil)

brutal, e, aux [bʀytal, -o] *adj* brutal; **brutaliser** *vt* to handle roughly, manhandle

Bruxelles [bʀysɛl] *n* Brussels

bruyamment [bʀɥijamɑ̃] *adv* noisily

bruyant, e [bʀɥijɑ̃, -ɑ̃t] *adj* noisy

bruyère [bʀyjɛʀ] *nf* heather

bu, e *pp de* **boire**

buccal, e, aux [bykal, -o] *adj*: **par voie ~e** orally

bûche [byʃ] *nf* log; **prendre une ~** (*fig*) to come a cropper; **~ de Noël** Yule log; **~r** [byʃe] *nm* pyre; bonfire ◆ *vi* (*fam*) to swot (*BRIT*), slave (away) ◆ *vt* to swot up (*BRIT*), slave away at; **~ron** [byʃʀɔ̃] *nm* woodcutter

budget [bydʒɛ] *nm* budget

buée [bɥe] *nf* (*sur une vitre*) mist; (*de l'haleine*) steam

buffet [byfɛ] *nm* (*meuble*) sideboard; (*de réception*) buffet; **~ (de gare)** (station) buffet, snack bar

buffle [byfl(ə)] *nm* buffalo

buis [bɥi] *nm* box tree; (*bois*) box(wood)

buisson [bɥisɔ̃] *nm* bush

buissonnière [bɥisɔnjɛʀ] *adj*: **faire l'école ~** to skip school

bulbe [bylb(ə)] *nm* (*BOT, ANAT*) bulb; (*coupole*) onion-shaped dome

Bulgarie [bylgaʀi] *nf* Bulgaria

bulle [byl] *nf* bubble

bulletin [byltɛ̃] *nm* (*communiqué, journal*) bulletin; (*papier*) form; (*SCOL*) report; **~ d'informations** news bulletin; **~ de salaire** pay-slip; **~ (de vote)** ballot paper; **~ météorologique** weather report

bureau, x [byʀo] *nm* (*meuble*) desk; (*pièce, service*) office; **~ de change** (foreign) exchange office *ou* bureau; **~ de location** box office; **~ de poste** post office; **~ de tabac** tobacconist's (shop); **~ de vote** polling station; **bureaucratie** *nf* bureaucracy

burin [byʀɛ̃] *nm* cold chisel; (*ART*) burin

burlesque [byʀlɛsk(ə)] *adj* ridiculous; (*LITTÉRATURE*) burlesque

bus[1] [by] *vb voir* **boire**

bus[2] [bys] *nm* bus

busqué, e [byske] *adj* (*nez*) hook(ed)

buste [byst(ə)] *nm* (*ANAT*) chest; bust

but [by] *vb voir* **boire** ◆ *nm* (*cible*) target; (*fig*) goal; aim; (*FOOTBALL etc*) goal; **de ~ en blanc** point-blank; **avoir pour ~ de faire** to aim to do; **dans le ~ de** with the intention of

butane [bytan] *nm* butane; Calor gas (®)

buté, e [byte] *adj* stubborn, obstinate

buter [byte] *vi*: **~ contre/sur** to bump into; to stumble against ◆ *vt* to antagonize; **se ~** *vi* to get obstinate; to dig in one's heels

butin [bytɛ̃] *nm* booty, spoils *pl*; (*d'un vol*) loot

butte [byt] *nf* mound, hillock; **être en ~ à** to be exposed to

buvais *etc vb voir* **boire**

buvard [byvaʀ] *nm* blotter

buvette [byvɛt] *nf* bar

buveur, euse [byvœʀ, -øz] *nm/f* drinker

C

c' [s] *dét voir* **ce**

CA *sigle m* = **chiffre d'affaires**

ça [sa] *pron* (*pour désigner*) this; (: *plus loin*) that; (*comme sujet indéfini*) it; ~ **va?** how are you?; how are things?; (*d'accord?*) OK?, all right?; ~ **alors!** well really!; ~ **fait 10 ans (que)** it's 10 years (since); **c'est** ~ that's right

çà [sa] *adv*: ~ **et là** here and there

cabane [kaban] *nf* hut, cabin

cabaret [kabaʀɛ] *nm* night club

cabas [kabɑ] *nm* shopping bag

cabillaud [kabijo] *nm* cod *inv*

cabine [kabin] *nf* (*de bateau*) cabin; (*de plage*) (beach) hut; (*de piscine etc*) cubicle; (*de camion, train*) cab; (*d'avion*) cockpit; ~ **d'essayage** fitting room; ~ **spatiale** space capsule; ~ **(téléphonique)** call *ou* (tele)phone box

cabinet [kabinɛ] *nm* (*petite pièce*) closet; (*de médecin*) surgery (*BRIT*), office (*US*); (*de notaire etc*) office; (: *clientèle*) practice; (*POL*) Cabinet; **~s** *nmpl* (*w.-c.*) toilet *sg*; ~ **d'affaires** business consultants' (bureau), business partnership; ~ **de toilette** toilet; ~ **de travail** study

câble [kɑbl(ə)] *nm* cable

cabrer [kɑbʀe]: **se** ~ *vi* (*cheval*) to rear up; (*avion*) to nose up; (*fig*) to revolt, rebel

cabriole [kabʀijɔl] *nf* caper; somersault

cacahuète [kakaɥɛt] *nf* peanut

cacao [kakao] *nm* cocoa (powder); (*boisson*) cocoa

cache [kaʃ] *nm* mask, card (for masking) ◆ *nf* hiding place

cache-cache [kaʃkaʃ] *nm*: **jouer à** ~ to play hide-and-seek

cachemire [kaʃmiʀ] *nm* cashmere

cache-nez [kaʃne] *nm inv* scarf, muffler

cacher [kaʃe] *vt* to hide, conceal; **se** ~ *vi* to hide; to be hidden *ou* concealed; ~ **qch à qn** to hide *ou* conceal sth from sb; **il ne s'en cache pas** he makes no secret of it

cachet [kaʃɛ] *nm* (*comprimé*) tablet; (*sceau: du roi*) seal; (: *de la poste*) postmark; (*rétribution*) fee; (*fig*) style, character; **cacheter** *vt* to seal

cachette [kaʃɛt] *nf* hiding place; **en** ~ on the sly, secretly

cachot [kaʃo] *nm* dungeon

cachotterie [kaʃɔtʀi] *nf*: **faire des ~s** to be secretive

cactus [kaktys] *nm* cactus

cadavre [kadɑvʀ(ə)] *nm* corpse, (dead) body

caddie [kadi] *nm* (supermarket) trolley

caddy *nm* = **caddie**

cadeau, x [kado] *nm* present, gift; **faire un** ~ **à qn** to give sb a present *ou* gift; **faire** ~ **de qch à qn** to make a present of sth to sb, give sb sth as a present

cadenas [kadnɑ] *nm* padlock

cadence [kadɑ̃s] *nf* (*MUS*) cadence; (: *tempo*) rhythm; (*de travail etc*) rate; **en** ~ rhythmically; in time

cadet, te [kadɛ, -ɛt] *adj* younger; (*le plus jeune*) youngest ◆ *nm/f* youngest child *ou* one, youngest boy *ou* son/girl *ou* daughter

cadran [kadʀɑ̃] *nm* dial; ~ **solaire** sundial

cadre [kɑdʀ(ə)] *nm* frame; (*environnement*) surroundings *pl*; (*limites*) scope ◆ *nm/f* (*ADMIN*) managerial employee, executive; **dans le** ~ **de** (*fig*) within the framework *ou* context of; **rayer qn des ~s** to dismiss sb

cadrer [kɑdʀe] *vi*: ~ **avec** to tally *ou* correspond with ◆ *vt* to centre

caduc, uque [kadyk] *adj* obsolete; (*BOT*) deciduous

cafard [kafaʀ] *nm* cockroach; **avoir le** ~ to be down in the dumps

café [kafe] *nm* coffee; (*bistro*) café ◆ *adj inv* coffee(-coloured); ~ **au lait** white coffee; ~ **noir** black coffee; ~ **tabac** *tobacconist's or newsagent's serving coffee and spirits*; **cafetière** *nf* (*pot*) coffee-pot

cafouillage [kafujaʒ] *nm* shambles *sg*

cage [kaʒ] *nf* cage; ~ **(des buts)** goal; ~ **d'escalier** (stair)well; ~ **thoracique** rib cage

cageot [kaʒo] *nm* crate

cagibi [kaʒibi] *nm* shed

cagneux, euse [kaɲø, -øz] *adj* knock-kneed

cagnotte [kaɲɔt] *nf* kitty

cagoule [kagul] *nf* cowl; hood; (*SKI etc*) cagoule

cahier [kaje] *nm* notebook; ~ **de brouillons** roughbook, jotter; ~ **d'exercices** exercise book

cahot [kao] *nm* jolt, bump

caïd [kaid] *nm* big chief, boss

caille [kaj] *nf* quail

cailler [kɑje] *vi* (*lait*) to curdle; (*sang*) to clot

caillot [kajo] *nm* (blood) clot

caillou, x [kaju] *nm* (little) stone; **caillouteux, euse** *adj* stony; pebbly

Caire [kɛʀ] *nm*: **le** ~ Cairo

caisse [kɛs] *nf* box; (*où l'on met la recette*) cashbox; till; (*où l'on paye*) cash desk (*BRIT*), check-out; (*de banque*) cashier's desk; (*TECH*) case, casing; ~ **d'épargne** savings bank; ~ **de retraite** pension fund; ~ **enregistreuse** cash register; **caissier, ière** *nm/f* cashier

cajoler [kaʒɔle] *vt* to wheedle, coax; to surround with love

cake [kɛk] *nm* fruit cake

calandre [kalɑ̃dʀ(ə)] *nf* radiator grill

calanque [kalɑ̃k] *nf* rocky inlet

calcaire [kalkɛʀ] *nm* limestone ◆ *adj* (*eau*) hard; (*GÉO*) limestone *cpd*

calciné, e [kalsine] *adj* burnt to ashes

calcul [kalkyl] *nm* calculation; **le** ~ (*SCOL*) arithmetic; ~ **(biliaire)** (gall)stone; ~ **(rénal)** (kidney) stone; **calculateur** *nm* calculator; **calculatrice** *nf* calculator

calculer [kalkyle] *vt* to calculate, work out; (*combiner*) to calculate

calculette [kalkylɛt] *nf* pocket calculator

cale [kal] *nf* (*de bateau*) hold; (*en bois*) wedge; ~ **sèche** dry dock

calé, e [kale] (*fam*) *adj* clever, bright

caleçon [kalsɔ̃] *nm* pair of underpants, trunks *pl*

calembour [kalɑ̃buʀ] *nm* pun

calendes [kalɑ̃d] *nfpl*: **renvoyer aux** ~ **grecques** to postpone indefinitely

calendrier [kalɑ̃dʀije] *nm* calendar; (*fig*) timetable

calepin [kalpɛ̃] *nm* notebook

caler [kale] *vt* to wedge; ~ **(son moteur/véhicule)** to stall (one's engine/vehicle)

calfeutrer [kalføtʀe] *vt* to (make) draughtproof; **se** ~ *vi* to make o.s. snug and comfortable

calibre [kalibʀ(ə)] *nm* (*d'un fruit*) grade; (*d'une arme*) bore, calibre; (*fig*) calibre

califourchon [kalifuʀʃɔ̃]: **à** ~ *adv* astride

câlin, e [kɑlɛ̃, -in] *adj* cuddly, cuddlesome; tender

câliner [kɑline] *vt* to fondle, cuddle

calmant [kalmɑ̃] *nm* tranquillizer, sedative; (*pour la douleur*) painkiller

calme [kalm(ə)] *adj* calm, quiet ◆ *nm* calm(ness), quietness

calmer [kalme] *vt* to calm (down); (*douleur, inquiétude*) to ease, soothe; **se** ~ *vi* to calm down

calomnie [kalɔmni] *nf* slander; (*écrite*) libel; **calomnier** *vt* to slander; to libel

calorie [kalɔʀi] *nf* calorie

calorifuge [kalɔʀifyʒ] *adj* (heat-) insulating, heat-retaining

calotte [kalɔt] *nf* (*coiffure*) skullcap; (*gifle*) slap; **calotte glaciaire** *nf* (*GÉO*) icecap

calquer [kalke] *vt* to trace; (*fig*) to copy exactly

calvaire [kalvɛʀ] *nm* (*croix*) wayside cross, calvary; (*souffrances*) suffering

calvitie [kalvisi] *nf* baldness

camarade [kamaʀad] *nm/f* friend, pal; (*POL*) comrade; **camaraderie** *nf* friendship

cambouis [kɑ̃bwi] *nm* dirty oil *ou* grease

cambrer [kɑ̃bʀe] *vt* to arch

cambriolage [kɑ̃bʀijɔlaʒ] *nm* burglary; **cambrioler** [kɑ̃bʀijɔle] *vt* to burgle (*BRIT*), burglarize (*US*); **cambrioleur, euse** *nm/f* burglar

came [kam] *nf*: **arbre à ~s** camshaft

camelote [kamlɔt] *nf* rubbish, trash, junk

caméra [kameʀa] *nf* (*CINÉMA, TV*) camera; (*d'amateur*) cine-camera

caméscope *nm* ® camcorder ®

camion [kamjɔ̃] *nm* lorry (*BRIT*), truck; (*plus petit, fermé*) van; ~ **de dépannage** breakdown (*BRIT*) *ou* tow (*US*) truck; **camion-citerne** *nm* tanker; **camionnette** *nf* (small) van; **camionneur** *nm* (*entrepreneur*) haulage contractor (*BRIT*), trucker (*US*); (*chauffeur*) lorry (*BRIT*) *ou* truck driver; van driver

camisole [kamizɔl] *nf*: ~ **(de force)** straitjacket

camomille [kamɔmij] *nf* camomile; (*boisson*) camomile tea

camoufler [kamufle] *vt* to camouflage; (*fig*) to conceal, cover up

camp [kɑ̃] *nm* camp; (*fig*) side

campagnard, e [kɑ̃paɲaʀ, -aʀd(ə)] *adj* country *cpd*

campagne [kɑ̃paɲ] *nf* country, countryside; (*MIL, POL, COMM*) campaign; **à la** ~ in the country

camper [kɑ̃pe] *vi* to camp ◆ *vt* to sketch; **se** ~ **devant** to plant o.s. in front of; **campeur, euse** *nm/f* camper

camphre [kɑ̃fʀ(ə)] *nm* camphor

camping [kɑ̃piŋ] *nm* camping; **(terrain de)** ~ campsite, camping site; **faire du** ~ to go camping

Canada [kanada] *nm*: **le** ~ Canada; **canadien, ne** *adj, nm/f* Canadian; **canadienne** *nf* (*veste*) fur-lined jacket

canaille [kanɑj] (*péj*) *nf* scoundrel

canal, aux [kanal, -o] *nm* canal; (*naturel*) channel; **canalisation** [kanalizɑsjɔ̃] *nf* (*tuyau*) pipe; **canaliser** [kanalize] *vt* to canalize; (*fig*) to channel

canapé [kanape] *nm* settee, sofa

canard [kanaʀ] *nm* duck

canari [kanaʀi] *nm* canary

cancans [kɑ̃kɑ̃] *nmpl* (malicious) gossip *sg*

cancer [kɑ̃sɛʀ] *nm* cancer; (*signe*): **le C~** Cancer; ~ **de la peau** skin cancer

cancre [kɑ̃kʀ(ə)] *nm* dunce

candeur [kɑ̃dœʀ] *nf* ingenuousness, guilelessness

candidat, e [kɑ̃dida, -at] *nm/f* candidate; (*à un poste*) applicant, candidate; **candidature** *nf* candidature; application; **poser sa candidature** to submit an application, apply

candide [kɑ̃did] *adj* ingenuous, guileless

cane [kan] *nf* (female) duck

caneton [kantɔ̃] *nm* duckling

canette [kanɛt] *nf* (*de bière*) (flip-top) bottle

canevas [kanva] *nm* (*COUTURE*) canvas

caniche [kaniʃ] *nm* poodle

canicule [kanikyl] *nf* scorching heat

canif [kanif] *nm* penknife, pocket knife

canine [kanin] *nf* canine (tooth)

caniveau, x [kanivo] *nm* gutter

canne [kan] *nf* (walking) stick; ~ **à pêche** fishing rod; ~ **à sucre** sugar cane

cannelle [kanɛl] *nf* cinnamon

canoë [kanɔe] *nm* canoe; (*sport*) canoeing

canon [kanɔ̃] *nm* (*arme*) gun; (*HISTOIRE*) cannon; (*d'une arme: tube*) barrel; (*fig*) model; (*MUS*) canon; ~ **rayé** rifled barrel

canot [kano] *nm* ding(h)y; ~ **de sauvetage** lifeboat; ~ **pneumatique** inflatable ding(h)y; **~age** *nm* rowing; **~ier** [kanɔtje] *nm* boater

cantatrice [kɑ̃tatʀis] *nf* (opera) singer

cantine [kɑ̃tin] *nf* canteen

cantique [kɑ̃tik] *nm* hymn

canton [kɑ̃tɔ̃] *nm district consisting of several communes*; (*en Suisse*) canton

cantonade [kɑ̃tɔnad] : **à la** ~ *adv* to everyone in general; from the rooftops

cantonner [kɑ̃tɔne] *vt* (*MIL*) to quarter, station; **se** ~ **dans** to confine o.s. to

cantonnier [kɑ̃tɔnje] *nm* roadmender

canular [kanylaʀ] *nm* hoax

caoutchouc [kautʃu] *nm* rubber; ~ **mousse** foam rubber

cap [kap] *nm* (*GÉO*) cape; headland; (*fig*) hurdle; watershed; (*NAVIG*): **changer de** ~ to change course; **mettre le** ~ **sur** to head *ou* steer for

C.A.P. *sigle m* (= *Certificat d'aptitude professionnelle*) *vocational training certificate taken at secondary school*

capable [kapabl(ə)] *adj* able, capable; ~ **de qch/faire** capable of sth/doing

capacité [kapasite] *nf* (*compétence*) ability; (*JUR, contenance*) capacity; ~ **(en droit)** *basic legal qualification*

cape [kap] *nf* cape, cloak; **rire sous** ~ to laugh up one's sleeve

C.A.P.E.S. [kapɛs] *sigle m* (= *Certificat d'aptitude pédagogique à l'enseignement secondaire*) *teaching diploma*

capillaire [kapilɛʀ] *adj* (*soins, lotion*) hair *cpd*; (*vaisseau etc*) capillary

capitaine [kapitɛn] *nm* captain

capital, e, aux [kapital, -o] *adj* major; of paramount importance; fundamental ◆ *nm* capital; (*fig*) stock; asset; *voir aussi* **capitaux**; ~ **(social)** authorized capital; **~e** *nf* (*ville*) capital; (*lettre*) capital (letter); **~iser** *vt* to amass, build up; **~isme** *nm* capitalism; **~iste** *adj, nm/f* capitalist

capitaux [kapito] *nmpl* (*fonds*) capital *sg*

capitonné, e [kapitɔne] *adj* padded

caporal, aux [kapɔʀal, -o] *nm* lance corporal

capot [kapo] *nm* (*AUTO*) bonnet (*BRIT*), hood (*US*)

capote [kapɔt] *nf* (*de voiture*) hood (*BRIT*), top (*US*); (*fam*) condom

capoter [kapɔte] *vi* to overturn

câpre [kɑpʀ(ə)] *nf* caper

caprice [kapʀis] *nm* whim, caprice; passing fancy; **capricieux, euse** *adj* capricious; whimsical; temperamental

Capricorne [kapʀikɔʀn] *nm*: **le** ~ Capricorn

capsule [kapsyl] *nf* (*de bouteille*) cap; (*BOT etc, spatiale*) capsule

capter [kapte] *vt* (*ondes radio*) to pick up; (*eau*) to harness; (*fig*) to win, capture

captivant, e [kaptivɑ̃, ɑ̃t] *adj* captivating; fascinating

captivité [kaptivite] *nf* captivity

capturer [kaptyʀe] *vt* to capture

capuche [kapyʃ] *nf* hood

capuchon [kapyʃɔ̃] *nm* hood; (*de stylo*) cap, top

capucine [kapysin] *nf* (*BOT*) nasturtium

caquet [kakɛ] *nm*: **rabattre le** ~ **à qn** to bring sb down a peg or two

caqueter [kakte] *vi* to cackle

car [kaʀ] *nm* coach ◆ *conj* because, for

carabine [kaʀabin] *nf* carbine, rifle

caractère [kaʀaktɛʀ] *nm* (*gén*) character; **avoir bon/mauvais** ~ to be good-/ill-natured; **en ~s gras** in bold type; **en petits ~s** in small print; **~s d'imprimerie** (block) capitals; **caractériel, le** *adj* (of) character ◆ *nm/f* emotionally disturbed child

caractérisé, e [kaʀakteʀize] *adj*: **c'est une grippe ~e** it is a clear (-cut) case of flu

caractéristique [kaʀakteʀistik] *adj, nf* characteristic

carafe [kaʀaf] *nf* decanter; carafe

caraïbe [kaʀaib] *adj* Caribbean ◆ *n*: **les C~s** the Caribbean (Islands); **la mer des C~s** the Caribbean Sea

carambolage [kaʀɑ̃bɔlaʒ] *nm* multiple crash, pileup

caramel [kaʀamɛl] *nm* (*bonbon*) caramel, toffee; (*substance*) caramel

carapace [kaʀapas] *nf* shell

caravane [kaʀavan] *nf* caravan; **caravaning** *nm* caravanning; (*emplacement*) caravan site

carbone [kaʀbɔn] *nm* carbon; (*feuille*) carbon, sheet of carbon paper; (*double*) carbon (copy); **carbonique** [kaʀbɔnik] *adj*: **neige carbonique** dry ice; **carbonisé, e** [kaʀbɔnize] *adj* charred

carburant [kaʀbyʀɑ̃] *nm* (motor) fuel

carburateur [kaʀbyʀatœʀ] *nm* carburettor

carcan [kaʀkɑ̃] *nm* (*fig*) yoke, shackles *pl*

carcasse [kaʀkas] *nf* carcass; (*de véhicule etc*) shell

cardiaque [kaʀdjak] *adj* cardiac, heart *cpd* ◆ *nm/f* heart patient

cardigan [kaʀdigɑ̃] *nm* cardigan

cardiologue [kaʀdjɔlɔg] *nm/f* cardiologist, heart specialist

carême [kaʀɛm] *nm*: **le C~** Lent

carence [kaʀɑ̃s] *nf* incompetence, inadequacy; (*manque*) deficiency

caresse [kaʀɛs] *nf* caress

caresser [kaʀese] *vt* to caress, fondle; (*fig: projet*) to toy with

cargaison [kaʀgɛzɔ̃] *nf* cargo, freight

cargo [kaʀgo] *nm* cargo boat, freighter

carie [kaʀi] *nf*: **la** ~ **(dentaire)** tooth decay; **une** ~ a bad tooth

carillon [kaʀijɔ̃] *nm* (*d'église*) bells *pl*; (*de pendule*) chimes *pl*; (*de porte*) door chime *ou* bell

carlingue [kaʀlɛ̃g] *nf* cabin

carnassier, ière [kaʀnasje, -jɛʀ] *adj* carnivorous

carnaval [kaʀnaval] *nm* carnival

carnet [kaʀnɛ] *nm* (*calepin*) notebook; (*de tickets, timbres etc*) book; (*d'école*) school report; (*journal intime*) diary; ~ **de chèques** cheque book

carotte [kaʀɔt] *nf* carrot

carpette [kaʀpɛt] *nf* rug

carré, e [kaʀe] *adj* square; (*fig: franc*) straightforward ◆ *nm* (*de terrain, jardin*) patch, plot; (*MATH*) square; **mètre/kilomètre** ~ square metre/kilometre

carreau, x [kaʀo] *nm* (*en faïence etc*) (floor) tile; (wall) tile; (*de fenêtre*) (window) pane; (*motif*) check, square; (*CARTES: couleur*) diamonds *pl*; (: *carte*) diamond; **tissu à ~x** checked fabric

carrefour [kaʀfuʀ] *nm* crossroads *sg*

carrelage [kaʀlaʒ] *nm* tiling; (tiled) floor

carrelet [kaʀlɛ] *nm* (*poisson*) plaice

carrément [kaʀemɑ̃] *adv* straight out, bluntly; completely, altogether

carrière [kaʀjɛʀ] *nf* (*de roches*) quarry; (*métier*) career; **militaire de** ~ professional soldier

carriole [kaʀjɔl] (*péj*) *nf* old cart

carrossable [kaʀɔsabl(ə)] *adj* suitable for (motor) vehicles

carrosse [kaʀɔs] *nm* (horse-drawn) coach

carrosserie [kaʀɔsʀi] *nf* body, coachwork *no pl*; (*activité, commerce*) coachbuilding

carrure [kaʀyʀ] *nf* build; (*fig*) stature, calibre

cartable [kaʀtabl(ə)] *nm* (*d'écolier*) satchel, (school)bag

carte [kaʀt(ə)] *nf* (*de géographie*) map; (*marine, du ciel*) chart; (*de fichier, d'abonnement etc, à jouer*) card; (*au restaurant*) menu; (*aussi*: ~ *postale*) (post)card; (: ~ *de visite*) (visiting) card; **à la** ~ (*au restaurant*) à la carte; ~ **bancaire** cash card; ~ **de crédit** credit card; ~ **d'identité** identity card; ~ **de séjour** residence permit; ~ **grise** (*AUTO*) ≈ (car) registration book, logbook; ~ **routière** road map; ~ **téléphonique** phonecard

carter [kaʀtɛʀ] *nm* sump

carton [kaʀtɔ̃] *nm* (*matériau*) cardboard; (*boîte*) (cardboard) box; (*d'invitation*) invitation card; **faire un** ~ (*au tir*) to have a go at the rifle range; to score a hit; ~ **(à dessin)** portfolio; **cartonné, e** *adj* (*livre*) hardback, cased; **carton-pâte** *nm* pasteboard

cartouche [kaʀtuʃ] *nf* cartridge; (*de cigarettes*) carton

cas [kɑ] *nm* case; **faire peu de ~/grand ~ de** to attach little/great importance to; **en aucun** ~ on no account; **au** ~ **où** in case; **en ~ de** in case of, in the event of; **en ~ de besoin** if need be; **en tout ~** in any case, at any rate; **~ de conscience** matter of conscience

casanier, ière [kazanje, -jɛʀ] *adj* stay-at-home

cascade [kaskad] *nf* waterfall, cascade; (*fig*) stream, torrent

cascadeur, euse [kaskadœʀ, -øz] *nm/f* stuntman(girl)

case [kɑz] *nf* (*hutte*) hut; (*compartiment*) compartment; (*pour le courrier*) pigeonhole; (*sur un formulaire, de mots croisés etc*) box

caser [kɑze] *vt* (*trouver de la place pour*) to put (away); to put up; (*fig*) to find a job for; to marry off

caserne [kazɛʀn(ə)] *nf* barracks *pl*

cash [kaʃ] *adv*: **payer ~** to pay cash down

casier [kɑzje] *nm* (*à journaux etc*) rack; (*de bureau*) filing cabinet; (: *à cases*) set of pigeonholes; (*case*) compartment; pigeonhole; (: *à clef*) locker; **~ judiciaire** police record

casino [kazino] *nm* casino

casque [kask(ə)] *nm* helmet; (*chez le coiffeur*) (hair-)drier; (*pour audition*) (head-)phones *pl*, headset

casquette [kaskɛt] *nf* cap

cassant, e [kɑsɑ̃, -ɑ̃t] *adj* brittle; (*fig*) brusque, abrupt

cassation [kɑsɑsjɔ̃] *nf*: **cour de ~** final court of appeal

casse [kɑs] *nf* (*pour voitures*): **mettre à la ~** to scrap; (*dégâts*): **il y a eu de la ~** there were a lot of breakages; **~-cou** *adj inv* daredevil, reckless; **~-croûte** *nm inv* snack; **~-noisette(s)** *nm inv* nutcrackers *pl*; **~-noix** *nm inv* nutcrackers *pl*; **~-pieds** (*fam*) *adj inv*: **il est ~-pieds** he's a pain in the neck

casser [kɑse] *vt* to break; (ADMIN: *gradé*) to demote; (JUR) to quash; **se ~** *vi* to break

casserole [kasʀɔl] *nf* saucepan

casse-tête [kɑstɛt] *nm inv* (*jeu*) brain teaser; (*difficultés*) headache (*fig*)

cassette [kasɛt] *nf* (*bande magnétique*) cassette; (*coffret*) casket

casseur [kɑsœʀ] *nm* hooligan

cassis [kasis] *nm* blackcurrant

cassoulet [kasulɛ] *nm bean and sausage hot-pot*

cassure [kɑsyʀ] *nf* break, crack

castor [kastɔʀ] *nm* beaver

castrer [kastʀe] *vt* (*mâle*) to castrate; (: *cheval*) to geld; (*femelle*) to spay

catalogue [katalɔg] *nm* catalogue

cataloguer [katalɔge] *vt* to catalogue, to list; (*péj*) to put a label on

catalysateur [katalizatœʀ] *nm* catalytic convertor

catalyseur [katalizœʀ] *nm* catalyst

cataplasme [kataplasm(ə)] *nm* poultice

cataracte [kataʀakt(ə)] *nf* cataract

catastrophe [katastʀɔf] *nf* catastrophe, disaster; **catastrophé, e** [katastʀɔfe] (*fam*) *adj* deeply saddened

catch [katʃ] *nm* (all-in) wrestling; **catcheur, euse** *nm/f* (all-in) wrestler

catéchisme [kateʃism(ə)] *nm* catechism

catégorie [kategɔʀi] *nf* category

catégorique [kategɔʀik] *adj* categorical

cathédrale [katedʀal] *nf* cathedral

catholique [katɔlik] *adj*, *nm/f* (Roman) Catholic; **pas très ~** a bit shady *ou* fishy

catimini [katimini] : **en ~** *adv* on the sly

cauchemar [koʃmaʀ] *nm* nightmare

cause [koz] *nf* cause; (JUR) lawsuit, case; **à ~ de** because of, owing to; **pour ~ de** on account of; owing to; **(et) pour ~** and for (a very) good reason; **être en ~** to be at stake; to be involved; to be in question; **mettre en ~** to implicate; to call into question; **remettre en ~** to challenge; **~r** [koze] *vt* to cause ♦ *vi* to chat, talk; **~rie** [kozʀi] *nf* talk

caution [kosjɔ̃] *nf* guarantee, security; deposit; (JUR) bail (bond); (*fig*) backing, support; **payer la ~ de qn** to stand bail for sb; **libéré sous ~** released on bail; **~ner** [kosjɔne] *vt* to guarantee; (*soutenir*) to support

cavalcade [kavalkad] *nf* (*fig*) stampede

cavalier, ière [kavalje, -jɛʀ] *adj* (*désinvolte*) offhand ♦ *nm/f* rider; (*au bal*) partner ♦ *nm* (ÉCHECS) knight; **faire ~ seul** to go it alone

cave [kav] *nf* cellar ♦ *adj*: **yeux ~s** sunken eyes

caveau, x [kavo] *nm* vault

caverne [kavɛʀn(ə)] *nf* cave

C.C.P. *sigle m* = **compte chèques postaux**

CD *sigle m* (= *compact disc*) CD

CD-ROM *sigle m* CD-ROM

CE *n abr* (= *Communauté Européenne*) EC

MOT-CLÉ

ce, cette [sə, sɛt] (*devant nm* **cet** + *voyelle ou h aspiré*; *pl* **ces**) *dét* (*proximité*) this; these *pl*; (*non-proximité*) that; those *pl*; **cette maison(-ci/là)** this/that house; **cette nuit** (*qui vient*) tonight; (*passée*) last night

♦ *pron* 1: **c'est** it's *ou* it is; **c'est un peintre** he's *ou* he is a painter; **ce sont des peintres** they're *ou* they are painters; **c'est le facteur** *etc* (*à la porte*) it's the postman; **qui est-ce?** who is it?; (*en désignant*) who is he/she?; **qu'est-ce?** what is it?

2: **~ qui, ~ que** what; (*chose qui*): **il est bête, ~ qui me chagrine** he's stupid, which saddens me; **tout ~ qui bouge** everything that *ou* which moves; **tout ~ que je sais** all I know; **~ dont j'ai parlé** what I talked about; **~ que c'est grand!** it's so big!; *voir aussi* **-ci; est-ce que; n'est-ce pas; c'est-à-dire**

ceci [səsi] *pron* this

cécité [sesite] *nf* blindness

céder [sede] *vt* to give up ♦ *vi* (*pont, barrage*) to give way; (*personne*) to give in; **~ à** to yield to, give in to

CEDEX [sedɛks] *sigle m* (= *courrier d'entreprise à distribution exceptionnelle*) *postal service for bulk users*

cédille [sedij] *nf* cedilla

cèdre [sɛdʀ(ə)] *nm* cedar

CEI *abr m* (= *Communauté des États Indépendants*) CIS

ceinture [sɛ̃tyʀ] *nf* belt; (*taille*) waist; (*fig*) ring; belt; circle; **~ de sécurité** safety *ou* seat belt; **~r** *vt* (*saisir*) to grasp (round the waist)

cela [s(ə)la] *pron* that; (*comme sujet indéfini*) it; **quand/où ~?** when/where (was that)?

célèbre [selɛbʀ(ə)] *adj* famous

célébrer [selebʀe] *vt* to celebrate; (*louer*) to extol

céleri [sɛlʀi] *nm*: **~(-rave)** celeriac; **~ (en branche)** celery

célérité [seleʀite] *nf* speed, swiftness

célibat [seliba] *nm* celibacy; bachelorhood; spinsterhood; **célibataire** [selibatɛʀ] *adj* single, unmarried

celle(s) [sɛl] *pron voir* **celui**

cellier [selje] *nm* storeroom

cellulaire [selylɛʀ] *adj*: **voiture *ou* fourgon ~** prison *ou* police van

cellule [selyl] *nf* (*gén*) cell

cellulite [selylit] *nf* excess fat, cellulite

MOT-CLÉ

celui, celle [səlɥi, sɛl] (*mpl* **ceux**, *fpl* **celles**) *pron* 1: **~-ci/là, celle-ci/là** this one/that one; **ceux-ci, celles-ci** these (ones); **ceux-là, celles-là** those (ones); **~ de mon frère** my brother's; **~ du salon/du dessous** the one in (*ou* from) the lounge/below

2: **~ qui bouge** the one which *ou* that moves; (*personne*) the one who moves; **~ que je vois** the one (which *ou* that) I see; the one (whom) I see; **~ dont je parle** the one I'm talking about

3 (*valeur indéfinie*): **~ qui veut** whoever wants

cendre [sɑ̃dʀ(ə)] *nf* ash; **~s** *nfpl* (*d'un foyer*) ash(es), cinders; (*volcaniques*) ash *sg*; (*d'un défunt*) ashes; **sous la ~** (CULIN) in (the) embers; **cendrier** *nm* ashtray

cène [sɛn] *nf*: **la ~** (Holy) Communion

censé, e [sɑ̃se] *adj*: **être ~ faire** to be supposed to do

censeur [sɑ̃sœʀ] *nm* (SCOL) deputy-head (BRIT), vice-principal (US); (CINÉMA, POL) censor

censure [sɑ̃syʀ] *nf* censorship; **~r** [sɑ̃syʀe] *vt* (CINÉMA, PRESSE) to censor; (POL) to censure

cent [sɑ̃] *num* a hundred, one hundred; **centaine** *nf*: **une centaine (de)** about a hundred, a hundred or so; **plusieurs centaines (de)** several hundred; **des centaines (de)** hundreds (of); **centenaire** *adj* hundred-year-old ♦ *nm* (*anniversaire*) centenary; **centième** *num* hundredth; **centigrade** *nm* centigrade; **centilitre** *nm* centilitre; **centime** *nm* centime; **centimètre** *nm* centimetre; (*ruban*) tape measure, measuring tape

central, e, aux [sɑ̃tʀal, -o] *adj* central ♦ *nm*: **~ (téléphonique)** (telephone) exchange; **centrale** *nf* power station

centre [sɑ̃tʀ(ə)] *nm* centre; **~ commercial** shopping centre; **~ d'apprentissage** training college; **centre-ville** *nm* town centre, downtown (area) (US)

centuple [sɑ̃typl(ə)] *nm*: **le ~ de qch** a hundred times sth; **au ~** a hundredfold

cep [sɛp] *nm* (vine) stock

cèpe [sɛp] *nm* (edible) boletus

cependant [s(ə)pɑ̃dɑ̃] *adv* however

céramique [seʀamik] *nf* ceramics *sg*

cercle [sɛʀkl(ə)] *nm* circle; (*objet*) band, hoop; **~ vicieux** vicious circle

cercueil [sɛʀkœj] *nm* coffin

céréale [seʀeal] *nf* cereal

cérémonie [seʀemɔni] *nf* ceremony; **~s** *nfpl* (*péj*) fuss *sg*, to-do *sg*

cerf [sɛʀ] *nm* stag

cerfeuil [sɛʀfœj] *nm* chervil

cerf-volant [sɛʀvɔlɑ̃] *nm* kite

cerise [s(ə)ʀiz] *nf* cherry; **cerisier** *nm* cherry (tree)

cerné, e [sɛʀne] *adj*: **les yeux ~s** with dark rings *ou* shadows under the eyes

cerner [sɛʀne] *vt* (MIL *etc*) to surround; (*fig*: *problème*) to delimit, define

certain, e [sɛʀtɛ̃, -ɛn] *adj* certain ♦ *dét* certain; **d'un ~ âge** past one's prime, not so young; **un ~ temps** (quite) some time; **~s** some; **certainement** *adv* (*probablement*) most probably *ou* likely; (*bien sûr*) certainly, of course

certes [sɛʀt(ə)] *adv* admittedly; of course; indeed (yes)

certificat [sɛʀtifika] *nm* certificate

certitude [sɛʀtityd] *nf* certainty

cerveau, x [sɛʀvo] *nm* brain

cervelas [sɛʀvəla] *nm* saveloy

cervelle [sɛʀvɛl] *nf* (ANAT) brain

ces [se] *dét voir* **ce**

C.E.S. *sigle m* (= *Collège d'enseignement secondaire*) ≈ (junior) secondary school (BRIT)

cesse [sɛs]: **sans ~** *adv* continually, constantly; continuously; **il n'avait de ~ que** he would not rest until

cesser [sese] *vt* to stop ♦ *vi* to stop, cease; **~ de faire** to stop doing

cessez-le-feu *nm inv* ceasefire

c'est-à-dire [sɛtadiʀ] *adv* that is (to say)

cet, cette [sɛt] *dét voir* **ce**

ceux [sø] *pron voir* **celui**

CFC *abr* (= *chlorofluorocarbon*) CFC

C.F.D.T. *sigle f* = **Confédération française démocratique du travail**

C.G.T. *sigle f* = **Confédération générale du travail**

chacun, e [ʃakœ̃, -yn] *pron* each; (*indéfini*) everyone, everybody

chagrin [ʃagʀɛ̃] *nm* grief, sorrow; **chagriner** *vt* to grieve; to bother

chahut [ʃay] *nm* uproar; **chahuter** *vt* to rag, bait ♦ *vi* to make an uproar

chaîne [ʃɛn] *nf* chain; (RADIO, TV: *stations*) channel; **travail à la ~** production line work; **~ (de montage *ou* de fabrication)** production *ou* assembly line; **~ (de montagnes)** (mountain) range; **~ (haute-fidélité *ou* hi-fi)** hi-fi system; **~ (stéréo)** stereo (system)

chair [ʃɛʀ] *nf* flesh ♦ *adj*: **(couleur) ~** flesh-coloured; **avoir la ~ de poule** to have goosepimples *ou* gooseflesh; **bien en ~** plump, well-padded; **en ~ et en os** in the flesh

chaire [ʃɛʀ] *nf* (*d'église*) pulpit; (*d'université*) chair

chaise [ʃɛz] *nf* chair; **~ longue** deckchair

châle [ʃɑl] *nm* shawl

chaleur [ʃalœʀ] *nf* heat; (*fig*) warmth; fire, fervour; heat

chaleureux, euse [ʃalœʀø, -øz] *adj* warm

chaloupe [ʃalup] *nf* launch; (*de sauvetage*) lifeboat

chalumeau, x [ʃalymo] *nm* blowlamp, blowtorch

chalutier [ʃalytje] *nm* trawler

chamailler [ʃamɑje]: **se ~** *vi* to squabble, bicker

chambouler [ʃɑ̃bule] *vt* to disrupt, turn upside down

chambre [ʃɑ̃bʀ(ə)] *nf* bedroom; (TECH) chamber; (POL) chamber, house; (JUR) court; (COMM) chamber; federation; **faire ~ à part** to sleep in separate rooms; **~ à air** (*de pneu*) (inner) tube; **~ à coucher** bedroom; **~ à un lit/deux lits** (*à l'hôtel*) single-/twin-bedded room; **~ d'amis** spare *ou* guest room; **~ noire** (PHOTO) dark room

chambrer [ʃɑ̃bʀe] *vt* (*vin*) to bring to room temperature

chameau, x [ʃamo] *nm* camel

champ [ʃɑ̃] *nm* field; **prendre du ~** to draw back; **~ de bataille** battlefield; **~ de courses** racecourse; **~ de tir** rifle range

champagne [ʃɑ̃paɲ] *nm* champagne

champêtre [ʃɑ̃pɛtʀ(ə)] *adj* country *cpd*, rural

champignon [ʃɑ̃piɲɔ̃] *nm* mushroom; (*terme générique*) fungus; **~ de Paris** button mushroom

champion, ne [ʃɑ̃pjɔ̃, -jɔn] *adj*, *nm/f* champion; **championnat** *nm* championship

chance [ʃɑ̃s] *nf*: **la ~** luck; **~s** *nfpl* (*probabilités*) chances; **une ~** a stroke *ou* piece of luck *ou* good fortune; (*occasion*) a lucky break; **avoir de la ~** to be lucky

chanceler [ʃɑ̃sle] *vi* to totter

chancelier [ʃɑ̃səlje] *nm* (*allemand*) chancellor

chanceux, euse [ʃɑ̃sø, -øz] *adj* lucky

chandail [ʃɑ̃daj] *nm* (thick) sweater

chandelier [ʃɑ̃dəlje] *nm* candlestick

chandelle [ʃɑ̃dɛl] *nf* (tallow) candle; **dîner aux ~s** candlelight dinner

change [ʃɑ̃ʒ] *nm* (COMM) exchange

changement [ʃɑ̃ʒmɑ̃] *nm* change; **~ de vitesses** gears *pl*; gear change

changer [ʃɑ̃ʒe] *vt* (*modifier*) to change, alter; (*remplacer*, COMM, *rhabiller*) to change ♦ *vi* to change, alter; **se ~** *vi* to change (o.s.); **~ de** (*remplacer*: *adresse, nom, voiture etc*) to change one's; (*échanger, alterner*: *côté, place, train etc*) to change +*npl*; **~ de couleur/direction** to change colour/direction; **~ d'idée** to change one's mind; **~ de vitesse** to change gear

chanson [ʃɑ̃sɔ̃] *nf* song

chant [ʃɑ̃] *nm* song; (*art vocal*) singing; (*d'église*) hymn; **~age** [ʃɑ̃taʒ] *nm* blackmail; **faire du ~age** to use blackmail; **~er** [ʃɑ̃te] *vt, vi* to sing; **si cela lui chante** (*fam*) if he feels like it; **~eur, euse** [ʃɑ̃tœʀ, -øz] *nm/f* singer

chantier [ʃɑ̃tje] *nm* (building) site; (*sur une route*) roadworks *pl*; **mettre en ~** to put in hand; **~ naval** shipyard

chantilly [ʃɑ̃tiji] *nf voir* **crème**

chantonner [ʃɑ̃tɔne] *vi, vt* to sing to oneself, hum

chanvre [ʃɑ̃vʀ(ə)] *nm* hemp

chaparder [ʃapaʀde] *vt* to pinch

chapeau, x [ʃapo] *nm* hat; **~ mou** trilby

chapelet [ʃaplɛ] *nm* (REL) rosary

chapelle [ʃapɛl] *nf* chapel; **~ ardente** chapel of rest

chapelure [ʃaplyʀ] *nf* (dried) bread-crumbs *pl*

chapiteau, x [ʃapito] *nm* (*de cirque*) marquee, big top

chapitre [ʃapitʀ(ə)] *nm* chapter; (*fig*) subject, matter

chaque [ʃak] *dét* each, every; (*indéfini*) every

char [ʃaʀ] *nm* (*à foin etc*) cart, waggon; (*de carnaval*) float; **~ (d'assaut)** tank

charabia [ʃaʀabja] (*péj*) *nm* gibberish

charade [ʃaʀad] *nf* riddle; (*mimée*) charade

charbon [ʃaʀbɔ̃] *nm* coal; **~ de bois** charcoal

charcuterie [ʃaʀkytʀi] *nf* (*magasin*) pork butcher's shop and delicatessen; (*produits*) cooked pork meats *pl*

charcutier, ière *nm/f* pork butcher

chardon [ʃaʀdɔ̃] *nm* thistle

charge [ʃaʀʒ(ə)] *nf* (*fardeau*) load, burden; (*explosif*, ÉLEC, MIL, JUR) charge; (*rôle, mission*) responsibility; **~s** *nfpl* (*du loyer*) service charges; **à la ~ de** (*dépendant de*) dependent upon; (*aux frais de*) chargeable to; **j'accepte, à ~ de revanche** I accept, provided I can do the same for you one day; **prendre en ~** to take charge of; (*suj*: *véhicule*) to take on; (*dépenses*) to take care of; **~s sociales** social security contributions; **~ment** [ʃaʀʒəmɑ̃] *nm* (*objets*) load

charger [ʃaʀʒe] *vt* (*voiture, fusil, caméra*) to load; (*batterie*) to charge ♦ *vi* (MIL *etc*) to charge; **se ~ de** *vt* to see to; **~ qn de (faire) qch** to put sb in charge of (doing) sth

chariot [ʃaʀjo] *nm* trolley; (*charrette*) waggon; (*de machine à écrire*) carriage

charité [ʃaʀite] *nf* charity; **faire la ~ à** to give (something) to

charmant, e [ʃaʀmɑ̃, -ɑ̃t] *adj* charming

charme [ʃaʀm(ə)] *nm* charm; **charmer** *vt* to charm

charnel, le [ʃaʀnɛl] *adj* carnal

charnière [ʃaʀnjɛʀ] *nf* hinge; (*fig*) turning-point

charnu, e [ʃaʀny] *adj* fleshy

charpente [ʃaʀpɑ̃t] *nf* frame(work); **charpentier** *nm* carpenter

charpie [ʃaʀpi] *nf*: **en ~** (*fig*) in shreds *ou* ribbons

charrette [ʃaʀɛt] *nf* cart

charrier [ʃaʀje] *vt* to carry (along); to cart, carry

charrue [ʃaʀy] *nf* plough (BRIT), plow (US)

chasse [ʃas] *nf* hunting; (*au fusil*) shooting; (*poursuite*) chase; (*aussi*: **~ d'eau**) flush; **la ~ est ouverte** the hunting season is open; **~ gardée** private hunting grounds *pl*; **prendre en ~** to give chase to; **tirer la ~ (d'eau)** to flush the toilet, pull the chain; **~ à courre** hunting

chassé-croisé [ʃasekʀwaze] *nm* (*fig*) *mix-up where people miss each other in turn*

chasse-neige [ʃasnɛʒ] *nm inv* snowplough (BRIT), snowplow (US)

chasser [ʃase] *vt* to hunt; (*expulser*) to chase away *ou* out, drive away *ou* out; **chasseur, euse** *nm/f* hunter ♦ *nm* (*avion*) fighter; **chasseur de têtes** *nm* (*fig*) headhunter

châssis [ʃɑsi] *nm* (AUTO) chassis; (*cadre*) frame; (*de jardin*) cold frame

chat [ʃa] *nm* cat

châtaigne [ʃɑtɛɲ] *nf* chestnut; **châtaignier** *nm* chestnut (tree)

châtain [ʃɑtɛ̃] *adj inv* chestnut (brown); chestnut-haired

château, x [ʃɑto] *nm* castle; **~ d'eau** water tower; **~ fort** stronghold, fortified castle

châtier [ʃɑtje] *vt* to punish; (*fig*: *style*) to polish; **châtiment** *nm* punishment

chaton [ʃatɔ̃] *nm* (ZOOL) kitten

chatouiller [ʃatuje] *vt* to tickle; (*l'odorat, le palais*) to titillate; **chatouilleux, euse** *adj* ticklish; (*fig*) touchy, over-sensitive

chatoyer [ʃatwaje] *vi* to shimmer
châtrer [ʃɑtʀe] *vt* (*mâle*) to castrate; (: *cheval*) to geld; (*femelle*) to spay
chatte [ʃat] *nf* (she-)cat
chaud, e [ʃo, -od] *adj* (*gén*) warm; (*très chaud*) hot; (*fig*) hearty; heated; **il fait** ~ it's warm; it's hot; **avoir** ~ to be warm; to be hot; **ça me tient** ~ it keeps me warm; **rester au** ~ to stay in the warm
chaudière [ʃodjɛʀ] *nf* boiler
chaudron [ʃodʀɔ̃] *nm* cauldron
chauffage [ʃofaʒ] *nm* heating; ~ **central** central heating
chauffard [ʃofaʀ] *nm* (*péj*) reckless driver; hit-and-run driver
chauffe-eau [ʃofo] *nm inv* water-heater
chauffer [ʃofe] *vt* to heat ◆ *vi* to heat up, warm up; (*trop* ~: *moteur*) to overheat; **se** ~ *vi* (*se mettre en train*) to warm up; (*au soleil*) to warm o.s.
chauffeur [ʃofœʀ] *nm* driver; (*privé*) chauffeur
chaume [ʃom] *nm* (*du toit*) thatch
chaumière [ʃomjɛʀ] *nf* (thatched) cottage
chaussée [ʃose] *nf* road(way)
chausse-pied [ʃospje] *nm* shoe-horn
chausser [ʃose] *vt* (*bottes, skis*) to put on; (*enfant*) to put shoes on; ~ **du 38/42** to take size 38/42
chaussette [ʃosɛt] *nf* sock
chausson [ʃosɔ̃] *nm* slipper; (*de bébé*) bootee; ~ **(aux pommes)** (apple) turnover
chaussure [ʃosyʀ] *nf* shoe; **~s basses** flat shoes; **~s de ski** ski boots
chauve [ʃov] *adj* bald
chauve-souris [ʃovsuʀi] *nf* bat
chauvin, e [ʃovɛ̃, -in] *adj* chauvinistic
chaux [ʃo] *nf* lime; **blanchi à la** ~ whitewashed
chavirer [ʃaviʀe] *vi* to capsize
chef [ʃɛf] *nm* head, leader; (*de cuisine*) chef; **en** ~ (*MIL etc*) in chief; ~ **d'accusation** charge; ~ **d'entreprise** company head; ~ **d'état** head of state; ~ **de file** (*de parti etc*) leader; ~ **de gare** station master; ~ **d'orchestre** conductor; **~-d'œuvre** [ʃɛdœvʀ(ə)] *nm* masterpiece; **~-lieu** [ʃɛfljø] *nm* county town
chemin [ʃəmɛ̃] *nm* path; (*itinéraire, direction, trajet*) way; **en** ~ on the way; ~ **de fer** railway (*BRIT*), railroad (*US*); **par chemin de fer** by rail
cheminée [ʃəmine] *nf* chimney; (*à l'intérieur*) chimney piece, fireplace; (*de bateau*) funnel
cheminement [ʃəminmɑ̃] *nm* progress; course
cheminot [ʃəmino] *nm* railwayman
chemise [ʃəmiz] *nf* shirt; (*dossier*) folder; ~ **de nuit** nightdress
chemisier [ʃəmizje] *nm* blouse
chenal, aux [ʃənal, -o] *nm* channel
chêne [ʃɛn] *nm* oak (tree); (*bois*) oak
chenil [ʃənil] *nm* kennels *pl*
chenille [ʃənij] *nf* (*ZOOL*) caterpillar; (*AUTO*) caterpillar track
chèque [ʃɛk] *nm* cheque (*BRIT*), check (*US*); ~ **sans provision** bad cheque; ~ **de voyage** traveller's cheque; **chéquier** *nm* cheque book
cher, ère [ʃɛʀ] *adj* (*aimé*) dear; (*coûteux*) expensive, dear ◆ *adv*: **cela coûte** ~ it's expensive
chercher [ʃɛʀʃe] *vt* to look for; (*gloire etc*) to seek; **aller** ~ to go for, go and fetch; ~ **à faire** to try to do; **chercheur, euse** [ʃɛʀʃœʀ, -øz] *nm/f* researcher, research worker
chère [ʃɛʀ] *adj voir* **cher** ◆ *nf*: **la bonne** ~ good food
chéri, e [ʃeʀi] *adj* beloved, dear; **(mon)** ~ darling
chérir [ʃeʀiʀ] *vt* to cherish
cherté [ʃɛʀte] *nf*: **la** ~ **de la vie** the high cost of living
chétif, ive [ʃetif, -iv] *adj* puny, stunted
cheval, aux [ʃəval, -o] *nm* horse; (*AUTO*): ~ **(vapeur)** horsepower *no pl*; **faire du** ~ to ride; **à** ~ on horseback; **à** ~ **sur** astride; (*fig*) overlapping; ~ **de course** racehorse
chevalet [ʃəvalɛ] *nm* easel
chevalier [ʃəvalje] *nm* knight
chevalière [ʃəvaljɛʀ] *nf* signet ring
chevalin, e [ʃəvalɛ̃, -in] *adj*: **boucherie ~e** horse-meat butcher's
chevaucher [ʃəvoʃe] *vi* (*aussi*: *se* ~) to overlap (each other) ◆ *vt* to be astride, straddle
chevaux [ʃəvo] *nmpl de* **cheval**
chevelu, e [ʃəvly] *adj* with a good head of hair, hairy (*péj*)
chevelure [ʃəvlyʀ] *nf* hair *no pl*
chevet [ʃəvɛ] *nm*: **au** ~ **de qn** at sb's bedside; **lampe de** ~ bedside lamp
cheveu, x [ʃəvø] *nm* hair; **~x** *nmpl* (*chevelure*) hair *sg*; **avoir les ~x courts** to have short hair
cheville [ʃəvij] *nf* (*ANAT*) ankle; (*de bois*) peg; (*pour une vis*) plug
chèvre [ʃɛvʀ(ə)] *nf* (she-)goat
chevreau, x [ʃəvʀo] *nm* kid
chèvrefeuille [ʃɛvʀəfœj] *nm* honeysuckle
chevreuil [ʃəvʀœj] *nm* roe deer *inv*; (*CULIN*) venison
chevronné, e [ʃəvʀɔne] *adj* seasoned

MOT-CLÉ

chez [ʃe] *prép* 1 (*à la demeure de*) at; (: *direction*) to; ~ **qn** at/to sb's house *ou* place; ~ **moi** at home; (*direction*) home
2 (*+profession*) at; (: *direction*) to; ~ **le boulanger/dentiste** at *or* to the baker's/dentist's
3 (*dans le caractère, l'œuvre de:*) in; ~ **les renards/Racine** in foxes/Racine

chez-soi [ʃeswa] *nm inv* home
chic [ʃik] *adj inv* chic, smart; (*généreux*) nice, decent ◆ *nm* stylishness; **~!** great!; **avoir le** ~ **de** to have the knack of; **~ane** [ʃikan] *nf* (*querelle*) squabble
chicaner [ʃikane] *vi* (*ergoter*): ~ **sur** to quibble about
chiche [ʃiʃ] *adj* niggardly, mean ◆ *excl* (*à un défi*) you're on!
chichi [ʃiʃi] (*fam*) *nm* fuss
chicorée [ʃikɔʀe] *nf* (*café*) chicory; (*salade*) endive
chien [ʃjɛ̃] *nm* dog; **en** ~ **de fusil** curled up; ~ **de garde** guard dog
chiendent [ʃjɛ̃dɑ̃] *nm* couch grass
chienne [ʃjɛn] *nf* dog, bitch
chier [ʃje] (*fam!*) *vi* to crap (*!*)
chiffon [ʃifɔ̃] *nm* (piece of) rag; **~ner** [ʃifɔne] *vt* to crumple; (*tracasser*) to concern; **~nier** [ʃifɔnje] *nm* rag-and-bone man
chiffre [ʃifʀ(ə)] *nm* (*représentant un nombre*) figure; numeral; (*montant, total*) total, sum; **en ~s ronds** in round figures; ~ **d'affaires** turnover; **chiffrer** *vt* (*dépense*) to put a figure to, assess; (*message*) to (en)code, cipher
chignon [ʃiɲɔ̃] *nm* chignon, bun
Chili [ʃili] *nm*: **le** ~ Chile
chimie [ʃimi] *nf* chemistry; **chimique** *adj* chemical; **produits chimiques** chemicals
Chine [ʃin] *nf*: **la** ~ China
chinois, e [ʃinwa, -waz] *adj, nm/f* Chinese ◆ *nm* (*LING*) Chinese
chiot [ʃjo] *nm* pup(py)
chips [ʃips] *nfpl* crisps (*BRIT*), (potato) chips (*US*)
chiquenaude [ʃiknod] *nf* flick, flip
chirurgical, e, aux [ʃiʀyʀʒikal, -o] *adj* surgical
chirurgie [ʃiʀyʀʒi] *nf* surgery; ~ **esthétique** plastic surgery; **chirurgien, ne** *nm/f* surgeon
choc [ʃɔk] *nm* impact; shock; crash; (*moral*) shock; (*affrontement*) clash
chocolat [ʃɔkɔla] *nm* chocolate; (*boisson*) (hot) chocolate; ~ **au lait** milk chocolate
chœur [kœʀ] *nm* (*chorale*) choir; (*OPÉRA, THÉÂTRE*) chorus; **en** ~ in chorus
choisir [ʃwaziʀ] *vt* to choose, select
choix [ʃwa] *nm* choice, selection; **avoir le** ~ to have the choice; **premier** ~ (*COMM*) class one; **de** ~ choice, selected; **au** ~ as you wish
chômage [ʃomaʒ] *nm* unemployment; **mettre au** ~ to make redundant, put out of work; **être au** ~ to be unemployed *ou* out of work; **chômeur, euse** *nm/f* unemployed person
chope [ʃɔp] *nf* tankard
choquer [ʃɔke] *vt* (*offenser*) to shock; (*commotionner*) to shake (up)
choriste [kɔʀist(ə)] *nm/f* choir member; (*OPÉRA*) chorus member
chorus [kɔʀys] *nm*: **faire** ~ **(avec)** to voice one's agreement (with)
chose [ʃoz] *nf* thing; **c'est peu de** ~ it's nothing (really); it's not much
chou, x [ʃu] *nm* cabbage; **mon petit** ~ (my) sweetheart; ~ **à la crème** cream bun (*made of choux pastry*)
chouchou, te [ʃuʃu, -ut] *nm/f* (*SCOL*) teacher's pet
choucroute [ʃukʀut] *nf* sauerkraut
chouette [ʃwɛt] *nf* owl ◆ *adj* (*fam*) great, smashing
chou-fleur [ʃuflœʀ] *nm* cauliflower
choyer [ʃwaje] *vt* to cherish; to pamper
chrétien, ne [kʀetjɛ̃, -ɛn] *adj, nm/f* Christian
Christ [kʀist] *nm*: **le** ~ Christ; **christianisme** *nm* Christianity
chrome [kʀom] *nm* chromium; **chromé, e** *adj* chromium-plated
chronique [kʀɔnik] *adj* chronic ◆ *nf* (*de journal*) column, page; (*historique*) chronicle; (*RADIO, TV*): **la** ~ **sportive/théâtrale** the sports/theatre review; **la** ~ **locale** local news and gossip
chronologique [kʀɔnɔlɔʒik] *adj* chronological
chronomètre [kʀɔnɔmɛtʀ(ə)] *nm* stopwatch; **chronométrer** *vt* to time
chrysanthème [kʀizɑ̃tɛm] *nm* chrysanthemum
C.H.U. *sigle m* (= *centre hospitalier universitaire*) ≈ (teaching) hospital
chuchoter [ʃyʃɔte] *vt, vi* to whisper
chuinter [ʃɥɛ̃te] *vi* to hiss
chut [ʃyt] *excl* sh!
chute [ʃyt] *nf* fall; (*de bois, papier: déchet*) scrap; **faire une** ~ **(de 10 m)** to fall (10 m); ~ **(d'eau)** waterfall; **la** ~ **des cheveux** hair loss; ~ **libre** free fall; **~s de pluie/neige** rain/snowfalls
Chypre [ʃipʀ] *nm/f* Cyprus
-ci [si] *adv voir* **par** ◆ *dét*: **ce garçon-ci/-là** this/that boy; **ces femmes-ci/-là** these/those women
ci-après [siapʀɛ] *adv* hereafter
cible [sibl(ə)] *nf* target
ciboulette [sibulɛt] *nf* (small) chive
cicatrice [sikatʀis] *nf* scar
cicatriser [sikatʀize] *vt* to heal
ci-contre [sikɔ̃tʀ(ə)] *adv* opposite
ci-dessous [sidəsu] *adv* below
ci-dessus [sidəsy] *adv* above
cidre [sidʀ(ə)] *nm* cider
Cie *abr* (= *compagnie*) Co.
ciel [sjɛl] *nm* sky; (*REL*) heaven; **cieux** *nmpl* (*littéraire*) sky *sg*, skies; **à** ~ **ouvert** open-air; (*mine*) opencast
cierge [sjɛʀʒ(ə)] *nm* candle
cieux [sjø] *nmpl de* **ciel**
cigale [sigal] *nf* cicada
cigare [sigaʀ] *nm* cigar
cigarette [sigaʀɛt] *nf* cigarette
ci-gît [siʒi] *adv +vb* here lies
cigogne [sigɔɲ] *nf* stork
ci-inclus, e [siɛ̃kly, -yz] *adj, adv* enclosed
ci-joint, e [siʒwɛ̃, -ɛ̃t] *adj, adv* enclosed
cil [sil] *nm* (eye)lash
cime [sim] *nf* top; (*montagne*) peak
ciment [simɑ̃] *nm* cement; ~ **armé** reinforced concrete
cimetière [simtjɛʀ] *nm* cemetery; (*d'église*) churchyard
cinéaste [sineast(ə)] *nm/f* film-maker
cinéma [sinema] *nm* cinema; **~tographique** *adj* film *cpd*, cinema *cpd*
cinéphile [sinefil] *nm/f* cinema-goer
cinglant, e [sɛ̃glɑ̃, -ɑ̃t] *adj* (*échec*) crushing
cinglé, e [sɛ̃gle] (*fam*) *adj* crazy
cingler [sɛ̃gle] *vt* to lash; (*fig*) to sting
cinq [sɛ̃k] *num* five
cinquantaine [sɛ̃kɑ̃tɛn] *nf*: **une** ~ **(de)** about fifty; **avoir la** ~ (*âge*) to be around fifty
cinquante [sɛ̃kɑ̃t] *num* fifty; **cinquantenaire** *adj, nm/f* fifty-year-old
cinquième [sɛ̃kjɛm] *num* fifth
cintre [sɛ̃tʀ(ə)] *nm* coat-hanger
cintré, e [sɛ̃tʀe] *adj* (*chemise*) fitted
cirage [siʀaʒ] *nm* (shoe) polish
circonflexe [siʀkɔ̃flɛks(ə)] *adj*: **accent** ~ circumflex accent
circonscription [siʀkɔ̃skʀipsjɔ̃] *nf* district; ~ **électorale** (*d'un député*) constituency
circonscrire [siʀkɔ̃skʀiʀ] *vt* to define, delimit; (*incendie*) to contain
circonstance [siʀkɔ̃stɑ̃s] *nf* circumstance; (*occasion*) occasion
circonvenir [siʀkɔ̃vniʀ] *vt* to circumvent
circuit [siʀkɥi] *nm* (*trajet*) tour, (round) trip; (*ÉLEC, TECH*) circuit
circulaire [siʀkylɛʀ] *adj, nf* circular
circulation [siʀkylɑsjɔ̃] *nf* circulation; (*AUTO*): **la** ~ (the) traffic
circuler [siʀkyle] *vi* to drive (along); to walk along; (*train etc*) to run; (*sang, devises*) to circulate; **faire** ~ (*nouvelle*) to spread (about), circulate; (*badauds*) to move on
cire [siʀ] *nf* wax; **ciré** [siʀe] *nm* oilskin; **cirer** [siʀe] *vt* to wax, polish
cirque [siʀk(ə)] *nm* circus; (*GÉO*) cirque; (*fig*) chaos, bedlam; carry-on
cisaille(s) [sizaj] *nf(pl)* (gardening) shears *pl*
ciseau, x [sizo] *nm*: ~ **(à bois)** chisel; **~x** *nmpl* (*paire de ~x*) (pair of) scissors
ciseler [sizle] *vt* to chisel, carve
citadin, e [sitadɛ̃, -in] *nm/f* city dweller
citation [sitɑsjɔ̃] *nf* (*d'auteur*) quotation; (*JUR*) summons *sg*
cité [site] *nf* town; (*plus grande*) city; ~ **universitaire** students' residences *pl*
citer [site] *vt* (*un auteur*) to quote (from); (*nommer*) to name; (*JUR*) to summon
citerne [sitɛʀn(ə)] *nf* tank
citoyen, ne [sitwajɛ̃, -ɛn] *nm/f* citizen
citron [sitʀɔ̃] *nm* lemon; ~ **vert** lime; **citronnade** *nf* lemonade; **citronnier** *nm* lemon tree
citrouille [sitʀuj] *nf* pumpkin
civet [sivɛ] *nm* stew
civière [sivjɛʀ] *nf* stretcher
civil, e [sivil] *adj* (*JUR, ADMIN, poli*) civil; (*non militaire*) civilian; **en** ~ in civilian clothes; **dans le** ~ in civilian life
civilisation [sivilizɑsjɔ̃] *nf* civilization
civisme [sivism(ə)] *nm* public-spiritedness
clair, e [klɛʀ] *adj* light; (*chambre*) light, bright; (*eau, son, fig*) clear ◆ *adv*: **voir** ~ to see clearly; **tirer qch au** ~ to clear sth up, clarify sth; **mettre au** ~ (*notes etc*) to tidy up; **le plus** ~ **de son temps** the better part of his time; ~ **de lune** *nm* moonlight; **clairement** *adv* clearly
clairière [klɛʀjɛʀ] *nf* clearing
clairon [klɛʀɔ̃] *nm* bugle
claironner [klɛʀɔne] *vt* (*fig*) to trumpet, shout from the rooftops
clairsemé, e [klɛʀsəme] *adj* sparse
clairvoyant, e [klɛʀvwajɑ̃, -ɑ̃t] *adj* perceptive, clear-sighted
clandestin, e [klɑ̃dɛstɛ̃, -in] *adj* clandestine, covert; **passager** ~ stowaway
clapier [klapje] *nm* (rabbit) hutch
clapoter [klapɔte] *vi* to lap
claque [klak] *nf* (*gifle*) slap
claquer [klake] *vi* (*drapeau*) to flap; (*porte*) to bang, slam; (*coup de feu*) to ring out ◆ *vt* (*porte*) to slam, bang; (*doigts*) to snap; **se** ~ **un muscle** to pull *ou* strain a muscle
claquettes [klakɛt] *nfpl* tap-dancing *sg*
clarinette [klaʀinɛt] *nf* clarinet
clarté [klaʀte] *nf* lightness; brightness; (*d'un son, de l'eau*) clearness; (*d'une explication*) clarity
classe [klɑs] *nf* class; (*SCOL: local*) class(room); (: *leçon, élèves*) class; **faire la** ~ to be a *ou* the teacher; to teach; **~ment** [klɑsmɑ̃] *nm* (*rang: SCOL*) place; (: *SPORT*) placing; (*liste: SCOL*) class list (in order of merit); (: *SPORT*) placings *pl*; **~r** [klɑse] *vt* (*idées, livres*) to classify; (*papiers*) to file; (*candidat, concurrent*) to grade; (*JUR: affaire*) to close; **se ~r premier/dernier** to come first/last; (*SPORT*) to finish first/last
classeur [klɑsœʀ] *nm* (*cahier*) file; (*meuble*) filing cabinet
classique [klasik] *adj* classical; (*sobre: coupe etc*) classic(al); (*habituel*) standard, classic
clause [kloz] *nf* clause
claustrer [klostʀe] *vt* to confine
clavecin [klavsɛ̃] *nm* harpsichord
clavicule [klavikyl] *nf* collarbone
clavier [klavje] *nm* keyboard
clé [kle] *nf* key; (*MUS*) clef; (*de mécanicien*) spanner (*BRIT*), wrench (*US*); **prix ~s en main** (*d'une voiture*) on-the-road price; ~ **anglaise** (monkey) wrench; ~ **de contact** ignition key
clef [kle] *nf* = **clé**
clément, e [klemɑ̃, -ɑ̃t] *adj* (*temps*) mild; (*indulgent*) lenient
clerc [klɛʀ] *nm*: ~ **de notaire** solicitor's clerk
clergé [klɛʀʒe] *nm* clergy
cliché [kliʃe] *nm* (*PHOTO*) negative; print; (*LING*) cliché
client, e [klijɑ̃, -ɑ̃t] *nm/f* (*acheteur*) customer, client; (*d'hôtel*) guest, patron; (*du docteur*) patient; (*de l'avocat*) client; **clientèle** *nf* (*du magasin*) customers *pl*, clientèle; (*du docteur, de l'avocat*) practice
cligner [kliɲe] *vi*: ~ **des yeux** to blink (one's eyes); ~ **de l'œil** to wink;
clignotant [kliɲɔtɑ̃] *nm* (*AUTO*) indicator;
clignoter [kliɲɔte] *vi* (*étoiles etc*) to twinkle; (*lumière*) to flash; (: *vaciller*) to flicker
climat [klima] *nm* climate
climatisation [klimatizɑsjɔ̃] *nf* air conditioning; **climatisé, e** *adj* air-conditioned
clin d'œil [klɛ̃dœj] *nm* wink; **en un** ~ in a flash
clinique [klinik] *nf* nursing home
clinquant, e [klɛ̃kɑ̃, -ɑ̃t] *adj* flashy
cliqueter [klikte] *vi* to clash; to jangle, jingle; to chink
clochard, e [klɔʃaʀ, -aʀd(ə)] *nm/f* tramp
cloche [klɔʃ] *nf* (*d'église*) bell; (*fam*) clot; ~ **à fromage** cheese-cover
cloche-pied [klɔʃpje] : **à** ~ *adv* on one leg, hopping (along)
clocher [klɔʃe] *nm* church tower; (*en pointe*) steeple ◆ *vi* (*fam*) to be *ou* go wrong; **de** ~ (*péj*) parochial
cloison [klwazɔ̃] *nf* partition (wall)
cloître [klwatʀ(ə)] *nm* cloister
cloîtrer [klwatʀe] *vt*: **se** ~ to shut o.s. up *ou* away
cloque [klɔk] *nf* blister
clore [klɔʀ] *vt* to close; **clos, e** *adj voir* **maison**; **huis** ◆ *nm* (enclosed) field
clôture [klotyʀ] *nf* closure; (*barrière*) enclosure; **clôturer** *vt* (*terrain*) to enclose; (*débats*) to close
clou [klu] *nm* nail; (*MÉD*) boil; **~s** *nmpl* (*passage clouté*) pedestrian crossing; **pneus à ~s** studded tyres; **le** ~ **du spectacle** the highlight of the show; ~ **de girofle** clove; **clouer** *vt* to nail down *ou* up
clown [klun] *nm* clown
club [klœb] *nm* club
C.N.R.S. *sigle m* = **Centre nationale de la recherche scientifique**
coasser [kɔase] *vi* to croak
cobaye [kɔbaj] *nm* guinea-pig
coca [kɔka] *nm* Coke (®)
cocaïne [kɔkain] *nf* cocaine
cocasse [kɔkas] *adj* comical, funny
coccinelle [kɔksinɛl] *nf* ladybird (*BRIT*), ladybug (*US*)
cocher [kɔʃe] *nm* coachman ◆ *vt* to tick

off; (*entailler*) to notch
cochère [kɔʃɛʀ] *adj f*: **porte** ~ carriage entrance
cochon, ne [kɔʃɔ̃, -ɔn] *nm* pig ◆ *adj* (*fam*) dirty, smutty; **cochonnerie** (*fam*) *nf* filth; rubbish, trash
cocktail [kɔktɛl] *nm* cocktail; (*réception*) cocktail party
coco [koko] *nm voir* **noix;** (*fam*) bloke
cocorico [kɔkɔʀiko] *excl, nm* cock-a-doodle-do
cocotier [kɔkɔtje] *nm* coconut palm
cocotte [kɔkɔt] *nf* (*en fonte*) casserole; ~ **(minute)** pressure cooker; **ma** ~ (*fam*) sweetie (pie)
cocu [kɔky] *nm* cuckold
code [kɔd] *nm* code ◆ *adj*: **phares** ~**s** dipped lights; **se mettre en** ~**(s)** to dip one's (head)lights; ~ **à barres** bar code; ~ **civil** Common Law; ~ **de la route** highway code; ~ **pénal** penal code; ~ **postal** (*numéro*) post (*BRIT*) *ou* zip (*US*) code
cœur [kœʀ] *nm* heart; (*CARTES: couleur*) hearts *pl*; (*: carte*) heart; **avoir bon** ~ to be kind-hearted; **avoir mal au** ~ to feel sick; **en avoir le** ~ **net** to be clear in one's own mind (about it); **par** ~ by heart; **de bon** ~ willingly; **cela lui tient à** ~ that's (very) close to his heart
coffre [kɔfʀ(ə)] *nm* (*meuble*) chest; (*d'auto*) boot (*BRIT*), trunk (*US*); **coffre(-fort)** *nm* safe
coffret [kɔfʀɛ] *nm* casket
cognac [kɔɲak] *nm* brandy, cognac
cogner [kɔɲe] *vi* to knock
cohérent, e [kɔeʀɑ̃, -ɑ̃t] *adj* coherent, consistent
cohorte [kɔɔʀt(ə)] *nf* troop
cohue [kɔy] *nf* crowd
coi, coite [kwa, kwat] *adj*: **rester** ~ to remain silent
coiffe [kwaf] *nf* headdress
coiffé, e [kwafe] *adj*: **bien/mal** ~ with tidy/untidy hair; ~ **en arrière** with one's hair brushed *ou* combed back
coiffer [kwafe] *vt* (*fig*) to cover, top; **se** ~ *vi* to do one's hair; to put on one's hat; ~ **qn** to do sb's hair
coiffeur, euse [kwafœʀ, -øz] *nm/f* hairdresser; **coiffeuse** *nf* (*table*) dressing table
coiffure [kwafyʀ] *nf* (*cheveux*) hairstyle, hairdo; (*chapeau*) hat, headgear *no pl*; (*art*): **la** ~ hairdressing
coin [kwɛ̃] *nm* corner; (*pour coincer*) wedge; **l'épicerie du** ~ the local grocer; **dans le** ~ (*aux alentours*) in the area, around about; locally; **au** ~ **du feu** by the fireside; **regard en** ~ sideways glance
coincé, e [kwɛ̃se] *adj* stuck, jammed; (*fig: inhibé*) inhibited, hung up (*fam*)
coincer [kwɛ̃se] *vt* to jam
coïncidence [kɔɛ̃sidɑ̃s] *nf* coincidence
coïncider [kɔɛ̃side] *vi* to coincide
col [kɔl] *nm* (*de chemise*) collar; (*encolure, cou*) neck; (*de montagne*) pass; ~ **de l'utérus** cervix; ~ **roulé** polo-neck
colère [kɔlɛʀ] *nf* anger; **une** ~ a fit of anger; **(se mettre) en** ~ (to get) angry; **coléreux, euse** *adj*, **colérique** *adj* quick-tempered, irascible
colifichet [kɔlifiʃɛ] *nm* trinket
colimaçon [kɔlimasɔ̃] *nm*: **escalier en** ~ spiral staircase
colin [kɔlɛ̃] *nm* hake
colique [kɔlik] *nf* diarrhoea; colic (pains)
colis [kɔli] *nm* parcel
collaborateur, trice [kɔlabɔʀatœʀ, -tʀis] *nm/f* (*aussi POL*) collaborator; (*d'une revue*) contributor
collaborer [kɔlabɔʀe] *vi* to collaborate; ~ **à** to collaborate on; (*revue*) to contribute to
collant, e [kɔlɑ̃, -ɑ̃t] *adj* sticky; (*robe etc*) clinging, skintight; (*péj*) clinging ◆ *nm* (*bas*) tights *pl*
collation [kɔlɑsjɔ̃] *nf* light meal
colle [kɔl] *nf* glue; (*à papiers peints*) (wallpaper) paste; (*devinette*) teaser, riddle; (*SCOL: fam*) detention
collecte [kɔlɛkt(ə)] *nf* collection
collectif, ive [kɔlɛktif, -iv] *adj* collective; (*visite, billet*) group *cpd*
collection [kɔlɛksjɔ̃] *nf* collection; (*ÉDITION*) series; **collectionner** *vt* (*tableaux, timbres*) to collect; **collectionneur, euse** *nm/f* collector
collectivité [kɔlɛktivite] *nf* group; ~**s locales** *nfpl* (*ADMIN*) local authorities
collège [kɔlɛʒ] *nm* (*école*) (secondary) school; (*assemblée*) body; **collégien** *nm* schoolboy; **collégienne** *nf* schoolgirl
collègue [kɔlɛg] *nm/f* colleague
coller [kɔle] *vt* (*papier, timbre*) to stick (on); (*affiche*) to stick up; (*enveloppe*) to stick down; (*morceaux*) to stick *ou* glue together; (*fam: mettre, fourrer*) to stick, shove; (*SCOL: fam*) to keep in ◆ *vi* (*être collant*) to be sticky; (*adhérer*) to stick; ~ **à** to stick to
collet [kɔlɛ] *nm* (*piège*) snare, noose; (*cou*): **prendre qn au** ~ to grab sb by the throat; ~ **monté** *adj inv* straight-laced
collier [kɔlje] *nm* (*bijou*) necklace; (*de chien, TECH*) collar; ~ **(de barbe)** narrow beard along the line of the jaw
collimateur [kɔlimatœʀ] *nm*: **avoir qn/qch dans le** ~ (*fig*) to have sb/sth in one's sights
colline [kɔlin] *nf* hill
collision [kɔlizjɔ̃] *nf* collision, crash; **entrer en** ~ **(avec)** to collide (with)
colmater [kɔlmate] *vt* (*fuite*) to seal off; (*brèche*) to plug, fill in
colombe [kɔlɔ̃b] *nf* dove
colon [kɔlɔ̃] *nm* settler
colonel [kɔlɔnɛl] *nm* colonel
colonie [kɔlɔni] *nf* colony; ~ **(de vacances)** holiday camp (*for children*)
colonne [kɔlɔn] *nf* column; **se mettre en** ~ **par deux** to get into twos; ~ **(vertébrale)** spine, spinal column
colorant [kɔlɔʀɑ̃] *nm* colouring
colorer [kɔlɔʀe] *vt* to colour
colorier [kɔlɔʀje] *vt* to colour (in)
coloris [kɔlɔʀi] *nm* colour, shade
colporter [kɔlpɔʀte] *vt* to hawk, peddle
colza [kɔlza] *nm* rape
coma [kɔma] *nm* coma
combat [kɔ̃ba] *nm* fight; fighting *no pl*; ~ **de boxe** boxing match
combattant [kɔ̃batɑ̃] *nm*: **ancien** ~ war veteran
combattre [kɔ̃batʀ(ə)] *vt* to fight; (*épidémie, ignorance*) to combat, fight against
combien [kɔ̃bjɛ̃] *adv* (*quantité*) how much; (*nombre*) how many; (*exclamatif*) how; ~ **de** how much; how many; ~ **de temps** how long; ~ **coûte/pèse ceci?** how much does this cost/weigh?
combinaison [kɔ̃binɛzɔ̃] *nf* combination; (*astuce*) device, scheme; (*de femme*) slip; (*d'aviateur*) flying suit; (*d'homme-grenouille*) wetsuit; (*bleu de travail*) boiler suit (*BRIT*), coveralls *pl* (*US*)
combine [kɔ̃bin] *nf* trick; (*péj*) scheme, fiddle (*BRIT*)
combiné [kɔ̃bine] *nm* (*aussi*: ~ *téléphonique*) receiver
combiner [kɔ̃bine] *vt* to combine; (*plan, horaire*) to work out, devise
comble [kɔ̃bl(ə)] *adj* (*salle*) packed (full) ◆ *nm* (*du bonheur, plaisir*) height; ~**s** *nmpl* (*CONSTR*) attic *sg*, loft *sg*; **c'est le** ~**!** that beats everything!
combler [kɔ̃ble] *vt* (*trou*) to fill in; (*besoin, lacune*) to fill; (*déficit*) to make good; (*satisfaire*) to fulfil
combustible [kɔ̃bystibl(ə)] *nm* fuel
comédie [kɔmedi] *nf* comedy; (*fig*) playacting *no pl*; ~ **musicale** musical; **comédien, ne** *nm/f* actor(tress)
comestible [kɔmɛstibl(ə)] *adj* edible
comique [kɔmik] *adj* (*drôle*) comical; (*THÉÂTRE*) comic ◆ *nm* (*artiste*) comic, comedian
comité [kɔmite] *nm* committee; ~ **d'entreprise** works council
commandant [kɔmɑ̃dɑ̃] *nm* (*gén*) commander, commandant; (*NAVIG, AVIAT*) captain
commande [kɔmɑ̃d] *nf* (*COMM*) order; ~**s** *nfpl* (*AVIAT etc*) controls; **sur** ~ to order; ~ **à distance** remote control
commandement [kɔmɑ̃dmɑ̃] *nm* command; (*REL*) commandment
commander [kɔmɑ̃de] *vt* (*COMM*) to order; (*diriger, ordonner*) to command; ~ **à qn de faire** to command *ou* order sb to do
commando [kɔmɑ̃do] *nm* commando (squad)

MOT-CLÉ

comme [kɔm] *prép* 1 (*comparaison*) like; **tout** ~ **son père** just like his father; **fort** ~ **un bœuf** as strong as an ox; **joli** ~ **tout** ever so pretty
2 (*manière*) like; **faites-le** ~ **ça** do it like this, do it this way; ~ **ci,** ~ **ça** so-so
3 (*en tant que*) as a; **donner** ~ **prix** to give as a prize; **travailler** ~ **secrétaire** to work as a secretary
◆ *conj* 1 (*ainsi que*) as; **elle écrit** ~ **elle parle** she writes as she talks; ~ **si** as if
2 (*au moment où, alors que*) as; **il est parti** ~ **j'arrivais** he left as I arrived
3 (*parce que, puisque*) as; ~ **il était en retard, il ...** as he was late, he ...
◆ *adv*: ~ **il est fort/c'est bon!** he's so strong/it's so good!

commémorer [kɔmemɔʀe] *vt* to commemorate
commencement [kɔmɑ̃smɑ̃] *nm* beginning, start, commencement
commencer [kɔmɑ̃se] *vt, vi* to begin, start, commence; ~ **à** *ou* **de faire** to begin *ou* start doing
comment [kɔmɑ̃] *adv* how ◆ *nm*: **le** ~ **et le pourquoi** the whys and wherefores; ~? (*que dites-vous*) pardon?
commentaire [kɔmɑ̃tɛʀ] *nm* comment; remark
commenter [kɔmɑ̃te] *vt* (*jugement, événement*) to comment (up)on; (*RADIO, TV: match, manifestation*) to cover
commérages [kɔmeʀaʒ] *nmpl* gossip *sg*
commerçant, e [kɔmɛʀsɑ̃, -ɑ̃t] *nm/f* shopkeeper, trader
commerce [kɔmɛʀs(ə)] *nm* (*activité*) trade, commerce; (*boutique*) business; **vendu dans le** ~ sold in the shops; **commercial, e, aux** *adj* commercial, trading; (*péj*) commercial; **commercialiser** *vt* to market
commère [kɔmɛʀ] *nf* gossip
commettre [kɔmɛtʀ(ə)] *vt* to commit
commis [kɔmi] *nm* (*de magasin*) (shop) assistant; (*de banque*) clerk; ~ **voyageur** commercial traveller
commissaire [kɔmisɛʀ] *nm* (*de police*) ≈ (police) superintendent; ~**-priseur** *nm* auctioneer
commissariat [kɔmisaʀja] *nm* police station
commission [kɔmisjɔ̃] *nf* (*comité, pourcentage*) commission; (*message*) message; (*course*) errand; ~**s** *nfpl* (*achats*) shopping *sg*
commode [kɔmɔd] *adj* (*pratique*) convenient, handy; (*facile*) easy; (*air, personne*) easy-going; (*personne*): **pas** ~ awkward (to deal with) ◆ *nf* chest of drawers; **commodité** *nf* convenience
commotion [kɔmosjɔ̃] *nf*: ~ **(cérébrale)** concussion; **commotionné, e** *adj* shocked, shaken
commun, e [kɔmœ̃, -yn] *adj* common; (*pièce*) communal, shared; (*réunion, effort*) joint; **cela sort du** ~ it's out of the ordinary; **le** ~ **des mortels** the common run of people; **en** ~ (*faire*) jointly; **mettre en** ~ to pool, share; *voir aussi* **communs**
communauté [kɔmynote] *nf* community; (*JUR*): **régime de la** ~ communal estate settlement
commune [kɔmyn] *nf* (*ADMIN*) commune, ≈ district; (*: urbaine*) ≈ borough
communication [kɔmynikɑsjɔ̃] *nf* communication; ~ **(téléphonique)** (telephone) call
communier [kɔmynje] *vi* (*REL*) to receive communion; (*fig*) to be united;
communion [kɔmynjɔ̃] *nf* communion
communiquer [kɔmynike] *vt* (*nouvelle, dossier*) to pass on, convey; (*maladie*) to pass on; (*peur etc*) to communicate; (*chaleur, mouvement*) to transmit ◆ *vi* to communicate; **se** ~ **à** (*se propager*) to spread to
communisme [kɔmynism(ə)] *nm* communism; **communiste** *adj, nm/f* communist
communs [kɔmœ̃] *nmpl* (*bâtiments*) outbuildings
commutateur [kɔmytatœʀ] *nm* (*ÉLEC*) (change-over) switch, commutator
compact, e [kɔ̃pakt] *adj* dense; compact
compagne [kɔ̃paɲ] *nf* companion
compagnie [kɔ̃paɲi] *nf* (*firme, MIL*) company; (*groupe*) gathering; **tenir** ~ **à qn** to keep sb company; **fausser** ~ **à qn** to give sb the slip, slip *ou* sneak away from sb; ~ **aérienne** airline (company)
compagnon [kɔ̃paɲɔ̃] *nm* companion
comparable [kɔ̃paʀabl(ə)] *adj*: ~ **(à)** comparable (to)
comparaison [kɔ̃paʀɛzɔ̃] *nf* comparison
comparaître [kɔ̃paʀɛtʀ(ə)] *vi*: ~ **(devant)** to appear (before)
comparer [kɔ̃paʀe] *vt* to compare; ~ **qch/qn à** *ou* **et** (*pour choisir*) to compare sth/sb with *ou* and; (*pour établir une similitude*) to compare sth/sb to
comparse [kɔ̃paʀs(ə)] (*péj*) *nm/f* associate, stooge
compartiment [kɔ̃paʀtimɑ̃] *nm* compartment
comparution [kɔ̃paʀysjɔ̃] *nf* appearance
compas [kɔ̃pa] *nm* (*GÉOM*) (pair of) compasses *pl*; (*NAVIG*) compass
compatible [kɔ̃patibl(ə)] *adj* compatible
compatir [kɔ̃patiʀ] *vi*: ~ **(à)** to sympathize (with)
compatriote [kɔ̃patʀijɔt] *nm/f* compatriot
compenser [kɔ̃pɑ̃se] *vt* to compensate for, make up for
compère [kɔ̃pɛʀ] *nm* accomplice
compétence [kɔ̃petɑ̃s] *nf* competence
compétent, e [kɔ̃petɑ̃, -ɑ̃t] *adj* (*apte*) competent, capable
compétition [kɔ̃petisjɔ̃] *nf* (*gén*) competition; (*SPORT: épreuve*) event; **la** ~ competitive sport; **la** ~ **automobile** motor racing
complainte [kɔ̃plɛ̃t] *nf* lament
complaire [kɔ̃plɛʀ] **: se** ~ *vi*: **se** ~ **dans/parmi** to take pleasure in/in being among
complaisance [kɔ̃plɛzɑ̃s] *nf* kindness; **pavillon de** ~ flag of convenience;
complaisant, e [kɔ̃plɛzɑ̃, -ɑ̃t] *adj* (*aimable*) kind, obliging
complément [kɔ̃plemɑ̃] *nm* complement; remainder; ~ **d'information** (*ADMIN*) supplementary *ou* further information;
complémentaire *adj* complementary; (*additionnel*) supplementary
complet, ète [kɔ̃plɛ, -ɛt] *adj* complete; (*plein: hôtel etc*) full ◆ *nm* (*aussi*: ~*-veston*) suit; **complètement** *adv* completely;
compléter *vt* (*porter à la quantité voulue*) to complete; (*augmenter*) to complement, supplement; to add to
complexe [kɔ̃plɛks(ə)] *adj, nm* complex; **complexé, e** *adj* mixed-up, hung-up
complication [kɔ̃plikɑsjɔ̃] *nf* complexity, intricacy; (*difficulté, ennui*) complication
complice [kɔ̃plis] *nm* accomplice
compliment [kɔ̃plimɑ̃] *nm* (*louange*) compliment; ~**s** *nmpl* (*félicitations*) congratulations
compliqué, e [kɔ̃plike] *adj* complicated, complex; (*personne*) complicated
complot [kɔ̃plo] *nm* plot
comportement [kɔ̃pɔʀtəmɑ̃] *nm* behaviour
comporter [kɔ̃pɔʀte] *vt* to consist of, comprise; (*être équipé de*) to have; (*impliquer*) to entail; **se** ~ *vi* to behave
composant [kɔ̃pozɑ̃] *nm* component
composante [kɔ̃pozɑ̃t] *nf* component
composé [kɔ̃poze] *nm* compound
composer [kɔ̃poze] *vt* (*musique, texte*) to compose; (*mélange, équipe*) to make up; (*faire partie de*) to make up, form ◆ *vi* (*transiger*) to come to terms; **se** ~ **de** to be composed of, be made up of; ~ **un numéro** to dial a number
compositeur, trice [kɔ̃pozitœʀ, -tʀis] *nm/f* (*MUS*) composer
composition [kɔ̃pozisjɔ̃] *nf* composition; (*SCOL*) test; **de bonne** ~ (*accommodant*) easy to deal with
composter [kɔ̃pɔste] *vt* to date-stamp; to punch
compote [kɔ̃pɔt] *nf* stewed fruit *no pl*; ~ **de pommes** stewed apples; **compotier** *nm* fruit dish *ou* bowl
compréhensible [kɔ̃pʀeɑ̃sibl(ə)] *adj* comprehensible; (*attitude*) understandable
compréhensif, ive [kɔ̃pʀeɑ̃sif, -iv] *adj* understanding
comprendre [kɔ̃pʀɑ̃dʀ(ə)] *vt* to understand; (*se composer de*) to comprise, consist of
compresse [kɔ̃pʀɛs] *nf* compress
compression [kɔ̃pʀɛsjɔ̃] *nf* compression; reduction
comprimé [kɔ̃pʀime] *nm* tablet
comprimer [kɔ̃pʀime] *vt* to compress; (*fig: crédit etc*) to reduce, cut down
compris, e [kɔ̃pʀi, -iz] *pp de* **comprendre** ◆ *adj* (*inclus*) included; ~ **entre** (*situé*) contained between; **la maison** ~**e/non** ~**e, y/non** ~ **la maison** including/excluding the house; **100 F tout** ~ 100 F all inclusive *ou* all-in
compromettre [kɔ̃pʀɔmɛtʀ(ə)] *vt* to compromise
compromis [kɔ̃pʀɔmi] *nm* compromise
comptabilité [kɔ̃tabilite] *nf* (*activité, technique*) accounting, accountancy; (*d'une société: comptes*) accounts *pl*, books *pl*; (*: service*) accounts office
comptable [kɔ̃tabl(ə)] *nm/f* accountant
comptant [kɔ̃tɑ̃] *adv*: **payer** ~ to pay cash; **acheter** ~ to buy for cash
compte [kɔ̃t] *nm* count, counting; (*total, montant*) count, (right) number; (*bancaire, facture*) account; ~**s** *nmpl* (*FINANCE*) accounts, books; (*fig*) explanation *sg*; **en fin de** ~ all things considered; **à bon** ~ at a favourable price; (*fig*) lightly; **avoir son** ~ (*: fam*) to have had it; **pour le** ~ **de** on behalf of; **pour son propre** ~ for one's own benefit; **tenir** ~ **de** to take account of; **travailler à son** ~ to work for oneself; **rendre** ~ **(à qn) de qch** to give (sb) an account of sth; *voir aussi* **rendre**; ~ **à rebours** countdown; ~ **chèques postaux** Post Office account; ~ **courant** current account
compte-gouttes [kɔ̃tgut] *nm inv* dropper
compter [kɔ̃te] *vt* to count; (*facturer*) to charge for; (*avoir à son actif, comporter*) to have; (*prévoir*) to allow, reckon; (*penser, espérer*): ~ **réussir** to expect to succeed ◆ *vi* to count; (*être économe*) to economize; (*figurer*): ~ **parmi** to be *ou* rank among; ~ **sur** to count (up)on; ~ **avec qch/qn** to reckon with *ou* take account of sth/sb; **sans** ~ **que** besides which
compte rendu [kɔ̃tʀɑ̃dy] *nm* account, report; (*de film, livre*) review
compte-tours [kɔ̃ttuʀ] *nm inv* rev(olution) counter
compteur [kɔ̃tœʀ] *nm* meter; ~ **de vitesse** speedometer
comptine [kɔ̃tin] *nf* nursery rhyme
comptoir [kɔ̃twaʀ] *nm* (*de magasin*) counter
compulser [kɔ̃pylse] *vt* to consult
comte [kɔ̃t] *nm* count
comtesse [kɔ̃tɛs] *nf* countess
con, ne [kɔ̃, kɔn] (*fam!*) *adj* damned *ou* bloody (*BRIT*) stupid (*!*)

concéder [kɔ̃sede] *vt* to grant; (*défaite, point*) to concede
concentrer [kɔ̃sɑ̃tʀe] *vt* to concentrate; **se ~** *vi* to concentrate
concept [kɔ̃sɛpt] *nm* concept
conception [kɔ̃sɛpsjɔ̃] *nf* conception; (*d'une machine etc*) design
concerner [kɔ̃sɛʀne] *vt* to concern; **en ce qui me concerne** as far as I am concerned
concert [kɔ̃sɛʀ] *nm* concert; **de ~** in unison; together
concerter [kɔ̃sɛʀte] *vt* to devise; **se ~** *vi* (*collaborateurs etc*) to put our (*ou* their *etc*) heads together
concessionnaire [kɔ̃sesjɔnɛʀ] *nm/f* agent, dealer
concevoir [kɔ̃svwaʀ] *vt* (*idée, projet*) to conceive (of); (*méthode, plan d'appartement, décoration*) to plan, design; (*enfant*) to conceive; **bien/mal conçu** well-/badly-designed
concierge [kɔ̃sjɛʀʒ(ə)] *nm/f* caretaker; (*d'hôtel*) head porter
concile [kɔ̃sil] *nm* council
conciliabules [kɔ̃siljabyl] *nmpl* (private) discussions, confabulations
concilier [kɔ̃silje] *vt* to reconcile; **se ~** *vt* to win over
concitoyen, ne [kɔ̃sitwajɛ̃, -jɛn] *nm/f* fellow citizen
concluant, e [kɔ̃klyɑ̃, -ɑ̃t] *adj* conclusive
conclure [kɔ̃klyʀ] *vt* to conclude
conclusion [kɔ̃klyzjɔ̃] *nf* conclusion
conçois *etc vb voir* **concevoir**
concombre [kɔ̃kɔ̃bʀ(ə)] *nm* cucumber
concorder [kɔ̃kɔʀde] *vi* to tally, agree
concourir [kɔ̃kuʀiʀ] *vi* (*SPORT*) to compete; **~ à** (*effet etc*) to work towards
concours [kɔ̃kuʀ] *nm* competition; (*SCOL*) competitive examination; (*assistance*) aid, help; **~ de circonstances** combination of circumstances; **~ hippique** horse show
concret, ète [kɔ̃kʀɛ, -ɛt] *adj* concrete
concrétiser [kɔ̃kʀetize] *vt* (*plan, projet*) to put in concrete form; **se ~** *vi* to materialize
conçu, e [kɔ̃sy] *pp de* **concevoir**
concubinage [kɔ̃kybinaʒ] *nm* (*JUR*) cohabitation
concurrence [kɔ̃kyʀɑ̃s] *nf* competition; **jusqu'à ~ de** up to
concurrent, e [kɔ̃kyʀɑ̃, -ɑ̃t] *nm/f* (*SPORT, ÉCON etc*) competitor; (*SCOL*) candidate
condamner [kɔ̃dɑne] *vt* (*blâmer*) to condemn; (*JUR*) to sentence; (*porte, ouverture*) to fill in, block up; (*malade*) to give up (hope for); **~ qn à 2 ans de prison** to sentence sb to 2 years' imprisonment
condensation [kɔ̃dɑ̃sɑsjɔ̃] *nf* condensation
condenser [kɔ̃dɑ̃se] *vt* to condense; **se ~** *vi* to condense
condisciple [kɔ̃disipl(ə)] *nm/f* school fellow, fellow student
condition [kɔ̃disjɔ̃] *nf* condition; **~s** *nfpl* (*tarif, prix*) terms; (*circonstances*) conditions; **sans ~** unconditional ◆ *adv* unconditionally; **à ~ de** *ou* **que** provided that; **conditionnel, le** *adj* conditional ◆ *nm* conditional (tense)
conditionnement [kɔ̃disjɔnmɑ̃] *nm* (*emballage*) packaging
conditionner [kɔ̃disjɔne] *vt* (*déterminer*) to determine; (*COMM: produit*) to package; (*fig: personne*) to condition; **air conditionné** air conditioning
condoléances [kɔ̃doleɑ̃s] *nfpl* condolences
conducteur, trice [kɔ̃dyktœʀ, -tʀis] *nm/f* driver ◆ *nm* (*ÉLEC etc*) conductor
conduire [kɔ̃dɥiʀ] *vt* to drive; (*délégation, troupeau*) to lead; **se ~** *vi* to behave; **~ vers/à** to lead towards/to; **~ qn quelque part** to take sb somewhere; to drive sb somewhere
conduite [kɔ̃dɥit] *nf* (*comportement*) behaviour; (*d'eau, de gaz*) pipe; **sous la ~ de** led by; **~ à gauche** left-hand drive; **~ intérieure** saloon (car)
cône [kon] *nm* cone
confection [kɔ̃fɛksjɔ̃] *nf* (*fabrication*) making; (*COUTURE*): **la ~** the clothing industry; **vêtement de ~** ready-to-wear *ou* off-the-peg garment
confectionner [kɔ̃fɛksjɔne] *vt* to make
conférence [kɔ̃ferɑ̃s] *nf* (*exposé*) lecture; (*pourparlers*) conference; **~ de presse** press conference
confesser [kɔ̃fese] *vt* to confess; **se ~** *vi* (*REL*) to go to confession
confession [kɔ̃fɛsjɔ̃] *nf* confession; (*culte: catholique etc*) denomination
confiance [kɔ̃fjɑ̃s] *nf* confidence, trust; faith; **avoir ~ en** to have confidence *ou* faith in, trust; **mettre qn en ~** to win sb's trust; **~ en soi** self-confidence
confiant, e [kɔ̃fjɑ̃, -ɑ̃t] *adj* confident; trusting
confidence [kɔ̃fidɑ̃s] *nf* confidence
confidentiel, le [kɔ̃fidɑ̃sjɛl] *adj* confidential
confier [kɔ̃fje] *vt*: **~ à qn** (*objet en dépôt, travail etc*) to entrust to sb; (*secret, pensée*) to confide to sb; **se ~ à qn** to confide in sb
confiné, e [kɔ̃fine] *adj* enclosed; stale
confins [kɔ̃fɛ̃] *nmpl*: **aux ~ de** on the borders of
confirmation [kɔ̃fiʀmɑsjɔ̃] *nf* confirmation
confirmer [kɔ̃fiʀme] *vt* to confirm
confiserie [kɔ̃fizʀi] *nf* (*magasin*) confectioner's *ou* sweet shop; **~s** *nfpl* (*bonbons*) confectionery *sg*; **confiseur, euse** *nm/f* confectioner
confisquer [kɔ̃fiske] *vt* to confiscate
confit, e [kɔ̃fi, -it] *adj*: **fruits ~s** crystallized fruits ◆ *nm*: **~ d'oie** conserve of goose
confiture [kɔ̃fityʀ] *nf* jam; **~ d'oranges** (orange) marmalade
conflit [kɔ̃fli] *nm* conflict
confondre [kɔ̃fɔ̃dʀ(ə)] *vt* (*jumeaux, faits*) to confuse, mix up; (*témoin, menteur*) to confound; **se ~** *vi* to merge; **se ~ en excuses** to apologize profusely; **confondu, e** [kɔ̃fɔ̃dy] *adj* (*stupéfait*) speechless, overcome
conforme [kɔ̃fɔʀm(ə)] *adj*: **~ à** in accordance with; in keeping with; true to
conformément [kɔ̃fɔʀmemɑ̃] *adv*: **~ à** in accordance with
conformer [kɔ̃fɔʀme] *vt*: **se ~ à** to conform to
conformité [kɔ̃fɔʀmite] *nf*: **en ~ avec** in accordance with, in keeping with
confort [kɔ̃fɔʀ] *nm* comfort; **tout ~** (*COMM*) with all modern conveniences; **confortable** *adj* comfortable
confrère [kɔ̃fʀɛʀ] *nm* colleague; fellow member; **confrérie** *nf* brotherhood
confronter [kɔ̃fʀɔ̃te] *vt* to confront; (*textes*) to compare, collate
confus, e [kɔ̃fy, -yz] *adj* (*vague*) confused; (*embarrassé*) embarrassed
confusion [kɔ̃fyzjɔ̃] *nf* (*voir confus*) confusion; embarrassment; (*voir confondre*) confusion, mixing up
congé [kɔ̃ʒe] *nm* (*vacances*) holiday; **en ~** on holiday; off (work); **semaine de ~** week off; **prendre ~ de qn** to take one's leave of sb; **donner son ~ à** to give in one's notice to; **~ de maladie** sick leave; **~s payés** paid holiday
congédier [kɔ̃ʒedje] *vt* to dismiss
congélateur [kɔ̃ʒelatœʀ] *nm* freezer, deep freeze
congeler [kɔ̃ʒle] *vt* to freeze
congestion [kɔ̃ʒɛstjɔ̃] *nf* congestion; **~ cérébrale** stroke
congestionner [kɔ̃ʒɛstjɔne] *vt* to congest; (*MÉD*) to flush
congrès [kɔ̃gʀɛ] *nm* congress
congru, e [kɔ̃gʀy] *adj*: **la portion ~e** the smallest *ou* meanest share
conifère [kɔnifɛʀ] *nm* conifer
conjecture [kɔ̃ʒɛktyʀ] *nf* conjecture
conjoint, e [kɔ̃ʒwɛ̃, -wɛ̃t] *adj* joint ◆ *nm/f* spouse
conjonction [kɔ̃ʒɔ̃ksjɔ̃] *nf* (*LING*) conjunction
conjonctivite [kɔ̃ʒɔ̃ktivit] *nf* conjunctivitis
conjoncture [kɔ̃ʒɔ̃ktyʀ] *nf* circumstances *pl*; climate
conjugaison [kɔ̃ʒygɛzɔ̃] *nf* (*LING*) conjugation
conjuguer [kɔ̃ʒyge] *vt* (*LING*) to conjugate; (*efforts etc*) to combine
conjuration [kɔ̃ʒyʀɑsjɔ̃] *nf* conspiracy
conjurer [kɔ̃ʒyʀe] *vt* (*sort, maladie*) to avert; (*implorer*) to beseech, entreat
connaissance [kɔnɛsɑ̃s] *nf* (*savoir*) knowledge *no pl*; (*personne connue*) acquaintance; **être sans ~** to be unconscious; **perdre/reprendre ~** to lose/regain consciousness; **à ma/sa ~** to (the best of) my/his knowledge; **avoir ~ de** to be aware of; **prendre ~ de** (*document etc*) to peruse; **en ~ de cause** with full knowledge of the facts
connaître [kɔnɛtʀ(ə)] *vt* to know; (*éprouver*) to experience; (*avoir*) to have; to enjoy; **~ de nom/vue** to know by name/sight; **ils se sont connus à Genève** they (first) met in Geneva
connecté, e [kɔnɛkte] *adj* on line
connecter [kɔnɛkte] *vt* to connect
connerie [kɔnʀi] (*fam!*) *nf* stupid thing (to do *ou* say)
connu, e [kɔny] *adj* (*célèbre*) well-known
conquérir [kɔ̃keʀiʀ] *vt* to conquer, win; **conquête** *nf* conquest
consacrer [kɔ̃sakʀe] *vt* (*REL*) to consecrate; (*fig: usage etc*) to sanction, establish; (*employer*) to devote, dedicate
conscience [kɔ̃sjɑ̃s] *nf* conscience; **avoir/prendre ~ de** to be/become aware of; **perdre ~** to lose consciousness; **avoir bonne/mauvaise ~** to have a clear/guilty conscience; **consciencieux, euse** *adj* conscientious; **conscient, e** *adj* conscious
conscrit [kɔ̃skʀi] *nm* conscript
consécutif, ive [kɔ̃sekytif, -iv] *adj* consecutive; **~ à** following upon
conseil [kɔ̃sɛj] *nm* (*avis*) piece of advice, advice *no pl*; (*assemblée*) council; **prendre ~ (auprès de qn)** to take advice (from sb); **~ d'administration** board (of directors); **le ~ des ministres** ≈ the Cabinet
conseiller, ère [kɔ̃seje, kɔ̃sɛjɛʀ] *nm/f* adviser ◆ *vt* (*personne*) to advise; (*méthode, action*) to recommend, advise; **~ à qn de** to advise sb to
consentement [kɔ̃sɑ̃tmɑ̃] *nm* consent
consentir [kɔ̃sɑ̃tiʀ] *vt* to agree, consent
conséquence [kɔ̃sekɑ̃s] *nf* consequence; **en ~** (*donc*) consequently; (*de façon appropriée*) accordingly; **ne pas tirer à ~** to be unlikely to have any repercussions
conséquent, e [kɔ̃sekɑ̃, -ɑ̃t] *adj* logical, rational; (*fam: important*) substantial; **par ~** consequently
conservateur, trice [kɔ̃sɛʀvatœʀ, -tʀis] *nm/f* (*POL*) conservative; (*de musée*) curator
conservatoire [kɔ̃sɛʀvatwaʀ] *nm* academy; (*ÉCOLOGIE*) conservation area
conserve [kɔ̃sɛʀv(ə)] *nf* (*gén pl*) canned *ou* tinned (*BRIT*) food; **en ~** canned, tinned (*BRIT*)
conserver [kɔ̃sɛʀve] *vt* (*faculté*) to retain, keep; (*amis, livres*) to keep; (*préserver, aussi CULIN*) to preserve
considérable [kɔ̃sideʀabl(ə)] *adj* considerable, significant, extensive
considération [kɔ̃sideʀɑsjɔ̃] *nf* consideration; (*estime*) esteem
considérer [kɔ̃sideʀe] *vt* to consider; **~ qch comme** to regard sth as
consigne [kɔ̃siɲ] *nf* (*de gare*) left luggage (office) (*BRIT*), checkroom (*US*); (*ordre, instruction*) instructions *pl*; **~ (automatique)** left-luggage locker; **~r** [kɔ̃siɲe] *vt* (*note, pensée*) to record; (*punir*) to confine to barracks; to put in detention; (*COMM*) to put a deposit on
consistant, e [kɔ̃sistɑ̃, -ɑ̃t] *adj* thick; solid
consister [kɔ̃siste] *vi*: **~ en/dans/à faire** to consist of/in/in doing
consœur [kɔ̃sœʀ] *nf* (lady) colleague; fellow member
consoler [kɔ̃sɔle] *vt* to console
consolider [kɔ̃sɔlide] *vt* to strengthen; (*fig*) to consolidate
consommateur, trice [kɔ̃sɔmatœʀ, -tʀis] *nm/f* (*ÉCON*) consumer; (*dans un café*) customer
consommation [kɔ̃sɔmɑsjɔ̃] *nf* (*boisson*) drink; **~ aux 100 km** (*AUTO*) (fuel) consumption per 100 km
consommer [kɔ̃sɔme] *vt* (*suj: personne*) to eat *ou* drink, consume; (*: voiture, usine, poêle*) to use, consume ◆ *vi* (*dans un café*) to (have a) drink
consonne [kɔ̃sɔn] *nf* consonant
conspirer [kɔ̃spiʀe] *vi* to conspire
constamment [kɔ̃stamɑ̃] *adv* constantly
constant, e [kɔ̃stɑ̃, -ɑ̃t] *adj* constant; (*personne*) steadfast
constat [kɔ̃sta] *nm* (*d'huissier*) certified report; (*de police*) report; (*affirmation*) statement
constatation [kɔ̃statɑsjɔ̃] *nf* (*observation*) (observed) fact, observation; (*affirmation*) statement
constater [kɔ̃state] *vt* (*remarquer*) to note; (*ADMIN, JUR: attester*) to certify; (*dire*) to state
consterner [kɔ̃stɛʀne] *vt* to dismay
constipé, e [kɔ̃stipe] *adj* constipated
constitué, e [kɔ̃stitɥe] *adj*: **~ de** made up *ou* composed of
constituer [kɔ̃stitɥe] *vt* (*comité, équipe*) to set up; (*dossier, collection*) to put together; (*suj: éléments: composer*) to make up, constitute; (*représenter, être*) to constitute; **se ~ prisonnier** to give o.s. up
constitution [kɔ̃stitysjɔ̃] *nf* (*composition*) composition, make-up; (*santé, POL*) constitution
constructeur [kɔ̃stʀyktœʀ] *nm* manufacturer, builder
construction [kɔ̃stʀyksjɔ̃] *nf* construction, building
construire [kɔ̃stʀɥiʀ] *vt* to build, construct
consul [kɔ̃syl] *nm* consul; **consulat** *nm* consulate
consultation [kɔ̃syltɑsjɔ̃] *nf* consultation; **~s** *nfpl* (*POL*) talks; **heures de ~** (*MÉD*) surgery (*BRIT*) *ou* office (*US*) hours
consulter [kɔ̃sylte] *vt* to consult ◆ *vi* (*médecin*) to hold surgery (*BRIT*), be in (the office) (*US*)
consumer [kɔ̃syme] *vt* to consume; **se ~** *vi* to burn
contact [kɔ̃takt] *nm* contact; **au ~ de** (*air, peau*) on contact with; (*gens*) through contact with; **mettre/couper le ~** (*AUTO*) to switch on/off the ignition; **entrer en** *ou* **prendre ~ avec** to get in touch *ou* contact with; **contacter** *vt* to contact, get in touch with
contagieux, euse [kɔ̃taʒjø, -øz] *adj* contagious; infectious
contaminer [kɔ̃tamine] *vt* to contaminate
conte [kɔ̃t] *nm* tale; **~ de fées** fairy tale
contempler [kɔ̃tɑ̃ple] *vt* to contemplate, gaze at
contemporain, e [kɔ̃tɑ̃pɔʀɛ̃, -ɛn] *adj, nm/f* contemporary
contenance [kɔ̃tnɑ̃s] *nf* (*d'un récipient*) capacity; (*attitude*) bearing, attitude; **perdre ~** to lose one's composure
conteneur [kɔ̃tnœʀ] *nm* container
contenir [kɔ̃tniʀ] *vt* to contain; (*avoir une capacité de*) to hold
content, e [kɔ̃tɑ̃, -ɑ̃t] *adj* pleased, glad; **~ de** pleased with; **contenter** *vt* to satisfy, please; **se ~er de** to content o.s. with
contentieux [kɔ̃tɑ̃sjø] *nm* (*COMM*) litigation; litigation department
contenu [kɔ̃tny] *nm* (*d'un bol*) contents *pl*; (*d'un texte*) content
conter [kɔ̃te] *vt* to recount, relate
contestable [kɔ̃tɛstabl(ə)] *adj* questionable
contestation [kɔ̃tɛstɑsjɔ̃] *nf* (*POL*) protest
conteste [kɔ̃tɛst(ə)] : **sans ~** *adv* unquestionably, indisputably
contester [kɔ̃tɛste] *vt* to question, contest ◆ *vi* (*POL, gén*) to protest, rebel (against established authority)
contexte [kɔ̃tɛkst(ə)] *nm* context
contigu, ë [kɔ̃tigy] *adj*: **~ (à)** adjacent (to)
continent [kɔ̃tinɑ̃] *nm* continent
continu, e [kɔ̃tiny] *adj* continuous; **(courant) ~** direct current, DC
continuel, le [kɔ̃tinɥɛl] *adj* (*qui se répète*) constant, continual; (*continu*) continuous
continuer [kɔ̃tinɥe] *vt* (*travail, voyage etc*) to continue (with), carry on (with), go on (with); (*prolonger: alignement, rue*) to continue ◆ *vi* (*pluie, vie, bruit*) to continue, go on; (*voyageur*) to go on; **~ à** *ou* **de faire** to go on *ou* continue doing
contorsionner [kɔ̃tɔʀsjɔne]: **se ~** *vi* to contort o.s., writhe about
contour [kɔ̃tuʀ] *nm* outline, contour
contourner [kɔ̃tuʀne] *vt* to go round
contraceptif, ive [kɔ̃tʀasɛptif, -iv] *adj, nm* contraceptive; **contraception** [kɔ̃tʀasɛpsjɔ̃] *nf* contraception
contracté, e [kɔ̃tʀakte] *adj* tense
contracter [kɔ̃tʀakte] *vt* (*muscle etc*) to tense, contract; (*maladie, dette, obligation*) to contract; (*assurance*) to take out; **se ~** *vi* (*métal, muscles*) to contract
contractuel, le [kɔ̃tʀaktɥɛl] *nm/f* (*agent*) traffic warden
contradiction [kɔ̃tʀadiksjɔ̃] *nf* contradiction; **contradictoire** *adj* contradictory, conflicting
contraignant, e [kɔ̃tʀɛɲɑ̃, -ɑ̃t] *adj* restricting
contraindre *vt*: **~ qn à faire** to compel sb to do; **contraint, e** [kɔ̃tʀɛ̃, -ɛ̃t] *adj* (*mine, air*) constrained, forced; **contrainte** *nf* constraint
contraire [kɔ̃tʀɛʀ] *adj, nm* opposite; **~ à** contrary to; **au ~** on the contrary
contrarier [kɔ̃tʀaʀje] *vt* (*personne*) to annoy, bother; (*fig*) to impede; to thwart, frustrate; **contrariété** [kɔ̃tʀaʀjete] *nf* annoyance
contraste [kɔ̃tʀast(ə)] *nm* contrast
contrat [kɔ̃tʀa] *nm* contract; **~ de travail** employment contract
contravention [kɔ̃tʀavɑ̃sjɔ̃] *nf* (*amende*) fine; (*P.V. pour stationnement interdit*) parking ticket
contre [kɔ̃tʀ(ə)] *prép* against; (*en échange*) (in exchange) for; **par ~** on the other hand
contrebande [kɔ̃tʀəbɑ̃d] *nf* (*trafic*) contraband, smuggling; (*marchandise*) contraband, smuggled goods *pl*; **faire la ~ de** to smuggle
contrebas [kɔ̃tʀəbɑ] : **en ~** *adv* (down) below
contrebasse [kɔ̃tʀəbɑs] *nf* (double) bass
contre: ~carrer *vt* to thwart; **~cœur: à ~cœur** *adv* (be)grudgingly, reluctantly; **~coup** *nm* repercussions *pl*; **par ~coup** as an indirect consequence; **~dire** *vt* (*personne*) to contradict; (*témoignage, assertion, faits*) to refute
contrée [kɔ̃tʀe] *nf* region; land
contrefaçon [kɔ̃tʀəfasɔ̃] *nf* forgery
contrefaire [kɔ̃tʀəfɛʀ] *vt* (*document, signature*) to forge, counterfeit; (*personne, démarche*) to mimic; (*dénaturer: sa voix etc*) to disguise
contre-indication (*pl* **contre-indications**) *nf* (*MÉD*) contra-indication
contre-jour [kɔ̃tʀəʒuʀ]: **à ~** *adv* against the sunlight
contremaître [kɔ̃tʀəmɛtʀ(ə)] *nm* foreman
contrepartie [kɔ̃tʀəpaʀti] *nf* compensation; **en ~** in return
contre-pied [kɔ̃tʀəpje] *nm*: **prendre le ~ de** to take the opposing view of; to take the opposite course to

contre-plaqué [kɔ̃tʀəplake] *nm* plywood
contrepoids [kɔ̃tʀəpwa] *nm* counterweight, counterbalance
contrer [kɔ̃tʀe] *vt* to counter
contresens [kɔ̃tʀəsɑ̃s] *nm* misinterpretation; mistranslation; nonsense *no pl*; **à ~** the wrong way
contretemps [kɔ̃tʀətɑ̃] *nm* hitch; **à ~** (*MUS*) out of time; (*fig*) at an inopportune moment
contrevenir [kɔ̃tʀəvniʀ]: **~ à** *vt* to contravene
contribuable [kɔ̃tʀibɥabl(ə)] *nm/f* taxpayer
contribuer [kɔ̃tʀibɥe]: **~ à** *vt* to contribute towards; **contribution** *nf* contribution; **contributions directes/indirectes** direct/indirect taxation; **mettre à contribution** to call upon
contrôle [kɔ̃tʀol] *nm* checking *no pl*, check; supervision; monitoring; (*test*) test, examination; **perdre le ~ de** (*véhicule*) to lose control of; **~ continu** (*SCOL*) continuous assessment; **~ d'identité** identity check; **~ des naissances** birth control
contrôler [kɔ̃tʀole] *vt* (*vérifier*) to check; (*surveiller*) to supervise; to monitor, control; (*maîtriser, COMM: firme*) to control; **contrôleur, euse** *nm/f* (*de train*) (ticket) inspector; (*de bus*) (bus) conductor(tress)
contrordre [kɔ̃tʀɔʀdʀ(ə)] *nm*: **sauf ~** unless otherwise directed
controversé, e [kɔ̃tʀɔvɛʀse] *adj* (*personnage, question*) controversial
contusion [kɔ̃tyzjɔ̃] *nf* bruise, contusion
convaincre [kɔ̃vɛ̃kʀ(ə)] *vt*: **~ qn (de qch)** to convince sb (of sth); **~ qn (de faire)** to persuade sb (to do); **~ qn de** (*JUR: délit*) to convict sb of
convalescence [kɔ̃valesɑ̃s] *nf* convalescence
convenable [kɔ̃vnabl(ə)] *adj* suitable; (*assez bon, respectable*) decent
convenance [kɔ̃vnɑ̃s] *nf*: **à ma/votre ~** to my/your liking; **~s** *nfpl* (*normes sociales*) proprieties
convenir [kɔ̃vniʀ] *vi* to be suitable; **~ à** to suit; **il convient de** it is advisable to; (*bienséant*) it is right *ou* proper to; **~ de** (*bien-fondé de qch*) to admit (to), acknowledge; (*date, somme etc*) to agree upon; **~ que** (*admettre*) to admit that; **~ de faire** to agree to do
convention [kɔ̃vɑ̃sjɔ̃] *nf* convention; **~s** *nfpl* (*convenances*) convention *sg*; **~ collective** (*ÉCON*) collective agreement; **conventionné, e** *adj* (*ADMIN*) *applying charges laid down by the state*
convenu, e [kɔ̃vny] *pp de* **convenir** ◆ *adj* agreed
conversation [kɔ̃vɛʀsasjɔ̃] *nf* conversation
convertir [kɔ̃vɛʀtiʀ] *vt*: **~ qn (à)** to convert sb (to); **se ~ (à)** to be converted (to); **~ qch en** to convert sth into
conviction [kɔ̃viksjɔ̃] *nf* conviction
convienne *etc vb voir* **convenir**
convier [kɔ̃vje] *vt*: **~ qn à** (*dîner etc*) to (cordially) invite sb to
convive [kɔ̃viv] *nm/f* guest (*at table*)
convivial, e [kɔ̃vivjal] *adj* (*INFORM*) user-friendly
convocation [kɔ̃vɔkasjɔ̃] *nf* (*document*) notification to attend; summons *sg*
convoi [kɔ̃vwa] *nm* (*de voitures, prisonniers*) convoy; (*train*) train
convoiter [kɔ̃vwate] *vt* to covet
convoquer [kɔ̃vɔke] *vt* (*assemblée*) to convene; (*subordonné*) to summon; (*candidat*) to ask to attend; **~ qn (à)** (*réunion*) to invite sb (to attend)
convoyeur [kɔ̃vwajœʀ] *nm* (*NAVIG*) escort ship; **~ de fonds** security guard
coopération [kɔɔpeʀasjɔ̃] *nf* co-operation; (*ADMIN*): **la C~** ≈ Voluntary Service Overseas (*BRIT*), ≈ Peace Corps (*US*)
coopérer [kɔɔpeʀe] *vi*: **~ (à)** to co-operate (in)
coordonner [kɔɔʀdɔne] *vt* to coordinate
copain [kɔpɛ̃] *nm* mate, pal
copeau, x [kɔpo] *nm* shaving
copie [kɔpi] *nf* copy; (*SCOL*) script, paper; exercise
copier [kɔpje] *vt, vi* to copy; **~ sur** to copy from
copieur [kɔpjœʀ] *nm* (photo)copier
copieux, euse [kɔpjø, -øz] *adj* copious
copine [kɔpin] *nf* = **copain**
copropriété [kɔpʀɔpʀijete] *nf* co-ownership, joint ownership
coq [kɔk] *nm* cock, rooster; **~-à-l'âne** [kɔkalɑn] *nm inv* abrupt change of subject
coque [kɔk] *nf* (*de noix, mollusque*) shell; (*de bateau*) hull; **à la ~** (*CULIN*) (soft-)boiled
coquelicot [kɔkliko] *nm* poppy
coqueluche [kɔklyʃ] *nf* whooping-cough
coquet, te [kɔkɛ, -ɛt] *adj* flirtatious; appearance-conscious; pretty
coquetier [kɔktje] *nm* egg-cup
coquillage [kɔkijaʒ] *nm* (*mollusque*) shellfish *inv*; (*coquille*) shell
coquille [kɔkij] *nf* shell; (*TYPO*) misprint; **~ St Jacques** scallop
coquin, e [kɔkɛ̃, -in] *adj* mischievous, roguish; (*polisson*) naughty
cor [kɔʀ] *nm* (*MUS*) horn; (*MÉD*): **~ (au pied)** corn; **réclamer à ~ et à cri** to clamour for
corail, aux [kɔʀaj, -o] *nm* coral *no pl*
Coran [kɔʀɑ̃] *nm*: **le ~** the Koran
corbeau, x [kɔʀbo] *nm* crow
corbeille [kɔʀbɛj] *nf* basket; **~ à papier** waste paper basket *ou* bin
corbillard [kɔʀbijaʀ] *nm* hearse
corde [kɔʀd(ə)] *nf* rope; (*de violon, raquette, d'arc*) string; (*ATHLÉTISME, AUTO*): **la ~** the rails *pl*; **usé jusqu'à la ~** threadbare; **~ à linge** washing *ou* clothes line; **~ à sauter** skipping rope; **~s vocales** vocal cords
cordialement [kɔʀdjalmɑ̃] *adv* (*formule épistolaire*) (kind) regards
cordon [kɔʀdɔ̃] *nm* cord, string; **~ ombilical** umbilical cord; **~ de police** police cordon
cordonnerie [kɔʀdɔnʀi] *nf* shoe repairer's (shop); **cordonnier** [kɔʀdɔnje] *nm* shoe repairer
Corée [kɔʀe] *nf*: **la ~ du Sud/du Nord** South/North Korea
coriace [kɔʀjas] *adj* tough
corne [kɔʀn(ə)] *nf* horn; (*de cerf*) antler
corneille [kɔʀnɛj] *nf* crow
cornemuse [kɔʀnəmyz] *nf* bagpipes *pl*
cornet [kɔʀnɛ] *nm* (paper) cone; (*de glace*) cornet, cone
corniche [kɔʀniʃ] *nf* (*de meuble, neigeuse*) cornice; (*route*) coast road
cornichon [kɔʀniʃɔ̃] *nm* gherkin
Cornouailles [kɔʀnwaj] *nf* Cornwall
corporation [kɔʀpɔʀasjɔ̃] *nf* corporate body
corporel, le [kɔʀpɔʀɛl] *adj* bodily; (*punition*) corporal
corps [kɔʀ] *nm* body; **à son ~ défendant** against one's will; **à ~ perdu** headlong; **perdu ~ et biens** lost with all hands; **prendre ~** to take shape; **~ à ~** *adv* hand-to-hand ◆ *nm* clinch; **~ de garde** guardroom; **le ~ électoral** the electorate; **le ~ enseignant** the teaching profession
corpulent, e [kɔʀpylɑ̃, -ɑ̃t] *adj* stout
correct, e [kɔʀɛkt] *adj* correct; (*passable*) adequate
correction [kɔʀɛksjɔ̃] *nf* (*voir corriger*) correction; (*voir correct*) correctness; (*rature, surcharge*) correction, emendation; (*coups*) thrashing
correctionnel, le [kɔʀɛksjɔnɛl] *adj* (*JUR*): **tribunal ~** ≈ criminal court
correspondance [kɔʀɛspɔ̃dɑ̃s] *nf* correspondence; (*de train, d'avion*) connection; **cours par ~** correspondence course; **vente par ~** mail-order business
correspondant, e [kɔʀɛspɔ̃dɑ̃, -ɑ̃t] *nm/f* correspondent; (*TÉL*) person phoning (*ou* being phoned)
correspondre [kɔʀɛspɔ̃dʀ(ə)] *vi* to correspond, tally; **~ à** to correspond to; **~ avec qn** to correspond with sb
corrida [kɔʀida] *nf* bullfight
corridor [kɔʀidɔʀ] *nm* corridor
corriger [kɔʀiʒe] *vt* (*devoir*) to correct; (*punir*) to thrash; **~ qn de** (*défaut*) to cure sb of
corrompre [kɔʀɔ̃pʀ(ə)] *vt* to corrupt; (*acheter: témoin etc*) to bribe
corruption [kɔʀypsjɔ̃] *nf* corruption; bribery
corsage [kɔʀsaʒ] *nm* bodice; blouse
corse [kɔʀs(ə)] *adj, nm/f* Corsican ◆ *nf*: **la C~** Corsica
corsé, e [kɔʀse] *adj* vigorous; (*vin, goût*) full-flavoured; (*fig*) spicy; tricky
corset [kɔʀsɛ] *nm* corset; bodice
cortège [kɔʀtɛʒ] *nm* procession
corvée [kɔʀve] *nf* chore, drudgery *no pl*
cosmétique [kɔsmetik] *nm* beauty care product
cossu, e [kɔsy] *adj* well-to-do
costaud, e [kɔsto, -od] *adj* strong, sturdy
costume [kɔstym] *nm* (*d'homme*) suit; (*de théâtre*) costume; **costumé, e** *adj* dressed up
cote [kɔt] *nf* (*en Bourse etc*) quotation; quoted value; (*d'un cheval*): **la ~ de** the odds *pl* on; (*d'un candidat etc*) rating; (*sur un croquis*) dimension; **~ d'alerte** danger *ou* flood level
côte [kot] *nf* (*rivage*) coast(line); (*pente*) slope; (*: sur une route*) hill; (*ANAT*) rib; (*d'un tricot, tissu*) rib, ribbing *no pl*; **~ à ~** side by side; **la C~ (d'Azur)** the (French) Riviera
côté [kote] *nm* (*gén*) side; (*direction*) way, direction; **de chaque ~ (de)** on each side (of); **de tous les ~s** from all directions; **de quel ~ est-il parti?** which way did he go?; **de ce/de l'autre ~** this/the other way; **du ~ de** (*provenance*) from; (*direction*) towards; (*proximité*) near; **de ~** sideways; on one side; to one side; aside; **laisser/mettre de ~** to leave/put to one side; **à ~** (right) nearby; beside; next door; (*d'autre part*) besides; **à ~ de** beside; next to; **être aux ~s de** to be by the side of
coteau, x [kɔto] *nm* hill
côtelette [kotlɛt] *nf* chop
coter [kɔte] *vt* (*en Bourse*) to quote
côtier, ière [kotje, -jɛʀ] *adj* coastal
cotisation [kɔtizasjɔ̃] *nf* subscription, dues *pl*; (*pour une pension*) contributions *pl*
cotiser [kɔtize] *vi*: **~ (à)** to pay contributions (to); **se ~** *vi* to club together
coton [kɔtɔ̃] *nm* cotton; **~ hydrophile** cotton wool (*BRIT*), absorbent cotton (*US*)
côtoyer [kotwaje] *vt* to be close to; to rub shoulders with; to run alongside
cou [ku] *nm* neck
couchant [kuʃɑ̃] *adj*: **soleil ~** setting sun
couche [kuʃ] *nf* (*strate: gén, GÉO*) layer; (*de peinture, vernis*) coat; (*de bébé*) nappy (*BRIT*), diaper (*US*); **~s** *nfpl* (*MÉD*) confinement *sg*; **~ d'ozone** ozone layer; **~s sociales** social levels *ou* strata
couché, e [kuʃe] *adj* lying down; (*au lit*) in bed
couche-culotte [kuʃkylɔt] *nf* disposable nappy (*BRIT*) *ou* diaper (*US*) and waterproof pants in one
coucher [kuʃe] *nm* (*du soleil*) setting ◆ *vt* (*personne*) to put to bed; (*: loger*) to put up; (*objet*) to lay on its side ◆ *vi* to sleep; **se ~** *vi* (*pour dormir*) to go to bed; (*pour se reposer*) to lie down; (*soleil*) to set; **~ de soleil** sunset
couchette [kuʃɛt] *nf* couchette; (*de marin*) bunk
coucou [kuku] *nm* cuckoo
coude [kud] *nm* (*ANAT*) elbow; (*de tuyau, de la route*) bend; **~ à ~** shoulder to shoulder, side by side
coudre [kudʀ(ə)] *vt* (*bouton*) to sew on; (*robe*) to sew (up) ◆ *vi* to sew
couenne [kwan] *nf* (*de lard*) rind
couette [kwɛt] *nf* duvet, quilt; **~s** *nfpl* (*cheveux*) bunches
couffin [kufɛ̃] *nm* Moses basket
couler [kule] *vi* to flow, run; (*fuir: stylo, récipient*) to leak; (*sombrer: bateau*) to sink ◆ *vt* (*cloche, sculpture*) to cast; (*bateau*) to sink; (*fig*) to ruin, bring down
couleur [kulœʀ] *nf* colour (*BRIT*), color (*US*); (*CARTES*) suit; **film/télévision en ~s** colo(u)r film/television
couleuvre [kulœvʀ(ə)] *nf* grass snake
coulisse [kulis] *nf*: **~s** *nfpl* (*THÉÂTRE*) wings; (*fig*): **dans les ~s** behind the scenes; **coulisser** *vi* to slide, run
couloir [kulwaʀ] *nm* corridor, passage; (*de bus*) gangway; (*sur la route*) bus lane; (*SPORT: de piste*) lane; (*GÉO*) gully; **~ aérien/de navigation** air/shipping lane
coup [ku] *nm* (*heurt, choc*) knock; (*affectif*) blow, shock; (*agressif*) blow; (*avec arme à feu*) shot; (*de l'horloge*) chime; stroke; (*SPORT*) stroke; shot; blow; (*fam: fois*) time; **~ de coude** nudge (with the elbow); **~ de tonnerre** clap of thunder; **~ de sonnette** ring of the bell; **~ de crayon** stroke of the pencil; **donner un ~ de balai** to give the floor a sweep; **avoir le ~** (*fig*) to have the knack; **boire un ~** to have a drink; **être dans le ~** to be in on it; **du ~ ...** so (you see) ...; **d'un seul ~** (*subitement*) suddenly; (*à la fois*) at one go; in one blow; **du premier ~** first time; **du même ~** at the same time; **à ~ sûr** definitely, without fail; **~ sur ~** in quick succession; **sur le ~** outright; **sous le ~ de** (*surprise etc*) under the influence of; **~ de chance** stroke of luck; **~ de couteau** stab (of a knife); **~ d'envoi** kick-off; **~ d'essai** first attempt; **~ de feu** shot; **~ de filet** (*POLICE*) haul; **~ de frein** (sharp) braking *no pl*; **~ de main: donner un ~ de main à qn** to give sb a (helping) hand; **~ d'œil** glance; **~ de pied** kick; **~ de poing** punch; **~ de soleil** sunburn *no pl*; **~ de téléphone** phone call; **~ de tête** (*fig*) (sudden) impulse; **~ de théâtre** (*fig*) dramatic turn of events; **~ de vent** gust of wind; **en coup de vent** in a tearing hurry; **~ franc** free kick
coupable [kupabl(ə)] *adj* guilty ◆ *nm/f* (*gén*) culprit; (*JUR*) guilty party
coupe [kup] *nf* (*verre*) goblet; (*à fruits*) dish; (*SPORT*) cup; (*de cheveux, de vêtement*) cut; (*graphique, plan*) (cross) section; **être sous la ~ de** to be under the control of
coupe-papier [kuppapje] *nm inv* paper knife
couper [kupe] *vt* to cut; (*retrancher*) to cut (out); (*route, courant*) to cut off; (*appétit*) to take away; (*vin, cidre*) to blend; (*: à table*) to dilute ◆ *vi* to cut; (*prendre un raccourci*) to take a short-cut; **se ~** *vi* (*se blesser*) to cut o.s.; **~ la parole à qn** to cut sb short
couple [kupl(ə)] *nm* couple
couplet [kuplɛ] *nm* verse
coupole [kupɔl] *nf* dome; cupola
coupon [kupɔ̃] *nm* (*ticket*) coupon; (*de tissu*) remnant; roll; **~-réponse** *nm* reply coupon
coupure [kupyʀ] *nf* cut; (*billet de banque*) note; (*de journal*) cutting; **~ de courant** power cut
cour [kuʀ] *nf* (*de ferme, jardin*) (court)yard; (*d'immeuble*) back yard; (*JUR, royale*) court; **faire la ~ à qn** to court sb; **~ d'assises** court of assizes; **~ martiale** court-martial
courage [kuʀaʒ] *nm* courage, bravery; **courageux, euse** *adj* brave, courageous
couramment [kuʀamɑ̃] *adv* commonly; (*parler*) fluently
courant, e [kuʀɑ̃, -ɑ̃t] *adj* (*fréquent*) common; (*COMM, gén: normal*) standard; (*en cours*) current ◆ *nm* current; (*fig*) movement; trend; **être au ~ (de)** (*fait, nouvelle*) to know (about); **mettre qn au ~ (de)** to tell sb (about); (*nouveau travail etc*) to teach sb the basics (of); **se tenir au ~ (de)** (*techniques etc*) to keep o.s. up-to-date (on); **dans le ~ de** (*pendant*) in the course of; **le 10 ~** (*COMM*) the 10th inst.; **~ d'air** draught; **~ électrique** (electric) current, power
courbature [kuʀbatyʀ] *nf* ache
courbe [kuʀb(ə)] *adj* curved ◆ *nf* curve
courber [kuʀbe] *vt* to bend
coureur, euse [kuʀœʀ, -øz] *nm/f* (*SPORT*) runner (*ou* driver); (*péj*) womanizer; manhunter; **~ automobile** racing driver
courge [kuʀʒ(ə)] *nf* (*CULIN*) marrow; **courgette** [kuʀʒɛt] *nf* courgette (*BRIT*), zucchini (*US*)
courir [kuʀiʀ] *vi* to run ◆ *vt* (*SPORT: épreuve*) to compete in; (*risque*) to run; (*danger*) to face; **~ les magasins** to go round the shops; **le bruit court que** the rumour is going round that
couronne [kuʀɔn] *nf* crown; (*de fleurs*) wreath, circlet
courons *etc vb voir* **courir**
courrier [kuʀje] *nm* mail, post; (*lettres à écrire*) letters *pl*; **avion long/moyen ~** long-/medium-haul plane
courroie [kuʀwa] *nf* strap; (*TECH*) belt
courrons *etc vb voir* **courir**
cours [kuʀ] *nm* (*leçon*) lesson; class; (*série de leçons, cheminement*) course; (*écoulement*) flow; (*COMM*) rate; price; **donner libre ~ à** to give free expression to; **avoir ~** (*monnaie*) to be legal tender; (*fig*) to be current; (*SCOL*) to have a class *ou* lecture; **en ~** (*année*) current; (*travaux*) in progress; **en ~ de route** on the way; **au ~ de** in the course of, during; **~ d'eau** waterway; **~ du soir** night school
course [kuʀs(ə)] *nf* running; (*SPORT: épreuve*) race; (*d'un taxi, autocar*) journey, trip; (*petite mission*) errand; **~s** *nfpl* (*achats*) shopping *sg*; **faire des ~s** to do some shopping
court, e [kuʀ, kuʀt(ə)] *adj* short ◆ *adv* short ◆ *nm*: **~ (de tennis)** (tennis) court; **tourner ~** to come to a sudden end; **ça fait ~** that's not very long; **à ~ de** short of; **prendre qn de ~** to catch sb unawares; **tirer à la ~e paille** to draw lots; **~-circuit** *nm* short-circuit
courtier, ère [kuʀtje, -jɛʀ] *nm/f* broker
courtiser [kuʀtize] *vt* to court, woo
courtois, e [kuʀtwa, -waz] *adj* courteous
couru, e [kuʀy] *pp de* **courir** ◆ *adj*: **c'est ~** it's a safe bet
cousais *etc vb voir* **coudre**
couscous [kuskus] *nm* couscous
cousin, e [kuzɛ̃, -in] *nm/f* cousin
coussin [kusɛ̃] *nm* cushion
cousu, e [kuzy] *pp de* **coudre**
coût [ku] *nm* cost; **le ~ de la vie** the cost of living
coûtant [kutɑ̃] *adj m*: **au prix ~** at cost price
couteau, x [kuto] *nm* knife; **~ à cran d'arrêt** flick-knife
coûter [kute] *vt, vi* to cost; **combien ça coûte?** how much is it?, what does it cost?; **coûte que coûte** at all costs; **coûteux, euse** *adj* costly, expensive
coutume [kutym] *nf* custom
couture [kutyʀ] *nf* sewing; dress-making; (*points*) seam; **couturier** [kutyʀje] *nm* fashion designer; **couturière** [kutyʀjɛʀ] *nf* dressmaker
couvée [kuve] *nf* brood, clutch
couvent [kuvɑ̃] *nm* (*de sœurs*) convent; (*de frères*) monastery
couver [kuve] *vt* to hatch; (*maladie*) to be sickening for ◆ *vi* (*feu*) to smoulder; (*révolte*) to be brewing
couvercle [kuvɛʀkl(ə)] *nm* lid; (*de bombe aérosol etc, qui se visse*) cap, top
couvert, e [kuvɛʀ, -ɛʀt(ə)] *pp de* **couvrir** ◆ *adj* (*ciel*) overcast ◆ *nm* place setting; (*place à table*) place; (*au restaurant*) cover charge; **~s** *nmpl* (*ustensiles*) cutlery *sg*; **~ de** covered with *ou* in; **mettre le ~** to lay the table
couverture [kuvɛʀtyʀ] *nf* blanket; (*de*

bâtiment) roofing; (*de livre, assurance, fig*) cover; (*presse*) coverage; ~ **chauffante** electric blanket
couveuse [kuvøz] *nf* (*de maternité*) incubator
couvre-feu *nm* curfew
couvre-lit *nm* bedspread
couvrir [kuvʀiʀ] *vt* to cover; **se** ~ *vi* (*ciel*) to cloud over; (*s'habiller*) to cover up; (*se coiffer*) to put on one's hat
crabe [kʀɑb] *nm* crab
cracher [kʀaʃe] *vi, vt* to spit
crachin [kʀaʃɛ̃] *nm* drizzle
craie [kʀɛ] *nf* chalk
craindre [kʀɛ̃dʀ(ə)] *vt* to fear, be afraid of; (*être sensible à: chaleur, froid*) to be easily damaged by
crainte [kʀɛ̃t] *nf* fear; **de** ~ **de/que** for fear of/that; **craintif, ive** *adj* timid
cramoisi, e [kʀamwazi] *adj* crimson
crampe [kʀɑ̃p] *nf* cramp
cramponner [kʀɑ̃pɔne] : **se** ~ *vi*: **se** ~ **(à)** to hang *ou* cling on (to)
cran [kʀɑ̃] *nm* (*entaille*) notch; (*de courroie*) hole; (*courage*) guts *pl*; ~ **d'arrêt** safety catch
crâne [kʀɑn] *nm* skull
crâner [kʀɑne] (*fam*) *vi* to show off
crapaud [kʀapo] *nm* toad
crapule [kʀapyl] *nf* villain
craquement [kʀakmɑ̃] *nm* crack, snap; (*du plancher*) creak, creaking *no pl*
craquer [kʀake] *vi* (*bois, plancher*) to creak; (*fil, branche*) to snap; (*couture*) to come apart; (*fig*) to break down ◆ *vt* (*allumette*) to strike
crasse [kʀas] *nf* grime, filth
cravache [kʀavaʃ] *nf* (riding) crop
cravate [kʀavat] *nf* tie
crawl [kʀol] *nm* crawl; **dos** ~**é** backstroke
crayeux, euse [kʀɛjø, -øz] *adj* chalky
crayon [kʀɛjɔ̃] *nm* pencil; ~ **à bille** ball-point pen; ~ **de couleur** crayon, colouring pencil; ~ **optique** light pen; **crayon-feutre** [kʀɛjɔ̃føtʀ(ə)] (*pl* **crayons-feutres**) *nm* felt(-tip) pen
créancier, ière [kʀeɑ̃sje, -jɛʀ] *nm/f* creditor
création [kʀeasjɔ̃] *nf* creation
créature [kʀeatyʀ] *nf* creature
crèche [kʀɛʃ] *nf* (*de Noël*) crib; (*garderie*) crèche, day nursery
crédit [kʀedi] *nm* (*gén*) credit; ~**s** *nmpl* (*fonds*) funds; **payer/acheter à** ~ to pay/buy on credit *ou* on easy terms; **faire** ~ **à qn** to give sb credit; **créditer** *vt*: **créditer un compte (de)** to credit an account (with)
crédule [kʀedyl] *adj* credulous, gullible
créer [kʀee] *vt* to create; (*THÉÂTRE*) to produce (for the first time)
crémaillère [kʀemajɛʀ] *nf* (*RAIL*) rack; **pendre la** ~ to have a house-warming party
crématoire [kʀematwaʀ] *adj*: **four** ~ crematorium
crème [kʀɛm] *nf* cream; (*entremets*) cream dessert ◆ *adj inv* cream (-coloured); **un (café)** ~ ≈ a white coffee; ~ **à raser** shaving cream; ~ **chantilly** whipped cream; ~ **fouettée** = **crème chantilly**; **crémerie** *nf* dairy; **crémeux, euse** *adj* creamy
créneau, x [kʀeno] *nm* (*de fortification*) crenel(le); (*fig*) gap, slot; (*AUTO*): **faire un** ~ to reverse into a parking space (*alongside the kerb*)
crêpe [kʀɛp] *nf* (*galette*) pancake ◆ *nm* (*tissu*) crêpe; **crêpé, e** *adj* (*cheveux*) backcombed; **crêperie** *nf* pancake shop *ou* restaurant
crépir [kʀepiʀ] *vt* to roughcast
crépiter [kʀepite] *vi* to sputter, splutter; to crackle
crépu, e [kʀepy] *adj* frizzy, fuzzy
crépuscule [kʀepyskyl] *nm* twilight, dusk
cresson [kʀesɔ̃] *nm* watercress
crête [kʀɛt] *nf* (*de coq*) comb; (*de vague, montagne*) crest
creuser [kʀøze] *vt* (*trou, tunnel*) to dig; (*sol*) to dig a hole in; (*bois*) to hollow out; (*fig*) to go (deeply) into; **ça creuse** that gives you a real appetite; **se** ~ **(la cervelle)** to rack one's brains
creux, euse [kʀø, -øz] *adj* hollow ◆ *nm* hollow; (*fig: sur graphique etc*) trough; **heures creuses** slack periods; off-peak periods
crevaison [kʀəvɛzɔ̃] *nf* puncture
crevasse [kʀəvas] *nf* (*dans le sol*) crack, fissure; (*de glacier*) crevasse
crevé, e [kʀəve] *adj* (*fatigué*) all in, exhausted
crever [kʀəve] *vt* (*papier*) to tear, break; (*tambour, ballon*) to burst ◆ *vi* (*pneu*) to burst; (*automobiliste*) to have a puncture (*BRIT*) *ou* a flat (tire) (*US*); (*fam*) to die; **cela lui a crevé un œil** it blinded him in one eye
crevette [kʀəvɛt] *nf*: ~ **(rose)** prawn; ~ **grise** shrimp
cri [kʀi] *nm* cry, shout; (*d'animal: spécifique*) cry, call; **c'est le dernier** ~ (*fig*) it's the latest fashion
criant, e [kʀijɑ̃, -ɑ̃t] *adj* (*injustice*) glaring
criard, e [kʀijaʀ, -aʀd(ə)] *adj* (*couleur*) garish, loud; (*voix*) yelling
crible [kʀibl(ə)] *nm* riddle; **passer qch au** ~ (*fig*) to go over sth with a fine-tooth comb
criblé, e [kʀible] *adj*: ~ **de** riddled with; (*de dettes*) crippled with
cric [kʀik] *nm* (*AUTO*) jack
crier [kʀije] *vi* (*pour appeler*) to shout, cry (out); (*de peur, de douleur etc*) to scream, yell ◆ *vt* (*ordre, injure*) to shout (out), yell (out)
crime [kʀim] *nm* crime; (*meurtre*) murder; **criminel, le** *nm/f* criminal; murderer
crin [kʀɛ̃] *nm* hair *no pl*; (*fibre*) horsehair; ~**ière** [kʀinjɛʀ] *nf* mane
crique [kʀik] *nf* creek, inlet
criquet [kʀikɛ] *nm* locust; grasshopper
crise [kʀiz] *nf* crisis; (*MÉD*) attack; fit; ~ **cardiaque** heart attack; ~ **de foie** bilious attack; ~ **de nerfs** attack of nerves
crisper [kʀispe] *vt* to tense; (*poings*) to clench; **se** ~ *vi* to tense; to clench; (*personne*) to get tense
crisser [kʀise] *vi* (*neige*) to crunch; (*pneu*) to screech
cristal, aux [kʀistal, -o] *nm* crystal; ~**lin, e** *adj* crystal-clear
critère [kʀitɛʀ] *nm* criterion
critiquable [kʀitikabl(ə)] *adj* open to criticism
critique [kʀitik] *adj* critical ◆ *nm/f* (*de théâtre, musique*) critic ◆ *nf* criticism; (*THÉÂTRE etc: article*) review; ~**r** [kʀitike] *vt* (*dénigrer*) to criticize; (*évaluer, juger*) to assess, examine (critically)
croasser [kʀɔase] *vi* to caw
Croatie [kʀɔasi] *nf* Croatia
croc [kʀo] *nm* (*dent*) fang; (*de boucher*) hook
croc-en-jambe [kʀɔkɑ̃ʒɑ̃b] *nm*: **faire un** ~ **à qn** to trip sb up
croche [kʀɔʃ] *nf* (*MUS*) quaver (*BRIT*), eighth note (*US*); ~**-pied** [kʀɔʃpje] *nm* = **croc-en-jambe**
crochet [kʀɔʃɛ] *nm* hook; (*détour*) detour; (*TRICOT: aiguille*) crochet hook; (*: technique*) crochet; **vivre aux** ~**s de qn** to live *ou* sponge off sb; **crocheter** *vt* (*serrure*) to pick
crochu, e [kʀɔʃy] *adj* hooked; claw-like
crocodile [kʀɔkɔdil] *nm* crocodile
crocus [kʀɔkys] *nm* crocus
croire [kʀwaʀ] *vt* to believe; **se** ~ **fort** to think one is strong; ~ **que** to believe *ou* think that; ~ **à**, ~ **en** to believe in
croîs *vb voir* **croître**
croisade [kʀwazad] *nf* crusade
croisé, e [kʀwaze] *adj* (*veston*) double-breasted
croisement [kʀwazmɑ̃] *nm* (*carrefour*) crossroads *sg*; (*BIO*) crossing; crossbreed
croiser [kʀwaze] *vt* (*personne, voiture*) to pass; (*route*) to cross, cut across; (*BIO*) to cross ◆ *vi* (*NAVIG*) to cruise; **se** ~ *vi* (*personnes, véhicules*) to pass each other; (*routes, lettres*) to cross; (*regards*) to meet; ~ **les jambes/bras** to cross one's legs/fold one's arms
croiseur [kʀwazœʀ] *nm* cruiser (*warship*)
croisière [kʀwazjɛʀ] *nf* cruise; **vitesse de** ~ (*AUTO etc*) cruising speed
croissance [kʀwasɑ̃s] *nf* growth
croissant [kʀwasɑ̃] *nm* (*à manger*) croissant; (*motif*) crescent
croître [kʀwatʀ(ə)] *vi* to grow
croix [kʀwa] *nf* cross; **en** ~ in the form of a cross; **la C**~ **Rouge** the Red Cross
croque-monsieur [kʀɔkməsjø] *nm inv* toasted ham and cheese sandwich
croquer [kʀɔke] *vt* (*manger*) to crunch; to munch; (*dessiner*) to sketch ◆ *vi* to be crisp *ou* crunchy; **chocolat à** ~ plain dessert chocolate
croquis [kʀɔki] *nm* sketch
crosse [kʀɔs] *nf* (*de fusil*) butt; (*de revolver*) grip
crotte [kʀɔt] *nf* droppings *pl*
crotté, e [kʀɔte] *adj* muddy, mucky
crottin [kʀɔtɛ̃] *nm* dung, manure
crouler [kʀule] *vi* (*s'effondrer*) to collapse; (*être délabré*) to be crumbling
croupe [kʀup] *nf* rump; **en** ~ pillion
croupir [kʀupiʀ] *vi* to stagnate
croustillant, e [kʀustijɑ̃, -ɑ̃t] *adj* crisp; (*fig*) spicy
croûte [kʀut] *nf* crust; (*du fromage*) rind; (*MÉD*) scab; **en** ~ (*CULIN*) in pastry
croûton [kʀutɔ̃] *nm* (*CULIN*) crouton; (*bout du pain*) crust, heel
croyable [kʀwajabl(ə)] *adj* credible
croyant, e [kʀwajɑ̃, -ɑ̃t] *nm/f* believer
C.R.S. *sigle fpl* (= *Compagnies républicaines de sécurité*) *state security police force* ◆ *sigle m* member of the C.R.S.
cru, e [kʀy] *pp de* **croire** ◆ *adj* (*non cuit*) raw; (*lumière, couleur*) harsh; (*paroles, description*) crude ◆ *nm* (*vignoble*) vineyard; (*vin*) wine
crû *pp de* **croître**
cruauté [kʀyote] *nf* cruelty
cruche [kʀyʃ] *nf* pitcher, jug
crucifix [kʀysifi] *nm* crucifix
crucifixion [kʀysifiksjɔ̃] *nf* crucifixion
crudités [kʀydite] *nfpl* (*CULIN*) salads
cruel, le [kʀyɛl] *adj* cruel
crus *etc vb voir* **croire; croître**
crûs *etc vb voir* **croître**
crustacés [kʀystase] *nmpl* shellfish
Cuba [kyba] *nf* Cuba
cube [kyb] *nm* cube; (*jouet*) brick; **mètre** ~ cubic metre; **2 au** ~ 2 cubed
cueillette [kœjɛt] *nf* picking; (*quantité*) crop, harvest
cueillir [kœjiʀ] *vt* (*fruits, fleurs*) to pick, gather; (*fig*) to catch
cuiller [kɥijɛʀ] *nf* spoon; ~ **à café** coffee spoon; (*CULIN*) ≈ teaspoonful; ~ **à soupe** soup-spoon; (*CULIN*) ≈ tablespoonful
cuillère [kɥijɛʀ] *nf* = **cuiller**
cuillerée [kɥijʀe] *nf* spoonful
cuir [kɥiʀ] *nm* leather; ~ **chevelu** scalp
cuire [kɥiʀ] *vt* (*aliments*) to cook; (*au four*) to bake; (*poterie*) to fire ◆ *vi* to cook; **bien cuit** (*viande*) well done; **trop cuit** overdone
cuisant, e [kɥizɑ̃, -ɑ̃t] *adj* (*douleur*) stinging; (*fig: souvenir, échec*) bitter
cuisine [kɥizin] *nf* (*pièce*) kitchen; (*art culinaire*) cookery, cooking; (*nourriture*) cooking, food; **faire la** ~ to cook
cuisiné, e [kɥizine] *adj*: **plat** ~ ready-made meal *or* dish; **cuisiner** *vt* to cook; (*fam*) to grill ◆ *vi* to cook; **cuisinier, ière** *nm/f* cook; **cuisinière** *nf* (*poêle*) cooker
cuisse [kɥis] *nf* thigh; (*CULIN*) leg
cuisson [kɥisɔ̃] *nf* cooking; firing
cuit, e *pp de* **cuire**
cuivre [kɥivʀ(ə)] *nm* copper; **les** ~**s** (*MUS*) the brass
cul [ky] (*fam!*) *nm* arse (*!*)
culasse [kylas] *nf* (*AUTO*) cylinder-head; (*de fusil*) breech
culbute [kylbyt] *nf* somersault; (*accidentelle*) tumble, fall
culminant, e [kylminɑ̃, -ɑ̃t] *adj*: **point** ~ highest point
culminer [kylmine] *vi* to reach its highest point; to tower
culot [kylo] *nm* (*effronterie*) cheek
culotte [kylɔt] *nf* (*de femme*) knickers *pl* (*BRIT*), panties *pl*; ~ **de cheval** riding breeches *pl*
culpabilité [kylpabilite] *nf* guilt
culte [kylt(ə)] *nm* (*religion*) religion; (*hommage, vénération*) worship; (*protestant*) service
cultivateur, trice [kyltivatœʀ, -tʀis] *nm/f* farmer
cultivé, e [kyltive] *adj* (*personne*) cultured, cultivated
cultiver [kyltive] *vt* to cultivate; (*légumes*) to grow, cultivate
culture [kyltyʀ] *nf* cultivation; growing; (*connaissances etc*) culture; ~ **physique** physical training; **culturisme** *nm* body-building
cumin [kymɛ̃] *nm* cumin; (*carvi*) caraway seeds *pl*
cumuler [kymyle] *vt* (*emplois, honneurs*) to hold concurrently; (*salaires*) to draw concurrently; (*JUR: droits*) to accumulate
cupide [kypid] *adj* greedy, grasping
cure [kyʀ] *nf* (*MÉD*) course of treatment; **n'avoir** ~ **de** to pay no attention to
curé [kyʀe] *nm* parish priest
cure-dent [kyʀdɑ̃] *nm* toothpick
cure-pipe [kyʀpip] *nm* pipe cleaner
curer [kyʀe] *vt* to clean out
curieux, euse [kyʀjø, -øz] *adj* (*étrange*) strange, curious; (*indiscret*) curious, inquisitive ◆ *nmpl* (*badauds*) onlookers; **curiosité** *nf* curiosity; (*site*) unusual feature
curriculum vitae [kyʀikylɔmvite] *nm inv* curriculum vitae
curseur [kyʀsœʀ] *nm* (*INFORM*) cursor
cuti-réaction [kytiʀeaksjɔ̃] *nf* (*MÉD*) skin-test
cuve [kyv] *nf* vat; (*à mazout etc*) tank; **cuvée** [kyve] *nf* vintage
cuvette [kyvɛt] *nf* (*récipient*) bowl, basin; (*GÉO*) basin
C.V. *sigle m* (*AUTO*) = **cheval vapeur**; (*COMM*) = **curriculum vitae**
cyanure [sjanyʀ] *nm* cyanide
cyclable [siklabl(ə)] *adj*: **piste** ~ cycle track
cycle [sikl(ə)] *nm* cycle
cyclisme [siklism(ə)] *nm* cycling
cycliste [siklist(ə)] *nm/f* cyclist ◆ *adj* cycle *cpd*; **coureur** ~ racing cyclist
cyclomoteur [siklɔmɔtœʀ] *nm* moped
cyclone [siklon] *nm* hurricane
cygne [siɲ] *nm* swan
cylindre [silɛ̃dʀ(ə)] *nm* cylinder; **cylindrée** *nf* (*AUTO*) (cubic) capacity
cymbale [sɛ̃bal] *nf* cymbal
cynique [sinik] *adj* cynical
cystite [sistit] *nf* cystitis

D

d' [d] *prép voir* **de**
dactylo [daktilo] *nf* (*aussi*: ~*graphe*) typist; (*:* ~*graphie*) typing; ~**graphier** *vt* to type (out)
dada [dada] *nm* hobby-horse
daigner [deɲe] *vt* to deign
daim [dɛ̃] *nm* (fallow) deer *inv*; (*peau*) buckskin; (*imitation*) suede
dalle [dal] *nf* paving stone; slab
daltonien, ne [daltɔnjɛ̃, -jɛn] *adj* colour-blind
dam [dam] *nm*: **au grand** ~ **de** much to the detriment (*ou* annoyance) of
dame [dam] *nf* lady; (*CARTES, ÉCHECS*) queen; ~**s** *nfpl* (*jeu*) draughts *sg* (*BRIT*), checkers *sg* (*US*)
damner [dɑne] *vt* to damn
dancing [dɑ̃siŋ] *nm* dance hall
Danemark [danmaʀk] *nm* Denmark
danger [dɑ̃ʒe] *nm* danger; **dangereux, euse** [dɑ̃ʒʀø, -øz] *adj* dangerous
danois, e [danwa, -waz] *adj* Danish ◆ *nm/f*: **D**~, **e** Dane ◆ *nm* (*LING*) Danish

MOT-CLÉ

dans [dɑ̃] *prép* [1] (*position*) in; (*à l'intérieur de*) inside; **c'est** ~ **le tiroir/le salon** it's in the drawer/lounge; ~ **la boîte** in *ou* inside the box; **marcher** ~ **la ville** to walk about the town
[2] (*direction*) into; **elle a couru** ~ **le salon** she ran into the lounge
[3] (*provenance*) out of, from; **je l'ai pris** ~ **le tiroir/salon** I took it out of *ou* from the drawer/lounge; **boire** ~ **un verre** to drink out of *ou* from a glass
[4] (*temps*) in; ~ **2 mois** in 2 months, in 2 months' time
[5] (*approximation*) about; ~ **les 20F** about 20F

danse [dɑ̃s] *nf*: **la** ~ dancing; **une** ~ a dance; **danser** *vi, vt* to dance; **danseur, euse** *nm/f* ballet dancer; (*au bal etc*) dancer; partner
dard [daʀ] *nm* sting (*organ*)
date [dat] *nf* date; **de longue** ~ longstanding; ~ **de naissance** date of birth; ~ **limite** deadline; **dater** *vt, vi* to date; **dater de** to date from; **à dater de** (as) from
datte [dat] *nf* date; **dattier** *nm* date palm
dauphin [dofɛ̃] *nm* (*ZOOL*) dolphin
davantage [davɑ̃taʒ] *adv* more; (*plus longtemps*) longer; ~ **de** more

MOT-CLÉ

de(d') (*de +le* = **du**, *de +les* = **des**) *prép* [1] (*appartenance*) of; **le toit** ~ **la maison** the roof of the house; **la voiture d'Elisabeth/**~ **mes parents** Elizabeth's/my parents' car
[2] (*provenance*) from; **il vient** ~ **Londres** he comes from London; **elle est sortie du cinéma** she came out of the cinema
[3] (*caractérisation, mesure*): **un mur** ~ **brique/bureau d'acajou** a brick wall/mahogany desk; **un billet** ~ **50F** a 50F note; **une pièce** ~ **2m** ~ **large** *ou* **large** ~ **2m** a room 2m wide, a 2m-wide room; **un bébé** ~ **10 mois** a 10-month-old baby; **12 mois** ~ **crédit/travail** 12 months' credit/work; **augmenter** ~ **10F** to increase by 10F; ~ **14 à 18** from 14 to 18
◆ *dét* [1] (*phrases affirmatives*) some (*souvent omis*); **du vin,** ~ **l'eau, des pommes** (some) wine, (some) water, (some) apples; **des enfants sont venus** some children came; **pendant des mois** for months
[2] (*phrases interrogatives et négatives*) any; **a-t-il du vin?** has he got any wine?; **il n'a pas** ~ **pommes/d'enfants** he hasn't (got) any apples/children, he has no apples/children

dé [de] *nm* (*à jouer*) die *ou* dice; (*aussi*: ~ *à coudre*) thimble
déambuler [deɑ̃byle] *vi* to stroll about
débâcle [debɑkl(ə)] *nf* rout
déballer [debale] *vt* to unpack
débandade [debɑ̃dad] *nf* rout; scattering
débarbouiller [debaʀbuje] *vt* to wash; **se** ~ *vi* to wash (one's face)
débarcadère [debaʀkadɛʀ] *nm* wharf
débardeur [debaʀdœʀ] *nm* (*maillot*) tank top
débarquer [debaʀke] *vt* to unload, land ◆ *vi* to disembark; (*fig*) to turn up
débarras [debaʀa] *nm* lumber room; junk cupboard; **bon** ~! good riddance!
débarrasser [debaʀase] *vt* to clear; **se** ~ **de** *vt* to get rid of; ~ **qn de** (*vêtements, paquets*) to relieve sb of
débat [deba] *nm* discussion, debate
débattre [debatʀ(ə)] *vt* to discuss, debate;

se ~ *vi* to struggle

débaucher [deboʃe] *vt* (*licencier*) to lay off, dismiss; (*entraîner*) to lead astray, debauch

débile [debil] *adj* weak, feeble; (*fam: idiot*) dim-witted

débit [debi] *nm* (*d'un liquide, fleuve*) flow; (*d'un magasin*) turnover (of goods); (*élocution*) delivery; (*bancaire*) debit; **~ de boissons** drinking establishment; **~ de tabac** tobacconist's; **~er** *vt* (*compte*) to debit; (*liquide, gaz*) to give out; (*couper: bois, viande*) to cut up; (*péj: paroles etc*) to churn out; **~eur, trice** *nm/f* debtor ◆ *adj* in debit; (*compte*) debit *cpd*

déblayer [debleje] *vt* to clear

débloquer [deblɔke] *vt* (*frein*) to release; (*prix, crédits*) to free

déboires [debwaʀ] *nmpl* setbacks

déboiser [debwaze] *vt* to deforest

déboîter [debwate] *vt* (*AUTO*) to pull out; **se ~ le genou** *etc* to dislocate one's knee *etc*

débonnaire [debɔnɛʀ] *adj* easy-going, good-natured

débordé, e [debɔʀde] *adj*: **être ~ (de)** (*travail, demandes*) to be snowed under (with)

déborder [debɔʀde] *vi* to overflow; (*lait etc*) to boil over; **~ (de) qch** (*dépasser*) to extend beyond sth

débouché [debuʃe] *nm* (*pour vendre*) outlet; (*perspective d'emploi*) opening

déboucher [debuʃe] *vt* (*évier, tuyau etc*) to unblock; (*bouteille*) to uncork ◆ *vi*: **~ de** to emerge from; **~ sur** to come out onto; to open out onto

débourser [debuʀse] *vt* to pay out

debout [dəbu] *adv*: **être ~** (*personne*) to be standing, stand; (*: levé, éveillé*) to be up; (*chose*) to be upright; **être encore ~** (*fig: en état*) to be still going; **se mettre ~** to stand up; **se tenir ~** to stand; **~!** stand up!; (*du lit*) get up!; **cette histoire ne tient pas ~** this story doesn't hold water

déboutonner [debutɔne] *vt* to undo, unbutton

débraillé, e [debʀɑje] *adj* slovenly, untidy

débrancher [debʀɑ̃ʃe] *vt* to disconnect; (*appareil électrique*) to unplug

débrayage [debʀɛjaʒ] *nm* (*AUTO*) clutch; **débrayer** [debʀeje] *vi* (*AUTO*) to declutch; (*cesser le travail*) to stop work

débris [debʀi] *nm* (*fragment*) fragment ◆ *nmpl* rubbish *sg*; debris *sg*

débrouillard, e [debʀujaʀ, -aʀd(ə)] *adj* smart, resourceful

débrouiller [debʀuje] *vt* to disentangle, untangle; **se ~** *vi* to manage

débusquer [debyske] *vt* to drive out (from cover)

début [deby] *nm* beginning, start; **~s** *nmpl* (*dans la vie*) beginnings; (*de carrière*) début *sg*

débutant, e [debytɑ̃, -ɑ̃t] *nm/f* beginner, novice

débuter [debyte] *vi* to begin, start; (*faire ses débuts*) to start out

deçà [dəsa] : **en ~ de** *prép* this side of

décacheter [dekaʃte] *vt* to unseal

décadence [dekadɑ̃s] *nf* decadence; decline

décaféiné, e [dekafeine] *adj* decaffeinated

décalage [dekalaʒ] *nm* gap; discrepancy; **~ horaire** time difference (*between time zones*); time-lag

décaler [dekale] *vt* (*dans le temps: avancer*) to bring forward; (*: retarder*) to put back; (*changer de position*) to shift forward *ou* back

décalquer [dekalke] *vt* to trace; (*par pression*) to transfer

décamper [dekɑ̃pe] *vi* to clear out *ou* off

décaper [dekape] *vt* to strip; (*avec abrasif*) to scour; (*avec papier de verre*) to sand

décapiter [dekapite] *vt* to behead; (*par accident*) to decapitate

décapotable [dekapɔtabl(ə)] *adj* convertible

décapsuler [dekapsyle] *vt* to take the cap *ou* top off; **décapsuleur** *nm* bottle-opener

décédé, e [desede] *adj* deceased

décéder [desede] *vi* to die

déceler [desle] *vt* to discover, detect; to indicate, reveal

décembre [desɑ̃bʀ(ə)] *nm* December

décemment [desamɑ̃] *adv* decently

décennie [deseni] *nf* decade

décent, e [desɑ̃, -ɑ̃t] *adj* decent

déception [desɛpsjɔ̃] *nf* disappointment

décerner [desɛʀne] *vt* to award

décès [desɛ] *nm* death, decease

décevoir [desvwaʀ] *vt* to disappoint

déchaîner [deʃene] *vt* to unleash, arouse; **se ~** to be unleashed

déchanter [deʃɑ̃te] *vi* to become disillusioned

décharge [deʃaʀʒ(ə)] *nf* (*dépôt d'ordures*) rubbish tip *ou* dump; (*électrique*) electrical discharge; **à la ~ de** in defence of

décharger [deʃaʀʒe] *vt* (*marchandise, véhicule*) to unload; (*ÉLEC, faire feu*) to discharge; **~ qn de** (*responsabilité*) to release sb from

décharné, e [deʃaʀne] *adj* emaciated

déchausser [deʃose] *vt* (*skis*) to take off; **se ~** *vi* to take off one's shoes; (*dent*) to come *ou* work loose

déchéance [deʃeɑ̃s] *nf* degeneration; decay, decline; fall

déchet [deʃɛ] *nm* (*de bois, tissu etc*) scrap; (*perte: gén COMM*) wastage, waste; **~s** *nmpl* (*ordures*) refuse *sg*, rubbish *sg*

déchiffrer [deʃifʀe] *vt* to decipher

déchiqueter [deʃikte] *vt* to tear *ou* pull to pieces

déchirant, e [deʃiʀɑ̃, -ɑ̃t] *adj* heart-rending

déchirement [deʃiʀmɑ̃] *nm* (*chagrin*) wrench, heartbreak; (*gén pl: conflit*) rift, split

déchirer [deʃiʀe] *vt* to tear; (*en morceaux*) to tear up; (*pour ouvrir*) to tear off; (*arracher*) to tear out; (*fig*) to rack; to tear (apart); **se ~** *vi* to tear, rip; **se ~ un muscle** to tear a muscle

déchirure [deʃiʀyʀ] *nf* (*accroc*) tear, rip; **~ musculaire** torn muscle

déchoir [deʃwaʀ] *vi* (*personne*) to lower o.s., demean o.s.

déchu, e [deʃy] *adj* fallen; deposed

décidé, e [deside] *adj* (*personne, air*) determined; **c'est ~** it's decided

décidément [desidemɑ̃] *adv* undoubtedly; really

décider [deside] *vt*: **~ qch** to decide on sth; **se ~ (à faire)** to decide (to do), make up one's mind (to do); **se ~ pour** to decide on *ou* in favour of; **~ de faire/que** to decide to do/that; **~ qn (à faire qch)** to persuade sb (to do sth); **~ de qch** to decide upon sth; (*suj: chose*) to determine sth

décilitre [desilitʀ(ə)] *nm* decilitre

décimal, e, aux [desimal, -o] *adj* decimal; **décimale** *nf* decimal

décimètre [desimɛtʀ(ə)] *nm* decimetre; **double ~** (20 cm) ruler

décisif, ive [desizif, -iv] *adj* decisive

décision [desizjɔ̃] *nf* decision; (*fermeté*) decisiveness, decision

déclaration [deklaʀasjɔ̃] *nf* declaration; registration; (*discours: POL etc*) statement; **~ (d'impôts)** ≈ tax return; **~ (de sinistre)** (insurance) claim

déclarer [deklaʀe] *vt* to declare; (*décès, naissance*) to register; **se ~** *vi* (*feu, maladie*) to break out

déclasser [deklɑse] *vt* to relegate; to downgrade; to lower in status

déclencher [deklɑ̃ʃe] *vt* (*mécanisme etc*) to release; (*sonnerie*) to set off, activate; (*attaque, grève*) to launch; (*provoquer*) to trigger off; **se ~** *vi* to release itself; to go off

déclic [deklik] *nm* trigger mechanism; (*bruit*) click

décliner [dekline] *vi* to decline ◆ *vt* (*invitation*) to decline; (*responsabilité*) to refuse to accept; (*nom, adresse*) to state

déclivité [deklivite] *nf* slope, incline

décocher [dekɔʃe] *vt* to throw; to shoot

décoiffer [dekwafe] *vt*: **se ~** to take off one's hat

déçois *etc vb voir* **décevoir**

décollage [dekɔlaʒ] *nm* (*AVIAT*) takeoff

décoller [dekɔle] *vt* to unstick ◆ *vi* (*avion*) to take off; **se ~** *vi* to come unstuck

décolleté, e [dekɔlte] *adj* low-cut; wearing a low-cut dress ◆ *nm* low neck(line); (bare) neck and shoulders; (*plongeant*) cleavage

décolorer [dekɔlɔʀe] *vt* (*tissu*) to fade; (*cheveux*) to bleach, lighten; **se ~** *vi* to fade

décombres [dekɔ̃bʀ(ə)] *nmpl* rubble *sg*, debris *sg*

décommander [dekɔmɑ̃de] *vt* to cancel; (*invités*) to put off; **se ~** *vi* to cancel one's appointment *etc*, cry off

décomposé, e [dekɔ̃poze] *adj* (*pourri*) decomposed; (*visage*) haggard, distorted

décompte [dekɔ̃t] *nm* deduction; (*facture*) detailed account

déconcerter [dekɔ̃sɛʀte] *vt* to disconcert, confound

déconfit, e [dekɔ̃fi, -it] *adj* crestfallen; **~ure** [dekɔ̃fityʀ] *nf* failure, defeat; collapse, ruin

décongeler [dekɔ̃ʒle] *vt* to thaw

déconner [dekɔne] (*fam*) *vi* to talk rubbish

déconseiller [dekɔ̃seje] *vt*: **~ qch (à qn)** to advise (sb) against sth

déconsidérer [dekɔ̃sideʀe] *vt* to discredit

décontracté, e [dekɔ̃tʀakte] *adj* relaxed, laid-back (*fam*)

décontracter [dekɔ̃tʀakte] *vt* to relax; **se ~** *vi* to relax

déconvenue [dekɔ̃vny] *nf* disappointment

décor [dekɔʀ] *nm* décor; (*paysage*) scenery; **~s** *nmpl* (*THÉÂTRE*) scenery *sg*, décor *sg*; (*CINÉMA*) set *sg*; **~ateur** [dekɔʀatœʀ] *nm* (interior) decorator; (*CINÉMA*) set designer; **~ation** [dekɔʀasjɔ̃] *nf* decoration; **~er** [dekɔʀe] *vt* to decorate

décortiquer [dekɔʀtike] *vt* to shell; (*riz*) to hull; (*fig*) to dissect

découcher [dekuʃe] *vi* to spend the night away from home

découdre [dekudʀ(ə)] *vt* to unpick; **se ~** *vi* to come unstitched; **en ~** (*fig*) to fight, do battle

découler [dekule] *vi*: **~ de** to ensue *ou* follow from

découper [dekupe] *vt* (*papier, tissu etc*) to cut up; (*volaille, viande*) to carve; (*détacher: manche, article*) to cut out; **se ~ sur** (*ciel, fond*) to stand out against

décourager [dekuʀaʒe] *vt* to discourage; **se ~** *vi* to lose heart, become discouraged

décousu, e [dekuzy] *adj* unstitched; (*fig*) disjointed, disconnected

découvert, e [dekuvɛʀ, -ɛʀt(ə)] *adj* (*tête*) bare, uncovered; (*lieu*) open, exposed ◆ *nm* (*bancaire*) overdraft; **découverte** *nf* discovery

découvrir [dekuvʀiʀ] *vt* to discover; (*apercevoir*) to see; (*enlever ce qui couvre ou protège*) to uncover; (*montrer, dévoiler*) to reveal; **se ~** *vi* to take off one's hat; to take something off; (*au lit*) to uncover o.s.; (*ciel*) to clear

décret [dekʀɛ] *nm* decree; **décréter** *vt* to decree; to order; to declare

décrié, e [dekʀije] *adj* disparaged

décrire [dekʀiʀ] *vt* to describe

décrocher [dekʀɔʃe] *vt* (*dépendre*) to take down; (*téléphone*) to take off the hook; (*: pour répondre*): **~ (le téléphone)** to lift the receiver; (*fig: contrat etc*) to get, land ◆ *vi* to drop out; to switch off

décroître [dekʀwatʀ(ə)] *vi* to decrease, decline

décrypter [dekʀipte] *vt* to decipher

déçu, e [desy] *pp de* **décevoir**

décupler [dekyple] *vt, vi* to increase tenfold

dédaigner [dedeɲe] *vt* to despise, scorn; (*négliger*) to disregard, spurn

dédaigneux, euse [dedeɲø, -øz] *adj* scornful, disdainful

dédain [dedɛ̃] *nm* scorn, disdain

dédale [dedal] *nm* maze

dedans [dədɑ̃] *adv* inside; (*pas en plein air*) indoors, inside ◆ *nm* inside; **au ~** on the inside; inside; **en ~** (*vers l'intérieur*) inwards; *voir aussi* **là**

dédicacer [dedikase] *vt*: **~ (à qn)** to sign (for sb), autograph (for sb)

dédier [dedje] *vt* to dedicate

dédire [dediʀ] : **se ~** *vi* to go back on one's word; to retract, recant

dédommager [dedɔmaʒe] *vt*: **~ qn (de)** to compensate sb (for); (*fig*) to repay sb (for)

dédouaner [dedwane] *vt* to clear through customs

dédoubler [deduble] *vt* (*classe, effectifs*) to split (into two); **~ les trains** to run additional trains

déduire [dedɥiʀ] *vt*: **~ qch (de)** (*ôter*) to deduct sth (from); (*conclure*) to deduce *ou* infer sth (from)

déesse [deɛs] *nf* goddess

défaillance [defajɑ̃s] *nf* (*syncope*) blackout; (*fatigue*) (sudden) weakness *no pl*; (*technique*) fault, failure; (*morale etc*) weakness; **~ cardiaque** heart failure

défaillir [defajiʀ] *vi* to faint; to feel faint; (*mémoire etc*) to fail

défaire [defɛʀ] *vt* (*installation*) to take down, dismantle; (*paquet etc, nœud, vêtement*) to undo; **se ~** *vi* to come undone; **se ~ de** (*se débarrasser de*) to get rid of; (*se séparer de*) to part with

défait, e [defɛ, -ɛt] *adj* (*visage*) haggard, ravaged; **défaite** *nf* defeat

défalquer [defalke] *vt* to deduct

défaut [defo] *nm* (*moral*) fault, failing, defect; (*d'étoffe, métal*) fault, flaw, defect; (*manque, carence*): **~ de** lack of; shortage of; **en ~** at fault; in the wrong; **faire ~** (*manquer*) to be lacking; **à ~** failing that; **à ~ de** for lack *ou* want of; **par ~** (*JUR*) in his (*ou* her *etc*) absence

défavorable [defavɔʀabl(ə)] *adj* (*avis, conditions, jury*) unfavourable (*BRIT*), unfavorable (*US*)

défavoriser [defavɔʀize] *vt* to put at a disadvantage

défection [defɛksjɔ̃] *nf* defection, failure to give support *ou* assistance; failure to appear; **faire ~** (*d'un parti etc*) to withdraw one's support, leave

défectueux, euse [defɛktɥø, -øz] *adj* faulty, defective

défendre [defɑ̃dʀ(ə)] *vt* to defend; (*interdire*) to forbid; **se ~** *vi* to defend o.s.; **~ à qn qch/de faire** to forbid sb sth/to do; **il se défend** (*fig*) he can hold his own; **se ~ de/contre** (*se protéger*) to protect o.s. from/against; **se ~ de** (*se garder de*) to refrain from; (*nier*): **se ~ de vouloir** to deny wanting

défense [defɑ̃s] *nf* defence; (*d'éléphant etc*) tusk; "**~ de fumer/cracher**" "no smoking/spitting"

déférer [defeʀe] *vt* (*JUR*) to refer; **~ à** (*requête, décision*) to defer to

déferler [defɛʀle] *vi* (*vagues*) to break; (*fig*) to surge

défi [defi] *nm* (*provocation*) challenge; (*bravade*) defiance

défiance [defjɑ̃s] *nf* mistrust, distrust

déficit [defisit] *nm* (*COMM*) deficit

défier [defje] *vt* (*provoquer*) to challenge; (*fig*) to defy, brave; **se ~ de** (*se méfier de*) to distrust

défigurer [defigyʀe] *vt* to disfigure

défilé [defile] *nm* (*GÉO*) (narrow) gorge *ou* pass; (*soldats*) parade; (*manifestants*) procession, march

défiler [defile] *vi* (*troupes*) to march past; (*sportifs*) to parade; (*manifestants*) to march; (*visiteurs*) to pour, stream; **se ~** *vi* (*se dérober*) to slip away, sneak off

définir [definiʀ] *vt* to define

définitif, ive [definitif, -iv] *adj* (*final*) final, definitive; (*pour longtemps*) permanent, definitive; (*sans appel*) final, definite; **définitive** *nf*: **en définitive** eventually; (*somme toute*) when all is said and done

définitivement [definitivmɑ̃] *adv* definitively; permanently; definitely

déflagration [deflagʀɑsjɔ̃] *nf* explosion

défoncer [defɔ̃se] *vt* (*caisse*) to stave in; (*porte*) to smash in *ou* down; (*lit, fauteuil*) to burst (the springs of); (*terrain, route*) to rip *ou* plough up

déformation [defɔʀmɑsjɔ̃] *nf*: **~ professionnelle** conditioning by one's job

déformer [defɔʀme] *vt* to put out of shape; (*corps*) to deform; (*pensée, fait*) to distort; **se ~** *vi* to lose its shape

défouler [defule]: **se ~** *vi* to unwind, let off steam

défraîchir [defʀeʃiʀ]: **se ~** *vi* to fade; to become worn

défrayer [defʀeje] *vt*: **~ qn** to pay sb's expenses; **~ la chronique** to be in the news

défricher [defʀiʃe] *vt* to clear (for cultivation)

défroquer [defʀɔke] *vi* (*aussi: se ~*) to give up the cloth

défunt, e [defœ̃, -œ̃t] *adj*: **son ~ père** his late father ◆ *nm/f* deceased

dégagé, e [degaʒe] *adj* clear; (*ton, air*) casual, jaunty

dégagement [degaʒmɑ̃] *nm*: **voie de ~** slip road; **itinéraire de ~** alternative route (*to relieve congestion*)

dégager [degaʒe] *vt* (*exhaler*) to give off; (*délivrer*) to free, extricate; (*désencombrer*) to clear; (*isoler: idée, aspect*) to bring out; **se ~** *vi* (*odeur*) to be given off; (*passage, ciel*) to clear

dégarnir [degaʀniʀ] *vt* (*vider*) to empty, clear; **se ~** *vi* (*tempes, crâne*) to go bald

dégâts [degɑ] *nmpl* damage *sg*

dégel [deʒɛl] *nm* thaw

dégeler [deʒle] *vt* to thaw (out); (*fig*) to unfreeze ◆ *vi* to thaw (out)

dégénérer [deʒeneʀe] *vi* to degenerate; (*empirer*) to go from bad to worse

dégingandé, e [deʒɛ̃gɑ̃de] *adj* gangling

dégivrer [deʒivʀe] *vt* (*frigo*) to defrost; (*vitres*) to de-ice

déglutir [deglytiʀ] *vt, vi* to swallow

dégonflé, e [degɔ̃fle] *adj* (*pneu*) flat

dégonfler [degɔ̃fle] *vt* (*pneu, ballon*) to let down, deflate; **se ~** *vi* (*fam*) to chicken out

dégouliner [deguline] *vi* to trickle, drip

dégourdi, e [deguʀdi] *adj* smart, resourceful

dégourdir [deguʀdiʀ] *vt*: **se ~ (les jambes)** to stretch one's legs (*fig*)

dégoût [degu] *nm* disgust, distaste

dégoûtant, e [degutɑ̃, -ɑ̃t] *adj* disgusting

dégoûté, e [degute] *adj* disgusted; **~ de** sick of

dégoûter [degute] *vt* to disgust; **~ qn de qch** to put sb off sth

dégoutter [degute] *vi* to drip

dégradé [degʀade] *nm* (*PEINTURE*) gradation

dégrader [degʀade] *vt* (*MIL: officier*) to degrade; (*abîmer*) to damage, deface; **se ~** *vi* (*relations, situation*) to deteriorate

dégrafer [degʀafe] *vt* to unclip, unhook

degré [dəgʀe] *nm* degree; (*d'escalier*) step; **alcool à 90 ~s** surgical spirit

dégressif, ive [degʀesif, -iv] *adj* on a decreasing scale

dégrèvement [degʀɛvmɑ̃] *nm* tax relief

dégringoler [degʀɛ̃gɔle] *vi* to tumble (down)

dégrossir [degʀosiʀ] *vt* (*fig*) to work out roughly; to knock the rough edges off

déguenillé, e [degnije] *adj* ragged, tattered

déguerpir [degɛʀpiʀ] *vi* to clear off

dégueulasse [degœlas] *(fam) adj* disgusting
déguisement [degizmɑ̃] *nm* disguise
déguiser [degize] *vt* to disguise; **se** ~ *vi* *(se costumer)* to dress up; *(pour tromper)* to disguise o.s.
déguster [degyste] *vt (vins)* to taste; *(fromages etc)* to sample; *(savourer)* to enjoy, savour
dehors [dəɔʀ] *adv* outside; *(en plein air)* outdoors ◆ *nm* outside ◆ *nmpl (apparences)* appearances; **mettre** *ou* **jeter** ~ *(expulser)* to throw out; **au** ~ outside; outwardly; **au** ~ **de** outside; **en** ~ *(vers l'extérieur)* outside; outwards; **en** ~ **de** *(hormis)* apart from
déjà [deʒa] *adv* already; *(auparavant)* before, already
déjeuner [deʒœne] *vi* to (have) lunch; *(le matin)* to have breakfast ◆ *nm* lunch; breakfast
déjouer [deʒwe] *vt* to elude; to foil
delà [dəla] *adv*: **par** ~, **en** ~ **(de)**, **au** ~ **(de)** beyond
délabrer [delɑbʀe] : **se** ~ *vi* to fall into decay, become dilapidated
délacer [delase] *vt* to unlace
délai [delɛ] *nm (attente)* waiting period; *(sursis)* extension (of time); *(temps accordé)* time limit; **à bref** ~ shortly, very soon; at short notice; **dans les** ~**s** within the time limit
délaisser [delese] *vt* to abandon, desert
délasser [delɑse] *vt (reposer)* to relax; *(divertir)* to divert, entertain; **se** ~ *vi* to relax
délateur, trice [delatœʀ, -tʀis] *nm/f* informer
délavé, e [delave] *adj* faded
délayer [deleje] *vt (CULIN)* to mix (with water *etc*); *(peinture)* to thin down
delco [dɛlko] *nm (AUTO)* distributor
délecter [delɛkte] : **se** ~ *vi* to revel *ou* delight in
délégué, e [delege] *nm/f* delegate; representative
déléguer [delege] *vt* to delegate
délibéré, e [delibeʀe] *adj (conscient)* deliberate; *(déterminé)* determined
délibérer [delibeʀe] *vi* to deliberate
délicat, e [delika, -at] *adj* delicate; *(plein de tact)* tactful; *(attentionné)* thoughtful; *(exigeant)* fussy, particular; **procédés peu** ~**s** unscrupulous methods; **délicatement** *adv* delicately; *(avec douceur)* gently
délice [delis] *nm* delight
délicieux, euse [delisjø, -jøz] *adj (au goût)* delicious; *(sensation, impression)* delightful
délimiter [delimite] *vt* to delimit, demarcate; to determine; to define
délinquance [delɛ̃kɑ̃s] *nf* criminality; **délinquant, e** [delɛ̃kɑ̃, -ɑ̃t] *adj, nm/f* delinquent
délirer [deliʀe] *vi* to be delirious; *(fig)* to be raving, be going wild
délit [deli] *nm* (criminal) offence; ~ **d'initié** *(BOURSE)* insider dealing *ou* trading
délivrer [delivʀe] *vt (prisonnier)* to (set) free, release; *(passeport, certificat)* to issue; ~ **qn de** *(ennemis)* to deliver *ou* free sb from; *(fig)* to relieve sb of; to rid sb of
déloger [delɔʒe] *vt (locataire)* to turn out; *(objet coincé, ennemi)* to dislodge
deltaplane [dɛltaplan] *nm* hang-glider
déluge [delyʒ] *nm (biblique)* Flood
déluré, e [delyʀe] *adj* smart, resourceful; *(péj)* forward, pert
demain [d(ə)mɛ̃] *adv* tomorrow
demande [d(ə)mɑ̃d] *nf (requête)* request; *(revendication)* demand; *(ADMIN, formulaire)* application; *(ÉCON)*: **la** ~ demand; "~**s d'emploi**" "situations wanted"; ~ **de poste** job application
demandé, e [d(ə)mɑ̃de] *adj (article etc)*: **très** ~ (very) much in demand
demander [d(ə)mɑ̃de] *vt* to ask for; *(date, heure etc)* to ask; *(nécessiter)* to require, demand; **se** ~ to wonder; *(sens purement réfléchi)* to ask o.s.; ~ **qch à qn** to ask sb for sth; to ask sb sth; ~ **à qn de faire** to ask sb to do; **on vous demande au téléphone** you're wanted on the phone
demandeur, euse [d(ə)mɑ̃dœʀ, -øz] *nm/f*: ~ **d'emploi** job-seeker; (job) applicant
démangeaison [demɑ̃ʒɛzɔ̃] *nf* itching
démanger [demɑ̃ʒe] *vi* to itch
démanteler [demɑ̃tle] *vt* to break up; to demolish
démaquillant [demakijɑ̃] *nm* make-up remover
démaquiller [demakije] *vt*: **se** ~ to remove one's make-up
démarche [demaʀʃ(ə)] *nf (allure)* gait, walk; *(intervention)* step; approach; *(fig: intellectuelle)* thought processes *pl*; approach; **faire des** ~**s auprès de qn** to approach sb
démarcheur, euse [demaʀʃœʀ, -øz] *nm/f (COMM)* door-to-door salesman(woman)
démarquer [demaʀke] *vt (prix)* to mark down; *(joueur)* to stop marking
démarrage [demaʀaʒ] *nm* start
démarrer [demaʀe] *vi (conducteur)* to start (up); *(véhicule)* to move off; *(travaux)* to get moving; **démarreur** *nm (AUTO)* starter
démêler [demele] *vt* to untangle
démêlés [demele] *nmpl* problems
déménagement [demenaʒmɑ̃] *nm* move, removal; **camion de** ~ removal van
déménager [demenaʒe] *vt (meubles)* to (re)move ◆ *vi* to move (house); **déménageur** *nm* removal man; *(entrepreneur)* furniture remover
démener [demne] : **se** ~ *vi* to thrash about; *(fig)* to exert o.s.
dément, e [demɑ̃, -ɑ̃t] *adj (fou)* mad, crazy; *(fam)* brilliant, fantastic
démentiel, le [demɑ̃sjɛl] *adj* insane
démentir [demɑ̃tiʀ] *vt* to refute; ~ **que** to deny that
démerder [demɛʀde] *(fam)* : **se** ~ *vi* to sort things out for o.s.
démesuré, e [deməzyʀe] *adj* immoderate
démettre [demɛtʀ(ə)] *vt*: ~ **qn de** *(fonction, poste)* to dismiss sb from; **se** ~ **(de ses fonctions)** to resign (from) one's duties; **se** ~ **l'épaule** *etc* to dislocate one's shoulder *etc*
demeurant [d(ə)mœʀɑ̃] : **au** ~ *adv* for all that
demeure [d(ə)mœʀ] *nf* residence; **mettre qn en** ~ **de faire** to enjoin *ou* order sb to do; **à** ~ permanently
demeurer [d(ə)mœʀe] *vi (habiter)* to live; *(séjourner)* to stay; *(rester)* to remain
demi, e [dəmi] *adj* half ◆ *nm (bière)* ≈ half-pint *(0,25 litres)* ◆ *préfixe*: ~... half-, semi..., demi-; **trois heures/bouteilles et** ~**es** three and a half hours/bottles, three hours/bottles and a half; **il est 2 heures/midi et** ~**e** it's half past 2/12; **à** ~ half-; **à la** ~**e** *(heure)* on the half-hour; ~**-cercle** *nm* semicircle; **en** ~**-cercle** *adj* semicircular ◆ *adv* in a half circle; ~**-douzaine** *nf* half-dozen, half a dozen; ~**-finale** *nf* semifinal; ~**-frère** *nm* half-brother; ~**-heure** *nf* half-hour, half an hour; ~**-jour** *nf* half-day, half a day; ~**-litre** *nm* half-litre, half a litre; ~**-livre** *nf* half-pound, half a pound; ~**-mot** *adv*: **à** ~**-mot** without having to spell things out; ~**-pension** *nf (à l'hôtel)* half-board; ~**-place** *nf* half-fare
démis, e [demi, -iz] *adj (épaule etc)* dislocated
demi: ~**-saison** *nf*: **vêtements de** ~**-saison** spring *ou* autumn clothing; ~**-sel** *adj inv (beurre, fromage)* slightly salted; ~**-sœur** *nf* half-sister
démission [demisjɔ̃] *nf* resignation; **donner sa** ~ to give *ou* hand in one's notice; **démissionner** *vi (de son poste)* to resign
demi-tarif [dəmitaʀif] *nm* half-price; *(TRANSPORTS)* half-fare
demi-tour [dəmituʀ] *nm* about-turn; **faire** ~ to turn (and go) back; *(AUTO)* to do a U-turn
démocratie [demɔkʀasi] *nf* democracy; **démocratique** [demɔkʀatik] *adj* democratic
démodé, e [demɔde] *adj* old-fashioned
démographique [demɔgʀafik] *adj* demographic, population *cpd*
demoiselle [d(ə)mwazɛl] *nf (jeune fille)* young lady; *(célibataire)* single lady, maiden lady; ~ **d'honneur** bridesmaid
démolir [demɔliʀ] *vt* to demolish
démon [demɔ̃] *nm (enfant turbulent)* devil, demon; **le D**~ the Devil
démonstration [demɔ̃stʀasjɔ̃] *nf* demonstration; *(aérienne, navale)* display
démonté, e [demɔ̃te] *adj (fig)* raging, wild
démonter [demɔ̃te] *vt (machine etc)* to take down, dismantle; **se** ~ *vi (personne)* to lose countenance
démontrer [demɔ̃tʀe] *vt* to demonstrate
démordre [demɔʀdʀ(ə)] *vi*: **ne pas** ~ **de** to refuse to give up, stick to
démouler [demule] *vt (gâteau)* to turn out
démuni, e [demyni] *adj (sans argent)* impoverished
démunir [demyniʀ] *vt*: ~ **qn de** to deprive sb of; **se** ~ **de** to part with, give up
dénatalité [denatalite] *nf* fall in the birth rate
dénaturer [denatyʀe] *vt (goût)* to alter; *(pensée, fait)* to distort
déniaiser [denjeze] *vt*: ~ **qn** to teach sb about life
dénicher [deniʃe] *vt* to unearth; to track *ou* hunt down
dénier [denje] *vt* to deny
dénigrer [denigʀe] *vt* to denigrate, run down
dénivellation [denivelɑsjɔ̃] *nf*, **dénivellement** [denivɛlmɑ̃] *nm* ramp; dip; difference in level
dénombrer [denɔ̃bʀe] *vt (compter)* to count; *(énumérer)* to enumerate, list
dénomination [denɔminɑsjɔ̃] *nf* designation, appellation
dénommer [denɔme] *vt* to name
dénoncer [denɔ̃se] *vt* to denounce; **se** ~ *vi* to give o.s. up, come forward
dénouement [denumɑ̃] *nm* outcome
dénouer [denwe] *vt* to unknot, undo
dénoyauter [denwajote] *vt* to stone
denrée [dɑ̃ʀe] *nf*: ~**s (alimentaires)** foodstuffs
dense [dɑ̃s] *adj* dense
densité [dɑ̃site] *nf* density
dent [dɑ̃] *nf* tooth; **en** ~**s de scie** serrated; jagged; ~ **de lait/sagesse** milk/wisdom tooth; ~**aire** *adj* dental
dentelé, e [dɑ̃tle] *adj* jagged, indented
dentelle [dɑ̃tɛl] *nf* lace *no pl*
dentier [dɑ̃tje] *nm* denture
dentifrice [dɑ̃tifʀis] *nm* toothpaste
dentiste [dɑ̃tist(ə)] *nm/f* dentist
dénuder [denyde] *vt* to bare
dénué, e [denɥe] *adj*: ~ **de** devoid of; lacking in; **dénuement** [denymɑ̃] *nm* destitution
déodorant [deɔdɔʀɑ̃] *nm* deodorant
dépannage [depanaʒ] *nm*: **service de** ~ *(AUTO)* breakdown service
dépanner [depane] *vt (voiture, télévision)* to fix, repair; *(fig)* to bail out, help out; **dépanneuse** *nf* breakdown lorry *(BRIT)*, tow truck *(US)*
dépareillé, e [depaʀeje] *adj (collection, service)* incomplete; *(objet)* odd
déparer [depaʀe] *vt* to spoil, mar
départ [depaʀ] *nm* leaving *no pl*, departure; *(SPORT)* start; *(sur un horaire)* departure; **au** ~ at the start; **à son** ~ when he left
départager [depaʀtaʒe] *vt* to decide between
département [depaʀtəmɑ̃] *nm* department
départir [depaʀtiʀ] : **se** ~ **de** *vt* to abandon, depart from
dépassé, e [depɑse] *adj* superseded, outmoded; *(affolé)* panic-stricken
dépasser [depɑse] *vt (véhicule, concurrent)* to overtake; *(endroit)* to pass, go past; *(somme, limite)* to exceed; *(fig: en beauté etc)* to surpass, outshine; *(être en saillie sur)* to jut out above (*ou* in front of) ◆ *vi (jupon)* to show
dépaysé, e [depeize] *adj* disoriented
dépecer [depəse] *vt* to joint, cut up
dépêche [depɛʃ] *nf* dispatch
dépêcher [depeʃe] *vt* to dispatch; **se** ~ *vi* to hurry
dépeindre [depɛ̃dʀ(ə)] *vt* to depict
dépendre [depɑ̃dʀ(ə)]: ~ **de** *vt* to depend on; *(financièrement etc)* to be dependent on
dépens [depɑ̃] *nmpl*: **aux** ~ **de** at the expense of
dépense [depɑ̃s] *nf* spending *no pl*, expense, expenditure *no pl*; *(fig)* consumption; expenditure
dépenser [depɑ̃se] *vt* to spend; *(gaz, eau)* to use; *(fig)* to expend, use up; **se** ~ *vi (se fatiguer)* to exert o.s.
dépensier, ière [depɑ̃sje, -jɛʀ] *adj*: **il est** ~ he's a spendthrift
déperdition [depɛʀdisjɔ̃] *nf* loss
dépérir [depeʀiʀ] *vi* to waste away; to wither
dépêtrer [depetʀe] *vt*: **se** ~ **de** to extricate o.s. from
dépeupler [depœple] *vt* to depopulate; **se** ~ *vi* to be depopulated
dépilatoire [depilatwaʀ] *adj* depilatory, hair-removing
dépister [depiste] *vt* to detect; *(voleur)* to track down; *(poursuivants)* to throw off the scent
dépit [depi] *nm* vexation, frustration; **en** ~ **de** in spite of; **en** ~ **du bon sens** contrary to all good sense; **dépité, e** *adj* vexed, frustrated
déplacé, e [deplase] *adj (propos)* out of place, uncalled-for
déplacement [deplasmɑ̃] *nm (voyage)* trip, travelling *no pl*
déplacer [deplase] *vt (table, voiture)* to move, shift; *(employé)* to transfer, move; *(os, vertèbre etc)* to displace; **se** ~ *vi* to move; *(voyager)* to travel
déplaire [deplɛʀ] *vt*: **ceci me déplaît** I don't like this, I dislike this; **se** ~ *vr*: **se** ~ **quelque part** to be unhappy somewhere; **déplaisant, e** *adj* disagreeable
dépliant [deplijɑ̃] *nm* leaflet
déplier [deplije] *vt* to unfold
déplorer [deplɔʀe] *vt (regretter)* to deplore
déployer [deplwaje] *vt* to open out, spread; to deploy; to display, exhibit
déporter [depɔʀte] *vt (POL)* to deport; *(dévier)* to carry off course
déposer [depoze] *vt (gén: mettre, poser)* to lay *ou* put down; *(à la banque, à la consigne)* to deposit; *(passager)* to drop (off), set down; *(roi)* to depose; *(ADMIN: faire enregistrer)* to file; to register; *(JUR)*: ~ **(contre)** to testify *ou* give evidence (against); **se** ~ *vi* to settle; **dépositaire** *nm/f (COMM)* agent
dépôt [depo] *nm (à la banque, sédiment)* deposit; *(entrepôt, réserve)* warehouse, store; *(gare)* depot; *(prison)* cells *pl*
dépotoir [depɔtwaʀ] *nm* dumping ground, rubbish dump
dépouille [depuj] *nf (d'animal)* skin, hide; *(humaine)*: ~ **(mortelle)** mortal remains *pl*
dépouillé, e [depuje] *adj (fig)* bare, bald
dépouiller [depuje] *vt (animal)* to skin; *(spolier)* to deprive of one's possessions; *(documents)* to go through, peruse; ~ **qn/qch de** to strip sb/sth of; ~ **le scrutin** to count the votes
dépourvu, e [depuʀvy] *adj*: ~ **de** lacking in, without; **au** ~ unprepared
déprécier [depʀesje] *vt* to depreciate; **se** ~ *vi* to depreciate
dépression [depʀesjɔ̃] *nf* depression; ~ **(nerveuse)** (nervous) breakdown
déprimer [depʀime] *vt* to depress

MOT-CLÉ

depuis [dəpɥi] *prép* [1] *(point de départ dans le temps)* since; **il habite Paris** ~ **1983/l'an dernier** he has been living in Paris since 1983/last year; ~ **quand le connaissez-vous?** how long have you known him?
[2] *(temps écoulé)* for; **il habite Paris** ~ **5 ans** he has been living in Paris for 5 years; **je le connais** ~ **3 ans** I've known him for 3 years
[3] *(lieu)*: **il a plu** ~ **Metz** it's been raining since Metz; **elle a téléphoné** ~ **Valence** she rang from Valence
[4] *(quantité, rang)* from; ~ **les plus petits jusqu'aux plus grands** from the youngest to the oldest
◆ *adv (temps)* since (then); **je ne lui ai pas parlé** ~ I haven't spoken to him since (then)
~ **que** *conj* (ever) since; ~ **qu'il m'a dit ça** (ever) since he said that to me

député, e [depyte] *nm/f (POL)* ≈ Member of Parliament *(BRIT)*, ≈ Member of Congress *(US)*
députer [depyte] *vt* to delegate
déraciner [deʀasine] *vt* to uproot
dérailler [deʀɑje] *vi (train)* to be derailed; **faire** ~ to derail
déraisonner [deʀɛzɔne] *vi* to talk nonsense, rave
dérangement [deʀɑ̃ʒmɑ̃] *nm (gêne)* trouble; *(gastrique etc)* disorder; *(mécanique)* breakdown; **en** ~ *(téléphone)* out of order
déranger [deʀɑ̃ʒe] *vt (personne)* to trouble, bother; to disturb; *(projets)* to disrupt, upset; *(objets, vêtements)* to disarrange; **se** ~ *vi* to put o.s. out; to (take the trouble to) come *ou* go out; **est-ce que cela vous dérange si ...?** do you mind if ...?
déraper [deʀape] *vi (voiture)* to skid; *(personne, semelles, couteau)* to slip
déréglé, e [deʀegle] *adj (mœurs)* dissolute
dérégler [deʀegle] *vt (mécanisme)* to put out of order; *(estomac)* to upset
dérider [deʀide] *vt* to brighten up; **se** ~ *vi* to brighten up
dérision [deʀizjɔ̃] *nf*: **tourner en** ~ to deride
dérivatif [deʀivatif] *nm* distraction
dérive [deʀiv] *nf (de dériveur)* centre-board; **aller à la** ~ *(NAVIG, fig)* to drift
dérivé, e [deʀive] *nm (TECH)* by-product; ~**e** *nf (MATH)* derivative
dériver [deʀive] *vt (MATH)* to derive; *(cours d'eau etc)* to divert ◆ *vi (bateau)* to drift; ~ **de** to derive from
dermatologue [dɛʀmatɔlɔg] *nm/f* dermatologist
dernier, ière [dɛʀnje, -jɛʀ] *adj* last; *(le plus récent)* latest, last; **lundi/le mois** ~ last Monday/month; **du** ~ **chic** extremely smart; **les** ~**s honneurs** the last tribute; **en** ~ last; **ce** ~ the latter; **dernièrement** *adv* recently
dérobé, e [deʀɔbe] *adj (porte)* secret, hidden; **à la** ~**e** surreptitiously
dérober [deʀɔbe] *vt* to steal; **se** ~ *vi (s'esquiver)* to slip away; to shy away; **se** ~ **sous** *(s'effondrer)* to give way beneath; **se** ~ **à** *(justice, regards)* to hide from; *(obligation)* to shirk; ~ **qch à (la vue de) qn** to conceal *ou* hide sth from sb('s view)
dérogation [deʀɔgasjɔ̃] *nf* (special) dispensation
déroger [deʀɔʒe] : ~ **à** *vt* to go against, depart from
dérouiller [deʀuje] *vt*: **se** ~ **les jambes** to stretch one's legs *(fig)*
déroulement [deʀulmɑ̃] *nm (d'une opération etc)* progress
dérouler [deʀule] *vt (ficelle)* to unwind; *(papier)* to unroll; **se** ~ *vi (avoir lieu)* to take place; *(se passer)* to go on; to go (off); to unfold
déroute [deʀut] *nf* rout; total collapse; ~**r** [deʀute] *vt (avion, train)* to reroute,

divert; (*étonner*) to disconcert, throw (out)

derrière [dɛʀjɛʀ] *adv, prép* behind ◆ *nm* (*d'une maison*) back; (*postérieur*) behind, bottom; **les pattes de ~** the back *ou* hind legs; **par ~** from behind; (*fig*) behind one's back

des [de] *dét voir* **de** ◆ *prép +dét* = **de +les**

dès [dɛ] *prép* from; **~ que** as soon as; **~ son retour** as soon as he was (*ou* is) back; **~ lors** from then on; **~ lors que** from the moment (that)

désabusé, e [dezabyze] *adj* disillusioned

désaccord [dezakɔʀ] *nm* disagreement; **~é, e** [dezakɔʀde] *adj* (*MUS*) out of tune

désaffecté, e [dezafɛkte] *adj* disused

désagréable [dezagʀeabl(ə)] *adj* unpleasant

désagréger [dezagʀeʒe] : **se ~** *vi* to disintegrate, break up

désagrément [dezagʀemɑ̃] *nm* annoyance, trouble *no pl*

désaltérer [dezalteʀe] *vt*: **se ~** to quench one's thirst

désamorcer [dezamɔʀse] *vt* to defuse; to forestall

désapprobateur, trice [dezapʀɔbatœʀ, -tʀis] *adj* disapproving

désapprouver [dezapʀuve] *vt* to disapprove of

désarçonner [dezaʀsɔne] *vt* to unseat, throw; (*fig*) to throw, puzzle

désarmant, e [dezaʀmɑ̃, -ɑ̃t] *adj* disarming

désarroi [dezaʀwa] *nm* disarray

désarticulé, e [dezaʀtikyle] *adj* (*pantin, corps*) dislocated

désastre [dezastʀ(ə)] *nm* disaster

désavantage [dezavɑ̃taʒ] *nm* disadvantage; (*inconvénient*) drawback, disadvantage; **désavantager** *vt* to put at a disadvantage

désavouer [dezavwe] *vt* to disown

désaxé, e [dezakse] *adj* (*fig*) unbalanced

descendre [desɑ̃dʀ(ə)] *vt* (*escalier, montagne*) to go (*ou* come) down; (*valise, paquet*) to take *ou* get down; (*étagère etc*) to lower; (*fam*: *abattre*) to shoot down ◆ *vi* to go (*ou* come) down; (*passager*: *s'arrêter*) to get out, alight; **~ à pied/en voiture** to walk/drive down; **~ de** (*famille*) to be descended from; **~ du train** to get out of *ou* get off the train; **~ d'un arbre** to climb down from a tree; **~ de cheval** to dismount; **~ à l'hôtel** to stay at a hotel

descente [desɑ̃t] *nf* descent, going down; (*chemin*) way down; (*SKI*) downhill (race); **au milieu de la ~** halfway down; **~ de lit** bedside rug; **~ (de police)** (police) raid

description [dɛskʀipsjɔ̃] *nf* description

désemparé, e [dezɑ̃paʀe] *adj* bewildered, distraught

désemparer [dezɑ̃paʀe] *vi*: **sans ~** without stopping

désemplir [dezɑ̃pliʀ] *vi*: **ne pas ~** to be always full

déséquilibre [dezekilibʀ(ə)] *nm* (*position*): **en ~** unsteady; (*fig*) imbalance; **déséquilibré, e** [dezekilibʀe] *nm/f* (*PSYCH*) unbalanced person; **déséquilibrer** [dezekilibʀe] *vt* to throw off balance

désert, e [dezɛʀ, -ɛʀt(ə)] *adj* deserted ◆ *nm* desert

déserter [dezɛʀte] *vi, vt* to desert

désertique [dezɛʀtik] *adj* desert *cpd*; barren, empty

désespéré, e [dezɛspeʀe] *adj* desperate

désespérer [dezɛspeʀe] *vt* to drive to despair ◆ *vi*: **~ de** to despair of

désespoir [dezɛspwaʀ] *nm* despair; **en ~ de cause** in desperation

déshabillé [dezabije] *nm* négligée

déshabiller [dezabije] *vt* to undress; **se ~** *vi* to undress (o.s.)

désherbant [dezɛʀbɑ̃] *nm* weed-killer

déshériter [dezeʀite] *vt* to disinherit

déshérités [dezeʀite] *nmpl*: **les ~** the underprivileged

déshonneur [dezɔnœʀ] *nm* dishonour

déshydraté, e [dezidʀate] *adj* dehydrated

desiderata [dezideʀata] *nmpl* requirements

désigner [deziɲe] *vt* (*montrer*) to point out, indicate; (*dénommer*) to denote; (*candidat etc*) to name

désinfectant, e [dezɛ̃fɛktɑ̃, -ɑ̃t] *adj, nm* disinfectant

désinfecter [dezɛ̃fɛkte] *vt* to disinfect

désintégrer [dezɛ̃tegʀe] *vt* to disintegrate; **se ~** *vi* to disintegrate

désintéressé, e [dezɛ̃teʀese] *adj* disinterested, unselfish

désintéresser [dezɛ̃teʀese] *vt*: **se ~ (de)** to lose interest (in)

désintoxication [dezɛ̃tɔksikɑsjɔ̃] *nf*: **faire une cure de ~** to undergo treatment for alcoholism (*ou* drug addiction)

désinvolte [dezɛ̃vɔlt(ə)] *adj* casual, off-hand; **désinvolture** *nf* casualness

désir [deziʀ] *nm* wish; (*fort, sensuel*) desire

désirer [deziʀe] *vt* to want, wish for; (*sexuellement*) to desire; **je désire ...** (*formule de politesse*) I would like ...

désister [deziste]: **se ~** *vi* to stand down, withdraw

désobéir [dezɔbeiʀ] *vi*: **~ (à qn/qch)** to disobey (sb/sth); **désobéissant, e** *adj* disobedient

désobligeant, e [dezɔbliʒɑ̃, -ɑ̃t] *adj* disagreeable

désodorisant [dezɔdɔʀizɑ̃] *nm* air freshener, deodorizer

désœuvré, e [dezœvʀe] *adj* idle

désolé, e [dezɔle] *adj* (*paysage*) desolate; **je suis ~** I'm sorry

désoler [dezɔle] *vt* to distress, grieve

désolidariser [desɔlidaʀize] *vt*: **se ~ de** *ou* **d'avec** to dissociate o.s. from

désopilant, e [dezɔpilɑ̃, -ɑ̃t] *adj* hilarious

désordonné, e [dezɔʀdɔne] *adj* untidy

désordre [dezɔʀdʀ(ə)] *nm* disorder(liness), untidiness; (*anarchie*) disorder; **~s** *nmpl* (*POL*) disturbances, disorder *sg*; **en ~** in a mess, untidy

désorienté, e [dezɔʀjɑ̃te] *adj* disorientated

désormais [dezɔʀmɛ] *adv* from now on

désosser [dezɔse] *vt* to bone

desquelles [dekɛl] *prép +pron* = **de +lesquelles**

desquels [dekɛl] *prép +pron* = **de +lesquels**

dessaisir [desezir]: **se ~ de** *vt* to give up, part with

dessaler [desale] *vt* (*eau de mer*) to desalinate; (*CULIN*) to soak

desséché, e [deseʃe] *adj* dried up

dessécher [deseʃe] *vt* to dry out, parch; **se ~** *vi* to dry out

dessein [desɛ̃] *nm* design; **à ~** intentionally, deliberately

desserrer [deseʀe] *vt* to loosen; (*frein*) to release

dessert [desɛʀ] *nm* dessert, pudding

desserte [desɛʀt(ə)] *nf* (*table*) side table; (*transport*): **la ~ du village est assurée par autocar** there is a coach service to the village

desservir [desɛʀviʀ] *vt* (*ville, quartier*) to serve; (*nuire à*) to go against, put at a disadvantage; (*débarrasser*): **~ (la table)** to clear the table

dessin [desɛ̃] *nm* (*œuvre, art*) drawing; (*motif*) pattern, design; (*contour*) (out)line; **~ animé** cartoon (film); **~ humoristique** cartoon

dessinateur, trice [desinatœʀ, -tʀis] *nm/f* drawer; (*de bandes dessinées*) cartoonist; (*industriel*) draughtsman(woman)

dessiner [desine] *vt* to draw; (*concevoir*) to design

dessous [dəsu] *adv* underneath, beneath ◆ *nm* underside ◆ *nmpl* (*sous-vêtements*) underwear *sg*; **en ~, par ~** underneath; below; **au-dessous (de)** below; (*peu digne de*) beneath; **avoir le ~** to get the worst of it; **dessous-de-plat** *nm inv* tablemat

dessus [dəsy] *adv* on top; (*collé, écrit*) on it ◆ *nm* top; **en ~** above; **par ~** over it ◆ *prép* over; **au-dessus (de)** above; **avoir le ~** to get the upper hand; **dessus-de-lit** *nm inv* bedspread

destin [dɛstɛ̃] *nm* fate; (*avenir*) destiny

destinataire [dɛstinatɛʀ] *nm/f* (*POSTES*) addressee; (*d'un colis*) consignee

destination [dɛstinɑsjɔ̃] *nf* (*lieu*) destination; (*usage*) purpose; **à ~ de** bound for, travelling to

destinée [dɛstine] *nf* fate; (*existence, avenir*) destiny

destiner [dɛstine] *vt*: **~ qn à** (*poste, sort*) to destine sb for; **~ qn/qch à** (*prédestiner*) to destine sb/sth to *+verbe*; **~ qch à qn** (*envisager de donner*) to intend sb to have sth; (*adresser*) to intend sth for sb; to aim sth at sb; **être destiné à** (*sort*) to be destined to *+verbe*; (*usage*) to be meant for; (*suj*: *sort*) to be in store for

destituer [dɛstitɥe] *vt* to depose

désuet, ète [desɥɛ, -ɛt] *adj* outdated, outmoded; **désuétude** *nf*: **tomber en désuétude** to fall into disuse

détachant [detaʃɑ̃] *nm* stain remover

détachement [detaʃmɑ̃] *nm* detachment

détacher [detaʃe] *vt* (*enlever*) to detach, remove; (*délier*) to untie; (*ADMIN*): **~ qn (auprès de *ou* à)** to post sb (to); **se ~** *vi* (*tomber*) to come off; to come out; (*se défaire*) to come undone; **se ~ sur** to stand out against; **se ~ de** (*se désintéresser*) to grow away from

détail [detaj] *nm* detail; (*COMM*): **le ~** retail; **en ~** in detail; **au ~** (*COMM*) retail; separately

détaillant [detajɑ̃] *nm* retailer

détailler [detaje] *vt* (*expliquer*) to explain in detail; to detail; (*examiner*) to look over, examine

détartrant [detaʀtʀɑ̃] *nm* scale remover

détecter [detɛkte] *vt* to detect

détective [detɛktiv] *nm* (*policier*: *en Grande Bretagne*) detective; **~ (privé)** private detective

déteindre [detɛ̃dʀ(ə)] *vi* (*tissu*) to fade; (*fig*): **~ sur** to rub off on

dételer [detle] *vt* to unharness

détendre [detɑ̃dʀ(ə)] *vt*: **se ~** to lose its tension; to relax

détenir [detniʀ] *vt* (*fortune, objet, secret*) to be in possession of; (*prisonnier*) to detain, hold; (*record, pouvoir*) to hold

détente [detɑ̃t] *nf* relaxation; (*d'une arme*) trigger

détention [detɑ̃sjɔ̃] *nf* possession; detention; holding; **~ préventive** (pre-trial) custody

détenu, e [detny] *nm/f* prisoner

détergent [detɛʀʒɑ̃] *nm* detergent

détériorer [deteʀjɔʀe] *vt* to damage; **se ~** *vi* to deteriorate

déterminé, e [detɛʀmine] *adj* (*résolu*) determined; (*précis*) specific, definite

déterminer [detɛʀmine] *vt* (*fixer*) to determine; (*décider*): **~ qn à faire** to decide sb to do

déterrer [deteʀe] *vt* to dig up

détestable [detɛstabl(ə)] *adj* foul, ghastly; detestable, odious

détester [detɛste] *vt* to hate, detest

détonation [detɔnɑsjɔ̃] *nf* detonation, bang, report (of a gun)

détonner [detɔne] *vi* (*MUS*) to go out of tune; (*fig*) to clash

détour [detuʀ] *nm* detour; (*tournant*) bend, curve; **sans ~** (*fig*) plainly

détourné, e [detuʀne] *adj* (*moyen*) roundabout

détournement [detuʀnəmɑ̃] *nm*: **~ d'avion** hijacking; **~ de mineur** corruption of a minor

détourner [detuʀne] *vt* to divert; (*par la force*) to hijack; (*yeux, tête*) to turn away; (*de l'argent*) to embezzle; **se ~** *vi* to turn away

détracteur, trice [detʀaktœʀ, -tʀis] *nm/f* disparager, critic

détraquer [detʀake] *vt* to put out of order; (*estomac*) to upset; **se ~** *vi* to go wrong

détrempé, e [detʀɑ̃pe] *adj* (*sol*) sodden, waterlogged

détresse [detʀɛs] *nf* distress

détriment [detʀimɑ̃] *nm*: **au ~ de** to the detriment of

détritus [detʀitys] *nmpl* rubbish *sg*, refuse *sg*

détroit [detʀwa] *nm* strait

détromper [detʀɔ̃pe] *vt* to disabuse

détrôner [detʀone] *vt* to dethrone

détrousser [detʀuse] *vt* to rob

détruire [detʀɥiʀ] *vt* to destroy

dette [dɛt] *nf* debt

D.E.U.G. [døg] *sigle m* (= *diplôme d'études universitaires générales*) *diploma taken after 2 years at university*

deuil [dœj] *nm* (*perte*) bereavement; (*période*) mourning; (*chagrin*) grief; **être en ~** to be in mourning

deux [dø] *num* two; **les ~** both; **ses ~ mains** both his hands, his two hands; **~ points** colon *sg*; **deuxième** *num* second; **deuxièmement** *adv* secondly, in the second place; **deux-pièces** *nm inv* (*tailleur*) two-piece suit; (*de bain*) two-piece (swimsuit); (*appartement*) two-roomed flat (*BRIT*) *ou* apartment (*US*); **deux-roues** *nm inv* two-wheeled vehicle

devais *etc vb voir* **devoir**

dévaler [devale] *vt* to hurtle down

dévaliser [devalize] *vt* to rob, burgle

dévaloriser [devalɔʀize] *vt* to depreciate; **se ~** *vi* to depreciate

dévaluation [devalɥɑsjɔ̃] *nf* depreciation; (*ÉCON*: *mesure*) devaluation

devancer [dəvɑ̃se] *vt* to be ahead of; to get ahead of; to arrive before; (*prévenir*) to anticipate

devant [dəvɑ̃] *adv* in front; (*à distance*: *en avant*) ahead ◆ *prép* in front of; ahead of; (*avec mouvement*: *passer*) past; (*fig*) before, in front of; faced with; in view of ◆ *nm* front; **prendre les ~s** to make the first move; **les pattes de ~** the front legs, the forelegs; **par ~** (*boutonner*) at the front; (*entrer*) the front way; **aller au-devant de qn** to go out to meet sb; **aller au-devant de** (*désirs de qn*) to anticipate

devanture [dəvɑ̃tyʀ] *nf* (*façade*) (shop) front; (*étalage*) display; (shop) window

déveine [devɛn] *nf* rotten luck *no pl*

développement [devlɔpmɑ̃] *nm* development

développer [devlɔpe] *vt* to develop; **se ~** *vi* to develop

devenir [dəvniʀ] *vb +attrib* to become; **~ instituteur** to become a teacher; **que sont-ils devenus?** what has become of them?

dévergondé, e [devɛʀgɔ̃de] *adj* wild, shameless

déverser [devɛʀse] *vt* (*liquide*) to pour (out); (*ordures*) to tip (out); **se ~ dans** (*fleuve, mer*) to flow into

dévêtir [devetiʀ] *vt* to undress; **se ~** *vi* to undress

devez *etc vb voir* **devoir**

déviation [devjɑsjɔ̃] *nf* deviation; (*AUTO*) diversion (*BRIT*), detour (*US*)

dévider [devide] *vt* to unwind

devienne *etc vb voir* **devenir**

dévier [devje] *vt* (*fleuve, circulation*) to divert; (*coup*) to deflect ◆ *vi* to veer (off course)

devin [dəvɛ̃] *nm* soothsayer, seer

deviner [dəvine] *vt* to guess; (*prévoir*) to foresee; (*apercevoir*) to distinguish; **devinette** [dəvinɛt] *nf* riddle

devins *etc vb voir* **devenir**

devis [dəvi] *nm* estimate, quotation

dévisager [devizaʒe] *vt* to stare at

devise [dəviz] *nf* (*formule*) motto, watchword; (*ÉCON*: *monnaie*) currency; **~s** *nfpl* (*argent*) currency *sg*

deviser [dəvize] *vi* to converse

dévisser [devise] *vt* to unscrew, undo; **se ~** *vi* to come unscrewed

dévoiler [devwale] *vt* to unveil

devoir [dəvwaʀ] *nm* duty; (*SCOL*) homework *no pl*; (*: en classe*) exercise ◆ *vt* (*argent, respect*): **~ qch (à qn)** to owe (sb) sth; (*suivi de l'infinitif*: *obligation*): **il doit le faire** he has to do it, he must do it; (*: intention*): **il doit partir demain** he is (due) to leave tomorrow; (*: probabilité*): **il doit être tard** it must be late

dévolu, e [devɔly] *adj*: **~ à** allotted to ◆ *nm*: **jeter son ~ sur** to fix one's choice on

dévorer [devɔʀe] *vt* to devour; (*suj*: *feu, soucis*) to consume

dévot, e [devo, -ɔt] *adj* devout, pious

dévotion [devosjɔ̃] *nf* devoutness; **être à la ~ de qn** to be totally devoted to sb

dévoué, e [devwe] *adj* devoted

dévouer [devwe] : **se ~** *vi* (*se sacrifier*): **se ~ (pour)** to sacrifice o.s. (for); (*se consacrer*): **se ~ à** to devote *ou* dedicate o.s. to

dévoyé, e [devwaje] *adj* delinquent

devrai *etc vb voir* **devoir**

diabète [djabɛt] *nm* diabetes *sg*; **diabétique** *nm/f* diabetic

diable [djɑbl(ə)] *nm* devil

diabolo [djabɔlo] *nm* (*boisson*) *lemonade with fruit cordial*

diagnostic [djagnɔstik] *nm* diagnosis *sg*

diagonal, e, aux [djagɔnal, -o] *adj* diagonal; **~e** *nf* diagonal; **en ~e** diagonally; **lire en ~e** to skim through

diagramme [djagʀam] *nm* chart, graph

dialecte [djalɛkt(ə)] *nm* dialect

dialogue [djalɔg] *nm* dialogue

diamant [djamɑ̃] *nm* diamond; **diamantaire** *nm* diamond dealer

diamètre [djamɛtʀ(ə)] *nm* diameter

diapason [djapazɔ̃] *nm* tuning fork

diaphragme [djafʀagm(ə)] *nm* diaphragm

diaporama [djapɔʀama] *nm* slide show

diapositive [djapozitiv] *nf* transparency, slide

diarrhée [djaʀe] *nf* diarrhoea

dictateur [diktatœʀ] *nm* dictator; **dictature** *nf* dictatorship

dictée [dikte] *nf* dictation

dicter [dikte] *vt* to dictate

dictionnaire [diksjɔnɛʀ] *nm* dictionary

dicton [diktɔ̃] *nm* saying, dictum

dièse [djɛz] *nm* sharp

diesel [djezɛl] *nm* diesel ◆ *adj inv* diesel

diète [djɛt] *nf* (*jeûne*) starvation diet; (*régime*) diet

diététique [djetetik] *adj*: **magasin ~** health food shop

dieu, x [djø] *nm* god; **D~** God; **mon D~!** good heavens!

diffamation [difamɑsjɔ̃] *nf* slander; (*écrite*) libel

différé [difeʀe] *nm* (*TV*): **en ~** (pre-) recorded

différence [difeʀɑ̃s] *nf* difference; **à la ~ de** unlike; **différencier** [difeʀɑ̃sje] *vt* to differentiate; **différend** [difeʀɑ̃] *nm* difference (of opinion), disagreement

différent, e [difeʀɑ̃, -ɑ̃t] *adj*: **~ (de)** different (from); **~s objets** different *ou* various objects

différer [difeʀe] *vt* to postpone, put off ◆ *vi*: **~ (de)** to differ (from)

difficile [difisil] *adj* difficult; (*exigeant*) hard to please; **~ment** *adv* with difficulty

difficulté [difikylte] *nf* difficulty; **en ~** (*bateau, alpiniste*) in difficulties

difforme [difɔʀm(ə)] *adj* deformed, misshapen

diffuser [difyze] *vt* (*chaleur, bruit*) to diffuse; (*émission, musique*) to broadcast; (*nouvelle, idée*) to circulate; (*COMM*) to distribute

digérer [diʒeʀe] *vt* to digest; (*fig*: *accepter*) to stomach, put up with; **digestif** *nm* (after-dinner) liqueur

digne [diɲ] *adj* dignified; **~ de** worthy of; **~ de foi** trustworthy

dignité [diɲite] *nf* dignity

digression [digʀesjɔ̃] *nf* digression

digue [dig] *nf* dike, dyke

dilapider [dilapide] *vt* to squander

dilemme [dilɛm] *nm* dilemma

diligence [diliʒɑ̃s] *nf* stagecoach; (*empressement*) despatch

diluer [dilɥe] *vt* to dilute

diluvien, ne [dilyvjɛ̃, -jɛn] *adj*: **pluie ~ne** torrential rain

dimanche [dimɑ̃ʃ] *nm* Sunday

dimension [dimɑ̃sjɔ̃] *nf* (*grandeur*) size; (*cote, de l'espace*) dimension

diminuer [diminɥe] *vt* to reduce, decrease; (*ardeur etc*) to lessen; (*personne*: *physiquement*) to undermine; (*dénigrer*) to belittle ♦ *vi* to decrease, diminish; **diminutif** *nm* (*surnom*) pet name; **diminution** *nf* decreasing, diminishing

dinde [dɛ̃d] *nf* turkey

dindon [dɛ̃dɔ̃] *nm* turkey

dîner [dine] *nm* dinner ♦ *vi* to have dinner

dingue [dɛ̃g] (*fam*) *adj* crazy

diplomate [diplɔmat] *adj* diplomatic ♦ *nm* diplomat; (*fig*) diplomatist

diplomatie [diplɔmasi] *nf* diplomacy

diplôme [diplom] *nm* diploma; **diplômé, e** *adj* qualified

dire [diʀ] *nm*: **au ~ de** according to ♦ *vt* to say; (*secret, mensonge*) to tell; **leurs ~s** what they say; **~ l'heure/la vérité** to tell the time/the truth; **~ qch à qn** to tell sb sth; **~ à qn qu'il fasse** *ou* **de faire** to tell sb to do; **on dit que** they say that; **ceci dit** that being said; (*à ces mots*) whereupon; **si cela lui dit** (*plaire*) if he fancies it; **que dites-vous de** (*penser*) what do you think of; **on dirait que** it looks (*ou* sounds *etc*) as if; **dis/dites (donc)** I say; (*à propos*) by the way

direct, e [diʀɛkt] *adj* direct ♦ *nm* (*TV*): **en ~** live; **directement** *adv* directly

directeur, trice [diʀɛktœʀ, -tʀis] *nm/f* (*d'entreprise*) director; (*de service*) manager(eress); (*d'école*) head (teacher) (*BRIT*), principal (*US*)

direction [diʀɛksjɔ̃] *nf* management; conducting; supervision; (*AUTO*) steering; (*sens*) direction; **"toutes ~s"** "all routes"

dirent *vb voir* **dire**

dirigeant, e [diʀiʒɑ̃, -ɑ̃t] *adj* managerial; ruling ♦ *nm/f* (*d'un parti etc*) leader; (*d'entreprise*) manager

diriger [diʀiʒe] *vt* (*entreprise*) to manage, run; (*véhicule*) to steer; (*orchestre*) to conduct; (*recherches, travaux*) to supervise; (*braquer*: *regard, arme*): **~ sur** to point *ou* level at; **se ~** *vi* (*s'orienter*) to find one's way; **se ~ vers** *ou* **sur** to make *ou* head for

dirigisme [diʀiʒism(ə)] *nm* (*ÉCON*) state intervention, interventionism

dis *etc vb voir* **dire**

discernement [disɛʀnəmɑ̃] *nm* (*bon sens*) discernment, judgement

discerner [disɛʀne] *vt* to discern, make out

discipline [disiplin] *nf* discipline; **discipliner** *vt* to discipline; to control

discontinu, e [diskɔ̃tiny] *adj* intermittent

discontinuer [diskɔ̃tinɥe] *vi*: **sans ~** without stopping, without a break

disconvenir [diskɔ̃vniʀ] *vi*: **ne pas ~ de qch/que** not to deny sth/that

discordant, e [diskɔʀdɑ̃, -ɑ̃t] *adj* discordant; conflicting

discothèque [diskɔtɛk] *nf* (*disques*) record collection; (: *dans une bibliothèque*) record library; (*boîte de nuit*) disco(thèque)

discourir [diskuʀiʀ] *vi* to discourse, hold forth

discours [diskuʀ] *nm* speech

discret, ète [diskʀɛ, -ɛt] *adj* discreet; (*fig*) unobtrusive; quiet

discrétion [diskʀesjɔ̃] *nf* discretion; **être à la ~ de qn** to be in sb's hands; **à ~** unlimited; as much as one wants

discrimination [diskʀiminɑsjɔ̃] *nf* discrimination; **sans ~** indiscriminately

disculper [diskylpe] *vt* to exonerate

discussion [diskysjɔ̃] *nf* discussion

discutable [diskytabl(ə)] *adj* debatable

discuté, e [diskyte] *adj* controversial

discuter [diskyte] *vt* (*contester*) to question, dispute; (*débattre*: *prix*) to discuss ♦ *vi* to talk; (*ergoter*) to argue; **~ de** to discuss

dise *etc vb voir* **dire**

disette [dizɛt] *nf* food shortage

diseuse [dizøz] *nf*: **~ de bonne aventure** fortuneteller

disgracieux, euse [disgʀasjø, -jøz] *adj* ungainly, awkward

disjoindre [disʒwɛ̃dʀ(ə)] *vt* to take apart; **se ~** *vi* to come apart

disjoncteur [disʒɔ̃ktœʀ] *nm* (*ÉLEC*) circuit breaker

disloquer [dislɔke] *vt* (*chaise*) to dismantle; **se ~** *vi* (*parti, empire*) to break up; **se ~ l'épaule** to dislocate one's shoulder

disons *vb voir* **dire**

disparaître [dispaʀɛtʀ(ə)] *vi* to disappear; (*à la vue*) to vanish, disappear; to be hidden *ou* concealed; (*se perdre*: *traditions etc*) to die out; **faire ~** to remove; to get rid of

disparition [dispaʀisjɔ̃] *nf* disappearance

disparu, e [dispaʀy] *nm/f* missing person; (*défunt*) departed

dispensaire [dispɑ̃sɛʀ] *nm* community clinic

dispenser [dispɑ̃se] *vt* (*donner*) to lavish, bestow; (*exempter*): **~ qn de** to exempt sb from; **se ~ de** *vt* to avoid; to get out of

disperser [dispɛʀse] *vt* to scatter; (*fig*: *son attention*) to dissipate

disponibilité [dispɔnibilite] *nf* (*ADMIN*): **être en ~** to be on leave of absence; **disponible** [dispɔnibl(ə)] *adj* available

dispos [dispo] *adj m*: **(frais et) ~** fresh (as a daisy)

disposé, e [dispoze] *adj*: **bien/mal ~** (*humeur*) in a good/bad mood; **~ à** (*prêt à*) willing *ou* prepared to

disposer [dispoze] *vt* (*arranger, placer*) to arrange ♦ *vi*: **vous pouvez ~** you may leave; **~ de** to have (at one's disposal); to use; **se ~ à faire** to prepare to do, be about to do

dispositif [dispozitif] *nm* device; (*fig*) system, plan of action; set-up

disposition [dispozisjɔ̃] *nf* (*arrangement*) arrangement, layout; (*humeur*) mood; (*tendance*) tendency; **~s** *nfpl* (*mesures*) steps, measures; (*préparatifs*) arrangements; (*loi, testament*) provisions; (*aptitudes*) bent *sg*, aptitude *sg*; **à la ~ de qn** at sb's disposal

disproportionné, e [dispʀɔpɔʀsjɔne] *adj* disproportionate, out of all proportion

dispute [dispyt] *nf* quarrel, argument

disputer [dispyte] *vt* (*match*) to play; (*combat*) to fight; (*course*) to run, fight; **se ~** *vi* to quarrel; **~ qch à qn** to fight with sb over sth

disquaire [diskɛʀ] *nm/f* record dealer

disqualifier [diskalifje] *vt* to disqualify

disque [disk(ə)] *nm* (*MUS*) record; (*forme, pièce*) disc; (*SPORT*) discus; **~ compact** compact disc; **~ d'embrayage** (*AUTO*) clutch plate

disquette [diskɛt] *nf* floppy disk, diskette

disséminer [disemine] *vt* to scatter

disséquer [diseke] *vt* to dissect

dissertation [disɛʀtɑsjɔ̃] *nf* (*SCOL*) essay

disserter [disɛʀte] *vi*: **~ sur** to discourse upon

dissimuler [disimyle] *vt* to conceal

dissiper [disipe] *vt* to dissipate; (*fortune*) to squander; **se ~** *vi* (*brouillard*) to clear, disperse; (*doutes*) to melt away; (*élève*) to become unruly

dissolu, e [disɔly] *adj* dissolute

dissolvant [disɔlvɑ̃] *nm* solvent; **~ (gras)** nail polish remover

dissonant, e [disɔnɑ̃, -ɑ̃t] *adj* discordant

dissoudre [disudʀ(ə)] *vt* to dissolve; **se ~** *vi* to dissolve

dissuader [disɥade] *vt*: **~ qn de faire/de qch** to dissuade sb from doing/from sth

dissuasion [disɥazjɔ̃] *nf*: **force de ~** deterrent power

distance [distɑ̃s] *nf* distance; (*fig*: *écart*) gap; **à ~** at *ou* from a distance; **distancer** *vt* to outdistance

distant, e [distɑ̃, -ɑ̃t] *adj* (*réservé*) distant; **~ de** (*lieu*) far away from

distendre [distɑ̃dʀ(ə)] *vt* to distend; **se ~** *vi* to distend

distiller [distile] *vt* to distil; **distillerie** *nf* distillery

distinct, e [distɛ̃(kt), distɛ̃kt(ə)] *adj* distinct; **distinctif, ive** *adj* distinctive

distingué, e [distɛ̃ge] *adj* distinguished

distinguer [distɛ̃ge] *vt* to distinguish

distraction [distʀaksjɔ̃] *nf* (*manque d'attention*) absent-mindedness; (*oubli*) lapse (in concentration); (*détente*) diversion, recreation; (*passe-temps*) distraction, entertainment

distraire [distʀɛʀ] *vt* (*déranger*) to distract; (*divertir*) to entertain, divert; **se ~** *vi* to amuse *ou* enjoy o.s.

distrait, e [distʀɛ, -ɛt] *adj* absent-minded

distribuer [distʀibɥe] *vt* to distribute; to hand out; (*CARTES*) to deal (out); (*courrier*) to deliver; **distributeur** *nm* (*COMM*) distributor; (*automatique*) (vending) machine; (: *de billets*) (cash) dispenser; **distribution** *nf* distribution; (*postale*) delivery; (*choix d'acteurs*) casting, cast

dit, e [di, dit] *pp de* **dire** ♦ *adj* (*fixé*): **le jour ~** the arranged day; (*surnommé*): X, **~ Pierrot** X, known as Pierrot

dites *vb voir* **dire**

divaguer [divage] *vi* to ramble; to rave

divan [divɑ̃] *nm* divan

divers, e [divɛʀ, -ɛʀs(ə)] *adj* (*varié*) diverse, varied; (*différent*) different, various ♦ *dét* (*plusieurs*) various, several; **(frais) ~** sundries, miscellaneous (expenses)

divertir [divɛʀtiʀ] *vt* to amuse, entertain; **se ~** *vi* to amuse *ou* enjoy o.s.

divin, e [divɛ̃, -in] *adj* divine

diviser [divize] *vt* (*gén, MATH*) to divide; (*morceler, subdiviser*) to divide (up), split (up); **division** *nf* division

divorce [divɔʀs(ə)] *nm* divorce; **divorcé, e** *nm/f* divorcee; **divorcer** *vi* to get a divorce, get divorced; **divorcer de** *ou* **d'avec qn** to divorce sb

divulguer [divylge] *vt* to divulge, disclose

dix [dis] *num* ten; **dixième** *num* tenth

dizaine [dizɛn] *nf* (*10*) ten; (*environ 10*): **une ~ (de)** about ten, ten or so

do [do] *nm* (*note*) C; (*en chantant la gamme*) do(h)

dock [dɔk] *nm* dock

docker [dɔkɛʀ] *nm* docker

docte [dɔkt(ə)] *adj* learned

docteur [dɔktœʀ] *nm* doctor

doctorat [dɔktɔʀa] *nm*: **~ (d'Université)** doctorate; **~ d'État** ≈ Ph.D.

doctrine [dɔktʀin] *nf* doctrine

document [dɔkymɑ̃] *nm* document

documentaire [dɔkymɑ̃tɛʀ] *adj, nm* documentary

documentaliste [dɔkymɑ̃talist(ə)] *nm/f* archivist; researcher

documentation [dɔkymɑ̃tɑsjɔ̃] *nf* documentation, literature; (*PRESSE, TV*: *service*) research

documenter [dɔkymɑ̃te] *vt*: **se ~ (sur)** to gather information (on)

dodeliner [dɔdline] *vi*: **~ de la tête** to nod one's head gently

dodo [dodo] *nm*: **aller faire ~** to go to beddy-byes

dodu, e [dɔdy] *adj* plump

dogue [dɔg] *nm* mastiff

doigt [dwa] *nm* finger; **à deux ~s de** within an inch of; **un ~ de lait** a drop of milk; **~ de pied** toe

doigté [dwate] *nm* (*MUS*) fingering; (*fig*: *habileté*) diplomacy, tact (*compétition*) entry fee

doit *etc vb voir* **devoir**

doléances [doleɑ̃s] *nfpl* complaints; grievances

dollar [dɔlaʀ] *nm* dollar

D.O.M. [deoɛm, dɔm] *sigle m* = **département d'outre-mer**

domaine [dɔmɛn] *nm* estate, property; (*fig*) domain, field

domestique [dɔmɛstik] *adj* domestic ♦ *nm/f* servant, domestic

domicile [dɔmisil] *nm* home, place of residence; **à ~** at home; **domicilié, e** *adj*: **être domicilié à** to have one's home in *ou* at

dominant, e [dɔminɑ̃, -ɑ̃t] *adj* dominant; predominant

dominateur, trice [dɔminatœʀ, -tʀis] *adj* dominating; domineering

dominer [dɔmine] *vt* to dominate; (*passions etc*) to control, master; (*surpasser*) to outclass, surpass ♦ *vi* to be in the dominant position; **se ~** *vi* to control o.s.

domino [dɔmino] *nm* domino

dommage [dɔmaʒ] *nm* (*préjudice*) harm, injury; (*dégâts, pertes*) damage *no pl*; **c'est ~ de faire/que** it's a shame *ou* pity to do/that; **dommages-intérêts** *nmpl* damages

dompter [dɔ̃te] *vt* to tame; **dompteur, euse** *nm/f* trainer; liontamer

don [dɔ̃] *nm* (*cadeau*) gift; (*charité*) donation; (*aptitude*) gift, talent; **avoir des ~s pour** to have a gift *ou* talent for

donc [dɔ̃k] *conj* therefore, so; (*après une digression*) so, then

donjon [dɔ̃ʒɔ̃] *nm* keep

donné, e [dɔne] *adj* (*convenu*) given; (*pas cher*): **c'est ~** it's a gift; **étant ~ ...** given ...; **donnée** *nf* (*MATH, gén*) datum

donner [dɔne] *vt* to give; (*vieux habits etc*) to give away; (*spectacle*) to put on; (*film*) to show; **~ qch à qn** to give sb sth, give sth to sb; **~ sur** (*suj*: *fenêtre, chambre*) to look (out) onto; **~ dans** (*piège etc*) to fall into; **se ~ à fond** to give one's all; **s'en ~ à cœur joie** (*fam*) to have a great time

MOT-CLÉ

dont [dɔ̃] *pron relatif* 1 (*appartenance*: *objets*) whose, of which; (*appartenance*: *êtres animés*) whose; **la maison ~ le toit est rouge** the house the roof of which is red; the house whose roof is red; **l'homme ~ je connais la sœur** the man whose sister I know

2 (*parmi lesquel(le)s*): **2 livres, ~ l'un est** ... 2 books, one of which is ...; **il y avait plusieurs personnes, ~ Gabrielle** there were several people, among them Gabrielle; **10 blessés, ~ 2 grièvement** 10 injured, 2 of them seriously

3 (*complément d'adjectif, de verbe*): **le fils ~ il est si fier** the son he's so proud of; **ce ~ je parle** what I'm talking about

doré, e [dɔʀe] *adj* golden; (*avec dorure*) gilt, gilded

dorénavant [dɔʀenavɑ̃] *adv* henceforth

dorer [dɔʀe] *vt* (*cadre*) to gild; **(faire) ~** (*CULIN*) to brown

dorloter [dɔʀlɔte] *vt* to pamper

dormir [dɔʀmiʀ] *vi* to sleep; (*être endormi*) to be asleep

dortoir [dɔʀtwaʀ] *nm* dormitory

dorure [dɔʀyʀ] *nf* gilding

dos [do] *nm* back; (*de livre*) spine; **"voir au ~"** "see over"; **de ~** from the back

dosage [dozaʒ] *nm* mixture

dose [doz] *nf* dose; **~r** [doze] *vt* to measure out; to mix in the correct proportions; (*fig*) to expend in the right amounts; to strike a balance between

dossard [dosaʀ] *nm* number (*worn by competitor*)

dossier [dosje] *nm* (*renseignements, fichier*) file; (*de chaise*) back; (*PRESSE*) feature

dot [dɔt] *nf* dowry

doter [dɔte] *vt* to equip

douane [dwan] *nf* (*poste, bureau*) customs *pl*; (*taxes*) (customs) duty; **douanier, ière** *adj* customs *cpd* ♦ *nm* customs officer

double [dubl(ə)] *adj, adv* double ♦ *nm* (*2 fois plus*): **le ~ (de)** twice as much (*ou* many) (as); (*autre exemplaire*) duplicate, copy; (*sosie*) double; (*TENNIS*) doubles *sg*; **en ~ (exemplaire)** in duplicate; **faire ~ emploi** to be redundant

doubler [duble] *vt* (*multiplier par 2*) to double; (*vêtement*) to line; (*dépasser*) to overtake, pass; (*film*) to dub; (*acteur*) to stand in for ♦ *vi* to double

doublure [dublyʀ] *nf* lining; (*CINÉMA*) stand-in

douce [dus] *adj voir* **doux**; **douceâtre** *adj* sickly sweet; **doucement** *adv* gently; slowly; **doucereux, euse** (*péj*) *adj* sugary; **douceur** *nf* softness; sweetness; mildness; gentleness; **~urs** *nfpl* (*friandises*) sweets

douche [duʃ] *nf* shower; **~s** *nfpl* (*salle*) shower room *sg*; **doucher**: **se doucher** *vi* to have *ou* take a shower

doudoune [dudun] *nf* padded jacket; boob (*fam*)

doué, e [dwe] *adj* gifted, talented; **~ de** endowed with

douille [duj] *nf* (*ÉLEC*) socket; (*de projectile*) case

douillet, te [dujɛ, -ɛt] *adj* cosy; (*péj*) soft

douleur [dulœʀ] *nf* pain; (*chagrin*) grief, distress; **douloureux, euse** *adj* painful

doute [dut] *nm* doubt; **sans ~** no doubt; (*probablement*) probably

douter [dute] *vt* to doubt; **~ de** (*allié*) to doubt, have (one's) doubts about; (*résultat*) to be doubtful of; **se ~ de qch/que** to suspect sth/that; **je m'en doutais** I suspected as much

douteux, euse [dutø, -øz] *adj* (*incertain*) doubtful; (*discutable*) dubious, questionable; (*péj*) dubious-looking

Douvres [duvʀ(ə)] *n* Dover

doux, douce [du, dus] *adj* (*gén*) soft; (*sucré, agréable*) sweet; (*peu fort*: *moutarde, clément*: *climat*) mild; (*pas brusque*) gentle

douzaine [duzɛn] *nf* (*12*) dozen; (*environ 12*): **une ~ (de)** a dozen or so, twelve or so

douze [duz] *num* twelve; **douzième** *num* twelfth

doyen, ne [dwajɛ̃, -ɛn] *nm/f* (*en âge, ancienneté*) most senior member; (*de faculté*) dean

dragée [dʀaʒe] *nf* sugared almond; (*MÉD*) (sugar-coated) pill

dragon [dʀagɔ̃] *nm* dragon

draguer [dʀage] *vt* (*rivière*) to dredge; to drag; (*fam*) to try to pick up

dramatique [dʀamatik] *adj* dramatic; (*tragique*) tragic ♦ *nf* (*TV*) (television) drama

dramaturge [dʀamatyʀʒ(ə)] *nm* dramatist, playwright

drame [dʀam] *nm* (*THÉÂTRE*) drama

drap [dʀa] *nm* (*de lit*) sheet; (*tissu*) woollen fabric

drapeau, x [dʀapo] *nm* flag; **sous les ~x** with the colours, in the army

dresser [dʀese] *vt* (*mettre vertical, monter*) to put up, erect; (*fig*: *liste, bilan, contrat*) to draw up; (*animal*) to train; **se ~** *vi* (*falaise, obstacle*) to stand; to tower (up); (*personne*) to draw o.s. up; **~ qn contre qn** to set sb against sb; **~ l'oreille** to prick up one's ears

drogue [dʀɔg] *nf* drug; **la ~** drugs *pl*; **drogué, e** [dʀɔge] *nm/f* drug addict

droguer [dʀɔge] *vt* (*victime*) to drug; (*malade*) to give drugs to; **se ~** *vi* (*aux stupéfiants*) to take drugs; (*péj*: *de médicaments*) to dose o.s. up

droguerie [dʀɔgʀi] *nf* hardware shop

droguiste [dʀɔgist(ə)] *nm* keeper (*ou* owner) of a hardware shop

droit, e [dʀwa, dʀwat] *adj* (*non courbe*) straight; (*vertical*) upright, straight; (*fig*: *loyal*) upright, straight(forward); (*opposé à gauche*) right, right-hand ♦ *adv* straight ♦ *nm* (*prérogative*) right; (*taxe*) duty, tax; (: *d'inscription*) fee; (*JUR*): **le ~** law; **avoir le ~ de** to be allowed to; **avoir ~ à** to be entitled to; **être en ~ de** to have a *ou* the right to; **être dans son ~** to be within one's rights; **à ~e** on the right; (*direction*) (to the) right; **~s d'auteur** royalties; **~s d'inscription** *nmpl* enrolment fee; (*competition*) entry fee; **droite** *nf* (*POL*): **la droite** the right (wing)

droitier, ière [dʀwatje, -jɛʀ] *nm/f* right-handed person

droits *nmpl voir* **droit**

droiture [dʀwatyʀ] *nf* uprightness, straightness

drôle [dʀol] *adj* funny; **une ~ d'idée** a funny idea; **drôlement** *adv* (*très*) terribly, awfully

dromadaire [dʀɔmadɛʀ] *nm* dromedary

dru, e [dʀy] *adj* (*cheveux*) thick, bushy; (*pluie*) heavy

du [dy] *dét voir* **de** ◆ *prép +dét* = **de +le**

dû, due [dy] *vb voir* **devoir** ◆ *adj* (*somme*) owing, owed; (: *venant à échéance*) due; (*causé par*): **~ à** due to ◆ *nm* due; (*somme*) dues *pl*

dubitatif, ive [dybitatif, -iv] *adj* doubtful, dubious

duc [dyk] *nm* duke; **duchesse** *nf* duchess

dûment [dymɑ̃] *adv* duly

Dunkerque [dœ̃kɛʀk] *n* Dunkirk

duo [dɥo] *nm* (*MUS*) duet

dupe [dyp] *nf* dupe ◆ *adj*: **(ne pas) être ~ de** (not) to be taken in by

duplex [dyplɛks] *nm* (*appartement*) split-level apartment, duplex

duplicata [dyplikata] *nm* duplicate

duquel [dykɛl] *prép +pron* = **de +lequel**

dur, e [dyʀ] *adj* (*pierre, siège, travail, problème*) hard; (*lumière, voix, climat*) harsh; (*sévère*) hard, harsh; (*cruel*) hard(-hearted); (*porte, col*) stiff; (*viande*) tough ◆ *adv* hard; **~ d'oreille** hard of hearing

durant [dyʀɑ̃] *prép* (*au cours de*) during; (*pendant*) for; **des mois ~** for months

durcir [dyʀsiʀ] *vt, vi* to harden; **se ~** *vi* to harden

durée [dyʀe] *nf* length; (*d'une pile etc*) life; (*déroulement*: *des opérations etc*) duration

durement [dyʀmɑ̃] *adv* harshly

durer [dyʀe] *vi* to last

dureté [dyʀte] *nf* hardness; harshness; stiffness; toughness

durit [dyʀit] (®) *nf* (car radiator) hose

dus *etc vb voir* **devoir**

duvet [dyvɛ] *nm* down; (*sac de couchage*) down-filled sleeping bag

dynamique [dinamik] *adj* dynamic

dynamite [dinamit] *nf* dynamite

dynamiter [dinamite] *vt* to (blow up with) dynamite

dynamo [dinamo] *nf* dynamo

dysenterie [disɑ̃tʀi] *nf* dysentery

dyslexie [dislɛksi] *nf* dyslexia, word-blindness

E

eau, x [o] *nf* water; **~x** *nfpl* (*MED*) waters; **prendre l'~** to leak, let in water; **tomber à l'~** (*fig*) to fall through; **~ courante** running water; **~ de Cologne** Eau de Cologne; **~ de Javel** bleach; **~ de toilette** toilet water; **~ douce** fresh water; **~ minérale** mineral water; **~ plate** still water; **~ salée** salt water; **eau-de-vie** *nf* brandy; **eau-forte** *nf* etching

ébahi, e [ebai] *adj* dumbfounded

ébattre [ebatʀ(ə)] : **s'~** *vi* to frolic

ébaucher [eboʃe] *vt* to sketch out, outline; **s'~** *vi* to take shape

ébène [ebɛn] *nf* ebony

ébéniste [ebenist(ə)] *nm* cabinetmaker

éberlué, e [ebɛʀlɥe] *adj* astounded

éblouir [ebluiʀ] *vt* to dazzle

éblouissement [ebluismɑ̃] *nm* (*faiblesse*) dizzy turn

éborgner [ebɔʀɲe] *vt*: **~ qn** to blind sb in one eye

éboueur [ebwœʀ] *nm* dustman (*BRIT*), garbageman (*US*)

ébouillanter [ebujɑ̃te] *vt* to scald; (*CULIN*) to blanch

éboulement [ebulmɑ̃] *nm* rock fall

ébouler [ebule] : **s'~** *vi* to crumble, collapse

éboulis [ebuli] *nmpl* fallen rocks

ébouriffé, e [ebuʀife] *adj* tousled

ébranler [ebʀɑ̃le] *vt* to shake; (*rendre instable*: *mur*) to weaken; **s'~** *vi* (*partir*) to move off

ébrécher [ebʀeʃe] *vt* to chip

ébriété [ebʀijete] *nf*: **en état d'~** in a state of intoxication

ébrouer [ebʀue]: **s'~** *vi* to shake o.s.; (*souffler*) to snort

ébruiter [ebʀɥite] *vt* to spread, disclose

ébullition [ebylisjɔ̃] *nf* boiling point; **en ~** boiling; (*fig*) in an uproar

écaille [ekɑj] *nf* (*de poisson*) scale; (*de coquillage*) shell; (*matière*) tortoiseshell; **~r** [ekɑje] *vt* (*poisson*) to scale; (*huître*) to open; **s'~r** *vi* to flake *ou* peel (off)

écarlate [ekaʀlat] *adj* scarlet

écarquiller [ekaʀkije] *vt*: **~ les yeux** to stare wide-eyed

écart [ekaʀ] *nm* gap; (*embardée*) swerve; sideways leap; (*fig*) departure, deviation; **à l'~** out of the way; **à l'~ de** away from

écarté, e [ekaʀte] *adj* (*lieu*) out-of-the-way, remote; (*ouvert*): **les jambes ~es** legs apart; **les bras ~s** arms outstretched

écarteler [ekaʀtəle] *vt* to quarter; (*fig*) to tear

écarter [ekaʀte] *vt* (*séparer*) to move apart, separate; (*éloigner*) to push back, move away; (*ouvrir*: *bras, jambes*) to spread, open; (: *rideau*) to draw (back); (*éliminer*: *candidat, possibilité*) to dismiss; **s'~** *vi* to part; to move away; **s'~ de** to wander from

écervelé, e [esɛʀvəle] *adj* scatterbrained, featherbrained

échafaud [eʃafo] *nm* scaffold

échafaudage [eʃafodaʒ] *nm* scaffolding

échafauder [eʃafode] *vt* (*plan*) to construct

échalote [eʃalɔt] *nf* shallot

échancrure [eʃɑ̃kʀyʀ] *nf* (*de robe*) scoop neckline; (*de côte, arête rocheuse*) indentation

échange [eʃɑ̃ʒ] *nm* exchange; **en ~ de** in exchange *ou* return for

échanger [eʃɑ̃ʒe] *vt*: **~ qch (contre)** to exchange sth (for); **échangeur** *nm* (*AUTO*) interchange

échantillon [eʃɑ̃tijɔ̃] *nm* sample

échappement [eʃapmɑ̃] *nm* (*AUTO*) exhaust

échapper [eʃape]: **~ à** *vt* (*gardien*) to escape (from); (*punition, péril*) to escape; **s'~** *vi* to escape; **~ à qn** (*détail, sens*) to escape sb; (*objet qu'on tient*) to slip out of sb's hands; **laisser ~** (*cri etc*) to let out; **l'~ belle** to have a narrow escape

écharde [eʃaʀd(ə)] *nf* splinter (of wood)

écharpe [eʃaʀp(ə)] *nf* scarf; (*de maire*) sash; (*MÉD*) sling

échasse [eʃɑs] *nf* stilt

échauffer [eʃofe] *vt* (*métal, moteur*) to overheat; (*fig*: *exciter*) to fire, excite; **s'~** *vi* (*SPORT*) to warm up; (*dans la discussion*) to become heated

échéance [eʃeɑ̃s] *nf* (*d'un paiement*: *date*) settlement date; (: *somme due*) financial commitment(s); (*fig*) deadline; **à brève/longue ~** short-/long-term ◆ *adv* in the short/long run

échéant [eʃeɑ̃] : **le cas ~** *adv* if the case arises

échec [eʃɛk] *nm* failure; (*ÉCHECS*): **~ et mat/au roi** checkmate/check; **~s** *nmpl* (*jeu*) chess *sg*; **tenir en ~** to hold in check; **faire ~ à** to foil *ou* thwart

échelle [eʃɛl] *nf* ladder; (*fig, d'une carte*) scale

échelon [eʃlɔ̃] *nm* (*d'échelle*) rung; (*ADMIN*) grade

échelonner [eʃlɔne] *vt* to space out

échevelé, e [eʃəvle] *adj* tousled, dishevelled; wild, frenzied

échine [eʃin] *nf* backbone, spine

échiquier [eʃikje] *nm* chessboard

écho [eko] *nm* echo; **~s** *nmpl* (*potins*) gossip *sg*, rumours

échoir [eʃwaʀ] *vi* (*dette*) to fall due; (*délais*) to expire; **~ à** to fall to

échouer [eʃwe] *vi* to fail; **s'~** *vi* to run aground

échu, e [eʃy] *pp de* **échoir**

éclabousser [eklabuse] *vt* to splash

éclair [eklɛʀ] *nm* (*d'orage*) flash of lightning, lightning *no pl*; (*gâteau*) éclair

éclairage [eklɛʀaʒ] *nm* lighting

éclaircie [eklɛʀsi] *nf* bright interval

éclaircir [eklɛʀsiʀ] *vt* to lighten; (*fig*) to clear up; to clarify; (*CULIN*) to thin (down); **s'~** (*ciel*) to clear; **s'~ la voix** to clear one's throat; **éclaircissement** *nm* clearing up; clarification

éclairer [eklere] *vt* (*lieu*) to light (up); (*personne*: *avec une lampe etc*) to light the way for; (*fig*) to enlighten; to shed light on ◆ *vi*: **~ mal/bien** to give a poor/good light; **s'~ à l'électricité** to have electric lighting

éclaireur, euse [eklɛʀœʀ, -øz] *nm/f* (*scout*) (boy) scout/(girl) guide ◆ *nm* (*MIL*) scout

éclat [ekla] *nm* (*de bombe, de verre*) fragment; (*du soleil, d'une couleur etc*) brightness, brilliance; (*d'une cérémonie*) splendour; (*scandale*): **faire un ~** to cause a commotion; **~s de voix** shouts; **~ de rire** *nm* roar of laughter

éclatant, e [eklatɑ̃, -ɑ̃t] *adj* brilliant

éclater [eklate] *vi* (*pneu*) to burst; (*bombe*) to explode; (*guerre, épidémie*) to break out; (*groupe, parti*) to break up; **~ en sanglots/de rire** to burst out sobbing/laughing

éclipser [eklipse] : **s'~** *vi* to slip away

éclopé, e [eklɔpe] *adj* lame

éclore [eklɔʀ] *vi* (*œuf*) to hatch; (*fleur*) to open (out)

écluse [eklyz] *nf* lock

écœurant, e [ekœʀɑ̃, -ɑ̃t] *adj* (*gâteau etc*) sickly

écœurer [ekœʀe] *vt*: **~ qn** to make sb feel sick

école [ekɔl] *nf* school; **aller à l'~** to go to school; **~ normale** teachers' training college; **~ publique** *nf* state school; **écolier, ière** *nm/f* schoolboy/girl

écologie [ekɔlɔʒi] *nf* ecology; environmental studies *pl*

écologique [ekɔlɔʒik] *adj* environment-friendly

éconduire [ekɔ̃dɥiʀ] *vt* to dismiss

économe [ekɔnɔm] *adj* thrifty ◆ *nm/f* (*de lycée etc*) bursar (*BRIT*), treasurer (*US*)

économie [ekɔnɔmi] *nf* economy; (*gain*: *d'argent, de temps etc*) saving; (*science*) economics *sg*; **~s** *nfpl* (*pécule*) savings; **économique** *adj* (*avantageux*) economical; (*ÉCON*) economic; **économiser** [ekɔnɔmize] *vt, vi* to save

écoper [ekɔpe] *vi* to bale out; (*fig*) to cop it; **~ (de)** to get

écorce [ekɔʀs(ə)] *nf* bark; (*de fruit*) peel

écorcher [ekɔʀʃe] *vt* (*animal*) to skin; (*égratigner*) to graze; **écorchure** *nf* graze

écossais, e [ekɔsɛ, -ɛz] *adj* Scottish ◆ *nm/f*: **É~, e** Scot

Écosse [ekɔs] *nf*: **l'~** Scotland

écosser [ekɔse] *vt* to shell

écouler [ekule] *vt* to sell; to dispose of; **s'~** *vi* (*eau*) to flow (out); (*jours, temps*) to pass (by)

écourter [ekuʀte] *vt* to curtail, cut short

écoute [ekut] *nf* (*RADIO, TV*): **temps/heure d'~** listening (*ou* viewing) time/hour; **prendre l'~** to tune in; **rester à l'~ (de)** to stay tuned in (to)

écouter [ekute] *vt* to listen to; **écoutes téléphoniques** phone tapping *sg*; **écouteur** *nm* (*TÉL*) receiver; (*RADIO*) headphones *pl*, headset

écran [ekʀɑ̃] *nm* screen

écrasant, e [ekʀazɑ̃, -ɑ̃t] *adj* overwhelming

écraser [ekʀaze] *vt* to crush; (*piéton*) to run over; **s'~ (au sol)** to crash; **s'~ contre** to crash into

écrémer [ekʀeme] *vt* to skim

écrevisse [ekʀəvis] *nf* crayfish *inv*

écrier [ekʀije]: **s'~** *vi* to exclaim

écrin [ekʀɛ̃] *nm* case, box

écrire [ekʀiʀ] *vt* to write; **s'~** to write to each other; **ça s'écrit comment?** how is it spelt?; **écrit** *nm* document; (*examen*) written paper; **par écrit** in writing

écriteau, x [ekʀito] *nm* notice, sign

écriture [ekʀityʀ] *nf* writing; (*COMM*) entry; **~s** *nfpl* accounts, books; **l'É~, les É~s** the Scriptures

écrivain [ekʀivɛ̃] *nm* writer

écrou [ekʀu] *nm* nut

écrouer [ekʀue] *vt* to imprison; to remand in custody

écrouler [ekʀule]: **s'~** *vi* to collapse

écru, e [ekʀy] *adj* (*toile*) raw, unbleached; (*couleur*) off-white, écru

ECU *sigle m* ECU

écueil [ekœj] *nm* reef; (*fig*) pitfall; stumbling block

écuelle [ekɥɛl] *nf* bowl

éculé, e [ekyle] *adj* (*chaussure*) down-at-heel; (*fig*: *péj*) hackneyed

écume [ekym] *nf* foam; (*CULIN*) scum; **écumer** *vt* (*CULIN*) to skim; (*fig*) to plunder

écureuil [ekyʀœj] *nm* squirrel

écurie [ekyʀi] *nf* stable

écusson [ekysɔ̃] *nm* badge

écuyer, ère [ekɥije, -ɛʀ] *nm/f* rider

eczéma [ɛgzema] *nm* eczema

édenté, e [edɑ̃te] *adj* toothless

E.D.F. *sigle f* (= *Électricité de France*) *national electricity company*

édifice [edifis] *nm* edifice, building

édifier [edifje] *vt* to build, erect; (*fig*) to edify

édit [edi] *nm* edict

éditer [edite] *vt* (*publier*) to publish; (: *disque*) to produce; **éditeur, trice** *nm/f* editor; publisher; **édition** *nf* editing *no pl*; edition; (*industrie du livre*) publishing

édredon [edʀədɔ̃] *nm* eiderdown

éducateur, trice [edykatœʀ, -tʀis] *nm/f* teacher; (*in special school*) instructor

éducatif, ive [edykatif, -iv] *adj* educational

éducation [edykɑsjɔ̃] *nf* education; (*familiale*) upbringing; (*manières*) (good) manners *pl*; **~ physique** physical education

édulcorer [edylkɔʀe] *vt* to sweeten; (*fig*) to tone down

éduquer [edyke] *vt* to educate; (*élever*) to bring up; (*faculté*) to train

effacé, e [efase] *adj* unassuming

effacer [efase] *vt* to erase, rub out; **s'~** *vi* (*inscription etc*) to wear off; (*pour laisser passer*) to step aside

effarant, e [efaʀɑ̃, -ɑ̃t] *adj* alarming

effarer [efaʀe] *vt* to alarm

effaroucher [efaʀuʃe] *vt* to frighten *ou* scare away; to alarm

effectif, ive [efɛktif, -iv] *adj* real; effective ◆ *nm* (*MIL*) strength; (*SCOL*) (pupil) numbers *pl*; **effectivement** *adv* effectively; (*réellement*) actually, really; (*en effet*) indeed

effectuer [efɛktɥe] *vt* (*opération*) to carry out; (*déplacement, trajet*) to make; (*mouvement*) to execute

efféminé, e [efemine] *adj* effeminate

effervescent, e [efɛʀvesɑ̃, -ɑ̃t] *adj* effervescent; (*fig*) agitated

effet [efɛ] *nm* (*résultat, artifice*) effect; (*impression*) impression; **~s** *nmpl* (*vêtements etc*) things; **faire de l'~** (*médicament, menace*) to have an effect; **en ~** indeed; **~ de serre** greenhouse effect; **gaz à effet de serre** greenhouse gas

efficace [efikas] *adj* (*personne*) efficient; (*action, médicament*) effective

effilé, e [efile] *adj* slender; sharp; streamlined

effiler [efile] *vt* (*tissu*) to fray

effilocher [efilɔʃe] : **s'~** *vi* to fray

efflanqué, e [eflɑ̃ke] *adj* emaciated

effleurer [eflœʀe] *vt* to brush (against); (*sujet*) to touch upon; (*suj*: *idée, pensée*): **~ qn** to cross sb's mind

effluves [eflyv] *nmpl* exhalation(s)

effondrer [efɔ̃dʀe]: **s'~** *vi* to collapse

efforcer [efɔʀse]: **s'~ de** *vt*: **s'~ de faire** to try hard to do, try hard to

effort [efɔʀ] *nm* effort

effraction [efʀaksjɔ̃] *nf*: **s'introduire par ~ dans** to break into

effrayant, e [efʀɛjɑ̃, -ɑ̃t] *adj* frightening

effrayer [efʀeje] *vt* to frighten, scare

effréné, e [efʀene] *adj* wild

effriter [efʀite]: **s'~** *vi* to crumble

effroi [efʀwɑ] *nm* terror, dread *no pl*

effronté, e [efʀɔ̃te] *adj* insolent, brazen

effroyable [efʀwajabl(ə)] *adj* horrifying, appalling

effusion [efyzjɔ̃] *nf* effusion; **sans ~ de sang** without bloodshed

égal, e, aux [egal, -o] *adj* equal; (*plan*: *surface*) even, level; (*constant*: *vitesse*) steady; (*équitable*) even ◆ *nm/f* equal; **être ~ à** (*prix, nombre*) to be equal to; **ça lui est ~** it's all the same to him; he doesn't mind; **sans ~** matchless, unequalled; **à l'~ de** (*comme*) just like; **d'~ à ~** as equals; **~ement** *adv* equally; evenly; steadily; (*aussi*) too, as well; **~er** *vt* to equal; **~iser** *vt* (*sol, salaires*) to level (out); (*chances*) to equalize ◆ *vi* (*SPORT*) to equalize; **~ité** *nf* equality; evenness; steadiness; (*MATH*) identity; **être à ~ité (de points)** to be level

égard [egaʀ] *nm*: **~s** *nmpl* consideration *sg*; **à cet ~** in this respect; **eu ~ à** in view of; **par ~ pour** out of consideration for; **sans ~ pour** without regard for; **à l'~ de** towards; concerning

égarement [egaʀmɑ̃] *nm* distraction; aberration

égarer [egaʀe] *vt* to mislay; (*moralement*) to lead astray; **s'~** *vi* to get lost, lose one's way; (*objet*) to go astray; (*dans une discussion*) to wander

égayer [egeje] *vt* (*personne*) to amuse; to cheer up; (*récit, endroit*) to brighten up, liven up

églantine [eglɑ̃tin] *nf* wild *ou* dog rose

église [egliz] *nf* church; **aller à l'~** to go to church

égoïsme [egɔism(ə)] *nm* selfishness; **égoïste** *adj* selfish

égorger [egɔʀʒe] *vt* to cut the throat of

égosiller [egozije]: **s'~** *vi* to shout o.s. hoarse

égout [egu] *nm* sewer

égoutter [egute] *vt* (*linge*) to wring out; (*vaisselle*) to drain ◆ *vi* to drip; **s'~** *vi* to drip; **égouttoir** *nm* draining board; (*mobile*) draining rack

égratigner [egʀatiɲe] *vt* to scratch; **égratignure** *nf* scratch

égrillard, e [egʀijaʀ, -aʀd(ə)] *adj* ribald

Égypte [eʒipt(ə)] *nf*: **l'~** Egypt; **égyptien, ne** *adj, nm/f* Egyptian

eh [e] *excl* hey!; **~ bien** well

éhonté, e [eɔ̃te] *adj* shameless, brazen

éjecter [eʒɛkte] *vt* (*TECH*) to eject; (*fam*) to kick *ou* chuck out

élaborer [elabɔʀe] *vt* to elaborate; (*projet, stratégie*) to work out; (*rapport*) to draft

élaguer [elage] *vt* to prune

élan [elɑ̃] *nm* (*ZOOL*) elk, moose; (*SPORT*: *avant le saut*) run up; (*d'objet en mouvement*) momentum; (*fig*: *de tendresse etc*) surge; **prendre de l'~** to gather speed

élancé, e [elɑ̃se] *adj* slender

élancement [elɑ̃smɑ̃] *nm* shooting pain

élancer [elɑ̃se]: **s'~** *vi* to dash, hurl o.s.; (*fig*: *arbre, clocher*) to soar (upwards)

élargir [elaʀʒiʀ] *vt* to widen; (*vêtement*) to let out; (*JUR*) to release; **s'~** *vi* to widen; (*vêtement*) to stretch

élastique [elastik] *adj* elastic ◆ *nm* (*de bureau*) rubber band; (*pour la couture*) elastic *no pl*

électeur, trice [elɛktœʀ, -tʀis] *nm/f* elector, voter

élection [elɛksjɔ̃] *nf* election
électorat [elɛktɔʀa] *nm* electorate
électricien, ne [elɛktʀisjɛ̃, -jɛn] *nm/f* electrician
électricité [elɛktʀisite] *nf* electricity; **allumer/éteindre l'~** to put on/off the light
électrique [elɛktʀik] *adj* electric(al)
électrochoc [elɛktʀoʃɔk] *nm* electric shock treatment
électroménager [elɛktʀomenaʒe] *adj, nm*: **appareils ~s, l'~** domestic (electrical) appliances
électronique [elɛktʀɔnik] *adj* electronic ◆ *nf* electronics *sg*
électrophone [elɛktʀɔfɔn] *nm* record player
élégant, e [elegɑ̃, -ɑ̃t] *adj* elegant; (*solution*) neat, elegant; (*attitude, procédé*) courteous, civilized
élément [elemɑ̃] *nm* element; (*pièce*) component, part; **élémentaire** *adj* elementary
éléphant [elefɑ̃] *nm* elephant
élevage [ɛlvaʒ] *nm* breeding; (*de bovins*) cattle rearing
élévation [elevɑsjɔ̃] *nf* (*gén*) elevation; (*voir élever*) raising; (*voir s'élever*) rise
élevé, e [ɛlve] *adj* (*prix, sommet*) high; (*fig: noble*) elevated; **bien/mal ~** well-/ill-mannered
élève [elɛv] *nm/f* pupil
élever [ɛlve] *vt* (*enfant*) to bring up, raise; (*bétail, volaille*) to breed; (*abeilles*) to keep; (*hausser: taux, niveau*) to raise; (*fig: âme, esprit*) to elevate; (*édifier: monument*) to put up, erect; **s'~** *vi* (*avion, alpiniste*) to go up; (*niveau, température, aussi: cri etc*) to rise; (*survenir: difficultés*) to arise; **s'~ à** (*suj: frais, dégâts*) to amount to, add up to; **s'~ contre qch** to rise up against sth; **~ la voix** to raise one's voice; **éleveur, euse** *nm/f* breeder
élimé, e [elime] *adj* threadbare
éliminatoire [eliminatwaʀ] *nf* (*SPORT*) heat
éliminer [elimine] *vt* to eliminate
élire [eliʀ] *vt* to elect
elle [ɛl] *pron* (*sujet*) she; (: *chose*) it; (*complément*) her; it; **~s** they; them; **~-même** herself; itself; **~s-mêmes** themselves; *voir aussi* **il**
élocution [elɔkysjɔ̃] *nf* delivery; **défaut d'~** speech impediment
éloge [elɔʒ] *nm* (*gén no pl*) praise; **élogieux, euse** *adj* laudatory, full of praise
éloigné, e [elwaɲe] *adj* distant, far-off; **éloignement** [elwaɲmɑ̃] *nm* removal; putting off; estrangement; (*fig*) distance
éloigner [elwaɲe] *vt* (*objet*): **~ qch (de)** to move *ou* take sth away (from); (*personne*): **~ qn (de)** to take sb away *ou* remove sb (from); (*échéance*) to put off, postpone; (*soupçons, danger*) to ward off; **s'~ (de)** (*personne*) to go away (from); (*véhicule*) to move away (from); (*affectivement*) to become estranged (from)
élongation [elɔ̃gɑsjɔ̃] *nf* strained muscle
élu, e [ely] *pp de* **élire** ◆ *nm/f* (*POL*) elected representative
élucubrations [elykybʀɑsjɔ̃] *nfpl* wild imaginings
éluder [elyde] *vt* to evade
Élysée *nm*: **(le palais de) l'~** the Élysee Palace (*the French president's residence*)
émacié, e [emasje] *adj* emaciated
émail, aux [emaj, -o] *nm* enamel
émaillé, e [emaje] *adj* (*fig*): **~ de** dotted with
émanciper [emɑ̃sipe] *vt* to emancipate; **s'~** *vi* (*fig*) to become emancipated *ou* liberated
émaner [emane]: **~ de** *vt* to come from; (*ADMIN*) to proceed from
emballage [ɑ̃balaʒ] *nm* wrapping; packaging
emballer [ɑ̃bale] *vt* to wrap (up); (*dans un carton*) to pack (up); (*fig: fam*) to thrill (to bits); **s'~** *vi* (*moteur*) to race; (*cheval*) to bolt; (*fig: personne*) to get carried away
embarcadère [ɑ̃baʀkadɛʀ] *nm* wharf, pier
embarcation [ɑ̃baʀkɑsjɔ̃] *nf* (small) boat, (small) craft *inv*
embardée [ɑ̃baʀde] *nf*: **faire une ~** to swerve
embarquement [ɑ̃baʀkəmɑ̃] *nm* embarkation; loading; boarding
embarquer [ɑ̃baʀke] *vt* (*personne*) to embark; (*marchandise*) to load; (*fam*) to cart off; to nick ◆ *vi* (*passager*) to board; **s'~** *vi* to board; **s'~ dans** (*affaire, aventure*) to embark upon
embarras [ɑ̃baʀa] *nm* (*obstacle*) hindrance; (*confusion*) embarrassment
embarrassant, e [ɑ̃baʀasɑ̃, -ɑ̃t] *adj* embarrassing
embarrasser [ɑ̃baʀase] *vt* (*encombrer*) to clutter (up); (*gêner*) to hinder, hamper; (*fig*) to cause embarrassment to; to put in an awkward position
embauche [ɑ̃boʃ] *nf* hiring; **bureau d'~** labour office; **~r** [ɑ̃boʃe] *vt* to take on, hire
embaumer [ɑ̃bome] *vt* to embalm; to fill with its fragrance; **~ la lavande** to be fragrant with (the scent of) lavender
embellie [ɑ̃beli] *nf* brighter period
embellir [ɑ̃beliʀ] *vt* to make more attractive; (*une histoire*) to embellish ◆ *vi* to grow lovelier *ou* more attractive
embêtements [ɑ̃bɛtmɑ̃] *nmpl* trouble *sg*
embêter [ɑ̃bete] *vt* to bother; **s'~** *vi* (*s'ennuyer*) to be bored
emblée [ɑ̃ble]: **d'~** *adv* straightaway
emboîter [ɑ̃bwate] *vt* to fit together; **s'~ (dans)** to fit (into); **~ le pas à qn** to follow in sb's footsteps
embonpoint [ɑ̃bɔ̃pwɛ̃] *nm* stoutness
embouchure [ɑ̃buʃyʀ] *nf* (*GÉO*) mouth
embourber [ɑ̃buʀbe]: **s'~** *vi* to get stuck in the mud
embourgeoiser [ɑ̃buʀʒwaze]: **s'~** *vi* to adopt a middle-class outlook
embouteillage [ɑ̃butɛjaʒ] *nm* traffic jam
emboutir [ɑ̃butiʀ] *vt* (*heurter*) to crash into, ram
embranchement [ɑ̃bʀɑ̃ʃmɑ̃] *nm* (*routier*) junction; (*classification*) branch
embraser [ɑ̃bʀɑze]: **s'~** *vi* to flare up
embrasser [ɑ̃bʀase] *vt* to kiss; (*sujet, période*) to embrace, encompass; (*carrière, métier*) to enter upon
embrasure [ɑ̃bʀɑzyʀ] *nf*: **dans l'~ de la porte** in the door(way)
embrayage [ɑ̃bʀɛjaʒ] *nm* clutch
embrayer [ɑ̃bʀeje] *vi* (*AUTO*) to let in the clutch
embrigader [ɑ̃bʀigade] *vt* to recruit
embrocher [ɑ̃bʀɔʃe] *vt* to put on a spit
embrouiller [ɑ̃bʀuje] *vt* (*fils*) to tangle (up); (*fiches, idées, personne*) to muddle up; **s'~** *vi* (*personne*) to get in a muddle
embruns [ɑ̃bʀœ̃] *nmpl* sea spray *sg*
embûches [ɑ̃byʃ] *nfpl* pitfalls, traps
embué, e [ɑ̃bɥe] *adj* misted up
embuscade [ɑ̃byskad] *nf* ambush
éméché, e [emeʃe] *adj* tipsy, merry
émeraude [ɛmʀod] *nf* emerald
émerger [emɛʀʒe] *vi* to emerge; (*faire saillie, aussi fig*) to stand out
émeri [ɛmʀi] *nm*: **toile** *ou* **papier ~** emery paper
émérite [emeʀit] *adj* highly skilled
émerveiller [emɛʀveje] *vt* to fill with wonder; **s'~ de** to marvel at
émetteur, trice [emɛtœʀ, -tʀis] *adj* transmitting; **(poste) ~** transmitter
émettre [emɛtʀ(ə)] *vt* (*son, lumière*) to give out, emit; (*message etc: RADIO*) to transmit; (*billet, timbre, emprunt*) to issue; (*hypothèse, avis*) to voice, put forward ◆ *vi* to broadcast
émeus *etc vb voir* **émouvoir**
émeute [emøt] *nf* riot
émietter [emjete] *vt* to crumble
émigrer [emigʀe] *vi* to emigrate
éminence [eminɑ̃s] *nf* distinction; (*colline*) knoll, hill; **Son É~** His Eminence; **éminent, e** [eminɑ̃, -ɑ̃t] *adj* distinguished
émission [emisjɔ̃] *nf* emission; transmission; issue; (*RADIO, TV*) programme, broadcast; **~s** *fpl* emissions
emmagasiner [ɑ̃magazine] *vt* to (put into) store; (*fig*) to store up
emmanchure [ɑ̃mɑ̃ʃyʀ] *nf* armhole
emmêler [ɑ̃mele] *vt* to tangle (up); (*fig*) to muddle up; **s'~** *vi* to get into a tangle
emménager [ɑ̃menaʒe] *vi* to move in; **~ dans** to move into
emmener [ɑ̃mne] *vt* to take (with one); (*comme otage, capture*) to take away; **~ qn au cinéma** to take sb to the cinema
emmerder [ɑ̃mɛʀde] (*fam!*) *vt* to bug, bother; **s'~** *vi* to be bored stiff
emmitoufler [ɑ̃mitufle] *vt* to wrap up (warmly)
émoi [emwa] *nm* commotion; (*trouble*) agitation
émonder [emɔ̃de] *vt* to prune
émotif, ive [emɔtif, -iv] *adj* emotional
émotion [emosjɔ̃] *nf* emotion
émousser [emuse] *vt* to blunt; (*fig*) to dull
émouvoir [emuvwaʀ] *vt* (*troubler*) to stir, affect; (*toucher, attendrir*) to move; (*indigner*) to rouse; **s'~** *vi* to be affected; to be moved; to be roused
empailler [ɑ̃paje] *vt* to stuff
empaler [ɑ̃pale] *vt* to impale
emparer [ɑ̃paʀe]: **s'~ de** *vt* (*objet*) to seize, grab; (*comme otage, MIL*) to seize; (*suj: peur etc*) to take hold of
empâter [ɑ̃pɑte]: **s'~** *vi* to thicken out
empêchement [ɑ̃pɛʃmɑ̃] *nm* (unexpected) obstacle, hitch
empêcher [ɑ̃peʃe] *vt* to prevent; **~ qn de faire** to prevent *ou* stop sb (from) doing; **il n'empêche que** nevertheless; **il n'a pas pu s'~ de rire** he couldn't help laughing
empereur [ɑ̃pʀœʀ] *nm* emperor
empeser [ɑ̃pəze] *vt* to starch
empester [ɑ̃pɛste] *vi* to stink, reek
empêtrer [ɑ̃petʀe] *vt*: **s'~ dans** (*fils etc*) to get tangled up in
emphase [ɑ̃fɑz] *nf* pomposity, bombast
empiéter [ɑ̃pjete] *vi*: **~ sur** to encroach upon
empiffrer [ɑ̃pifʀe]: **s'~** (*péj*) *vi* to stuff o.s.
empiler [ɑ̃pile] *vt* to pile (up)
empire [ɑ̃piʀ] *nm* empire; (*fig*) influence
empirer [ɑ̃piʀe] *vi* to worsen, deteriorate
emplacement [ɑ̃plasmɑ̃] *nm* site
emplettes [ɑ̃plɛt] *nfpl* shopping *sg*
emplir [ɑ̃pliʀ] *vt* to fill; **s'~ (de)** to fill (with)
emploi [ɑ̃plwa] *nm* use; (*COMM, ÉCON*) employment; (*poste*) job, situation; **~ du temps** timetable, schedule
employé, e [ɑ̃plwaje] *nm/f* employee; **~ de bureau** office employee *ou* clerk
employer [ɑ̃plwaje] *vt* (*outil, moyen, méthode, mot*) to use; (*ouvrier, main-d'œuvre*) to employ; **s'~ à faire** to apply *ou* devote o.s. to doing; **employeur, euse** *nm/f* employer
empocher [ɑ̃pɔʃe] *vt* to pocket
empoigner [ɑ̃pwaɲe] *vt* to grab
empoisonner [ɑ̃pwazɔne] *vt* to poison; (*empester: air, pièce*) to stink out; (*fam*): **~ qn** to drive sb mad
emporté, e [ɑ̃pɔʀte] *adj* quick-tempered
emporter [ɑ̃pɔʀte] *vt* to take (with one); (*en dérobant ou enlevant, emmener: blessés, voyageurs*) to take away; (*entraîner*) to carry away; (*arracher*) to tear off; (*avantage, approbation*) to win; **s'~** *vi* (*de colère*) to lose one's temper; **l'~ (sur)** to get the upper hand (of); (*méthode etc*) to prevail (over); **boissons à ~** take-away drinks
empreint, e [ɑ̃pʀɛ̃, -ɛ̃t] *adj*: **~ de** marked with; tinged with; **empreinte** *nf* (*de pied, main*) print; (*fig*) stamp, mark; **~e (digitale)** fingerprint
empressé, e [ɑ̃pʀese] *adj* attentive
empressement [ɑ̃pʀɛsmɑ̃] *nm* (*hâte*) eagerness
empresser [ɑ̃pʀese]: **s'~** *vi*: **s'~ auprès de qn** to surround sb with attentions; **s'~ de faire** (*se hâter*) to hasten to do
emprise [ɑ̃pʀiz] *nf* hold, ascendancy
emprisonner [ɑ̃pʀizɔne] *vt* to imprison
emprunt [ɑ̃pʀœ̃] *nm* borrowing *no pl*, loan
emprunté, e [ɑ̃pʀœ̃te] *adj* (*fig*) ill-at-ease, awkward
emprunter [ɑ̃pʀœ̃te] *vt* to borrow; (*itinéraire*) to take, follow; (*style, manière*) to adopt, assume
ému, e [emy] *pp de* **émouvoir** ◆ *adj* excited; touched; moved
émulsion [emylsjɔ̃] *nf* (*cosmétique*) (water-based) lotion

MOT-CLÉ

en [ɑ̃] *prép* 1 (*endroit, pays*) in; (*direction*) to; **habiter ~ France/ville** to live in France/town; **aller ~ France/ville** to go to France/town
2 (*moment, temps*) in; **~ été/juin** in summer/June
3 (*moyen*) by; **~ avion/taxi** by plane/taxi
4 (*composition*) made of; **c'est ~ verre** it's (made of) glass; **un collier ~ argent** a silver necklace
5 (*description, état*): **une femme (habillée) ~ rouge** a woman (dressed) in red; **peindre qch ~ rouge** to paint sth red; **~ T/étoile** T/star-shaped; **~ chemise/chaussettes** in one's shirt sleeves/socks; **~ soldat** as a soldier; **cassé ~ plusieurs morceaux** broken into several pieces; **~ réparation** being repaired, under repair; **~ vacances** on holiday; **~ deuil** in mourning; **le même ~ plus grand** the same but *ou* only bigger
6 (*avec gérondif*) while; on; by; **~ dormant** while sleeping, as one sleeps; **~ sortant** on going out, as he *etc* went out; **sortir ~ courant** to run out
◆ *pron* 1 (*indéfini*): **j'~ ai/veux** I have/want some; **~ as-tu?** have you got any?; **je n'~ veux pas** I don't want any; **j'~ ai 2** I've got 2; **combien y ~ a-t-il?** how many (of them) are there?; **j'~ ai assez** I've got enough (of it *ou* them); (*j'en ai marre*) I've had enough
2 (*provenance*) from there; **j'~ viens** I've come from there
3 (*cause*): **il ~ est malade/perd le sommeil** he is ill/can't sleep because of it
4 (*complément de nom, d'adjectif, de verbe*): **j'~ connais les dangers** I know its *ou* the dangers; **j'~ suis fier/ai besoin** I am proud of it/need it

E.N.A. [ena] *sigle f* (= *École Nationale d'Administration*) *one of the Grandes Écoles*
encadrer [ɑ̃kadʀe] *vt* (*tableau, image*) to frame; (*fig: entourer*) to surround; (*personnel, soldats etc*) to train
encaissé, e [ɑ̃kese] *adj* steep-sided; with steep banks
encaisser [ɑ̃kese] *vt* (*chèque*) to cash; (*argent*) to collect; (*fig: coup, défaite*) to take
encart [ɑ̃kaʀ] *nm* insert
encastrer [ɑ̃kastʀe] *vt*: **~ qch dans** (*mur*) to embed sth in(to); (*boîtier*) to fit sth into
encaustique [ɑ̃kɔstik] *nf* polish, wax
enceinte [ɑ̃sɛ̃t] *adj f*: **~ (de 6 mois)** (6 months) pregnant ◆ *nf* (*mur*) wall; (*espace*) enclosure
encens [ɑ̃sɑ̃] *nm* incense
encercler [ɑ̃sɛʀkle] *vt* to surround
enchaîner [ɑ̃ʃene] *vt* to chain up; (*mouvements, séquences*) to link (together) ◆ *vi* to carry on
enchanté, e [ɑ̃ʃɑ̃te] *adj* delighted; enchanted; **~ (de faire votre connaissance)** pleased to meet you
enchantement [ɑ̃ʃɑ̃tmɑ̃] *nm* delight; (*magie*) enchantment
enchâsser [ɑ̃ʃɑse] *vt* to set
enchère [ɑ̃ʃɛʀ] *nf* bid; **mettre/vendre aux ~s** to put up for (sale by)/sell by auction
enchevêtrer [ɑ̃ʃvetʀe] *vt* to tangle (up)
enclencher [ɑ̃klɑ̃ʃe] *vt* (*mécanisme*) to engage; **s'~** *vi* to engage
enclin, e [ɑ̃klɛ̃, -in] *adj*: **~ à** inclined *ou* prone to
enclos [ɑ̃klo] *nm* enclosure
enclume [ɑ̃klym] *nf* anvil
encoche [ɑ̃kɔʃ] *nf* notch
encoignure [ɑ̃kɔɲyʀ] *nf* corner
encolure [ɑ̃kɔlyʀ] *nf* (*tour de cou*) collar size; (*col, cou*) neck
encombrant, e [ɑ̃kɔ̃bʀɑ̃, -ɑ̃t] *adj* cumbersome, bulky
encombre [ɑ̃kɔ̃bʀ(ə)]: **sans ~** *adv* without mishap *ou* incident
encombrer [ɑ̃kɔ̃bʀe] *vt* to clutter (up); (*gêner*) to hamper; **s'~ de** (*bagages etc*) to load *ou* burden o.s. with
encontre [ɑ̃kɔ̃tʀ(ə)]: **à l'~ de** *prép* against, counter to

MOT-CLÉ

encore [ɑ̃kɔʀ] *adv* 1 (*continuation*) still; **il y travaille ~** he's still working on it; **pas ~** not yet
2 (*de nouveau*) again; **j'irai ~ demain** I'll go again tomorrow; **~ une fois** (once) again; **~ deux jours** two more days
3 (*intensif*) even, still; **~ plus fort/mieux** even louder/better, louder/better still
4 (*restriction*) even so *ou* then, only; **~ pourrais-je le faire si ...** even so, I might be able to do it if ...; **si ~** if only
encore que *conj* although

encourager [ɑ̃kuʀaʒe] *vt* to encourage
encourir [ɑ̃kuʀiʀ] *vt* to incur
encrasser [ɑ̃kʀase] *vt* to clog up; (*AUTO: bougies*) to soot up
encre [ɑ̃kʀ(ə)] *nf* ink; **~ de Chine** Indian ink; **encrier** *nm* inkwell
encroûter [ɑ̃kʀute]: **s'~** *vi* (*fig*) to get into a rut, get set in one's ways
encyclopédie [ɑ̃siklɔpedi] *nf* encyclopaedia
endetter [ɑ̃dete] *vt* to get into debt; **s'~** *vi* to get into debt
endiablé, e [ɑ̃djɑble] *adj* furious; boisterous
endiguer [ɑ̃dige] *vt* to dyke (up); (*fig*) to check, hold back
endimancher [ɑ̃dimɑ̃ʃe] *vt*: **s'~** to put on one's Sunday best
endive [ɑ̃div] *nf* chicory *no pl*
endoctriner [ɑ̃dɔktʀine] *vt* to indoctrinate
endommager [ɑ̃dɔmaʒe] *vt* to damage
endormi, e [ɑ̃dɔʀmi] *adj* asleep
endormir [ɑ̃dɔʀmiʀ] *vt* to put to sleep; (*suj: chaleur etc*) to send to sleep; (*MÉD: dent, nerf*) to anaesthetize; (*fig: soupçons*) to allay; **s'~** *vi* to fall asleep, go to sleep
endosser [ɑ̃dose] *vt* (*responsabilité*) to take, shoulder; (*chèque*) to endorse; (*uniforme, tenue*) to put on, don
endroit [ɑ̃dʀwa] *nm* place; (*opposé à l'envers*) right side; **à l'~** the right way out; the right way up; **à l'~ de** regarding
enduire [ɑ̃dɥiʀ] *vt* to coat
enduit [ɑ̃dɥi] *nm* coating
endurant, e [ɑ̃dyʀɑ̃, -ɑ̃t] *adj* tough, hardy
endurcir [ɑ̃dyʀsiʀ] *vt* (*physiquement*) to toughen; (*moralement*) to harden; **s'~** *vi* to become tougher; to become hardened
endurer [ɑ̃dyʀe] *vt* to endure, bear
énergie [enɛʀʒi] *nf* (*PHYSIQUE*) energy; (*TECH*) power; (*morale*) vigour, spirit; **énergique** *adj* energetic; vigorous; (*mesures*) drastic, stringent
énergumène [enɛʀgymɛn] *nm* rowdy character *ou* customer
énerver [enɛʀve] *vt* to irritate, annoy; **s'~** *vi* to get excited, get worked up
enfance [ɑ̃fɑ̃s] *nf* (*âge*) childhood; (*fig*) infancy; (*enfants*) children *pl*
enfant [ɑ̃fɑ̃] *nm/f* child; **~ de chœur** *nm* (*REL*) altar boy; **~er** *vi* to give birth ◆ *vt* to give birth to; **~illage** (*péj*) *nm* childish behaviour *no pl*; **~in, e** *adj* childlike; child *cpd*

enfer [ɑ̃fɛʀ] *nm* hell
enfermer [ɑ̃fɛʀme] *vt* to shut up; (*à clef, interner*) to lock up
enfiévré, e [ɑ̃fjevʀe] *adj* (*fig*) feverish
enfiler [ɑ̃file] *vt* (*vêtement*) to slip on, slip into; (*insérer*): ~ **qch dans** to stick sth into; (*rue, couloir*) to take; (*perles*) to string; (*aiguille*) to thread
enfin [ɑ̃fɛ̃] *adv* at last; (*en énumérant*) lastly; (*de restriction, résignation*) still; well; (*pour conclure*) in a word
enflammer [ɑ̃flame] *vt* to set fire to; (*MÉD*) to inflame; **s'~** *vi* to catch fire; to become inflamed
enflé, e [ɑ̃fle] *adj* swollen
enfler [ɑ̃fle] *vi* to swell (up)
enfoncer [ɑ̃fɔ̃se] *vt* (*clou*) to drive in; (*faire pénétrer*): ~ **qch dans** to push (*ou* drive) sth into; (*forcer: porte*) to break open; (: *plancher*) to cause to cave in (*dans la vase etc*) to sink in; (*sol, surface*) to give way; **s'~** *vi* to sink; **s'~ dans** to sink into; (*forêt, ville*) to disappear into
enfouir [ɑ̃fwiʀ] *vt* (*dans le sol*) to bury; (*dans un tiroir etc*) to tuck away
enfourcher [ɑ̃fuʀʃe] *vt* to mount
enfourner [ɑ̃fuʀne] *vt* to put in the oven
enfreindre [ɑ̃fʀɛ̃dʀ(ə)] *vt* to infringe, break
enfuir [ɑ̃fɥiʀ]: **s'~** *vi* to run away *ou* off
enfumer [ɑ̃fyme] *vt* to smoke out
engageant, e [ɑ̃gaʒɑ̃, -ɑ̃t] *adj* attractive, appealing
engagement [ɑ̃gaʒmɑ̃] *nm* (*promesse, contrat, POL*) commitment; (*MIL: combat*) engagement
engager [ɑ̃gaʒe] *vt* (*embaucher*) to take on, engage; (*commencer*) to start; (*lier*) to bind, commit; (*impliquer, entraîner*) to involve; (*investir*) to invest, lay out; (*faire intervenir*) to engage; (*inciter*) to urge; (*faire pénétrer*) to insert; **s'~** *vi* to hire o.s., get taken on; (*MIL*) to enlist; (*promettre, politiquement*) to commit o.s.; (*débuter*) to start (up); **s'~ à faire** to undertake to do; **s'~ dans** (*rue, passage*) to turn into; (*s'emboîter*) to engage into; (*fig: affaire, discussion*) to enter into, embark on
engelures [ɑ̃ʒlyʀ] *nfpl* chilblains
engendrer [ɑ̃ʒɑ̃dʀe] *vt* to father
engin [ɑ̃ʒɛ̃] *nm* machine; instrument; vehicle; (*AVIAT*) aircraft *inv*; missile
englober [ɑ̃glɔbe] *vt* to include
engloutir [ɑ̃glutiʀ] *vt* to swallow up
engoncé, e [ɑ̃gɔ̃se] *adj*: ~ **dans** cramped in
engorger [ɑ̃gɔʀʒe] *vt* to obstruct, block
engouement [ɑ̃gumɑ̃] *nm* (sudden) passion
engouffrer [ɑ̃gufʀe] *vt* to swallow up, devour; **s'~ dans** to rush into
engourdir [ɑ̃guʀdiʀ] *vt* to numb; (*fig*) to dull, blunt; **s'~** *vi* to go numb
engrais [ɑ̃gʀɛ] *nm* manure; ~ **(chimique)** (chemical) fertilizer
engraisser [ɑ̃gʀese] *vt* to fatten (up)
engrenage [ɑ̃gʀənaʒ] *nm* gears *pl*, gearing; (*fig*) chain
engueuler [ɑ̃gœle] (*fam*) *vt* to bawl at
enhardir [ɑ̃aʀdiʀ]: **s'~** *vi* to grow bolder
énigme [enigm(ə)] *nf* riddle
enivrer [ɑ̃nivʀe] *vt*: **s'~** to get drunk; **s'~ de** (*fig*) to become intoxicated with
enjambée [ɑ̃ʒɑ̃be] *nf* stride
enjamber [ɑ̃ʒɑ̃be] *vt* to stride over; (*suj: pont etc*) to span, straddle
enjeu, x [ɑ̃ʒø] *nm* stakes *pl*
enjoindre [ɑ̃ʒwɛ̃dʀ(ə)] *vt* to enjoin, order
enjôler [ɑ̃ʒole] *vt* to coax, wheedle
enjoliver [ɑ̃ʒɔlive] *vt* to embellish; **enjoliveur** *nm* (*AUTO*) hub cap
enjoué, e [ɑ̃ʒwe] *adj* playful
enlacer [ɑ̃lase] *vt* (*étreindre*) to embrace, hug
enlaidir [ɑ̃lediʀ] *vt* to make ugly ◆ *vi* to become ugly
enlèvement [ɑ̃lɛvmɑ̃] *nm* (*rapt*) abduction, kidnapping
enlever [ɑ̃lve] *vt* (*ôter: gén*) to remove; (: *vêtement, lunettes*) to take off; (*emporter: ordures etc*) to take away; (*prendre*): ~ **qch à qn** to take sth (away) from sb; (*kidnapper*) to abduct, kidnap; (*obtenir: prix, contrat*) to win
enliser [ɑ̃lize]: **s'~** *vi* to sink, get stuck
enluminure [ɑ̃lyminyʀ] *nf* illumination
enneigé, e [ɑ̃neʒe] *adj* snowy; snowed-up
ennemi, e [ɛnmi] *adj* hostile; (*MIL*) enemy *cpd* ◆ *nm/f* enemy
ennui [ɑ̃nɥi] *nm* (*lassitude*) boredom; (*difficulté*) trouble *no pl*; **avoir des ~s** to have problems; **ennuyer** *vt* to bother; (*lasser*) to bore; **s'ennuyer** *vi* to be bored; **s'ennuyer de** (*regretter*) to miss; **ennuyeux, euse** *adj* boring, tedious; annoying
énoncé [enɔ̃se] *nm* terms *pl*; wording
énoncer [enɔ̃se] *vt* to say, express; (*conditions*) to set out, state
enorgueillir [ɑ̃nɔʀgœjiʀ]: **s'~ de** *vt* to pride o.s. on; to boast
énorme [enɔʀm(ə)] *adj* enormous, huge; **énormément** *adv* enormously; **énormément de neige/gens** an enormous amount of snow/number of people
enquérir [ɑ̃keʀiʀ]: **s'~ de** *vt* to inquire about
enquête [ɑ̃kɛt] *nf* (*de journaliste, de police*) investigation; (*judiciaire, administrative*) inquiry; (*sondage d'opinion*) survey; **enquêter** *vi* to investigate; to hold an inquiry; to conduct a survey
enquiers *etc vb voir* **enquérir**
enraciné, e [ɑ̃ʀasine] *adj* deep-rooted
enragé, e [ɑ̃ʀaʒe] *adj* (*MÉD*) rabid, with rabies; (*fig*) fanatical
enrageant, e [ɑ̃ʀaʒɑ̃, -ɑ̃t] *adj* infuriating
enrager [ɑ̃ʀaʒe] *vi* to be in a rage
enrayer [ɑ̃ʀeje] *vt* to check, stop; **s'~** *vi* (*arme à feu*) to jam
enregistrement [ɑ̃ʀʒistʀəmɑ̃] *nm* recording; (*ADMIN*) registration; ~ **des bagages** (*à l'aéroport*) baggage check-in;
enregistrer [ɑ̃ʀʒistʀe] *vt* (*MUS etc, remarquer, noter*) to record; (*fig: mémoriser*) to make a mental note of; (*ADMIN*) to register; (*bagages: par train*) to register; (: *à l'aéroport*) to check in
enrhumer [ɑ̃ʀyme]: **s'~** *vi* to catch a cold
enrichir [ɑ̃ʀiʃiʀ] *vt* to make rich(er); (*fig*) to enrich; **s'~** *vi* to get rich(er)
enrober [ɑ̃ʀɔbe] *vt*: ~ **qch de** to coat sth with; (*fig*) to wrap sth up in
enrôler [ɑ̃ʀole] *vt* to enlist; **s'~ (dans)** to enlist (in)
enrouer [ɑ̃ʀwe]: **s'~** *vi* to go hoarse
enrouler [ɑ̃ʀule] *vt* (*fil, corde*) to wind (up); **s'~** *vi* to coil up; to wind; ~ **qch autour de** to wind sth (a)round
ensanglanté, e [ɑ̃sɑ̃glɑ̃te] *adj* covered with blood
enseignant, e [ɑ̃sɛɲɑ̃, -ɑ̃t] *nm/f* teacher
enseigne [ɑ̃sɛɲ] *nf* sign; **à telle ~ que** so much so that; ~ **lumineuse** neon sign
enseignement [ɑ̃sɛɲmɑ̃] *nm* teaching; (*ADMIN*) education
enseigner [ɑ̃seɲe] *vt, vi* to teach; ~ **qch à qn/à qn que** to teach sb sth/sb that
ensemble [ɑ̃sɑ̃bl(ə)] *adv* together ◆ *nm* (*assemblage, MATH*) set; (*totalité*): **l'~ du/de la** the whole *ou* entire; (*unité, harmonie*) unity; **impression/idée d'~** overall *ou* general impression/idea; **dans l'~** (*en gros*) on the whole
ensemencer [ɑ̃smɑ̃se] *vt* to sow
ensevelir [ɑ̃səvliʀ] *vt* to bury
ensoleillé, e [ɑ̃sɔleje] *adj* sunny
ensommeillé, e [ɑ̃sɔmeje] *adj* drowsy
ensorceler [ɑ̃sɔʀsəle] *vt* to enchant, bewitch
ensuite [ɑ̃sɥit] *adv* then, next; (*plus tard*) afterwards, later; ~ **de quoi** after which
ensuivre [ɑ̃sɥivʀ(ə)]: **s'~** *vi* to follow, ensue
entailler [ɑ̃taje] *vt* to notch; to cut
entamer [ɑ̃tame] *vt* (*pain, bouteille*) to start; (*hostilités, pourparlers*) to open; (*fig: altérer*) to make a dent in; to shake; to damage
entasser [ɑ̃tase] *vt* (*empiler*) to pile up, heap up; (*tenir à l'étroit*) to cram together; **s'~** *vi* to pile up; to cram
entendre [ɑ̃tɑ̃dʀ(ə)] *vt* to hear; (*comprendre*) to understand; (*vouloir dire*) to mean; (*vouloir*): ~ **être obéi/que** to mean to be obeyed/that; **s'~** *vi* (*sympathiser*) to get on; (*se mettre d'accord*) to agree; **s'~ à qch/à faire** (*être compétent*) to be good at sth/doing; **j'ai entendu dire que** I've heard (it said) that
entendu, e [ɑ̃tɑ̃dy] *adj* (*réglé*) agreed; (*au courant: air*) knowing; **(c'est) ~** all right, agreed; **c'est ~** (*concession*) all right, granted; **bien ~** of course
entente [ɑ̃tɑ̃t] *nf* understanding; (*accord, traité*) agreement; **à double ~** (*sens*) with a double meaning
entériner [ɑ̃teʀine] *vt* to ratify, confirm
enterrement [ɑ̃tɛʀmɑ̃] *nm* (*cérémonie*) funeral, burial
enterrer [ɑ̃teʀe] *vt* to bury
entêtant, e [ɑ̃tetɑ̃, -ɑ̃t] *adj* heady
entêté, e [ɑ̃tete] *adj* stubborn
en-tête [ɑ̃tɛt] *nm* heading; **papier à ~** headed notepaper
entêter [ɑ̃tete]: **s'~** *vi*: **s'~ (à faire)** to persist (in doing)
enthousiasme [ɑ̃tuzjasm(ə)] *nm* enthusiasm; **s'~r** *vt* to fill with enthusiasm; **s'~r (pour qch)** to get enthusiastic (about sth)
enticher [ɑ̃tiʃe]: **s'~ de** *vt* to become infatuated with
entier, ère [ɑ̃tje, -jɛʀ] *adj* (*non entamé, en totalité*) whole; (*total, complet*) complete; (*fig: caractère*) unbending ◆ *nm* (*MATH*) whole; **en ~** totally; in its entirety; **lait ~** full-cream milk; **entièrement** *adv* entirely, wholly
entonner [ɑ̃tɔne] *vt* (*chanson*) to strike up
entonnoir [ɑ̃tɔnwaʀ] *nm* funnel
entorse [ɑ̃tɔʀs(ə)] *nf* (*MÉD*) sprain; (*fig*): ~ **au reglement** infringement of the rule
entortiller [ɑ̃tɔʀtije] *vt* (*envelopper*) to wrap; (*enrouler*) to twist, wind; (*duper*) to deceive
entourage [ɑ̃tuʀaʒ] *nm* circle; family (circle); entourage; (*ce qui enclôt*) surround
entourer [ɑ̃tuʀe] *vt* to surround; (*apporter son soutien à*) to rally round; ~ **de** to surround with; (*trait*) to encircle with
entourloupettes [ɑ̃tuʀlupɛt] *nfpl* mean tricks
entracte [ɑ̃tʀakt(ə)] *nm* interval
entraide [ɑ̃tʀɛd] *nf* mutual aid; **s'~r** *vi* to help each other
entrain [ɑ̃tʀɛ̃] *nm* spirit; **avec/sans ~** spiritedly/half-heartedly
entraînement [ɑ̃tʀɛnmɑ̃] *nm* training; (*TECH*) drive
entraîner [ɑ̃tʀene] *vt* (*tirer: wagons*) to pull; (*charrier*) to carry *ou* drag along; (*TECH*) to drive; (*emmener: personne*) to take (off); (*mener à l'assaut, influencer*) to lead; (*SPORT*) to train; (*impliquer*) to entail; (*causer*) to lead to, bring about; **s'~** *vi* (*SPORT*) to train; **s'~ à qch/à faire** to train o.s. for sth/to do; ~ **qn à faire** (*inciter*) to lead sb to do; **entraîneur, euse** *nm/f* (*SPORT*) coach, trainer ◆ *nm* (*HIPPISME*) trainer; **entraîneuse** *nf* (*de bar*) hostess
entraver [ɑ̃tʀave] *vt* (*circulation*) to hold up; (*action, progrès*) to hinder
entre [ɑ̃tʀ(ə)] *prép* between; (*parmi*) among(st); **l'un d'~ eux/nous** one of them/us; ~ **eux** among(st) themselves
entre: **~bâillé, e** *adj* half-open, ajar; **~choquer: s'~choquer** *vi* to knock *ou* bang together; **~côte** *nf* entrecôte *ou* rib steak; **~couper** *vt*: **~couper qch de** to intersperse sth with; **~croiser: s'~croiser** *vi* to intertwine
entrée [ɑ̃tʀe] *nf* entrance; (*accès: au cinéma etc*) admission; (*billet*) (admission) ticket; (*CULIN*) first course; **d'~** from the outset; **~ en matière** introduction
entrefaites [ɑ̃tʀəfɛt]: **sur ces ~** *adv* at this juncture
entrefilet [ɑ̃tʀəfilɛ] *nm* paragraph (*short article*)
entrejambes [ɑ̃tʀəʒɑ̃b] *nm* crotch
entrelacer [ɑ̃tʀəlase] *vt* to intertwine
entrelarder [ɑ̃tʀəlaʀde] *vt* to lard
entremêler [ɑ̃tʀəmele] *vt*: ~ **qch de** to (inter)mingle sth with
entremets [ɑ̃tʀəmɛ] *nm* (cream) dessert
entremetteur, euse [ɑ̃tʀəmɛtœʀ, -øz] *nm/f* go-between
entremise [ɑ̃tʀəmiz] *nf* intervention; **par l'~ de** through
entreposer [ɑ̃tʀəpoze] *vt* to store, put into storage
entrepôt [ɑ̃tʀəpo] *nm* warehouse
entreprenant, e [ɑ̃tʀəpʀənɑ̃, -ɑ̃t] *adj* (*actif*) enterprising; (*trop galant*) forward
entreprendre [ɑ̃tʀəpʀɑ̃dʀ(ə)] *vt* (*se lancer dans*) to undertake; (*commencer*) to begin *ou* start (upon); (*personne*) to buttonhole; to tackle
entrepreneur [ɑ̃tʀəpʀənœʀ] *nm*: ~ **(en bâtiment)** (building) contractor
entreprise [ɑ̃tʀəpʀiz] *nf* (*société*) firm, concern; (*action*) undertaking, venture
entrer [ɑ̃tʀe] *vi* to go (*ou* come) in, enter ◆ *vt* (*INFORM*) to enter, input; **(faire) ~ qch dans** to get sth into; ~ **dans** (*gén*) to enter; (*pièce*) to go (*ou* come) into, enter; (*club*) to join; (*heurter*) to run into; (*être une composante de*) to go into; to form part of; ~ **à l'hôpital** to go into hospital; **faire ~** (*visiteur*) to show in
entresol [ɑ̃tʀəsɔl] *nm* mezzanine
entre-temps [ɑ̃tʀətɑ̃] *adv* meanwhile
entretenir [ɑ̃tʀətniʀ] *vt* to maintain; (*famille, maîtresse*) to support, keep; **s'~ (de)** to converse (about); ~ **qn (de)** to speak to sb (about)
entretien [ɑ̃tʀətjɛ̃] *nm* maintenance; (*discussion*) discussion, talk; (*audience*) interview
entrevoir [ɑ̃tʀəvwaʀ] *vt* (*à peine*) to make out; (*brièvement*) to catch a glimpse of
entrevue [ɑ̃tʀəvy] *nf* meeting; (*audience*) interview
entrouvert, e [ɑ̃tʀuvɛʀ, -ɛʀt(ə)] *adj* half-open
énumérer [enymeʀe] *vt* to list, enumerate
envahir [ɑ̃vaiʀ] *vt* to invade; (*suj: inquiétude, peur*) to come over; **envahissant, e** (*péj*) *adj* (*personne*) interfering, intrusive
enveloppe [ɑ̃vlɔp] *nf* (*de lettre*) envelope; (*TECH*) casing; outer layer
envelopper [ɑ̃vlɔpe] *vt* to wrap; (*fig*) to envelop, shroud
envenimer [ɑ̃vnime] *vt* to aggravate
envergure [ɑ̃vɛʀgyʀ] *nf* (*fig*) scope; calibre
enverrai *etc vb voir* **envoyer**
envers [ɑ̃vɛʀ] *prép* towards, to ◆ *nm* other side; (*d'une étoffe*) wrong side; **à l'~** upside down; back to front; (*vêtement*) inside out
envie [ɑ̃vi] *nf* (*sentiment*) envy; (*souhait*) desire, wish; **avoir ~ de (faire)** to feel like (doing); (*plus fort*) to want (to do); **avoir ~ que** to wish that; **ça lui fait ~** he would like that; **envier** *vt* to envy; **envieux, euse** *adj* envious
environ [ɑ̃viʀɔ̃] *adv*: **~ 3 h/2 km** (around) about 3 o'clock/2 km; *voir aussi* **environs**
environnement [ɑ̃viʀɔnmɑ̃] *nm* environment
environner [ɑ̃viʀɔne] *vt* to surround
environs [ɑ̃viʀɔ̃] *nmpl* surroundings
envisager [ɑ̃vizaʒe] *vt* (*examiner, considérer*) to view, contemplate; (*avoir en vue*) to envisage
envoi [ɑ̃vwa] *nm* (*paquet*) parcel, consignment
envoler [ɑ̃vɔle]: **s'~** *vi* (*oiseau*) to fly away *ou* off; (*avion*) to take off; (*papier, feuille*) to blow away; (*fig*) to vanish (into thin air)
envoûter [ɑ̃vute] *vt* to bewitch
envoyé, e [ɑ̃vwaje] *nm/f* (*POL*) envoy; (*PRESSE*) correspondent
envoyer [ɑ̃vwaje] *vt* to send; (*lancer*) to hurl, throw; ~ **chercher** to send for
épagneul, e [epaɲœl] *nm/f* spaniel
épais, se [epɛ, -ɛs] *adj* thick; **épaisseur** *nf* thickness
épancher [epɑ̃ʃe]: **s'~** *vi* to open one's heart
épanouir [epanwiʀ]: **s'~** *vi* (*fleur*) to bloom, open out; (*visage*) to light up; (*fig*) to blossom; to open up
épargne [epaʀɲ(ə)] *nf* saving
épargner [epaʀɲe] *vt* to save; (*ne pas tuer ou endommager*) to spare ◆ *vi* to save; ~ **qch à qn** to spare sb sth
éparpiller [epaʀpije] *vt* to scatter; (*pour répartir*) to disperse; **s'~** *vi* to scatter; (*fig*) to dissipate one's efforts
épars, e [epaʀ, -aʀs(ə)] *adj* scattered
épatant, e [epatɑ̃, -ɑ̃t] (*fam*) *adj* super
épater [epate] *vt* to amaze; to impress
épaule [epol] *nf* shoulder
épauler [epole] *vt* (*aider*) to back up, support; (*arme*) to raise (to one's shoulder) ◆ *vi* to (take) aim
épaulette [epolɛt] *nf* epaulette; (*rembourrage*) shoulder pad
épave [epav] *nf* wreck
épée [epe] *nf* sword
épeler [ɛple] *vt* to spell
éperdu, e [epɛʀdy] *adj* distraught, overcome; passionate; frantic
éperon [epʀɔ̃] *nm* spur
épi [epi] *nm* (*de blé, d'orge*) ear
épice [epis] *nf* spice
épicer [epise] *vt* to spice
épicerie [episʀi] *nf* grocer's shop; (*denrées*) groceries *pl*; ~ **fine** delicatessen; **épicier, ière** *nm/f* grocer
épidémie [epidemi] *nf* epidemic
épier [epje] *vt* to spy on, watch closely; (*occasion*) to look out for
épilepsie [epilɛpsi] *nf* epilepsy
épiler [epile] *vt* (*jambes*) to remove the hair from; (*sourcils*) to pluck
épilogue [epilɔg] *nm* (*fig*) conclusion, dénouement; **~r** [epilɔge] *vi*: **~r sur** to hold forth on
épinards [epinaʀ] *nmpl* spinach *sg*
épine [epin] *nf* thorn, prickle; (*d'oursin etc*) spine; ~ **dorsale** backbone
épingle [epɛ̃gl(ə)] *nf* pin; ~ **de nourrice** safety pin; ~ **de sûreté** *ou* **double** safety pin
épingler [epɛ̃gle] *vt* (*badge, décoration*): ~ **qch sur** to pin sth on(to); (*fam*) to catch, nick
épique [epik] *adj* epic
épisode [epizɔd] *nm* episode; **film/roman à ~s** serial; **épisodique** *adj* occasional
éploré, e [eplɔʀe] *adj* tearful
épluche-légumes [eplyʃlegym] *nm inv* (potato) peeler
éplucher [eplyʃe] *vt* (*fruit, légumes*) to peel; (*fig*) to go over with a fine-tooth comb; **épluchures** *nfpl* peelings
éponge [epɔ̃ʒ] *nf* sponge; **~r** *vt* (*liquide*) to mop up; (*surface*) to sponge; (*fig: déficit*) to soak up; **s'~r le front** to mop one's brow
épopée [epɔpe] *nf* epic
époque [epɔk] *nf* (*de l'histoire*) age, era; (*de l'année, la vie*) time; **d'~** (*meuble*) period *cpd*
époumoner [epumɔne]: **s'~** *vi* to shout o.s. hoarse
épouse [epuz] *nf* wife
épouser [epuze] *vt* to marry; (*fig: idées*) to espouse; (: *forme*) to fit
épousseter [epuste] *vt* to dust
époustouflant, e [epustuflɑ̃, -ɑ̃t] *adj* staggering, mind-boggling
épouvantable [epuvɑ̃tabl(ə)] *adj* appalling, dreadful
épouvantail [epuvɑ̃taj] *nm* (*à oiseaux*) scarecrow
épouvante [epuvɑ̃t] *nf* terror; **film d'~** horror film; **épouvanter** *vt* to terrify
époux [epu] *nm* husband ◆ *nmpl* (married) couple
éprendre [epʀɑ̃dʀ(ə)]: **s'~ de** *vt* to fall in love with

épreuve [epʀœv] *nf* (*d'examen*) test; (*malheur, difficulté*) trial, ordeal; (*PHOTO*) print; (*TYPO*) proof; (*SPORT*) event; **à l'~ des balles** bulletproof; **à toute ~** unfailing; **mettre à l'~** to put to the test

épris, e [epʀi, -iz] *pp de* **éprendre**

éprouver [epʀuve] *vt* (*tester*) to test; (*marquer, faire souffrir*) to afflict, distress; (*ressentir*) to experience

éprouvette [epʀuvɛt] *nf* test tube

épuisé, e [epɥize] *adj* exhausted; (*livre*) out of print; **épuisement** [epɥizmɑ̃] *nm* exhaustion

épuiser [epɥize] *vt* (*fatiguer*) to exhaust, wear *ou* tire out; (*stock, sujet*) to exhaust; **s'~** *vi* to wear *ou* tire o.s. out, exhaust o.s.; (*stock*) to run out

épurer [epyʀe] *vt* (*liquide*) to purify; (*parti etc*) to purge; (*langue, texte*) to refine

équateur [ekwatœʀ] *nm* equator; **(la république de) l'É~** Ecuador

équation [ekwasjɔ̃] *nf* equation

équerre [ekɛʀ] *nf* (*à dessin*) (set) square; (*pour fixer*) brace; **en ~** at right angles; **à l'~, d'~** straight

équilibre [ekilibʀ(ə)] *nm* balance; (*d'une balance*) equilibrium; **garder/perdre l'~** to keep/lose one's balance; **être en ~** to be balanced; **équilibré, e** *adj* (*fig*) well-balanced, stable; **équilibrer** *vt* to balance; **s'~r** *vi* (*poids*) to balance; (*fig: défauts etc*) to balance each other out

équipage [ekipaʒ] *nm* crew

équipe [ekip] *nf* team; (*bande: parfois péj*) bunch

équipé, e [ekipe] *adj*: **bien/mal ~** well-/poorly-equipped

équipée [ekipe] *nf* escapade

équipement [ekipmɑ̃] *nm* equipment; **~s** *nmpl* (*installations*) amenities, facilities

équiper [ekipe] *vt* to equip; (*voiture, cuisine*) to equip, fit out; **~ qn/qch de** to equip sb/sth with

équipier, ière [ekipje, -jɛʀ] *nm/f* team member

équitable [ekitabl(ə)] *adj* fair

équitation [ekitasjɔ̃] *nf* (horse-) riding

équivalent, e [ekivalɑ̃, -ɑ̃t] *adj, nm* equivalent

équivaloir [ekivalwaʀ]: **~ à** *vt* to be equivalent to

équivoque [ekivɔk] *adj* equivocal, ambiguous; (*louche*) dubious

érable [eʀabl(ə)] *nm* maple

érafler [eʀɑfle] *vt* to scratch; **éraflure** *nf* scratch

éraillé, e [eʀɑje] *adj* (*voix*) rasping

ère [ɛʀ] *nf* era; **en l'an 1050 de notre ~** in the year 1050 A.D.

érection [eʀɛksjɔ̃] *nf* erection

éreinter [eʀɛ̃te] *vt* to exhaust, wear out

ériger [eʀiʒe] *vt* (*monument*) to erect

ermite [ɛʀmit] *nm* hermit

éroder [eʀɔde] *vt* to erode

érotique [eʀɔtik] *adj* erotic

errer [eʀe] *vi* to wander

erreur [ɛʀœʀ] *nf* mistake, error; (*morale*) error; **faire ~** to be mistaken; **par ~** by mistake; **~ judiciaire** miscarriage of justice

érudit, e [eʀydi, -it] *nm/f* scholar

éruption [eʀypsjɔ̃] *nf* eruption; (*MÉD*) rash

es *vb voir* **être**

ès [ɛs] *prép*: **licencié ~ lettres/sciences** ≈ Bachelor of Arts/Science

escabeau, x [ɛskabo] *nm* (*tabouret*) stool; (*échelle*) stepladder

escadre [ɛskadʀ(ə)] *nf* (*NAVIG*) squadron; (*AVIAT*) wing

escadron [ɛskadʀɔ̃] *nm* squadron

escalade [ɛskalad] *nf* climbing *no pl*; (*POL etc*) escalation

escalader [ɛskalade] *vt* to climb

escale [ɛskal] *nf* (*NAVIG*) call; port of call; (*AVIAT*) stop(over); **faire ~ à** to put in at; to stop over at

escalier [ɛskalje] *nm* stairs *pl*; **dans l'~** *ou* **les ~s** on the stairs; **~ roulant** escalator

escamoter [ɛskamɔte] *vt* (*esquiver*) to get round, evade; (*faire disparaître*) to conjure away

escapade [ɛskapad] *nf*: **faire une ~** to go on a jaunt; to run away *ou* off

escargot [ɛskaʀgo] *nm* snail

escarmouche [ɛskaʀmuʃ] *nf* skirmish

escarpé, e [ɛskaʀpe] *adj* steep

escient [esjɑ̃] *nm*: **à bon ~** advisedly

esclaffer [ɛsklafe]: **s'~** *vi* to guffaw

esclandre [ɛsklɑ̃dʀ(ə)] *nm* scene, fracas

esclavage [ɛsklavaʒ] *nm* slavery

esclave [ɛsklav] *nm/f* slave

escompter [ɛskɔ̃te] *vt* (*COMM*) to discount; (*espérer*) to expect, reckon upon

escorte [ɛskɔʀt(ə)] *nf* escort

escrime [ɛskʀim] *nf* fencing

escrimer [ɛskʀime]: **s'~** *vi*: **s'~ à faire** to wear o.s. out doing

escroc [ɛskʀo] *nm* swindler, conman

escroquer [ɛskʀɔke] *vt*: **~ qn (de qch)/ qch (à qn)** to swindle sb (out of sth)/sth (out of sb); **escroquerie** *nf* swindle

espace [ɛspas] *nm* space

espacer [ɛspase] *vt* to space out; **s'~** *vi* (*visites etc*) to become less frequent

espadon [ɛspadɔ̃] *nm* swordfish *inv*

espadrille [ɛspadʀij] *nf* rope-soled sandal

Espagne [ɛspaɲ(ə)] *nf*: **l'~** Spain; **espagnol, e** *adj* Spanish ♦ *nm/f*: **Espagnol, e** Spaniard ♦ *nm* (*LING*) Spanish

espèce [ɛspɛs] *nf* (*BIO, BOT, ZOOL*) species *inv*; (*gén: sorte*) sort, kind, type; (*péj*): **~ de maladroit!** you clumsy oaf!; **~s** *nfpl* (*COMM*) cash *sg*; **en ~** in cash; **en l'~** in the case in point

espérance [ɛspeʀɑ̃s] *nf* hope; **~ de vie** life expectancy

espérer [ɛspeʀe] *vt* to hope for; **j'espère (bien)** I hope so; **~ que/faire** to hope that/to do; **~ en** to trust in

espiègle [ɛspjɛgl(ə)] *adj* mischievous

espion, ne [ɛspjɔ̃, -ɔn] *nm/f* spy

espionnage [ɛspjɔnaʒ] *nm* espionage, spying

espionner [ɛspjɔne] *vt* to spy (up)on

esplanade [ɛsplanad] *nf* esplanade

espoir [ɛspwaʀ] *nm* hope

esprit [ɛspʀi] *nm* (*pensée, intellect*) mind; (*humour, ironie*) wit; (*mentalité, d'une loi etc, fantôme etc*) spirit; **faire de l'~** to try to be witty; **reprendre ses ~s** to come to; **perdre l'~** to lose one's mind

esquimau, de, x [ɛskimo, -od] *adj, nm/f* Eskimo ♦ *nm* ice lolly (*BRIT*), popsicle (*US*)

esquinter [ɛskɛ̃te] (*fam*) *vt* to mess up

esquisse [ɛskis] *nf* sketch

esquisser [ɛskise] *vt* to sketch; **s'~** *vi* (*amélioration*) to begin to be detectable; **~ un sourire** to give a vague smile

esquiver [ɛskive] *vt* to dodge; **s'~** *vi* to slip away

essai [esɛ] *nm* trying; testing; (*tentative*) attempt, try; (*RUGBY*) try; (*LITTÉRATURE*) essay; **~s** *nmpl* (*AUTO*) trials; **~ gratuit** (*COMM*) free trial; **à l'~** on a trial basis

essaim [esɛ̃] *nm* swarm

essayer [eseje] *vt* (*gén*) to try; (*vêtement, chaussures*) to try (on); (*restaurant, méthode, voiture*) to try (out) ♦ *vi* to try; **~ de faire** to try *ou* attempt to do

essence [esɑ̃s] *nf* (*de voiture*) petrol (*BRIT*), gas(oline) (*US*); (*extrait de plante, PHILOSOPHIE*) essence; (*espèce: d'arbre*) species

essentiel, le [esɑ̃sjɛl] *adj* essential; **c'est l'~** (*ce qui importe*) that's the main thing; **l'~ de** the main part of

essieu, x [esjø] *nm* axle

essor [esɔʀ] *nm* (*de l'économie etc*) rapid expansion

essorer [esɔʀe] *vt* (*en tordant*) to wring (out); (*par la force centrifuge*) to spin-dry; **essoreuse** *nf* mangle, wringer; spin-dryer

essouffler [esufle] *vt* to make breathless; **s'~** *vi* to get out of breath; (*fig*) to run out of steam

essuie-glace [esɥiglas] *nm inv* windscreen (*BRIT*) *ou* windshield (*US*) wiper

essuie-main [esɥimɛ̃] *nm* hand towel

essuyer [esɥije] *vt* to wipe; (*fig: subir*) to suffer; **s'~** *vi* (*après le bain*) to dry o.s.; **~ la vaisselle** to dry up

est[1] [ɛ] *vb voir* **être**

est[2] [ɛst] *nm* east ♦ *adj inv* east; (*région*) east(ern); **à l'est en** (*direction*) to the east, east(wards); **à l'est de** (to the) east of

estampe [ɛstɑ̃p] *nf* print, engraving

est-ce que [ɛskə] *adv*: **~ c'est cher/c'était bon?** is it expensive/was it good?; **quand est-ce qu'il part?** when does he leave?, when is he leaving?; *voir aussi* **que**

esthéticienne [ɛstetisjɛn] *nf* beautician

esthétique [ɛstetik] *adj* attractive; aesthetically pleasing

estimation [ɛstimasjɔ̃] *nf* valuation; assessment

estime [ɛstim] *nf* esteem, regard

estimer [ɛstime] *vt* (*respecter*) to esteem; (*expertiser*) to value; (*évaluer*) to assess, estimate; (*penser*): **~ que/être** to consider that/o.s. to be

estival, e, aux [ɛstival, -o] *adj* summer *cpd*

estivant, e [ɛstivɑ̃, -ɑ̃t] *nm/f* (summer) holiday-maker

estomac [ɛstɔma] *nm* stomach

estomaqué, e [ɛstɔmake] *adj* flabbergasted

estomper [ɛstɔ̃pe] *vt* (*fig*) to blur, dim; **s'~** *vi* to soften; to become blurred

estrade [ɛstʀad] *nf* platform, rostrum

estragon [ɛstʀagɔ̃] *nm* tarragon

estropier [ɛstʀɔpje] *vt* to cripple, maim; (*fig*) to twist, distort

et [e] *conj* and; **~ lui?** what about him?; **~ alors!** so what!

étable [etabl(ə)] *nf* cowshed

établi [etabli] *nm* (work)bench

établir [etabliʀ] *vt* (*papiers d'identité, facture*) to make out; (*liste, programme*) to draw up; (*entreprise, camp, gouvernement, artisan*) to set up; (*réputation, usage, fait, culpabilité*) to establish; **s'~** *vi* (*se faire: entente etc*) to be established; **s'~ (à son compte)** to set up in business; **s'~ à/près de** to settle in/near

établissement [etablismɑ̃] *nm* making out; drawing up; setting up, establishing; (*entreprise, institution*) establishment; **~ scolaire** school, educational establishment

étage [etaʒ] *nm* (*d'immeuble*) storey, floor; (*de fusée*) stage; (*GÉO: de culture, végétation*) level; **à l'~** upstairs; **au 2ème ~** on the 2nd (*BRIT*) *ou* 3rd (*US*) floor; **de bas ~** low-born

étagère [etaʒɛʀ] *nf* (*rayon*) shelf; (*meuble*) shelves *pl*

étai [etɛ] *nm* stay, prop

étain [etɛ̃] *nm* tin; (*ORFÈVRERIE*) pewter *no pl*

étais *etc vb voir* **être**

étal [etal] *nm* stall

étalage [etalaʒ] *nm* display; display window; **faire ~ de** to show off, parade

étaler [etale] *vt* (*carte, nappe*) to spread (out); (*peinture, liquide*) to spread; (*échelonner: paiements, vacances*) to spread, stagger; (*marchandises*) to display; (*richesses, connaissances*) to parade; **s'~** *vi* (*liquide*) to spread out; (*fam*) to fall flat on one's face; **s'~ sur** (*suj: paiements etc*) to be spread out over

étalon [etalɔ̃] *nm* (*mesure*) standard; (*cheval*) stallion

étamer [etame] *vt* (*casserole*) to tin(plate); (*glace*) to silver

étanche [etɑ̃ʃ] *adj* (*récipient*) watertight; (*montre, vêtement*) waterproof

étancher [etɑ̃ʃe] *vt*: **~ sa soif** to quench one's thirst

étang [etɑ̃] *nm* pond

étant [etɑ̃] *vb voir* **être; donné**

étape [etap] *nf* stage; (*lieu d'arrivée*) stopping place; (: *CYCLISME*) staging point; **faire ~ à** to stop off at

état [eta] *nm* (*POL, condition*) state; (*liste*) inventory, statement; **en mauvais ~** in poor condition; **en ~ (de marche)** in (working) order; **remettre en ~** to repair; **hors d'~** out of order; **être en ~/hors d'~ de faire** to be in a/in no fit state to do; **en tout ~ de cause** in any event; **être dans tous ses ~s** to be in a state; **faire ~ de** (*alléguer*) to put forward; **en ~ d'arrestation** under arrest; **~ civil** civil status; **~ des lieux** inventory of fixtures; **étatiser** *vt* to bring under state control

état-major [etamaʒɔʀ] *nm* (*MIL*) staff

États-Unis [etazyni] *nmpl*: **les ~** the United States

étau, x [eto] *nm* vice (*BRIT*), vise (*US*)

étayer [eteje] *vt* to prop *ou* shore up

etc. *adv* etc

et c(a)etera [ɛtseteʀa] *adv* et cetera, and so on

été [ete] *pp de* **être** ♦ *nm* summer

éteindre [etɛ̃dʀ(ə)] *vt* (*lampe, lumière, radio*) to turn *ou* switch off; (*cigarette, incendie, bougie*) to put out, extinguish; (*JUR: dette*) to extinguish; **s'~** *vi* to go out; to go off; (*mourir*) to pass away; **éteint, e** *adj* (*fig*) lacklustre, dull; (*volcan*) extinct

étendard [etɑ̃daʀ] *nm* standard

étendre [etɑ̃dʀ(ə)] *vt* (*pâte, liquide*) to spread; (*carte etc*) to spread out; (*linge*) to hang up; (*bras, jambes, par terre: blessé*) to stretch out; (*diluer*) to dilute, thin; (*fig: agrandir*) to extend; **s'~** *vi* (*augmenter, se propager*) to spread; (*terrain, forêt etc*) to stretch; (*s'allonger*) to stretch out; (*se coucher*) to lie down; (*fig: expliquer*) to elaborate

étendu, e [etɑ̃dy] *adj* extensive; **étendue** *nf* (*d'eau, de sable*) stretch, expanse; (*importance*) extent

éternel, le [etɛʀnɛl] *adj* eternal

éterniser [etɛʀnize]: **s'~** *vi* to last for ages; to stay for ages

éternité [etɛʀnite] *nf* eternity

éternuer [etɛʀnɥe] *vi* to sneeze

êtes *vb voir* **être**

éthique [etik] *adj* ethical

ethnie [ɛtni] *nf* ethnic group

éthylisme [etilism(ə)] *nm* alcoholism

étiez *vb voir* **être**

étinceler [etɛ̃sle] *vi* to sparkle

étincelle [etɛ̃sɛl] *nf* spark

étioler [etjɔle]: **s'~** *vi* to wilt

étiqueter [etikte] *vt* to label

étiquette [etikɛt] *nf* label; (*protocole*): **l'~** etiquette

étirer [etiʀe] *vt* to stretch; **s'~** *vi* (*personne*) to stretch; (*convoi, route*): **s'~ sur** to stretch out over

étoffe [etɔf] *nf* material, fabric

étoffer [etɔfe] *vt* to fill out; **s'etoffer** *vi* to fill out

étoile [etwal] *nf* star; **à la belle ~** in the open; **~ de mer** starfish; **~ filante** shooting star; **étoilé, e** *adj* starry

étole [etɔl] *nf* stole

étonnant, e [etɔnɑ̃, -ɑ̃t] *adj* amazing

étonner [etɔne] *vt* to surprise, amaze; **s'~ que/de** to be amazed that/at; **cela m'~ait (que)** (*j'en doute*) I'd be very surprised (if)

étouffée [etufe]: **à l'~** *adv* (*CULIN*) steamed; braised

étouffer [etufe] *vt* to suffocate; (*bruit*) to muffle; (*scandale*) to hush up ♦ *vi* to suffocate; **s'~** *vi* (*en mangeant etc*) to choke

étourderie [etuʀdəʀi] *nf* heedlessness *no pl*; thoughtless blunder

étourdi, e [etuʀdi] *adj* (*distrait*) scatterbrained, heedless

étourdir [etuʀdiʀ] *vt* (*assommer*) to stun, daze; (*griser*) to make dizzy *ou* giddy; **étourdissement** *nm* dizzy spell

étourneau, x [etuʀno] *nm* starling

étrange [etʀɑ̃ʒ] *adj* strange

étranger, ère [etʀɑ̃ʒe, -ɛʀ] *adj* foreign; (*pas de la famille, non familier*) strange ♦ *nm/f* foreigner; stranger ♦ *nm*: **à l'~** abroad; **de l'~** from abroad; **~ à** (*fig*) unfamiliar to; irrelevant to

étranglement [etʀɑ̃gləmɑ̃] *nm* (*d'une vallée etc*) constriction

étrangler [etʀɑ̃gle] *vt* to strangle; **s'~** *vi* (*en mangeant etc*) to choke

étrave [etʀav] *nf* stem

MOT-CLÉ

être [ɛtʀ(ə)] *nm* being; **~ humain** human being

♦ *vb +attrib* 1 (*état, description*) to be; **il est instituteur** he is *ou* he's a teacher; **vous êtes grand/intelligent/fatigué** you are *ou* you're tall/clever/tired

2 (*+à: appartenir*) to be; **le livre est à Paul** the book is Paul's *ou* belongs to Paul; **c'est à moi/eux** it is *ou* it's mine/theirs

3 (*+de: provenance*): **il est de Paris** he is from Paris; (: *appartenance*): **il est des nôtres** he is one of us

4 (*date*): **nous sommes le 10 janvier** it's the 10th of January (today)

♦ *vi* to be; **je ne serai pas ici demain** I won't be here tomorrow

♦ *vb aux* 1 to have; to be; **~ arrivé/allé** to have arrived/gone; **il est parti** he has left, he has gone

2 (*forme passive*) to be; **~ fait par** to be made by; **il a été promu** he has been promoted

3 (*+à: obligation*): **c'est à réparer** it needs repairing; **c'est à essayer** it should be tried

♦ *vb impers* 1: **il est +adjectif** it is *+adjective*; **il est impossible de le faire** it's impossible to do it

2 (*heure, date*): **il est 10 heures, c'est 10 heures** it is *ou* it's 10 o'clock

3 (*emphatique*): **c'est moi** it's me; **c'est à lui de le faire** it's up to him to do it

étreindre [etʀɛ̃dʀ(ə)] *vt* to clutch, grip; (*amoureusement, amicalement*) to embrace; **s'~** *vi* to embrace

étrenner [etʀene] *vt* to use (*ou* wear) for the first time; **étrennes** [etʀɛn] *nfpl* Christmas box *sg*

étrier [etʀije] *nm* stirrup

étriller [etʀije] *vt* (*cheval*) to curry; (*fam: battre*) to slaughter (*fig*)

étriqué, e [etʀike] *adj* skimpy

étroit, e [etʀwa, -wat] *adj* narrow; (*vêtement*) tight; (*fig: serré*) close, tight; **à l'~** cramped; **~ d'esprit** narrow-minded

étude [etyd] *nf* studying; (*ouvrage, rapport*) study; (*de notaire: bureau*) office; (: *charge*) practice; (*SCOL: salle de travail*) study room; **~s** *nfpl* studies; **être à l'~** (*projet etc*) to be under consideration; **faire des ~s (de droit/médecine)** to study (law/medicine)

étudiant, e [etydjɑ̃, -ɑ̃t] *nm/f* student

étudié, e [etydje] *adj* (*démarche*) studied; (*système*) carefully designed; (*prix*) keen

étudier [etydje] *vt, vi* to study

étui [etɥi] *nm* case

étuve [etyv] *nf* steamroom

étuvée [etyve]: **à l'~** *adv* braised

eu, eue [y] *pp de* **avoir**

euh [ø] *excl* er

Europe [øʀɔp] *nf*: **l'~** Europe; **européen, ne** *adj, nm/f* European

eus *etc vb voir* **avoir**

eux [ø] *pron* (*sujet*) they; (*objet*) them

évacuer [evakɥe] *vt* to evacuate

évader [evade]: **s'~** *vi* to escape

évangile [evɑ̃ʒil] *nm* gospel

évanouir [evanwiʀ]: **s'~** *vi* to faint; (*disparaître*) to vanish, disappear

évanouissement [evanwismɑ̃] *nm* (*syncope*) fainting fit; (*dans un accident*) loss of consciousness

évaporer [evapɔʀe]: **s'~** *vi* to evaporate

évaser [evaze] *vt* (*tuyau*) to widen, open out; (*jupe, pantalon*) to flare

évasif, ive [evazif, -iv] *adj* evasive

évasion [evazjɔ̃] *nf* escape

évêché [eveʃe] *nm* bishopric; bishop's palace

éveil [evɛj] *nm* awakening; **être en ~** to be alert

éveillé, e [eveje] *adj* awake; (*vif*) alert, sharp

éveiller [eveje] *vt* to (a)waken; **s'~** *vi* to

(a)waken; (*fig*) to be aroused
événement [evɛnmɑ̃] *nm* event
éventail [evɑ̃taj] *nm* fan; (*choix*) range
éventaire [evɑ̃tɛʀ] *nm* stall, stand
éventer [evɑ̃te] *vt* (*secret*) to uncover; **s'~** *vi* (*parfum*) to go stale
éventrer [evɑ̃tʀe] *vt* to disembowel; (*fig*) to tear *ou* rip open
éventualité [evɑ̃tɥalite] *nf* eventuality; possibility; **dans l'~ de** in the event of
éventuel, le [evɑ̃tɥɛl] *adj* possible; **éventuellement** *adv* possibly
évêque [evɛk] *nm* bishop
évertuer [evɛʀtɥe]: **s'~** *vi*: **s'~ à faire** to try very hard to do
éviction [eviksjɔ̃] *nf* ousting; (*de locataire*) eviction
évidemment [evidamɑ̃] *adv* obviously
évidence [evidɑ̃s] *nf* obviousness; obvious fact; **de toute ~** quite obviously *ou* evidently; **en ~** conspicuous; **mettre en ~** to highlight; to bring to the fore; **évident, e** [evidɑ̃, -ɑ̃t] *adj* obvious, evident
évider [evide] *vt* to scoop out
évier [evje] *nm* (kitchen) sink
évincer [evɛ̃se] *vt* to oust
éviter [evite] *vt* to avoid; **~ de faire/que qch ne se passe** to avoid doing/sth happening; **~ qch à qn** to spare sb sth
évolué, e [evɔlɥe] *adj* advanced
évoluer [evɔlɥe] *vi* (*enfant, maladie*) to develop; (*situation, moralement*) to evolve, develop; (*aller et venir: danseur etc*) to move about, circle; **évolution** *nf* development; evolution
évoquer [evɔke] *vt* to call to mind, evoke; (*mentionner*) to mention
ex... [ɛks] *préfixe* ex-
exact, e [ɛgzakt] *adj* (*précis*) exact, accurate, precise; (*correct*) correct; (*ponctuel*) punctual; **l'heure ~e** the right *ou* exact time; **exactement** *adv* exactly, accurately, precisely; correctly; (*c'est cela même*) exactly
ex aequo [ɛgzeko] *adj* equally placed
exagéré, e [ɛgzaʒeʀe] *adj* (*prix etc*) excessive
exagérer [ɛgzaʒeʀe] *vt* to exaggerate ◆ *vi* (*abuser*) to go too far; to overstep the mark; (*déformer les faits*) to exaggerate
exalter [ɛgzalte] *vt* (*enthousiasmer*) to excite, elate; (*glorifier*) to exalt
examen [ɛgzamɛ̃] *nm* examination; (*SCOL*) exam, examination; **à l'~** under consideration; (*COMM*) on approval
examiner [ɛgzamine] *vt* to examine
exaspérant, e [ɛgzaspeʀɑ̃, -ɑ̃t] *adj* exasperating
exaspérer [ɛgzaspeʀe] *vt* to exasperate; to exacerbate
exaucer [ɛgzose] *vt* (*vœu*) to grant
excédent [ɛksedɑ̃] *nm* surplus; **en ~** surplus; **~ de bagages** excess luggage
excéder [ɛksede] *vt* (*dépasser*) to exceed; (*agacer*) to exasperate
excellence [ɛkselɑ̃s] *nf* (*titre*) Excellency
excellent, e [ɛkselɑ̃, -ɑ̃t] *adj* excellent
excentrique [ɛksɑ̃tʀik] *adj* eccentric; (*quartier*) outlying
excepté, e [ɛksɛpte] *adj, prép*: **les élèves ~s, ~ les élèves** except for the pupils; **~ si** except if
exception [ɛksɛpsjɔ̃] *nf* exception; **à l'~ de** except for, with the exception of; **d'~** (*mesure, loi*) special, exceptional; **exceptionnel, le** *adj* exceptional
excès [ɛksɛ] *nm* surplus ◆ *nmpl* excesses; **à l'~** to excess; **~ de vitesse** speeding *no pl*; **excessif, ive** *adj* excessive
excitant, e [ɛksitɑ̃, -ɑ̃t] *adj* exciting ◆ *nm* stimulant; **excitation** [ɛksitasjɔ̃] *nf* (*état*) excitement
exciter [ɛksite] *vt* to excite; (*suj: café etc*) to stimulate; **s'~** *vi* to get excited
exclamation [ɛksklamasjɔ̃] *nf* exclamation
exclamer [ɛksklame]: **s'~** *vi* to exclaim
exclure [ɛksklyʀ] *vt* (*faire sortir*) to expel; (*ne pas compter*) to exclude, leave out; (*rendre impossible*) to exclude, rule out; **il est exclu que** it's out of the question that ...; **il n'est pas exclu que ...** it's not impossible that ...; **exclusif, ive** *adj* exclusive; **exclusion** *nf* expulsion; **à l'exclusion de** with the exclusion *ou* exception of; **exclusivité** *nf* (*COMM*) exclusive rights *pl*; **film passant en exclusivité** à film showing only at
excursion [ɛkskyʀsjɔ̃] *nf* (*en autocar*) excursion, trip; (*à pied*) walk, hike
excuse [ɛkskyz] *nf* excuse; **~s** *nfpl* (*regret*) apology *sg*, apologies
excuser [ɛkskyze] *vt* to excuse; **s'~ (de)** to apologize (for); **"excusez-moi"** "I'm sorry"; (*pour attirer l'attention*) "excuse me"
exécrable [ɛgzekʀabl(ə)] *adj* atrocious
exécrer [ɛgzekʀe] *vt* to loathe, abhor
exécuter [ɛgzekyte] *vt* (*prisonnier*) to execute; (*tâche etc*) to execute, carry out; (*MUS: jouer*) to perform, execute; (*INFORM*) to run; **s'~** *vi* to comply; **exécutif, ive** *adj, nm* (*POL*) executive; **exécution** *nf* execution; carrying out; **mettre à exécution** to carry out
exemplaire [ɛgzɑ̃plɛʀ] *nm* copy
exemple [ɛgzɑ̃pl(ə)] *nm* example; **par ~** for instance, for example; **donner l'~** to set an example; **prendre ~ sur** to take as a model; **à l'~ de** just like
exempt, e [ɛgzɑ̃, -ɑ̃t] *adj*: **~ de** (*dispensé de*) exempt from; (*sans*) free from
exercer [ɛgzɛʀse] *vt* (*pratiquer*) to exercise, practise; (*prérogative*) to exercise; (*influence, contrôle*) to exert; (*former*) to exercise, train; **s'~** *vi* (*sportif, musicien*) to practise; (*se faire sentir: pression etc*) to be exerted
exercice [ɛgzɛʀsis] *nm* (*tâche, travail*) exercise; **l'~** exercise; (*MIL*) drill; **en ~** (*juge*) in office; (*médecin*) practising
exhaustif, ive [ɛgzostif, -iv] *adj* exhaustive
exhiber [ɛgzibe] *vt* (*montrer: papiers, certificat*) to present, produce; (*péj*) to display, flaunt; **s'~** *vi* to parade; (*suj: exhibitionniste*) to expose o.s.
exhorter [ɛgzɔʀte] *vt* to urge
exigeant, e [ɛgziʒɑ̃, -ɑ̃t] *adj* demanding; (*péj*) hard to please
exigence [ɛgziʒɑ̃s] *nf* demand, requirement
exiger [ɛgziʒe] *vt* to demand, require
exigu, ë [ɛgzigy] *adj* (*lieu*) cramped, tiny
exil [ɛgzil] *nm* exile; **exiler** *vt* to exile; **s'~er** *vi* to go into exile
existence [ɛgzistɑ̃s] *nf* existence
exister [ɛgziste] *vi* to exist; **il existe un/des** there is a/are (some)
exonérer [ɛgzɔneʀe] *vt*: **~ de** to exempt from
exorbitant, e [ɛgzɔʀbitɑ̃, -ɑ̃t] *adj* (*somme, nombre*) exorbitant
exorbité, e [ɛgzɔʀbite] *adj*: **yeux ~s** bulging eyes
exotique [ɛgzɔtik] *adj* exotic
expatrier [ɛkspatʀije] *vt*: **s'~** to leave one's country
expectative [ɛkspɛktativ] *nf*: **être dans l'~** to be still waiting
expédient [ɛkspedjɑ̃] (*péj*) *nm* expedient; **vivre d'~s** to live by one's wits
expédier [ɛkspedje] *vt* (*lettre, paquet*) to send; (*troupes*) to dispatch; (*péj: travail etc*) to dispose of, dispatch; **expéditeur, trice** *nm/f* sender
expédition [ɛkspedisjɔ̃] *nf* sending; (*scientifique, sportive, MIL*) expedition
expérience [ɛkspeʀjɑ̃s] *nf* (*de la vie*) experience; (*scientifique*) experiment
expérimenté, e [ɛkspeʀimɑ̃te] *adj* experienced
expérimenter [ɛkspeʀimɑ̃te] *vt* to test out, experiment with
expert, e [ɛkspɛʀ, -ɛʀt(ə)] *adj, nm* expert; **~ en assurances** insurance valuer; **expert-comptable** *nm* ≈ chartered accountant (*BRIT*), ≈ certified public accountant (*US*)
expertise [ɛkspɛʀtiz] *nf* valuation; assessment; valuer's (*ou* assessor's) report; (*JUR*) (forensic) examination
expertiser [ɛkspɛʀtize] *vt* (*objet de valeur*) to value; (*voiture accidentée etc*) to assess damage to
expier [ɛkspje] *vt* to expiate, atone for
expirer [ɛkspiʀe] *vi* (*prendre fin, mourir*) to expire; (*respirer*) to breathe out
explicatif, ive [ɛksplikatif, -iv] *adj* explanatory
explication [ɛksplikasjɔ̃] *nf* explanation; (*discussion*) discussion; argument; **~ de texte** (*SCOL*) critical analysis
explicite [ɛksplisit] *adj* explicit
expliquer [ɛksplike] *vt* to explain; **s'~** to explain (o.s.); (*discuter*) to discuss things; to have it out; **son erreur s'explique** one can understand his mistake
exploit [ɛksplwa] *nm* exploit, feat
exploitation [ɛksplwatasjɔ̃] *nf* exploitation; running; **~ agricole** farming concern; **exploiter** [ɛksplwate] *vt* (*mine*) to exploit, work; (*entreprise, ferme*) to run, operate; (*clients, ouvriers, erreur, don*) to exploit
explorer [ɛksplɔʀe] *vt* to explore
exploser [ɛksploze] *vi* to explode, blow up; (*engin explosif*) to go off; (*fig: joie, colère*) to burst out, explode; **explosif, ive** *adj, nm* explosive; **explosion** *nf* explosion
exportateur, trice [ɛkspɔʀtatœʀ, -tʀis] *adj* export *cpd*, exporting ◆ *nm* exporter
exportation [ɛkspɔʀtasjɔ̃] *nf* exportation; export
exporter [ɛkspɔʀte] *vt* to export
exposant [ɛkspozɑ̃] *nm* exhibitor
exposé, e [ɛkspoze] *nm* talk ◆ *adj*: **~ au sud** facing south; **bien ~** well situated
exposer [ɛkspoze] *vt* (*marchandise*) to display; (*peinture*) to exhibit, show; (*parler de*) to explain, set out; (*mettre en danger, orienter, PHOTO*) to expose; **exposition** *nf* (*manifestation*) exhibition; (*PHOTO*) exposure
exprès[1] [ɛkspʀɛ] *adv* (*délibérément*) on purpose; (*spécialement*) specially
exprès[2]**, esse** [ɛkspʀɛs] *adj* (*ordre, défense*) express, formal ◆ *adj inv* (*PTT*) express ◆ *adv* express
express [ɛkspʀɛs] *adj, nm*: **(café) ~** espresso (coffee); **(train) ~** fast train
expressément [ɛkspʀesemɑ̃] *adv* expressly; specifically
expression [ɛkspʀesjɔ̃] *nf* expression
exprimer [ɛkspʀime] *vt* (*sentiment, idée*) to express; (*jus, liquide*) to press out; **s'~** *vi* (*personne*) to express o.s.
exproprier [ɛkspʀɔpʀije] *vt* to buy up by compulsory purchase, expropriate
expulser [ɛkspylse] *vt* to expel; (*locataire*) to evict; (*SPORT*) to send off
exquis, e [ɛkski, -iz] *adj* exquisite; delightful
exsangue [ɛksɑ̃g] *adj* bloodless, drained of blood
extase [ɛkstɑz] *nf* ecstasy; **extasier**: **s'extasier** *vi* to go into raptures over
extension [ɛkstɑ̃sjɔ̃] *nf* (*d'un muscle, ressort*) stretching; (*fig*) extension; expansion
exténuer [ɛkstenɥe] *vt* to exhaust
extérieur, e [ɛksteʀjœʀ] *adj* (*porte, mur etc*) outer, outside; (*au dehors: escalier, w.-c.*) outside; (*commerce*) foreign; (*influences*) external; (*apparent: calme, gaieté etc*) surface *cpd* ◆ *nm* (*d'une maison, d'un récipient etc*) outside, exterior; (*apparence*) exterior; (*d'un groupe social*): **l'~** the outside world; **à l'~** outside; (*à l'étranger*) abroad; **extérieurement** *adv* on the outside; (*en apparence*) on the surface
exterminer [ɛkstɛʀmine] *vt* to exterminate, wipe out
externat [ɛkstɛʀna] *nm* day school
externe [ɛkstɛʀn(ə)] *adj* external, outer ◆ *nm/f* (*MÉD*) non-resident medical student (*BRIT*), extern (*US*); (*SCOL*) day pupil
extincteur [ɛkstɛ̃ktœʀ] *nm* (fire) extinguisher
extinction [ɛkstɛ̃ksjɔ̃] *nf*: **~ de voix** loss of voice
extorquer [ɛkstɔʀke] *vt* to extort
extra [ɛkstʀa] *adj inv* first-rate; top-quality ◆ *nm inv* extra help
extrader [ɛkstʀade] *vt* to extradite
extraire [ɛkstʀɛʀ] *vt* to extract; **extrait** *nm* extract
extraordinaire [ɛkstʀaɔʀdinɛʀ] *adj* extraordinary; (*POL: mesures etc*) special
extravagant, e [ɛkstʀavagɑ̃, -ɑ̃t] *adj* extravagant; wild
extraverti, e [ɛkstʀavɛʀti] *adj* extrovert
extrême [ɛkstʀɛm] *adj, nm* extreme; **extrêmement** *adv* extremely; **extrême-onction** *nf* last rites *pl*; **Extrême-Orient** *nm* Far East
extrémité [ɛkstʀemite] *nf* end; (*situation*) straits *pl*, plight; (*geste désespéré*) extreme action; **~s** *nfpl* (*pieds et mains*) extremities; **à la dernière ~** on the point of death
exutoire [ɛgzytwaʀ] *nm* outlet, release

F

F *abr* = **franc**
fa [fɑ] *nm inv* (*MUS*) F; (*en chantant la gamme*) fa
fable [fɑbl(ə)] *nf* fable
fabricant [fabʀikɑ̃] *nm* manufacturer
fabrication [fabʀikasjɔ̃] *nf* manufacture
fabrique [fabʀik] *nf* factory
fabriquer [fabʀike] *vt* to make; (*industriellement*) to manufacture; (*fig*): **qu'est-ce qu'il fabrique?** what is he doing?
fabulation [fabylasjɔ̃] *nf* fantasizing
fac [fak] (*fam*) *abr f* (*SCOL*) = **faculté**
façade [fasad] *nf* front, façade
face [fas] *nf* face; (*fig: aspect*) side ◆ *adj*: **le côté ~** heads; **perdre la ~** to lose face; **en ~ de** opposite; (*fig*) in front of; **de ~** from the front; face on; **~ à** facing; (*fig*) faced with, in the face of; **faire ~ à** to face; **~ à ~** facing each other ◆ *nm inv* encounter
facétieux, euse [fasesjø, -øz] *adj* mischievous
fâché, e [fɑʃe] *adj* angry; (*désolé*) sorry
fâcher [fɑʃe] *vt* to anger; **se ~** *vi* to get angry; **se ~ avec** (*se brouiller*) to fall out with
fâcheux, euse [fɑʃø, -øz] *adj* unfortunate, regrettable
facile [fasil] *adj* easy; (*accommodant*) easy-going; **~ment** *adv* easily; **facilité** *nf* easiness; (*disposition, don*) aptitude; **facilités** *nfpl* (*possibilités*) facilities; **facilités de paiement** easy terms; **faciliter** *vt* to make easier
façon [fasɔ̃] *nf* (*manière*) way; (*d'une robe etc*) making-up; cut; **~s** *nfpl* (*péj*) fuss *sg*; **de quelle ~?** (in) what way?; **de ~ à/à ce que** so as to/that; **de toute ~** anyway, in any case; **~ner** [fasɔne] *vt* (*fabriquer*) to manufacture; (*travailler: matière*) to shape, fashion; (*fig*) to mould, shape
facteur, trice [faktœʀ, -tʀis] *nm/f* postman(woman) (*BRIT*), mailman(woman) (*US*) ◆ *nm* (*MATH, fig: élément*) factor; **~ de pianos** piano maker
factice [faktis] *adj* artificial
faction [faksjɔ̃] *nf* faction; (*MIL*) guard *ou* sentry (duty); watch
facture [faktyʀ] *nf* (*à payer: gén*) bill; (*: COMM*) invoice; (*d'un artisan, artiste*) technique, workmanship; **facturer** *vt* to invoice
facultatif, ive [fakyltatif, -iv] *adj* optional; (*arrêt de bus*) request *cpd*
faculté [fakylte] *nf* (*intellectuelle, d'université*) faculty; (*pouvoir, possibilité*) power
fade [fad] *adj* insipid
fagot [fago] *nm* bundle of sticks
faible [fɛbl(ə)] *adj* weak; (*voix, lumière, vent*) faint; (*rendement, intensité, revenu etc*) low ◆ *nm* weak point; (*pour quelqu'un*) weakness, soft spot; **~ d'esprit** feeble-minded; **faiblesse** *nf* weakness; **faiblir** *vi* to weaken; (*lumière*) to dim; (*vent*) to drop
faïence [fajɑ̃s] *nf* earthenware *no pl*; piece of earthenware
faignant, e [fɛɲɑ̃, -ɑ̃t] *nm/f* = **fainéant, e**
faille [faj] *vb voir* **falloir** ◆ *nf* (*GÉO*) fault; (*fig*) flaw, weakness
faillir [fajiʀ] *vi*: **j'ai failli tomber** I almost *ou* very nearly fell
faillite [fajit] *nf* bankruptcy
faim [fɛ̃] *nf* hunger; **avoir ~** to be hungry; **rester sur sa ~** (*aussi fig*) to be left wanting more
fainéant, e [fɛneɑ̃, -ɑ̃t] *nm/f* idler, loafer

MOT-CLÉ

faire [fɛʀ] *vt* 1 (*fabriquer, être l'auteur de*) to make; **~ du vin/une offre/un film** to make wine/an offer/a film; **~ du bruit** to make a noise
2 (*effectuer: travail, opération*) to do; **que faites-vous?** (*quel métier etc*) what do you do?; (*quelle activité: au moment de la question*) what are you doing?; **~ la lessive** to do the washing
3 (*études*) to do; (*sport, musique*) to play; **~ du droit/du français** to do law/French; **~ du rugby/piano** to play rugby/the piano
4 (*simuler*): **~ le malade/l'ignorant** to act the invalid/the fool
5 (*transformer, avoir un effet sur*): **~ de qn un frustré/avocat** to make sb frustrated/a lawyer; **ça ne me fait rien** (*m'est égal*) I don't care *ou* mind; (*me laisse froid*) it has no effect on me; **ça ne fait rien** it doesn't matter; **~ que** (*impliquer*) to mean that
6 (*calculs, prix, mesures*): **2 et 2 font 4** 2 and 2 are *ou* make 4; **ça fait 10 m/15F** it's 10 m/15F; **je vous le fais 10F** I'll let you have it for 10F
7: **qu'a-t-il fait de sa valise?** what has he done with his case?
8: **ne ~ que: il ne fait que critiquer** (*sans cesse*) all he (ever) does is criticize; (*seulement*) he's only criticizing
9 (*dire*) to say; **vraiment? fit-il** really? he said
10 (*maladie*) to have; **~ du diabète** to have diabetes *sg*
◆ *vi* 1 (*agir, s'y prendre*) to act, do; **il faut ~ vite** we (*ou* you *etc*) must act quickly; **comment a-t-il fait pour?** how did he manage to?; **faites comme chez vous** make yourself at home
2 (*paraître*) to look; **~ vieux/démodé** to look old/old-fashioned; **ça fait bien** it looks good
◆ *vb substitut* to do; **ne le casse pas comme je l'ai fait** don't break it as I did; **je peux le voir? - faites!** can I see it? - please do!
◆ *vb impers* 1: **il fait beau** *etc* the weather is fine *etc*; *voir aussi* **jour**; **froid** *etc*
2 (*temps écoulé, durée*): **ça fait 2 ans qu'il est parti** it's 2 years since he left; **ça fait 2 ans qu'il y est** he's been there for 2 years
◆ *vb semi-aux* 1: **~ +infinitif** (*action directe*) to make; **~ tomber/bouger qch** to make sth fall/move; **~ démarrer un moteur/chauffer de l'eau** to start up an engine/heat some water; **cela fait dormir** it makes you sleep; **~ travailler les enfants** to make the children work *ou* get the children to work
2 (*indirectement, par un intermédiaire*): **~ réparer qch** to get *ou* have sth repaired; **~ punir les enfants** to have the children punished
se ~ *vi* 1 (*vin, fromage*) to mature
2: **cela se fait beaucoup/ne se fait pas** it's done a lot/not done

3: **se ~** *+nom ou pron*: **se ~ une jupe** to make o.s. a skirt; **se ~ des amis** to make friends; **se ~ du souci** to worry; **il ne s'en fait pas** he doesn't worry
4: **se ~** *+adj* (*devenir*): **se ~ vieux** to be getting old; (*délibérément*): **se ~ beau** to do o.s. up
5: **se ~ à** (*s'habituer*) to get used to; **je n'arrive pas à me ~ à la nourriture/au climat** I can't get used to the food/climate
6: **se ~** *+infinitif*: **se ~ opérer** to have an operation; **se ~ couper les cheveux** to get one's hair cut; **il va se ~ tuer/punir** he's going to get himself killed/get (himself) punished; **il s'est fait aider** he got somebody to help him; **il s'est fait aider par Simon** he got Simon to help him; **se ~ faire un vêtement** to get a garment made for o.s.
7 (*impersonnel*): **comment se fait-il/faisait-il que?** how is it/was it that?

faire-part [fɛʀpaʀ] *nm inv* announcement (*of birth, marriage etc*)
faisable [fəzabl(ə)] *adj* feasible
faisan, e [fəzɑ̃, -an] *nm/f* pheasant
faisandé, e [fəzɑ̃de] *adj* high (*bad*)
faisceau, x [fɛso] *nm* (*de lumière etc*) beam; (*de branches etc*) bundle
faisons *vb voir* **faire**
fait, e [fɛ, fɛt] *adj* (*mûr: fromage, melon*) ripe ◆ *nm* (*événement*) event, occurrence; (*réalité, donnée*) fact; **c'en est ~ de** that's the end of; **être le ~ de** (*causé par*) to be the work of; **être au ~ (de)** to be informed (of); **au ~** (*à propos*) by the way; **en venir au ~** to get to the point; **de ~** *adj* (*opposé à: de droit*) de facto ◆ *adv* in fact; **du ~ de ceci/qu'il a menti** because of *ou* on account of this/his having lied; **de ce ~** for this reason; **en ~** in fact; **en ~ de repas** by way of a meal; **prendre ~ et cause pour qn** to support sb, side with sb; **prendre qn sur le ~** to catch sb in the act; **~ divers** news item; **~s et gestes: les ~s et gestes de qn** sb's actions *ou* doings
faîte [fɛt] *nm* top; (*fig*) pinnacle, height
faites *vb voir* **faire**
faitout [fɛtu] *nm* = **fait-tout**
fait-tout [fɛtu] *nm inv* stewpot
falaise [falɛz] *nf* cliff
fallacieux, euse [falasjø, -øz] *adj* fallacious; deceptive; illusory
falloir [falwaʀ] *vb impers*: **il va ~ 100 F** we'll (*ou* I'll) need 100 F; **s'en ~**: **il s'en est fallu de 100 F/5 minutes** we (*ou* they) were 100 F short/5 minutes late (*ou* early); **il s'en faut de beaucoup qu'il soit** he is far from being; **il s'en est fallu de peu que cela n'arrive** it very nearly happened; **ou peu s'en faut** or as good as; **il doit ~ du temps** that must take time; **il me faudrait 100 F** I would need 100 F; **il vous faut tourner à gauche après l'église** you have to turn left past the church; **nous avons ce qu'il (nous) faut** we have what we need; **il faut qu'il parte/a fallu qu'il parte** (*obligation*) he has to *ou* must leave/had to leave; **il a fallu le faire** it had to be done
falsifier [falsifje] *vt* to falsify; to doctor
famé, e [fame] *adj*: **mal ~** disreputable, of ill repute
famélique [famelik] *adj* half-starved
fameux, euse [famø, -øz] *adj* (*illustre*) famous; (*bon: repas, plat etc*) first-rate, first-class; (*valeur intensive*) real, downright
familial, e, aux [familjal, -o] *adj* family *cpd*; **familiale** *nf* (*AUTO*) estate car (*BRIT*), station wagon (*US*)
familiarité [familjaʀite] *nf* informality; familiarity; **~s** *nfpl* (*privautés*) familiarities
familier, ère [familje, -ɛʀ] *adj* (*connu, impertinent*) familiar; (*dénotant une certaine intimité*) informal, friendly; (*LING*) informal, colloquial ◆ *nm* regular (visitor)
famille [famij] *nf* family; **il a de la ~ à Paris** he has relatives in Paris
famine [famin] *nf* famine
fanatique [fanatik] *adj* fanatical ◆ *nm/f* fanatic; **fanatisme** *nm* fanaticism
faner [fane]: **se ~** *vi* to fade
fanfare [fɑ̃faʀ] *nf* (*orchestre*) brass band; (*musique*) fanfare
fanfaron, ne [fɑ̃faʀɔ̃, -ɔn] *nm/f* braggart
fange [fɑ̃ʒ] *nf* mire
fanion [fanjɔ̃] *nm* pennant
fantaisie [fɑ̃tezi] *nf* (*spontanéité*) fancy, imagination; (*caprice*) whim; extravagance ◆ *adj*: **bijou/pain (de) ~** costume jewellery/fancy bread; **fantaisiste** *adj* (*péj*) unorthodox, eccentric ◆ *nm/f* (*de music-hall*) variety artist
fantasme [fɑ̃tasm(ə)] *nm* fantasy
fantasque [fɑ̃task(ə)] *adj* whimsical, capricious; fantastic
fantastique [fɑ̃tastik] *adj* fantastic
fantôme [fɑ̃tom] *nm* ghost, phantom
faon [fɑ̃] *nm* fawn
farce [faʀs(ə)] *nf* (*viande*) stuffing; (*blague*) (practical) joke; (*THÉÂTRE*) farce; **farcir** *vt* (*viande*) to stuff
fard [faʀ] *nm* make-up
fardeau, x [faʀdo] *nm* burden
farder [faʀde] *vt* to make up
farfelu, e [faʀfəly] *adj* hare-brained
farine [faʀin] *nf* flour; **farineux, euse** *adj* (*sauce, pomme*) floury ◆ *nmpl* (*aliments*) starchy foods
farouche [faʀuʃ] *adj* shy, timid; savage, wild; fierce
fart [faʀ(t)] *nm* (ski) wax
fascicule [fasikyl] *nm* volume
fasciner [fasine] *vt* to fascinate
fascisme [faʃism(ə)] *nm* fascism
fasse *etc vb voir* **faire**
faste [fast(ə)] *nm* splendour ◆ *adj*: **c'est un jour ~** it's his (*ou* our *etc*) lucky day
fastidieux, euse [fastidjø, -øz] *adj* tedious, tiresome
fastueux, euse [fastɥø, -øz] *adj* sumptuous, luxurious
fatal, e [fatal] *adj* fatal; (*inévitable*) inevitable; **fatalité** *nf* fate; fateful coincidence; inevitability
fatidique [fatidik] *adj* fateful
fatigant, e [fatigɑ̃, -ɑ̃t] *adj* tiring; (*agaçant*) tiresome
fatigue [fatig] *nf* tiredness, fatigue
fatigué, e [fatige] *adj* tired
fatiguer [fatige] *vt* to tire, make tired; (*TECH*) to put a strain on, strain; (*fig: importuner*) to wear out ◆ *vi* (*moteur*) to labour, strain; **se ~** to get tired; to tire o.s. (out)
fatras [fatʀa] *nm* jumble, hotchpotch
fatuité [fatɥite] *nf* conceitedness, smugness
faubourg [fobuʀ] *nm* suburb
fauché, e [foʃe] (*fam*) *adj* broke
faucher [foʃe] *vt* (*herbe*) to cut; (*champs, blés*) to reap; (*fig*) to cut down; to mow down
faucille [fosij] *nf* sickle
faucon [fokɔ̃] *nm* falcon, hawk
faudra *vb voir* **falloir**
faufiler [fofile] *vt* to tack, baste; **se ~** *vi*: **se ~ dans** to edge one's way into; **se ~ parmi/entre** to thread one's way among/between
faune [fon] *nf* (*ZOOL*) wildlife, fauna
faussaire [fosɛʀ] *nm* forger
fausse [fos] *adj voir* **faux**
faussement [fosmɑ̃] *adv* (*accuser*) wrongly, wrongfully; (*croire*) falsely
fausser [fose] *vt* (*objet*) to bend, buckle; (*fig*) to distort
fausseté [foste] *nf* wrongness; falseness
faut *vb voir* **falloir**
faute [fot] *nf* (*erreur*) mistake, error; (*péché, manquement*) misdemeanour; (*FOOTBALL etc*) offence; (*TENNIS*) fault; **c'est de sa/ma ~** it's his/my fault; **être en ~** to be in the wrong; **~ de** (*temps, argent*) for *ou* through lack of; **sans ~** without fail; **~ de frappe** typing error; **~ professionnelle** professional misconduct *no pl*
fauteuil [fotœj] *nm* armchair; **~ d'orchestre** seat in the front stalls; **~ roulant** wheelchair
fauteur [fotœʀ] *nm*: **~ de troubles** trouble-maker
fautif, ive [fotif, -iv] *adj* (*incorrect*) incorrect, inaccurate; (*responsable*) at fault, in the wrong; guilty
fauve [fov] *nm* wildcat ◆ *adj* (*couleur*) fawn
faux¹ [fo] *nf* scythe
faux², fausse [fo, fos] *adj* (*inexact*) wrong; (*piano, voix*) out of tune; (*falsifié*) fake; forged; (*sournois, postiche*) false ◆ *adv* (*MUS*) out of tune ◆ *nm* (*copie*) fake, forgery; (*opposé au vrai*): **le faux** falsehood; **faire faux bond à qn** to stand sb up; **fausse alerte** false alarm; **fausse couche** miscarriage; **faux frais** *nmpl* extras, incidental expenses; **faux pas** tripping *no pl*; (*fig*) faux pas; **faux témoignage** (*délit*) perjury; **faux-filet** *nm* sirloin; **faux-fuyant** *nm* equivocation; **faux-monnayeur** *nm* counterfeiter, forger
faveur [favœʀ] *nf* favour; **traitement de ~** preferential treatment; **à la ~ de** under cover of; thanks to; **en ~ de** in favour of
favorable [favɔʀabl(ə)] *adj* favourable
favori, te [favɔʀi, -it] *adj, nm/f* favourite; **~s** *nmpl* (*barbe*) sideboards (*BRIT*), sideburns
favoriser [favɔʀize] *vt* to favour
fax [faks] *nm* fax
fébrile [febʀil] *adj* feverish, febrile
fécond, e [fekɔ̃, -ɔ̃d] *adj* fertile; **~er** *vt* to fertilize; **~ité** *nf* fertility
fécule [fekyl] *nf* potato flour
féculent [fekylɑ̃] *nm* starchy food
fédéral, e, aux [fedeʀal, -o] *adj* federal
fée [fe] *nf* fairy; **~rie** *nf* enchantment; **~rique** *adj* magical, fairytale *cpd*
feignant, e [fɛɲɑ̃, -ɑ̃t] *nm/f* = **fainéant, e**
feindre [fɛ̃dʀ(ə)] *vt* to feign ◆ *vi* to dissemble; **~ de faire** to pretend to do
feinte [fɛ̃t] *nf* (*SPORT*) dummy
fêler [fele] *vt* to crack
félicitations [felisitasjɔ̃] *nfpl* congratulations
féliciter [felisite] *vt*: **~ qn (de)** to congratulate sb (on); **se ~ (de)** to congratulate o.s. (on)
félin, e [felɛ̃, -in] *adj* feline ◆ *nm* (big) cat
fêlure [felyʀ] *nf* crack
femelle [fəmɛl] *adj, nf* female
féminin, e [feminɛ̃, -in] *adj* feminine; (*sexe*) female; (*équipe, vêtements etc*) women's ◆ *nm* (*LING*) feminine; **féministe** *adj* feminist
femme [fam] *nf* woman; (*épouse*) wife; **~ au foyer** *nf* housewife; **~ de chambre** cleaning lady; **~ de ménage = femme de chambre**
fémur [femyʀ] *nm* femur, thighbone
fendre [fɑ̃dʀ(ə)] *vt* (*couper en deux*) to split; (*fissurer*) to crack; (*fig: traverser*) to cut through; to cleave through; **se ~** *vi* to crack
fenêtre [fənɛtʀ(ə)] *nf* window
fenouil [fənuj] *nm* fennel
fente [fɑ̃t] *nf* (*fissure*) crack; (*de boîte à lettres etc*) slit
féodal, e, aux [feɔdal, -o] *adj* feudal
fer [fɛʀ] *nm* iron; (*de cheval*) shoe; **~ à cheval** horseshoe; **~ (à repasser)** iron; **~ forgé** wrought iron
ferai *etc vb voir* **faire**
fer-blanc [fɛʀblɑ̃] *nm* tin(plate)
férié, e [feʀje] *adj*: **jour ~** public holiday
ferions *etc vb voir* **faire**
ferme [fɛʀm(ə)] *adj* firm ◆ *adv* (*travailler etc*) hard ◆ *nf* (*exploitation*) farm; (*maison*) farmhouse
fermé, e [fɛʀme] *adj* closed, shut; (*gaz, eau etc*) off; (*fig: personne*) uncommunicative; (: *milieu*) exclusive
fermenter [fɛʀmɑ̃te] *vi* to ferment
fermer [fɛʀme] *vt* to close, shut; (*cesser l'exploitation de*) to close down, shut down; (*eau, lumière, électricité, robinet*) to put off, turn off; (*aéroport, route*) to close ◆ *vi* to close, shut; to close down, shut down; **se ~** *vi* (*yeux*) to close, shut; (*fleur, blessure*) to close up
fermeté [fɛʀməte] *nf* firmness
fermeture [fɛʀmətyʀ] *nf* closing; shutting; closing *ou* shutting down; putting *ou* turning off; (*dispositif*) catch; fastening, fastener; **~ à glissière = fermeture éclair**; **~ éclair** zip (fastener) (*BRIT*), zipper (*US*)
fermier [fɛʀmje] *nm* farmer; **fermière** *nf* woman farmer; farmer's wife
fermoir [fɛʀmwaʀ] *nm* clasp
féroce [feʀɔs] *adj* ferocious, fierce
ferons *vb voir* **faire**
ferraille [fɛʀaj] *nf* scrap iron; **mettre à la ~** to scrap
ferré, e [fɛʀe] *adj* hobnailed; steel-tipped; (*fam*): **~ en** well up on, hot at; **ferrer** [fɛʀe] *vt* (*cheval*) to shoe
ferronnerie [fɛʀɔnʀi] *nf* ironwork
ferroviaire [fɛʀɔvjɛʀ] *adj* rail(way) *cpd* (*BRIT*), rail(road) *cpd* (*US*)
ferry(boat) [fɛʀe(bot)] *nm* ferry
fertile [fɛʀtil] *adj* fertile; **~ en incidents** eventful, packed with incidents
féru, e [feʀy] *adj*: **~ de** with a keen interest in
férule [feʀyl] *nf*: **être sous la ~ de qn** to be under sb's (iron) rule
fervent, e [fɛʀvɑ̃, -ɑ̃t] *adj* fervent
fesse [fɛs] *nf* buttock; **fessée** *nf* spanking
festin [fɛstɛ̃] *nm* feast
festival [fɛstival] *nm* festival
festoyer [fɛstwaje] *vi* to feast
fêtard [fɛtaʀ] (*péj*) *nm* high liver, merry-maker
fête [fɛt] *nf* (*religieuse*) feast; (*publique*) holiday; (*en famille etc*) celebration; (*kermesse*) fête, fair, festival; (*du nom*) feast day, name day; **faire la ~** to live it up; **faire ~ à qn** to give sb a warm welcome; **les ~s (de fin d'année)** the festive season; **la salle/le comité des ~s** the village hall/festival committee; **~ foraine** (fun) fair; **la F~ Nationale** the national holiday; **fêter** *vt* to celebrate; (*personne*) to have a celebration for
fétu [fety] *nm*: **~ de paille** wisp of straw
feu, x [fø] *nm* (*gén*) fire; (*signal lumineux*) light; (*de cuisinière*) ring; (*sensation de brûlure*) burning (sensation) ◆ *adj inv*: **~ son père** his late father; **~x** *nmpl* (*éclat, lumière*) fire *sg*; (*AUTO*) (traffic) lights; **au ~!** (*incendie*) fire!; **à ~ doux/vif** over a slow/brisk heat; **à petit ~** (*CULIN*) over a gentle heat; (*fig*) slowly; **faire ~** to fire; **prendre ~** to catch fire; **mettre le ~ à** to set fire to; **faire du ~** to make a fire; **avez-vous du ~?** (*pour cigarette*) have you (got) a light?; **~ arrière** rear light; **~ d'artifice** firework; (*spectacle*) fireworks *pl*; **~ de joie** bonfire; **~ rouge/vert/orange** red/green/amber (*BRIT*) *ou* yellow (*US*) light; **~x de brouillard** fog-lamps; **~x de croisement** dipped (*BRIT*) *ou* dimmed (*US*) headlights; **~x de position** sidelights; **~x de route** headlights
feuillage [fœjaʒ] *nm* foliage, leaves *pl*
feuille [fœj] *nf* (*d'arbre*) leaf; (*de papier*) sheet; **~ d'impôts** tax form; **~ de maladie** *medical expenses claim form*; **~ de paie** pay slip; **~ de vigne** (*BOT*) vine leaf; (*sur statue*) fig leaf; **~ volante** loose sheet
feuillet [fœjɛ] *nm* leaf
feuilleté, e [fœjte] *adj* (*CULIN*) flaky; (*verre*) laminated
feuilleter [fœjte] *vt* (*livre*) to leaf through
feuilleton [fœjtɔ̃] *nm* serial
feuillu, e [fœjy] *adj* leafy ◆ *nm* broad-leaved tree
feutre [føtʀ(ə)] *nm* felt; (*chapeau*) felt hat; (*aussi: stylo-~*) felt-tip pen; **feutré, e** *adj* feltlike; (*pas, voix*) muffled
fève [fɛv] *nf* broad bean
février [fevʀije] *nm* February
fi [fi] *excl*: **faire ~ de** to snap one's fingers at
fiable [fjabl(ə)] *adj* reliable
fiacre [fjakʀ(ə)] *nm* (hackney) cab *ou* carriage
fiançailles [fjɑ̃saj] *nfpl* engagement *sg*
fiancé, e [fjɑ̃se] *nm/f* fiancé(fiancée) ◆ *adj*: **être ~ (à)** to be engaged (to)
fiancer [fjɑ̃se]: **se ~** *vi* to become engaged
fibre [fibʀ(ə)] *nf* fibre; **~ de verre** fibreglass, glass fibre
ficeler [fisle] *vt* to tie up
ficelle [fisɛl] *nf* string *no pl*; piece *ou* length of string
fiche [fiʃ] *nf* (*pour fichier*) (index) card; (*formulaire*) form; (*ÉLEC*) plug
ficher [fiʃe] *vt* (*dans un fichier*) to file; (*POLICE*) to put on file; (*planter*) to stick, drive; (*fam*) to do; to give; to stick *ou* shove; **se ~ de** (*fam*) to make fun of; not to care about; **fiche-(moi) le camp** (*fam*) clear off; **fiche-moi la paix** leave me alone
fichier [fiʃje] *nm* file; card index
fichu, e [fiʃy] *pp de* **ficher (fam)** ◆ *adj* (*fam: fini, inutilisable*) bust, done for; (: *intensif*) wretched, darned ◆ *nm* (*foulard*) (head)scarf; **mal ~** (*fam*) feeling lousy; useless
fictif, ive [fiktif, -iv] *adj* fictitious
fiction [fiksjɔ̃] *nf* fiction; (*fait imaginé*) invention
fidèle [fidɛl] *adj* faithful ◆ *nm/f* (*REL*): **les ~s** the faithful *pl*; (*à l'église*) the congregation *sg*
fief [fjɛf] *nm* fief; (*fig*) preserve; stronghold
fier¹ [fje]: **se fier à** *vt* to trust
fier², fière [fjɛʀ] *adj* proud; **fierté** *nf* pride
fièvre [fjɛvʀ(ə)] *nf* fever; **avoir de la ~/39 de ~** to have a high temperature/a temperature of 39°C; **fiévreux, euse** *adj* feverish
figer [fiʒe] *vt* to congeal; (*fig: personne*) to freeze, root to the spot; **se ~** *vi* to congeal; to freeze; (*institutions etc*) to become set, stop evolving
figue [fig] *nf* fig; **figuier** *nm* fig tree
figurant, e [figyʀɑ̃, -ɑ̃t] *nm/f* (*THÉÂTRE*) walk-on; (*CINÉMA*) extra
figure [figyʀ] *nf* (*visage*) face; (*image, tracé, forme, personnage*) figure; (*illustration*) picture, diagram; **faire ~ de** to look like
figuré, e [figyʀe] *adj* (*sens*) figurative
figurer [figyʀe] *vi* to appear ◆ *vt* to represent; **se ~ que** to imagine that
fil [fil] *nm* (*brin, fig: d'une histoire*) thread; (*du téléphone*) cable, wire; (*textile de lin*) linen; (*d'un couteau*) edge; **au ~ des années** with the passing of the years; **au ~ de l'eau** with the stream *ou* current; **coup de ~** phone call; **~ à coudre** (sewing) thread; **~ à pêche** fishing line; **~ à plomb** plumbline; **~ de fer** wire; **~ de fer barbelé** barbed wire; **~ électrique** electric wire
filament [filamɑ̃] *nm* (*ÉLEC*) filament; (*de liquide*) trickle, thread
filandreux, euse [filɑ̃dʀø, -øz] *adj* stringy
filasse [filas] *adj inv* white blond
filature [filatyʀ] *nf* (*fabrique*) mill; (*policière*) shadowing *no pl*, tailing *no pl*
file [fil] *nf* line; (*AUTO*) lane; **en ~ indienne** in single file; **à la ~** (*d'affilée*) in succession; **~ (d'attente)** queue (*BRIT*), line (*US*)
filer [file] *vt* (*tissu, toile*) to spin; (*prendre en filature*) to shadow, tail; (*fam: donner*): **~ qch à qn** to slip sb sth ◆ *vi* (*bas, liquide, pâte*) to run; (*aller vite*) to fly past; (*fam: partir*) to make off; **~ doux** to toe the line
filet [filɛ] *nm* net; (*CULIN*) fillet; (*d'eau, de sang*) trickle; **~ (à provisions)** string bag
filiale [filjal] *nf* (*COMM*) subsidiary
filière [filjɛʀ] *nf*: **passer par la ~** to go through the (administrative) channels; **suivre la ~** (*dans sa carrière*) to work one's way up (through the hierarchy)
filiforme [filifɔʀm(ə)] *adj* spindly; threadlike

filigrane [filigʀan] *nm* (*d'un billet, timbre*) watermark; **en ~** (*fig*) showing just beneath the surface
fille [fij] *nf* girl; (*opposé à fils*) daughter; **vieille ~** old maid; **fillette** *nf* (little) girl
filleul, e [fijœl] *nm/f* godchild, godson/ daughter
film [film] *nm* (*pour photo*) (roll of) film; (*œuvre*) film, picture, movie; (*couche*) film; **~ d'animation** animated film; **~ policier** thriller
filon [filɔ̃] *nm* vein, lode; (*fig*) lucrative line, money spinner
fils [fis] *nm* son; **~ à papa** daddy's boy
filtre [filtʀ(ə)] *nm* filter; **~ à air** (*AUTO*) air filter; **filtrer** *vt* to filter; (*fig*: *candidats, visiteurs*) to screen ◆ *vi* to filter (through)
fin[1] [fɛ̃] *nf* end; **fins** *nfpl* (*but*) ends; **prendre fin** to come to an end; **mettre fin à** to put an end to; **à la fin** in the end, eventually; **sans fin** *adj* endless ◆ *adv* endlessly
fin[2], **e** [fɛ̃, fin] *adj* (*papier, couche, fil*) thin; (*cheveux, poudre, pointe, visage*) fine; (*taille*) neat, slim; (*esprit, remarque*) subtle; shrewd ◆ *adv* (*moudre, couper*) finely; **un fin tireur** a crack shot; **avoir la vue/l'ouïe fine** to have sharp *ou* keen eyes/ears; **vin fin** fine wine; **fin gourmet** gourmet; **fin prêt** quite ready; **fines herbes** mixed herbs
final, e [final] *adj* final ◆ *nm* (*MUS*) finale; **finale** *nf* final; **quarts de finale** quarter finals; **8èmes/16èmes de finale** 2nd/1st round (*in knock-out competition*); **finalement** *adv* finally, in the end; (*après tout*) after all
finance [finɑ̃s] *nf* finance; **~s** *nfpl* (*situation*) finances; (*activités*) finance *sg*; **moyennant ~** for a fee; **financer** *vt* to finance; **financier, ière** *adj* financial
finaud, e [fino, -od] *adj* wily
fine [fin] *nf* (*alcool*) liqueur brandy
finesse [finɛs] *nf* thinness; fineness; neatness, slimness; subtlety; shrewdness
fini, e [fini] *adj* finished; (*MATH*) finite; (*intensif*): **un menteur ~** a liar through and through ◆ *nm* (*d'un objet manufacturé*) finish
finir [finiʀ] *vt* to finish ◆ *vi* to finish, end; **~ quelque part/par faire** to end up *ou* finish up somewhere/doing; **~ de faire** to finish doing; (*cesser*) to stop doing; **il finit par m'agacer** he's beginning to get on my nerves; **~ en pointe/tragédie** to end in a point/in tragedy; **en ~ avec** to be *ou* have done with; **il va mal ~** he will come to a bad end
finition [finisjɔ̃] *nf* finishing; finish
finlandais, e [fɛ̃lɑ̃dɛ, -ɛz] *adj* Finnish ◆ *nm/f*: **F~, e** Finn
Finlande [fɛ̃lɑ̃d] *nf*: **la ~** Finland
fiole [fjɔl] *nf* phial
fioriture [fjɔʀityʀ] *nf* embellishment, flourish
firme [fiʀm(ə)] *nf* firm
fis *vb voir* **faire**
fisc [fisk] *nm* tax authorities *pl*; **~al, e, aux** *adj* tax *cpd*, fiscal; **~alité** *nf* tax system; (*charges*) taxation
fissure [fisyʀ] *nf* crack; **~r** [fisyʀe] *vt* to crack; **se ~r** *vi* to crack
fiston [fistɔ̃] (*fam*) *nm* son, lad
fit *vb voir* **faire**
fixation [fiksɑsjɔ̃] *nf* fixing; fastening; setting; (*de ski*) binding; (*PSYCH*) fixation
fixe [fiks(ə)] *adj* fixed; (*emploi*) steady, regular ◆ *nm* (*salaire*) basic salary; **à heure ~** at a set time; **menu à prix ~** set menu
fixé, e [fikse] *adj*: **être ~ (sur)** (*savoir à quoi s'en tenir*) to have made up one's mind (about); to know for certain (about)
fixer [fikse] *vt* (*attacher*): **~ qch (à/sur)** to fix *ou* fasten sth (to/onto); (*déterminer*) to fix, set; (*CHIMIE, PHOTO*) to fix; (*regarder*) to stare at; **se ~** *vi* (*s'établir*) to settle down; **se ~ sur** (*suj*: *attention*) to focus on
flacon [flakɔ̃] *nm* bottle
flageller [flaʒele] *vt* to flog, scourge
flageoler [flaʒɔle] *vi* (*jambes*) to sag
flageolet [flaʒɔlɛ] *nm* (*MUS*) flageolet; (*CULIN*) dwarf kidney bean
flagrant, e [flagʀɑ̃, -ɑ̃t] *adj* flagrant, blatant; **en ~ délit** in the act
flair [flɛʀ] *nm* sense of smell; (*fig*) intuition; **flairer** *vt* (*humer*) to sniff (at); (*détecter*) to scent
flamand, e [flamɑ̃, -ɑ̃d] *adj* Flemish ◆ *nm* (*LING*) Flemish ◆ *nm/f*: **F~, e** Fleming; **les F~s** the Flemish
flamant [flamɑ̃] *nm* flamingo
flambant [flɑ̃bɑ̃] *adv*: **~ neuf** brand new
flambé, e [flɑ̃be] *adj* (*CULIN*) flambé
flambeau, x [flɑ̃bo] *nm* (flaming) torch
flambée [flɑ̃be] *nf* blaze; (*fig*) flaring-up, explosion
flamber [flɑ̃be] *vi* to blaze (up)
flamboyer [flɑ̃bwaje] *vi* to blaze (up); to flame
flamme [flam] *nf* flame; (*fig*) fire, fervour; **en ~s** on fire, ablaze
flan [flɑ̃] *nm* (*CULIN*) custard tart *ou* pie
flanc [flɑ̃] *nm* side; (*MIL*) flank; **prêter le ~ à** (*fig*) to lay o.s. open to
flancher [flɑ̃ʃe] *vi* to fail, pack up; to quit
flanelle [flanɛl] *nf* flannel
flâner [flɑne] *vi* to stroll; **flânerie** *nf* stroll
flanquer [flɑ̃ke] *vt* to flank; (*fam*: *mettre*) to chuck, shove; (*: jeter*): **~ par terre/à la porte** to fling to the ground/chuck out
flaque [flak] *nf* (*d'eau*) puddle; (*d'huile, de sang etc*) pool
flash [flaʃ] (*pl* **flashes**) *nm* (*PHOTO*) flash; **~ (d'information)** newsflash
flasque [flask(ə)] *adj* flabby
flatter [flate] *vt* to flatter; **se ~ de qch** to pride o.s. on sth; **flatterie** *nf* flattery *no pl*; **flatteur, euse** *adj* flattering ◆ *nm/f* flatterer
fléau, x [fleo] *nm* scourge
flèche [flɛʃ] *nf* arrow; (*de clocher*) spire; (*de grue*) jib; **monter en ~** (*fig*) to soar, rocket; **partir en ~** to be off like a shot; **fléchette** *nf* dart; **fléchettes** *nfpl* (*jeu*) darts *sg*
fléchir [fleʃiʀ] *vt* (*corps, genou*) to bend; (*fig*) to sway, weaken ◆ *vi* (*poutre*) to sag, bend; (*fig*) to weaken, flag; to yield
flemmard, e [flemaʀ, -aʀd(ə)] *nm/f* lazybones *sg*, loafer
flétrir [fletʀiʀ] *vt* to wither; **se ~** *vi* to wither
fleur [flœʀ] *nf* flower; (*d'un arbre*) blossom; **en ~** (*arbre*) in blossom; **à ~ de terre** just above the ground
fleurer [flœʀe] *vt*: **~ la lavande** to have the scent of lavender
fleuri, e [flœʀi] *adj* in flower *ou* bloom; surrounded by flowers; (*fig*) flowery; florid
fleurir [flœʀiʀ] *vi* (*rose*) to flower; (*arbre*) to blossom; (*fig*) to flourish ◆ *vt* (*tombe*) to put flowers on; (*chambre*) to decorate with flowers
fleuriste [flœʀist(ə)] *nm/f* florist
fleuron [flœʀɔ̃] *nm* (*fig*) jewel
fleuve [flœv] *nm* river
flexible [flɛksibl(ə)] *adj* flexible
flexion [flɛksjɔ̃] *nf* flexing, bending
flic [flik] (*fam*: *péj*) *nm* cop
flipper [flipœʀ] *nm* pinball (machine)
flirter [flœʀte] *vi* to flirt
flocon [flɔkɔ̃] *nm* flake
floraison [flɔʀɛzɔ̃] *nf* flowering; blossoming; flourishing
flore [flɔʀ] *nf* flora
florissant [flɔʀisɑ̃] *vb voir* **fleurir**
flot [flo] *nm* flood, stream; **~s** *nmpl* (*de la mer*) waves; **être à ~** (*NAVIG*) to be afloat; (*fig*) to be on an even keel; **entrer à ~s** to stream *ou* pour in
flotte [flɔt] *nf* (*NAVIG*) fleet; (*fam*) water; rain
flottement [flɔtmɑ̃] *nm* (*fig*) wavering, hesitation
flotter [flɔte] *vi* to float; (*nuage, odeur*) to drift; (*drapeau*) to fly; (*vêtements*) to hang loose; (*monnaie*) to float ◆ *vt* to float; **faire ~** to float; **flotteur** *nm* float
flou, e [flu] *adj* fuzzy, blurred; (*fig*) woolly, vague
flouer [flue] *vt* to swindle
fluctuation [flyktɥasjɔ̃] *nf* fluctuation
fluet, te [flyɛ, -ɛt] *adj* thin, slight
fluide [flyid] *adj* fluid; (*circulation etc*) flowing freely ◆ *nm* fluid; (*force*) (mysterious) power
fluor [flyɔʀ] *nm* fluorine
fluorescent, e [flyɔʀesɑ̃, -ɑ̃t] *adj* fluorescent
flûte [flyt] *nf* flute; (*verre*) flute glass; (*pain*) long loaf; **~!** drat it!; **~ à bec** recorder
flux [fly] *nm* incoming tide; (*écoulement*) flow; **le ~ et le reflux** the ebb and flow
FM *sigle f* (= *fréquence modulée*) FM
foc [fɔk] *nm* jib
foi [fwa] *nf* faith; **sous la ~ du serment** under *ou* on oath; **ajouter ~ à** to lend credence to; **digne de ~** reliable; **sur la ~ de** on the word *ou* strength of; **être de bonne/mauvaise ~** to be sincere/ insincere; **ma ~ ...** well ...
foie [fwa] *nm* liver
foin [fwɛ̃] *nm* hay; **faire du ~** (*fig*: *fam*) to kick up a row
foire [fwaʀ] *nf* fair; (*fête foraine*) (fun) fair; **faire la ~** (*fig*: *fam*) to whoop it up; **~ (exposition)** trade fair
fois [fwa] *nf* time; **une/deux ~** once/twice; **2 ~ 2** 2 times 2; **quatre ~ plus grand (que)** four times as big (as); **une ~** (*passé*) once; (*futur*) sometime; **une ~ pour toutes** once and for all; **une ~ que** once; **des ~** (*parfois*) sometimes; **à la ~** (*ensemble*) at once
foison [fwazɔ̃] *nf*: **une ~ de** an abundance of; **à ~** in plenty
foisonner [fwazɔne] *vi* to abound
fol [fɔl] *adj voir* **fou**
folâtrer [fɔlɑtʀe] *vi* to frolic (about)
folie [fɔli] *nf* (*d'une décision, d'un acte*) madness, folly; (*état*) madness, insanity; (*acte*) folly; **la ~ des grandeurs** delusions of grandeur; **faire des ~s** (*en dépenses*) to be extravagant
folklorique [fɔlklɔʀik] *adj* folk *cpd*; (*fam*) weird
folle [fɔl] *adj, nf voir* **fou**; **follement** *adv* (*très*) madly, wildly
foncé, e [fɔ̃se] *adj* dark
foncer [fɔ̃se] *vi* to go darker; (*fam*: *aller vite*) to tear *ou* belt along; **~ sur** to charge at
foncier, ère [fɔ̃sje, -ɛʀ] *adj* (*honnêteté etc*) basic, fundamental; (*malhonnêteté*) deep-rooted; (*COMM*) real estate *cpd*
fonction [fɔ̃ksjɔ̃] *nf* (*rôle, MATH, LING*) function; (*emploi, poste*) post, position; **~s** *nfpl* (*professionnelles*) duties; **entrer en ~s** to take up one's post *ou* duties; to take up office; **voiture de ~** company car; **être ~ de** (*dépendre de*) to depend on; **en ~ de** (*par rapport à*) according to; **faire ~ de** to serve as; **la ~ publique** the state *ou* civil (*BRIT*) service; **fonctionnaire** [fɔ̃ksjɔnɛʀ] *nm/f* state employee, local authority employee; (*dans l'administration*) ≈ civil servant; **fonctionner** [fɔ̃ksjɔne] *vi* to work, function; (*entreprise*) to operate, function
fond [fɔ̃] *nm* (*d'un récipient, trou*) bottom; (*d'une salle, scène*) back; (*d'un tableau, décor*) background; (*opposé à la forme*) content; (*SPORT*): **le ~** long distance (running); **sans ~** bottomless; **au ~ de** at the bottom of; at the back of; **à ~** (*connaître, soutenir*) thoroughly; (*appuyer, visser*) right down *ou* home; **à ~ (de train)** (*fam*) full tilt; **dans le ~, au ~** (*en somme*) basically, really; **de ~ en comble** from top to bottom; *voir aussi* **fonds**; **~ de teint** (make-up) foundation; **~ sonore** background noise; background music
fondamental, e, aux [fɔ̃damɑ̃tal, -o] *adj* fundamental
fondant, e [fɔ̃dɑ̃, -ɑ̃t] *adj* (*neige*) melting; (*poire*) that melts in the mouth
fondateur, trice [fɔ̃datœʀ, -tʀis] *nm/f* founder
fondation [fɔ̃dasjɔ̃] *nf* founding; (*établissement*) foundation; **~s** *nfpl* (*d'une maison*) foundations
fondé, e [fɔ̃de] *adj* (*accusation etc*) well-founded ◆ *nm*: **~ de pouvoir** authorized representative; **être ~ à** to have grounds for *ou* good reason to
fondement [fɔ̃dmɑ̃] *nm* (*derrière*) behind; **~s** *nmpl* (*base*) foundations; **sans ~** (*rumeur etc*) groundless, unfounded
fonder [fɔ̃de] *vt* to found; (*fig*) to base; **se ~ sur** (*suj*: *personne*) to base o.s. on
fonderie [fɔ̃dʀi] *nf* smelting works *sg*
fondre [fɔ̃dʀ(ə)] *vt* (*aussi*: *faire ~*) to melt; (*dans l'eau*) to dissolve; (*fig*: *mélanger*) to merge, blend ◆ *vi* to melt; to dissolve; (*fig*) to melt away; (*se précipiter*): **~ sur** to swoop down on; **~ en larmes** to burst into tears
fonds [fɔ̃] *nm* (*de bibliothèque*) collection; (*COMM*): **~ (de commerce)** business ◆ *nmpl* (*argent*) funds; **à ~ perdus** with little or no hope of getting the money back
fondu, e [fɔ̃dy] *adj* (*beurre, neige*) melted; (*métal*) molten; **fondue** *nf* (*CULIN*) fondue
font *vb voir* **faire**
fontaine [fɔ̃tɛn] *nf* fountain; (*source*) spring
fonte [fɔ̃t] *nf* melting; (*métal*) cast iron; **la ~ des neiges** the (spring) thaw
foot [fut] (*fam*) *nm* football
football [futbol] *nm* football, soccer; **footballeur** *nm* footballer
footing [futiŋ] *nm* jogging; **faire du ~** to go jogging
for [fɔʀ] *nm*: **dans son ~ intérieur** in one's heart of hearts
forain, e [fɔʀɛ̃, -ɛn] *adj* fairground *cpd* ◆ *nm* stallholder; fairground entertainer
forçat [fɔʀsa] *nm* convict
force [fɔʀs(ə)] *nf* strength; (*puissance*: *surnaturelle etc*) power; (*PHYSIQUE, MÉCANIQUE*) force; **~s** *nfpl* (*physiques*) strength *sg*; (*MIL*) forces; **à ~ d'insister** by dint of insisting; as he (*ou* I *etc*) kept on insisting; **de ~** forcibly, by force; **être de ~ à faire** to be up to doing; **de première ~** first class; **les ~s de l'ordre** the police
forcé, e [fɔʀse] *adj* forced; unintended; inevitable
forcément [fɔʀsemɑ̃] *adv* necessarily; inevitably; (*bien sûr*) of course
forcené, e [fɔʀsəne] *nm/f* maniac
forcer [fɔʀse] *vt* (*porte, serrure, plante*) to force; (*moteur, voix*) to strain ◆ *vi* (*SPORT*) to overtax o.s.; **~ la dose** to overdo it; **~ l'allure** to increase the pace; **se ~ (pour faire)** to force o.s. (to do)
forcir [fɔʀsiʀ] *vi* (*grossir*) to broaden out; (*vent*) to freshen
forer [fɔʀe] *vt* to drill, bore
forestier, ère [fɔʀestje, -ɛʀ] *adj* forest *cpd*
forêt [fɔʀɛ] *nf* forest
forfait [fɔʀfɛ] *nm* (*COMM*) fixed *ou* set price; all-in deal *ou* price; (*crime*) infamy; **déclarer ~** to withdraw; **travailler à ~** to work for a lump sum; **~aire** *adj* inclusive; set
forge [fɔʀʒ(ə)] *nf* forge, smithy
forger [fɔʀʒe] *vt* to forge; (*fig*: *personnalité*) to form; (*: prétexte*) to contrive, make up
forgeron [fɔʀʒəʀɔ̃] *nm* (black)smith
formaliser [fɔʀmalize] : **se ~** *vi* to take offence (at)
formalité [fɔʀmalite] *nf* (*ADMIN, JUR*) formality; (*acte sans importance*): **simple ~** mere formality
format [fɔʀma] *nm* size
formater [fɔʀmate] *vt* (*disque*) to format
formation [fɔʀmɑsjɔ̃] *nf* forming; training; (*MUS*) group; (*MIL, AVIAT, GÉO*) formation; **~ permanente** continuing education; **~ professionnelle** vocational training
forme [fɔʀm(ə)] *nf* (*gén*) form; (*d'un objet*) shape, form; **~s** *nfpl* (*bonnes manières*) proprieties; (*d'une femme*) figure *sg*; **en ~ de poire** pear-shaped; **être en ~** (*SPORT etc*) to be on form; **en bonne et due ~** in due form
formel, le [fɔʀmɛl] *adj* (*preuve, décision*) definite, positive; (*logique*) formal; **formellement** *adv* (*absolument*) positively
former [fɔʀme] *vt* to form; (*éduquer*) to train; **se ~** *vi* to form
formidable [fɔʀmidabl(ə)] *adj* tremendous
formulaire [fɔʀmylɛʀ] *nm* form
formule [fɔʀmyl] *nf* (*gén*) formula; (*formulaire*) form; **~ de politesse** polite phrase; letter ending
formuler [fɔʀmyle] *vt* (*émettre*: *réponse, vœux*) to formulate; (*expliciter*: *sa pensée*) to express
fort, e [fɔʀ, fɔʀt(ə)] *adj* strong; (*intensité, rendement*) high, great; (*corpulent*) stout; (*doué*) good, able ◆ *adv* (*serrer, frapper*) hard; (*sonner*) loud(ly); (*beaucoup*) greatly, very much; (*très*) very ◆ *nm* (*édifice*) fort; (*point fort*) strong point, forte; **se faire ~ de ...** to claim one can ...; **au plus ~ de** (*au milieu de*) in the thick of; at the height of; **~e tête** rebel
fortifiant [fɔʀtifjɑ̃] *nm* tonic
fortifier [fɔʀtifje] *vt* to strengthen, fortify; (*MIL*) to fortify
fortiori [fɔʀtjɔʀi] : **à ~** *adv* all the more so
fortuit, e [fɔʀtɥi, -it] *adj* fortuitous, chance *cpd*
fortune [fɔʀtyn] *nf* fortune; **faire ~** to make one's fortune; **de ~** makeshift; chance *cpd*
fortuné, e [fɔʀtyne] *adj* wealthy
fosse [fos] *nf* (*grand trou*) pit; (*tombe*) grave; **~ (d'orchestre)** (orchestra) pit
fossé [fose] *nm* ditch; (*fig*) gulf, gap
fossette [fosɛt] *nf* dimple
fossile [fosil] *nm* fossil
fossoyeur [foswajœʀ] *nm* gravedigger
fou(fol), folle [fu, fɔl] *adj* mad; (*déréglé etc*) wild, erratic; (*fam*: *extrême, très grand*) terrific, tremendous ◆ *nm/f* madman(woman) ◆ *nm* (*du roi*) jester; **être fou de** to be mad *ou* crazy about; **avoir le fou rire** to have the giggles; **faire le fou** to act the fool
foudre [fudʀ(ə)] *nf*: **la ~** lightning
foudroyant, e [fudʀwajɑ̃, -ɑ̃t] *adj* lightning *cpd*, stunning; (*maladie, poison*) violent
foudroyer [fudʀwaje] *vt* to strike down; **être foudroyé** to be struck by lightning; **~ qn du regard** to glare at sb
fouet [fwɛ] *nm* whip; (*CULIN*) whisk; **de plein ~** (*se heurter*) head on; **fouetter** *vt* to whip; to whisk
fougère [fuʒɛʀ] *nf* fern
fougue [fug] *nf* ardour, spirit
fouille [fuj] *nf* search; **~s** *nfpl* (*archéologiques*) excavations
fouiller [fuje] *vt* to search; (*creuser*) to dig ◆ *vi* to rummage
fouillis [fuji] *nm* jumble, muddle
fouiner [fwine] (*péj*) *vi*: **~ dans** to nose around *ou* about in
foulard [fulaʀ] *nm* scarf
foule [ful] *nf* crowd; **les ~s** the masses; **la ~** crowds *pl*; **une ~ de** masses of
foulée [fule] *nf* stride
fouler [fule] *vt* to press; (*sol*) to tread upon; **se ~** *vi* (*fam*) to overexert o.s.; **se ~ la cheville** to sprain one's ankle; **~ aux pieds** to trample underfoot; **foulure** [fulyʀ] *nf* sprain
four [fuʀ] *nm* oven; (*de potier*) kiln; (*THÉÂTRE*: *échec*) flop
fourbe [fuʀb(ə)] *adj* deceitful
fourbu, e [fuʀby] *adj* exhausted
fourche [fuʀʃ(ə)] *nf* pitchfork; (*de bicyclette*) fork
fourchette [fuʀʃɛt] *nf* fork; (*STATISTIQUE*) bracket, margin
fourgon [fuʀgɔ̃] *nm* van; (*RAIL*) wag(g)on
fourmi [fuʀmi] *nf* ant; **~s** *nfpl* (*fig*) pins

and needles; **fourmilière** *nf* ant-hill

fourmiller [fuʀmije] *vi* to swarm

fournaise [fuʀnɛz] *nf* blaze; (*fig*) furnace, oven

fourneau, x [fuʀno] *nm* stove

fournée [fuʀne] *nf* batch

fourni, e [fuʀni] *adj* (*barbe, cheveux*) thick; (*magasin*): **bien ~ (en)** well stocked (with)

fournir [fuʀniʀ] *vt* to supply; (*preuve, exemple*) to provide, supply; (*effort*) to put in; **fournisseur, euse** *nm/f* supplier

fourniture [fuʀnityʀ] *nf* supply(ing); **~s** *nfpl* (*provisions*) supplies

fourrage [fuʀaʒ] *nm* fodder

fourrager[1], **ère** [fuʀaʒe, -ɛʀ] *adj* fodder *cpd*

fourrager[2] *vi*: **fourrager dans/parmi** (*fouiller*) to rummage through /among

fourré, e [fuʀe] *adj* (*bonbon etc*) filled; (*manteau etc*) fur-lined ◆ *nm* thicket

fourreau, x [fuʀo] *nm* sheath

fourrer [fuʀe] (*fam*) *vt* to stick, shove; **se ~ dans/sous** to get into/under

fourre-tout [fuʀtu] *nm inv* (*sac*) holdall; (*péj*) junk room (*ou* cupboard); (*fig*) rag-bag

fourrière [fuʀjɛʀ] *nf* pound

fourrure [fuʀyʀ] *nf* fur; (*sur l'animal*) coat

fourvoyer [fuʀvwaje]: **se ~** *vi* to go astray, stray

foutre [futʀ(ə)] (*fam!*) *vt* = **ficher; foutu, e** (*fam!*) *adj* = **fichu, e**

foyer [fwaje] *nm* (*de cheminée*) hearth; (*famille*) family; (*maison*) home; (*de jeunes etc*) (social) club; hostel; (*salon*) foyer; (*OPTIQUE, PHOTO*) focus *sg*; **lunettes à double ~** bi-focal glasses

fracas [fʀaka] *nm* din; crash; roar

fracasser [fʀakase] *vt* to smash

fraction [fʀaksjɔ̃] *nf* fraction; **fractionner** *vt* to divide (up), split (up)

fracture [fʀaktyʀ] *nf* fracture; **~ du crâne** fractured skull; **~r** [fʀaktyʀe] *vt* (*coffre, serrure*) to break open; (*os, membre*) to fracture

fragile [fʀaʒil] *adj* fragile, delicate; (*fig*) frail; **fragilité** *nf* fragility

fragment [fʀagmɑ̃] *nm* (*d'un objet*) fragment, piece; (*d'un texte*) passage, extract

fraîche [fʀɛʃ] *adj voir* **frais; fraîcheur** *nf* coolness; freshness; **fraîchir** *vi* to get cooler; (*vent*) to freshen

frais, fraîche [fʀɛ, fʀɛʃ] *adj* fresh; (*froid*) cool ◆ *adv* (*récemment*) newly, fresh(ly) ◆ *nm*: **mettre au ~** to put in a cool place ◆ *nmpl* (*débours*) expenses; (*COMM*) costs; (*facturés*) charges; **il fait ~** it's cool; **servir ~** serve chilled; **prendre le ~** to take a breath of cool air; **faire des ~** to spend; to go to a lot of expense; **faire les ~ de** to bear the brunt of; **~ de scolarité** school fees (*BRIT*), tuition (*US*); **~ généraux** overheads

fraise [fʀɛz] *nf* strawberry; (*TECH*) countersink (bit); (*de dentiste*) drill; **~ des bois** wild strawberry

framboise [fʀɑ̃bwaz] *nf* raspberry

franc, franche [fʀɑ̃, fʀɑ̃ʃ] *adj* (*personne*) frank, straightforward; (*visage*) open; (*net: refus, couleur*) clear; (*: coupure*) clean; (*intensif*) downright; (*exempt*): **~ de port** postage paid ◆ *adv*: **parler ~** to be frank *ou* candid ◆ *nm* franc

français, e [fʀɑ̃sɛ, -ɛz] *adj* French ◆ *nm/f*: **F~, e** Frenchman(woman) ◆ *nm* (*LING*) French; **les F~** the French

France [fʀɑ̃s] *nf*: **la ~** France

franche [fʀɑ̃ʃ] *adj voir* **franc; franchement** *adv* frankly; clearly; (*tout à fait*) downright

franchir [fʀɑ̃ʃiʀ] *vt* (*obstacle*) to clear, get over; (*seuil, ligne, rivière*) to cross; (*distance*) to cover

franchise [fʀɑ̃ʃiz] *nf* frankness; (*douanière, d'impôt*) exemption; (*ASSURANCES*) excess

franciser [fʀɑ̃size] *vt* to gallicize, Frenchify

franc-maçon [fʀɑ̃masɔ̃] *nm* freemason

franco [fʀɑ̃ko] *adv* (*COMM*): **~ (de port)** postage paid

francophone [fʀɑ̃kɔfɔn] *adj* French-speaking; **francophonie** *nf* French-speaking communities

franc-parler [fʀɑ̃paʀle] *nm inv* outspokenness

franc-tireur [fʀɑ̃tiʀœʀ] *nm* (*MIL*) irregular; (*fig*) freelance

frange [fʀɑ̃ʒ] *nf* fringe

frangipane [fʀɑ̃ʒipan] *nf* almond paste

franquette [fʀɑ̃kɛt]: **à la bonne ~** *adv* without any fuss

frappe [fʀap] *nf* (*de pianiste, machine à écrire*) touch; (*BOXE*) punch

frappé, e [fʀape] *adj* iced

frapper [fʀape] *vt* to hit, strike; (*étonner*) to strike; (*monnaie*) to strike, stamp; **se ~** *vi* (*s'inquiéter*) to get worked up; **~ dans ses mains** to clap one's hands; **~ du poing sur** to bang one's fist on; **frappé de stupeur** dumbfounded

frasques [fʀask(ə)] *nfpl* escapades

fraternel, le [fʀatɛʀnɛl] *adj* brotherly, fraternal

fraternité [fʀatɛʀnite] *nf* brotherhood

fraude [fʀod] *nf* fraud; (*SCOL*) cheating; **passer qch en ~** to smuggle sth in (*ou* out); **~ fiscale** tax evasion; **frauder** *vi, vt* to cheat; **frauduleux, euse** *adj* fraudulent

frayer [fʀeje] *vt* to open up, clear ◆ *vi* to spawn; (*fréquenter*): **~ avec** to mix with

frayeur [fʀɛjœʀ] *nf* fright

fredonner [fʀədɔne] *vt* to hum

freezer [fʀizœʀ] *nm* freezing compartment

frein [fʀɛ̃] *nm* brake; **~ à main** handbrake; **~s à disques/tambour** disc/drum brakes

freiner [fʀene] *vi* to brake ◆ *vt* (*progrès etc*) to check

frelaté, e [fʀəlate] *adj* adulterated; (*fig*) tainted

frêle [fʀɛl] *adj* frail, fragile

frelon [fʀəlɔ̃] *nm* hornet

frémir [fʀemiʀ] *vi* to tremble, shudder; to shiver; to quiver

frêne [fʀɛn] *nm* ash

frénétique [fʀenetik] *adj* frenzied, frenetic

fréquemment [fʀekamɑ̃] *adv* frequently

fréquent, e [fʀekɑ̃, -ɑ̃t] *adj* frequent

fréquentation [fʀekɑ̃tasjɔ̃] *nf* frequenting; seeing; **~s** *nfpl* (*relations*) company *sg*

fréquenté, e [fʀekɑ̃te] *adj*: **très ~** (very) busy; **mal ~** patronized by disreputable elements

fréquenter [fʀekɑ̃te] *vt* (*lieu*) to frequent; (*personne*) to see; **se ~** to see each other

frère [fʀɛʀ] *nm* brother

fresque [fʀɛsk(ə)] *nf* (*ART*) fresco

fret [fʀɛ] *nm* freight

frétiller [fʀetije] *vi* to wriggle; to quiver; (*chien*) to wag its tail

fretin [fʀətɛ̃] *nm*: **menu ~** small fry

friable [fʀijabl(ə)] *adj* crumbly

friand, e [fʀijɑ̃, -ɑ̃d] *adj*: **~ de** very fond of

friandise [fʀijɑ̃diz] *nf* sweet

fric [fʀik] (*fam*) *nm* cash, bread

friche [fʀiʃ]: **en ~** *adj, adv* (lying) fallow

friction [fʀiksjɔ̃] *nf* (*massage*) rub, rub-down; (*TECH, fig*) friction; **frictionner** *vt* to rub (down); to massage

frigidaire [fʀiʒidɛʀ] (®) *nm* refrigerator

frigide [fʀiʒid] *adj* frigid

frigo [fʀigo] *nm* fridge

frigorifier [fʀigɔʀifje] *vt* to refrigerate; **frigorifique** *adj* refrigerating

frileux, euse [fʀilø, -øz] *adj* sensitive to (the) cold

frimer [fʀime] *vi* to put on an act

frimousse [fʀimus] *nf* (sweet) little face

fringale [fʀɛ̃gal] *nf*: **avoir la ~** to be ravenous

fringant, e [fʀɛ̃gɑ̃, -ɑ̃t] *adj* dashing

fringues [fʀɛ̃g] (*fam*) *nfpl* clothes

fripé, e [fʀipe] *adj* crumpled

fripon, ne [fʀipɔ̃, -ɔn] *adj* roguish, mischievous ◆ *nm/f* rascal, rogue

fripouille [fʀipuj] *nf* scoundrel

frire [fʀiʀ] *vt, vi*: **faire ~** to fry

frisé, e [fʀize] *adj* curly; curly-haired

frisson [fʀisɔ̃] *nm* shudder, shiver; quiver; **frissonner** *vi* to shudder, shiver; to quiver

frit, e [fʀi, fʀit] *pp de* **frire; frite** *nf*: (**pommes**) **frites** chips (*BRIT*), French fries; **friteuse** *nf* chip pan; **friture** *nf* (*huile*) (deep) fat; (*plat*): **friture (de poissons)** fried fish; (*RADIO*) crackle

frivole [fʀivɔl] *adj* frivolous

froid, e [fʀwa, fʀwad] *adj, nm* cold; **il fait ~** it's cold; **avoir/prendre ~** to be/catch cold; **être en ~ avec** to be on bad terms with; **~ement** *adv* (*accueillir*) coldly; (*décider*) coolly

froisser [fʀwase] *vt* to crumple (up), crease; (*fig*) to hurt, offend; **se ~** *vi* to crumple, crease; to take offence; **se ~ un muscle** to strain a muscle

frôler [fʀole] *vt* to brush against; (*suj: projectile*) to skim past; (*fig*) to come very close to

fromage [fʀɔmaʒ] *nm* cheese; **~ blanc** soft white cheese; **fromager, ère** *nm/f* cheese merchant

froment [fʀɔmɑ̃] *nm* wheat

froncer [fʀɔ̃se] *vt* to gather; **~ les sourcils** to frown

frondaisons [fʀɔ̃dɛzɔ̃] *nfpl* foliage *sg*

fronde [fʀɔ̃d] *nf* sling; (*fig*) rebellion, rebelliousness

front [fʀɔ̃] *nm* forehead, brow; (*MIL*) front; **de ~** (*se heurter*) head-on; (*rouler*) together (*i.e. 2 or 3 abreast*); (*simultanément*) at once; **faire ~ à** to face up to; **~ de mer** (sea) front

frontalier, ère [fʀɔ̃talje, -ɛʀ] *adj* border *cpd*, frontier *cpd* ◆ *nm/f*: (**travailleurs**) **~s** commuters from across the border

frontière [fʀɔ̃tjɛʀ] *nf* frontier, border; (*fig*) frontier, boundary

fronton [fʀɔ̃tɔ̃] *nm* pediment

frotter [fʀɔte] *vi* to rub, scrape ◆ *vt* to rub; (*pour nettoyer*) to rub (up); to scrub; **~ une allumette** to strike a match

fructifier [fʀyktifje] *vi* to yield a profit; **faire ~** to turn to good account

fructueux, euse [fʀyktɥø, -øz] *adj* fruitful; profitable

fruit [fʀɥi] *nm* fruit *gen no pl*; **~s de mer** seafood(s); **~s secs** dried fruit *sg*; **~é, e** *adj* fruity; **~ier, ère** *adj*: **arbre ~ier** fruit tree ◆ *nm/f* fruiterer (*BRIT*), fruit merchant (*US*)

fruste [fʀyst(ə)] *adj* unpolished, uncultivated

frustrer [fʀystʀe] *vt* to frustrate

fuel(-oil) [fjul(ɔjl)] *nm* fuel oil; heating oil

fugace [fygas] *adj* fleeting

fugitif, ive [fyʒitif, -iv] *adj* (*lueur, amour*) fleeting; (*prisonnier etc*) fugitive, runaway ◆ *nm/f* fugitive

fugue [fyg] *nf*: **faire une ~** to run away, abscond

fuir [fɥiʀ] *vt* to flee from; (*éviter*) to shun ◆ *vi* to run away; (*gaz, robinet*) to leak

fuite [fɥit] *nf* flight; (*écoulement, divulgation*) leak; **être en ~** to be on the run; **mettre en ~** to put to flight

fulgurant, e [fylgyʀɑ̃, -ɑ̃t] *adj* lightning *cpd*, dazzling

fulminer [fylmine] *vi* to thunder forth

fumé, e [fyme] *adj* (*CULIN*) smoked; (*verre*) tinted

fume-cigarette [fymsigaʀɛt] *nm inv* cigarette holder

fumée [fyme] *nf* smoke

fumer [fyme] *vi* to smoke; (*soupe*) to steam ◆ *vt* to smoke; (*terre, champ*) to manure

fûmes *etc vb voir* **être**

fumet [fymɛ] *nm* aroma

fumeur, euse [fymœʀ, -øz] *nm/f* smoker

fumeux, euse [fymø, -øz] (*péj*) *adj* woolly, hazy

fumier [fymje] *nm* manure

fumiste [fymist(ə)] *nm/f* (*péj: paresseux*) shirker; (*charlatan*) phoney

fumisterie [fymistəʀi] (*péj*) *nf* fraud, con

funambule [fynɑ̃byl] *nm* tightrope walker

funèbre [fynɛbʀ(ə)] *adj* funeral *cpd*; (*fig*) doleful; funereal

funérailles [fyneʀaj] *nfpl* funeral *sg*

funeste [fynɛst(ə)] *adj* disastrous; deathly

fur [fyʀ]: **au ~ et à mesure** *adv* as one goes along; **au ~ et à mesure que** as

furet [fyʀɛ] *nm* ferret

fureter [fyʀte] (*péj*) *vi* to nose about

fureur [fyʀœʀ] *nf* fury; (*passion*): **~ de** passion for; **faire ~** to be all the rage

furibond, e [fyʀibɔ̃, -ɔ̃d] *adj* furious

furie [fyʀi] *nf* fury; (*femme*) shrew, vixen; **en ~** (*mer*) raging; **furieux, euse** *adj* furious

furoncle [fyʀɔ̃kl(ə)] *nm* boil

furtif, ive [fyʀtif, -iv] *adj* furtive

fus *vb voir* **être**

fusain [fyzɛ̃] *nm* (*ART*) charcoal

fuseau, x [fyzo] *nm* (*pour filer*) spindle; (*pantalon*) (ski) pants; **~ horaire** time zone

fusée [fyze] *nf* rocket; **~ éclairante** flare

fuselé, e [fyzle] *adj* slender; tapering

fuser [fyze] *vi* (*rires etc*) to burst forth

fusible [fyzibl(ə)] *nm* (*ÉLEC: fil*) fuse wire; (*: fiche*) fuse

fusil [fyzi] *nm* (*de guerre, à canon rayé*) rifle, gun; (*de chasse, à canon lisse*) shotgun, gun; **fusillade** *nf* gunfire *no pl*, shooting *no pl*; shooting battle; **fusiller** *vt* to shoot; **fusil-mitrailleur** *nm* machine gun

fusionner [fyzjɔne] *vi* to merge

fustiger [fystiʒe] *vt* to denounce

fut *vb voir* **être**

fût [fy] *vb voir* **être** ◆ *nm* (*tonneau*) barrel, cask

futaie [fytɛ] *nf* forest, plantation

futé, e [fyte] *adj* crafty

futile [fytil] *adj* futile; frivolous

futur, e [fytyʀ] *adj, nm* future

fuyant, e [fɥijɑ̃, -ɑ̃t] *vb voir* **fuir** ◆ *adj* (*regard etc*) evasive; (*lignes etc*) receding; (*perspective*) vanishing

fuyard, e [fɥijaʀ, -aʀd(ə)] *nm/f* runaway

G

gabarit [gabaʀi] *nm* (*fig*) size; calibre

gâcher [gɑʃe] *vt* (*gâter*) to spoil, ruin; (*gaspiller*) to waste

gâchette [gɑʃɛt] *nf* trigger

gâchis [gɑʃi] *nm* waste *no pl*

gadoue [gadu] *nf* sludge

gaffe [gaf] *nf* (*instrument*) boat hook; (*erreur*) blunder; **faire ~** (*fam*) to be careful

gage [gaʒ] *nm* (*dans un jeu*) forfeit; (*fig: de fidélité*) token; **~s** *nmpl* (*salaire*) wages; (*garantie*) guarantee *sg*; **mettre en ~** to pawn

gager [gaʒe] *vt* to bet, wager

gageure [gaʒyʀ] *nf*: **c'est une ~** it's attempting the impossible

gagnant, e [gaɲɑ̃, -ɑ̃t] *nm/f* winner

gagne-pain [gaɲpɛ̃] *nm inv* job

gagner [gaɲe] *vt* to win; (*somme d'argent, revenu*) to earn; (*aller vers, atteindre*) to reach; (*envahir*) to overcome; to spread to ◆ *vi* to win; (*fig*) to gain; **~ du temps/de la place** to gain time/save space; **~ sa vie** to earn one's living

gai, e [ge] *adj* gay, cheerful; (*un peu ivre*) merry

gaieté [gete] *nf* cheerfulness; **de ~ de cœur** with a light heart

gaillard, e [gajaʀ, -aʀd(ə)] *adj* (*grivois*) bawdy, ribald ◆ *nm* (strapping) fellow

gain [gɛ̃] *nm* (*revenu*) earnings *pl*; (*bénéfice: gén pl*) profits *pl*; (*au jeu*) winnings *pl*; (*fig: de temps, place*) saving; **avoir ~ de cause** to win the case; (*fig*) to be proved right

gaine [gɛn] *nf* (*corset*) girdle; (*fourreau*) sheath

galant, e [galɑ̃, -ɑ̃t] *adj* (*courtois*) courteous, gentlemanly; (*entreprenant*) flirtatious, gallant; (*aventure, poésie*) amorous

galère [galɛʀ] *nf* galley

galérer [galeʀe] (*fam*) *vi* to slog away, work hard

galerie [galʀi] *nf* gallery; (*THÉÂTRE*) circle; (*de voiture*) roof rack; (*fig: spectateurs*) audience; **~ de peinture** (private) art gallery; **~ marchande** shopping arcade

galet [galɛ] *nm* pebble; (*TECH*) wheel

galette [galɛt] *nf* flat cake

Galles [gal] *nfpl*: **le pays de ~** Wales

gallois, e [galwa, -waz] *adj* Welsh ◆ *nm* (*LING*) Welsh ◆ *nm/f*: **G~, e** Welshman(woman)

galon [galɔ̃] *nm* (*MIL*) stripe; (*décoratif*) piece of braid

galop [galo] *nm* gallop

galoper [galɔpe] *vi* to gallop

galopin [galɔpɛ̃] *nm* urchin, ragamuffin

galvauder [galvode] *vt* to debase

gambader [gɑ̃bade] *vi* (*animal, enfant*) to leap about

gamelle [gamɛl] *nf* mess tin; billy can

gamin, e [gamɛ̃, -in] *nm/f* kid ◆ *adj* mischievous, playful

gamme [gam] *nf* (*MUS*) scale; (*fig*) range

gammé, e [game] *adj*: **croix ~e** swastika

gant [gɑ̃] *nm* glove; **~ de toilette** face flannel (*BRIT*), face cloth

garage [gaʀaʒ] *nm* garage; **garagiste** *nm/f* garage owner; garage mechanic

garant, e [gaʀɑ̃, -ɑ̃t] *nm/f* guarantor ◆ *nm* guarantee; **se porter ~ de** to vouch for; to be answerable for

garantie [gaʀɑ̃ti] *nf* guarantee; (*gage*) security, surety; (**bon de**) **~** guarantee *ou* warranty slip

garantir [gaʀɑ̃tiʀ] *vt* to guarantee; (*protéger*): **~ de** to protect from

garçon [gaʀsɔ̃] *nm* boy; (*célibataire*) bachelor; (*serveur*): **~ (de café)** waiter; **~ de courses** messenger; **garçonnet** *nm* small boy; **garçonnière** *nf* bachelor flat

garde [gaʀd(ə)] *nm* (*de prisonnier*) guard; (*de domaine etc*) warden; (*soldat, sentinelle*) guardsman ◆ *nf* guarding; looking after; (*soldats, BOXE, ESCRIME*) guard; (*faction*) watch; (*TYPO*): (**page de**) **~** endpaper; flyleaf; **de ~** on duty; **monter la ~** to stand guard; **mettre en ~** to warn; **prendre ~ (à)** to be careful (of); **~ champêtre** *nm* rural policeman; **~ du corps** *nm* bodyguard; **~ des enfants** *nf* (*après divorce*) custody of the children; **~ des Sceaux** *nm* ≈ Lord Chancellor (*BRIT*), ≈ Attorney General (*US*); **~ à vue** *nf* (*JUR*) ≈ police custody; **~-à-vous** *nm*: **être/se mettre au ~-à-vous** to be at/stand to attention; **~-barrière** *nm/f* level-crossing keeper; **~-boue** *nm inv* mudguard; **~-chasse** *nm* gamekeeper; **~-fou** *nm* railing, parapet; **~-malade** *nf* home nurse; **~-manger** *nm inv* meat safe; pantry, larder

garder [gaʀde] *vt* (*conserver*) to keep; (*surveiller: enfants*) to look after; (*: immeuble, lieu, prisonnier*) to guard; **se ~** *vi* (*aliment: se conserver*) to keep; **se ~ de faire** to be careful not to do; **~ le lit/la chambre** to stay in bed/indoors; **pêche/chasse gardée** private fishing/hunting (ground)

garderie [gaʀdəʀi] *nf* day nursery, crèche

garde-robe [gaʀdəʀɔb] *nf* wardrobe

gardien, ne [gaʀdjɛ̃, -jɛn] *nm/f* (*garde*) guard; (*de prison*) warder; (*de domaine, réserve*) warden; (*de musée etc*) attendant; (*de phare, cimetière*) keeper; (*d'immeuble*) caretaker; (*fig*) guardian; **~ de but** goalkeeper; **~ de la paix** policeman; **~ de nuit** night watchman

gare [gaʀ] *nf* (railway) station, train station (*US*) ◆ *excl* watch out!; **~ routière** bus station

garer [gaʀe] *vt* to park; **se ~** *vi* to park; (*pour laisser passer*) to draw into the side

gargariser [gaʀgaʀize]: **se ~** *vi* to gargle; **gargarisme** *nm* gargling *no pl*; gargle

gargote [gaʀgɔt] *nf* cheap restaurant
gargouille [gaʀguj] *nf* gargoyle
gargouiller [gaʀguje] *vi* to gurgle
garnement [gaʀnəmɑ̃] *nm* rascal, scallywag
garni, e [gaʀni] *adj* (*plat*) served with vegetables (*and chips or rice etc*) ◆ *nm* furnished accommodation *no pl*
garnir [gaʀniʀ] *vt* (*orner*) to decorate; to trim; (*approvisionner*) to fill, stock; (*protéger*) to fit
garnison [gaʀnizɔ̃] *nf* garrison
garniture [gaʀnityʀ] *nf* (CULIN) vegetables *pl*; filling; (*décoration*) trimming; (*protection*) fittings *pl*; **~ de frein** brake lining
garrot [gaʀo] *nm* (MÉD) tourniquet
gars [gɑ] *nm* lad; guy
Gascogne [gaskɔɲ] *nf* Gascony; **le golfe de ~** the Bay of Biscay
gas-oil [gɑzɔjl] *nm* diesel (oil)
gaspiller [gaspije] *vt* to waste
gastronomique [gastʀɔnɔmik] *adj* gastronomic
gâteau, x [gɑto] *nm* cake; **~ sec** biscuit
gâter [gɑte] *vt* to spoil; **se ~** *vi* (*dent, fruit*) to go bad; (*temps, situation*) to change for the worse
gâterie [gɑtʀi] *nf* little treat
gâteux, euse [gɑtø, -øz] *adj* senile
gauche [goʃ] *adj* left, left-hand; (*maladroit*) awkward, clumsy ◆ *nf* (POL) left (wing); **à ~** on the left; (*direction*) (to the) left; **gaucher, ère** *adj* left-handed; **gauchiste** *nm/f* leftist
gaufre [gofʀ(ə)] *nf* waffle
gaufrette [gofʀɛt] *nf* wafer
gaulois, e [golwa, -waz] *adj* Gallic; (*grivois*) bawdy ◆ *nm/f*: **G~, e** Gaul
gausser [gose] : **se ~ de** *vt* to deride
gaver [gave] *vt* to force-feed; (*fig*): **~ de** to cram with, fill up with
gaz [gɑz] *nm inv* gas
gaze [gɑz] *nf* gauze
gazéifié, e [gazeifje] *adj* aerated
gazette [gazɛt] *nf* news sheet
gazeux, euse [gɑzø, -øz] *adj* gaseous; (*boisson*) fizzy; (*eau*) sparkling
gazoduc [gɑzɔdyk] *nm* gas pipeline
gazon [gɑzɔ̃] *nm* (*herbe*) turf; grass; (*pelouse*) lawn
gazouiller [gazuje] *vi* to chirp; (*enfant*) to babble
geai [ʒɛ] *nm* jay
géant, e [ʒeɑ̃, -ɑ̃t] *adj* gigantic, giant; (COMM) giant-size ◆ *nm/f* giant
geindre [ʒɛ̃dʀ(ə)] *vi* to groan, moan
gel [ʒɛl] *nm* frost; freezing
gélatine [ʒelatin] *nf* gelatine
gelée [ʒəle] *nf* jelly; (*gel*) frost
geler [ʒəle] *vt, vi* to freeze; **il gèle** it's freezing
gélule [ʒelyl] *nf* (MÉD) capsule
gelures [ʒəlyʀ] *nfpl* frostbite *sg*
Gémeaux [ʒemo] *nmpl*: **les ~** Gemini
gémir [ʒemiʀ] *vi* to groan, moan
gemme [ʒɛm] *nf* gem(stone)
gênant, e [ʒɛnɑ̃, -ɑ̃t] *adj* annoying; embarrassing
gencive [ʒɑ̃siv] *nf* gum
gendarme [ʒɑ̃daʀm(ə)] *nm* gendarme; **~rie** *nf military police force in countryside and small towns; their police station or barracks*
gendre [ʒɑ̃dʀ(ə)] *nm* son-in-law
gêne [ʒɛn] *nf* (*à respirer, bouger*) discomfort, difficulty; (*dérangement*) bother, trouble; (*manque d'argent*) financial difficulties *pl ou* straits *pl*; (*confusion*) embarrassment
gêné, e [ʒene] *adj* embarrassed
gêner [ʒene] *vt* (*incommoder*) to bother; (*encombrer*) to hamper; to be in the way; (*embarrasser*): **~ qn** to make sb feel ill-at-ease; **se ~** *vi* to put o.s. out
général, e, aux [ʒeneʀal, -o] *adj, nm* general; **en ~** usually, in general; **~e** *nf*: (*répétition*) **~e** final dress rehearsal; **~ement** *adv* generally
généraliser [ʒeneʀalize] *vt, vi* to generalize; **se ~** *vi* to become widespread
généraliste [ʒeneʀalist(ə)] *nm/f* general practitioner, G.P.
générateur, trice [ʒeneʀatœʀ, -tʀis] *adj*: **~ de** which causes
génération [ʒeneʀɑsjɔ̃] *nf* generation
généreux, euse [ʒeneʀø, -øz] *adj* generous
générique [ʒeneʀik] *nm* (CINÉMA) credits *pl*, credit titles *pl*
générosité [ʒeneʀozite] *nf* generosity
genêt [ʒənɛ] *nm* broom *no pl* (*shrub*)
génétique [ʒenetik] *adj* genetic
Genève [ʒənɛv] *n* Geneva
génial, e, aux [ʒenjal, -o] *adj* of genius; (*fam*: *formidable*) fantastic, brilliant
génie [ʒeni] *nm* genius; (MIL): **le ~** the Engineers *pl*; **~ civil** civil engineering
genièvre [ʒənjɛvʀ(ə)] *nm* juniper
génisse [ʒenis] *nf* heifer
genou, x [ʒnu] *nm* knee; **à ~x** on one's knees; **se mettre à ~x** to kneel down
genre [ʒɑ̃ʀ] *nm* kind, type, sort; (*allure*) manner; (LING) gender
gens [ʒɑ̃] *nmpl* (*f in some phrases*) people *pl*
gentil, le [ʒɑ̃ti, -ij] *adj* kind; (*enfant*: *sage*) good; (*endroit etc*) nice; **gentillesse** *nf* kindness; **gentiment** *adv* kindly
géographie [ʒeɔgʀafi] *nf* geography
geôlier [ʒolje] *nm* jailer
géologie [ʒeɔlɔʒi] *nf* geology
géomètre [ʒeɔmɛtʀ(ə)] *nm/f*: **(arpenteur-) ~** (land) surveyor
géométrie [ʒeɔmetʀi] *nf* geometry; **géométrique** *adj* geometric
gérance [ʒeʀɑ̃s] *nf* management; **mettre en ~** to appoint a manager for
géranium [ʒeʀanjɔm] *nm* geranium
gérant, e [ʒeʀɑ̃, -ɑ̃t] *nm/f* manager(eress)
gerbe [ʒɛʀb(ə)] *nf* (*de fleurs*) spray; (*de blé*) sheaf; (*fig*) shower, burst
gercé, e [ʒɛʀse] *adj* chapped
gerçure [ʒɛʀsyʀ] *nf* crack
gérer [ʒeʀe] *vt* to manage
germain, e [ʒɛʀmɛ̃, -ɛn] *adj*: **cousin ~** first cousin
germe [ʒɛʀm(ə)] *nm* germ; **~r** [ʒɛʀme] *vi* to sprout; to germinate
geste [ʒɛst(ə)] *nm* gesture; move; motion
gestion [ʒɛstjɔ̃] *nf* management
gibecière [ʒibsjɛʀ] *nf* gamebag
gibet [ʒibɛ] *nm* gallows *pl*
gibier [ʒibje] *nm* (*animaux*) game; (*fig*) prey
giboulée [ʒibule] *nf* sudden shower
gicler [ʒikle] *vi* to spurt, squirt
gifle [ʒifl(ə)] *nf* slap (in the face); **gifler** *vt* to slap (in the face)
gigantesque [ʒigɑ̃tɛsk(ə)] *adj* gigantic
gigogne [ʒigɔɲ] *adj*: **lits ~s** truckle (BRIT) *ou* trundle beds
gigot [ʒigo] *nm* leg (of mutton *ou* lamb)
gigoter [ʒigɔte] *vi* to wriggle (about)
gilet [ʒilɛ] *nm* waistcoat; (*pull*) cardigan; (*de corps*) vest; **~ de sauvetage** life jacket
gingembre [ʒɛ̃ʒɑ̃bʀ(ə)] *nm* ginger
girafe [ʒiʀaf] *nf* giraffe
giratoire [ʒiʀatwaʀ] *adj*: **sens ~** roundabout
girofle [ʒiʀɔfl(ə)] *nf*: **clou de ~** clove
girouette [ʒiʀwɛt] *nf* weather vane *ou* cock
gisait *etc vb voir* **gésir**
gisement [ʒizmɑ̃] *nm* deposit
gît *vb voir* **gésir**
gitan, e [ʒitɑ̃, -an] *nm/f* gipsy
gîte [ʒit] *nm* home; shelter; **~ (rural)** holiday cottage *ou* apartment
givre [ʒivʀ(ə)] *nm* (hoar) frost
glabre [glɑbʀ(ə)] *adj* hairless; clean-shaven
glace [glas] *nf* ice; (*crème glacée*) ice cream; (*verre*) sheet of glass; (*miroir*) mirror; (*de voiture*) window
glacé, e [glase] *adj* icy; (*boisson*) iced
glacer [glase] *vt* to freeze; (*boisson*) to chill, ice; (*gâteau*) to ice; (*papier, tissu*) to glaze; (*fig*): **~ qn** to chill sb; to make sb's blood run cold
glacial, e [glasjal] *adj* icy
glacier [glasje] *nm* (GÉO) glacier; (*marchand*) ice-cream maker
glacière [glasjɛʀ] *nf* icebox
glaçon [glasɔ̃] *nm* icicle; (*pour boisson*) ice cube
glaise [glɛz] *nf* clay
gland [glɑ̃] *nm* acorn; (*décoration*) tassel
glande [glɑ̃d] *nf* gland
glaner [glane] *vt, vi* to glean
glapir [glapiʀ] *vi* to yelp
glas [glɑ] *nm* knell, toll
glauque [glok] *adj* dull blue-green
glissant, e [glisɑ̃, -ɑ̃t] *adj* slippery
glissement [glismɑ̃] *nm*: **~ de terrain** landslide
glisser [glise] *vi* (*avancer*) to glide *ou* slide along; (*coulisser, tomber*) to slide; (*déraper*) to slip; (*être glissant*) to be slippery ◆ *vt* to slip; **se ~ dans** to slip into
global, e, aux [glɔbal, -o] *adj* overall
globe [glɔb] *nm* globe
globule [glɔbyl] *nm* (*du sang*) corpuscle
globuleux, euse [glɔbylø, -øz] *adj*: **yeux ~** protruding eyes
gloire [glwaʀ] *nf* glory; (*mérite*) distinction, credit; (*personne*) celebrity; **glorieux, euse** *adj* glorious
glousser [gluse] *vi* to cluck; (*rire*) to chuckle
glouton, ne [glutɔ̃, -ɔn] *adj* gluttonous
gluant, e [glyɑ̃, -ɑ̃t] *adj* sticky, gummy
glycine [glisin] *nf* wisteria
go [go] : **tout de ~** *adv* straight out
G.O. *sigle* = **grandes ondes**
gobelet [gɔblɛ] *nm* tumbler; beaker; (*à dés*) cup
gober [gɔbe] *vt* to swallow
godasse [gɔdas] (*fam*) *nf* shoe
godet [gɔdɛ] *nm* pot
goéland [gɔelɑ̃] *nm* (sea)gull
goélette [gɔelɛt] *nf* schooner
goémon [gɔemɔ̃] *nm* wrack
gogo [gogo] : **à ~** *adv* galore
goguenard, e [gɔgnaʀ, -aʀd(ə)] *adj* mocking
goinfre [gwɛ̃fʀ(ə)] *nm* glutton
golf [gɔlf] *nm* golf; golf course
golfe [gɔlf(ə)] *nm* gulf; bay
gomme [gɔm] *nf* (*à effacer*) rubber (BRIT), eraser; **gommer** *vt* to rub out (BRIT), erase
gond [gɔ̃] *nm* hinge; **sortir de ses ~s** (*fig*) to fly off the handle
gondoler [gɔ̃dɔle] : **se ~** *vi* to warp; to buckle
gonflé, e [gɔ̃fle] *adj* swollen; bloated
gonfler [gɔ̃fle] *vt* (*pneu, ballon*) to inflate, blow up; (*nombre, importance*) to inflate ◆ *vi* to swell (up); (CULIN: *pâte*) to rise
gonzesse [gɔ̃zɛs] (*fam*) *nf* chick, bird (BRIT)
goret [gɔʀɛ] *nm* piglet
gorge [gɔʀʒ(ə)] *nf* (ANAT) throat; (*poitrine*) breast
gorgé, e [gɔʀʒe] *adj*: **~ de** filled with; (*eau*) saturated with; **gorgée** *nf* mouthful; sip; gulp
gorille [gɔʀij] *nm* gorilla; (*fam*) bodyguard
gosier [gozje] *nm* throat
gosse [gɔs] *nm/f* kid
goudron [gudʀɔ̃] *nm* tar; **goudronner** *vt* to tar(mac) (BRIT), asphalt (US)
gouffre [gufʀ(ə)] *nm* abyss, gulf
goujat [guʒa] *nm* boor
goulot [gulo] *nm* neck; **boire au ~** to drink from the bottle
goulu, e [guly] *adj* greedy
gourd, e [guʀ, guʀd(ə)] *adj* numb (with cold)
gourde [guʀd(ə)] *nf* (*récipient*) flask; (*fam*) (clumsy) clot *ou* oaf ◆ *adj* oafish
gourdin [guʀdɛ̃] *nm* club, bludgeon
gourmand, e [guʀmɑ̃, -ɑ̃d] *adj* greedy; **gourmandise** *nf* greed; (*bonbon*) sweet
gousse [gus] *nf*: **~ d'ail** clove of garlic
goût [gu] *nm* taste; **de bon ~** tasteful; **de mauvais ~** tasteless; **prendre ~ à** to develop a taste *ou* a liking for
goûter [gute] *vt* (*essayer*) to taste; (*apprécier*) to enjoy ◆ *vi* to have (afternoon) tea ◆ *nm* (afternoon) tea
goutte [gut] *nf* drop; (MÉD) gout; (*alcool*) brandy
goutte-à-goutte [gutagut] *nm* (MÉD) drip; **tomber ~** to drip
gouttière [gutjɛʀ] *nf* gutter
gouvernail [guvɛʀnaj] *nm* rudder; (*barre*) helm, tiller
gouvernante [guvɛʀnɑ̃t] *nf* governess
gouverne [guvɛʀn(ə)] *nf*: **pour sa ~** for his guidance
gouvernement [guvɛʀnəmɑ̃] *nm* government; **gouvernemental, e, aux** *adj* government *cpd*; pro-government
gouverner [guvɛʀne] *vt* to govern
grâce [gʀɑs] *nf* grace; favour; (JUR) pardon; **~s** *nfpl* (REL) grace *sg*; **faire ~ à qn de qch** to spare sb sth; **rendre ~(s) à** to give thanks to; **demander ~** to beg for mercy; **~ à** thanks to; **gracier** *vt* to pardon; **gracieux, euse** *adj* graceful
grade [gʀad] *nm* rank; **monter en ~** to be promoted
gradé [gʀade] *nm* officer
gradin [gʀadɛ̃] *nm* tier; step; **~s** *nmpl* (*de stade*) terracing *sg*
graduel, le [gʀadɥɛl] *adj* gradual; progressive
graduer [gʀadɥe] *vt* (*effort etc*) to increase gradually; (*règle, verre*) to graduate
grain [gʀɛ̃] *nm* (*gén*) grain; (NAVIG) squall; **~ de beauté** beauty spot; **~ de café** coffee bean; **~ de poivre** peppercorn; **~ de poussière** speck of dust; **~ de raisin** grape
graine [gʀɛn] *nf* seed
graissage [gʀɛsaʒ] *nm* lubrication, greasing
graisse [gʀɛs] *nf* fat; (*lubrifiant*) grease; **graisser** *vt* to lubricate, grease; (*tacher*) to make greasy
grammaire [gʀamɛʀ] *nf* grammar; **grammatical, e, aux** *adj* grammatical
gramme [gʀam] *nm* gramme
grand, e [gʀɑ̃, gʀɑ̃d] *adj* (*haut*) tall; (*gros, vaste, large*) big, large; (*long*) long; (*sens abstraits*) great ◆ *adv*: **~ ouvert** wide open; **au ~ air** in the open (air); **les ~s blessés** the severely injured; **~ ensemble** housing scheme; **~ magasin** department store; **~e personne** grown-up; **~e surface** hypermarket; **~es écoles** *prestige schools of university level*; **~es lignes** (RAIL) main lines; **~es vacances** summer holidays; **grand-chose** *nm/f inv*: **pas grand-chose** not much; **Grande-Bretagne** *nf* (Great) Britain; **grandeur** *nf* (*dimension*) size; magnitude; (*fig*) greatness; **~eur nature** life-size; **grandir** *vi* to grow ◆ *vt*: **grandir qn** (*suj*: *vêtement, chaussure*) to make sb look taller; **~-mère** *nf* grandmother; **~-messe** *nf* high mass; **~-peine**: **à ~-peine** *adv* with difficulty; **~-père** *nm* grandfather; **~-route** *nf* main road; **~s-parents** *nmpl* grandparents
grange [gʀɑ̃ʒ] *nf* barn
granit(e) [gʀanit] *nm* granite
graphique [gʀafik] *adj* graphic ◆ *nm* graph
grappe [gʀap] *nf* cluster; **~ de raisin** bunch of grapes
grappiller [gʀapije] *vt* to glean
grappin [gʀapɛ̃] *nm* grapnel; **mettre le ~ sur** (*fig*) to get one's claws on
gras, se [gʀɑ, gʀɑs] *adj* (*viande, soupe*) fatty; (*personne*) fat; (*surface, main*) greasy; (*plaisanterie*) coarse; (TYPO) bold ◆ *nm* (CULIN) fat; **faire la ~se matinée** to have a lie-in (BRIT), sleep late (US); **grassement** *adv*: **grassement payé** handsomely paid; **grassouillet, te** *adj* podgy, plump
gratifiant, e [gʀatifjɑ̃, -ɑ̃t] *adj* gratifying, rewarding
gratifier [gʀatifje] *vt*: **~ qn de** to favour sb with; to reward sb with
gratiné, e [gʀatine] *adj* (CULIN) au gratin
gratis [gʀatis] *adv* free
gratitude [gʀatityd] *nf* gratitude
gratte-ciel [gʀatsjɛl] *nm inv* skyscraper
gratte-papier [gʀatpapje] (*péj*) *nm inv* penpusher
gratter [gʀate] *vt* (*frotter*) to scrape; (*enlever*) to scrape off; (*bras, bouton*) to scratch
gratuit, e [gʀatɥi, -ɥit] *adj* (*entrée, billet*) free; (*fig*) gratuitous
gravats [gʀava] *nmpl* rubble *sg*
grave [gʀav] *adj* (*maladie, accident*) serious, bad; (*sujet, problème*) serious, grave; (*air*) grave, solemn; (*voix, son*) deep, low-pitched; **gravement** *adv* seriously; gravely
graver [gʀave] *vt* to engrave
gravier [gʀavje] *nm* gravel *no pl*; **gravillons** *nmpl* loose gravel *sg*
gravir [gʀaviʀ] *vt* to climb (up)
gravité [gʀavite] *nf* seriousness; gravity
graviter [gʀavite] *vi* to revolve
gravure [gʀavyʀ] *nf* engraving; (*reproduction*) print; plate
gré [gʀe] *nm*: **à son ~** to his liking; as he pleases; **au ~ de** according to, following; **contre le ~ de qn** against sb's will; **de son (plein) ~** of one's own free will; **bon ~ mal ~** like it or not; **de ~ ou de force** whether one likes it or not; **savoir ~ à qn de qch** to be grateful to sb for sth
grec, grecque [gʀɛk] *adj* Greek; (*classique*: *vase etc*) Grecian ◆ *nm/f* Greek
Grèce [gʀɛs] *nf*: **la ~** Greece
gréement [gʀemɑ̃] *nm* rigging
greffer [gʀefe] *vt* (BOT, MÉD: *tissu*) to graft; (MÉD: *organe*) to transplant
greffier [gʀefje] *nm* clerk of the court
grêle [gʀɛl] *adj* (very) thin ◆ *nf* hail
grêlé, e [gʀele] *adj* pockmarked
grêler [gʀele] *vb impers*: **il grêle** it's hailing; **grêlon** [gʀɛlɔ̃] *nm* hailstone
grelot [gʀəlo] *nm* little bell
grelotter [gʀəlɔte] *vi* to shiver
grenade [gʀənad] *nf* (*explosive*) grenade; (BOT) pomegranate
grenat [gʀəna] *adj inv* dark red
grenier [gʀənje] *nm* attic; (*de ferme*) loft
grenouille [gʀənuj] *nf* frog
grès [gʀɛ] *nm* sandstone; (*poterie*) stoneware
grésiller [gʀezije] *vi* to sizzle; (RADIO) to crackle
grève [gʀɛv] *nf* (*d'ouvriers*) strike; (*plage*) shore; **se mettre en/faire ~** to go on/be on strike; **~ de la faim** hunger strike; **~ du zèle** work-to-rule (BRIT), slowdown (US)
grever [gʀəve] *vt* to put a strain on
gréviste [gʀevist(ə)] *nm/f* striker
gribouiller [gʀibuje] *vt* to scribble, scrawl
grief [gʀijɛf] *nm* grievance; **faire ~ à qn de** to reproach sb for
grièvement [gʀijɛvmɑ̃] *adv* seriously
griffe [gʀif] *nf* claw; (*fig*) signature
griffer [gʀife] *vt* to scratch
griffonner [gʀifɔne] *vt* to scribble
grignoter [gʀiɲɔte] *vt* to nibble *ou* gnaw at
gril [gʀil] *nm* steak *ou* grill pan
grillade [gʀijad] *nf* grill
grillage [gʀijaʒ] *nm* (*treillis*) wire netting; wire fencing
grille [gʀij] *nf* (*clôture*) railings *pl*; (*portail*) (metal) gate; (*d'égout*) (metal) grate; (*fig*) grid
grille-pain [gʀijpɛ̃] *nm inv* toaster
griller [gʀije] *vt* (*aussi*: *faire ~*: *pain*) to toast; (: *viande*) to grill; (*fig*: *ampoule etc*) to burn out, blow
grillon [gʀijɔ̃] *nm* cricket
grimace [gʀimas] *nf* grimace; (*pour faire rire*): **faire des ~s** to pull *ou* make faces
grimer [gʀime] *vt* to make up
grimper [gʀɛ̃pe] *vi, vt* to climb
grincer [gʀɛ̃se] *vi* (*porte, roue*) to grate; (*plancher*) to creak; **~ des dents** to grind one's teeth
grincheux, euse [gʀɛ̃ʃø, -øz] *adj* grumpy
grippe [gʀip] *nf* flu, influenza; **grippé, e** *adj*: **etre grippé** to have flu
gris, e [gʀi, gʀiz] *adj* grey; (*ivre*) tipsy; **faire ~e mine** to pull a miserable *ou* wry face

grisaille [grizɑj] *nf* greyness, dullness

griser [grize] *vt* to intoxicate

grisonner [grizɔne] *vi* to be going grey

grisou [grizu] *nm* firedamp

grive [griv] *nf* thrush

grivois, e [grivwa, -waz] *adj* saucy

Groenland [grɔɛnlɑ̃d] *nm* Greenland

grogner [grɔɲe] *vi* to growl; (*fig*) to grumble

groin [grwɛ̃] *nm* snout

grommeler [grɔmle] *vi* to mutter to o.s.

gronder [grɔ̃de] *vi* to rumble; (*fig*: *révolte*) to be brewing ◆ *vt* to scold

gros, se [gro, gros] *adj* big, large; (*obèse*) fat; (*travaux, dégâts*) extensive; (*large*: *trait, fil*) thick, heavy ◆ *adv*: **risquer/gagner** ~ to risk/win a lot ◆ *nm* (*COMM*): **le** ~ the wholesale business; **prix de** ~ wholesale price; **par** ~ **temps/grosse mer** in rough weather/heavy seas; **le** ~ **de** the main body of; the bulk of; **en** ~ roughly; (*COMM*) wholesale; ~ **lot** jackpot; ~ **mot** coarse word; ~ **œuvre** *nm* (*CONSTR*) shell (of building); ~ **plan** (*PHOTO*) close-up; ~ **sel** cooking salt; ~**se caisse** big drum

groseille [grozɛj] *nf*: ~ **(rouge)/(blanche)** red/white currant; ~ **à maquereau** gooseberry

grosse [gros] *adj voir* **gros**

gros: ~**sesse** *nf* pregnancy; ~**seur** *nf* size; fatness; (*tumeur*) lump; ~**sier, ière** *adj* coarse; (*travail*) rough; crude; (*évident*: *erreur*) gross

grossir [grosir] *vi* (*personne*) to put on weight; (*fig*) to grow, get bigger; (*rivière*) to swell ◆ *vt* to increase; to exaggerate; (*au microscope*) to magnify; (*suj*: *vêtement*): ~ **qn** to make sb look fatter

grossiste [grosist(ə)] *nm/f* wholesaler

grosso modo [grosomodo] *adv* roughly

grotte [grɔt] *nf* cave

grouiller [gruje] *vi* to mill about; to swarm about; ~ **de** to be swarming with

groupe [grup] *nm* group; **le** ~ **des 7** Group of 7; ~ **sanguin** *nm* blood group; ~**ment** [grupmɑ̃] *nm* grouping; group

grouper [grupe] *vt* to group; **se** ~ *vi* to get together

grue [gry] *nf* crane

grumeaux [grymo] *nmpl* lumps

gué [ge] *nm* ford; **passer à** ~ to ford

guenilles [gənij] *nfpl* rags

guenon [gənɔ̃] *nf* female monkey

guépard [gepar] *nm* cheetah

guêpe [gɛp] *nf* wasp

guêpier [gepje] *nm* (*fig*) trap

guère [gɛr] *adv* (*avec adjectif, adverbe*): **ne ...** ~ hardly; (*avec verbe*): **ne ...** ~ *tournure négative* +much; hardly ever; *tournure négative* +(very) long; **il n'y a** ~ **que/de** there's hardly anybody (*ou* anything) but/hardly any

guéridon [geridɔ̃] *nm* pedestal table

guérilla [gerija] *nf* guerrilla warfare

guérir [gerir] *vt* (*personne, maladie*) to cure; (*membre, plaie*) to heal ◆ *vi* to recover, be cured; to heal; **guérison** *nf* curing; healing; recovery

guérite [gerit] *nf* sentry box

guerre [gɛr] *nf* war; (*méthode*): ~ **atomique** atomic warfare *no pl*; **en** ~ at war; **faire la** ~ **à** to wage war against; **de** ~ **lasse** finally; ~ **d'usure** war of attrition; **guerrier, ière** *adj* warlike ◆ *nm/f* warrior

guet [gɛ] *nm*: **faire le** ~ to be on the watch *ou* look-out

guet-apens [gɛtapɑ̃] *nm* ambush

guetter [gete] *vt* (*épier*) to watch (intently); (*attendre*) to watch (out) for; to be lying in wait for

gueule [gœl] *nf* mouth; (*fam*) face; mouth; **ta** ~**!** (*fam*) shut up!; ~ **de bois** (*fam*) hangover

gueuler [gœle] (*fam*) *vi* to bawl

gui [gi] *nm* mistletoe

guichet [giʃɛ] *nm* (*de bureau, banque*) counter, window; (*d'une porte*) wicket, hatch; **les** ~**s** (*à la gare, au théâtre*) the ticket office *sg*

guide [gid] *nm* guide

guider [gide] *vt* to guide

guidon [gidɔ̃] *nm* handlebars *pl*

guignol [giɲɔl] *nm* ≈ Punch and Judy show; (*fig*) clown

guillemets [gijmɛ] *nmpl*: **entre** ~ in inverted commas

guillotiner [gijɔtine] *vt* to guillotine

guindé, e [gɛ̃de] *adj* stiff, starchy

guirlande [girlɑ̃d] *nf* garland; (*de papier*) paper chain

guise [giz] *nf*: **à votre** ~ as you wish *ou* please; **en** ~ **de** by way of

guitare [gitar] *nf* guitar

gymnase [ʒimnɑz] *nm* gym(nasium)

gymnastique [ʒimnastik] *nf* gymnastics *sg*; (*au réveil etc*) keep-fit exercises *pl*

gynécologie [ʒinekɔlɔʒi] *nf* gynaecology; **gynécologue** *nm/f* gynaecologist

H

habile [abil] *adj* skilful; (*malin*) clever; **habileté** *nf* skill, skilfulness; cleverness

habilité, e [abilite] *adj*: ~ **à faire** entitled to do, empowered to do

habillé, e [abije] *adj* dressed; (*chic*) dressy; (*TECH*): ~ **de** covered with; encased in

habillement [abijmɑ̃] *nm* clothes *pl*

habiller [abije] *vt* to dress; (*fournir en vêtements*) to clothe; **s'**~ *vi* to dress (o.s.); (*se déguiser, mettre des vêtements chic*) to dress up

habit [abi] *nm* outfit; ~**s** *nmpl* (*vêtements*) clothes; ~ **(de soirée)** tails *pl*; evening dress

habitant, e [abitɑ̃, -ɑ̃t] *nm/f* inhabitant; (*d'une maison*) occupant

habitation [abitɑsjɔ̃] *nf* living; residence, home; house; ~**s à loyer modéré** low-rent housing *sg*

habiter [abite] *vt* to live in; (*suj*: *sentiment*) to dwell in ◆ *vi*: ~ **à/dans** to live in *ou* at/in

habitude [abityd] *nf* habit; **avoir l'**~ **de faire** to be in the habit of doing; (*expérience*) to be used to doing; **d'**~ usually; **comme d'**~ as usual

habitué, e [abitɥe] *nm/f* regular visitor; regular (customer)

habituel, le [abitɥɛl] *adj* usual

habituer [abitɥe] *vt*: ~ **qn à** to get sb used to; **s'**~ **à** to get used to

'hache ['aʃ] *nf* axe

'hacher ['aʃe] *vt* (*viande*) to mince; (*persil*) to chop

'hachis ['aʃi] *nm* mince *no pl*

'hachoir ['aʃwar] *nm* chopper; (meat) mincer; chopping board

'hagard, e ['agar, -ard(ə)] *adj* wild, distraught

'haie ['ɛ] *nf* hedge; (*SPORT*) hurdle; (*fig*: *rang*) line, row

'haillons ['ɑjɔ̃] *nmpl* rags

'haine ['ɛn] *nf* hatred

'haïr ['air] *vt* to detest, hate

'hâlé, e ['ɑle] *adj* (sun)tanned, sunburnt

haleine [alɛn] *nf* breath; **hors d'**~ out of breath; **tenir en** ~ to hold spellbound; to keep in suspense; **de longue** ~ long-term

'haler ['ale] *vt* to haul in; to tow

'haleter ['alte] *vi* to pant

'hall ['ol] *nm* hall

'halle ['al] *nf* (covered) market; ~**s** *nfpl* (*d'une grande ville*) central food market *sg*

hallucinant, e [alysinɑ̃, -ɑ̃t] *adj* staggering

hallucination [alysinɑsjɔ̃] *nf* hallucination

'halte ['alt(ə)] *nf* stop, break; stopping place; (*RAIL*) halt ◆ *excl* stop!; **faire** ~ to stop

haltère [altɛr] *nm* dumbbell, barbell; ~**s** *nmpl*: **(poids et)** ~**s** (*activité*) weight lifting *sg*

'hamac ['amak] *nm* hammock

'hameau, x ['amo] *nm* hamlet

hameçon [amsɔ̃] *nm* (fish) hook

'hanche ['ɑ̃ʃ] *nf* hip

'handicapé, e ['ɑ̃dikape] *nm/f* physically (*ou* mentally) handicapped person; ~ **moteur** spastic

'hangar ['ɑ̃gar] *nm* shed; (*AVIAT*) hangar

'hanneton ['antɔ̃] *nm* cockchafer

'hanter ['ɑ̃te] *vt* to haunt

'hantise ['ɑ̃tiz] *nf* obsessive fear

'happer ['ape] *vt* to snatch; (*suj*: *train etc*) to hit

'haras ['ara] *nm* stud farm

'harassant, e ['arasɑ̃, -ɑ̃t] *adj* exhausting

'harceler ['arsəle] *vt* (*MIL, CHASSE*) to harass, harry; (*importuner*) to plague

'hardi, e ['ardi] *adj* bold, daring

'hareng ['arɑ̃] *nm* herring

'hargne ['arɲ(ə)] *nf* aggressiveness

'haricot ['ariko] *nm* bean; **haricot blanc** haricot bean; **haricot vert** green bean

harmonica [armɔnika] *nm* mouth organ

harmonie [armɔni] *nf* harmony

'harnacher ['arnaʃe] *vt* to harness

'harnais ['arnɛ] *nm* harness

'harpe ['arp(ə)] *nf* harp

'harponner ['arpɔne] *vt* to harpoon; (*fam*) to collar

'hasard ['azar] *nm*: **le** ~ chance, fate; **un** ~ a coincidence; a stroke of luck; **au** ~ aimlessly; at random; haphazardly; **par** ~ by chance; **à tout** ~ just in case; on the off chance (*BRIT*); **'hasarder** ['azarde] *vt* (*mot*) to venture; (*fortune*) to risk

'hâte ['ɑt] *nf* haste; **à la** ~ hurriedly, hastily; **en** ~ posthaste, with all possible speed; **avoir** ~ **de** to be eager *ou* anxious to; ~**r** *vt* to hasten; **se** ~**r** *vi* to hurry

'hâtif, ive ['ɑtif, -iv] *adj* hurried; hasty; (*légume*) early

'hausse ['os] *nf* rise, increase

'hausser ['ose] *vt* to raise; ~ **les épaules** to shrug (one's shoulders)

'haut, e ['o, 'ot] *adj* high; (*grand*) tall; (*son, voix*) high(-pitched) ◆ *adv* high ◆ *nm* top (part); **de 3 m de** ~ 3 m high, 3 m in height; **des** ~**s et des bas** ups and downs; **en** ~ **lieu** in high places; **à** ~**e voix, (tout)** ~ aloud, out loud; **du** ~ **de** from the top of; **de** ~ **en bas** from top to bottom; downwards; **plus** ~ higher up, further up; (*dans un texte*) above; (*parler*) louder; **en** ~ up above; at (*ou* to) the top; (*dans une maison*) upstairs; **en** ~ **de** at the top of

'hautain, e ['otɛ̃, -ɛn] *adj* haughty

'hautbois ['obwɑ] *nm* oboe

'haut-de-forme ['odfɔrm(ə)] *nm* top hat

'hauteur ['otœr] *nf* height; (*fig*) loftiness; haughtiness; **à la** ~ **de** (*sur la même ligne*) level with; by; (*fig*) equal to; **à la** ~ up to it

'haut-fond ['ofɔ̃] *nm* shallow, shoal

'haut-fourneau ['ofurno] *nm* blast *ou* smelting furnace

'haut-le-cœur ['olkœr] *nm inv* retch, heave

'haut-parleur ['oparlœr] *nm* (loud) speaker

'havre ['ɑvr(ə)] *nm* haven

'Haye ['ɛ] *n*: **la Haye** the Hague

hebdo [ɛbdo] (*fam*) *nm* weekly

hebdomadaire [ɛbdɔmadɛr] *adj, nm* weekly

héberger [ebɛrʒe] *vt* to accommodate, lodge; (*réfugiés*) to take in

hébété, e [ebete] *adj* dazed

hébreu, x [ebrø] *adj m, nm* Hebrew

hécatombe [ekatɔ̃b] *nf* slaughter

hectare [ɛktar] *nm* hectare

'hein ['ɛ̃] *excl* eh?

hélas ['elɑs] *excl* alas! ◆ *adv* unfortunately

'héler ['ele] *vt* to hail

hélice [elis] *nf* propeller

hélicoptère [elikɔptɛr] *nm* helicopter

helvétique [ɛlvetik] *adj* Swiss

hémicycle [emisikl(ə)] *nm* semicircle; (*POL*): **l'**~ ≈ the benches of the Commons) (*BRIT*), ≈ the floor (of the House of Representatives) (*US*)

hémorragie [emɔraʒi] *nf* bleeding *no pl*, haemorrhage

hémorroïdes [emɔrɔid] *nfpl* piles, haemorrhoids

'hennir ['enir] *vi* to neigh, whinny

herbe [ɛrb(ə)] *nf* grass; (*CULIN, MÉD*) herb; **en** ~ unripe; (*fig*) budding; **herbicide** *nm* weed-killer; **herboriste** *nm/f* herbalist

'hère ['ɛr] *nm*: **pauvre hère** poor wretch

héréditaire [ereditɛr] *adj* hereditary

'hérisser ['erise] *vt*: ~ **qn** (*fig*) to ruffle sb; **se** ~ *vi* to bristle, bristle up

'hérisson ['erisɔ̃] *nm* hedgehog

héritage [eritaʒ] *nm* inheritance; (*fig*) heritage; legacy

hériter [erite] *vi*: ~ **de qch (de qn)** to inherit sth (from sb); **héritier, ière** *nm/f* heir(ess)

hermétique [ɛrmetik] *adj* airtight; watertight; (*fig*) abstruse; impenetrable

hermine [ɛrmin] *nf* ermine

'hernie ['ɛrni] *nf* hernia

héroïne [erɔin] *nf* heroine; (*drogue*) heroin

'héron ['erɔ̃] *nm* heron

'héros ['ero] *nm* hero

hésitation [ezitɑsjɔ̃] *nf* hesitation

hésiter [ezite] *vi*: ~ **(à faire)** to hesitate (to do)

hétéroclite [eterɔklit] *adj* heterogeneous; (*objets*) sundry

'hêtre ['ɛtr(ə)] *nm* beech

heure [œr] *nf* hour; (*SCOL*) period; (*moment*) time; **c'est l'**~ it's time; **quelle** ~ **est-il?** what time is it?; **2** ~**s (du matin)** 2 o'clock (in the morning); **être à l'**~ to be on time; (*montre*) to be right; **mettre à l'**~ to set right; **à toute** ~ at any time; **24** ~**s sur 24** round the clock, 24 hours a day; **à l'**~ **qu'il est** at this time (of day); by now; **sur l'**~ at once; ~ **de pointe** *nf* rush hour; ~**s supplémentaires** overtime *sg*

heureusement [œrøzmɑ̃] *adv* (*par bonheur*) fortunately, luckily

heureux, euse [œrø, -øz] *adj* happy; (*chanceux*) lucky, fortunate; (*judicieux*) felicitous, fortunate

'heurt ['œr] *nm* (*choc*) collision; ~**s** *nmpl* (*fig*) clashes

'heurter ['œrte] *vt* (*mur*) to strike, hit; (*personne*) to collide with; (*fig*) to go against, upset; **se** ~ **à** *vt* to come up against; **'heurtoir** *nm* door knocker

hexagone [ɛgzagɔn] *nm* hexagon; (*la France*) France (*because of its shape*)

hiberner [ibɛrne] *vi* to hibernate

'hibou, x ['ibu] *nm* owl

'hideux, euse ['idø, -øz] *adj* hideous

hier [jɛr] *adv* yesterday; **toute la journée d'**~ all day yesterday; **toute la matinée d'**~ all yesterday morning

'hiérarchie ['jerarʃi] *nf* hierarchy

hilare [ilar] *adj* mirthful

hippique [ipik] *adj* equestrian, horse *cpd*

hippodrome [ipɔdrom] *nm* racecourse

hippopotame [ipɔpɔtam] *nm* hippopotamus

hirondelle [irɔ̃dɛl] *nf* swallow

hirsute [irsyt] *adj* hairy; shaggy; tousled

'hisser ['ise] *vt* to hoist, haul up

histoire [istwar] *nf* (*science, événements*) history; (*anecdote, récit, mensonge*) story; (*affaire*) business *no pl*; ~**s** *nfpl* (*chichis*) fuss *no pl*; (*ennuis*) trouble *sg*; **historique** *adj* historical; (*important*) historic

hiver [ivɛr] *nm* winter; **hivernal, e, aux** *adj* winter *cpd*; wintry; **hiverner** *vi* to winter

HLM *sigle m/f* = **habitation(s) à loyer modéré**

'hobby ['ɔbi] *nm* hobby

'hocher ['ɔʃe] *vt*: ~ **la tête** to nod; (*signe négatif ou dubitatif*) to shake one's head

'hochet ['ɔʃɛ] *nm* rattle

'hockey ['ɔkɛ] *nm*: ~ **(sur glace/gazon)** (ice/field) hockey

'hold-up ['ɔldœp] *nm inv* hold-up

'hollandais, e ['ɔlɑ̃dɛ, -ɛz] *adj* Dutch ◆ *nm* (*LING*) Dutch ◆ *nm/f*: **Hollandais, e** Dutchman(woman); **les Hollandais** the Dutch

'Hollande ['ɔlɑ̃d] *nf*: **la** ~ Holland

'homard ['ɔmar] *nm* lobster

homéopathique [ɔmeɔpatik] *adj* homoeopathic

homicide [ɔmisid] *nm* murder; ~ **involontaire** manslaughter

hommage [ɔmaʒ] *nm* tribute; ~**s** *nmpl*: **présenter ses** ~**s** to pay one's respects; **rendre** ~ **à** to pay tribute *ou* homage to

homme [ɔm] *nm* man; ~ **d'affaires** businessman; ~ **d'État** statesman; ~ **de main** hired man; ~ **de paille** stooge; ~**-grenouille** *nm* frogman

homo: ~**gène** *adj* homogeneous; ~**logue** *nm/f* counterpart, opposite number; ~**logué, e** *adj* (*SPORT*) officially recognized, ratified; (*tarif*) authorized; ~**nyme** *nm* (*LING*) homonym; (*d'une personne*) namesake; ~**sexuel, le** *adj* homosexual

'Hongrie ['ɔ̃gri] *nf*: **la Hongrie** Hungary; **'hongrois, e** *adj, nm/f* Hungarian

honnête [ɔnɛt] *adj* (*intègre*) honest; (*juste, satisfaisant*) fair; ~**ment** *adv* honestly; ~**té** *nf* honesty

honneur [ɔnœr] *nm* honour; (*mérite*) credit; **en l'**~ **de** in honour of; (*événement*) on the occasion of; **faire** ~ **à** (*engagements*) to honour; (*famille*) to be a credit to; (*fig*: *repas etc*) to do justice to

honorable [ɔnɔrabl(ə)] *adj* worthy, honourable; (*suffisant*) decent

honoraire [ɔnɔrɛr] *adj* honorary; **professeur** ~ professor emeritus; **honoraires** *nmpl* fees *pl*

honorer [ɔnɔre] *vt* to honour; (*estimer*) to hold in high regard; (*faire honneur à*) to do credit to; **s'**~ **de** *vt* to pride o.s. upon; **honorifique** *adj* honorary

'honte ['ɔ̃t] *nf* shame; **avoir** ~ **de** to be ashamed of; **faire** ~ **à qn** to make sb (feel) ashamed; **'honteux, euse** *adj* ashamed; (*conduite, acte*) shameful, disgraceful

hôpital, aux [opital, -o] *nm* hospital

'hoquet ['ɔkɛ] *nm*: **avoir le hoquet** to have (the) hiccoughs; **'hoqueter** *vi* to hiccough

horaire [ɔrɛr] *adj* hourly ◆ *nm* timetable, schedule; ~**s** *nmpl* (*d'employé*) hours; ~ **souple** flexitime

horizon [ɔrizɔ̃] *nm* horizon; (*paysage*) landscape, view

horizontal, e, aux [ɔrizɔ̃tal, -o] *adj* horizontal

horloge [ɔrlɔʒ] *nf* clock; **horloger, ère** *nm/f* watchmaker; clockmaker; **horlogerie** *nf* watch-making; watchmaker's (shop); clockmaker's (shop)

'hormis ['ɔrmi] *prép* save

horoscope [ɔrɔskɔp] *nm* horoscope

horreur [ɔrœr] *nf* horror; **avoir** ~ **de** to loathe *ou* detest; **horrible** *adj* horrible

horripiler [ɔripile] *vt* to exasperate

'hors ['ɔr] *prép* except (for); ~ **de** out of; ~ **pair** outstanding; ~ **de propos** inopportune; **être** ~ **de soi** to be beside o.s.; ~ **d'usage** out of service; ~**-bord** *nm inv* speedboat (with outboard motor); ~**-concours** *adj* ineligible to compete; ~**-d'œuvre** *nm inv* hors d'œuvre; ~**-jeu** *nm inv* offside; ~**-la-loi** *nm inv* outlaw; ~**-taxe** *adj* (*boutique, articles*) duty-free

hospice [ɔspis] *nm* (*de vieillards*) home

hospitalier, ière [ɔspitalje, -jɛr] *adj* (*accueillant*) hospitable; (*MÉD*: *service, centre*) hospital *cpd*

hospitalité [ɔspitalite] *nf* hospitality

hostie [ɔsti] *nf* host (*REL*)

hostile [ɔstil] *adj* hostile; **hostilité** *nf* hostility

hôte [ot] *nm* (*maître de maison*) host; (*invité*) guest

hôtel [otɛl] *nm* hotel; **aller à l'~** to stay in a hotel; **~ de ville** town hall; **~ (particulier)** (private) mansion; **hôtelier, ière** *adj* hotel *cpd* ◆ *nm/f* hotelier; **hôtellerie** *nf* hotel business; (*auberge*) inn
hôtesse [otɛs] *nf* hostess; **~ de l'air** air stewardess
'hotte ['ɔt] *nf* (*panier*) basket (*carried on the back*); (*de cheminée*) hood; **hotte aspirante** cooker hood
'houblon ['ublɔ̃] *nm* (BOT) hop; (*pour la bière*) hops *pl*
'houille ['uj] *nf* coal; **houille blanche** hydroelectric power
'houle ['ul] *nf* swell
'houlette ['ulɛt] *nf*: **sous la ~ de** under the guidance of
'houleux, euse ['ulø, -øz] *adj* heavy, swelling; (*fig*) stormy, turbulent
'houspiller ['uspije] *vt* to scold
'housse ['us] *nf* cover; dust cover; loose *ou* stretch cover
'houx ['u] *nm* holly
'hublot ['yblo] *nm* porthole
'huche ['yʃ] *nf*: **~ à pain** bread bin
'huer ['ɥe] *vt* to boo
huile [ɥil] *nf* oil; **huiler** *vt* to oil; **huileux, euse** *adj* oily
huis [ɥi] *nm*: **à ~ clos** in camera
huissier [ɥisje] *nm* usher; (JUR) ≈ bailiff
'huit ['ɥit] *num* eight; **samedi en huit** a week on Saturday; **'huitaine** *nf*: **une huitaine (de jours)** a week or so; **'huitième** *num* eighth
huître [ɥitʀ(ə)] *nf* oyster
humain, e [ymɛ̃, -ɛn] *adj* human; (*compatissant*) humane ◆ *nm* human (being); **humanité** *nf* humanity
humble [œ̃bl(ə)] *adj* humble
humecter [ymɛkte] *vt* to dampen
'humer ['yme] *vt* to smell; to inhale
humeur [ymœʀ] *nf* mood; (*tempérament*) temper; (*irritation*) bad temper; **de bonne/mauvaise ~** in a good/bad mood
humide [ymid] *adj* damp; (*main, yeux*) moist; (*climat, chaleur*) humid; (*saison, route*) wet
humilier [ymilje] *vt* to humiliate
humilité [ymilite] *nf* humility, humbleness
humoristique [ymɔʀistik] *adj* humorous; humoristic
humour [ymuʀ] *nm* humour; **avoir de l'~** to have a sense of humour; **~ noir** sick humour
'hurlement ['yʀləmɑ̃] *nm* howling *no pl*, howl, yelling *no pl*, yell
'hurler ['yʀle] *vi* to howl, yell
hurluberlu [yʀlybɛʀly] (*péj*) *nm* crank
'hutte ['yt] *nf* hut
hydratant, e [idʀatɑ̃, -ɑ̃t] *adj* (*crème*) moisturizing
hydrate [idʀat] *nm*: **~s de carbone** carbohydrates
hydraulique [idʀolik] *adj* hydraulic
hydravion [idʀavjɔ̃] *nm* seaplane
hydrogène [idʀɔʒɛn] *nm* hydrogen
hydroglisseur [idʀɔglisœʀ] *nm* hydroplane
hygiénique [iʒjenik] *adj* hygienic
hymne [imn(ə)] *nm* hymn; **~ national** national anthem
hypermarché [ipɛʀmaʀʃe] *nm* hypermarket
hypermétrope [ipɛʀmetʀɔp] *adj* long-sighted
hypnotiser [ipnɔtize] *vt* to hypnotize
hypocrite [ipɔkʀit] *adj* hypocritical
hypothèque [ipɔtɛk] *nf* mortgage
hypothèse [ipɔtɛz] *nf* hypothesis
hystérique [isteʀik] *adj* hysterical

I

iceberg [isbɛʀg] *nm* iceberg
ici [isi] *adv* here; **jusqu'~** as far as this; until now; **d'~ là** by then; in the meantime; **d'~ peu** before long
idéal, e, aux [ideal, -o] *adj* ideal ◆ *nm* ideal; ideals *pl*
idée [ide] *nf* idea; **avoir dans l'~ que** to have an idea that; **~s noires** black *ou* dark thoughts
identifier [idɑ̃tifje] *vt* to identify; **s'~ à** (*héros etc*) to identify with
identique [idɑ̃tik] *adj*: **~ (à)** identical (to)
identité [idɑ̃tite] *nf* identity
idiot, e [idjo, idjɔt] *adj* idiotic ◆ *nm/f* idiot
idole [idɔl] *nf* idol
if [if] *nm* yew
ignare [iɲaʀ] *adj* ignorant
ignoble [iɲɔbl(ə)] *adj* vile
ignorant, e [iɲɔʀɑ̃, -ɑ̃t] *adj* ignorant
ignorer [iɲɔʀe] *vt* (*ne pas connaître*) not to know, be unaware *ou* ignorant of; (*être sans expérience de: plaisir, guerre etc*) not to know about, have no experience of; (*bouder: personne*) to ignore

il [il] *pron* he; (*animal, chose, en tournure impersonnelle*) it; **~s** they; *voir aussi* **avoir**
île [il] *nf* island; **les ~s anglo-normandes** the Channel Islands; **les ~s Britanniques** the British Isles
illégal, e, aux [ilegal, -o] *adj* illegal
illégitime [ileʒitim] *adj* illegitimate
illettré, e [iletʀe] *adj, nm/f* illiterate
illimité, e [ilimite] *adj* unlimited
illisible [ilizibl(ə)] *adj* illegible; (*roman*) unreadable
illumination [ilyminɑsjɔ̃] *nf* illumination, floodlighting; (*idée*) flash of inspiration
illuminer [ilymine] *vt* to light up; (*monument, rue: pour une fête*) to illuminate, floodlight
illusion [ilyzjɔ̃] *nf* illusion; **se faire des ~s** to delude o.s.; **faire ~** to delude *ou* fool people; **illusionniste** *nm/f* conjuror
illustration [ilystʀɑsjɔ̃] *nf* illustration
illustre [ilystʀ(ə)] *adj* illustrious
illustré, e [ilystʀe] *adj* illustrated ◆ *nm* illustrated magazine; comic
illustrer [ilystʀe] *vt* to illustrate; **s'~** to become famous, win fame
îlot [ilo] *nm* small island, islet; (*de maisons*) block
ils [il] *pron voir* **il**
image [imaʒ] *nf* (*gén*) picture; (*comparaison, ressemblance*, OPTIQUE) image; **~ de marque** brand image; (*fig*) public image
imagination [imaʒinɑsjɔ̃] *nf* imagination; (*chimère*) fancy; **avoir de l'~** to be imaginative
imaginer [imaʒine] *vt* to imagine; (*inventer: expédient*) to devise, think up; **s'~** *vt* (*se figurer: scène etc*) to imagine, picture; **s'~ que** to imagine that
imbécile [ɛ̃besil] *adj* idiotic ◆ *nm/f* idiot
imberbe [ɛ̃bɛʀb(ə)] *adj* beardless
imbiber [ɛ̃bibe] *vt* to moisten, wet; **s'~ de** to become saturated with
imbu, e [ɛ̃by] *adj*: **~ de** full of
imitateur, trice [imitatœʀ, -tʀis] *nm/f* (*gén*) imitator; (MUSIC-HALL) impersonator
imitation [imitɑsjɔ̃] *nf* imitation; (*sketch*) imitation, impression; impersonation
imiter [imite] *vt* to imitate; (*contrefaire*) to forge; (*ressembler à*) to look like
immaculé, e [imakyle] *adj* spotless; immaculate
immatriculation [imatʀikylɑsjɔ̃] *nf* registration
immatriculer [imatʀikyle] *vt* to register; **faire/se faire ~** to register
immédiat, e [imedja, -at] *adj* immediate ◆ *nm*: **dans l'~** for the time being; **~ement** *adv* immediately
immense [imɑ̃s] *adj* immense
immerger [imɛʀʒe] *vt* to immerse, submerge
immeuble [imœbl(ə)] *nm* building; **~ locatif** block of rented flats (BRIT), rental building (US)
immigration [imigʀɑsjɔ̃] *nf* immigration
immigré, e [imigʀe] *nm/f* immigrant
imminent, e [iminɑ̃, -ɑ̃t] *adj* imminent
immiscer [imise]: **s'~** *vi* to interfere in *ou* with
immobile [imɔbil] *adj* still, motionless; (*fig*) unchanging
immobilier, ière [imɔbilje, -jɛʀ] *adj* property *cpd* ◆ *nm*: **l'~** the property business
immobiliser [imɔbilize] *vt* (*gén*) to immobilize; (*circulation, véhicule, affaires*) to bring to a standstill; **s'~** (*personne*) to stand still; (*machine, véhicule*) to come to a halt
immonde [imɔ̃d] *adj* foul
immondices [imɔ̃dis] *nmpl* refuse *sg*; filth *sg*
immoral, e, aux [imɔʀal, -o] *adj* immoral
immuable [imɥabl(ə)] *adj* immutable; unchanging
immunisé, e [imynize] *adj*: **~ contre** immune to
immunité [imynite] *nf* immunity
impact [ɛ̃pakt] *nm* impact
impair, e [ɛ̃pɛʀ] *adj* odd ◆ *nm* faux pas, blunder
impardonnable [ɛ̃paʀdɔnabl(ə)] *adj* unpardonable, unforgivable
imparfait, e [ɛ̃paʀfɛ, -ɛt] *adj* imperfect
impartial, e, aux [ɛ̃paʀsjal, -o] *adj* impartial, unbiased
impartir [ɛ̃paʀtiʀ] *vt* to assign; to bestow
impasse [ɛ̃pɑs] *nf* dead-end, cul-de-sac; (*fig*) deadlock
impassible [ɛ̃pasibl(ə)] *adj* impassive
impatience [ɛ̃pasjɑ̃s] *nf* impatience
impatient, e [ɛ̃pasjɑ̃, -ɑ̃t] *adj* impatient
impayable [ɛ̃pɛjabl(ə)] *adj* (*drôle*) priceless
impeccable [ɛ̃pekabl(ə)] *adj* faultless, impeccable; spotlessly clean; impeccably dressed; (*fam*) smashing
impensable [ɛ̃pɑ̃sabl(ə)] *adj* unthinkable; unbelievable
impératif, ive [ɛ̃peʀatif, -iv] *adj* imperative ◆ *nm* (LING) imperative; **~s** *nmpl* (*exigences*) requirements; demands

impératrice [ɛ̃peʀatʀis] *nf* empress
impérial, e, aux [ɛ̃peʀjal, -o] *adj* imperial; **impériale** *nf* top deck
impérieux, euse [ɛ̃peʀjø, -øz] *adj* (*caractère, ton*) imperious; (*obligation, besoin*) pressing, urgent
impérissable [ɛ̃peʀisabl(ə)] *adj* undying; imperishable
imperméable [ɛ̃pɛʀmeabl(ə)] *adj* waterproof; (GÉO) impermeable; (*fig*): **~ à** impervious to ◆ *nm* raincoat
impertinent, e [ɛ̃pɛʀtinɑ̃, -ɑ̃t] *adj* impertinent
impétueux, euse [ɛ̃petɥø, -øz] *adj* fiery
impie [ɛ̃pi] *adj* impious, ungodly
impitoyable [ɛ̃pitwajabl(ə)] *adj* pitiless, merciless
implanter [ɛ̃plɑ̃te] *vt* (*usine, industrie, usage*) to establish; (*colons etc*) to settle; (*idée, préjugé*) to implant
impliquer [ɛ̃plike] *vt* to imply; **~ qn (dans)** to implicate sb (in)
impoli, e [ɛ̃pɔli] *adj* impolite, rude
importance [ɛ̃pɔʀtɑ̃s] *nf* importance; **sans ~** unimportant
important, e [ɛ̃pɔʀtɑ̃, -ɑ̃t] *adj* important; (*en quantité*) considerable, sizeable; extensive; (*péj: airs, ton*) self-important ◆ *nm*: **l'~** the important thing
importateur, trice [ɛ̃pɔʀtatœʀ, -tʀis] *nm/f* importer
importation [ɛ̃pɔʀtɑsjɔ̃] *nf* importation; introduction; (*produit*) import
importer [ɛ̃pɔʀte] *vt* (COMM) to import; (*maladies, plantes*) to introduce ◆ *vi* (*être important*) to matter; **il importe qu'il fasse** it is important that he should do; **peu m'importe** I don't mind; I don't care; **peu importe (que)** it doesn't matter (if); *voir aussi* **n'importe**
importun, e [ɛ̃pɔʀtœ̃, -yn] *adj* irksome, importunate; (*arrivée, visite*) inopportune, ill-timed ◆ *nm* intruder; **importuner** *vt* to bother
imposable [ɛ̃pozabl(e)] *adj* taxable
imposant, e [ɛ̃pozɑ̃, -ɑ̃t] *adj* imposing
imposer [ɛ̃poze] *vt* (*taxer*) to tax; **s'~** (*être nécessaire*) to be imperative; (*montrer sa proéminence*) to stand out, emerge; (*artiste: se faire connaître*) to win recognition; **~ qch à qn** to impose sth on sb; **en ~ à** to impress; **imposition** [ɛ̃pozisjɔ̃] *nf* (ADMIN) taxation
impossible [ɛ̃pɔsibl(ə)] *adj* impossible; **il m'est ~ de le faire** it is impossible for me to do it, I can't possibly do it; **faire l'~** to do one's utmost
impôt [ɛ̃po] *nm* tax; (*taxes*) taxation; taxes *pl*; **~s** *nmpl* (*contributions*) (income) tax *sg*; **payer 1000 F d'~s** to pay 1,000 F in tax; **~ foncier** land tax; **~ sur le chiffre d'affaires** corporation (BRIT) *ou* corporate (US) tax; **~ sur le revenu** income tax
impotent, e [ɛ̃pɔtɑ̃, -ɑ̃t] *adj* disabled
impraticable [ɛ̃pʀatikabl(ə)] *adj* (*projet*) impracticable, unworkable; (*piste*) impassable
imprécis, e [ɛ̃pʀesi, -iz] *adj* imprecise
imprégner [ɛ̃pʀeɲe] *vt* (*tissu, tampon*) to soak, impregnate; (*lieu, air*) to fill; **s'~ de** (*fig*) to absorb
imprenable [ɛ̃pʀənabl(ə)] *adj* (*forteresse*) impregnable; **vue ~** unimpeded outlook
impression [ɛ̃pʀesjɔ̃] *nf* impression; (*d'un ouvrage, tissu*) printing; **faire bonne ~** to make a good impression
impressionnant, e [ɛ̃pʀesjɔnɑ̃, -ɑ̃t] *adj* impressive; upsetting
impressionner [ɛ̃pʀesjɔne] *vt* (*frapper*) to impress; (*troubler*) to upset
imprévisible [ɛ̃pʀevizibl(ə)] *adj* unforeseeable
imprévoyant, e [ɛ̃pʀevwajɑ̃, -ɑ̃t] *adj* lacking in foresight; (*en matière d'argent*) improvident
imprévu, e [ɛ̃pʀevy] *adj* unforeseen, unexpected ◆ *nm* unexpected incident; **en cas d'~** if anything unexpected happens
imprimante [ɛ̃pʀimɑ̃t] *nf* printer; **~ matricielle** dot-matrix printer
imprimé [ɛ̃pʀime] *nm* (*formulaire*) printed form; (POSTES) printed matter *no pl*
imprimer [ɛ̃pʀime] *vt* to print; (*empreinte etc*) to imprint; (*publier*) to publish; (*communiquer: mouvement, impulsion*) to impart, transmit; **imprimerie** *nf* printing; (*établissement*) printing works *sg*; **imprimeur** *nm* printer
impromptu, e [ɛ̃pʀɔ̃pty] *adj* impromptu; sudden
impropre [ɛ̃pʀɔpʀ(ə)] *adj* inappropriate; **~ à** unsuitable for
improviser [ɛ̃pʀɔvize] *vt, vi* to improvise
improviste [ɛ̃pʀɔvist(ə)]: **à l'~** *adv* unexpectedly, without warning
imprudence [ɛ̃pʀydɑ̃s] *nf* carelessness *no pl*; imprudence *no pl*
imprudent, e [ɛ̃pʀydɑ̃, -ɑ̃t] *adj* (*conducteur, geste, action*) careless; (*remarque*) unwise, imprudent; (*projet*) foolhardy

impudent, e [ɛ̃pydɑ̃, -ɑ̃t] *adj* impudent; brazen
impudique [ɛ̃pydik] *adj* shameless
impuissant, e [ɛ̃pɥisɑ̃, -ɑ̃t] *adj* helpless; (*sans effet*) ineffectual; (*sexuellement*) impotent; **~ à faire** powerless to do
impulsif, ive [ɛ̃pylsif, -iv] *adj* impulsive
impulsion [ɛ̃pylsjɔ̃] *nf* (ÉLEC, *instinct*) impulse; (*élan, influence*) impetus
impunément [ɛ̃pynemɑ̃] *adv* with impunity
imputer [ɛ̃pyte] *vt* (*attribuer*) to ascribe, impute; (COMM): **~ à** *ou* **sur** to charge to
inabordable [inabɔʀdabl(ə)] *adj* (*cher*) prohibitive
inaccessible [inaksesibl(ə)] *adj* inaccessible; unattainable; (*insensible*): **~ à** impervious to
inachevé, e [inaʃve] *adj* unfinished
inadapté, e [inadapte] *adj* (*gén*): **~ à** not adapted to, unsuited to; (PSYCH) maladjusted
inadmissible [inadmisibl(ə)] *adj* inadmissible
inadvertance [inadvɛʀtɑ̃s]: **par ~** *adv* inadvertently
inaltérable [inalteʀabl(ə)] *adj* (*matière*) stable; (*fig*) unchanging; **~ à** unaffected by
inamovible [inamɔvibl(ə)] *adj* fixed; (JUR) irremovable
inanimé, e [inanime] *adj* (*matière*) inanimate; (*évanoui*) unconscious; (*sans vie*) lifeless
inanition [inanisjɔ̃] *nf*: **tomber d'~** to faint with hunger (and exhaustion)
inaperçu, e [inapɛʀsy] *adj*: **passer ~** to go unnoticed
inappréciable [inapʀesjabl(ə)] *adj* (*service*) invaluable
inapte [inapt(ə)] *adj*: **~ à** incapable of; (MIL) unfit for
inattaquable [inatakabl(ə)] *adj* (*texte, preuve*) irrefutable
inattendu, e [inatɑ̃dy] *adj* unexpected
inattentif, ive [inatɑ̃tif, -iv] *adj* inattentive; **~ à** (*dangers, détails*) heedless of; **inattention** *nf*: **faute d'inattention** careless mistake
inaugurer [inɔgyʀe] *vt* (*monument*) to unveil; (*exposition, usine*) to open; (*fig*) to inaugurate
inavouable [inavwabl(ə)] *adj* shameful; undisclosable
inavoué, e [inavwe] *adj* unavowed
incandescence [ɛ̃kɑ̃desɑ̃s] *nf*: **porter à ~** to heat white-hot
incapable [ɛ̃kapabl(ə)] *adj* incapable; **~ de faire** incapable of doing; (*empêché*) unable to do
incapacité [ɛ̃kapasite] *nf* incapability; (JUR) incapacity
incarcérer [ɛ̃kaʀseʀe] *vt* to incarcerate, imprison
incarner [ɛ̃kaʀne] *vt* to embody, personify; (THÉÂTRE) to play
incartade [ɛ̃kaʀtad] *nf* prank
incassable [ɛ̃kɑsabl(ə)] *adj* unbreakable
incendiaire [ɛ̃sɑ̃djɛʀ] *adj* incendiary; (*fig: discours*) inflammatory ◆ *nm/f* fire-raiser, arsonist
incendie [ɛ̃sɑ̃di] *nm* fire; **~ criminel** arson *no pl*; **~ de forêt** forest fire; **~r** [ɛ̃sɑ̃dje] *vt* (*mettre le feu à*) to set fire to, set alight; (*brûler complètement*) to burn down
incertain, e [ɛ̃sɛʀtɛ̃, -ɛn] *adj* uncertain; (*temps*) uncertain, unsettled; (*imprécis: contours*) indistinct, blurred; **incertitude** *nf* uncertainty
incessamment [ɛ̃sesamɑ̃] *adv* very shortly
incidemment [ɛ̃sidamɑ̃] *adv* in passing
incident [ɛ̃sidɑ̃] *nm* incident; **~ de parcours** minor hitch *ou* setback; **~ technique** technical difficulties *pl*
incinérer [ɛ̃sineʀe] *vt* (*ordures*) to incinerate; (*mort*) to cremate
incisive [ɛ̃siziv] *nf* incisor
inciter [ɛ̃site] *vt*: **~ qn à (faire) qch** to encourage sb to do sth; (*à la révolte etc*) to incite sb to do sth
inclinable [ɛ̃klinabl(ə)] *adj*: **siège à dossier ~** reclining seat
inclinaison [ɛ̃klinɛzɔ̃] *nf* (*déclivité: d'une route etc*) incline; (: *d'un toit*) slope; (*état penché*) tilt
inclination [ɛ̃klinɑsjɔ̃] *nf*: **~ de (la) tête** nod (of the head); **~ (de buste)** bow
incliner [ɛ̃kline] *vt* (*tête, bouteille*) to tilt ◆ *vi*: **~ à qch/à faire** to incline towards sth/doing; **s'~ (devant)** to bow (before); (*céder*) to give in *ou* yield (to); **~ la tête** *ou* **le front** to give a slight bow
inclure [ɛ̃klyʀ] *vt* to include; (*joindre à un envoi*) to enclose; **jusqu'au 10 mars inclus** until 10th March inclusive
incoercible [ɛ̃kɔɛʀsibl(ə)] *adj* uncontrollable
incohérent, e [ɛ̃kɔeʀɑ̃, -ɑ̃t] *adj* inconsistent; incoherent
incollable [ɛ̃kɔlabl(ə)] *adj*: **il est ~** he's got all the answers

incolore [ɛ̃kɔlɔʀ] *adj* colourless

incomber [ɛ̃kɔ̃be] : ~ **à** *vt* (*suj: devoirs, responsabilité*) to rest upon; (: *frais, travail*) to be the responsibility of

incommensurable [ɛ̃kɔmɑ̃syʀabl(ə)] *adj* immeasurable

incommode [ɛ̃kɔmɔd] *adj* inconvenient; (*posture, siège*) uncomfortable

incommoder [ɛ̃kɔmɔde] *vt*: ~ **qn** to inconvenience sb; (*embarrasser*) to make sb feel uncomfortable

incompétent, e [ɛ̃kɔ̃petɑ̃, -ɑ̃t] *adj* incompetent

incompris, e [ɛ̃kɔ̃pʀi, -iz] *adj* misunderstood

inconcevable [ɛ̃kɔ̃svabl(ə)] *adj* incredible

inconciliable [ɛ̃kɔ̃siljabl(ə)] *adj* irreconcilable

inconditionnel, le [ɛ̃kɔ̃disjɔnɛl] *adj* unconditional; (*partisan*) unquestioning

incongru, e [ɛ̃kɔ̃gʀy] *adj* unseemly

inconnu, e [ɛ̃kɔny] *adj* unknown; new, strange ♦ *nm/f* stranger; unknown person (*ou* artist *etc*) ♦ *nm*: **l'~** the unknown; **~e** *nf* unknown

inconsciemment [ɛ̃kɔ̃sjamɑ̃] *adv* unconsciously

inconscient, e [ɛ̃kɔ̃sjɑ̃, -ɑ̃t] *adj* unconscious; (*irréfléchi*) thoughtless, reckless ♦ *nm* (*PSYCH*): **l'~** the unconscious; ~ **de** unaware of

inconsidéré, e [ɛ̃kɔ̃sideʀe] *adj* ill-considered

inconsistant, e [ɛ̃kɔ̃sistɑ̃, -ɑ̃t] *adj* flimsy, weak; runny

incontestable [ɛ̃kɔ̃tɛstabl(ə)] *adj* indisputable

incontournable [ɛ̃kɔ̃tuʀnabl(ə)] *adj* unavoidable

inconvenant, e [ɛ̃kɔ̃vnɑ̃, -ɑ̃t] *adj* unseemly, improper

inconvénient [ɛ̃kɔ̃venjɑ̃] *nm* (*d'une situation, d'un projet*) disadvantage, drawback; (*d'un remède, changement etc*) inconvenience; **si vous n'y voyez pas d'~** if you have no objections

incorporer [ɛ̃kɔʀpɔʀe] *vt*: ~ **(à)** to mix in (with); (*paragraphe etc*): ~ **(dans)** to incorporate (in); (*MIL: appeler*) to recruit, call up

incorrect, e [ɛ̃kɔʀɛkt] *adj* (*impropre, inconvenant*) improper; (*défectueux*) faulty; (*inexact*) incorrect; (*impoli*) impolite; (*déloyal*) underhand

incrédule [ɛ̃kʀedyl] *adj* incredulous; (*REL*) unbelieving

increvable [ɛ̃kʀəvabl(ə)] (*fam*) *adj* tireless

incriminer [ɛ̃kʀimine] *vt* (*personne*) to incriminate; (*action, conduite*) to bring under attack; (*bonne foi, honnêteté*) to call into question

incroyable [ɛ̃kʀwajabl(ə)] *adj* incredible; unbelievable

incruster [ɛ̃kʀyste] *vt* (*ART*) to inlay; **s'~** *vi* (*invité*) to take root; (*radiateur etc*) to become coated with fur *ou* scale

inculpé, e [ɛ̃kylpe] *nm/f* accused

inculper [ɛ̃kylpe] *vt*: ~ **(de)** to charge (with)

inculquer [ɛ̃kylke] *vt*: ~ **qch à** to inculcate sth in *ou* instil sth into

inculte [ɛ̃kylt(ə)] *adj* uncultivated; (*esprit, peuple*) uncultured; (*barbe*) unkempt

Inde [ɛ̃d] *nf*: **l'~** India

indécis, e [ɛ̃desi, -iz] *adj* indecisive; (*perplexe*) undecided

indéfendable [ɛ̃defɑ̃dabl(ə)] *adj* indefensible

indéfini, e [ɛ̃defini] *adj* (*imprécis, incertain*) undefined; (*illimité, LING*) indefinite; **indéfiniment** *adv* indefinitely; **indéfinissable** *adj* indefinable

indélébile [ɛ̃delebil] *adj* indelible

indélicat, e [ɛ̃delika, -at] *adj* tactless; dishonest

indemne [ɛ̃dɛmn(ə)] *adj* unharmed

indemniser [ɛ̃dɛmnize] *vt*: ~ **qn (de)** to compensate sb (for)

indemnité [ɛ̃dɛmnite] *nf* (*dédommagement*) compensation *no pl*; (*allocation*) allowance; ~ **de licenciement** redundancy payment

indépendamment [ɛ̃depɑ̃damɑ̃] *adv* independently; ~ **de** (*abstraction faite de*) irrespective of; (*en plus de*) over and above

indépendance [ɛ̃depɑ̃dɑ̃s] *nf* independence

indépendant, e [ɛ̃depɑ̃dɑ̃, -ɑ̃t] *adj* independent; ~ **de** independent of

indescriptible [ɛ̃dɛskʀiptibl(ə)] *adj* indescribable

indétermination [ɛ̃detɛʀminɑsjɔ̃] *nf* indecision; indecisiveness

indéterminé, e [ɛ̃detɛʀmine] *adj* unspecified; indeterminate

index [ɛ̃dɛks] *nm* (*doigt*) index finger; (*d'un livre etc*) index; **mettre à l'~** to blacklist

indexé, e [ɛ̃dɛkse] *adj* (*ÉCON*): ~ **(sur)** index-linked (to)

indicateur [ɛ̃dikatœʀ] *nm* (*POLICE*) informer; (*livre*) guide; directory; (*TECH*) gauge; indicator; ~ **des chemins de fer** railway timetable

indicatif, ive [ɛ̃dikatif, -iv] *adj*: **à titre ~** for (your) information ♦ *nm* (*LING*) indicative; (*RADIO*) theme *ou* signature tune; (*TÉL*) dialling code

indication [ɛ̃dikɑsjɔ̃] *nf* indication; (*renseignement*) information *no pl*; **~s** *nfpl* (*directives*) instructions

indice [ɛ̃dis] *nm* (*marque, signe*) indication, sign; (*POLICE: lors d'une enquête*) clue; (*JUR: présomption*) piece of evidence; (*SCIENCE, ÉCON, TECH*) index

indicible [ɛ̃disibl(ə)] *adj* inexpressible

indien, ne [ɛ̃djɛ̃, -jɛn] *adj, nm/f* Indian

indifféremment [ɛ̃difeʀamɑ̃] *adv* (*sans distinction*) equally (well); indiscriminately

indifférence [ɛ̃difeʀɑ̃s] *nf* indifference

indifférent, e [ɛ̃difeʀɑ̃, -ɑ̃t] *adj* (*peu intéressé*) indifferent

indigence [ɛ̃diʒɑ̃s] *nf* poverty

indigène [ɛ̃diʒɛn] *adj* native, indigenous; local ♦ *nm/f* native

indigeste [ɛ̃diʒɛst(ə)] *adj* indigestible

indigestion [ɛ̃diʒɛstjɔ̃] *nf* indigestion *no pl*

indigne [ɛ̃diɲ] *adj* unworthy

indigner [ɛ̃diɲe] *vt*: **s'~ (de** *ou* **contre)** to be indignant (at)

indiqué, e [ɛ̃dike] *adj* (*date, lieu*) given; (*adéquat, conseillé*) suitable

indiquer [ɛ̃dike] *vt* (*désigner*): ~ **qch/qn à qn** to point sth/sb out to sb; (*suj: pendule, aiguille*) to show; (: *étiquette, plan*) to show, indicate; (*faire connaître: médecin, restaurant*): ~ **qch/qn à qn** to tell sb of sth/sb; (*renseigner sur*) to point out, tell; (*déterminer: date, lieu*) to give, state; (*dénoter*) to indicate, point to

indirect, e [ɛ̃diʀɛkt] *adj* indirect

indiscipline [ɛ̃disiplin] *nf* lack of discipline; **indiscipliné, e** *adj* undisciplined; (*fig*) unmanageable

indiscret, ète [ɛ̃diskʀɛ, -ɛt] *adj* indiscreet

indiscutable [ɛ̃diskytabl(ə)] *adj* indisputable

indispensable [ɛ̃dispɑ̃sabl(ə)] *adj* indispensable; essential

indisposé, e [ɛ̃dispoze] *adj* indisposed

indisposer [ɛ̃dispoze] *vt* (*incommoder*) to upset; (*déplaire à*) to antagonize

indistinct, e [ɛ̃distɛ̃, -ɛ̃kt(ə)] *adj* indistinct; **indistinctement** *adv* (*voir, prononcer*) indistinctly; (*sans distinction*) indiscriminately

individu [ɛ̃dividy] *nm* individual

individuel, le [ɛ̃dividɥɛl] *adj* (*gén*) individual; (*opinion, livret, contrôle, avantages*) personal; **chambre ~le** single room; **maison ~le** detached house

indolore [ɛ̃dɔlɔʀ] *adj* painless

indomptable [ɛ̃dɔ̃tabl(ə)] *adj* untameable; (*fig*) invincible, indomitable

Indonésie [ɛ̃donezi] *nf* Indonesia

indu, e [ɛ̃dy] *adj*: **à des heures ~es** at some ungodly hour

induire [ɛ̃dɥiʀ] *vt*: ~ **qn en erreur** to lead sb astray, mislead sb

indulgent, e [ɛ̃dylʒɑ̃, -ɑ̃t] *adj* (*parent, regard*) indulgent; (*juge, examinateur*) lenient

indûment [ɛ̃dymɑ̃] *adv* wrongfully; without due cause

industrie [ɛ̃dystʀi] *nf* industry; **industriel, le** *adj* industrial ♦ *nm* industrialist; manufacturer

inébranlable [inebʀɑ̃labl(ə)] *adj* (*masse, colonne*) solid; (*personne, certitude, foi*) steadfast, unwavering

inédit, e [inedi, -it] *adj* (*correspondance etc*) hitherto unpublished; (*spectacle, moyen*) novel, original

ineffaçable [inefasabl(ə)] *adj* indelible

inefficace [inefikas] *adj* (*remède, moyen*) ineffective; (*machine, employé*) inefficient

inégal, e, aux [inegal, -o] *adj* unequal; uneven; **inégalable** [inegalabl(e)] *adj* matchless; **inégalé, e** [inegale] *adj* unmatched, unequalled

inerte [inɛʀt(ə)] *adj* lifeless; inert

inestimable [inɛstimabl(e)] *adj* priceless; (*fig: bienfait*) invaluable

inévitable [inevitabl(ə)] *adj* unavoidable; (*fatal, habituel*) inevitable

inexact, e [inɛgzakt] *adj* inaccurate, inexact; unpunctual

in extremis [inɛkstʀemis] *adv* at the last minute ♦ *adj* last-minute

infaillible [ɛ̃fajibl(ə)] *adj* infallible

infâme [ɛ̃fɑm] *adj* vile

infanticide [ɛ̃fɑ̃tisid] *nm/f* child-murderer(eress) ♦ *nm* (*meurtre*) infanticide

infarctus [ɛ̃faʀktys] *nm*: ~ **(du myocarde)** coronary (thrombosis)

infatigable [ɛ̃fatigabl(ə)] *adj* tireless

infect, e [ɛ̃fɛkt] *adj* vile; foul; (*repas, vin*) revolting

infecter [ɛ̃fɛkte] *vt* (*atmosphère, eau*) to contaminate; (*MÉD*) to infect; **s'~** to become infected *ou* septic; **infection** *nf* infection

inférieur, e [ɛ̃feʀjœʀ] *adj* lower; (*en qualité, intelligence*) inferior; ~ **à** (*somme, quantité*) less *ou* smaller than; (*moins bon que*) inferior to

infernal, e, aux [ɛ̃fɛʀnal, -o] *adj* (*chaleur, rythme*) infernal; (*méchanceté, complot*) diabolical

infidèle [ɛ̃fidɛl] *adj* unfaithful

infiltrer [ɛ̃filtʀe] : **s'~** *vi* to penetrate into; (*liquide*) to seep into; (*fig: noyauter*) to infiltrate

infime [ɛ̃fim] *adj* minute, tiny; (*inférieur*) lowly

infini, e [ɛ̃fini] *adj* infinite ♦ *nm* infinity; **à l'~** (*MATH*) to infinity; (*agrandir, varier*) infinitely; (*interminablement*) endlessly; **infinité** *nf*: **une infinité de** an infinite number of

infinitif [ɛ̃finitif] *nm* infinitive

infirme [ɛ̃fiʀm(ə)] *adj* disabled ♦ *nm/f* disabled person; ~ **de guerre** war cripple

infirmerie [ɛ̃fiʀməʀi] *nf* sick bay

infirmier, ière [ɛ̃fiʀmje, -jɛʀ] *nm/f* nurse; **infirmière chef** sister; **infirmière visiteuse** ≈ district nurse

infirmité [ɛ̃fiʀmite] *nf* disability

inflammable [ɛ̃flamabl(ə)] *adj* (in)flammable

inflation [ɛ̃flɑsjɔ̃] *nf* inflation

inflexion [ɛ̃flɛksjɔ̃] *nf* inflexion; ~ **de la tête** slight nod (of the head)

infliger [ɛ̃fliʒe] *vt*: ~ **qch (à qn)** to inflict sth (on sb); (*amende, sanction*) to impose sth (on sb)

influence [ɛ̃flyɑ̃s] *nf* influence; (*d'un médicament*) effect; **influencer** *vt* to influence; **influent, e** *adj* influential

influer [ɛ̃flye] : ~ **sur** *vt* to have an influence upon

informaticien, ne [ɛ̃fɔʀmatisjɛ̃, -jɛn] *nm/f* computer scientist

information [ɛ̃fɔʀmɑsjɔ̃] *nf* (*renseignement*) piece of information; (*PRESSE, TV: nouvelle*) item of news; (*diffusion de renseignements, INFORM*) information; (*JUR*) inquiry, investigation; **~s** *nfpl* (*TV*) news *sg*; **voyage d'~** fact-finding trip

informatique [ɛ̃fɔʀmatik] *nf* (*technique*) data processing; (*science*) computer science ♦ *adj* computer *cpd*; **informatiser** *vt* to computerize

informe [ɛ̃fɔʀm(ə)] *adj* shapeless

informer [ɛ̃fɔʀme] *vt*: ~ **qn (de)** to inform sb (of); **s'~ (de/si)** to inquire *ou* find out (about/whether *ou* if)

infortune [ɛ̃fɔʀtyn] *nf* misfortune

infraction [ɛ̃fʀaksjɔ̃] *nf* offence; ~ **à** violation *ou* breach of; **être en ~** to be in breach of the law

infranchissable [ɛ̃fʀɑ̃ʃisabl(ə)] *adj* impassable; (*fig*) insuperable

infrastructure [ɛ̃fʀastʀyktyʀ] *nf* (*AVIAT, MIL*) ground installations *pl*; (*ÉCON: touristique etc*) infrastructure

infuser [ɛ̃fyze] *vt, vi* (*thé*) to brew; (*tisane*) to infuse; **infusion** *nf* (*tisane*) herb tea

ingénier [ɛ̃ʒenje] : **s'~** *vi* to strive to do

ingénierie [ɛ̃ʒenjəʀi] *nf* engineering; ~ **génétique** genetic engineering

ingénieur [ɛ̃ʒenjœʀ] *nm* engineer; ~ **du son** sound engineer

ingénieux, euse [ɛ̃ʒenjø, -øz] *adj* ingenious, clever

ingénu, e [ɛ̃ʒeny] *adj* ingenuous, artless

ingérer [ɛ̃ʒeʀe] : **s'~** *vi* to interfere in

ingrat, e [ɛ̃gʀa, -at] *adj* (*personne*) ungrateful; (*sol*) poor; (*travail, sujet*) thankless; (*visage*) unprepossessing

ingrédient [ɛ̃gʀedjɑ̃] *nm* ingredient

ingurgiter [ɛ̃gyʀʒite] *vt* to swallow

inhabitable [inabitabl(ə)] *adj* uninhabitable

inhabituel, le [inabitɥɛl] *adj* unusual

inhérent, e [ineʀɑ̃, -ɑ̃t] *adj*: ~ **à** inherent in

inhibition [inibisjɔ̃] *nf* inhibition

inhumain, e [inymɛ̃, -ɛn] *adj* inhuman

inhumer [inyme] *vt* to inter, bury

inimitié [inimitje] *nf* enmity

initial, e, aux [inisjal, -o] *adj* initial; **initiale** *nf* initial

initiateur, trice [inisjatœʀ, -tʀis] *nm/f* initiator; (*d'une mode, technique*) innovator, pioneer

initiative [inisjativ] *nf* initiative

initier [inisje] *vt*: ~ **qn à** to initiate sb into; (*faire découvrir: art, jeu*) to introduce sb to

injecté, e [ɛ̃ʒɛkte] *adj*: **yeux ~s de sang** bloodshot eyes

injecter [ɛ̃ʒɛkte] *vt* to inject; **injection** *nf* injection; **à injection** (*AUTO*) fuel injection *cpd*

injure [ɛ̃ʒyʀ] *nf* insult, abuse *no pl*

injurier [ɛ̃ʒyʀje] *vt* to insult, abuse; **injurieux, euse** *adj* abusive, insulting

injuste [ɛ̃ʒyst(ə)] *adj* unjust, unfair; **injustice** *nf* injustice

inlassable [ɛ̃lɑsabl(ə)] *adj* tireless

inné, e [ine] *adj* innate, inborn

innocent, e [inɔsɑ̃, -ɑ̃t] *adj* innocent; **innocenter** *vt* to clear, prove innocent

innombrable [inɔ̃bʀabl(ə)] *adj* innumerable

innommable [inɔmabl(ə)] *adj* unspeakable

innover [inɔve] *vi* to break new ground

inoccupé, e [inɔkype] *adj* unoccupied

inoculer [inɔkyle] *vt* (*volontairement*) to inoculate; (*accidentellement*) to infect

inodore [inɔdɔʀ] *adj* (*gaz*) odourless; (*fleur*) scentless

inoffensif, ive [inɔfɑ̃sif, -iv] *adj* harmless, innocuous

inondation [inɔ̃dɑsjɔ̃] *nf* flooding *no pl*; flood; **inonder** [inɔ̃de] *vt* to flood; (*fig*) to inundate, overrun

inopérant, e [inɔpeʀɑ̃, -ɑ̃t] *adj* inoperative, ineffective

inopiné, e [inɔpine] *adj* unexpected, sudden

inopportun, e [inɔpɔʀtœ̃, -yn] *adj* ill-timed, untimely; inappropriate

inoubliable [inublijabl(ə)] *adj* unforgettable

inouï, e [inwi] *adj* unheard-of, extraordinary

inox(ydable) [inɔks(idabl(ə))] *adj* stainless

inqualifiable [ɛ̃kalifjabl(ə)] *adj* unspeakable

inquiet, ète [ɛ̃kjɛ, -ɛt] *adj* anxious

inquiétant, e [ɛ̃kjetɑ̃, -ɑ̃t] *adj* worrying, disturbing

inquiéter [ɛ̃kjete] *vt* to worry; (*harceler*) to harass; **s'~** to worry; **s'~ de** to worry about; (*s'enquérir de*) to inquire about

inquiétude [ɛ̃kjetyd] *nf* anxiety

insaisissable [ɛ̃sezisabl(ə)] *adj* elusive

insatisfait, e [ɛ̃satisfɛ, -ɛt] *adj* (*non comblé*) unsatisfied; unfulfilled; (*mécontent*) dissatisfied

inscription [ɛ̃skʀipsjɔ̃] *nf* inscription; (*voir s'inscrire*) enrolment; registration

inscrire [ɛ̃skʀiʀ] *vt* (*marquer: sur son calepin etc*) to note *ou* write down; (: *sur un mur, une affiche etc*) to write; (: *dans la pierre, le métal*) to inscribe; (*mettre: sur une liste, un budget etc*) to put down; **s'~** (*pour une excursion etc*) to put one's name down; **s'~ (à)** (*club, parti*) to join; (*université*) to register *ou* enrol (at); (*examen, concours*) to register (for); **s'~ en faux contre** to challenge; ~ **qn à** (*club, parti*) to enrol sb at

insecte [ɛ̃sɛkt(ə)] *nm* insect; **insecticide** *nm* insecticide

insensé, e [ɛ̃sɑ̃se] *adj* mad

insensibiliser [ɛ̃sɑ̃sibilize] *vt* to anaesthetize

insensible [ɛ̃sɑ̃sibl(ə)] *adj* (*nerf, membre*) numb; (*dur, indifférent*) insensitive; (*imperceptible*) imperceptible

insérer [ɛ̃seʀe] *vt* to insert; **s'~ dans** to fit into; to come within

insigne [ɛ̃siɲ] *nm* (*d'un parti, club*) badge ♦ *adj* distinguished

insignifiant, e [ɛ̃siɲifjɑ̃, -ɑ̃t] *adj* insignificant; trivial

insinuer [ɛ̃sinɥe] *vt* to insinuate, imply; **s'~ dans** (*fig*) to creep into

insister [ɛ̃siste] *vi* to insist; (*s'obstiner*) to keep on; ~ **sur** (*détail, note*) to stress

insolation [ɛ̃sɔlɑsjɔ̃] *nf* (*MÉD*) sunstroke *no pl*

insolent, e [ɛ̃sɔlɑ̃, -ɑ̃t] *adj* insolent

insolite [ɛ̃sɔlit] *adj* strange, unusual

insomnie [ɛ̃sɔmni] *nf* insomnia *no pl*, sleeplessness *no pl*

insondable [ɛ̃sɔ̃dabl(ə)] *adj* unfathomable

insonoriser [ɛ̃sɔnɔʀize] *vt* to soundproof

insouciant, e [ɛ̃susjɑ̃, -ɑ̃t] *adj* carefree; (*imprévoyant*) heedless

insoumis, e [ɛ̃sumi, -iz] *adj* (*caractère, enfant*) rebellious, refractory; (*contrée, tribu*) unsubdued

insoupçonnable [ɛ̃supsɔnabl(ə)] *adj* unsuspected; (*personne*) above suspicion

insoupçonné, e [ɛ̃supsɔne] *adj* unsuspected

insoutenable [ɛ̃sutnabl(ə)] *adj* (*argument*) untenable; (*chaleur*) unbearable

inspecter [ɛ̃spɛkte] *vt* to inspect

inspecteur, trice [ɛ̃spɛktœʀ, -tʀis] *nm/f* inspector; ~ **d'Académie** (regional) director of education; ~ **des finances** ≈ tax inspector (*BRIT*), ≈ Internal Revenue Service agent (*US*)

inspection [ɛ̃spɛksjɔ̃] *nf* inspection

inspirer [ɛ̃spiʀe] *vt* (*gén*) to inspire ♦ *vi* (*aspirer*) to breathe in; **s'~ de** (*suj: artiste*) to draw one's inspiration from

instable [ɛ̃stabl(ə)] *adj* (*meuble, équilibre*) unsteady; (*population, temps*) unsettled; (*régime, caractère*) unstable

installation [ɛ̃stalɑsjɔ̃] *nf* putting in *ou* up; fitting out; settling in; (*appareils etc*) fittings *pl*, installations *pl*; **~s** *nfpl* (*appareils*) equipment; (*équipements*) facilities

installer [ɛ̃stale] *vt* (*loger*): ~ **qn** to get sb settled; (*placer*) to put, place; (*meuble, gaz, électricité*) to put in; (*rideau, étagère, tente*) to put up; (*appartement*) to fit out; **s'~**

(*s'établir: artisan, dentiste etc*) to set o.s. up; (*se loger*) to settle (o.s.); (*emménager*) to settle in; (*sur un siège, à un emplacement*) to settle (down); (*fig: maladie, grève*) to take a firm hold

instamment [ɛ̃stamɑ̃] *adv* urgently

instance [ɛ̃stɑ̃s] *nf* (ADMIN: *autorité*) authority; **~s** *nfpl* (*prières*) entreaties; **affaire en ~** matter pending; **être en ~ de divorce** to be awaiting a divorce

instant [ɛ̃stɑ̃] *nm* moment, instant; **dans un ~** in a moment; **à l'~** this instant; **à tout** *ou* **chaque ~** at any moment; constantly; **pour l'~** for the moment, for the time being; **par ~s** at times; **de tous les ~s** perpetual

instantané, e [ɛ̃stɑ̃tane] *adj* (*lait, café*) instant; (*explosion, mort*) instantaneous ◆ *nm* snapshot

instar [ɛ̃staʀ] : **à l'~ de** *prép* following the example of, like

instaurer [ɛ̃stɔʀe] *vt* to institute

instinct [ɛ̃stɛ̃] *nm* instinct

instituer [ɛ̃stitɥe] *vt* to set up

institut [ɛ̃stity] *nm* institute; **~ de beauté** beauty salon; **I~ Universitaire de Technologie** ≈ polytechnic

instituteur, trice [ɛ̃stitytœʀ, -tʀis] *nm/f* (primary school) teacher

institution [ɛ̃stitysjɔ̃] *nf* institution; (*collège*) private school

instruction [ɛ̃stʀyksjɔ̃] *nf* (*enseignement, savoir*) education; (JUR) (preliminary) investigation and hearing; **~s** *nfpl* (*ordres, mode d'emploi*) directions, instructions; **~ civique** civics *sg*

instruire [ɛ̃stʀɥiʀ] *vt* (*élèves*) to teach; (*recrues*) to train; (JUR: *affaire*) to conduct the investigation for; **s'~** to educate o.s.; **instruit, e** *adj* educated

instrument [ɛ̃stʀymɑ̃] *nm* instrument; **~ à cordes/vent** stringed/wind instrument; **~ de mesure** measuring instrument; **~ de musique** musical instrument; **~ de travail** (working) tool

insu [ɛ̃sy] *nm*: **à l'~ de qn** without sb knowing (it)

insubmersible [ɛ̃sybmɛʀsibl(ə)] *adj* unsinkable

insubordination [ɛ̃sybɔʀdinɑsjɔ̃] *nf* rebelliousness; (MIL) insubordination

insuccès [ɛ̃syksɛ] *nm* failure

insuffisant, e [ɛ̃syfizɑ̃, -ɑ̃t] *adj* insufficient; (*élève, travail*) inadequate

insuffler [ɛ̃syfle] *vt* to blow; to inspire

insulaire [ɛ̃sylɛʀ] *adj* island *cpd*; (*attitude*) insular

insuline [ɛ̃sylin] *nf* insulin

insulte [ɛ̃sylt(ə)] *nf* insult; **insulter** *vt* to insult

insupportable [ɛ̃sypɔʀtabl(ə)] *adj* unbearable

insurger [ɛ̃syʀʒe]: **s'~** *vi* to rise up *ou* rebel (against)

insurmontable [ɛ̃syʀmɔ̃tabl(ə)] *adj* (*difficulté*) insuperable; (*aversion*) unconquerable

intact, e [ɛ̃takt] *adj* intact

intangible [ɛ̃tɑ̃ʒibl(ə)] *adj* intangible; (*principe*) inviolable

intarissable [ɛ̃taʀisabl(ə)] *adj* inexhaustible

intégral, e, aux [ɛ̃tegʀal, -o] *adj* complete

intégrant, e [ɛ̃tegʀɑ̃, -ɑ̃t] *adj*: **faire partie ~e de** to be an integral part of

intègre [ɛ̃tɛgʀ(ə)] *adj* upright

intégrer [ɛ̃tegʀe] *vt* to integrate; **s'~ à** *ou* **dans** to become integrated into

intégrisme [ɛ̃tegʀism(e)] *nm* fundamentalism

intellectuel, le [ɛ̃telɛktɥɛl] *adj* intellectual ◆ *nm/f* intellectual; (*péj*) highbrow

intelligence [ɛ̃teliʒɑ̃s] *nf* intelligence; (*compréhension*): **l'~ de** the understanding of; (*complicité*): **regard d'~** glance of complicity; (*accord*): **vivre en bonne ~ avec qn** to be on good terms with sb

intelligent, e [ɛ̃teliʒɑ̃, -ɑ̃t] *adj* intelligent

intempéries [ɛ̃tɑ̃peʀi] *nfpl* bad weather *sg*

intempestif, ive [ɛ̃tɑ̃pɛstif, -iv] *adj* untimely

intenable [ɛ̃tnabl(ə)] *adj* (*chaleur*) unbearable

intendant, e [ɛ̃tɑ̃dɑ̃, -ɑ̃t] *nm/f* (MIL) quartermaster; (SCOL) bursar; (*d'une propriété*) steward

intense [ɛ̃tɑ̃s] *adj* intense; **intensif, ive** *adj* intensive

intenter [ɛ̃tɑ̃te] *vt*: **~ un procès contre** *ou* **à** to start proceedings against

intention [ɛ̃tɑ̃sjɔ̃] *nf* intention; (JUR) intent; **avoir l'~ de faire** to intend to do; **à l'~ de** for; (*renseignement*) for the benefit of; (*film, ouvrage*) aimed at; **à cette ~** with this aim in view; **intentionné, e** *adj*: **bien intentionné** well-meaning *ou* -intentioned; **mal intentionné** ill-intentioned

interactif, ive [ɛ̃tɛʀaktif, -iv] *adj* (COMPUT) interactive

intercaler [ɛ̃tɛʀkale] *vt* to insert

intercepter [ɛ̃tɛʀsɛpte] *vt* to intercept; (*lumière, chaleur*) to cut off

interchangeable [ɛ̃tɛʀʃɑ̃ʒabl(ə)] *adj* interchangeable

interclasse [ɛ̃tɛʀklɑs] *nm* (SCOL) break (between classes)

interdiction [ɛ̃tɛʀdiksjɔ̃] *nf* ban

interdire [ɛ̃tɛʀdiʀ] *vt* to forbid; (ADMIN) to ban, prohibit; (: *journal, livre*) to ban; **~ à qn de faire** to forbid sb to do, prohibit sb from doing; (*suj: empêchement*) to prevent sb from doing

interdit, e [ɛ̃tɛʀdi, -it] *adj* (*stupéfait*) taken aback ◆ *nm* prohibition

intéressant, e [ɛ̃teʀesɑ̃, -ɑ̃t] *adj* interesting

intéressé, e [ɛ̃teʀese] *adj* (*parties*) involved, concerned; (*amitié, motifs*) self-interested

intéresser [ɛ̃teʀese] *vt* (*captiver*) to interest; (*toucher*) to be of interest to; (ADMIN: *concerner*) to affect, concern; **s'~ à** to be interested in

intérêt [ɛ̃teʀɛ] *nm* (*aussi COMM*) interest; (*égoïsme*) self-interest; **avoir ~ à faire** to do well to do

intérieur, e [ɛ̃teʀjœʀ] *adj* (*mur, escalier, poche*) inside; (*commerce, politique*) domestic; (*cour, calme, vie*) inner; (*navigation*) inland ◆ *nm* (*d'une maison, d'un récipient etc*) inside; (*d'un pays, aussi: décor, mobilier*) interior; (POL): **l'I~** the Interior; **à l'~ (de)** inside; (*fig*) within

intérim [ɛ̃teʀim] *nm* interim period; **assurer l'~ (de)** to deputize (for); **par ~** interim

intérimaire [ɛ̃teʀimɛʀ] *nm/f* (*secrétaire*) temporary secretary, temp (BRIT); (*suppléant*) temporary replacement

intérioriser [ɛ̃teʀjɔʀize] *vt* to internalize

interlocuteur, trice [ɛ̃tɛʀlɔkytœʀ, -tʀis] *nm/f* speaker; **son ~** the person he was speaking to

interloquer [ɛ̃tɛʀlɔke] *vt* to take aback

intermède [ɛ̃tɛʀmɛd] *nm* interlude

intermédiaire [ɛ̃tɛʀmedjɛʀ] *adj* intermediate; middle; half-way ◆ *nm/f* intermediary; (COMM) middleman; **sans ~** directly; **par l'~ de** through

intermittence [ɛ̃tɛʀmitɑ̃s] *nf*: **par ~** sporadically, intermittently

internat [ɛ̃tɛʀna] *nm* (SCOL) boarding school

international, e, aux [ɛ̃tɛʀnasjɔnal, -o] *adj, nm/f* international

interne [ɛ̃tɛʀn(ə)] *adj* internal ◆ *nm/f* (SCOL) boarder; (MÉD) houseman; **~r** [ɛ̃tɛʀne] *vt* (POL) to intern; (MÉD) to confine to a mental institution

interpeller [ɛ̃tɛʀpele] *vt* (*appeler*) to call out to; (*apostropher*) to shout at; (POLICE) to take in for questioning; (POL) to question

interphone [ɛ̃tɛʀfɔn] *nm* intercom

interposer [ɛ̃tɛʀpoze] *vt* to interpose; **s'~** *vi* to intervene; **par personnes interposées** through a third party

interprète [ɛ̃tɛʀpʀɛt] *nm/f* interpreter; (*porte-parole*) spokesperson

interpréter [ɛ̃tɛʀpʀete] *vt* to interpret

interrogateur, trice [ɛ̃teʀɔgatœʀ, -tʀis] *adj* questioning, inquiring

interrogatif, ive [ɛ̃teʀɔgatif, -iv] *adj* (LING) interrogative

interrogation [ɛ̃teʀɔgɑsjɔ̃] *nf* question; (SCOL) (written *ou* oral) test

interrogatoire [ɛ̃teʀɔgatwaʀ] *nm* (POLICE) questioning *no pl*; (JUR) cross-examination

interroger [ɛ̃teʀɔʒe] *vt* to question; (INFORM) to consult; (SCOL) to test

interrompre [ɛ̃teʀɔ̃pʀ(ə)] *vt* (*gén*) to interrupt; (*travail, voyage*) to break off, interrupt; **s'~** to break off

interrupteur [ɛ̃teʀyptœʀ] *nm* switch

interruption [ɛ̃teʀypsjɔ̃] *nf* interruption; (*pause*) break

interstice [ɛ̃tɛʀstis] *nm* crack; slit

interurbain [ɛ̃tɛʀyʀbɛ̃] *nm* (TÉL) long-distance call service ◆ *adj* long-distance

intervalle [ɛ̃tɛʀval] *nm* (*espace*) space; (*de temps*) interval; **dans l'~** in the meantime

intervenir [ɛ̃tɛʀvəniʀ] *vi* (*gén*) to intervene; (*survenir*) to take place; **~ auprès de qn** to intervene with sb

intervention [ɛ̃tɛʀvɑ̃sjɔ̃] *nf* intervention; (*discours*) paper; **~ chirurgicale** (surgical) operation

intervertir [ɛ̃tɛʀvɛʀtiʀ] *vt* to invert (the order of), reverse

interview [ɛ̃tɛʀvju] *nf* interview

intestin, e [ɛ̃tɛstɛ̃, -in] *adj* internal ◆ *nm* intestine

intime [ɛ̃tim] *adj* intimate; (*vie, journal*) private; (*conviction*) inmost; (*dîner, cérémonie*) quiet ◆ *nm/f* close friend

intimer [ɛ̃time] *vt* (JUR) to notify; **~ à qn l'ordre de faire** to order sb to do

intimider [ɛ̃timide] *vt* to intimidate

intimité [ɛ̃timite] *nf*: **dans l'~** in private; (*sans formalités*) with only a few friends, quietly

intitulé, e [ɛ̃tityle] *adj* entitled

intolérable [ɛ̃tɔleʀabl(ə)] *adj* intolerable

intoxication [ɛ̃tɔksikɑsjɔ̃] *nf*: **~ alimentaire** food poisoning

intoxiquer [ɛ̃tɔksike] *vt* to poison; (*fig*) to brainwash

intraduisible [ɛ̃tʀadɥizibl(ə)] *adj* untranslatable; (*fig*) inexpressible

intraitable [ɛ̃tʀɛtabl(ə)] *adj* inflexible, uncompromising

intransigeant, e [ɛ̃tʀɑ̃ziʒɑ̃, -ɑ̃t] *adj* intransigent; (*morale*) uncompromising

intransitif, ive [ɛ̃tʀɑ̃zitif, -iv] *adj* (LING) intransitive

intrépide [ɛ̃tʀepid] *adj* dauntless

intrigue [ɛ̃tʀig] *nf* (*scénario*) plot

intriguer [ɛ̃tʀige] *vi* to scheme ◆ *vt* to puzzle, intrigue

intrinsèque [ɛ̃tʀɛ̃sɛk] *adj* intrinsic

introduction [ɛ̃tʀɔdyksjɔ̃] *nf* introduction

introduire [ɛ̃tʀɔdɥiʀ] *vt* to introduce; (*visiteur*) to show in; (*aiguille, clef*): **~ qch dans** to insert *ou* introduce sth into; **s'~ dans** to gain entry into; to get o.s. accepted into; (*eau, fumée*) to get into

introuvable [ɛ̃tʀuvabl(ə)] *adj* which cannot be found; (COMM) unobtainable

introverti, e [ɛ̃tʀɔvɛʀti] *nm/f* introvert

intrus, e [ɛ̃tʀy, -yz] *nm/f* intruder

intrusion [ɛ̃tʀyzjɔ̃] *nf* intrusion; interference

intuition [ɛ̃tɥisjɔ̃] *nf* intuition

inusable [inyzabl(ə)] *adj* hard-wearing

inusité, e [inyzite] *adj* rarely used

inutile [inytil] *adj* useless; (*superflu*) unnecessary; **inutilisable** *adj* unusable

invalide [ɛ̃valid] *adj* disabled ◆ *nm*: **~ de guerre** disabled ex-serviceman

invasion [ɛ̃vazjɔ̃] *nf* invasion

invectiver [ɛ̃vɛktive] *vt* to hurl abuse at

invendable [ɛ̃vɑ̃dabl(ə)] *adj* unsaleable; unmarketable; **invendus** *nmpl* unsold goods

inventaire [ɛ̃vɑ̃tɛʀ] *nm* inventory; (COMM: *liste*) stocklist; (: *opération*) stocktaking *no pl*; (*fig*) survey

inventer [ɛ̃vɑ̃te] *vt* to invent; (*subterfuge*) to devise, invent; (*histoire, excuse*) to make up, invent; **inventeur** *nm* inventor; **inventif, ive** *adj* inventive; **invention** *nf* invention

inverse [ɛ̃vɛʀs(ə)] *adj* reverse; opposite; inverse ◆ *nm* inverse, reverse; **dans l'ordre ~** in the reverse order; **en sens ~** in (*ou* from) the opposite direction; **inversement** *adv* conversely; **inverser** *vt* to invert, reverse; (ÉLEC) to reverse

investir [ɛ̃vɛstiʀ] *vt* to invest; **investissement** *nm* investment; **investiture** *nf* investiture; (*à une élection*) nomination

invétéré, e [ɛ̃veteʀe] *adj* (*habitude*) ingrained; (*bavard, buveur*) inveterate

invisible [ɛ̃vizibl(ə)] *adj* invisible

invitation [ɛ̃vitɑsjɔ̃] *nf* invitation

invité, e [ɛ̃vite] *nm/f* guest

inviter [ɛ̃vite] *vt* to invite; **~ qn à faire** (*suj: chose*) to induce *ou* tempt sb to do

involontaire [ɛ̃vɔlɔ̃tɛʀ] *adj* (*mouvement*) involuntary; (*insulte*) unintentional; (*complice*) unwitting

invoquer [ɛ̃vɔke] *vt* (*Dieu, muse*) to call upon, invoke; (*prétexte*) to put forward (as an excuse); (*loi, texte*) to refer to

invraisemblable [ɛ̃vʀɛsɑ̃blabl(ə)] *adj* unlikely, improbable; incredible

iode [jɔd] *nm* iodine

irai *etc vb voir* **aller**

Irak [iʀɑk] *nm* Iraq

Iran [iʀɑ̃] *nm* Iran

irions *etc vb voir* **aller**

irlandais, e [iʀlɑ̃dɛ, -ɛz] *adj* Irish ◆ *nm/f*: **I~, e** Irishman(woman); **les I~** the Irish

Irlande [iʀlɑ̃d] *nf* Ireland; **~ du Nord** Northern Ireland

ironie [iʀɔni] *nf* irony; **ironique** *adj* ironical; **ironiser** *vi* to be ironical

irons *etc vb voir* **aller**

irradier [iʀadje] *vi* to radiate ◆ *vt* (*aliment*) to irradiate

irraisonné, e [iʀɛzɔne] *adj* irrational, unreasoned

irrationnel, le [iʀasjɔnɛl] *adj* irrational

irréalisable [iʀealizabl(ə)] *adj* unrealizable; impracticable

irrécupérable [iʀekypeʀabl(ə)] *adj* unreclaimable, beyond repair; (*personne*) beyond redemption

irrécusable [iʀekyzabl(ə)] *adj* unimpeachable; incontestable

irréductible [iʀedyktibl(ə)] *adj* indomitable, implacable

irréel, le [iʀeɛl] *adj* unreal

irréfléchi, e [iʀefleʃi] *adj* thoughtless

irrégularité [iʀegylaʀite] *nf* irregularity; unevenness *no pl*

irrégulier, ière [iʀegylje, -jɛʀ] *adj* irregular; uneven; (*élève, athlète*) erratic

irrémédiable [iʀemedjabl(ə)] *adj* irreparable

irréprochable [iʀepʀɔʃabl(ə)] *adj* irreproachable, beyond reproach; (*tenue*) impeccable

irrésistible [iʀezistibl(ə)] *adj* irresistible; (*preuve, logique*) compelling

irrespectueux, euse [iʀɛspɛktɥø, -øz] *adj* disrespectful

irriguer [iʀige] *vt* to irrigate

irritable [iʀitabl(ə)] *adj* irritable

irriter [iʀite] *vt* to irritate

irruption [iʀypsjɔ̃] *nf* irruption *no pl*; **faire ~ dans** to burst into

islamique [islamik] *adj* Islamic

Islande [islɑ̃d] *nf* Iceland

isolant, e [izɔlɑ̃, -ɑ̃t] *adj* insulating; (*insonorisant*) soundproofing

isolation [izɔlɑsjɔ̃] *nf* insulation

isolé, e [izɔle] *adj* isolated; insulated

isoler [izɔle] *vt* to isolate; (*prisonnier*) to put in solitary confinement; (*ville*) to cut off, isolate; (ÉLEC) to insulate; **isoloir** *nm* polling booth

Israël [isʀaɛl] *nm* Israel; **israélien, ne** *adj, nm/f* Israeli; **israélite** *adj* Jewish ◆ *nm/f* Jew(Jewess)

issu, e [isy] *adj*: **~ de** descended from; (*fig*) stemming from; **~e** *nf* (*ouverture, sortie*) exit; (*solution*) way out, solution; (*dénouement*) outcome; **à l'~e de** at the conclusion *ou* close of; **rue sans ~e** dead end

Italie [itali] *nf* Italy; **italien, ne** *adj, nm/f* Italian ◆ *nm* (LING) Italian

italique [italik] *nm*: **en ~** in italics

itinéraire [itineʀɛʀ] *nm* itinerary, route

IUT *sigle m* = **Institut universitaire de technologie**

IVG *sigle f* (= *interruption volontaire de grossesse*) abortion

ivoire [ivwaʀ] *nm* ivory

ivre [ivʀ(ə)] *adj* drunk; **~ de** (*colère, bonheur*) wild with; **ivresse** *nf* drunkenness; **ivrogne** *nm/f* drunkard

J

j' [ʒ] *pron* I

jachère [ʒaʃɛʀ] *nf*: **(être) en ~** (to lie) fallow

jacinthe [ʒasɛ̃t] *nf* hyacinth

jack [ʒak] *nm* jack plug

jadis [ʒadis] *adv* in times past, formerly

jaillir [ʒajiʀ] *vi* (*liquide*) to spurt out; (*fig*) to burst out; to flood out

jais [ʒɛ] *nm* jet; **(d'un noir) de ~** jet-black

jalon [ʒalɔ̃] *nm* range pole; (*fig*) milestone; **jalonner** *vt* to mark out; (*fig*) to mark, punctuate

jalousie [ʒaluzi] *nf* jealousy; (*store*) (Venetian) blind

jaloux, ouse [ʒalu, -uz] *adj* jealous

jamais [ʒamɛ] *adv* never; (*sans négation*) ever; **ne ... ~** never; **à ~** for ever

jambe [ʒɑ̃b] *nf* leg

jambon [ʒɑ̃bɔ̃] *nm* ham

jambonneau, x [ʒɑ̃bɔno] *nm* knuckle of ham

jante [ʒɑ̃t] *nf* (wheel) rim

janvier [ʒɑ̃vje] *nm* January

Japon [ʒapɔ̃] *nm* Japan; **japonais, e** *adj, nm/f* Japanese ◆ *nm* (LING) Japanese

japper [ʒape] *vi* to yap, yelp

jaquette [ʒakɛt] *nf* (*de cérémonie*) morning coat; (*de dame*) jacket

jardin [ʒaʀdɛ̃] *nm* garden; **~ d'enfants** nursery school; **jardinage** *nm* gardening; **jardinier, ière** *nm/f* gardener; **jardinière** *nf* (*de fenêtre*) window box

jarre [ʒaʀ] *nf* (earthenware) jar

jarret [ʒaʀɛ] *nm* back of knee, ham; (CULIN) knuckle, shin

jarretelle [ʒaʀtɛl] *nf* suspender (BRIT), garter (US)

jarretière [ʒaʀtjɛʀ] *nf* garter

jaser [ʒaze] *vi* to chatter, prattle; (*indiscrètement*) to gossip

jatte [ʒat] *nf* basin, bowl

jauge [ʒoʒ] *nf* (*instrument*) gauge; **jauger** *vt* (*fig*) to size up

jaune [ʒon] *adj, nm* yellow ◆ *adv* (*fam*): **rire ~** to laugh on the other side of one's face; **~ d'œuf** (egg) yolk; **jaunir** *vi, vt* to turn yellow

jaunisse [ʒonis] *nf* jaundice

Javel [ʒavɛl] *nf voir* **eau**

javelot [ʒavlo] *nm* javelin

J.-C. *sigle* = **Jésus-Christ**

je(j') [ʒ(ə)] *pron* I

jean [dʒin] *nm* jeans *pl*

Jésus-Christ [ʒezykʀi(st)] *n* Jesus Christ; **600 avant/après ~** *ou* **J.-C.** 600 B.C./A.D.

jet[1] [ʒɛ] *nm* (*lancer*) throwing *no pl*, throw; (*jaillissement*) jet; spurt; (*de tuyau*) nozzle; **du premier jet** at the first attempt *or* shot; **jet d'eau** fountain; spray

jet[2] [dʒɛt] *nm* (*avion*) jet

jetable [ʒətabl(ə)] *adj* disposable

jetée [ʒəte] *nf* jetty; pier

jeter [ʒəte] *vt* (*gén*) to throw; (*se défaire de*) to throw away *ou* out; (*son, lueur etc*) to give out; **se ~ dans** to flow into; **~ qch à**

qn to throw sth to sb; (*de façon agressive*) to throw sth at sb; ~ **un coup d'œil (à)** to take a look (at); ~ **un sort à qn** to cast a spell on sb
jeton [ʒətɔ̃] *nm* (*au jeu*) counter; (*de téléphone*) token
jette *etc vb voir* **jeter**
jeu, x [ʒø] *nm* (*divertissement, TECH: d'une pièce*) play; (*TENNIS: partie, FOOTBALL etc: façon de jouer*) game; (*THÉÂTRE etc*) acting; (*au casino*): **le** ~ gambling; (*fonctionnement*) working, interplay; (*série d'objets, jouet*) set; (*CARTES*) hand; **en** ~ at stake; at work; **remettre en** ~ to throw in; **entrer/mettre en** ~ to come/bring into play; ~ **de cartes** pack of cards; ~ **d'échecs** chess set; ~ **de hasard** game of chance; ~ **de mots** pun
jeudi [ʒødi] *nm* Thursday
jeun [ʒœ̃]: **à** ~ *adv* on an empty stomach
jeune [ʒœn] *adj* young; ~ **fille** girl; ~ **homme** young man
jeûne [ʒøn] *nm* fast
jeunesse [ʒœnɛs] *nf* youth; (*aspect*) youthfulness; youngness
joaillerie [ʒɔajʀi] *nf* jewel trade; jewellery; **joaillier, ière** *nm/f* jeweller
joie [ʒwa] *nf* joy
joindre [ʒwɛ̃dʀ(ə)] *vt* to join; (*à une lettre*): ~ **qch à** to enclose sth with; (*contacter*) to contact, get in touch with; **se** ~ **à** to join; ~ **les mains** to put one's hands together
joint, e [ʒwɛ̃, ʒwɛ̃t] *adj*: **pièce** ~**e** enclosure ◆ *nm* joint; (*ligne*) join; ~ **de culasse** cylinder head gasket; ~ **de robinet** washer
joli, e [ʒɔli] *adj* pretty, attractive; **c'est du** ~! (*ironique*) that's very nice!; **c'est bien** ~, **mais ...** that's all very well but ...
jonc [ʒɔ̃] *nm* (bul)rush
joncher [ʒɔ̃ʃe] *vt* (*suj: choses*) to be strewed on
jonction [ʒɔ̃ksjɔ̃] *nf* joining; **(point de)** ~ junction
jongleur, euse [ʒɔ̃glœʀ, -øz] *nm/f* juggler
jonquille [ʒɔ̃kij] *nf* daffodil
Jordanie [ʒɔʀdani] *nf*: **la** ~ Jordan
joue [ʒu] *nf* cheek; **mettre en** ~ to take aim at
jouer [ʒwe] *vt* to play; (*somme d'argent, réputation*) to stake, wager; (*pièce, rôle*) to perform; (*film*) to show; (*simuler: sentiment*) to affect, feign ◆ *vi* to play; (*THÉÂTRE, CINÉMA*) to act, perform; (*bois, porte: se voiler*) to warp; (*clef, pièce: avoir du jeu*) to be loose; **se** ~ **de** (*difficultés*) to make light of; to deceive; ~ **sur** (*miser*) to gamble on; ~ **de** (*MUS*) to play; ~ **des coudes** to use one's elbows; ~ **à** (*jeu, sport, roulette*) to play; ~ **avec** (*risquer*) to gamble with; ~ **un tour à qn** to play a trick on sb; ~ **serré** to play a close game; ~ **de malchance** to be dogged with ill-luck
jouet [ʒwɛ] *nm* toy; **être le** ~ **de** (*illusion etc*) to be the victim of
joueur, euse [ʒwœʀ, -øz] *nm/f* player; **être beau** ~ to be a good loser
joufflu, e [ʒufly] *adj* chubby-cheeked
joug [ʒu] *nm* yoke
jouir [ʒwiʀ] : ~ **de** *vt* to enjoy; **jouissance** *nf* pleasure; (*JUR*) use
joujou [ʒuʒu] (*fam*) *nm* toy
jour [ʒuʀ] *nm* day; (*opposé à la nuit*) day, daytime; (*clarté*) daylight; (*fig: aspect*) light; (*ouverture*) opening; **au** ~ **le** ~ from day to day; **de nos** ~**s** these days; **il fait** ~ it's daylight; **au grand** ~ (*fig*) in the open; **mettre au** ~ to disclose; **mettre à** ~ to update; **donner le** ~ **à** to give birth to; **voir le** ~ to be born; ~ **férié** *nm* public holiday
journal, aux [ʒuʀnal, -o] *nm* (news)paper; (*personnel*) journal, diary; ~ **de bord** log; ~ **parlé/télévisé** radio/television news *sg*
journalier, ière [ʒuʀnalje, -jɛʀ] *adj* daily; (*banal*) everyday
journalisme [ʒuʀnalism(ə)] *nm* journalism; **journaliste** *nm/f* journalist
journée [ʒuʀne] *nf* day; **la** ~ **continue** the 9 to 5 working day
journellement [ʒuʀnɛlmɑ̃] *adv* daily
joyau, x [ʒwajo] *nm* gem, jewel
joyeux, euse [ʒwajø, -øz] *adj* joyful, merry; ~ **Noël!** merry Christmas!; ~ **anniversaire!** happy birthday!
jubiler [ʒybile] *vi* to be jubilant, exult
jucher [ʒyʃe] *vt, vi* to perch
judas [ʒyda] *nm* (*trou*) spy-hole
judiciaire [ʒydisjɛʀ] *adj* judicial
judicieux, euse [ʒydisjø, -øz] *adj* judicious
judo [ʒydo] *nm* judo
juge [ʒyʒ] *nm* judge; ~ **d'instruction** examining (*BRIT*) *ou* committing (*US*) magistrate; ~ **de paix** justice of the peace
jugé [ʒyʒe] : **au** ~ *adv* by guesswork
jugement [ʒyʒmɑ̃] *nm* judgment; (*JUR: au pénal*) sentence; (*: au civil*) decision
juger [ʒyʒe] *vt* to judge; ~ **qn/qch satisfaisant** to consider sb/sth (to be) satisfactory; ~ **bon de faire** to see fit to do; ~ **de** to appreciate
juif, ive [ʒɥif, -iv] *adj* Jewish ◆ *nm/f* Jew(Jewess)
juillet [ʒɥijɛ] *nm* July
juin [ʒɥɛ̃] *nm* June
jumeau, elle, x [ʒymo, -ɛl] *adj, nm/f* twin; *voir aussi* **jumelle**
jumeler [ʒymle] *vt* to twin
jumelle [ʒymɛl] *adj, nf voir* **jumeau**; ~**s** *nfpl* (*appareil*) binoculars
jument [ʒymɑ̃] *nf* mare
jungle [ʒɔ̃gl(ə)] *nf* jungle
jupe [ʒyp] *nf* skirt
jupon [ʒypɔ̃] *nm* waist slip
juré, e [ʒyʀe] *nm/f* juror
jurer [ʒyʀe] *vt* (*obéissance etc*) to swear, vow ◆ *vi* (*dire des jurons*) to swear, curse; (*dissoner*): ~ **(avec)** to clash (with); (*s'engager*): ~ **de faire/que** to swear *ou* vow to do/that; (*affirmer*): ~ **que** to swear *ou* vouch that; ~ **de qch** (*s'en porter garant*) to swear to sth
juridique [ʒyʀidik] *adj* legal
juron [ʒyʀɔ̃] *nm* curse, swearword
jury [ʒyʀi] *nm* jury; board
jus [ʒy] *nm* juice; (*de viande*) gravy, (meat) juice; ~ **de fruit** fruit juice
jusque [ʒysk(ə)] : **jusqu'à** *prép* (*endroit*) as far as, (up) to; (*moment*) until, till; (*limite*) up to; ~ **sur/dans** up to; (*y compris*) even on/in; **jusqu'à ce que** until; **jusqu'à présent** until now
juste [ʒyst(ə)] *adj* (*équitable*) just, fair; (*légitime*) just, justified; (*exact, vrai*) right; (*étroit, insuffisant*) tight ◆ *adv* right; tight; (*chanter*) in tune; (*seulement*) just; ~ **assez/au-dessus** just enough/above; **au** ~ exactly; **le** ~ **milieu** the happy medium; **justement** *adv* rightly; justly; (*précisément*) just, precisely; **justesse** *nf* (*précision*) accuracy; (*d'une remarque*) aptness; (*d'une opinion*) soundness; **de justesse** just
justice [ʒystis] *nf* (*équité*) fairness, justice; (*ADMIN*) justice; **rendre la** ~ to dispense justice; **rendre** ~ **à qn** to do sb justice
justicier, ière [ʒystisje, -jɛʀ] *nm/f* judge, righter of wrongs
justificatif, ive [ʒystifikatif, -iv] *adj* (*document*) supporting; **pièce justificative** written proof
justifier [ʒystifje] *vt* to justify; ~ **de** to prove
juteux, euse [ʒytø, -øz] *adj* juicy
juvénile [ʒyvenil] *adj* young, youthful

K

K [ka] *nm* (*INFORM*) K
kaki [kaki] *adj inv* khaki
kangourou [kɑ̃guʀu] *nm* kangaroo
karaté [kaʀate] *nm* karate
karting [kaʀtiŋ] *nm* go-carting, karting
kermesse [kɛʀmɛs] *nf* bazaar, (charity) fête; village fair
kidnapper [kidnape] *vt* to kidnap
kilo [kilo] *nm* = **kilogramme**
kilo: ~**gramme** *nm* kilogramme; ~**métrage** *nm* number of kilometres travelled, ≈ mileage; ~**mètre** *nm* kilometre; ~**métrique** *adj* (*distance*) in kilometres
kinésithérapeute [kineziteʀapøt] *nm/f* physiotherapist
kiosque [kjɔsk(ə)] *nm* kiosk, stall
klaxon [klaksɔn] *nm* horn; **klaxonner** *vi, vt* to hoot (*BRIT*), honk (*US*)
km. *abr* = **kilomètre; km/h** (= *kilomètres/heure*) ≈ m.p.h.
Ko [kao] *abr* (*INFORM: kilooctet*) K
K.-O. [kao] *adj inv* (knocked) out
kyste [kist(ə)] *nm* cyst

L

l' [l] *dét voir* **le**
la [la] *dét voir* **le** ◆ *nm* (*MUS*) A; (*en chantant la gamme*) la
là [la] *adv* there; (*ici*) here; (*dans le temps*) then; **elle n'est pas** ~ she isn't here; **c'est** ~ **que** this is where; ~ **où** where; **de** ~ (*fig*) hence; **par** ~ by that; **tout est** ~ that's what it's all about; *voir aussi* **-ci; celui; là-bas** *adv* there
label [label] *nm* stamp, seal
labeur [labœʀ] *nm* toil *no pl*, toiling *no pl*
labo [labo] *abr m* (= *laboratoire*) lab
laboratoire [labɔʀatwaʀ] *nm* laboratory; ~ **de langues** language laboratory
laborieux, euse [labɔʀjø, -øz] *adj* (*tâche*) laborious; **classes laborieuses** working classes
labour [labuʀ] *nm* ploughing *no pl*; ~**s** *nmpl* (*champs*) ploughed fields; **cheval de** ~ plough- *ou* cart-horse; **bœuf de** ~ ox
labourer [labuʀe] *vt* to plough; (*fig*) to make deep gashes *ou* furrows in
labyrinthe [labiʀɛ̃t] *nm* labyrinth, maze
lac [lak] *nm* lake
lacer [lase] *vt* to lace *ou* do up
lacérer [laseʀe] *vt* to tear to shreds
lacet [lasɛ] *nm* (*de chaussure*) lace; (*de route*) sharp bend; (*piège*) snare
lâche [lɑʃ] *adj* (*poltron*) cowardly; (*desserré*) loose, slack ◆ *nm/f* coward
lâcher [lɑʃe] *nm* (*de ballons, oiseaux*) release ◆ *vt* to let go of; (*ce qui tombe, abandonner*) to drop; (*oiseau, animal: libérer*) to release, set free; (*fig: mot, remarque*) to let slip, come out with; (*SPORT: distancer*) to leave behind ◆ *vi* (*fil, amarres*) to break, give way; (*freins*) to fail; ~ **les amarres** (*NAVIG*) to cast off (the moorings); ~ **les chiens** to unleash the dogs; ~ **prise** to let go
lâcheté [lɑʃte] *nf* cowardice; lowness
lacrymogène [lakʀimɔʒɛn] *adj*: **gaz** ~ teargas
lacté, e [lakte] *adj* (*produit, régime*) milk *cpd*
lacune [lakyn] *nf* gap
là-dedans [ladədɑ̃] *adv* inside (there), in it; (*fig*) in that
là-dessous [ladsu] *adv* underneath, under there; (*fig*) behind that
là-dessus [ladsy] *adv* on there; (*fig*) at that point; about that
ladite [ladit] *dét voir* **ledit**
lagune [lagyn] *nf* lagoon
là-haut [la'o] *adv* up there
laïc [laik] *adj, nm/f* = **laïque**
laid, e [lɛ, lɛd] *adj* ugly; **laideur** *nf* ugliness *no pl*
lainage [lɛnaʒ] *nm* woollen garment; woollen material
laine [lɛn] *nf* wool
laïque [laik] *adj* lay, civil; (*SCOL*) state *cpd* ◆ *nm/f* layman(woman)
laisse [lɛs] *nf* (*de chien*) lead, leash; **tenir en** ~ to keep on a lead *ou* leash
laisser [lese] *vt* to leave ◆ *vb aux*: ~ **qn faire** to let sb do; **se** ~ **aller** to let o.s. go; **laisse-toi faire** let me (*ou* him) do it; **laisser-aller** *nm* carelessness, slovenliness; **laissez-passer** *nm inv* pass
lait [lɛ] *nm* milk; **frère/sœur de** ~ foster brother/sister; ~ **condensé/concentré** evaporated/condensed milk; **laiterie** *nf* dairy; **laitier, ière** *adj* dairy *cpd* ◆ *nm/f* milkman(dairywoman)
laiton [lɛtɔ̃] *nm* brass
laitue [lety] *nf* lettuce
laïus [lajys] (*péj*) *nm* spiel
lambeau, x [lɑ̃bo] *nm* scrap; **en** ~**x** in tatters, tattered
lambris [lɑ̃bʀi] *nm* panelling *no pl*
lame [lam] *nf* blade; (*vague*) wave; (*lamelle*) strip; ~ **de fond** ground swell *no pl*; ~ **de rasoir** razor blade
lamelle [lamɛl] *nf* thin strip *ou* blade
lamentable [lamɑ̃tabl(ə)] *adj* appalling; pitiful
lamenter [lamɑ̃te]: **se** ~ *vi* to moan (over)
lampadaire [lɑ̃padɛʀ] *nm* (*de salon*) standard lamp; (*dans la rue*) street lamp
lampe [lɑ̃p(ə)] *nf* lamp; (*TECH*) valve; ~ **à souder** blowlamp; ~ **de poche** torch (*BRIT*), flashlight (*US*)
lampion [lɑ̃pjɔ̃] *nm* Chinese lantern
lance [lɑ̃s] *nf* spear; ~ **d'incendie** fire hose
lancée [lɑ̃se] *nf*: **être/continuer sur sa** ~ to be under way/keep going
lancement [lɑ̃smɑ̃] *nm* launching
lance-pierres [lɑ̃spjɛʀ] *nm inv* catapult
lancer [lɑ̃se] *nm* (*SPORT*) throwing *no pl*, throw ◆ *vt* to throw; (*émettre, projeter*) to throw out, send out; (*produit, fusée, bateau, artiste*) to launch; (*injure*) to hurl, fling; (*proclamation, mandat d'arrêt*) to issue; **se** ~ *vi* (*prendre de l'élan*) to build up speed; (*se précipiter*): **se** ~ **sur** *ou* **contre** to rush at; **se** ~ **dans** (*discussion*) to launch into; (*aventure*) to embark on; ~ **qch à qn** to throw sth to sb; (*de façon agressive*) to throw sth at sb; ~ **du poids** *nm* putting the shot
lancinant, e [lɑ̃sinɑ̃, -ɑ̃t] *adj* (*regrets etc*) haunting; (*douleur*) shooting
landau [lɑ̃do] *nm* pram (*BRIT*), baby carriage (*US*)
lande [lɑ̃d] *nf* moor
langage [lɑ̃gaʒ] *nm* language
langer [lɑ̃ʒe] *vt* to change (the nappy (*BRIT*) *ou* diaper (*US*) of)
langouste [lɑ̃gust(ə)] *nf* crayfish *inv*; **langoustine** *nf* Dublin Bay prawn
langue [lɑ̃g] *nf* (*ANAT, CULIN*) tongue; (*LING*) language; **tirer la** ~ **(à)** to stick out one's tongue (at); **de** ~ **française** French-speaking; ~ **maternelle** native language, mother tongue; ~ **verte** slang; ~ **vivante** modern language
langueur [lɑ̃gœʀ] *nf* languidness
languir [lɑ̃giʀ] *vi* to languish; (*conversation*) to flag; **faire** ~ **qn** to keep sb waiting
lanière [lanjɛʀ] *nf* (*de fouet*) lash; (*de valise, bretelle*) strap
lanterne [lɑ̃tɛʀn(ə)] *nf* (*portable*) lantern; (*électrique*) light, lamp; (*de voiture*) (side)light
laper [lape] *vt* to lap up
lapidaire [lapidɛʀ] *adj* stone *cpd*; (*fig*) terse
lapin [lapɛ̃] *nm* rabbit; (*peau*) rabbitskin; (*fourrure*) cony
Laponie [lapɔni] *nf* Lapland
laps [laps] *nm*: ~ **de temps** space of time, time *no pl*
laque [lak] *nf* lacquer; (*brute*) shellac; (*pour cheveux*) hair spray
laquelle [lakɛl] *pron voir* **lequel**
larcin [laʀsɛ̃] *nm* theft
lard [laʀ] *nm* (*graisse*) fat; (*bacon*) (streaky) bacon
lardon [laʀdɔ̃] *nm*: ~**s** chopped bacon
large [laʀʒ(ə)] *adj* wide; broad; (*fig*) generous ◆ *adv*: **calculer/voir** ~ to allow extra/think big ◆ *nm* (*largeur*): **5 m de** ~ 5 m wide *ou* in width; (*mer*): **le** ~ the open sea; **au** ~ **de** off; ~ **d'esprit** broad-minded; **largement** *adv* widely; greatly; easily; generously; **largesse** *nf* generosity; ~**sses** *nfpl* (*dons*) liberalities; **largeur** *nf* (*qu'on mesure*) width; (*impression visuelle*) wideness, width; breadth; broadness
larguer [laʀge] *vt* to drop; ~ **les amarres** to cast off (the moorings)
larme [laʀm(ə)] *nf* tear; (*fig*) drop; **en** ~**s** in tears; **larmoyer** *vi* (*yeux*) to water; (*se plaindre*) to whimper
larvé, e [laʀve] *adj* (*fig*) latent
laryngite [laʀɛ̃ʒit] *nf* laryngitis
las, lasse [lɑ, lɑs] *adj* weary
laser [lazɛʀ] *nm*: **(rayon)** ~ laser (beam); **chaîne** ~ compact disc (player); **disque** ~ compact disc
lasse [lɑs] *adj voir* **las**
lasser [lɑse] *vt* to weary, tire; **se** ~ **de** *vt* to grow weary *ou* tired of
latéral, e, aux [lateʀal, -o] *adj* side *cpd*, lateral
latin, e [latɛ̃, -in] *adj, nm/f* Latin ◆ *nm* (*LING*) Latin
latitude [latityd] *nf* latitude
latte [lat] *nf* lath, slat; (*de plancher*) board
lauréat, e [lɔʀea, -at] *nm/f* winner
laurier [lɔʀje] *nm* (*BOT*) laurel; (*CULIN*) bay leaves *pl*; ~**s** *nmpl* (*fig*) laurels
lavable [lavabl(ə)] *adj* washable
lavabo [lavabo] *nm* washbasin; ~**s** *nmpl* (*toilettes*) toilet *sg*
lavage [lavaʒ] *nm* washing *no pl*, wash; ~ **de cerveau** brainwashing *no pl*
lavande [lavɑ̃d] *nf* lavender
lave [lav] *nf* lava *no pl*
lave-glace [lavglas] *nm* windscreen (*BRIT*) *ou* windshield (*US*) washer
lave-linge [lavlɛ̃ʒ] *nm inv* washing machine
laver [lave] *vt* to wash; (*tache*) to wash off; **se** ~ *vi* to have a wash, wash; **se** ~ **les mains/dents** to wash one's hands/clean one's teeth; ~ **qn de** (*accusation*) to clear sb of; **laverie** *nf*: **laverie (automatique)** launderette; **lavette** *nf* dish cloth; (*fam*) drip; **laveur, euse** *nm/f* cleaner; ~**-vaisselle** *nm inv* dishwasher; **lavoir** *nm* wash house
laxatif, ive [laksatif, -iv] *adj, nm* laxative

MOT-CLÉ

le(l'), la [l(ə)] (*pl* **les**) *art déf* 1 the; ~ **livre/la pomme/l'arbre** the book/the apple/the tree; **les étudiants** the students
2 (*noms abstraits*): ~ **courage/l'amour/la jeunesse** courage/love/youth
3 (*indiquant la possession*): **se casser la jambe** *etc* to break one's leg *etc*; **levez la main** put your hand up; **avoir les yeux gris/~ nez rouge** to have grey eyes/a red nose
4 (*temps*): **le matin/soir** in the morning/evening; mornings/evenings; ~ **jeudi** *etc* (*d'habitude*) on Thursdays *etc*; (*ce jeudi-là etc*) on (the) Thursday
5 (*distribution, évaluation*) a, an; **10F** ~ **mètre/kilo** 10F a *ou* per metre/kilo; ~ **tiers/quart de** a third/quarter of
◆ *pron* 1 (*personne: mâle*) him; (*: femelle*) her; (*: pluriel*) them; **je** ~**/la/les vois** I can see him/her/them
2 (*animal, chose: singulier*) it; (*: pluriel*) them; **je le** (*ou* **la**) **vois** I can see it; **je les vois** I can see them
3 (*remplaçant une phrase*): **je ne** ~ **savais pas** I didn't know (about it); **il était riche et ne l'est plus** he was once rich but no longer is

lécher [leʃe] *vt* to lick; (*laper: lait, eau*) to lick *ou* lap up; ~ **les vitrines** to go window-shopping
leçon [ləsɔ̃] *nf* lesson; **faire la** ~ **à** (*fig*) to give a lecture to; ~**s de conduite** driving lessons
lecteur, trice [lɛktœʀ, -tʀis] *nm/f* reader; (*d'université*) foreign language assistant ◆ *nm* (*TECH*): ~ **de cassettes** cassette player; ~ **de disque compact** compact

disc player; ~ **de disquette** disk drive

lecture [lɛktyʀ] *nf* reading

ledit, ladite [lədi] (*mpl* **lesdits**, *fpl* **lesdites**) *dét* the aforesaid

légal, e, aux [legal, -o] *adj* legal

légende [leʒɑ̃d] *nf* (*mythe*) legend; (*de carte, plan*) key; (*de dessin*) caption

léger, ère [leʒe, -ɛʀ] *adj* light; (*bruit, retard*) slight; (*superficiel*) thoughtless; (*volage*) free and easy; flighty; **à la légère** (*parler, agir*) rashly, thoughtlessly; **légèrement** *adv* lightly; thoughtlessly; slightly

législatif, ive [leʒislatif, -iv] *adj* legislative; **législatives** *nfpl* general election *sg*; **législature** [leʒislatyʀ] *nf* legislature; term (of office)

légitime [leʒitim] *adj* (*JUR*) lawful, legitimate; (*fig*) rightful, legitimate; **en état de ~ défense** in self-defence

legs [lɛg] *nm* legacy

léguer [lege] *vt*: **~ qch à qn** (*JUR*) to bequeath sth to sb; (*fig*) to hand sth down *ou* pass sth on to sb

légume [legym] *nm* vegetable

lendemain [lɑ̃dmɛ̃] *nm*: **le ~** the next *ou* following day; **le ~ matin/soir** the next *ou* following morning/evening; **le ~ de** the day after; **sans ~** short-lived

lent, e [lɑ̃, lɑ̃t] *adj* slow; **lentement** *adv* slowly; **lenteur** *nf* slowness *no pl*

lentille [lɑ̃tij] *nf* (*OPTIQUE*) lens *sg*; (*CULIN*) lentil

léopard [leɔpaʀ] *nm* leopard

lèpre [lɛpʀ(ə)] *nf* leprosy

MOT-CLÉ

lequel, laquelle [ləkɛl, lakɛl] (*mpl* **lesquels**, *fpl* **lesquelles**; *à + lequel =* **auquel**, *de + lequel =* **duquel** *etc*) *pron* 1 (*interrogatif*) which, which one
2 (*relatif*: *personne*: *sujet*) who; (: *objet, après préposition*) whom; (: *chose*) which
◆ *adj*: **auquel cas** in which case

les [le] *dét voir* **le**

lesbienne [lɛsbjɛn] *nf* lesbian

lesdites [ledit] *dét pl voir* **ledit**

lesdits [ledi] *dét pl voir* **ledit**

léser [leze] *vt* to wrong

lésiner [lezine] *vi*: **~ (sur)** to skimp (on)

lésion [lezjɔ̃] *nf* lesion, damage *no pl*

lesquelles [lekɛl] *pron pl voir* **lequel**

lesquels [lekɛl] *pron pl voir* **lequel**

lessive [lesiv] *nf* (*poudre*) washing powder; (*linge*) washing *no pl*, wash

lessiver [lesive] *vt* to wash

lest [lɛst] *nm* ballast

leste [lɛst(ə)] *adj* sprightly, nimble

lettre [lɛtʀ(ə)] *nf* letter; **~s** *nfpl* (*littérature*) literature *sg*; (*SCOL*) arts (subjects); **à la ~** literally; **en toutes ~s** in full

lettré, e [letʀe] *adj* well-read

leucémie [løsemi] *nf* leukaemia

MOT-CLÉ

leur [lœʀ] *adj possessif* their; **~ maison** their house; **~s amis** their friends
◆ *pron* 1 (*objet indirect*) (to) them; **je ~ ai dit la vérité** I told them the truth; **je le ~ ai donné** I gave it to them, I gave them it
2 (*possessif*): **le(la) ~, les ~s** theirs

leurre [lœʀ] *nm* (*appât*) lure; (*fig*) delusion; snare

leurrer [lœʀe] *vt* to delude, deceive

leurs [lœʀ] *dét voir* **leur**

levain [ləvɛ̃] *nm* leaven

levé, e [ləve] *adj*: **être ~** to be up

levée [ləve] *nf* (*POSTES*) collection; (*CARTES*) trick; **~ de boucliers** general outcry

lever [ləve] *vt* (*vitre, bras etc*) to raise; (*soulever de terre, supprimer*: *interdiction, siège*) to lift; (*séance*) to close; (*impôts, armée*) to levy ◆ *vi* to rise ◆ *nm*: **au ~** on getting up; **se ~** *vi* to get up; (*soleil*) to rise; (*jour*) to break; (*brouillard*) to lift; **~ de soleil** sunrise; **~ du jour** daybreak

levier [ləvje] *nm* lever

lèvre [lɛvʀ(ə)] *nf* lip

lévrier [levʀije] *nm* greyhound

levure [ləvyʀ] *nf* yeast; **~ chimique** baking powder

lexique [lɛksik] *nm* vocabulary; lexicon

lézard [lezaʀ] *nm* lizard

lézarde [lezaʀd(ə)] *nf* crack

liaison [ljɛzɔ̃] *nf* link; (*amoureuse*) affair; (*PHONÉTIQUE*) liaison; **entrer/être en ~ avec** to get/be in contact with

liane [ljan] *nf* creeper

liant, e [ljɑ̃, -ɑ̃t] *adj* sociable

liasse [ljas] *nf* wad, bundle

Liban [libɑ̃] *nm*: **le ~** (the) Lebanon; **libanais, e** *adj, nm/f* Lebanese

libeller [libele] *vt* (*chèque, mandat*): **~ (au nom de)** to make out (to); (*lettre*) to word

libellule [libelyl] *nf* dragonfly

libéral, e, aux [libeʀal, -o] *adj, nm/f* liberal

libérer [libeʀe] *vt* (*délivrer*) to free, liberate; (: *moralement, PSYCH*) to liberate; (*relâcher, dégager*: *gaz*) to release; to discharge; **se ~** *vi* (*de rendez-vous*) to get out of previous engagements

liberté [libɛʀte] *nf* freedom; (*loisir*) free time; **~s** *nfpl* (*privautés*) liberties; **mettre/être en ~** to set/be free; **en ~ provisoire/surveillée/conditionnelle** on bail/probation/parole; **~s individuelles** personal freedom *sg*

libraire [libʀɛʀ] *nm/f* bookseller

librairie [libʀeʀi] *nf* bookshop

libre [libʀ(ə)] *adj* free; (*route*) clear; (*place etc*) vacant; empty; not engaged; not taken; (*SCOL*) non-state; **de ~** (*place*) free; **~ de qch/de faire** free from sth/to do; **~ arbitre** free will; **~-échange** *nm* free trade; **~-service** *nm* self-service store

Libye [libi] *nf*: **la ~** Libya

licence [lisɑ̃s] *nf* (*permis*) permit; (*diplôme*) degree; (*liberté*) liberty; licence (*BRIT*), license (*US*); licentiousness; **licencié, e** *nm/f* (*SCOL*): **licencié ès lettres/en droit** ≈ Bachelor of Arts/Law; (*SPORT*) *member of a sports federation*

licencier [lisɑ̃sje] *vt* (*renvoyer*) to dismiss; (*débaucher*) to make redundant; to lay off

licite [lisit] *adj* lawful

lie [li] *nf* dregs *pl*, sediment

lié, e [lje] *adj*: **très ~ avec** very friendly with *ou* close to; **~ par** (*serment*) bound by

liège [ljɛʒ] *nm* cork

lien [ljɛ̃] *nm* (*corde, fig*: *affectif*) bond; (*rapport*) link, connection; **~ de parenté** family tie

lier [lje] *vt* (*attacher*) to tie up; (*joindre*) to link up; (*fig*: *unir, engager*) to bind; (*CULIN*) to thicken; **se ~ avec** to make friends with; **~ qch à** to tie *ou* link sth to; **~ conversation avec** to strike up a conversation with

lierre [ljɛʀ] *nm* ivy

liesse [ljɛs] *nf*: **être en ~** to be celebrating *ou* jubilant

lieu, x [ljø] *nm* place; **~x** *nmpl* (*habitation*) premises; (*endroit*: *d'un accident etc*) scene *sg*; **en ~ sûr** in a safe place; **en premier ~** in the first place; **en dernier ~** lastly; **avoir ~** to take place; **avoir ~ de faire** to have grounds for doing; **tenir ~ de** to take the place of; to serve as; **donner ~ à** to give rise to; **au ~ de** instead of

lieu-dit [ljødi] (*pl* **lieux-dits**) *nm* locality

lieutenant [ljøtnɑ̃] *nm* lieutenant

lièvre [ljɛvʀ(ə)] *nm* hare

ligament [ligamɑ̃] *nm* ligament

ligne [liɲ] *nf* (*gén*) line; (*TRANSPORTS*: *liaison*) service; (: *trajet*) route; (*silhouette*) figure; **entrer en ~ de compte** to come into it

lignée [liɲe] *nf* line; lineage; descendants *pl*

ligoter [ligɔte] *vt* to tie up

ligue [lig] *nf* league; **liguer** *vt*: **se liguer contre** (*fig*) to combine against

lilas [lila] *nm* lilac

limace [limas] *nf* slug

limaille [limaj] *nf*: **~ de fer** iron filings *pl*

limande [limɑ̃d] *nf* dab

lime [lim] *nf* file; **~ à ongles** nail file; **limer** *vt* to file

limier [limje] *nm* bloodhound; (*détective*) sleuth

limitation [limitasjɔ̃] *nf*: **~ de vitesse** speed limit

limite [limit] *nf* (*de terrain*) boundary; (*partie ou point extrême*) limit; **vitesse/charge ~** maximum speed/load; **cas ~** borderline case; **date ~** deadline

limiter [limite] *vt* (*restreindre*) to limit, restrict; (*délimiter*) to border

limitrophe [limitʀɔf] *adj* border *cpd*

limoger [limɔʒe] *vt* to dismiss

limon [limɔ̃] *nm* silt

limonade [limɔnad] *nf* lemonade

lin [lɛ̃] *nm* flax

linceul [lɛ̃sœl] *nm* shroud

linge [lɛ̃ʒ] *nm* (*serviettes etc*) linen; (*pièce de tissu*) cloth; (*aussi*: **~ de corps**) underwear; (: **~ de toilette**) towels *pl*; (*lessive*) washing

lingerie [lɛ̃ʒʀi] *nf* lingerie, underwear

lingot [lɛ̃go] *nm* ingot

linguistique [lɛ̃gɥistik] *adj* linguistic ◆ *nf* linguistics *sg*

lion, ne [ljɔ̃, ljɔn] *nm/f* lion(lioness); (*signe*): **le L~** Leo; **lionceau, x** *nm* lion cub

liqueur [likœʀ] *nf* liqueur

liquide [likid] *adj* liquid ◆ *nm* liquid; (*COMM*): **en ~** in ready money *ou* cash; **liquider** [likide] *vt* (*société, biens, témoin gênant*) to liquidate; (*compte, problème*) to settle; (*COMM*: *articles*) to clear, sell off; **liquidités** [likidite] *nfpl* (*COMM*) liquid assets

lire [liʀ] *nf* (*monnaie*) lira ◆ *vt, vi* to read

lis [lis] *nm* = **lys**

lisible [lizibl(ə)] *adj* legible

lisière [lizjɛʀ] *nf* (*de forêt*) edge; (*de tissu*) selvage

lisons *vb voir* **lire**

lisse [lis] *adj* smooth

liste [list(ə)] *nf* list; **faire la ~ de** to list; **~ électorale** electoral roll

listing [listiŋ] *nm* (*INFORM*) printout

lit [li] *nm* (*gén*) bed; **faire son ~** to make one's bed; **aller/se mettre au ~** to go to/get into bed; **~ de camp** campbed; **~ d'enfant** cot (*BRIT*), crib (*US*)

literie [litʀi] *nf* bedding, bedclothes *pl*

litière [litjɛʀ] *nf* litter

litige [litiʒ] *nm* dispute

litre [litʀ(ə)] *nm* litre; (*récipient*) litre measure

littéraire [liteʀɛʀ] *adj* literary

littéral, e, aux [liteʀal, -o] *adj* literal

littérature [liteʀatyʀ] *nf* literature

littoral, aux [litɔʀal, -o] *nm* coast

liturgie [lityʀʒi] *nf* liturgy

livide [livid] *adj* livid, pallid

livraison [livʀɛzɔ̃] *nf* delivery

livre [livʀ(ə)] *nm* book ◆ *nf* (*poids, monnaie*) pound; **~ de bord** logbook; **~ de poche** paperback (*pocket size*)

livré, e [livʀe] *adj*: **~ à soi-même** left to o.s. *ou* one's own devices; **livrée** *nf* livery

livrer [livʀe] *vt* (*COMM*) to deliver; (*otage, coupable*) to hand over; (*secret, information*) to give away; **se ~ à** (*se confier*) to confide in; (*se rendre, s'abandonner*) to give o.s. up to; (*faire*: *pratiques, actes*) to indulge in; (: *travail*) to engage in; (: *sport*) to practise; (*travail*: *enquête*) to carry out

livret [livʀɛ] *nm* booklet; (*d'opéra*) libretto; **~ de caisse d'épargne** (savings) bank-book; **~ de famille** (official) family record book; **~ scolaire** (school) report book

livreur, euse [livʀœʀ, -øz] *nm/f* delivery boy *ou* man/girl *ou* woman

local, e, aux [lɔkal, -o] *adj* local ◆ *nm* (*salle*) premises *pl*; *voir aussi* **locaux**

localiser [lɔkalize] *vt* (*repérer*) to locate, place; (*limiter*) to confine

localité [lɔkalite] *nf* locality

locataire [lɔkatɛʀ] *nm/f* tenant; (*de chambre*) lodger

location [lɔkasjɔ̃] *nf* (*par le locataire, le loueur*) renting; (*par le propriétaire*) renting out, letting; (*THÉÂTRE*) booking office; "**~ de voitures**" "car rental"

location-vente [lɔkasjɔ̃vɑ̃t] (*pl* **~s-~s**) *nf* hire purchase (*BRIT*), instalment plan (*US*)

locaux [lɔko] *nmpl* premises

locomotive [lɔkɔmɔtiv] *nf* locomotive, engine; (*fig*) pacesetter, pacemaker

locution [lɔkysjɔ̃] *nf* phrase

loge [lɔʒ] *nf* (*THÉÂTRE*: *d'artiste*) dressing room; (: *de spectateurs*) box; (*de concierge, franc-maçon*) lodge

logement [lɔʒmɑ̃] *nm* accommodation *no pl* (*BRIT*), accommodations *pl* (*US*); flat (*BRIT*), apartment (*US*); housing *no pl*

loger [lɔʒe] *vt* to accommodate ◆ *vi* to live; **se ~ dans** (*suj*: *balle, flèche*) to lodge itself in; **trouver à se ~** to find accommodation; **logeur, euse** *nm/f* landlord(lady)

logiciel [lɔʒisjɛl] *nm* software

logique [lɔʒik] *adj* logical ◆ *nf* logic

logis [lɔʒi] *nm* home; abode, dwelling

loi [lwa] *nf* law; **faire la ~** to lay down the law

loin [lwɛ̃] *adv* far; (*dans le temps*) a long way off; a long time ago; **plus ~** further; **~ de** far from; **au ~** far off; **de ~** from a distance; (*fig*: *de beaucoup*) by far; **il vient de ~** he's come a long way

lointain, e [lwɛ̃tɛ̃, -ɛn] *adj* faraway, distant; (*dans le futur, passé*) distant, far-off; (*cause, parent*) remote, distant ◆ *nm*: **dans le ~** in the distance

loir [lwaʀ] *nm* dormouse

loisir [lwaziʀ] *nm*: **heures de ~** spare time; **~s** *nmpl* leisure *sg*; leisure activities; **avoir le ~ de faire** to have the time *ou* opportunity to do; **à ~** at leisure; at one's pleasure

londonien, ne [lɔ̃dɔnjɛ̃, -jɛn] *adj* London *cpd*, of London ◆ *nm/f*: **L~, ne** Londoner

Londres [lɔ̃dʀ(ə)] *n* London

long, longue [lɔ̃, lɔ̃g] *adj* long ◆ *adv*: **en savoir ~** to know a great deal ◆ *nm*: **de 3 m de ~** 3 m long, 3 m in length; **ne pas faire ~ feu** not to last long; **(tout) le ~ de** (all) along; **tout au ~ de** (*année, vie*) throughout; **de ~ en large** (*marcher*) to and fro, up and down; *voir aussi* **longue**

longer [lɔ̃ʒe] *vt* to go (*ou* walk *ou* drive) along(side); (*suj*: *mur, route*) to border

longiligne [lɔ̃ʒiliɲ] *adj* long-limbed

longitude [lɔ̃ʒityd] *nf* longitude

longitudinal, e, aux [lɔ̃ʒitydinal, -o] *adj* (running) lengthways

longtemps [lɔ̃tɑ̃] *adv* (for) a long time, (for) long; **avant ~** before long; **pour** *ou* **pendant ~** for a long time; **mettre ~ à faire** to take a long time to do

longue [lɔ̃g] *adj voir* **long** ◆ *nf*: **à la ~** in the end; **longuement** *adv* for a long time

longueur [lɔ̃gœʀ] *nf* length; **~s** *nfpl* (*fig*: *d'un film etc*) tedious parts; **en ~** lengthwise; **tirer en ~** to drag on; **à ~ de journée** all day long; **~ d'onde** wavelength

longue-vue [lɔ̃gvy] *nf* telescope

lopin [lɔpɛ̃] *nm*: **~ de terre** patch of land

loque [lɔk] *nf* (*personne*) wreck; **~s** *nfpl* (*habits*) rags

loquet [lɔkɛ] *nm* latch

lorgner [lɔʀɲe] *vt* to eye; (*fig*) to have one's eye on

lors [lɔʀ] : **~ de** *prép* at the time of; during; **~ même que** even though

lorsque [lɔʀsk(ə)] *conj* when, as

losange [lɔzɑ̃ʒ] *nm* diamond; (*GÉOM*) lozenge

lot [lo] *nm* (*part*) share; (*de loterie*) prize; (*fig*: *destin*) fate, lot; (*COMM, INFORM*) batch

loterie [lɔtʀi] *nf* lottery; raffle

loti, e [lɔti] *adj*: **bien/mal ~** well-/badly off

lotion [losjɔ̃] *nf* lotion

lotir [lɔtiʀ] *vt* (*terrain*) to divide into plots; to sell by lots; **lotissement** *nm* housing development; plot, lot

loto [lɔto] *nm* lotto; numerical lottery

louable [lwabl(ə)] *adj* commendable

louanges [lwɑ̃ʒ] *nfpl* praise *sg*

loubard [lubaʀ] (*fam*) *nm* lout

louche [luʃ] *adj* shady, fishy, dubious ◆ *nf* ladle

loucher [luʃe] *vi* to squint

louer [lwe] *vt* (*maison*: *suj*: *propriétaire*) to let, rent (out); (: *locataire*) to rent; (*voiture etc*: *entreprise*) to hire out (*BRIT*), rent (out); (: *locataire*) to hire, rent; (*réserver*) to book; (*faire l'éloge de*) to praise; "**à ~**" "to let" (*BRIT*), "for rent" (*US*)

loup [lu] *nm* wolf

loupe [lup] *nf* magnifying glass

louper [lupe] *vt* (*manquer*) to miss

lourd, e [luʀ, luʀd(ə)] *adj, adv* heavy; **~ de** (*conséquences, menaces*) charged with;

lourdaud, e (*péj*) *adj* clumsy

loutre [lutʀ(ə)] *nf* otter

louveteau, x [luvto] *nm* wolf-cub; (*scout*) cub (scout)

louvoyer [luvwaje] *vi* (*NAVIG*) to tack; (*fig*) to hedge, evade the issue

lover [lɔve] : **se ~** *vi* to coil up

loyal, e, aux [lwajal, -o] *adj* (*fidèle*) loyal, faithful; (*fair-play*) fair; **loyauté** *nf* loyalty, faithfulness; fairness

loyer [lwaje] *nm* rent

lu, e [ly] *pp de* **lire**

lubie [lybi] *nf* whim, craze

lubrifiant [lybʀifjɑ̃] *nm* lubricant

lubrifier [lybʀifje] *vt* to lubricate

lubrique [lybʀik] *adj* lecherous

lucarne [lykaʀn(ə)] *nf* skylight

lucratif, ive [lykʀatif, -iv] *adj* lucrative; profitable; **à but non ~** non profit-making

lueur [lɥœʀ] *nf* (*chatoyante*) glimmer *no pl*; (*métallique, mouillée*) gleam *no pl*; (*rougeoyante, chaude*) glow *no pl*; (*pâle*) (faint) light; (*fig*) glimmer; gleam

luge [lyʒ] *nf* sledge (*BRIT*), sled (*US*)

lugubre [lygybʀ(ə)] *adj* gloomy; dismal

MOT-CLÉ

lui [lɥi] *pron* 1 (*objet indirect*: *mâle*) (to) him; (: *femelle*) (to) her; (: *chose, animal*) (to) it; **je ~ ai parlé** I have spoken to him (*ou* to her); **il ~ a offert un cadeau** he gave him (*ou* her) a present
2 (*après préposition, comparatif*: *personne*) him; (: *chose, animal*) it; **elle est contente de ~** she is pleased with him; **je la connais mieux que ~** I know her better than he does; I know her better than him
3 (*sujet, forme emphatique*) he; **~, il est à Paris** HE is in Paris
4: **~-même** himself; itself

luire [lɥiʀ] *vi* to shine; to glow

lumière [lymjɛʀ] *nf* light; **~s** *nfpl* (*d'une personne*) wisdom *sg*; **mettre en ~** (*fig*) to highlight; **~ du jour** daylight

luminaire [luminɛʀ] *nm* lamp, light

lumineux, euse [lyminø, -øz] *adj* (*émettant de la lumière*) luminous; (*éclairé*) illuminated; (*ciel, couleur*) bright; (*relatif à la lumière*: *rayon etc*) of light, light *cpd*; (*fig*: *regard*) radiant

lunaire [lynɛʀ] *adj* lunar, moon *cpd*

lunatique [lynatik] *adj* whimsical, temperamental

lundi [lœ̃di] *nm* Monday; **~ de Pâques** Easter Monday

lune [lyn] *nf* moon; **~ de miel** honeymoon

lunette [lynɛt] *nf*: **~s** *nfpl* glasses, spectacles; (*protectrices*) goggles; **~ arrière** (*AUTO*) rear window; **~s de soleil** sunglasses; **~s noires** dark glasses

lus *etc vb voir* **lire**

lustre [lystʀ(ə)] *nm* (*de plafond*) chandelier; (*fig*: *éclat*) lustre

lustrer [lystʀe] *vt* to shine

lut *vb voir* **lire**

luth [lyt] *nm* lute

lutin [lytɛ̃] *nm* imp, goblin

lutte [lyt] *nf* (*conflit*) struggle; (*sport*) wrestling; **lutter** *vi* to fight, struggle
luxe [lyks(ə)] *nm* luxury; **de ~** luxury *cpd*
Luxembourg [lyksɑ̃buʀ] *nm*: **le ~** Luxembourg
luxer [lykse] *vt*: **se ~ l'épaule** to dislocate one's shoulder
luxueux, euse [lyksɥø, -øz] *adj* luxurious
luxure [lyksyʀ] *nf* lust
lycée [lise] *nm* secondary school; **lycéen, ne** *nm/f* secondary school pupil
lyrique [liʀik] *adj* lyrical; (*OPÉRA*) lyric; **artiste ~** opera singer
lys [lis] *nm* lily

M

M *abr* = **Monsieur**
m' [m] *pron voir* **me**
ma [ma] *dét voir* **mon**
macaron [makaʀɔ̃] *nm* (*gâteau*) macaroon; (*insigne*) (round) badge
macaronis [makaʀɔni] *nmpl* macaroni *sg*
macédoine [masedwan] *nf*: **~ de fruits** fruit salad; **~ de légumes** *nf* mixed vegetables
macérer [maseʀe] *vi, vt* to macerate; (*dans du vinaigre*) to pickle
mâcher [mɑʃe] *vt* to chew; **ne pas ~ ses mots** not to mince one's words
machin [maʃɛ̃] (*fam*) *nm* thing(umajig)
machinal, e, aux [maʃinal, -o] *adj* mechanical, automatic
machination [maʃinɑsjɔ̃] *nf* scheming, frame-up
machine [maʃin] *nf* machine; (*locomotive*) engine; (*fig: rouages*) machinery; **~ à écrire** typewriter; **~ à laver/coudre** washing/sewing machine; **~ à sous** fruit machine; **~ à vapeur** steam engine; **machinerie** *nf* machinery, plant; (*d'un navire*) engine room; **machiniste** *nm* (*de bus, métro*) driver
mâchoire [mɑʃwaʀ] *nf* jaw; **~ de frein** brake shoe
mâchonner [mɑʃɔne] *vt* to chew (at)
maçon [masɔ̃] *nm* bricklayer; builder; **~nerie** [masɔnʀi] *nf* (*murs*) brickwork; masonry, stonework; (*activité*) bricklaying; building
maculer [makyle] *vt* to stain
Madame [madam] (*pl* **Mesdames**) *nf*: **~ X** Mrs X; **occupez-vous de ~/Monsieur/Mademoiselle** please serve this lady/gentleman/(young) lady; **bonjour ~/Monsieur/Mademoiselle** good morning; (*ton déférent*) good morning Madam/Sir/Madam; (*le nom est connu*) good morning Mrs/Mr/Miss X; **~/Monsieur/Mademoiselle!** (*pour appeler*) Madam/Sir/Miss!; **~/Monsieur/Mademoiselle** (*sur lettre*) Dear Madam/Sir/Madam; **chère ~/cher Monsieur/chère Mademoiselle** Dear Mrs/Mr/Miss X; **Mesdames** Ladies
Mademoiselle [madmwazɛl] (*pl* **Mesdemoiselles**) *nf* Miss; *voir aussi* **Madame**
madère [madɛʀ] *nm* Madeira (wine)
magasin [magazɛ̃] *nm* (*boutique*) shop; (*entrepôt*) warehouse; (*d'une arme*) magazine; **en ~** (*COMM*) in stock
magazine [magazin] *nm* magazine
magicien, ne [maʒisjɛ̃, -jɛn] *nm/f* magician
magie [maʒi] *nf* magic; **magique** *adj* magic; (*enchanteur*) magical
magistral, e, aux [maʒistʀal, -o] *adj* (*œuvre, addresse*) masterly; (*ton*) authoritative; (*ex cathedra*): **enseignement ~** lecturing, lectures *pl*
magistrat [maʒistʀa] *nm* magistrate
magnétique [maɲetik] *adj* magnetic
magnétiser [maɲetize] *vt* to magnetize; (*fig*) to mesmerize, hypnotize
magnétophone [maɲetɔfɔn] *nm* tape recorder; **~ à cassettes** cassette recorder
magnétoscope [maɲetɔskɔp] *nm* video-tape recorder
magnifique [maɲifik] *adj* magnificent
magot [mago] *nm* (*argent*) pile (of money); nest egg
magouille [maguj] *nf* scheming
mai [mɛ] *nm* May
maigre [mɛgʀ(ə)] *adj* (very) thin, skinny; (*viande*) lean; (*fromage*) low-fat; (*végétation*) thin, sparse; (*fig*) poor, meagre, skimpy ◆ *adv*: **faire ~** not to eat meat; **jours ~s** days of abstinence, fish days; **maigreur** *nf* thinness; **maigrir** *vi* to get thinner, lose weight
maille [mɑj] *nf* stitch; **avoir ~ à partir avec qn** to have a brush with sb; **~ à l'endroit/à l'envers** plain/purl stitch
maillet [majɛ] *nm* mallet
maillon [majɔ̃] *nm* link
maillot [majo] *nm* (*aussi*: **~ *de corps***) vest; (*de danseur*) leotard; (*de sportif*) jersey; **~ de bain** swimsuit; (*d'homme*) bathing trunks *pl*
main [mɛ̃] *nf* hand; **à la ~** in one's hand; **se donner la ~** to hold hands; **donner *ou* tendre la ~ à qn** to hold out one's hand to sb; **se serrer la ~** to shake hands; **serrer la ~ à qn** to shake hands with sb; **sous la ~** to *ou* at hand; **attaque à ~ armée** armed attack; **à ~ droite/gauche** to the right/left; **à remettre en ~s propres** to be delivered personally; **de première ~** (*COMM: voiture etc*) second-hand with only one previous owner; **mettre la dernière ~ à** to put the finishing touches to; **se faire/perdre la ~** to get one's hand in/lose one's touch; **avoir qch bien en ~** to have (got) the hang of sth
main-d'œuvre [mɛ̃dœvʀ(ə)] *nf* manpower, labour
main-forte [mɛ̃fɔʀt(ə)] *nf*: **prêter ~ à qn** to come to sb's assistance
mainmise [mɛ̃miz] *nf* seizure; (*fig*): **~ sur** complete hold on
maint, e [mɛ̃, mɛ̃t] *adj* many a; **~s** many; **à ~es reprises** time and (time) again
maintenant [mɛ̃tnɑ̃] *adv* now; (*actuellement*) nowadays
maintenir [mɛ̃tniʀ] *vt* (*retenir, soutenir*) to support; (*contenir: foule etc*) to hold back; (*conserver, affirmer*) to maintain; **se ~** *vi* to hold; to keep steady; to persist
maintien [mɛ̃tjɛ̃] *nm* maintaining; (*attitude*) bearing
maire [mɛʀ] *nm* mayor
mairie [meʀi] *nf* (*bâtiment*) town hall; (*administration*) town council
mais [mɛ] *conj* but; **~ non!** of course not!; **~ enfin** but after all; (*indignation*) look here!; **~ encore?** is that all?
maïs [mais] *nm* maize (*BRIT*), corn (*US*)
maison [mɛzɔ̃] *nf* house; (*chez-soi*) home; (*COMM*) firm ◆ *adj inv* (*CULIN*) home-made; made by the chef; (*fig*) in-house, own; **à la ~** at home; (*direction*) home; **~ close *ou* de passe** brothel; **~ de correction** reformatory; **~ de repos** convalescent home; **~ de santé** mental home; **~ des jeunes** ≈ youth club; **~ mère** parent company; **maisonnée** *nf* household, family; **maisonnette** *nf* small house, cottage
maître, esse [mɛtʀ(ə), mɛtʀɛs] *nm/f* master(mistress); (*SCOL*) teacher, schoolmaster(mistress) ◆ *nm* (*peintre etc*) master; (*titre*): **M~** Maître, *term of address gen for a barrister* ◆ *adj* (*principal, essentiel*) main; **être ~ de** (*soi-même, situation*) to be in control of; **une ~sse femme** a managing woman; **~ chanteur** blackmailer; **~/maîtresse d'école** schoolmaster(mistress); **~ d'hôtel** (*domestique*) butler; (*d'hôtel*) head waiter; **~ nageur** lifeguard; **maîtresse** *nf* (*amante*) mistress; **~sse de maison** hostess; housewife
maîtrise [metʀiz] *nf* (*aussi*: **~ *de soi***) self-control, self-possession; (*habileté*) skill, mastery; (*suprématie*) mastery, command; (*diplôme*) ≈ master's degree
maîtriser [metʀize] *vt* (*cheval, incendie*) to (bring under) control; (*sujet*) to master; (*émotion*) to control, master; **se ~** to control o.s.
majestueux, euse [maʒɛstɥø, -øz] *adj* majestic
majeur, e [maʒœʀ] *adj* (*important*) major; (*JUR*) of age; (*fig*) adult ◆ *nm* (*doigt*) middle finger; **en ~e partie** for the most part
majorer [maʒɔʀe] *vt* to increase
majoritaire [maʒɔʀitɛʀ] *adj* majority *cpd*
majorité [maʒɔʀite] *nf* (*gén*) majority; (*parti*) party in power; **en ~** mainly
majuscule [maʒyskyl] *adj, nf*: **(lettre) ~** capital (letter)
mal [mal, mo] (*pl* **maux**) *nm* (*opposé au bien*) evil; (*tort, dommage*) harm; (*douleur physique*) pain, ache; (*maladie*) illness, sickness *no pl* ◆ *adv* badly ◆ *adj* bad, wrong; **être ~** to be uncomfortable; **être ~ avec qn** to be on bad terms with sb; **être au plus ~** (*malade*) to be at death's door; (*brouillé*) to be at daggers drawn; **il a ~ compris** he misunderstood; **dire/penser du ~ de** to speak/think ill of; **ne voir aucun ~ à** to see no harm in, see nothing wrong in; **craignant ~ faire** fearing he was doing the wrong thing; **faire du ~ à qn** to hurt sb; to harm sb; **se faire ~** to hurt o.s.; **se donner du ~ pour faire qch** to go to a lot of trouble to do sth; **ça fait ~** it hurts; **j'ai ~ au dos** my back hurts; **avoir ~ à la tête/à la gorge/aux dents** to have a headache/a sore throat/toothache; **avoir le ~ du pays** to be homesick; **prendre ~** to be taken ill, feel unwell; *voir aussi* **cœur**; **maux**; **~ de mer** seasickness; **~ en point** *adj inv* in a bad state
malade [malad] *adj* ill, sick; (*poitrine, jambe*) bad; (*plante*) diseased ◆ *nm/f* invalid, sick person; (*à l'hôpital etc*) patient; **tomber ~** to fall ill; **être ~ du cœur** to have heart trouble *ou* a bad heart; **~ mental** mentally sick *ou* ill person
maladie [maladi] *nf* (*spécifique*) disease, illness; (*mauvaise santé*) illness, sickness; **~ d'Alzheimer** *nf* Alzheimer's (disease); **maladif, ive** *adj* sickly; (*curiosité, besoin*) pathological
maladresse [maladʀɛs] *nf* clumsiness *no pl*; (*gaffe*) blunder
maladroit, e [maladʀwa, -wat] *adj* clumsy
malaise [malɛz] *nm* (*MÉD*) feeling of faintness; feeling of discomfort; (*fig*) uneasiness, malaise
malaisé, e [maleze] *adj* difficult
malaria [malaʀja] *nf* malaria
malaxer [malakse] *vt* to knead; to mix
malchance [malʃɑ̃s] *nf* misfortune, ill luck *no pl*; **par ~** unfortunately
mâle [mɑl] *adj* (*aussi ÉLEC, TECH*) male; (*viril: voix, traits*) manly ◆ *nm* male
malédiction [malediksjɔ̃] *nf* curse
mal: ~encontreux, euse *adj* unfortunate, untoward; **~-en-point** *adj inv* in a sorry state; **~entendu** *nm* misunderstanding; **~façon** *nf* fault; **~faisant, e** *adj* evil, harmful; **~faiteur** *nm* lawbreaker, criminal; burglar, thief; **~famé, e** *adj* disreputable
malgache [malgaʃ] *adj, nm/f* Madagascan, Malagasy ◆ *nm* (*LING*) Malagasy
malgré [malgʀe] *prép* in spite of, despite; **~ tout** all the same
malheur [malœʀ] *nm* (*situation*) adversity, misfortune; (*événement*) misfortune; disaster, tragedy; **faire un ~** to be a smash hit; **malheureusement** *adv* unfortunately; **malheureux, euse** *adj* (*triste*) unhappy, miserable; (*infortuné, regrettable*) unfortunate; (*malchanceux*) unlucky; (*insignifiant*) wretched ◆ *nm/f* poor soul; unfortunate creature; **les ~eux** the destitute
malhonnête [malɔnɛt] *adj* dishonest
malice [malis] *nf* mischievousness; (*méchanceté*): **par ~** out of malice *ou* spite; **sans ~** guileless; **malicieux, euse** *adj* mischievous
malin, igne [malɛ̃, -iɲ] *adj* (*futé*: *f gén: maline*) smart, shrewd; (*MÉD*) malignant
malingre [malɛ̃gʀ(ə)] *adj* puny
malle [mal] *nf* trunk
mallette [malɛt] *nf* (small) suitcase; overnight case; attaché case
malmener [malməne] *vt* to manhandle; (*fig*) to give a rough handling to
malodorant, e [malɔdɔʀɑ̃, -ɑ̃t] *adj* foul- *ou* ill-smelling
malotru [malɔtʀy] *nm* lout, boor
malpropre [malpʀɔpʀ(ə)] *adj* dirty
malsain, e [malsɛ̃, -ɛn] *adj* unhealthy
malt [malt] *nm* malt
Malte [malt(ə)] *nf* Malta
maltraiter [maltʀete] *vt* (*brutaliser*) to manhandle, ill-treat
malveillance [malvɛjɑ̃s] *nf* (*animosité*) ill will; (*intention de nuire*) malevolence; (*JUR*) malicious intent *no pl*
malversation [malvɛʀsɑsjɔ̃] *nf* embezzlement
maman [mamɑ̃] *nf* mum(my), mother
mamelle [mamɛl] *nf* teat
mamelon [mamlɔ̃] *nm* (*ANAT*) nipple; (*colline*) knoll, hillock
mamie [mami] (*fam*) *nf* granny
mammifère [mamifɛʀ] *nm* mammal
manche [mɑ̃ʃ] *nf* (*de vêtement*) sleeve; (*d'un jeu, tournoi*) round; (*GÉO*): **la M~** the Channel ◆ *nm* (*d'outil, casserole*) handle; (*de pelle, pioche etc*) shaft; **~ à balai** *nm* broomstick; (*AVIAT, INFORM*) joystick
manchette [mɑ̃ʃɛt] *nf* (*de chemise*) cuff; (*coup*) forearm blow; (*titre*) headline
manchon [mɑ̃ʃɔ̃] *nm* (*de fourrure*) muff
manchot [mɑ̃ʃo] *nm* one-armed man; armless man; (*ZOOL*) penguin
mandarine [mɑ̃daʀin] *nf* mandarin (orange), tangerine
mandat [mɑ̃da] *nm* (*postal*) postal *ou* money order; (*d'un député etc*) mandate; (*procuration*) power of attorney, proxy; (*POLICE*) warrant; **~ d'amener** summons *sg*; **~ d'arrêt** warrant for arrest; **mandataire** *nm/f* representative; proxy
manège [manɛʒ] *nm* riding school; (*à la foire*) roundabout, merry-go-round; (*fig*) game, ploy
manette [manɛt] *nf* lever, tap; **~ de jeu** joystick
mangeable [mɑ̃ʒabl(ə)] *adj* edible, eatable
mangeoire [mɑ̃ʒwaʀ] *nf* trough, manger
manger [mɑ̃ʒe] *vt* to eat; (*ronger: suj: rouille etc*) to eat into *ou* away ◆ *vi* to eat
mangue [mɑ̃g] *nf* mango
maniable [manjabl(ə)] *adj* (*outil*) handy; (*voiture, voilier*) easy to handle
maniaque [manjak] *adj* finicky, fussy; suffering from a mania ◆ *nm/f* maniac
manie [mani] *nf* mania; (*tic*) odd habit
manier [manje] *vt* to handle
manière [manjɛʀ] *nf* (*façon*) way, manner; **~s** *nfpl* (*attitude*) manners; (*chichis*) fuss *sg*; **de ~ à** so as to; **de telle ~ que** in such a way that; **de cette ~** in this way *ou* manner; **d'une certaine ~** in a way; **d'une ~ générale** generally speaking, as a general rule; **de toute ~** in any case
maniéré, e [manjeʀe] *adj* affected
manifestant, e [manifɛstɑ̃, -ɑ̃t] *nm/f* demonstrator
manifestation [manifɛstɑsjɔ̃] *nf* (*de joie, mécontentement*) expression, demonstration; (*symptôme*) outward sign; (*fête etc*) event; (*POL*) demonstration
manifeste [manifɛst(ə)] *adj* obvious, evident ◆ *nm* manifesto
manifester [manifɛste] *vt* (*volonté, intentions*) to show, indicate; (*joie, peur*) to express, show ◆ *vi* to demonstrate; **se ~** *vi* (*émotion*) to show *ou* express itself; (*difficultés*) to arise; (*symptômes*) to appear; (*témoin etc*) to come forward
manigance [manigɑ̃s] *nf* scheme
manigancer [manigɑ̃se] *vt* to plot
manipuler [manipyle] *vt* to handle; (*fig*) to manipulate
manivelle [manivɛl] *nf* crank
mannequin [mankɛ̃] *nm* (*COUTURE*) dummy; (*MODE*) model
manœuvre [manœvʀ(ə)] *nf* (*gén*) manœuvre (*BRIT*), maneuver (*US*) ◆ *nm* labourer; **~r** [manœvʀe] *vt* to manœuvre (*BRIT*), maneuver (*US*); (*levier, machine*) to operate ◆ *vi* to manœuvre
manoir [manwaʀ] *nm* manor *ou* country house
manque [mɑ̃k] *nm* (*insuffisance*): **~ de** lack of; (*vide*) emptiness, gap; (*MÉD*) withdrawal; **~s** *nmpl* (*lacunes*) faults, defects
manqué, e [mɑ̃ke] *adj* failed; **garçon ~** tomboy
manquer [mɑ̃ke] *vi* (*faire défaut*) to be lacking; (*être absent*) to be missing; (*échouer*) to fail ◆ *vt* to miss ◆ *vb impers*: **il (nous) manque encore 100 F** we are still 100 F short; **il manque des pages (au livre)** there are some pages missing (from the book); **il/cela me manque** I miss him/this; **~ à** (*règles etc*) to be in breach of, fail to observe; **~ de** to lack; **il a manqué (de) se tuer** he very nearly got killed
mansarde [mɑ̃saʀd(ə)] *nf* attic
mansuétude [mɑ̃sɥetyd] *nf* leniency
manteau, x [mɑ̃to] *nm* coat
manucure [manykyʀ] *nf* manicurist
manuel, le [manɥɛl] *adj* manual ◆ *nm* (*ouvrage*) manual, handbook
manufacture [manyfaktyʀ] *nf* factory; **manufacturé, e** [manyfaktyʀe] *adj* manufactured
manuscrit, e [manyskʀi, -it] *adj* handwritten ◆ *nm* manuscript
manutention [manytɑ̃sjɔ̃] *nf* (*COMM*) handling; (*local*) storehouse
mappemonde [mapmɔ̃d] *nf* (*plane*) map of the world; (*sphère*) globe
maquereau, x [makʀo] *nm* (*ZOOL*) mackerel *inv*; (*fam*) pimp
maquette [makɛt] *nf* (*d'un décor, bâtiment, véhicule*) (scale) model; (*d'une page illustrée*) paste-up
maquillage [makijaʒ] *nm* making up; faking; (*crème etc*) make-up
maquiller [makije] *vt* (*personne, visage*) to make up; (*truquer: passeport, statistique*) to fake; (*: voiture volée*) to do over (*respray etc*); **se ~** *vi* to make up (one's face)
maquis [maki] *nm* (*GÉO*) scrub; (*MIL*) maquis, underground fighting *no pl*
maraîcher, ère [maʀeʃe, maʀɛʃɛʀ] *adj*: **cultures maraîchères** market gardening *sg* ◆ *nm/f* market gardener
marais [maʀɛ] *nm* marsh, swamp
marasme [maʀasm(ə)] *nm* stagnation, slump
marathon [maʀatɔ̃] *nm* marathon
marâtre [maʀɑtʀ(ə)] *nf* cruel mother
maraudeur [maʀodœʀ] *nm* prowler
marbre [maʀbʀ(ə)] *nm* (*pierre, statue*) marble; (*d'une table, commode*) marble top; **marbrer** *vt* to mottle, blotch
marc [maʀ] *nm* (*de raisin, pommes*) marc; **~ de café** coffee grounds *pl ou* dregs *pl*
marchand, e [maʀʃɑ̃, -ɑ̃d] *nm/f* shopkeeper, tradesman(woman); (*au marché*) stallholder ◆ *adj*: **prix/valeur ~(e)** market price/value; **~/e de fruits** fruiterer (*BRIT*), fruit seller (*US*); **~/e de journaux** newsagent; **~/e de légumes** greengrocer (*BRIT*), produce dealer (*US*); **~/e de quatre saisons** costermonger (*BRIT*), street vendor (selling fresh fruit and vegetables) (*US*)
marchander [maʀʃɑ̃de] *vi* to bargain, haggle
marchandise [maʀʃɑ̃diz] *nf* goods *pl*, merchandise *no pl*
marche [maʀʃ(ə)] *nf* (*d'escalier*) step; (*activité*) walking; (*promenade, trajet, allure*) walk; (*démarche*) walk, gait; (*MIL etc, MUS*) march; (*fonctionnement*) running; (*progression*) progress; course; **ouvrir/fermer la ~** to lead the way/bring up the rear; **dans le sens de la ~** (*RAIL*) facing the

engine; en ~ (monter etc) while the vehicle is moving ou in motion; mettre en ~ to start; se mettre en ~ (personne) to get moving; (machine) to start; ~ à suivre (correct) procedure; (sur notice) (step by step) instructions pl; ~ arrière reverse (gear); faire ~ arrière to reverse; (fig) to backtrack, back-pedal

marché [maʀʃe] nm (lieu, COMM, ÉCON) market; (ville) trading centre; (transaction) bargain, deal; faire du ~ noir to buy and sell on the black market; ~ aux puces flea market; M~ commun Common Market

marchepied [maʀʃəpje] nm (RAIL) step; (fig) stepping stone

marcher [maʀʃe] vi to walk; (MIL) to march; (aller: voiture, train, affaires) to go; (prospérer) to go well; (fonctionner) to work, run; (fam) to go along, agree; to be taken in; ~ sur to walk on; (mettre le pied sur) to step on ou in; (MIL) to march upon; ~ dans (herbe etc) to walk in ou on; (flaque) to step in; faire ~ qn to pull sb's leg; to lead sb up the garden path; marcheur, euse nm/f walker

mardi [maʀdi] nm Tuesday; M~ gras Shrove Tuesday

mare [maʀ] nf pond

marécage [maʀekaʒ] nm marsh, swamp

maréchal, aux [maʀeʃal, -o] nm marshal

marée [maʀe] nf tide; (poissons) fresh (sea) fish; ~ haute/basse high/low tide; ~ montante/descendante rising/ebb tide

marémotrice [maʀemɔtʀis] adj f tidal

margarine [maʀgaʀin] nf margarine

marge [maʀʒ(ə)] nf margin; en ~ de (fig) on the fringe of; cut off from; ~ bénéficiaire profit margin

marguerite [maʀgəʀit] nf marguerite, (oxeye) daisy; (d'imprimante) daisy-wheel

mari [maʀi] nm husband

mariage [maʀjaʒ] nm (union, état, fig) marriage; (noce) wedding; ~ civil/religieux registry office (BRIT) ou civil/church wedding

marié, e [maʀje] adj married ♦ nm (bride)groom; les ~s the bride and groom; les (jeunes) ~s the newly-weds; mariée nf bride

marier [maʀje] vt to marry; (fig) to blend; se ~ (avec) to marry

marin, e [maʀɛ̃, -in] adj sea cpd, marine ♦ nm sailor

marine [maʀin] adj voir marin ♦ adj inv navy (blue) ♦ nm (MIL) marine ♦ nf navy; ~ de guerre navy; ~ marchande merchant navy

marionnette [maʀjɔnɛt] nf puppet

maritime [maʀitim] adj sea cpd, maritime

mark [maʀk] nm mark

marmelade [maʀməlad] nf stewed fruit, compote; ~ d'oranges marmalade

marmite [maʀmit] nf (cooking-)pot

marmonner [maʀmɔne] vt, vi to mumble, mutter

marmotter [maʀmɔte] vt to mumble

Maroc [maʀɔk] nm: le ~ Morocco; marocain, e adj, nm/f Moroccan

maroquinerie [maʀɔkinʀi] nf leather craft; fine leather goods pl

marquant, e [maʀkɑ̃, -ɑ̃t] adj outstanding

marque [maʀk(ə)] nf mark; (SPORT, JEU: décompte des points) score; (COMM: de produits) brand; make; (de disques) label; de ~ (COMM) brand-name cpd; proprietary; (fig) high-class; distinguished; ~ de fabrique trademark; ~ déposée registered trademark

marquer [maʀke] vt to mark; (inscrire) to write down; (bétail) to brand; (SPORT: but etc) to score; (: joueur) to mark; (accentuer: taille etc) to emphasize; (manifester: refus, intérêt) to show ♦ vi (événement, personnalité) to stand out, be outstanding; (SPORT) to score; ~ les points (tenir la marque) to keep the score

marqueterie [maʀkɛtʀi] nf inlaid work, marquetry

marquis [maʀki] nm marquis ou marquess

marquise [maʀkiz] nf marchioness; (auvent) glass canopy ou awning

marraine [maʀɛn] nf godmother

marrant, e [maʀɑ̃, -ɑ̃t] (fam) adj funny

marre [maʀ] (fam) adv: en avoir ~ de to be fed up with

marrer [maʀe] : se ~ (fam) vi to have a (good) laugh

marron [maʀɔ̃] nm (fruit) chestnut ♦ adj inv brown; marronnier nm chestnut (tree)

mars [maʀs] nm March

marsouin [maʀswɛ̃] nm porpoise

marteau, x [maʀto] nm hammer; (de porte) knocker; marteau-piqueur nm pneumatic drill

marteler [maʀtəle] vt to hammer

martien, ne [maʀsjɛ̃, -jɛn] adj Martian, of ou from Mars

martinet [maʀtinɛ] nm (fouet) small whip; (ZOOL) swift

martyr, e [maʀtiʀ] nm/f martyr

martyre [maʀtiʀ] nm martyrdom; (fig: sens affaibli) agony, torture

martyriser [maʀtiʀize] vt (REL) to martyr; (fig) to bully; (enfant) to batter, beat

marxiste [maʀksist(ə)] adj, nm/f Marxist

masculin, e [maskylɛ̃, -in] adj masculine; (sexe, population) male; (équipe, vêtements) men's; (viril) manly ♦ nm masculine

masque [mask(ə)] nm mask; ~r [maske] vt (cacher: paysage, porte) to hide, conceal; (dissimuler: vérité, projet) to mask, obscure

massacre [masakʀ(ə)] nm massacre, slaughter; ~r [masakʀe] vt to massacre, slaughter; (fig: texte etc) to murder

massage [masaʒ] nm massage

masse [mas] nf mass; (péj): la ~ the masses pl; (ÉLEC) earth; (maillet) sledgehammer; une ~ de (fam) masses ou loads of; en ~ adv (en bloc) in bulk; (en foule) en masse ♦ adj (exécutions, production) mass cpd

masser [mase] vt (assembler) to gather; (pétrir) to massage; se ~ vi to gather; masseur, euse nm/f masseur(euse)

massif, ive [masif, -iv] adj (porte) solid, massive; (visage) heavy, large; (bois, or) solid; (dose) massive; (déportations etc) mass cpd ♦ nm (montagneux) massif; (de fleurs) clump, bank

massue [masy] nf club, bludgeon

mastic [mastik] nm (pour vitres) putty; (pour fentes) filler

mastiquer [mastike] vt (aliment) to chew, masticate; (fente) to fill; (vitre) to putty

mat, e [mat] adj (couleur, métal) mat(t); (bruit, son) dull ♦ adj inv (ÉCHECS): être ~ to be checkmate

mât [mɑ] nm (NAVIG) mast; (poteau) pole, post

match [matʃ] nm match; faire ~ nul to draw; ~ aller first leg; ~ retour second leg, return match

matelas [matla] nm mattress; ~ pneumatique air bed ou mattress

matelassé, e [matlase] adj padded; quilted

matelot [matlo] nm sailor, seaman

mater [mate] vt (personne) to bring to heel, subdue; (révolte) to put down

matérialiste [mateʀjalist(ə)] adj materialistic

matériaux [mateʀjo] nmpl material(s)

matériel, le [mateʀjɛl] adj material ♦ nm equipment no pl; (de camping etc) gear no pl

maternel, le [matɛʀnɛl] adj (amour, geste) motherly, maternal; (grand-père, oncle) maternal; maternelle nf (aussi: école maternelle) (state) nursery school

maternité [matɛʀnite] nf (établissement) maternity hospital; (état de mère) motherhood, maternity; (grossesse) pregnancy

mathématique [matematik] adj mathematical; mathématiques nfpl (science) mathematics sg

matière [matjɛʀ] nf (PHYSIQUE) matter; (COMM, TECH) material, matter no pl; (fig: d'un livre etc) subject matter, material; (SCOL) subject; en ~ de as regards; ~s grasses fat content sg; ~s premières raw materials

matin [matɛ̃] nm, adv morning; du ~ au soir from morning till night; de bon ou grand ~ early in the morning; matinal, e, aux adj (toilette, gymnastique) morning cpd; (de bonne heure) early; être matinal (personne) to be up early; to be an early riser

matinée [matine] nf morning; (spectacle) matinée

matou [matu] nm tom(cat)

matraque [matʀak] nf club; (de policier) truncheon (BRIT), billy (US)

matricule [matʀikyl] nf (aussi: registre ~) roll, register ♦ nm (: numéro ~: MIL) regimental number; (: ADMIN) reference number

matrimonial, e, aux [matʀimɔnjal, -o] adj marital, marriage cpd

maudire [modiʀ] vt to curse

maudit, e [modi, -it] (fam) adj (satané) blasted, confounded

maugréer [mogʀee] vi to grumble

maussade [mosad] adj sullen

mauvais, e [movɛ, -ɛz] adj bad; (faux): le ~ numéro/moment the wrong number/moment; (méchant, malveillant) malicious, spiteful; il fait ~ the weather is bad; la mer est ~e the sea is rough; ~ plaisant hoaxer; ~e herbe weed; ~e langue gossip, scandalmonger (BRIT); ~e passe difficult situation; bad patch; ~e tête rebellious ou headstrong customer

maux [mo] nmpl de mal; ~ de ventre stomachache sg

maximum [maksimɔm] adj, nm maximum; au ~ (le plus possible) to the full; as much as one can; (tout au plus) at the (very) most ou maximum

mayonnaise [majɔnɛz] nf mayonnaise

mazout [mazut] nm (fuel) oil

Me abr = Maître

me(m') [m(ə)] pron me; (réfléchi) myself

mec [mɛk] (fam) nm bloke, guy

mécanicien, ne [mekanisjɛ̃, -jɛn] nm/f mechanic; (RAIL) (train ou engine) driver

mécanique [mekanik] adj mechanical ♦ nf (science) mechanics sg; (technologie) mechanical engineering; (mécanisme) mechanism; engineering; works pl; ennui ~ engine trouble no pl

mécanisme [mekanism(ə)] nm mechanism

méchamment [meʃamɑ̃] adv nastily, maliciously, spitefully

méchanceté [meʃɑ̃ste] nf nastiness, maliciousness; nasty ou spiteful ou malicious remark (ou action)

méchant, e [meʃɑ̃, -ɑ̃t] adj nasty, malicious, spiteful; (enfant: pas sage) naughty; (animal) vicious; (avant le nom: valeur péjorative) nasty; miserable; (: intensive) terrific

mèche [mɛʃ] nf (de lampe, bougie) wick; (d'un explosif) fuse; (de vilebrequin, perceuse) bit; (de cheveux) lock; de ~ avec in league with

mécompte [mekɔ̃t] nm miscalculation; (déception) disappointment

méconnaissable [mekɔnɛsabl(ə)] adj unrecognizable

méconnaître [mekɔnɛtʀ(ə)] vt (ignorer) to be unaware of; (mésestimer) to misjudge

mécontent, e [mekɔ̃tɑ̃, -ɑ̃t] adj: ~ (de) discontented ou dissatisfied ou displeased (with); (contrarié) annoyed (at); mécontentement nm dissatisfaction, discontent, displeasure; annoyance

médaille [medaj] nf medal

médaillon [medajɔ̃] nm (portrait) medallion; (bijou) locket

médecin [medsɛ̃] nm doctor; ~ légiste forensic surgeon

médecine [medsin] nf medicine; ~ légale forensic medicine

média [medja] nmpl: les ~ the media

médiatique [medjatik] adj media cpd

médical, e, aux [medikal, -o] adj medical

médicament [medikamɑ̃] nm medicine, drug

médiéval, e, aux [medjeval, -o] adj medieval

médiocre [medjɔkʀ(ə)] adj mediocre, poor

médire [mediʀ] vi: ~ de to speak ill of; médisance nf scandalmongering (BRIT); piece of scandal ou of malicious gossip

méditer [medite] vt (approfondir) to meditate on, ponder (over); (combiner) to meditate ♦ vi to meditate

Méditerranée [meditɛʀane] nf: la (mer) ~ the Mediterranean (Sea); méditerranéen, ne adj, nm/f Mediterranean

méduse [medyz] nf jellyfish

meeting [mitiŋ] nm (POL, SPORT) rally

méfait [mefɛ] nm (faute) misdemeanour, wrongdoing; ~s nmpl (ravages) ravages, damage sg

méfiance [mefjɑ̃s] nf mistrust, distrust; méfiant, e [mefjɑ̃, -ɑ̃t] adj mistrustful, distrustful

méfier [mefje] : se ~ vi to be wary; to be careful; se ~ de to mistrust, distrust, be wary of; (faire attention) to be careful about

mégarde [megaʀd(ə)] nf: par ~ accidentally; by mistake

mégère [meʒɛʀ] nf shrew

mégot [mego] nm cigarette end

meilleur, e [mɛjœʀ] adj, adv better; (valeur superlative) best ♦ nm: le ~ (celui qui ...) the best (one); (ce qui ...) the best; le ~ des deux the better of the two; de ~e heure earlier; ~ marché cheaper; meilleure nf: la meilleure the best (one)

mélancolie [melɑ̃kɔli] nf melancholy, gloom; mélancolique adj melancholic, melancholy

mélange [melɑ̃ʒ] nm mixture

mélanger [melɑ̃ʒe] vt (substances) to mix; (vins, couleurs) to blend; (mettre en désordre) to mix up, muddle (up)

mélasse [melas] nf treacle, molasses sg

mêlée [mele] nf mêlée, scramble; (RUGBY) scrum(mage)

mêler [mele] vt (substances, odeurs, races) to mix; (embrouiller) to muddle (up), mix up; se ~ vi to mix; to mingle; se ~ à (suj: personne) to join; to mix with; (suj: odeurs etc) to mingle with; se ~ de (: personne) to meddle with, interfere in; ~ qn à (affaire) to get sb mixed up ou involved in

mélodie [melɔdi] nf melody

melon [m(ə)lɔ̃] nm (BOT) (honeydew) melon; (aussi: chapeau ~) bowler (hat)

membre [mɑ̃bʀ(ə)] nm (ANAT) limb; (personne, pays, élément) member ♦ adj member cpd

mémé [meme] (fam) nf granny

MOT-CLÉ

même [mɛm] adj 1 (avant le nom) same; en ~ temps at the same time

2 (après le nom: renforcement): il est la loyauté ~ he is loyalty itself; ce sont ses paroles/celles-là ~ they are his very words/the very ones

♦ pron: le(la) ~ the same one

♦ adv 1 (renforcement): il n'a ~ pas pleuré he didn't even cry; ~ lui l'a dit even HE said it; ici ~ at this very place

2: à ~: à ~ la bouteille straight from the bottle; à ~ la peau next to the skin; être à ~ de faire to be in a position to do, be able to do

3: de ~ to do likewise; lui de ~ so does (ou did ou is) he; de ~ que just as; il en va de ~ pour the same goes for

mémento [memɛ̃to] nm (agenda) appointments diary; (ouvrage) summary

mémoire [memwaʀ] nf memory ♦ nm (ADMIN, JUR) memorandum; (SCOL) dissertation, paper; ~s nmpl (souvenirs) memoirs; à la ~ de to the ou in memory of; pour ~ for the record; de ~ from memory; ~ morte/vive (INFORM) ROM/RAM

menace [mənas] nf threat

menacer [mənase] vt to threaten

ménage [menaʒ] nm (travail) housekeeping, housework; (couple) (married) couple; (famille, ADMIN) household; faire le ~ to do the housework

ménagement [menaʒmɑ̃] nm care and attention; ~s nmpl (égards) consideration sg, attention sg

ménager, ère [menaʒe, -ɛʀ] adj household cpd, domestic ♦ vt (traiter) to handle with tact; to treat considerately; (utiliser) to use sparingly; to use with care; (prendre soin de) to take (great) care of, look after; (organiser) to arrange; (installer) to put in; to make; ~ qch à qn (réserver) to have sth in store for sb; ménagère nf housewife

mendiant, e [mɑ̃djɑ̃, -ɑ̃t] nm/f beggar; mendier [mɑ̃dje] vi to beg ♦ vt to beg (for)

mener [məne] vt to lead; (enquête) to conduct; (affaires) to manage ♦ vi: ~ (à la marque) to lead, be in the lead; ~ à/dans (emmener) to take to/into; ~ qch à terme ou à bien to see sth through (to a successful conclusion), complete sth successfully

meneur, euse [mənœʀ, -øz] nm/f leader; (péj) agitator; ~ de jeu host, quizmaster

méningite [menɛ̃ʒit] nf meningitis no pl

ménopause [menopoz] nf menopause

menottes [mənɔt] nfpl handcuffs

mensonge [mɑ̃sɔ̃ʒ] nm lie; lying no pl; mensonger, ère adj false

mensualité [mɑ̃sɥalite] nf monthly payment; monthly salary

mensuel, le [mɑ̃sɥɛl] adj monthly

mensurations [mɑ̃syʀɑsjɔ̃] nfpl measurements

mentalité [mɑ̃talite] nf mentality

menteur, euse [mɑ̃tœʀ, -øz] nm/f liar

menthe [mɑ̃t] nf mint

mention [mɑ̃sjɔ̃] nf (note) note, comment; (SCOL): ~ bien etc ≈ grade B etc (ou upper 2nd class etc) pass (BRIT), ≈ pass with (high) honors (US); mentionner vt to mention

mentir [mɑ̃tiʀ] vi to lie; to be lying

menton [mɑ̃tɔ̃] nm chin

menu, e [məny] adj slim, slight; tiny; (frais, difficulté) minor ♦ adv (couper, hacher) very fine ♦ nm menu; par le ~ (raconter) in minute detail; ~e monnaie small change

menuiserie [mənɥizʀi] nf (travail) joinery, carpentry; woodwork; (local) joiner's workshop; (ouvrage) woodwork no pl; menuisier [mənɥizje] nm joiner, carpenter

méprendre [mepʀɑ̃dʀ(ə)] : se ~ vi to be mistaken (about)

mépris [mepʀi] nm (dédain) contempt, scorn; (indifférence): le ~ de contempt ou disregard for; au ~ de regardless of, in defiance of

méprisable [mepʀizabl(ə)] adj contemptible, despicable

méprise [mepʀiz] nf mistake, error; misunderstanding

mépriser [mepʀize] vt to scorn, despise; (gloire, danger) to scorn, spurn

mer [mɛʀ] nf sea; (marée) tide; en ~ at sea; prendre la ~ to put out to sea; en haute ou pleine ~ off shore, on the open sea; la ~ du Nord/Rouge the North/Red Sea

mercantile [mɛʀkɑ̃til] (péj) adj mercenary

mercenaire [mɛʀsənɛʀ] nm mercenary, hired soldier

mercerie [mɛʀsəʀi] nf haberdashery (BRIT), notions (US); haberdasher's shop (BRIT), notions store (US)

merci [mɛʀsi] excl thank you ♦ nf: à la ~ de qn/qch at sb's mercy/the mercy of sth; ~ de thank you for; sans ~ merciless(ly)

mercredi [mɛʀkʀədi] *nm* Wednesday

mercure [mɛʀkyʀ] *nm* mercury

merde [mɛʀd(ə)] (*fam!*) *nf* shit (!) ♦ *excl* (bloody) hell (!)

mère [mɛʀ] *nf* mother; ~ **célibataire** unmarried mother

méridional, e, aux [meʀidjɔnal, -o] *adj* southern ♦ *nm/f* Southerner

meringue [məʀɛ̃g] *nf* meringue

mérite [meʀit] *nm* merit; **le ~ (de ceci) lui revient** the credit (for this) is his

mériter [meʀite] *vt* to deserve

merlan [mɛʀlɑ̃] *nm* whiting

merle [mɛʀl(ə)] *nm* blackbird

merveille [mɛʀvɛj] *nf* marvel, wonder; **faire ~** to work wonders; **à ~** perfectly, wonderfully

merveilleux, euse [mɛʀvɛjø, -øz] *adj* marvellous, wonderful

mes [me] *dét voir* **mon**

mésange [mezɑ̃ʒ] *nf* tit(mouse)

mésaventure [mezavɑ̃tyʀ] *nf* misadventure, misfortune

Mesdames [medam] *nfpl de* **Madame**

Mesdemoiselles [medmwazɛl] *nfpl de* **Mademoiselle**

mésentente [mezɑ̃tɑ̃t] *nf* dissension, disagreement

mesquin, e [mɛskɛ̃, -in] *adj* mean, petty

message [mesaʒ] *nm* message; **messager, ère** *nm/f* messenger

messe [mɛs] *nf* mass; **aller à la ~** to go to mass; **~ de minuit** midnight mass

Messieurs [mesjø] *nmpl de* **Monsieur**

mesure [məzyʀ] *nf* (*évaluation, dimension*) measurement; (*étalon, récipient, contenu*) measure; (*MUS: cadence*) time, tempo; (*: division*) bar; (*retenue*) moderation; (*disposition*) measure, step; **sur ~** (*costume*) made-to-measure; **à la ~ de** (*fig*) worthy of; on the same scale as; **dans la ~ où** insofar as, inasmuch as; **à ~ que** as; **être en ~ de** to be in a position to

mesurer [məzyʀe] *vt* to measure; (*juger*) to weigh up, assess; (*limiter*) to limit, ration; (*modérer*) to moderate; **se ~ avec** to have a confrontation with; to tackle; **il mesure 1 m 80** he's 1 m 80 tall

met *vb voir* **mettre**

métal, aux [metal, -o] *nm* metal; **métallique** *adj* metallic

météo [meteo] *nf* weather report; ≈ Met Office (*BRIT*), ≈ National Weather Service (*US*)

météorologie [meteɔʀɔlɔʒi] *nf* meteorology

méthode [metɔd] *nf* method; (*livre, ouvrage*) manual, tutor

métier [metje] *nm* (*profession: gén*) job; (*: manuel*) trade; (*artisanal*) craft; (*technique, expérience*) (acquired) skill *ou* technique; (*aussi: ~ à tisser*) (weaving) loom

métis, se [metis] *adj, nm/f* half-caste, half-breed

métisser [metise] *vt* to cross

métrage [metʀaʒ] *nm* (*de tissu*) length, ≈ yardage; (*CINÉMA*) footage, length; **long/moyen/court ~** full-length/medium-length/short film

mètre [mɛtʀ(ə)] *nm* metre; (*règle*) (metre) rule; (*ruban*) tape measure; **métrique** *adj* metric

métro [metʀo] *nm* underground (*BRIT*), subway

métropole [metʀɔpɔl] *nf* (*capitale*) metropolis; (*pays*) home country

mets [mɛ] *nm* dish

metteur [metœʀ] *nm*: **~ en scène** (*THÉÂTRE*) producer; (*CINÉMA*) director; **~ en ondes** producer

MOT-CLÉ

mettre [mɛtʀ(ə)] *vt* 1 (*placer*) to put; **~ en bouteille/en sac** to bottle/put in bags *ou* sacks

2 (*vêtements: revêtir*) to put on; (*: porter*) to wear; **mets ton gilet** put your cardigan on; **je ne mets plus mon manteau** I no longer wear my coat

3 (*faire fonctionner: chauffage, électricité*) to put on; (*: reveil, minuteur*) to set; (*installer: gaz, eau*) to put in, to lay on; **~ en marche** to start up

4 (*consacrer*): **~ du temps à faire qch** to take time to do sth *ou* over sth

5 (*noter, écrire*) to say, put (down); **qu'est-ce qu'il a mis sur la carte?** what did he say *ou* write on the card?; **mettez au pluriel** ... put ... into the plural

6 (*supposer*): **mettons que** ... let's suppose *ou* say that ...

7: **y ~ du sien** to pull one's weight

se ~ *vi* 1 (*se placer*): **vous pouvez vous ~ là** you can sit (*ou* stand) there; **où ça se met?** where does it go?; **se ~ au lit** to get into bed; **se ~ au piano** to sit down at the piano; **se ~ de l'encre sur les doigts** to get ink on one's fingers

2 (*s'habiller*): **se ~ en maillot de bain** to get into *ou* put on a swimsuit; **n'avoir rien à se ~** to have nothing to wear

3: **se ~ à** to begin, start; **se ~ à faire** to begin *ou* start doing *ou* to do; **se ~ au piano** to start learning the piano; **se ~ au travail/à l'étude** to get down to work/ one's studies

meuble [mœbl(ə)] *nm* piece of furniture; furniture *no pl* ♦ *adj* (*terre*) loose, friable; **meublé** *nm* furnished flatlet (*BRIT*) *ou* room; **meubler** *vt* to furnish; (*fig*): **meubler qch (de)** to fill sth (with)

meugler [møgle] *vi* to low, moo

meule [møl] *nf* (*à broyer*) millstone; (*à aiguiser*) grindstone; (*de foin, blé*) stack; (*de fromage*) round

meunier [mønje] *nm* miller; **meunière** *nf* miller's wife

meure *etc vb voir* **mourir**

meurtre [mœʀtʀ(ə)] *nm* murder; **meurtrier, ière** *adj* (*arme etc*) deadly; (*fureur, instincts*) murderous ♦ *nm/f* murderer(eress); **meurtrière** *nf* (*ouverture*) loophole

meurtrir [mœʀtʀiʀ] *vt* to bruise; (*fig*) to wound; **meurtrissure** *nf* bruise; (*fig*) scar

meus *etc vb voir* **mouvoir**

meute [møt] *nf* pack

Mexico [mɛksiko] *n* Mexico City

Mexique [mɛksik] *nm*: **le ~** Mexico

Mgr *abr* = **Monseigneur**

mi [mi] *nm* (*MUS*) E; (*en chantant la gamme*) mi ♦ *préfixe*: **~...** half(-); mid-; **à la ~-janvier** in mid-January; **à ~-jambes/-corps** (up *ou* down) to the knees/waist; **à ~-hauteur/-pente** halfway up *ou* down/up *ou* down the hill

miauler [mijole] *vi* to mew

miche [miʃ] *nf* round *ou* cob loaf

mi-chemin [miʃmɛ̃] : **à ~** *adv* halfway, midway

mi-clos, e [miklo, -kloz] *adj* half-closed

micro [mikʀo] *nm* mike, microphone; (*INFORM*) micro

microbe [mikʀɔb] *nm* germ, microbe

micro: **~-onde** *nf*: **four à ~-ondes** microwave oven; **~-ordinateur** *nm* microcomputer; **~scope** *nm* microscope

midi [midi] *nm* midday, noon; (*moment du déjeuner*) lunchtime; (*sud*) south; **à ~** at 12 (o'clock) *ou* midday *ou* noon; **en plein ~** (right) in the middle of the day; facing south; **le M~** the South (of France), the Midi

mie [mi] *nf* crumb (of the loaf)

miel [mjɛl] *nm* honey

mien, ne [mjɛ̃, mjɛn] *pron*: **le(la) ~(ne), les ~(ne)s** mine; **les ~s** my family

miette [mjɛt] *nf* (*de pain, gâteau*) crumb; (*fig: de la conversation etc*) scrap; **en ~s** in pieces *ou* bits

MOT-CLÉ

mieux [mjø] *adv* 1 (*d'une meilleure façon*): **~ (que)** better (than); **elle travaille/mange ~** she works/eats better; **elle va ~** she is better

2 (*de la meilleure façon*) best; **ce que je sais le ~** what I know best; **les livres les ~ faits** the best made books

3: **de ~ en ~** better and better

♦ *adj* 1 (*plus à l'aise, en meilleure forme*) better; **se sentir ~** to feel better

2 (*plus satisfaisant*) better; **c'est ~ ainsi** it's better like this; **c'est le ~ des deux** it's the better of the two; **le(la) ~, les ~** the best; **demandez-lui, c'est le ~** ask him, it's the best thing

3 (*plus joli*) better-looking

4: **au ~** at best; **au ~ avec** on the best of terms with; **pour le ~** for the best

♦ *nm* 1 (*progrès*) improvement

2: **de mon/ton ~** as best I/you can (*ou* could); **faire de son ~** to do one's best

mièvre [mjɛvʀ(ə)] *adj* mawkish (*BRIT*), sickly sentimental

mignon, ne [miɲɔ̃, -ɔn] *adj* sweet, cute

migraine [migʀɛn] *nf* headache; migraine

mijoter [miʒɔte] *vt* to simmer; (*préparer avec soin*) to cook lovingly; (*affaire, projet*) to plot, cook up ♦ *vi* to simmer

mil [mil] *num* = **mille**

milieu, x [miljø] *nm* (*centre*) middle; (*fig*) middle course *ou* way; happy medium; (*BIO, GÉO*) environment; (*entourage social*) milieu; background; circle; (*pègre*): **le ~** the underworld; **au ~ de** in the middle of; **au beau** *ou* **en plein ~ (de)** right in the middle (of)

militaire [militɛʀ] *adj* military, army *cpd* ♦ *nm* serviceman

militant, e [militɑ̃, -ɑ̃t] *adj, nm/f* militant

militer [milite] *vi* to be a militant; **~ pour/contre** (*suj: faits, raisons etc*) to militate in favour of/against

mille [mil] *num* a *ou* one thousand ♦ *nm* (*mesure*): **~ (marin)** nautical mile; **mettre dans le ~** to hit the bull's-eye; to be bang on target; **millefeuille** *nm* cream *ou* vanilla slice; **millénaire** *nm* millennium ♦ *adj* thousand-year-old; (*fig*) ancient; **mille-pattes** *nm inv* centipede

millésime [milezim] *nm* year; **millésimé, e** *adj* vintage *cpd*

millet [mijɛ] *nm* millet

milliard [miljaʀ] *nm* milliard, thousand million (*BRIT*), billion (*US*); **milliardaire** *nm/f* multimillionaire (*BRIT*), billionaire (*US*)

millier [milje] *nm* thousand; **un ~ (de)** a thousand or so, about a thousand; **par ~s** in (their) thousands, by the thousand

milligramme [miligʀam] *nm* milligramme

millimètre [milimɛtʀ(ə)] *nm* millimetre

million [miljɔ̃] *nm* million; **deux ~s de** two million; **millionnaire** *nm/f* millionaire

mime [mim] *nm/f* (*acteur*) mime(r) ♦ *nm* (*art*) mime, miming

mimer [mime] *vt* to mime; (*singer*) to mimic, take off

mimique [mimik] *nf* (funny) face; (*signes*) gesticulations *pl*, sign language *no pl*

minable [minabl(ə)] *adj* shabby(-looking); pathetic

mince [mɛ̃s] *adj* thin; (*personne, taille*) slim, slender; (*fig: profit, connaissances*) slight, small, weak ♦ *excl*: **~ alors!** drat it!, darn it! (*US*); **minceur** *nf* thinness; slimness, slenderness

mine [min] *nf* (*physionomie*) expression, look; (*extérieur*) exterior, appearance; (*de crayon*) lead; (*gisement, exploitation, explosif, fig*) mine; **avoir bonne ~** (*personne*) to look well; (*ironique*) to look an utter idiot; **avoir mauvaise ~** to look unwell *ou* poorly; **faire ~ de faire** to make a pretence of doing; to make as if to do; **~ de rien** with a casual air; although you wouldn't think so

miner [mine] *vt* (*saper*) to undermine, erode; (*MIL*) to mine

minerai [minʀɛ] *nm* ore

minéral, e, aux [mineʀal, -o] *adj, nm* mineral

minéralogique [mineʀalɔʒik] *adj*: **numéro ~** registration number

minet, te [minɛ, -ɛt] *nm/f* (*chat*) pussy-cat; (*péj*) young trendy

mineur, e [minœʀ] *adj* minor ♦ *nm/f* (*JUR*) minor, person under age ♦ *nm* (*travailleur*) miner

miniature [minjatyʀ] *adj, nf* miniature

minibus [minibys] *nm* minibus

mini-cassette [minikasɛt] *nf* cassette (recorder)

minier, ière [minje, -jɛʀ] *adj* mining

mini-jupe [miniʒyp] *nf* mini-skirt

minime [minim] *adj* minor, minimal

minimiser [minimize] *vt* to minimize; (*fig*) to play down

minimum [minimɔm] *adj, nm* minimum; **au ~** (*au moins*) at the very least

ministère [ministɛʀ] *nm* (*aussi REL*) ministry; (*cabinet*) government; **~ public** (*JUR*) Prosecution, public prosecutor

ministre [ministʀ(ə)] *nm* (*aussi REL*) minister; **~ d'État** senior minister

Minitel [minitɛl] (®) *nm videotext terminal and service*

minorité [minɔʀite] *nf* minority; **être en ~** to be in the *ou* a minority; **mettre en ~** (*POL*) to defeat

minoterie [minɔtʀi] *nf* flour-mill

minuit [minɥi] *nm* midnight

minuscule [minyskyl] *adj* minute, tiny ♦ *nf*: **(lettre) ~** small letter

minute [minyt] *nf* minute; (*JUR: original*) minute, draft; **à la ~** (just) this instant; there and then; **minuter** *vt* to time; **minuterie** *nf* time switch

minutieux, euse [minysjø, -øz] *adj* meticulous; minutely detailed

mirabelle [miʀabɛl] *nf* (cherry) plum

miracle [miʀakl(ə)] *nm* miracle

mirage [miʀaʒ] *nm* mirage

mire [miʀ] *nf*: **point de ~** target; (*fig*) focal point; **ligne de ~** line of sight

miroir [miʀwaʀ] *nm* mirror

miroiter [miʀwate] *vi* to sparkle, shimmer; **faire ~ qch à qn** to paint sth in glowing colours for sb, dangle sth in front of sb's eyes

mis, e [mi, miz] *pp de* **mettre** ♦ *adj*: **bien ~** well-dressed

mise [miz] *nf* (*argent: au jeu*) stake; (*tenue*) clothing; attire; **être de ~** to be acceptable *ou* in season; **~ à feu** blast-off; **~ au point** (*fig*) clarification; **~ de fonds** capital outlay; **~ en plis** set; **~ en scène** production

miser [mize] *vt* (*enjeu*) to stake, bet; **~ sur** (*cheval, numéro*) to bet on; (*fig*) to bank *ou* count on

misérable [mizeʀabl(ə)] *adj* (*lamentable, malheureux*) pitiful, wretched; (*pauvre*) poverty-stricken; (*insignifiant, mesquin*) miserable ♦ *nm/f* wretch; (*miséreux*) poor wretch

misère [mizɛʀ] *nf* (extreme) poverty, destitution; **~s** *nfpl* (*malheurs*) woes, miseries; (*ennuis*) little troubles; **salaire de ~** starvation wage

miséricorde [mizeʀikɔʀd(ə)] *nf* mercy, forgiveness

missile [misil] *nm* missile

mission [misjɔ̃] *nf* mission; **partir en ~** (*ADMIN, POL*) to go on an assignment; **missionnaire** *nm/f* missionary

mit *vb voir* **mettre**

mité, e [mite] *adj* moth-eaten

mi-temps [mitɑ̃] *nf inv* (*SPORT: période*) half; (*: pause*) half-time; **à ~** part-time

mitigé, e [mitiʒe] *adj* lukewarm; mixed

mitonner [mitɔne] *vt* to cook with loving care; (*fig*) to cook up quietly

mitoyen, ne [mitwajɛ̃, -ɛn] *adj* common, party *cpd*

mitrailler [mitʀɑje] *vt* to machine-gun; (*fig*) to pelt, bombard; (*: photographier*) to take shot after shot of; **mitraillette** *nf* submachine gun; **mitrailleuse** *nf* machine gun

mi-voix [mivwa]: **à ~** *adv* in a low *ou* hushed voice

mixage [miksaʒ] *nm* (*CINÉMA*) (sound) mixing

mixer [miksœʀ] *nm* (food) mixer

mixte [mikst(ə)] *adj* (*gén*) mixed; (*SCOL*) mixed, coeducational; **à usage ~** dual-purpose

mixture [mikstyʀ] *nf* mixture; (*fig*) concoction

MLF *sigle m* = Mouvement de Libération de la femme

Mlle (*pl* **~s**) *abr* = **Mademoiselle**

MM *abr* = **Messieurs**

Mme (*pl* **Mmes**) *abr* = **Madame**

Mo *abr* = **métro**

mobile [mɔbil] *adj* mobile; (*pièce de machine*) moving; (*élément de meuble etc*) movable ♦ *nm* (*motif*) motive; (*œuvre d'art*) mobile

mobilier, ière [mɔbilje, -jɛʀ] *adj* (*JUR*) personal ♦ *nm* furniture

mobiliser [mɔbilize] *vt* (*MIL, gén*) to mobilize

moche [mɔʃ] (*fam*) *adj* ugly; rotten

modalité [mɔdalite] *nf* form, mode; **~s** *nfpl* (*d'un accord etc*) clauses, terms

mode [mɔd] *nf* fashion ♦ *nm* (*manière*) form, mode; **à la ~** fashionable, in fashion; **~ d'emploi** directions *pl* (for use)

modèle [mɔdɛl] *adj, nm* model; (*qui pose: de peintre*) sitter; **~ déposé** registered design; **~ réduit** small-scale model; **modeler** [mɔdle] *vt* (*ART*) to model, mould; (*suj: vêtement, érosion*) to mould, shape

modem [mɔdɛm] *nm* modem

modéré, e [mɔdeʀe] *adj, nm/f* moderate

modérer [mɔdeʀe] *vt* to moderate; **se ~** *vi* to restrain o.s.

moderne [mɔdɛʀn(ə)] *adj* modern ♦ *nm* modern style; modern furniture; **moderniser** *vt* to modernize

modeste [mɔdɛst(ə)] *adj* modest; **modestie** *nf* modesty

modifier [mɔdifje] *vt* to modify, alter; **se ~** *vi* to alter

modique [mɔdik] *adj* modest

modiste [mɔdist(ə)] *nf* milliner

modulation [mɔdylasjɔ̃] *nf*: **~ de fréquence** frequency modulation

module [mɔdyl] *nm* module

moelle [mwal] *nf* marrow

moelleux, euse [mwalø, -øz] *adj* soft; (*au goût, à l'ouïe*) mellow

moellon [mwalɔ̃] *nm* rubble stone

mœurs [mœʀ] *nfpl* (*conduite*) morals; (*manières*) manners; (*pratiques sociales, mode de vie*) habits

mohair [mɔɛʀ] *nm* mohair

moi [mwa] *pron* me; (*emphatique*): **~, je ...** for my part, I ..., I myself ...

moignon [mwaɲɔ̃] *nm* stump

moi-même [mwamɛm] *pron* myself; (*emphatique*) I myself

moindre [mwɛ̃dʀ(ə)] *adj* lesser; lower; **le(la) ~, les ~s** the least, the slightest

moine [mwan] *nm* monk, friar

moineau, x [mwano] *nm* sparrow

MOT-CLÉ

moins [mwɛ̃] *adv* 1 (*comparatif*): **~ (que)** less (than); **~ grand que** less tall than, not as tall as; **~ je travaille, mieux je me porte** the less I work, the better I feel

2 (*superlatif*): **le ~** (the) least; **c'est ce que j'aime le ~** it's what I like (the) least; **le(la) ~ doué(e)** the least gifted; **au ~, du ~** at least; **pour le ~** at the very least

3: **~ de** (*quantité*) less (than); (*nombre*) fewer (than); **~ de sable/d'eau** less sand/ water; **~ de livres/gens** fewer books/ people; **~ de 2 ans** less than 2 years; **~ de midi** not yet midday

4: **de ~, en ~**: **100F/3 jours de ~** 100F/3 days less; **3 livres en ~** 3 books fewer; 3 books too few; **de l'argent en ~** less money; **le soleil en ~** but for the sun, minus the sun; **de ~ en ~** less and less

5: **à ~ de, à ~ que** unless; **à ~ de faire** unless we do (*ou* he does *etc*); **à ~ que tu ne fasses** unless you do; **à ~ d'un**

accident barring any accident ◆ *prép*: **4 ~ 2** 4 minus 2; **il est ~ 5** it's 5 to; **il fait ~ 5** it's 5 (degrees) below (freezing), it's minus 5

mois [mwa] *nm* month; **~ double** (*COMM*) extra month's salary

moisi [mwazi] *nm* mould, mildew; **odeur de ~** musty smell

moisir [mwaziʀ] *vi* to go mouldy; (*fig*) to rot; to hang about

moisissure [mwazisyʀ] *nf* mould *nopl*

moisson [mwasɔ̃] *nf* harvest; **moissonner** *vt* to harvest, reap; **moissonneuse** *nf* (*machine*) harvester

moite [mwat] *adj* sweaty, sticky

moitié [mwatje] *nf* half; **la ~** half; **la ~ de** half (of); **la ~ du temps/des gens** half the time/the people; **à la ~ de** halfway through; **à ~** (*avant le verbe*) half; (*avant l'adjectif*) half-; **de ~** by half; **~ ~** half-and-half

mol [mɔl] *adj voir* **mou**

molaire [mɔlɛʀ] *nf* molar

molester [mɔlɛste] *vt* to manhandle, maul (about)

molle [mɔl] *adj voir* **mou**; **mollement** *adv* softly; (*péj*) sluggishly; (*protester*) feebly

mollet [mɔlɛ] *nm* calf ◆ *adj m*: **œuf ~** soft-boiled egg

molletonné, e [mɔltɔne] *adj* fleece-lined

mollir [mɔliʀ] *vi* to give way; to relent; to go soft

môme [mom] (*fam*) *nm/f* (*enfant*) brat ◆ *nf* (*fille*) chick

moment [mɔmɑ̃] *nm* moment; **ce n'est pas le ~** this is not the (right) time; **à un certain ~** at some point; **à un ~ donné** at a certain point; **pour un bon ~** for a good while; **pour le ~** for the moment, for the time being; **au ~ de** at the time of; **au ~ où** as; at a time when; **à tout ~** at any time *ou* moment; constantly, continually; **en ce ~** at the moment; at present; **sur le ~** at the time; **par ~s** now and then, at times; **du ~ où *ou* que** seeing that, since; **momentané, e** *adj* temporary, momentary

momie [mɔmi] *nf* mummy

mon, ma [mɔ̃, ma] (*pl* **mes**) *dét* my

Monaco [mɔnako] *nm*: **le ~** Monaco

monarchie [mɔnaʀʃi] *nf* monarchy

monastère [mɔnastɛʀ] *nm* monastery

monceau, x [mɔ̃so] *nm* heap

mondain, e [mɔ̃dɛ̃, -ɛn] *adj* society *cpd*; social; fashionable; **~e** *nf*: **la M~e, la police ~e** ≈ the vice squad

monde [mɔ̃d] *nm* world; (*haute société*): **le ~** (high) society; (*milieu*): **être du même ~** to move in the same circles; (*gens*): **il y a du ~** (*beaucoup de gens*) there are a lot of people; (*quelques personnes*) there are some people; **beaucoup/peu de ~** many/few people; **le meilleur *etc* du ~** the best *etc* in the world *ou* on earth; **mettre au ~** to bring into the world; **pas le moins du ~** not in the least; **se faire un ~ de qch** to make a great deal of fuss about sth; **mondial, e, aux** *adj* (*population*) world *cpd*; (*influence*) world-wide; **mondialement** *adv* throughout the world

monégasque [mɔnegask(ə)] *adj* Monegasque, of *ou* from Monaco

monétaire [mɔnetɛʀ] *adj* monetary

moniteur, trice [mɔnitœʀ, -tʀis] *nm/f* (*SPORT*) instructor(tress); (*de colonie de vacances*) supervisor ◆ *nm* (*écran*) monitor

monnaie [mɔnɛ] *nf* (*pièce*) coin; (*ÉCON, gén: moyen d'échange*) currency; (*petites pièces*): **avoir de la ~** to have (some) change; **faire de la ~** to get (some) change; **avoir/faire la ~ de 20 F** to have change of/get change for 20 F; **rendre à qn la ~ (sur 20 F)** to give sb the change (out of *ou* from 20 F); **monnayer** *vt* to convert into cash; (*talent*) to capitalize on

monologue [mɔnɔlɔg] *nm* monologue, soliloquy; **monologuer** *vi* to soliloquize

monopole [mɔnɔpɔl] *nm* monopoly

monotone [mɔnɔtɔn] *adj* monotonous

monseigneur [mɔ̃sɛɲœʀ] *nm* (*archevêque, évêque*) Your (*ou* His) Grace; (*cardinal*) Your (*ou* His) Eminence

Monsieur [məsjø] (*pl* **Messieurs**) *titre* Mr ◆ *nm* (*homme quelconque*): **un/le m~** a/the gentleman; *voir aussi* **Madame**

monstre [mɔ̃stʀ(ə)] *nm* monster ◆ *adj*: **un travail ~** a fantastic amount of work; an enormous job

mont [mɔ̃] *nm*: **par ~s et par vaux** up hill and down dale; **le M~ Blanc** Mont Blanc

montage [mɔ̃taʒ] *nm* putting up; mounting, setting; assembly; (*PHOTO*) photomontage; (*CINÉMA*) editing

montagnard, e [mɔ̃taɲaʀ, -aʀd(ə)] *adj* mountain *cpd* ◆ *nm/f* mountain-dweller

montagne [mɔ̃taɲ] *nf* (*cime*) mountain; (*région*): **la ~** the mountains *pl*; **~s russes** big dipper *sg*, switchback *sg*;

montagneux, euse [mɔ̃taɲø, -øz] *adj* mountainous; hilly

montant, e [mɔ̃tɑ̃, -ɑ̃t] *adj* rising; (*robe, corsage*) high-necked ◆ *nm* (*somme, total*) (sum) total, (total) amount; (*de fenêtre*) upright; (*de lit*) post

monte-charge [mɔ̃tʃaʀʒ(ə)] *nm inv* goods lift, hoist

montée [mɔ̃te] *nf* rising, rise; ascent, climb; (*chemin*) way up; (*côte*) hill; **au milieu de la ~** halfway up

monter [mɔ̃te] *vt* (*escalier, côte*) to go (*ou* come) up; (*valise, paquet*) to take (*ou* bring) up; (*cheval*) to mount; (*étagère*) to raise; (*tente, échafaudage*) to put up; (*machine*) to assemble; (*bijou*) to mount, set; (*COUTURE*) to set in; to sew on; (*CINÉMA*) to edit; (*THÉÂTRE*) to put on, stage; (*société etc*) to set up ◆ *vi* to go (*ou* come) up; (*avion etc*) to climb, go up; (*chemin, niveau, température*) to go up, rise; (*passager*) to get on; (*à cheval*): **~ bien/mal** to ride well/badly; **se ~ à** (*frais etc*) to add up to, come to; **~ à pied** to walk up, go up on foot; **~ à bicyclette/en voiture** to cycle/drive up, go up by bicycle/by car; **~ dans le train/l'avion** to get into the train/plane, board the train/plane; **~ sur** to climb up onto; **~ à cheval** to get on *ou* mount a horse

monticule [mɔ̃tikyl] *nm* mound

montre [mɔ̃tʀ(ə)] *nf* watch; **faire ~ de** to show, display; **contre la ~** (*SPORT*) against the clock; **montre-bracelet** *nf* wristwatch

montrer [mɔ̃tʀe] *vt* to show; **~ qch à qn** to show sb sth

monture [mɔ̃tyʀ] *nf* (*bête*) mount; (*d'une bague*) setting; (*de lunettes*) frame

monument [mɔnymɑ̃] *nm* monument; **~ aux morts** war memorial

moquer [mɔke] : **se ~ de** *vt* to make fun of, laugh at; (*fam: se désintéresser de*) not to care about; (*tromper*): **se ~ de qn** to take sb for a ride

moquette [mɔkɛt] *nf* fitted carpet

moqueur, euse [mɔkœʀ, -øz] *adj* mocking

moral, e, aux [mɔʀal, -o] *adj* moral ◆ *nm* morale; **avoir le ~ à zéro** to be really down; **morale** *nf* (*conduite*) morals *pl*; (*règles*) moral code, ethic; (*valeurs*) moral standards *pl*, morality; (*science*) ethics *sg*, moral philosophy; (*conclusion: d'une fable etc*) moral; **faire la morale à** to lecture, preach at; **moralité** *nf* morality; (*conduite*) morals *pl*; (*conclusion, enseignement*) moral

morceau, x [mɔʀso] *nm* piece, bit; (*d'une œuvre*) passage, extract; (*MUS*) piece; (*CULIN: de viande*) cut; **mettre en ~x** to pull to pieces *ou* bits

morceler [mɔʀsəle] *vt* to break up, divide up

mordant, e [mɔʀdɑ̃, -ɑ̃t] *adj* scathing, cutting; biting

mordiller [mɔʀdije] *vt* to nibble at, chew at

mordre [mɔʀdʀ(ə)] *vt* to bite; (*suj: lime, vis*) to bite into ◆ *vi* (*poisson*) to bite; **~ sur** (*fig*) to go over into, overlap into; **~ à l'hameçon** to bite, rise to the bait

mordu, e [mɔʀdy] *nm/f*: **un ~ du jazz** a jazz fanatic

morfondre [mɔʀfɔ̃dʀ(ə)] : **se ~** *vi* to mope

morgue [mɔʀg(ə)] *nf* (*arrogance*) haughtiness; (*lieu: de la police*) morgue; (*: à l'hôpital*) mortuary

morne [mɔʀn(ə)] *adj* dismal, dreary

mors [mɔʀ] *nm* bit

morse [mɔʀs(ə)] *nm* (*ZOOL*) walrus; (*TÉL*) Morse (code)

morsure [mɔʀsyʀ] *nf* bite

mort[1] [mɔʀ] *nf* death

mort[2], **e** [mɔʀ, mɔʀt(ə)] *pp de* **mourir** ◆ *adj* dead ◆ *nm/f* (*défunt*) dead man(woman); (*victime*): **il y a eu plusieurs morts** several people were killed, there were several killed (*CARTES*) dummy; **mort ou vif** dead or alive; **mort de peur/fatigue** frightened to death/dead tired

mortalité [mɔʀtalite] *nf* mortality, death rate

mortel, le [mɔʀtɛl] *adj* (*poison etc*) deadly, lethal; (*accident, blessure*) fatal; (*REL*) mortal; (*fig*) deathly; deadly boring

mortier [mɔʀtje] *nm* (*gén*) mortar

mort-né, e [mɔʀne] *adj* (*enfant*) stillborn

mortuaire [mɔʀtɥɛʀ] *adj* funeral *cpd*

morue [mɔʀy] *nf* (*ZOOL*) cod *inv*

mosaïque [mɔzaik] *nf* (*ART*) mosaic; (*fig*) patchwork

Moscou [mɔsku] *n* Moscow

mosquée [mɔske] *nf* mosque

mot [mo] *nm* word; (*message*) line, note; (*bon mot etc*) saying; sally; **~ à ~** word for word; **~ d'ordre** watchword; **~ de passe** password; **~s croisés** crossword (puzzle) *sg*

motard [mɔtaʀ] *nm* biker; (*policier*) motorcycle cop

motel [mɔtɛl] *nm* motel

moteur, trice [mɔtœʀ, -tʀis] *adj* (*ANAT, PHYSIOL*) motor; (*TECH*) driving; (*AUTO*): **à 4 roues motrices** 4-wheel drive ◆ *nm* engine, motor; **à ~** power-driven, motor *cpd*

motif [mɔtif] *nm* (*cause*) motive; (*décoratif*) design, pattern, motif; (*d'un tableau*) subject, motif; **~s** *nmpl* (*JUR*) grounds *pl*; **sans ~** groundless

motiver [mɔtive] *vt* (*justifier*) to justify, account for; (*ADMIN, JUR, PSYCH*) to motivate

moto [mɔto] *nf* (motor)bike; **motocycliste** *nm/f* motorcyclist

motorisé, e [mɔtɔʀize] *adj* (*troupe*) motorized; (*personne*) having transport *ou* a car

motrice [mɔtʀis] *adj voir* **moteur**

motte [mɔt] *nf*: **~ de terre** lump of earth, clod (of earth); **~ de beurre** lump of butter; **~ de gazon** turf, sod

mou(mol), molle [mu, mɔl] *adj* soft; (*péj*) flabby; sluggish ◆ *nm* (*abats*) lights *pl*, lungs *pl*; (*de la corde*): **avoir du mou** to be slack

mouche [muʃ] *nf* fly

moucher [muʃe] *vt* (*enfant*) to blow the nose of; (*chandelle*) to snuff (out); **se ~** *vi* to blow one's nose

moucheron [muʃʀɔ̃] *nm* midge

moucheté, e [muʃte] *adj* dappled; flecked

mouchoir [muʃwaʀ] *nm* handkerchief, hanky; **~ en papier** tissue, paper hanky

moudre [mudʀ(ə)] *vt* to grind

moue [mu] *nf* pout; **faire la ~** to pout; (*fig*) to pull a face

mouette [mwɛt] *nf* (sea)gull

moufle [mufl(ə)] *nf* (*gant*) mitt(en)

mouillé, e [muje] *adj* wet

mouiller [muje] *vt* (*humecter*) to wet, moisten; (*tremper*): **~ qn/qch** to make sb/sth wet; (*couper, diluer*) to water down; (*mine etc*) to lay (*NAVIG*) to lie *ou* be at anchor; **se ~** to get wet; (*fam*) to commit o.s.; to get o.s. involved

moule [mul] *nf* mussel ◆ *nm* (*creux, CULIN*) mould; (*modèle plein*) cast; **~ à gâteaux** *nm* cake tin (*BRIT*) *ou* pan (*US*)

moulent *vb voir* **moudre**; **mouler**

mouler [mule] *vt* (*suj: vêtement*) to hug, fit closely round; **~ qch sur** (*fig*) to model sth on

moulin [mulɛ̃] *nm* mill; **~ à café/à poivre** coffee/pepper mill; **~ à légumes** (vegetable) shredder; **~ à paroles** (*fig*) chatterbox; **~ à vent** windmill

moulinet [mulinɛ] *nm* (*de treuil*) winch; (*de canne à pêche*) reel; (*mouvement*): **faire des ~s avec qch** to whirl sth around

moulinette [mulinɛt] *nf* (vegetable) shredder

moulu, e [muly] *pp de* **moudre**

moulure [mulyʀ] *nf* (*ornement*) moulding

mourant, e [muʀɑ̃, -ɑ̃t] *adj* dying

mourir [muʀiʀ] *vi* to die; (*civilisation*) to die out; **~ de froid/faim** to die of exposure/hunger; **~ de faim/d'ennui** (*fig*) to be starving/be bored to death; **~ d'envie de faire** to be dying to do

mousse [mus] *nf* (*BOT*) moss; (*écume: sur eau, bière*) froth, foam; (*: shampooing*) lather; (*CULIN*) mousse ◆ *nm* (*NAVIG*) ship's boy; **bas ~** stretch stockings; **~ à raser** shaving foam; **~ carbonique** (fire-fighting) foam

mousseline [muslin] *nf* muslin; chiffon

mousser [muse] *vi* to foam; to lather

mousseux, euse [musø, -øz] *adj* frothy ◆ *nm*: **(vin) ~** sparkling wine

mousson [musɔ̃] *nf* monsoon

moustache [mustaʃ] *nf* moustache; **~s** *nfpl* (*du chat*) whiskers *pl*

moustiquaire [mustikɛʀ] *nf* mosquito net (*ou* screen)

moustique [mustik] *nm* mosquito

moutarde [mutaʀd(ə)] *nf* mustard

mouton [mutɔ̃] *nm* (*ZOOL, péj*) sheep *inv*; (*peau*) sheepskin; (*CULIN*) mutton

mouvant, e [muvɑ̃, -ɑ̃t] *adj* unsettled; changing; shifting

mouvement [muvmɑ̃] *nm* (*gén, aussi: mécanisme*) movement; (*fig*) activity; impulse; gesture; (*MUS: rythme*) tempo; **en ~** in motion; on the move;

mouvementé, e *adj* (*vie, poursuite*) eventful; (*réunion*) turbulent

mouvoir [muvwaʀ] *vt* (*levier, membre*) to move; **se ~** *vi* to move

moyen, ne [mwajɛ̃, -ɛn] *adj* average; (*tailles, prix*) medium; (*de grandeur moyenne*) medium-sized ◆ *nm* (*façon*) means *sg*, way; **~s** *nmpl* (*capacités*) means; **au ~ de** by means of; **par tous les ~s** by every possible means, every possible way; **par ses propres ~s** all by oneself; **~ âge** Middle Ages; **~ de transport** means of transport

moyennant [mwajɛnɑ̃] *prép* (*somme*) for; (*service, conditions*) in return for; (*travail, effort*) with

moyenne [mwajɛn] *nf* average; (*MATH*) mean; (*SCOL: à l'examen*) pass mark; (*AUTO*) average speed; **en ~** on (an) average; **~ d'âge** average age

Moyen-Orient [mwajɛnɔʀjɑ̃] *nm*: **le ~** the Middle East

moyeu, x [mwajø] *nm* hub

MST *sigle f* (*= maladie sexuellement transmissible*) STD

mû, mue [my] *pp de* **mouvoir**

muer [mɥe] *vi* (*oiseau, mammifère*) to moult; (*serpent*) to slough; (*jeune garçon*): **il mue** his voice is breaking; **se ~ en** to transform into

muet, te [mɥɛ, -ɛt] *adj* dumb; (*fig*): **~ d'admiration *etc*** speechless with admiration *etc*; (*joie, douleur, CINÉMA*) silent; (*carte*) blank mute

mufle [myfl(ə)] *nm* muzzle; (*goujat*) boor

mugir [myʒiʀ] *vi* (*taureau*) to bellow; (*vache*) to low; (*fig*) to howl

muguet [mygɛ] *nm* lily of the valley

mule [myl] *nf* (*ZOOL*) (she-)mule

mulet [mylɛ] *nm* (*ZOOL*) (he-)mule

multiple [myltipl(ə)] *adj* multiple, numerous; (*varié*) many, manifold ◆ *nm* (*MATH*) multiple

multiplication [myltiplikɑsjɔ̃] *nf* multiplication

multiplier [myltiplije] *vt* to multiply; **se ~** *vi* to multiply; to increase in number

municipal, e, aux [mynisipal, -o] *adj* municipal; town *cpd*, ≈ borough *cpd*

municipalité [mynisipalite] *nf* (*corps municipal*) town council, corporation

munir [myniʀ] *vt*: **~ qn/qch de** to equip sb/sth with

munitions [mynisjɔ̃] *nfpl* ammunition *sg*

mur [myʀ] *nm* wall; **~ du son** sound barrier

mûr, e [myʀ] *adj* ripe; (*personne*) mature

muraille [myʀɑj] *nf* (high) wall

mural, e, aux [myʀal, -o] *adj* wall *cpd*; mural

mûre [myʀ] *nf* blackberry; mulberry

murer [myʀe] *vt* (*enclos*) to wall (in); (*porte, issue*) to wall up; (*personne*) to wall up *ou* in

muret [myʀɛ] *nm* low wall

mûrir [myʀiʀ] *vi* (*fruit, blé*) to ripen; (*abcès, furoncle*) to come to a head; (*fig: idée, personne*) to mature ◆ *vt* to ripen; to (make) mature

murmure [myʀmyʀ] *nm* murmur; **~s** *nmpl* (*plaintes*) murmurings, mutterings; **murmurer** *vi* to murmur; (*se plaindre*) to mutter, grumble

muscade [myskad] *nf* (*aussi*: **noix ~**) nutmeg

muscat [myska] *nm* muscat grape; muscatel (wine)

muscle [myskl(ə)] *nm* muscle; **musclé, e** *adj* muscular; (*fig*) strong-arm

museau, x [myzo] *nm* muzzle

musée [myze] *nm* museum; art gallery

museler [myzle] *vt* to muzzle; **muselière** *nf* muzzle

musette [myzɛt] *nf* (*sac*) lunchbag ◆ *adj inv* (*orchestre etc*) accordion *cpd*

musical, e, aux [myzikal, -o] *adj* musical

music-hall [myzikol] *nm* variety theatre; (*genre*) variety

musicien, ne [myzisjɛ̃, -jɛn] *adj* musical ◆ *nm/f* musician

musique [myzik] *nf* music; (*fanfare*) band; **~ de chambre** chamber music

musulman, e [myzylmɑ̃, -an] *adj, nm/f* Moslem, Muslim

mutation [mytɑsjɔ̃] *nf* (*ADMIN*) transfer

mutilé, e [mytile] *nm/f* disabled person (*through loss of limbs*)

mutiler [mytile] *vt* to mutilate, maim

mutin, e [mytɛ̃, -in] *adj* (*air, ton*) mischievous, impish ◆ *nm/f* (*MIL, NAVIG*) mutineer

mutinerie [mytinʀi] *nf* mutiny

mutisme [mytism(ə)] *nm* silence

mutuel, le [mytɥɛl] *adj* mutual; **mutuelle** *nf* mutual benefit society

myope [mjɔp] *adj* short-sighted

myosotis [mjɔzɔtis] *nm* forget-me-not

myrtille [miʀtij] *nf* bilberry

mystère [mistɛʀ] *nm* mystery; **mystérieux, euse** *adj* mysterious

mystifier [mistifje] *vt* to fool; to mystify

mythe [mit] *nm* myth

mythologie [mitɔlɔʒi] *nf* mythology

N

n' [n] *adv voir* **ne**

nacre [nakʀ(ə)] *nf* mother-of-pearl

nage [naʒ] *nf* swimming; style of swimming, stroke; **traverser/s'éloigner à la ~** to swim across/away; **en ~** bathed in perspiration

nageoire [naʒwaʀ] *nf* fin

nager [naʒe] *vi* to swim; **nageur, euse** *nm/f* swimmer

naguère [nagɛʀ] *adv* formerly

naïf, ïve [naif, naiv] *adj* naïve

nain, e [nɛ̃, nɛn] *nm/f* dwarf

naissance [nɛsɑ̃s] *nf* birth; **donner ~ à** to give birth to; (*fig*) to give rise to

naître [nɛtʀ(ə)] *vi* to be born; (*fig*): **~ de**

to arise from, be born out of; **il est né en 1960** he was born in 1960; **faire ~** (*fig*) to give rise to, arouse

naïve [naiv] *adj voir* **naïf**

nana [nana] (*fam*) *nf* (*fille*) chick, bird (*BRIT*)

nantir [nɑ̃tiʀ] *vt*: **~ qn de** to provide sb with; **les nantis** (*péj*) the well-to-do

nappe [nap] *nf* tablecloth; (*fig*) sheet; layer; **napperon** *nm* table-mat

naquit *etc vb voir* **naître**

narguer [naʀge] *vt* to taunt

narine [naʀin] *nf* nostril

narquois, e [naʀkwa, -waz] *adj* derisive, mocking

naseau, x [nazo] *nm* nostril

natal, e [natal] *adj* native

natalité [natalite] *nf* birth rate

natation [natɑsjɔ̃] *nf* swimming

natif, ive [natif, -iv] *adj* native

nation [nɑsjɔ̃] *nf* nation

national, e, aux [nasjɔnal, -o] *adj* national; **nationale** *nf*: **(route) nationale** ≈ A road (*BRIT*), ≈ state highway (*US*); **nationaliser** *vt* to nationalize; **nationalité** *nf* nationality

natte [nat] *nf* (*tapis*) mat; (*cheveux*) plait

naturaliser [natyʀalize] *vt* to naturalize

nature [natyʀ] *nf* nature ◆ *adj, adv* (*CULIN*) plain, without seasoning or sweetening; (*café, thé*) black, without sugar; **payer en ~** to pay in kind; **~ morte** still-life; **naturel, le** *adj* (*gén, aussi*: *enfant*) natural ◆ *nm* naturalness; disposition, nature; (*autochtone*) native; **naturellement** *adv* naturally; (*bien sûr*) of course

naufrage [nofʀaʒ] *nm* (ship)wreck; (*fig*) wreck; **faire ~** to be shipwrecked

nauséabond, e [nozeabɔ̃, -ɔ̃d] *adj* foul, nauseous

nausée [noze] *nf* nausea

nautique [notik] *adj* nautical, water *cpd*

nautisme [notism(ə)] *nm* water sports

navet [navɛ] *nm* turnip

navette [navɛt] *nf* shuttle; **faire la ~ (entre)** to go to and fro *ou* shuttle (between)

navigateur [navigatœʀ] *nm* (*NAVIG*) seafarer, sailor; (*AVIAT*) navigator

navigation [navigɑsjɔ̃] *nf* navigation, sailing; shipping

naviguer [navige] *vi* to navigate, sail

navire [naviʀ] *nm* ship

navrer [navʀe] *vt* to upset, distress; **je suis navré** I'm so sorry

ne(n') [n(ə)] *adv voir* **pas; plus; jamais** *etc*; (*explétif*) *non traduit*

né, e [ne] *pp* (*voir naître*): **~ en 1960** born in 1960; **~e Scott** née Scott

néanmoins [neɑ̃mwɛ̃] *adv* nevertheless

néant [neɑ̃] *nm* nothingness; **réduire à ~** to bring to nought; (*espoir*) to dash

nécessaire [nesesɛʀ] *adj* necessary ◆ *nm* necessary; (*sac*) kit; **~ de couture** sewing kit; **~ de toilette** toilet bag; **nécessité** *nf* necessity; **nécessiter** *vt* to require; **nécessiteux, euse** *adj* needy

nécrologique [nekʀɔlɔʒik] *adj*: **article ~** obituary; **rubrique ~** obituary column

nectar [nɛktaʀ] *nm* (*sucré*) nectar; (*boisson*) *sweetened, diluted fruit juice*

néerlandais, e [neɛʀlɑ̃dɛ, -ɛz] *adj* Dutch

nef [nɛf] *nf* (*d'église*) nave

néfaste [nefast(ə)] *adj* baneful; ill-fated

négatif, ive [negatif, -iv] *adj* negative ◆ *nm* (*PHOTO*) negative

négligé, e [negliʒe] *adj* (*en désordre*) slovenly ◆ *nm* (*tenue*) negligee

négligent, e [negliʒɑ̃, -ɑ̃t] *adj* careless; negligent

négliger [negliʒe] *vt* (*épouse, jardin*) to neglect; (*tenue*) to be careless about; (*avis, précautions*) to disregard; **~ de faire** to fail to do, not bother to do

négoce [negɔs] *nm* trade

négociant [negɔsjɑ̃] *nm* merchant

négociation [negɔsjɑsjɔ̃] *nf* negotiation

négocier [negɔsje] *vi, vt* to negotiate

nègre [nɛgʀ(ə)] *nm* Negro; ghost (writer)

négresse [negʀɛs] *nf* Negro woman

neige [nɛʒ] *nf* snow; **neiger** *vi* to snow

nénuphar [nenyfaʀ] *nm* water-lily

néon [neɔ̃] *nm* neon

néophyte [neɔfit] *nm/f* novice

néo-zélandais, e [neozelɑ̃dɛ, -ɛz] *adj* New Zealand *cpd* ◆ *nm/f*: **N~, e** New Zealander

nerf [nɛʀ] *nm* nerve; (*fig*) spirit; stamina; **nerveux, euse** *adj* nervous; (*voiture*) nippy, responsive; (*tendineux*) sinewy; **nervosité** *nf* excitability; state of agitation; nervousness

nervure [nɛʀvyʀ] *nf* vein

n'est-ce pas [nɛspɑ] *adv* isn't it?, won't you? *etc, selon le verbe qui précède*

net, nette [nɛt] *adj* (*sans équivoque, distinct*) clear; (*évident*) definite; (*propre*) neat, clean; (*COMM*: *prix, salaire*) net ◆ *adv* (*refuser*) flatly ◆ *nm*: **mettre au ~** to copy out; **s'arrêter ~** to stop dead; **nettement** *adv* clearly, distinctly; **netteté** *nf* clearness

nettoyage [nɛtwajaʒ] *nm* cleaning; **~ à sec** dry cleaning

nettoyer [nɛtwaje] *vt* to clean; (*fig*) to clean out

neuf[1] [nœf] *num* nine

neuf[2]**, neuve** [nœf, nœv] *adj* new ◆ *nm*: **repeindre à ~** to redecorate; **remettre à ~** to do up (as good as new), refurbish

neutre [nøtʀ(ə)] *adj* neutral; (*LING*) neuter ◆ *nm* neuter

neuve [nœv] *adj voir* **neuf**[2]

neuvième [nœvjɛm] *num* ninth

neveu, x [nəvø] *nm* nephew

névrosé, e [nevʀoze] *adj, nm/f* neurotic

nez [ne] *nm* nose; **~ à ~ avec** face to face with; **avoir du ~** to have flair

ni [ni] *conj*: **~ l'un ~ l'autre ne sont** neither one nor the other are; **il n'a rien dit ~ fait** he hasn't said or done anything

niais, e [njɛ, -ɛz] *adj* silly, thick

niche [niʃ] *nf* (*du chien*) kennel; (*de mur*) recess, niche

nicher [niʃe] *vi* to nest

nid [ni] *nm* nest; **~ de poule** pothole

nièce [njɛs] *nf* niece

nier [nje] *vt* to deny

nigaud, e [nigo, -od] *nm/f* booby, fool

Nil [nil] *nm*: **le ~** the Nile

n'importe [nɛ̃pɔʀt(ə)] *adv*: **~ qui/quoi/où** anybody/anything/anywhere; **~ quand** any time; **~ quel/quelle** any; **~ lequel/laquelle** any (one); **~ comment** (*sans soin*) carelessly

niveau, x [nivo] *nm* level; (*des élèves, études*) standard; **de ~ (avec)** level (with); **le ~ de la mer** sea level; **~ de vie** standard of living

niveler [nivle] *vt* to level

NN *abr* (= *nouvelle norme*) *revised standard of hotel classification*

noble [nɔbl(ə)] *adj* noble; **noblesse** *nf* nobility; (*d'une action etc*) nobleness

noce [nɔs] *nf* wedding; (*gens*) wedding party (*ou* guests *pl*); **faire la ~** (*fam*) to go on a binge; **~s d'or/d'argent** golden/silver wedding

nocif, ive [nɔsif, -iv] *adj* harmful, noxious

noctambule [nɔktɑ̃byl] *nm* night-bird

nocturne [nɔktyʀn(ə)] *adj* nocturnal ◆ *nf* late-night opening

Noël [nɔɛl] *nm* Christmas

nœud [nø] *nm* (*de corde, du bois, NAVIG*) knot; (*ruban*) bow; (*fig*: *liens*) bond, tie; **~ papillon** bow tie

noir, e [nwaʀ] *adj* black; (*obscur, sombre*) dark ◆ *nm/f* black man(woman), Negro ◆ *nm*: **dans le ~** in the dark; **travail au ~** moonlighting; **noirceur** *nf* blackness; darkness; **noircir** *vt, vi* to blacken; **noire** *nf* (*MUS*) crotchet (*BRIT*), quarter note (*US*)

noisette [nwazɛt] *nf* hazelnut

noix [nwa] *nf* walnut; (*CULIN*): **une ~ de beurre** a knob of butter; **~ de cajou** cashew nut; **~ de coco** coconut

nom [nɔ̃] *nm* name; (*LING*) noun; **~ d'emprunt** assumed name; **~ de famille** surname; **~ de jeune fille** maiden name; **~ déposé** *nm* trade name; **~ propre** *nm* proper noun

nombre [nɔ̃bʀ(ə)] *nm* number; **venir en ~** to come in large numbers; **depuis ~ d'années** for many years; **ils sont au ~ de 3** there are 3 of them; **au ~ de mes amis** among my friends

nombreux, euse [nɔ̃bʀø, -øz] *adj* many, numerous; (*avec nom sg*: *foule etc*) large; **peu ~** few; small

nombril [nɔ̃bʀi] *nm* navel

nommer [nɔme] *vt* (*baptiser, mentionner*) to name; (*qualifier*) to call; (*élire*) to appoint, nominate; **se ~**: **il se nomme Pascal** his name's Pascal, he's called Pascal

non [nɔ̃] *adv* (*réponse*) no; (*avec loin, sans, seulement*) not; **~ pas que = non que**; **~ que** not that; **moi ~ plus** neither do I, I don't either

non: **~-alcoolisé, e** *adj* non-alcoholic; **~-fumeur** *nm* non-smoker; **~-lieu** *nm*: **il y a eu ~-lieu** the case was dismissed; **~-sens** *nm* absurdity

nord [nɔʀ] *nm* North ◆ *adj* northern; north; **au ~** (*situation*) in the north; (*direction*) to the north; **au ~ de** (to the) north of; **nord-est** *nm* North-East; **nord-ouest** *nm* North-West

normal, e, aux [nɔʀmal, -o] *adj* normal; **normale** *nf*: **la normale** the norm, the average; **normalement** *adv* (*en général*) normally; **normaliser** *vt* (*COMM, TECH*) to standardize

normand, e [nɔʀmɑ̃, -ɑ̃d] *adj* of Normandy

Normandie [nɔʀmɑ̃di] *nf* Normandy

norme [nɔʀm(ə)] *nf* norm; (*TECH*) standard

Norvège [nɔʀvɛʒ] *nf* Norway; **norvégien, ne** *adj, nm/f* Norwegian ◆ *nm* (*LING*) Norwegian

nos [no] *dét voir* **notre**

nostalgie [nɔstalʒi] *nf* nostalgia

notable [nɔtabl(ə)] *adj* notable, noteworthy; (*marqué*) noticeable, marked ◆ *nm* prominent citizen

notaire [nɔtɛʀ] *nm* notary; solicitor

notamment [nɔtamɑ̃] *adv* in particular, among others

note [nɔt] *nf* (*écrite, MUS*) note; (*SCOL*) mark (*BRIT*), grade; (*facture*) bill; **~ de service** memorandum

noté, e [nɔte] *adj*: **être bien/mal ~** (*employé etc*) to have a good/bad record

noter [nɔte] *vt* (*écrire*) to write down; (*remarquer*) to note, notice

notice [nɔtis] *nf* summary, short article; (*brochure*) leaflet, instruction book

notifier [nɔtifje] *vt*: **~ qch à qn** to notify sb of sth, notify sth to sb

notion [nosjɔ̃] *nf* notion, idea

notoire [nɔtwaʀ] *adj* widely known; (*en mal*) notorious

notre [nɔtʀ(ə), no] (*pl* **nos**) *dét* our

nôtre [notʀ(ə)] *pron*: **le ~, la ~, les ~s** ours ◆ *adj* ours; **les ~s** ours; (*alliés etc*) our own people; **soyez des ~s** join us

nouer [nwe] *vt* to tie, knot; (*fig*: *alliance etc*) to strike up

noueux, euse [nwø, -øz] *adj* gnarled

nouilles [nuj] *nfpl* noodles; pasta *sg*

nourrice [nuʀis] *nf* wet-nurse

nourrir [nuʀiʀ] *vt* to feed; (*fig*: *espoir*) to harbour, nurse; **logé nourri** with board and lodging; **nourrissant, e** *adj* nourishing, nutritious

nourrisson [nuʀisɔ̃] *nm* (unweaned) infant

nourriture [nuʀityʀ] *nf* food

nous [nu] *pron* (*sujet*) we; (*objet*) us; **nous-mêmes** *pron* ourselves

nouveau(nouvel), elle, x [nuvo, -ɛl] *adj* new ◆ *nm/f* new pupil (*ou* employee); **de ~, à ~** again; **~ venu, nouvelle venue** newcomer; **~-né, e** *nm/f* newborn baby; **~té** *nf* novelty; (*COMM*) new film (*ou* book *ou* creation *etc*)

nouvel [nuvɛl] *adj voir* **nouveau**; **N~ An** New Year

nouvelle [nuvɛl] *adj voir* **nouveau** ◆ *nf* (piece of) news *sg*; (*LITTÉRATURE*) short story; **je suis sans ~s de lui** I haven't heard from him; **N~-Calédonie** *nf* New Caledonia; **N~-Zélande** *nf* New Zealand

novembre [nɔvɑ̃bʀ(ə)] *nm* November

novice [nɔvis] *adj* inexperienced

noyade [nwajad] *nf* drowning *no pl*

noyau, x [nwajo] *nm* (*de fruit*) stone; (*BIO, PHYSIQUE*) nucleus; (*ÉLEC, GÉO, fig*: *centre*) core; **noyauter** *vt* (*POL*) to infiltrate

noyer [nwaje] *nm* walnut (tree); (*bois*) walnut ◆ *vt* to drown; (*fig*) to flood; to submerge; **se ~** *vi* to be drowned, drown; (*suicide*) to drown o.s.

nu, e [ny] *adj* naked; (*membres*) naked, bare; (*chambre, fil, plaine*) bare ◆ *nm* (*ART*) nude; **se mettre ~** to strip; **mettre à ~** to bare

nuage [nɥaʒ] *nm* cloud; **nuageux, euse** *adj* cloudy

nuance [nɥɑ̃s] *nf* (*de couleur, sens*) shade; **il y a une ~ (entre)** there's a slight difference (between); **nuancer** *vt* (*opinion*) to bring some reservations *ou* qualifications to

nucléaire [nykleɛʀ] *adj* nuclear

nudiste [nydist(ə)] *nm/f* nudist

nuée [nɥe] *nf*: **une ~ de** a cloud *ou* host *ou* swarm of

nues [ny] *nfpl*: **tomber des ~** to be taken aback; **porter qn aux ~** to praise sb to the skies

nuire [nɥiʀ] *vi* to be harmful; **~ à** to harm, do damage to; **nuisible** *adj* harmful; **animal nuisible** pest

nuit [nɥi] *nf* night; **il fait ~** it's dark; **cette ~** last night; tonight; **~ blanche** sleepless night; **~ de noces** wedding night

nul, nulle [nyl] *adj* (*aucun*) no; (*minime*) nil, non-existent; (*non valable*) null; (*péj*) useless, hopeless ◆ *pron* none, no one; **match ~** draw; **résultat ~ = match nul**; **~le part** nowhere; **nullement** *adv* by no means

numérique [nymeʀik] *adj* numerical

numéro [nymeʀo] *nm* number; (*spectacle*) act, turn; **~ de téléphone** (tele)phone number; **~ vert** *nm* ≈ freefone (®) number (*BRIT*), ≈ toll-free number (*US*); **numéroter** *vt* to number

nu-pieds [nypje] *adj inv* barefoot

nuque [nyk] *nf* nape of the neck

nu-tête [nytɛt] *adj inv* bareheaded

nutritif, ive [nytʀitif, -iv] *adj* nutritional; (*aliment*) nutritious

nylon [nilɔ̃] *nm* nylon

O

oasis [ɔazis] *nf* oasis

obéir [ɔbeiʀ] *vi* to obey; **~ à** to obey; (*suj*: *moteur, véhicule*) to respond to; **obéissant, e** *adj* obedient

objecter [ɔbʒɛkte] *vt* (*prétexter*) to plead, put forward as an excuse; **~ (à qn) que** to object (to sb) that

objecteur [ɔbʒɛktœʀ] *nm*: **~ de conscience** conscientious objector

objectif, ive [ɔbʒɛktif, -iv] *adj* objective ◆ *nm* (*OPTIQUE, PHOTO*) lens *sg*, objective; (*MIL, fig*) objective; **~ à focale variable** zoom lens

objection [ɔbʒɛksjɔ̃] *nf* objection

objet [ɔbʒɛ] *nm* object; (*d'une discussion, recherche*) subject; **être** *ou* **faire l'~ de** (*discussion*) to be the subject of; (*soins*) to be given *ou* shown; **sans ~** purposeless; groundless; **~ d'art** objet d'art; **~s personnels** personal items; **~s trouvés** lost property *sg* (*BRIT*), lost-and-found *sg* (*US*)

obligation [ɔbligɑsjɔ̃] *nf* obligation; (*COMM*) bond, debenture; **obligatoire** *adj* compulsory, obligatory

obligé, e [ɔbliʒe] *adj* (*redevable*): **être très ~ à qn** to be most obliged to sb

obligeance [ɔbliʒɑ̃s] *nf*: **avoir l'~ de ...** to be kind *ou* good enough to ...; **obligeant, e** *adj* obliging; kind

obliger [ɔbliʒe] *vt* (*contraindre*): **~ qn à faire** to force *ou* oblige sb to do; (*JUR*: *engager*) to bind; (*rendre service à*) to oblige; **je suis bien obligé** I have to

oblique [ɔblik] *adj* oblique; **regard ~** sidelong glance; **en ~** diagonally; **obliquer** *vi*: **obliquer vers** to turn off towards

oblitérer [ɔbliteʀe] *vt* (*timbre-poste*) to cancel

obscène [ɔpsɛn] *adj* obscene

obscur, e [ɔpskyʀ] *adj* dark; (*fig*) obscure; lowly; **~cir** *vt* to darken; (*fig*) to obscure; **s'~cir** *vi* to grow dark; **~ité** *nf* darkness; **dans l'~ité** in the dark, in darkness

obséder [ɔpsede] *vt* to obsess, haunt

obsèques [ɔpsɛk] *nfpl* funeral *sg*

observateur, trice [ɔpsɛʀvatœʀ, -tʀis] *adj* observant, perceptive ◆ *nm/f* observer

observation [ɔpsɛʀvɑsjɔ̃] *nf* observation; (*d'un règlement etc*) observance; (*reproche*) reproof

observatoire [ɔpsɛʀvatwaʀ] *nm* observatory; (*lieu élevé*) observation post, vantage point

observer [ɔpsɛʀve] *vt* (*regarder*) to observe, watch; (*examiner*) to examine; (*scientifiquement, aussi*: *règlement, jeûne etc*) to observe; (*surveiller*) to watch; (*remarquer*) to observe, notice; **faire ~ qch à qn** (*dire*) to point out sth to sb

obstacle [ɔpstakl(ə)] *nm* obstacle; (*ÉQUITATION*) jump, hurdle; **faire ~ à** (*lumière*) to block out; (*projet*) to hinder, put obstacles in the path of

obstiné, e [ɔpstine] *adj* obstinate

obstiner [ɔpstine]: **s'~** *vi* to insist, dig one's heels in; **s'~ à faire** to persist (obstinately) in doing; **s'~ sur qch** to keep working at sth, labour away at sth

obstruer [ɔpstʀye] *vt* to block, obstruct

obtempérer [ɔptɑ̃peʀe] *vi* to obey

obtenir [ɔptəniʀ] *vt* to obtain, get; (*total, résultat*) to arrive at, reach; to achieve, obtain; **~ de pouvoir faire** to obtain permission to do; **~ de qn qu'il fasse** to get sb to agree to do; **obtention** *nf* obtaining

obturateur [ɔptyʀatœʀ] *nm* (*PHOTO*) shutter

obturer [ɔptyʀe] *vt* to close (up); (*dent*) to fill

obus [ɔby] *nm* shell

occasion [ɔkazjɔ̃] *nf* (*aubaine, possibilité*) opportunity; (*circonstance*) occasion; (*COMM*: *article non neuf*) secondhand buy; (: *acquisition avantageuse*) bargain; **à plusieurs ~s** on several occasions; **être l'~ de** to occasion, give rise to; **à l'~** sometimes, on occasions; some time; **d'~** secondhand; **occasionnel, le** *adj* (*fortuit*) chance *cpd*; (*non régulier*) occasional; casual

occasionner [ɔkazjɔne] *vt* to cause, bring about; **~ qch à qn** to cause sb sth

occident [ɔksidɑ̃] *nm*: **l'O~** the West; **occidental, e, aux** *adj* western; (*POL*) Western

occupation [ɔkypɑsjɔ̃] *nf* occupation

occupé, e [ɔkype] *adj* (*MIL, POL*) occupied; (*personne*: *affairé, pris*) busy; (*place, sièges*) taken; (*toilettes*) engaged; (*ligne*) engaged (*BRIT*), busy (*US*)

occuper [ɔkype] *vt* to occupy; (*main-d'œuvre*) to employ; **s'~ de** (*être responsable de*) to be in charge of; (*se charger de*: *affaire*) to take charge of, deal with; (: *clients etc*) to attend to; (*s'intéresser à, pratiquer*) to be involved in; **s'~ (à qch)** to occupy o.s. *ou* keep o.s. busy (with sth); **ça occupe trop de place** it takes up too much room

occurrence [ɔkyʀɑ̃s] *nf*: **en l'~** in this case

océan [ɔseɑ̃] *nm* ocean; **l'~ Indien** the Indian Ocean

octet [ɔktɛt] *nm* byte

octobre [ɔktɔbʀ(ə)] *nm* October
octroyer [ɔktʀwaje] *vt*: ~ **qch à qn** to grant sth to sb, grant sb sth
oculiste [ɔkylist(ə)] *nm/f* eye specialist
odeur [ɔdœʀ] *nf* smell
odieux, euse [ɔdjø, -øz] *adj* hateful
odorant, e [ɔdɔʀɑ̃, -ɑ̃t] *adj* sweet-smelling, fragrant
odorat [ɔdɔʀa] *nm* (sense of) smell
œil [œj] (*pl* **yeux**) *nm* eye; **à l'~** (*fam*) for free; **à l'~ nu** with the naked eye; **tenir qn à l'~** to keep an eye *ou* a watch on sb; **avoir l'~ à** to keep an eye on; **fermer les yeux (sur)** (*fig*) to turn a blind eye (to)
œillade [œjad] *nf*: **lancer une ~ à qn** to wink at sb, give sb a wink; **faire des ~s à** to make eyes at
œillères [œjɛʀ] *nfpl* blinkers (*BRIT*), blinders (*US*)
œillet [œjɛ] *nm* (*BOT*) carnation
œuf [œf, *pl* ø] *nm* egg; **~ à la coque** *nm* boiled egg; **~ au plat** fried egg; **~ de Pâques** Easter egg; **~ dur** hard-boiled egg; **~s brouillés** scrambled eggs
œuvre [œvʀ(ə)] *nf* (*tâche*) task, undertaking; (*ouvrage achevé, livre, tableau etc*) work; (*ensemble de la production artistique*) works *pl*; (*organisation charitable*) charity ♦ *nm* (*d'un artiste*) works *pl*; (*CONSTR*): **le gros ~** the shell; **être à l'~** to be at work; **mettre en ~** (*moyens*) to make use of; **~ d'art** work of art
offense [ɔfɑ̃s] *nf* insult
offenser [ɔfɑ̃se] *vt* to offend, hurt; (*principes, Dieu*) to offend against; **s'~ de** to take offence at
offert, e [ɔfɛʀ, -ɛʀt(ə)] *pp de* **offrir**
office [ɔfis] *nm* (*charge*) office; (*agence*) bureau, agency; (*REL*) service ♦ *nm ou nf* (*pièce*) pantry; **faire ~ de** to act as; to do duty as; **d'~** automatically; **~ du tourisme** tourist bureau
officiel, le [ɔfisjɛl] *adj, nm/f* official
officier [ɔfisje] *nm* officer ♦ *vi* to officiate; **~ de l'état-civil** registrar
officieux, euse [ɔfisjø, -øz] *adj* unofficial
officinal, e, aux [ɔfisinal, -o] *adj*: **plantes ~es** medicinal plants
officine [ɔfisin] *nf* (*de pharmacie*) dispensary; (*bureau*) agency, office
offrande [ɔfʀɑ̃d] *nf* offering
offre [ɔfʀ(ə)] *nf* offer; (*aux enchères*) bid; (*ADMIN*: *soumission*) tender; (*ÉCON*): **l'~** supply; **"~s d'emploi"** "situations vacant"; **~ d'emploi** job advertised; **~ publique d'achat** takeover bid
offrir [ɔfʀiʀ] *vt*: **~ (à qn)** to offer (to sb); (*faire cadeau de*) to give (to sb); **s'~** *vi* (*occasion, paysage*) to present itself ♦ *vt* (*vacances, voiture*) to treat o.s. to; **~ (à qn) de faire qch** to offer to do sth (for sb); **~ à boire à qn** to offer sb a drink; **s'~ comme guide/en otage** to offer one's services as (a) guide/offer o.s. as hostage
offusquer [ɔfyske] *vt* to offend
ogive [ɔʒiv] *nf*: **~ nucléaire** nuclear warhead
oie [wa] *nf* (*ZOOL*) goose
oignon [ɔɲɔ̃] *nm* (*BOT, CULIN*) onion; (*de tulipe etc*: *bulbe*) bulb; (*MÉD*) bunion
oiseau, x [wazo] *nm* bird; **~ de proie** bird of prey
oiseux, euse [wazø, -øz] *adj* pointless; trivial
oisif, ive [wazif, -iv] *adj* idle ♦ *nm/f* (*péj*) man(woman) of leisure
oléoduc [ɔleɔdyk] *nm* (oil) pipeline
olive [ɔliv] *nf* (*BOT*) olive; **olivier** *nm* olive (tree)
olympique [ɔlɛ̃pik] *adj* Olympic
ombrage [ɔ̃bʀaʒ] *nm* (*ombre*) (leafy) shade; **ombragé, e** *adj* shaded, shady; **ombrageux, euse** *adj* (*cheval*) skittish, nervous; (*personne*) touchy, easily offended
ombre [ɔ̃bʀ(ə)] *nf* (*espace non ensoleillé*) shade; (*~ portée, tache*) shadow; **à l'~** in the shade; **tu me fais de l'~** you're in my light; **ça nous donne de l'~** it gives us (some) shade; **dans l'~** (*fig*) in obscurity; in the dark; **~ à paupières** eyeshadow; **ombrelle** [ɔ̃bʀɛl] *nf* parasol, sunshade
omelette [ɔmlɛt] *nf* omelette
omettre [ɔmɛtʀ(ə)] *vt* to omit, leave out
omnibus [ɔmnibys] *nm* slow *ou* stopping train
omoplate [ɔmɔplat] *nf* shoulder blade

MOT-CLÉ

on [ɔ̃] *pron* 1 (*indéterminé*) you, one; **~ peut le faire ainsi** you *ou* one can do it like this, it can be done like this
2 (*quelqu'un*): **~ les a attaqués** they were attacked; **~ vous demande au téléphone** there's a phone call for you, you're wanted on the phone
3 (*nous*) we; **~ va y aller demain** we're going tomorrow
4 (*les gens*) they; **autrefois, ~ croyait ...** they used to believe ...
5: **~ ne peut plus** *adv*: **~ ne peut plus stupide** as stupid as can be

oncle [ɔ̃kl(ə)] *nm* uncle
onctueux, euse [ɔ̃ktɥø, -øz] *adj* creamy, smooth; (*fig*) smooth, unctuous
onde [ɔ̃d] *nf* (*PHYSIQUE*) wave; **sur les ~s** on the radio; **mettre en ~s** to produce for the radio; **sur ~s courtes** on short wave *sg*; **moyennes/longues ~s** medium/long wave *sg*
ondée [ɔ̃de] *nf* shower
on-dit [ɔ̃di] *nm inv* rumour
ondoyer [ɔ̃dwaje] *vi* to ripple, wave
onduler [ɔ̃dyle] *vi* to undulate; (*cheveux*) to wave
onéreux, euse [ɔneʀø, -øz] *adj* costly; **à titre ~** in return for payment
ongle [ɔ̃gl(ə)] *nm* (*ANAT*) nail; **se faire les ~s** to do one's nails
onguent [ɔ̃gɑ̃] *nm* ointment
ont *vb voir* **avoir**
O.N.U. [ɔny] *sigle f* = **Organisation des Nations Unies**
onze [ɔ̃z] *num* eleven; **onzième** *num* eleventh
O.P.A. *sigle f* = **offre publique d'achat**
opaque [ɔpak] *adj* opaque
opéra [ɔpeʀa] *nm* opera; (*édifice*) opera house
opérateur, trice [ɔpeʀatœʀ, -tʀis] *nm/f* operator; **~ (de prise de vues)** cameraman
opération [ɔpeʀɑsjɔ̃] *nf* operation; (*COMM*) dealing
opératoire [ɔpeʀatwaʀ] *adj* operating; (*choc etc*) post-operative
opérer [ɔpeʀe] *vt* (*MÉD*) to operate on; (*faire, exécuter*) to carry out, make ♦ *vi* (*remède*: *faire effet*) to act, work; (*procéder*) to proceed; (*MÉD*) to operate; **s'~** *vi* (*avoir lieu*) to occur, take place; **se faire ~** to have an operation
opiner [ɔpine] *vi*: **~ de la tête** to nod assent
opinion [ɔpinjɔ̃] *nf* opinion; **l'~ (publique)** public opinion
opportun, e [ɔpɔʀtœ̃, -yn] *adj* timely, opportune; **en temps ~** at the appropriate time; **~iste** [ɔpɔʀtynist(ə)] *nm/f* opportunist
opposant, e [ɔpozɑ̃, -ɑ̃t] *adj* opposing; **opposants** *nmpl* opponents
opposé, e [ɔpoze] *adj* (*direction, rive*) opposite; (*faction*) opposing; (*couleurs*) contrasting; (*opinions, intérêts*) conflicting; (*contre*): **~ à** opposed to, against ♦ *nm*: **l'~** the other *ou* opposite side (*ou* direction); (*contraire*) the opposite; **à l'~** (*fig*) on the other hand; **à l'~ de** on the other *ou* opposite side from; (*fig*) contrary to, unlike
opposer [ɔpoze] *vt* (*personnes, armées, équipes*) to oppose; (*couleurs, termes, tons*) to contrast; **s'~** (*sens réciproque*) to conflict; to clash; to contrast; **s'~ à** (*interdire, empêcher*) to oppose; (*tenir tête à*) to rebel against; **~ qch à** (*comme obstacle, défense*) to set sth against; (*comme objection*) to put sth forward against
opposition [ɔpozisjɔ̃] *nf* opposition; **par ~ à** as opposed to, in contrast with; **entrer en ~ avec** to come into conflict with; **être en ~ avec** (*idées, conduite*) to be at variance with; **faire ~ à un chèque** to stop a cheque
oppresser [ɔpʀese] *vt* to oppress; **oppression** *nf* oppression; (*malaise*) feeling of suffocation
opprimer [ɔpʀime] *vt* to oppress; (*liberté, opinion*) to suppress, stifle; (*suj*: *chaleur etc*) to suffocate, oppress
opter [ɔpte] *vi*: **~ pour** to opt for; **~ entre** to choose between
opticien, ne [ɔptisjɛ̃, -ɛn] *nm/f* optician
optimiste [ɔptimist(ə)] *nm/f* optimist ♦ *adj* optimistic
option [ɔpsjɔ̃] *nf* option; **matière à ~** (*SCOL*) optional subject
optique [ɔptik] *adj* (*nerf*) optic; (*verres*) optical ♦ *nf* (*PHOTO*: *lentilles etc*) optics *pl*; (*science, industrie*) optics *sg*; (*fig*: *manière de voir*) perspective
opulent, e [ɔpylɑ̃, -ɑ̃t] *adj* wealthy, opulent; (*formes, poitrine*) ample, generous
or [ɔʀ] *nm* gold ♦ *conj* now, but; **en ~** gold *cpd*; (*fig*) golden, marvellous
orage [ɔʀaʒ] *nm* (thunder)storm; **orageux, euse** *adj* stormy
oraison [ɔʀɛzɔ̃] *nf* orison, prayer; **~ funèbre** funeral oration
oral, e, aux [ɔʀal, -o] *adj, nm* oral
orange [ɔʀɑ̃ʒ] *nf* orange ♦ *adj inv* orange; **oranger** *nm* orange tree
orateur [ɔʀatœʀ] *nm* speaker; orator
orbite [ɔʀbit] *nf* (*ANAT*) (eye-) socket; (*PHYSIQUE*) orbit
orchestre [ɔʀkɛstʀ(ə)] *nm* orchestra; (*de jazz, danse*) band; (*places*) stalls *pl* (*BRIT*), orchestra (*US*); **orchestrer** *vt* (*MUS*) to orchestrate; (*fig*) to mount, stage-manage
orchidée [ɔʀkide] *nf* orchid
ordinaire [ɔʀdinɛʀ] *adj* ordinary; everyday; standard ♦ *nm* ordinary; (*menus*) everyday fare ♦ *nf* (*essence*) ≈ two-star (petrol) (*BRIT*) (*gas*), ≈ regular gas (*US*); **d'~** usually, normally; **à l'~** usually, ordinarily
ordinateur [ɔʀdinatœʀ] *nm* computer; **~ domestique** home computer; **~ individuel** personal computer
ordonnance [ɔʀdɔnɑ̃s] *nf* organization; layout; (*MÉD*) prescription; (*JUR*) order; (*MIL*) orderly, batman (*BRIT*)
ordonné, e [ɔʀdɔne] *adj* tidy, orderly; (*MATH*) ordered
ordonner [ɔʀdɔne] *vt* (*agencer*) to organize, arrange; (*donner un ordre*): **~ à qn de faire** to order sb to do; (*REL*) to ordain; (*MÉD*) to prescribe
ordre [ɔʀdʀ(ə)] *nm* (*gén*) order; (*propreté et soin*) orderliness, tidiness; (*nature*): **d'~ pratique** of a practical nature; **~s** *nmpl* (*REL*) holy orders; **mettre en ~** to tidy (up), put in order; **à l'~ de qn** payable to sb; **être aux ~s de qn/sous les ~s de qn** to be at sb's disposal/under sb's command; **jusqu'à nouvel ~** until further notice; **dans le même ~ d'idées** in this connection; **donnez-nous un ~ de grandeur** give us some idea as regards size (*ou* the amount); **de premier ~** first-rate; **~ du jour** (*d'une réunion*) agenda; (*MIL*) order of the day; **à l'ordre du jour** (*fig*) topical
ordure [ɔʀdyʀ] *nf* filth *no pl*; **~s** *nfpl* (*balayures, déchets*) rubbish *sg*, refuse *sg*; **~s ménagères** household refuse
oreille [ɔʀɛj] *nf* (*ANAT*) ear; (*de marmite, tasse*) handle; **avoir de l'~** to have a good ear (for music)
oreiller [ɔʀeje] *nm* pillow
oreillons [ɔʀɛjɔ̃] *nmpl* mumps *sg*
ores [ɔʀ] : **d'~ et déjà** *adv* already
orfèvrerie [ɔʀfɛvʀəʀi] *nf* goldsmith's (*ou* silversmith's) trade; (*ouvrage*) gold (*ou* silver) plate
organe [ɔʀgan] *nm* organ; (*porte-parole*) representative, mouthpiece
organigramme [ɔʀganigʀam] *nm* organization chart; flow chart
organique [ɔʀganik] *adj* organic
organisateur, trice [ɔʀganizatœʀ, -tʀis] *nm/f* organizer
organisation [ɔʀganizɑsjɔ̃] *nf* organization; **O~ des Nations Unies** United Nations (Organization); **O~ du traité de l'Atlantique Nord** North Atlantic Treaty Organization
organiser [ɔʀganize] *vt* to organize; (*mettre sur pied*: *service etc*) to set up; **s'~** to get organized
organisme [ɔʀganism(ə)] *nm* (*BIO*) organism; (*corps, ADMIN*) body
organiste [ɔʀganist(ə)] *nm/f* organist
orgasme [ɔʀgasm(ə)] *nm* orgasm, climax
orge [ɔʀʒ(ə)] *nf* barley
orgie [ɔʀʒi] *nf* orgy
orgue [ɔʀg(ə)] *nm* organ; **~s** *nfpl* (*MUS*) organ *sg*
orgueil [ɔʀgœj] *nm* pride; **orgueilleux, euse** *adj* proud
Orient [ɔʀjɑ̃] *nm*: **l'~** the East, the Orient
oriental, e, aux [ɔʀjɑ̃tal, -o] *adj* oriental, eastern; (*frontière*) eastern
orientation [ɔʀjɑ̃tɑsjɔ̃] *nf* positioning; orientation; (*d'une maison etc*) aspect; (*d'un journal*) leanings *pl*; **avoir le sens de l'~** to have a (good) sense of direction; **~ professionnelle** careers advising; careers advisory service
orienté, e [ɔʀjɑ̃te] *adj* (*fig*: *article, journal*) slanted; **bien/mal ~** (*appartement*) well/badly positioned; **~ au sud** facing south, with a southern aspect
orienter [ɔʀjɑ̃te] *vt* (*placer, disposer*: *pièce mobile*) to adjust, position; (*tourner*) to direct, turn; (*voyageur, touriste, recherches*) to direct; (*fig*: *élève*) to orientate; **s'~** (*se repérer*) to find one's bearings; **s'~ vers** (*fig*) to turn towards
origan [ɔʀigɑ̃] *nm* (*BOT*) oregano
originaire [ɔʀiʒinɛʀ] *adj*: **être ~ de** to be a native of
original, e, aux [ɔʀiʒinal, -o] *adj* original; (*bizarre*) eccentric ♦ *nm/f* eccentric ♦ *nm* (*document etc, ART*) original; (*dactylographie*) top copy
origine [ɔʀiʒin] *nf* origin; **dès l'~** at *ou* from the outset; **à l'~** originally; **originel, le** *adj* original
O.R.L. *sigle nm/f* = **oto-rhino-laryngologiste**
orme [ɔʀm(ə)] *nm* elm
ornement [ɔʀnəmɑ̃] *nm* ornament; (*fig*) embellishment, adornment
orner [ɔʀne] *vt* to decorate, adorn
ornière [ɔʀnjɛʀ] *nf* rut
orphelin, e [ɔʀfəlɛ̃, -in] *adj* orphan(ed) ♦ *nm/f* orphan; **~ de père/mère** fatherless/motherless; **orphelinat** *nm* orphanage
orteil [ɔʀtɛj] *nm* toe; **gros ~** big toe
orthographe [ɔʀtɔgʀaf] *nf* spelling; **orthographier** *vt* to spell
orthopédiste [ɔʀtɔpedist(ə)] *nm/f* orthopaedic specialist
ortie [ɔʀti] *nf* (stinging) nettle
os [ɔs, *pl* o] *nm* bone
osciller [ɔsile] *vi* (*pendule*) to swing; (*au vent etc*) to rock; (*TECH*) to oscillate; (*fig*): **~ entre** to waver *ou* fluctuate between
osé, e [oze] *adj* daring, bold
oseille [ozɛj] *nf* sorrel
oser [oze] *vi, vt* to dare; **~ faire** to dare (to) do
osier [ozje] *nm* willow; **d'~** wicker(work); **en ~ = d'osier**
ossature [ɔsatyʀ] *nf* (*ANAT*) frame, skeletal structure; (*fig*) framework
osseux, euse [ɔsø, -øz] *adj* bony; (*tissu, maladie, greffe*) bone *cpd*
ostensible [ɔstɑ̃sibl(ə)] *adj* conspicuous
otage [ɔtaʒ] *nm* hostage; **prendre qn comme ~** to take sb hostage
O.T.A.N. [ɔtɑ̃] *sigle f* = **Organisation du traité de l'Atlantique Nord**
otarie [ɔtaʀi] *nf* sea-lion
ôter [ote] *vt* to remove; (*soustraire*) to take away; **~ qch à qn** to take sth (away) from sb; **~ qch de** to remove sth from
otite [ɔtit] *nf* ear infection
oto-rhino(-laryngologiste) [ɔtɔʀinɔ(laʀɛ̃gɔlɔʒist(ə))] *nm/f* ear nose and throat specialist
ou [u] *conj* or; **~ ... ~** either ... or; **~ bien** or (else)

MOT-CLÉ

où [u] *pron relatif* 1 (*position, situation*) where, that (*souvent omis*); **la chambre ~ il était** the room (that) he was in, the room where he was; **la ville ~ je l'ai rencontré** the town where I met him; **la pièce d'~ il est sorti** the room he came out of; **le village d'~ je viens** the village I come from; **les villes par ~ il est passé** the towns he went through
2 (*temps, état*) that (*souvent omis*); **le jour ~ il est parti** the day (that) he left; **au prix ~ c'est** at the price it is
♦ *adv* 1 (*interrogation*) where; **~ est-il/va-t-il?** where is he/is he going?; **par ~?** which way?; **d'~ vient que ...?** how come ...?
2 (*position*) where; **je sais ~ il est** I know where he is; **~ que l'on aille** wherever you go

ouate [wat] *nf* cotton wool (*BRIT*), cotton (*US*); (*bourre*) padding, wadding
oubli [ubli] *nm* (*acte*): **l'~ de** forgetting; (*étourderie*) forgetfulness *no pl*; (*négligence*) omission, oversight; (*absence de souvenirs*) oblivion
oublier [ublije] *vt* (*gén*) to forget; (*ne pas voir*: *erreurs etc*) to miss; (*ne pas mettre*: *virgule, nom*) to leave out; (*laisser quelque part*: *chapeau etc*) to leave behind; **s'~** to forget o.s.
oubliettes [ublijɛt] *nfpl* dungeon *sg*
ouest [wɛst] *nm* west ♦ *adj inv* west; (*région*) western; **à l'~** in the west; (to the) west, westwards; **à l'~ de** (to the) west of
ouf [uf] *excl* phew!
oui [wi] *adv* yes
ouï-dire [widiʀ]: **par ~** *adv* by hearsay
ouïe [wi] *nf* hearing; **~s** *nfpl* (*de poisson*) gills
ouïr [wiʀ] *vt* to hear; **avoir ouï dire que** to have heard it said that
ouragan [uʀagɑ̃] *nm* hurricane
ourlet [uʀlɛ] *nm* hem
ours [uʀs] *nm* bear; **~ brun/blanc** brown/polar bear; **~ (en peluche)** teddy (bear)
oursin [uʀsɛ̃] *nm* sea urchin
ourson [uʀsɔ̃] *nm* (bear-)cub
ouste [ust(ə)] *excl* hop it!
outil [uti] *nm* tool
outiller [utije] *vt* (*ouvrier, usine*) to equip
outrage [utʀaʒ] *nm* insult; **faire subir les derniers ~s à** (*femme*) to ravish; **~ à la pudeur** indecent conduct *no pl*; **~r** [utʀaʒe] *vt* to offend gravely
outrance [utʀɑ̃s]: **à ~** *adv* excessively, to excess
outre [utʀ(ə)] *nf* goatskin, water skin ♦ *prép* besides ♦ *adv*: **passer ~ à** to disregard, take no notice of; **en ~** besides, moreover; **~ que** apart from the fact that; **~ mesure** immoderately; unduly; **~-Atlantique** *adv* across the Atlantic; **~-Manche** *adv* across the Channel; **~mer** *adj inv* ultramarine; **~-mer** *adv* overseas; **~passer** *vt* to go beyond, exceed
ouvert, e [uvɛʀ, -ɛʀt(ə)] *pp de* **ouvrir** ♦ *adj* open; (*robinet, gaz etc*) on; **ouvertement** *adv* openly
ouverture [uvɛʀtyʀ] *nf* opening; (*MUS*) overture; (*PHOTO*): **~ (du diaphragme)** aperture; **~s** *nfpl* (*propositions*) overtures; **~ d'esprit** open-mindedness
ouvrable [uvʀabl(ə)] *adj*: **jour ~** working day, weekday
ouvrage [uvʀaʒ] *nm* (*tâche, de tricot etc, MIL*) work *no pl*; (*texte, livre*) work

ouvragé, e [uvʀaʒe] *adj* finely embroidered (*ou* worked *ou* carved)
ouvre-boîte(s) [uvʀəbwat] *nm inv* tin (*BRIT*) *ou* can opener
ouvre-bouteille(s) [uvʀəbutɛj] *nm inv* bottle-opener
ouvreuse [uvʀøz] *nf* usherette
ouvrier, ière [uvʀije, -jɛʀ] *nm/f* worker ♦ *adj* working-class; industrial, labour *cpd*; **classe ouvrière** working class
ouvrir [uvʀiʀ] *vt* (*gén*) to open; (*brèche, passage, MÉD: abcès*) to open up; (*commencer l'exploitation de, créer*) to open (up); (*eau, électricité, chauffage, robinet*) to turn on ♦ *vi* to open; to open up; **s'~** *vi* to open; **s'~ à qn** to open one's heart to sb; **~ l'appétit à qn** to whet sb's appetite
ovaire [ɔvɛʀ] *nm* ovary
ovale [ɔval] *adj* oval
ovni [ɔvni] *sigle m* (= *objet volant non identifié*) UFO
oxyder [ɔkside]: **s'~** *vi* to become oxidized
oxygène [ɔksiʒɛn] *nm* oxygen; (*fig*): **cure d'~** fresh air cure
oxygéné, e [ɔksiʒene] *adj*: **eau ~e** hydrogen peroxide

P

pacifique [pasifik] *adj* peaceful ♦ *nm*: **le P~, l'océan P~** the Pacific (Ocean)
pacte [pakt(ə)] *nm* pact, treaty
pactiser [paktize] *vi*: **~ avec** to come to terms with
pagaie [pagɛ] *nf* paddle
pagaille [pagaj] *nf* mess, shambles *sg*
page [paʒ] *nf* page ♦ *nm* page (boy); **à la ~** (*fig*) up-to-date
paiement [pɛmɑ̃] *nm* payment
païen, ne [pajɛ̃, -jɛn] *adj, nm/f* pagan, heathen
paillard, e [pajaʀ, -aʀd(ə)] *adj* bawdy
paillasson [pɑjasɔ̃] *nm* doormat
paille [pɑj] *nf* straw; (*défaut*) flaw
paillettes [pajɛt] *nfpl* (*décoratives*) sequins, spangles; **lessive en ~** soapflakes *pl*
pain [pɛ̃] *nm* (*substance*) bread; (*unité*) loaf (of bread); (*morceau*): **~ de cire** *etc* bar of wax *etc*; **~ bis/complet** brown/wholemeal (*BRIT*) *ou* wholewheat (*US*) bread; **~ d'épice** gingerbread; **~ de mie** sandwich loaf; **~ de sucre** sugar loaf; **~ grillé** toast
pair, e [pɛʀ] *adj* (*nombre*) even ♦ *nm* peer; **aller de ~** to go hand in hand *ou* together; **jeune fille au ~** au pair
paire [pɛʀ] *nf* pair
paisible [pezibl(ə)] *adj* peaceful, quiet
paître [pɛtʀ(ə)] *vi* to graze
paix [pɛ] *nf* peace; (*fig*) peacefulness, peace; **faire/avoir la ~** to make/have peace
Pakistan [pakistɑ̃] *nm*: **le ~** Pakistan
palace [palas] *nm* luxury hotel
palais [palɛ] *nm* palace; (*ANAT*) palate
pale [pal] *nf* (*d'hélice, de rame*) blade
pâle [pɑl] *adj* pale; **bleu ~** pale blue
Palestine [palɛstin] *nf*: **la ~** Palestine
palet [palɛ] *nm* disc; (*HOCKEY*) puck
palette [palɛt] *nf* (*de peintre*) palette; (*produits*) range
pâleur [pɑlœʀ] *nf* paleness
palier [palje] *nm* (*d'escalier*) landing; (*fig*) level, plateau; (*TECH*) bearing; **par ~s** in stages
pâlir [pɑliʀ] *vi* to turn *ou* go pale; (*couleur*) to fade
palissade [palisad] *nf* fence
palliatif [paljatif] *nm* palliative; (*expédient*) stopgap measure
pallier [palje] : **~ à** *vt* to offset, make up for
palmarès [palmaʀɛs] *nm* record (of achievements); (*SCOL*) prize list; (*SPORT*) list of winners
palme [palm(ə)] *nf* (*symbole*) palm; (*de plongeur*) flipper; **palmé, e** *adj* (*pattes*) webbed
palmier [palmje] *nm* palm tree
palombe [palɔ̃b] *nf* woodpigeon
pâlot, te [pɑlo, -ɔt] *adj* pale, peaky
palourde [paluʀd(ə)] *nf* clam
palper [palpe] *vt* to feel, finger
palpitant, e [palpitɑ̃, -ɑ̃t] *adj* thrilling
palpiter [palpite] *vi* (*cœur, pouls*) to beat; (*: plus fort*) to pound, throb
paludisme [palydism(ə)] *nm* malaria
pamphlet [pɑ̃flɛ] *nm* lampoon, satirical tract
pamplemousse [pɑ̃pləmus] *nm* grapefruit
pan [pɑ̃] *nm* section, piece ♦ *excl* bang!
panachage [panaʃaʒ] *nm* blend, mix
panache [panaʃ] *nm* plume; (*fig*) spirit, panache
panaché, e [panaʃe] *adj*: **glace ~e** mixed-flavour ice cream; **bière ~e** shandy
pancarte [pɑ̃kaʀt(ə)] *nf* sign, notice; (*dans un défilé*) placard
pancréas [pɑ̃kʀeɑs] *nm* pancreas
pané, e [pane] *adj* fried in breadcrumbs
panier [panje] *nm* basket; **mettre au ~** to chuck away; **~ à provisions** shopping basket
panique [panik] *nf, adj* panic; **paniquer** *vi* to panic
panne [pan] *nf* (*d'un mécanisme, moteur*) breakdown; **être/tomber en ~** to have broken down/break down; **être en ~ d'essence** *ou* **sèche** to have run out of petrol (*BRIT*) *ou* gas (*US*); **~ d'électricité** *ou* **de courant** power *ou* electrical failure
panneau, x [pano] *nm* (*écriteau*) sign, notice; (*de boiserie, de tapisserie etc*) panel; **~ d'affichage** notice board; **~ de signalisation** roadsign
panonceau, x [panɔ̃so] *nm* sign
panoplie [panɔpli] *nf* (*jouet*) outfit; (*d'armes*) display; (*fig*) array
panorama [panɔʀama] *nm* panorama
panse [pɑ̃s] *nf* paunch
pansement [pɑ̃smɑ̃] *nm* dressing, bandage; **~ adhésif** sticking plaster
panser [pɑ̃se] *vt* (*plaie*) to dress, bandage; (*bras*) to put a dressing on, bandage; (*cheval*) to groom
pantalon [pɑ̃talɔ̃] *nm* (*aussi*: **~s, paire de ~s**) trousers *pl*, pair of trousers; **~ de ski** ski pants *pl*
pantelant, e [pɑ̃tlɑ̃, -ɑ̃t] *adj* gasping for breath, panting
panthère [pɑ̃tɛʀ] *nf* panther
pantin [pɑ̃tɛ̃] *nm* jumping jack; (*péj*) puppet
pantois [pɑ̃twa] *adj m*: **rester ~** to be flabbergasted
pantomime [pɑ̃tɔmim] *nf* mime; (*pièce*) mime show
pantoufle [pɑ̃tufl(ə)] *nf* slipper
paon [pɑ̃] *nm* peacock
papa [papa] *nm* dad(dy)
pape [pap] *nm* pope
paperasse [papʀas] (*péj*) *nf* bumf *no pl*, papers *pl*; **paperasserie** (*péj*) *nf* red tape *no pl*; paperwork *no pl*
papeterie [papetʀi] *nf* (*usine*) paper mill; (*magasin*) stationer's (shop)
papier [papje] *nm* paper; (*article*) article; **~s** *nmpl* (*aussi*: **~s d'identité**) (identity) papers; **~ à lettres** writing paper, notepaper; **~ buvard** blotting paper; **~ carbone** carbon paper; **~ (d')aluminium** aluminium (*BRIT*) *ou* aluminum (*US*) foil, tinfoil; **~ de verre** sandpaper; **~ hygiénique** toilet paper; **~ journal** newsprint; (*pour emballer*) newspaper; **~ peint** wallpaper
papillon [papijɔ̃] *nm* butterfly; (*fam: contravention*) (parking) ticket; (*TECH: écrou*) wing nut; **~ de nuit** moth
papilloter [papijɔte] *vi* to blink, flicker
paquebot [pakbo] *nm* liner
pâquerette [pɑkʀɛt] *nf* daisy
Pâques [pɑk] *nm, nfpl* Easter
paquet [pakɛ] *nm* packet; (*colis*) parcel; (*fig: tas*): **~ de** pile *ou* heap of; **paquet-cadeau** *nm* gift-wrapped parcel
par [paʀ] *prép* by; **finir** *etc* **~** to end *etc* with; **~ amour** out of love; **passer ~ Lyon/la côte** to go via *ou* through Lyons/along by the coast; **~ la fenêtre** (*jeter, regarder*) out of the window; **3 ~ jour/personne** 3 a *ou* per day/head; **2 ~ 2** two at a time; in twos; **~ ici** this way; (*dans le coin*) round here; **~-ci, ~-là** here and there
parabole [paʀabɔl] *nf* (*REL*) parable
parachever [paʀaʃve] *vt* to perfect
parachute [paʀaʃyt] *nm* parachute
parachutiste [paʀaʃytist(ə)] *nm/f* parachutist; (*MIL*) paratrooper
parade [paʀad] *nf* (*spectacle, défilé*) parade; (*ESCRIME, BOXE*) parry
paradis [paʀadi] *nm* heaven, paradise
paradoxe [paʀadɔks(ə)] *nm* paradox
paraffine [paʀafin] *nf* paraffin
parages [paʀaʒ] *nmpl*: **dans les ~ (de)** in the area *ou* vicinity (of)
paragraphe [paʀagʀaf] *nm* paragraph
paraître [paʀɛtʀ(ə)] *vb +attrib* to seem, look, appear ♦ *vi* to appear; (*être visible*) to show; (*PRESSE, ÉDITION*) to be published, come out, appear; (*briller*) to show off ♦ *vb impers*: **il paraît que ...** it seems *ou* appears that ..., they say that ...; **il me paraît que ...** it seems to me that ...
parallèle [paʀalɛl] *adj* parallel; (*police, marché*) unofficial ♦ *nm* (*comparaison*): **faire un ~ entre** to draw a parallel between; (*GÉO*) parallel ♦ *nf* parallel (line)
paralyser [paʀalize] *vt* to paralyse
paramédical, e, aux [paʀamedikal] *adj*: **personnel ~** paramedics *pl*, paramedical workers *pl*
parapet [paʀapɛ] *nm* parapet
parapher [paʀafe] *vt* to initial; to sign
paraphrase [paʀafʀɑz] *nf* paraphrase
parapluie [paʀaplɥi] *nm* umbrella
parasite [paʀazit] *nm* parasite; **~s** *nmpl* (*TÉL*) interference *sg*
parasol [paʀasɔl] *nm* parasol, sunshade
paratonnerre [paʀatɔnɛʀ] *nm* lightning conductor
paravent [paʀavɑ̃] *nm* folding screen
parc [paʀk] *nm* (public) park, gardens *pl*; (*de château etc*) grounds *pl*; (*pour le bétail*) pen, enclosure; (*d'enfant*) playpen; (*MIL: entrepôt*) depot; (*ensemble d'unités*) stock; (*de voitures etc*) fleet; **~ automobile** (*d'un pays*) number of cars on the roads; **~ (d'attractions) à thème** theme park; **~ de stationnement** car park
parcelle [paʀsɛl] *nf* fragment, scrap; (*de terrain*) plot, parcel
parce que [paʀsk(ə)] *conj* because
parchemin [paʀʃəmɛ̃] *nm* parchment
parc(o)mètre [paʀk(ɔ)mɛtʀ(ə)] *nm* parking meter
parcourir [paʀkuʀiʀ] *vt* (*trajet, distance*) to cover; (*article, livre*) to skim *ou* glance through; (*lieu*) to go all over, travel up and down; (*suj: frisson, vibration*) to run through
parcours [paʀkuʀ] *nm* (*trajet*) journey; (*itinéraire*) route; (*SPORT: terrain*) course; (*: tour*) round; run; lap
par-dessous [paʀdəsu] *prép, adv* under(neath)
pardessus [paʀdəsy] *nm* overcoat
par-dessus [paʀdəsy] *prép* over (the top of) ♦ *adv* over (the top); **~ le marché** on top of all that
par-devant [paʀdəvɑ̃] *prép* in the presence of, before ♦ *adv* at the front; round the front
pardon [paʀdɔ̃] *nm* forgiveness *no pl* ♦ *excl* sorry!; (*pour interpeller etc*) excuse me!; **demander ~ à qn (de)** to apologize to sb (for); **je vous demande ~** I'm sorry; excuse me
pardonner [paʀdɔne] *vt* to forgive; **~ qch à qn** to forgive sb for sth
pare: **~-balles** *adj inv* bulletproof; **~-boue** *nm inv* mudguard; **~-brise** *nm inv* windscreen (*BRIT*), windshield (*US*); **~-chocs** *nm inv* bumper
pareil, le [paʀɛj] *adj* (*identique*) the same, alike; (*similaire*) similar; (*tel*): **un courage/livre ~** such courage/a book, courage/a book like this; **de ~s livres** such books; **ses ~s** one's fellow men; one's peers; **ne pas avoir son(sa) ~(le)** to be second to none; **~ à** the same as; similar to; **sans ~** unparalleled, unequalled
parent, e [paʀɑ̃, -ɑ̃t] *nm/f*: **un/une ~/e** a relative *ou* relation ♦ *adj*: **être ~ de** to be related to; **~s** *nmpl* (*père et mère*) parents; **parenté** *nf* (*lien*) relationship
parenthèse [paʀɑ̃tɛz] *nf* (*ponctuation*) bracket, parenthesis; (*MATH*) bracket; (*digression*) parenthesis, digression; **ouvrir/fermer la ~** to open/close the brackets; **entre ~s** in brackets; (*fig*) incidentally
parer [paʀe] *vt* to adorn; (*CULIN*) to dress, trim; (*éviter*) to ward off
paresse [paʀɛs] *nf* laziness; **paresseux, euse** *adj* lazy; (*fig*) slow, sluggish
parfaire [paʀfɛʀ] *vt* to perfect
parfait, e [paʀfɛ, -ɛt] *adj* perfect ♦ *nm* (*LING*) perfect (tense); **parfaitement** *adv* perfectly ♦ *excl* (most) certainly
parfois [paʀfwa] *adv* sometimes
parfum [paʀfœ̃] *nm* (*produit*) perfume, scent; (*odeur: de fleur*) scent, fragrance; (*: de tabac, vin*) aroma; (*goût*) flavour; **parfumé, e** *adj* (*fleur, fruit*) fragrant; (*femme*) perfumed; **parfumé au café** coffee-flavoured; **parfumer** *vt* (*suj: odeur, bouquet*) to perfume; (*mouchoir*) to put scent *ou* perfume on; (*crème, gâteau*) to flavour; **parfumerie** *nf* (*commerce*) perfumery; (*produits*) perfumes *pl*; (*boutique*) perfume shop
pari [paʀi] *nm* bet, wager; (*SPORT*) bet
paria [paʀja] *nm* outcast
parier [paʀje] *vt* to bet
Paris [paʀi] *n* Paris; **parisien, ne** *adj* Parisian; (*GÉO, ADMIN*) Paris *cpd* ♦ *nm/f*: **Parisien, ne** Parisian
paritaire [paʀitɛʀ] *adj* joint
parjure [paʀʒyʀ] *nm* perjury
parking [paʀkiŋ] *nm* (*lieu*) car park
parlant, e [paʀlɑ̃, -ɑ̃t] *adj* (*fig*) graphic, vivid; eloquent; (*CINÉMA*) talking
parlement [paʀləmɑ̃] *nm* parliament; **parlementaire** *adj* parliamentary ♦ *nm/f* member of parliament
parlementer [paʀləmɑ̃te] *vi* to negotiate, parley
parler [paʀle] *vi* to speak, talk; (*avouer*) to talk; **~ (à qn) de** to talk *ou* speak (to sb) about; **~ le/en français** to speak French/in French; **~ affaires** to talk business; **~ en dormant** to talk in one's sleep; **sans ~ de** (*fig*) not to mention, to say nothing of; **tu parles!** you must be joking!
parloir [paʀlwaʀ] *nm* (*de prison, d'hôpital*) visiting room; (*REL*) parlour
parmi [paʀmi] *prép* among(st)
paroi [paʀwa] *nf* wall; (*cloison*) partition; **~ rocheuse** rock face
paroisse [paʀwas] *nf* parish
parole [paʀɔl] *nf* (*faculté*): **la ~** speech; (*mot, promesse*) word; **~s** *nfpl* (*MUS*) words, lyrics; **tenir ~** to keep one's word; **prendre la ~** to speak; **demander la ~** to ask for permission to speak; **je le crois sur ~** I'll take his word for it
parquer [paʀke] *vt* (*voiture, matériel*) to park; (*bestiaux*) to pen (in *ou* up)
parquet [paʀkɛ] *nm* (parquet) floor; (*JUR*): **le ~** the Public Prosecutor's department
parrain [paʀɛ̃] *nm* godfather; (*d'un nouvel adhérent*) sponsor, proposer
parrainer [paʀene] *vt* (*suj: entreprise*) to sponsor
pars *vb voir* **partir**
parsemer [paʀsəme] *vt* (*suj: feuilles, papiers*) to be scattered over; **~ qch de** to scatter sth with
part [paʀ] *nf* (*qui revient à qn*) share; (*fraction, partie*) part; (*FINANCE*) (non-voting) share; **prendre ~ à** (*débat etc*) to take part in; (*soucis, douleur de qn*) to share in; **faire ~ de qch à qn** to announce sth to sb, inform sb of sth; **pour ma ~** as for me, as far as I'm concerned; **à ~ entière** full; **de la ~ de** (*au nom de*) on behalf of; (*donné par*) from; **de toute(s) ~(s)** from all sides *ou* quarters; **de ~ et d'autre** on both sides, on either side; **de ~ en ~** right through; **d'une ~ ... d'autre ~** on the one hand ... on the other hand; **à ~** separately; (*de côté*) aside ♦ *prép* apart from, except for ♦ *adj* exceptional, special; **faire la ~ des choses** to make allowances
partage [paʀtaʒ] *nm* dividing up; sharing (out) *no pl*, share-out; sharing; **recevoir qch en ~** to receive sth as one's share (*ou* lot)
partager [paʀtaʒe] *vt* to share; (*distribuer, répartir*) to share (out); (*morceler, diviser*) to divide (up); **se ~** *vt* (*héritage etc*) to share between themselves (*ou* ourselves)
partance [paʀtɑ̃s]: **en ~** *adv* outbound, due to leave; **en ~ pour** (bound) for
partant [paʀtɑ̃] *vb voir* **partir** ♦ *nm* (*SPORT*) starter; (*HIPPISME*) runner
partenaire [paʀtənɛʀ] *nm/f* partner
parterre [paʀtɛʀ] *nm* (*de fleurs*) (flower) bed; (*THÉÂTRE*) stalls *pl*
parti [paʀti] *nm* (*POL*) party; (*décision*) course of action; (*personne à marier*) match; **tirer ~ de** to take advantage of, turn to good account; **prendre le ~ de qn** to stand up for sb, side with sb; **prendre ~ (pour/contre)** to take sides *ou* a stand (for/against); **prendre son ~ de** to come to terms with; **~ pris** bias
partial, e, aux [paʀsjal, -o] *adj* biased, partial
participant, e [paʀtisipɑ̃, -ɑ̃t] *nm/f* participant; (*à un concours*) entrant
participation [paʀtisipɑsjɔ̃] *nf* participation; sharing; (*COMM*) interest; **la ~ aux bénéfices** profit-sharing
participe [paʀtisip] *nm* participle
participer [paʀtisipe]: **~ à** *vt* (*course, réunion*) to take part in; (*profits etc*) to share in; (*frais etc*) to contribute to; (*chagrin, succès de qn*) to share (in)
particularité [paʀtikylaʀite] *nf* particularity; (*distinctive*) characteristic
particule [paʀtikyl] *nf* particle
particulier, ière [paʀtikylje, -jɛʀ] *adj* (*personnel, privé*) private; (*spécial*) special, particular; (*caractéristique*) characteristic, distinctive; (*spécifique*) particular ♦ *nm* (*individu: ADMIN*) private individual; **~ à** peculiar to; **en ~** (*surtout*) in particular, particularly; (*en privé*) in private; **particulièrement** *adv* particularly
partie [paʀti] *nf* (*gén*) part; (*profession, spécialité*) field, subject; (*JUR etc: protagonistes*) party; (*de cartes, tennis etc*) game; **une ~ de campagne/de pêche** an outing in the country/a fishing party *ou* trip; **en ~** partly, in part; **faire ~ de** to belong to; (*suj: chose*) to be part of; **prendre qn à ~** to take sb to task; (*malmener*) to set on sb; **en grande ~** largely, in the main; **~ civile** (*JUR*) *party claiming damages in a criminal case*
partiel, le [paʀsjɛl] *adj* partial ♦ *nm* (*SCOL*) class exam
partir [paʀtiʀ] *vi* (*gén*) to go; (*quitter*) to go, leave; (*s'éloigner*) to go (*ou* drive *etc*) away *ou* off; (*moteur*) to start; **~ de** (*lieu: quitter*) to leave; (*: commencer à*) to start from; (*date*) to run *ou* start from; **à ~ de** from
partisan, e [paʀtizɑ̃, -an] *nm/f* partisan ♦ *adj*: **être ~ de qch/de faire** to be in favour of sth/doing
partition [paʀtisjɔ̃] *nf* (*MUS*) score
partout [paʀtu] *adv* everywhere; **~ où il allait** everywhere *ou* wherever he went; **trente ~** (*TENNIS*) thirty all
paru *pp de* **paraître**
parure [paʀyʀ] *nf* (*bijoux etc*) finery *no pl*; jewellery *no pl*; (*assortiment*) set
parution [paʀysjɔ̃] *nf* publication,

appearance

parvenir [paʀvəniʀ]: ~ **à** *vt* (*atteindre*) to reach; (*réussir*): ~ **à faire** to manage to do, succeed in doing; **faire** ~ **qch à qn** to have sth sent to sb

parvis [paʀvi] *nm* (*in front of a church*) square

pas[1] [pɑ] *nm* (*allure, mesure*) pace; (*démarche*) tread; (*enjambée, DANSE*) step; (*bruit*) (foot)step; (*trace*) footprint; (*TECH*: *de vis, d'écrou*) thread; ~ **à** ~ step by step; **au** ~ at walking pace; ~ **de loup** stealthily; **faire les cent** ~ to pace up and down; **faire les premiers** ~ to make the first move; **sur le** ~ **de la porte** on the doorstep

MOT-CLÉ

pas[2] [pɑ] *adv* 1 (*en corrélation avec ne, non etc*) not; **il ne pleure** ~ he does not *ou* doesn't cry; he's not *ou* isn't crying; **il n'a** ~ **pleuré/ne pleurera** ~ he did not *ou* didn't/will not *ou* won't cry; **ils n'ont** ~ **de voiture/d'enfants** they haven't got a car/any children, they have no car/children; **il m'a dit de ne** ~ **le faire** he told me not to do it; **non** ~ **que** ... not that ...

2 (*employé sans ne etc*): ~ **moi** not me; not I, I don't (*ou* can't *etc*); **une pomme** ~ **mûre** an apple which isn't ripe; ~ **plus tard qu'hier** only yesterday; ~ **du tout** not at all

3: ~ **mal** not bad; not badly; ~ **mal de** quite a lot of

passage [pɑsaʒ] *nm* (*fait de passer*) *voir* **passer**; (*lieu, prix de la traversée, extrait*) passage; (*chemin*) way; **de** ~ (*touristes*) passing through; (*amants etc*) casual; ~ **à niveau** level crossing; ~ **clouté** pedestrian crossing; "~ **interdit**" "no entry"; "~ **protégé**" *right of way over secondary road(s) on your right*; ~ **souterrain** subway (*BRIT*), underpass

passager, ère [pɑsaʒe, -ɛʀ] *adj* passing ♦ *nm/f* passenger; ~ **clandestin** stowaway

passant, e [pɑsɑ̃, -ɑ̃t] *adj* (*rue, endroit*) busy ♦ *nm/f* passer-by; **en** ~ in passing

passe [pɑs] *nf* (*SPORT, magnétique, NAVIG*) pass ♦ *nm* (*passe-partout*) master *ou* skeleton key; **être en** ~ **de faire** to be on the way to doing

passé, e [pɑse] *adj* (*événement, temps*) past; (*couleur, tapisserie*) faded ♦ *prép* after ♦ *nm* past; (*LING*) past (tense); ~ **de mode** out of fashion; ~ **composé** perfect (tense); ~ **simple** past historic

passe: ~**-droit** *nm* special privilege; ~**-montagne** *nm* balaclava; ~**-partout** *nm inv* master *ou* skeleton key ♦ *adj inv* all-purpose; **passe-passe** *nm*: **tour de** ~-~ trick, sleight of hand *no pl*

passeport [pɑspɔʀ] *nm* passport

passer [pɑse] *vi* (*se rendre, aller*) to go; (*voiture, piétons*: *défiler*) to pass (by), go by; (*faire une halte rapide*: *facteur, laitier etc*) to come, call; (: *pour rendre visite*) to call *ou* drop in; (*air, lumière; franchir un obstacle etc*) to get through; (*accusé, projet de loi*): ~ **devant** to come before; (*film, émission*) to be on; (*temps, jours*) to pass, go by; (*couleur, papier*) to fade; (*mode*) to die out; (*douleur*) to pass, go away; (*CARTES*) to pass; (*SCOL*) to go up (to the next class) ♦ *vt* (*frontière, rivière etc*) to cross; (*douane*) to go through; (*examen*) to sit, take; (*visite médicale etc*) to have; (*journée, temps*) to spend; (*donner*): ~ **qch à qn** to pass sth to sb; to give sb sth; (*transmettre*) to pass sth on to sb; (*tolérer*) to let sb get away with sth; (*enfiler*: *vêtement*) to slip on; (*faire entrer, mettre*): (**faire**) ~ **qch dans/par** to get sth into/through; (*café*) to pour the water on; (*thé, soupe*) to strain; (*film, pièce*) to show, put on; (*disque*) to play, put on; (*marché, accord*) to agree on; **se** ~ *vi* (*avoir lieu*: *scène, action*) to take place; (*se dérouler*: *entretien etc*) to go; (*s'écouler*: *semaine etc*) to pass, go by; (*arriver*): **que s'est-il passé?** what happened?; **se** ~ **de** to go *ou* do without; **se** ~ **les mains sous l'eau/de l'eau sur le visage** to put one's hands under the tap/run water over one's face; ~ **par** to go through; ~ **sur** (*faute, détail inutile*) to pass over; ~ **avant qch/qn** (*fig*) to come before sth/sb; **laisser** ~ (*air, lumière, personne*) to let through; (*occasion*) to let slip, miss; (*erreur*) to overlook; ~ **à la radio/télévision** to be on the radio/on television; ~ **pour riche** to be taken for a rich man; ~ **en seconde,** ~ **la seconde** (*AUTO*) to change into second; ~ **le balai/l'aspirateur** to sweep up/hoover; **je vous passe M. X** (*je vous mets en communication avec lui*) I'm putting you through to Mr X; (*je lui passe l'appareil*) here is Mr X, I'll hand you over to Mr X

passerelle [pɑsʀɛl] *nf* footbridge; (*de navire, avion*) gangway

passe-temps [pɑstɑ̃] *nm inv* pastime

passeur, euse [pɑsœʀ, -øz] *nm/f* smuggler

passible [pasibl(ə)] *adj*: ~ **de** liable to

passif, ive [pasif, -iv] *adj* passive ♦ *nm* (*LING*) passive; (*COMM*) liabilities *pl*

passion [pɑsjɔ̃] *nf* passion; **passionnant, e** *adj* fascinating; **passionné, e** *adj* passionate; impassioned; **passionner** *vt* (*personne*) to fascinate, grip; **se** ~**ner pour** to take an avid interest in; to have a passion for

passoire [pɑswaʀ] *nf* sieve; (*à légumes*) colander; (*à thé*) strainer

pastèque [pastɛk] *nf* watermelon

pasteur [pastœʀ] *nm* (*protestant*) minister, pastor

pastille [pastij] *nf* (*à sucer*) lozenge, pastille; (*de papier etc*) (small) disc

patate [patat] *nf*: ~ **douce** sweet potato

patauger [patoʒe] *vi* (*pour s'amuser*) to splash about; (*avec effort*) to wade about

pâte [pɑt] *nf* (*à tarte*) pastry; (*à pain*) dough; (*à frire*) batter; (*substance molle*) paste; cream; ~**s** *nfpl* (*macaroni etc*) pasta *sg*; ~ **à modeler** modelling clay, Plasticine (®); ~ **brisée** shortcrust pastry; ~ **d'amandes** almond paste; ~ **de fruits** crystallized fruit *no pl*

pâté [pɑte] *nm* (*charcuterie*) pâté; (*tache*) ink blot; (*de sable*) sandpie; ~ **de maisons** block (of houses); ~ **en croûte** ≈ pork pie

pâtée [pɑte] *nf* mash, feed

patente [patɑ̃t] *nf* (*COMM*) trading licence

paternel, le [patɛʀnɛl] *adj* (*amour, soins*) fatherly; (*ligne, autorité*) paternal

pâteux, euse [pɑtø, -øz] *adj* thick; pasty

pathétique [patetik] *adj* moving

patience [pasjɑ̃s] *nf* patience

patient, e [pasjɑ̃, -ɑ̃t] *adj, nm/f* patient

patienter [pasjɑ̃te] *vi* to wait

patin [patɛ̃] *nm* skate; (*sport*) skating; ~**s** (**à glace**) (ice) skates; ~**s à roulettes** roller skates

patinage [patinaʒ] *nm* skating

patiner [patine] *vi* to skate; (*embrayage*) to slip; (*roue, voiture*) to spin; **se** ~ *vi* (*meuble, cuir*) to acquire a sheen; **patineur, euse** *nm/f* skater; **patinoire** *nf* skating rink, (ice) rink

pâtir [pɑtiʀ]: ~ **de** *vt* to suffer because of

pâtisserie [pɑtisʀi] *nf* (*boutique*) cake shop; (*métier*) confectionery; (*à la maison*) pastry- *ou* cake-making, baking; ~**s** *nfpl* (*gâteaux*) pastries, cakes; **pâtissier, ière** *nm/f* pastrycook; confectioner

patois [patwa] *nm* dialect, patois

patrie [patʀi] *nf* homeland

patrimoine [patʀimwan] *nm* inheritance, patrimony; (*culture*) heritage

patriotique [patʀijɔtik] *adj* patriotic

patron, ne [patʀɔ̃, -ɔn] *nm/f* boss; (*REL*) patron saint ♦ *nm* (*COUTURE*) pattern

patronat [patʀɔna] *nm* employers *pl*

patronner [patʀɔne] *vt* to sponsor, support

patrouille [patʀuj] *nf* patrol

patte [pat] *nf* (*jambe*) leg; (*pied*: *de chien, chat*) paw; (: *d'oiseau*) foot; (*languette*) strap

pâturage [pɑtyʀaʒ] *nm* pasture

pâture [pɑtyʀ] *nf* food

paume [pom] *nf* palm

paumé, e [pome] (*fam*) *nm/f* drop-out

paumer [pome] (*fam*) *vt* to lose

paupière [popjɛʀ] *nf* eyelid

pause [poz] *nf* (*arrêt*) break; (*en parlant, MUS*) pause

pauvre [povʀ(ə)] *adj* poor; **pauvreté** *nf* (*état*) poverty

pavaner [pavane]: **se** ~ *vi* to strut about

pavé, e [pave] *adj* paved; cobbled ♦ *nm* (*bloc*) paving stone; cobblestone; (*pavage*) paving

pavillon [pavijɔ̃] *nm* (*de banlieue*) small (detached) house; (*kiosque*) lodge; pavilion; (*drapeau*) flag

pavoiser [pavwaze] *vi* to put out flags; (*fig*) to rejoice, exult

pavot [pavo] *nm* poppy

payant, e [pɛjɑ̃, -ɑ̃t] *adj* (*spectateurs etc*) paying; (*fig*: *entreprise*) profitable; **c'est** ~ you have to pay, there is a charge

paye [pɛj] *nf* pay, wages *pl*

payer [peje] *vt* (*créancier, employé, loyer*) to pay; (*achat, réparations, fig*: *faute*) to pay for ♦ *vi* to pay; (*métier*) to be well-paid; (*tactique etc*) to pay off; **il me l'a fait** ~ **10 F** he charged me 10 F for it; ~ **qch à qn** to buy sth for sb, buy sb sth; **cela ne paie pas de mine** it doesn't look much

pays [pei] *nm* country; land; region; village; **du** ~ local

paysage [peizaʒ] *nm* landscape

paysan, ne [peizɑ̃, -an] *nm/f* countryman(woman); farmer; (*péj*) peasant ♦ *adj* country *cpd*, farming; farmers'

Pays-Bas [peibɑ] *nmpl*: **les** ~ the Netherlands

PC *nm* (*INFORM*) PC

PDG *sigle m* = **président directeur général**

péage [peaʒ] *nm* toll; (*endroit*) tollgate; **pont à** ~ toll bridge

peau, x [po] *nf* skin; **gants de** ~ fine leather gloves; ~ **de chamois** (*chiffon*) chamois leather, shammy; **Peau-Rouge** *nm/f* Red Indian, redskin

péché [peʃe] *nm* sin

pêche [pɛʃ] *nf* (*sport, activité*) fishing; (*poissons pêchés*) catch; (*fruit*) peach; ~ **à la ligne** (*en rivière*) angling

pécher [peʃe] *vi* (*REL*) to sin; (*fig*: *personne*) to err; (: *chose*) to be flawed

pêcher [peʃe] *nm* peach tree ♦ *vi* to go fishing ♦ *vt* to catch; to fish for

pécheur, eresse [peʃœʀ, peʃʀɛs] *nm/f* sinner

pêcheur [pɛʃœʀ] *nm* fisherman; angler

pécule [pekyl] *nm* savings *pl*, nest egg

pécuniaire [pekynjɛʀ] *adj* financial

pédagogie [pedagɔʒi] *nf* educational methods *pl*, pedagogy; **pédagogique** *adj* educational

pédale [pedal] *nf* pedal

pédalo [pedalo] *nm* pedal-boat

pédant, e [pedɑ̃, -ɑ̃t] (*péj*) *adj* pedantic

pédestre [pedɛstʀ(ə)] *adj*: **tourisme** ~ hiking

pédiatre [pedjatʀ(ə)] *nm/f* paediatrician, child specialist

pédicure [pedikyʀ] *nm/f* chiropodist

pègre [pɛgʀ(ə)] *nf* underworld

peignais *etc vb voir* **peindre; peigner**

peigne [pɛɲ] *nm* comb

peigner [peɲe] *vt* to comb (the hair of); **se** ~ *vi* to comb one's hair

peignoir [pɛɲwaʀ] *nm* dressing gown; ~ **de bain** bathrobe

peindre [pɛ̃dʀ(ə)] *vt* to paint; (*fig*) to portray, depict

peine [pɛn] *nf* (*affliction*) sorrow, sadness *no pl*; (*mal, effort*) trouble *no pl*, effort; (*difficulté*) difficulty; (*punition, châtiment*) punishment; (*JUR*) sentence; **faire de la** ~ **à qn** to distress *ou* upset sb; **prendre la** ~ **de faire** to go to the trouble of doing; **se donner de la** ~ to make an effort; **ce n'est pas la** ~ **de faire** there's no point in doing, it's not worth doing; **à** ~ scarcely, hardly, barely; **à** ~ ... **que** hardly ... than; **défense d'afficher sous** ~ **d'amende** billposters will be fined; ~ **capital** *ou* **de mort** capital punishment, death sentence; **peiner** *vi* to work hard; to struggle; (*moteur, voiture*) to labour ♦ *vt* to grieve, sadden

peintre [pɛ̃tʀ(ə)] *nm* painter; ~ **en bâtiment** house painter

peinture [pɛ̃tyʀ] *nf* painting; (*couche de couleur, couleur*) paint; (*surfaces peintes*: *aussi*: ~s) paintwork; "~ **fraîche**" "wet paint"; ~ **mate/brillante** matt/gloss paint

péjoratif, ive [peʒɔʀatif, -iv] *adj* pejorative, derogatory

pelage [pəlaʒ] *nm* coat, fur

pêle-mêle [pɛlmɛl] *adv* higgledy-piggledy

peler [pəle] *vt, vi* to peel

pèlerin [pɛlʀɛ̃] *nm* pilgrim

pelle [pɛl] *nf* shovel; (*d'enfant, de terrassier*) spade; ~ **mécanique** mechanical digger

pellicule [pelikyl] *nf* film; ~**s** *nfpl* (*MÉD*) dandruff *sg*

pelote [p(ə)lɔt] *nf* (*de fil, laine*) ball; (*d'épingles*) pin cushion; ~ **basque** pelota

peloton [p(ə)lɔtɔ̃] *nm* group, squad; (*CYCLISME*) pack; ~ **d'exécution** firing squad

pelotonner [p(ə)lɔtɔne]: **se** ~ *vi* to curl (o.s.) up

pelouse [p(ə)luz] *nf* lawn

peluche [p(ə)lyʃ] *nf*: **animal en** ~ fluffy animal, soft toy

pelure [p(ə)lyʀ] *nf* peeling, peel *no pl*

pénal, e, aux [penal, -o] *adj* penal

pénalité [penalite] *nf* penalty

penaud, e [pəno, -od] *adj* sheepish, contrite

penchant [pɑ̃ʃɑ̃] *nm* tendency, propensity; liking, fondness

pencher [pɑ̃ʃe] *vi* to tilt, lean over ♦ *vt* to tilt; **se** ~ *vi* to lean over; (*se baisser*) to bend down; **se** ~ **sur** to bend over; (*fig*: *problème*) to look into; **se** ~ **au dehors** to lean out; ~ **pour** to be inclined to favour

pendaison [pɑ̃dɛzɔ̃] *nf* hanging

pendant [pɑ̃dɑ̃] *nm*: **faire** ~ **à** to match; to be the counterpart of ♦ *prép* during; ~ **que** while

pendentif [pɑ̃dɑ̃tif] *nm* pendant

penderie [pɑ̃dʀi] *nf* wardrobe

pendre [pɑ̃dʀ(ə)] *vt, vi* to hang; **se** ~ (**à**) (*se suicider*) to hang o.s. (on); ~ **à** to hang (down) from; ~ **qch à** to hang sth (up) on

pendule [pɑ̃dyl] *nf* clock ♦ *nm* pendulum

pénétrer [penetʀe] *vi, vt* to penetrate; ~ **dans** to enter; (*suj*: *projectile*) to penetrate; (: *air, eau*) to come into, get into

pénible [penibl(ə)] *adj* (*astreignant*) hard; (*affligeant*) painful; (*personne, caractère*) tiresome; ~**ment** *adv* with difficulty

péniche [peniʃ] *nf* barge

pénicilline [penisilin] *nf* penicillin

péninsule [penɛ̃syl] *nf* peninsula

pénis [penis] *nm* penis

pénitence [penitɑ̃s] *nf* (*repentir*) penitence; (*peine*) penance

pénitencier [penitɑ̃sje] *nm* penitentiary

pénombre [penɔ̃bʀ(ə)] *nf* half-light; darkness

pensée [pɑ̃se] *nf* thought; (*démarche, doctrine*) thinking *no pl*; (*BOT*) pansy; **en** ~ in one's mind

penser [pɑ̃se] *vi* to think ♦ *vt* to think; (*concevoir*: *problème, machine*) to think out; ~ **à** to think of; (*songer à*: *ami, vacances*) to think of *ou* about; (*réfléchir à*: *problème, offre*): ~ **à qch** to think about sth *ou* think sth over; **faire** ~ **à** to remind one of; ~ **faire qch** to be thinking of doing sth, intend to do sth

pensif, ive [pɑ̃sif, -iv] *adj* pensive, thoughtful

pension [pɑ̃sjɔ̃] *nf* (*allocation*) pension; (*prix du logement*) board and lodgings, bed and board; (*maison particulière*) boarding house; (*hôtel*) guesthouse, hotel; (*école*) boarding school; **prendre qn en** ~ to take sb (in) as a lodger; **mettre en** ~ to send to boarding school; ~ **alimentaire** (*d'étudiant*) living allowance; (*de divorcée*) maintenance allowance; alimony; ~ **complète** full board; ~ **de famille** boarding house, guesthouse; **pensionnaire** *nm/f* boarder; guest; **pensionnat** *nm* boarding school

pente [pɑ̃t] *nf* slope; **en** ~ sloping

Pentecôte [pɑ̃tkot] *nf*: **la** ~ Whitsun (*BRIT*), Pentecost

pénurie [penyʀi] *nf* shortage

pépé [pepe] (*fam*) *nm* grandad

pépin [pepɛ̃] *nm* (*BOT*: *graine*) pip; (*ennui*) snag, hitch

pépinière [pepinjɛʀ] *nf* nursery

perçant, e [pɛʀsɑ̃, -ɑ̃t] *adj* sharp, keen; piercing, shrill

percée [pɛʀse] *nf* (*trouée*) opening; (*MIL, technologique*) breakthrough; (*SPORT*) break

perce-neige [pɛʀsənɛʒ] *nf inv* snowdrop

percepteur [pɛʀsɛptœʀ] *nm* tax collector

perception [pɛʀsɛpsjɔ̃] *nf* perception; (*d'impôts etc*) collection; (*bureau*) tax office

percer [pɛʀse] *vt* to pierce; (*ouverture etc*) to make; (*mystère, énigme*) to penetrate ♦ *vi* to come through; to break through; ~ **une dent** to cut a tooth; **perceuse** *nf* drill

percevoir [pɛʀsəvwaʀ] *vt* (*distinguer*) to perceive, detect; (*taxe, impôt*) to collect; (*revenu, indemnité*) to receive

perche [pɛʀʃ(ə)] *nf* (*bâton*) pole

percher [pɛʀʃe] *vt, vi* to perch; **se** ~ *vi* to perch; **perchoir** *nm* perch

perçois *etc vb voir* **percevoir**

percolateur [pɛʀkɔlatœʀ] *nm* percolator

perçu, e *pp de* **percevoir**

percussion [pɛʀkysjɔ̃] *nf* percussion

percuter [pɛʀkyte] *vt* to strike; (*suj*: *véhicule*) to crash into

perdant, e [pɛʀdɑ̃, -ɑ̃t] *nm/f* loser

perdition [pɛʀdisjɔ̃] *nf*: **en** ~ (*NAVIG*) in distress; **lieu de** ~ den of vice

perdre [pɛʀdʀ(ə)] *vt* to lose; (*gaspiller*: *temps, argent*) to waste; (*personne*: *moralement etc*) to ruin ♦ *vi* to lose; (*sur une vente etc*) to lose out; **se** ~ *vi* (*s'égarer*) to get lost, lose one's way; (*fig*) to go to waste; to disappear, vanish

perdrix [pɛʀdʀi] *nf* partridge

perdu, e [pɛʀdy] *pp de* **perdre** ♦ *adj* (*isolé*) out-of-the-way; (*COMM*: *emballage*) non-returnable; (*malade*): **il est** ~ there's no hope left for him; **à vos moments** ~**s** in your spare time

père [pɛʀ] *nm* father; ~**s** *nmpl* (*ancêtres*) forefathers; ~ **de famille** father; family man; **le** ~ **Noël** Father Christmas

perfectionné, e [pɛʀfɛksjɔne] *adj* sophisticated

perfectionner [pɛʀfɛksjɔne] *vt* to improve, perfect

perforatrice [pɛʀfɔʀatʀis] *nf* (*pour cartes*) card-punch; (*de bureau*) punch

perforer [pɛʀfɔʀe] *vt* to perforate; to punch a hole (*ou* holes) in; (*ticket, bande, carte*) to punch

performant, e [pɛʀfɔʀmɑ̃, -ɑ̃t] *adj*: **très** ~ high-performance *cpd*

perfusion [pɛʀfyzjɔ̃] *nf*: **faire une** ~ **à qn** to put sb on a drip

péril [peʀil] *nm* peril

périmé, e [peʀime] *adj* (out)dated; (*ADMIN*) out-of-date, expired

périmètre [peʀimɛtʀ(ə)] *nm* perimeter

période [peʀjɔd] *nf* period; **périodique** *adj* (*phases*) periodic; (*publication*) periodical ♦ *nm* periodical

péripéties [peʀipesi] *nfpl* events, episodes

périphérique [peʀifeʀik] *adj* (*quartiers*) outlying; (*ANAT, TECH*) peripheral; (*station de radio*) operating from outside France ♦ *nm* (*AUTO*) ring road; (*INFORM*) peripheral

périple [peʀipl(ə)] *nm* journey

périr [peRiR] *vi* to die, perish

périssable [peRisabl(ə)] *adj* perishable

perle [pɛRl(ə)] *nf* pearl; (*de plastique, métal, sueur*) bead

perlé, e [pɛRle] *adj*: **grève ~e** go-slow

perler [pɛRle] *vi* to form in droplets

permanence [pɛRmanɑ̃s] *nf* permanence; (*local*) (duty) office; emergency service; **assurer une ~** (*service public, bureaux*) to operate *ou* maintain a basic service; **être de ~** to be on call *ou* duty; **en ~** permanently; continuously

permanent, e [pɛRmanɑ̃, -ɑ̃t] *adj* permanent; (*spectacle*) continuous; **permanente** *nf* perm

perméable [pɛRmeabl(ə)] *adj* (*terrain*) permeable; **~ à** (*fig*) receptive *ou* open to

permettre [pɛRmɛtR(ə)] *vt* to allow, permit; **~ à qn de faire/qch** to allow sb to do/sth; **se ~ de faire** to take the liberty of doing; **permettez!** excuse me!

permis [pɛRmi] *nm* permit, licence; **~ de chasse** hunting permit; **~ (de conduire)** (driving) licence (*BRIT*), (driver's) license (*US*); **~ de construire** planning permission (*BRIT*), building permit (*US*); **~ de séjour** residence permit; **~ de travail** work permit

permission [pɛRmisjɔ̃] *nf* permission; (*MIL*) leave; **avoir la ~ de faire** to have permission to do; **en ~** on leave

permuter [pɛRmyte] *vt* to change around, permutate ◆ *vi* to change, swap

Pérou [peRu] *nm* Peru

perpétuel, le [pɛRpetɥɛl] *adj* perpetual; (*ADMIN etc*) permanent; for life

perpétuité [pɛRpetɥite] *nf*: **à ~** *adj, adv* for life; **être condamné à ~** to receive a life sentence

perplexe [pɛRplɛks(ə)] *adj* perplexed, puzzled

perquisitionner [pɛRkizisjɔne] *vi* to carry out a search

perron [peRɔ̃] *nm* steps *pl* (*in front of mansion etc*)

perroquet [peRɔkɛ] *nm* parrot

perruche [peRyʃ] *nf* budgerigar (*BRIT*), budgie (*BRIT*), parakeet (*US*)

perruque [peRyk] *nf* wig

persan, e [pɛRsɑ̃, -an] *adj* Persian

persécuter [pɛRsekyte] *vt* to persecute

persévérer [pɛRseveRe] *vi* to persevere

persiennes [pɛRsjɛn] *nfpl* (metal) shutters

persiflage [pɛRsiflaʒ] *nm* mockery *no pl*

persil [pɛRsi] *nm* parsley

Persique [pɛRsik] *adj*: **le golfe ~** the (Persian) Gulf

persistant, e [pɛRsistɑ̃, -ɑ̃t] *adj* persistent; (*feuilles*) evergreen

persister [pɛRsiste] *vi* to persist; **~ à faire qch** to persist in doing sth

personnage [pɛRsɔnaʒ] *nm* (*notable*) personality; figure; (*individu*) character, individual; (*THÉÂTRE*) character; (*PEINTURE*) figure

personnalité [pɛRsɔnalite] *nf* personality; (*personnage*) prominent figure

personne [pɛRsɔn] *nf* person ◆ *pron* nobody, no one; (*quelqu'un*) anybody, anyone; **~s** *nfpl* (*gens*) people *pl*; **il n'y a ~** there's nobody there, there isn't anybody there; **~ âgée** elderly person; **personnel, le** *adj* personal ◆ *nm* staff, personnel; **personnellement** *adv* personally

perspective [pɛRspɛktiv] *nf* (*ART*) perspective; (*vue, coup d'œil*) view; (*point de vue*) viewpoint, angle; (*chose escomptée, envisagée*) prospect; **en ~** in prospect

perspicace [pɛRspikas] *adj* clear-sighted, gifted with (*ou* showing) insight

persuader [pɛRsɥade] *vt*: **~ qn (de/de faire)** to persuade sb (of/to do)

perte [pɛRt(ə)] *nf* loss; (*de temps*) waste; (*fig*: **morale**) ruin; **à ~** (*COMM*) at a loss; **à ~ de vue** as far as the eye can (*ou* could) see; **~ sèche** dead loss; **~s blanches** (vaginal) discharge *sg*

pertinemment [pɛRtinamɑ̃] *adv* to the point; full well

pertinent, e [pɛRtinɑ̃, -ɑ̃t] *adj* apt, relevant

perturbation [pɛRtyRbasjɔ̃] *nf* disruption; perturbation; **~ (atmosphérique)** atmospheric disturbance

perturber [pɛRtyRbe] *vt* to disrupt; (*PSYCH*) to perturb, disturb

pervers, e [pɛRvɛR, -ɛRs(ə)] *adj* perverted, depraved; perverse

pervertir [pɛRvɛRtiR] *vt* to pervert

pesant, e [pəzɑ̃, -ɑ̃t] *adj* heavy; (*fig*) burdensome

pesanteur [pəzɑ̃tœR] *nf* gravity

pèse-personne [pɛzpɛRsɔn] *nm* (bathroom) scales *pl*

peser [pəze] *vt* to weigh ◆ *vi* to be heavy; (*fig*) to carry weight; **~ sur** to lie heavy on; to influence

pessimiste [pesimist(ə)] *adj* pessimistic ◆ *nm/f* pessimist

peste [pɛst(ə)] *nf* plague

pester [pɛste] *vi*: **~ contre** to curse

pétale [petal] *nm* petal

pétanque [petɑ̃k] *nf type of* bowls

pétarader [petaRade] *vi* to backfire

pétard [petaR] *nm* banger (*BRIT*), firecracker

péter [pete] *vi* (*fam: casser, sauter*) to burst; to bust; (*fam!*) to fart (*!*)

pétillant, e [petijɑ̃, -ɑ̃t] *adj* (*eau etc*) sparkling

pétiller [petije] *vi* (*flamme, bois*) to crackle; (*mousse, champagne*) to bubble; (*yeux*) to sparkle

petit, e [pəti, -it] *adj* (*gén*) small; (*main, objet, colline, en âge: enfant*) small, little; (*voyage*) short, little; (*bruit etc*) faint, slight; (*mesquin*) mean; **~s** *nmpl* (*d'un animal*) young *pl*; **faire des ~s** to have kittens (*ou* puppies *etc*); **les tout-petits** the little ones, the tiny tots; **~ à ~** bit by bit, gradually; **~(e) ami(e)** boyfriend/girlfriend; **~ déjeuner** breakfast; **~ pain** (bread) roll; **les ~es annonces** the small ads; **~s pois** garden peas; **~-bourgeois** (*f* **~-bourgeoise**) *adj* (*péj*) middle-class; **~-fille** *nf* granddaughter; **~-fils** *nm* grandson

pétition [petisjɔ̃] *nf* petition

petits-enfants [pətizɑ̃fɑ̃] *nmpl* grandchildren

petit-suisse [pətisɥis] (*pl* **petits-suisses**) *nm small individual pot of cream cheese*

pétrin [petRɛ̃] *nm* kneading-trough; (*fig*): **dans le ~** in a jam *ou* fix

pétrir [petRiR] *vt* to knead

pétrole [petRɔl] *nm* oil; (*pour lampe, réchaud etc*) paraffin (oil); **pétrolier, ière** *adj* oil *cpd* ◆ *nm* oil tanker

MOT-CLÉ

peu [pø] *adv* 1 (*modifiant verbe, adjectif, adverbe*): **il boit ~** he doesn't drink (very) much; **il est ~ bavard** he's not very talkative; **~ avant/après** shortly before/afterwards

2 (*modifiant nom*): **~ de**: **~ de gens/d'arbres** few *ou* not (very) many people/trees; **il a ~ d'espoir** he hasn't (got) much hope, he has little hope; **pour ~ de temps** for (only) a short while

3: **~ à ~** little by little; **à ~ près** just about, more or less; **à ~ près 10 kg/10F** approximately 10 kg/10F

◆ *nm* 1: **le ~ de gens qui** the few people who; **le ~ de sable qui** what little sand, the little sand which

2: **un ~** a little; **un petit ~** a little bit; **un ~ d'espoir** a little hope

◆ *pron*: **~ le savent** few know (it); **avant** *ou* **sous ~** shortly, before long; **de ~** (only) just

peuple [pœpl(ə)] *nm* people

peupler [pœple] *vt* (*pays, région*) to populate; (*étang*) to stock; (*suj: hommes, poissons*) to inhabit; (*fig: imagination, rêves*) to fill

peuplier [pøplije] *nm* poplar (tree)

peur [pœR] *nf* fear; **avoir ~ (de/de faire/que)** to be frightened *ou* afraid (of/of doing/that); **faire ~ à** to frighten; **de ~ de/que** for fear of/that; **peureux, euse** *adj* fearful, timorous

peut *vb voir* **pouvoir**

peut-être [pøtetR(ə)] *adv* perhaps, maybe; **~ que** perhaps, maybe; **~ bien qu'il fera/est** he may well do/be

peux *etc vb voir* **pouvoir**

phare [faR] *nm* (*en mer*) lighthouse; (*de véhicule*) headlight; **mettre ses ~s** to put on one's headlights; **~s de recul** reversing lights

pharmacie [faRmasi] *nf* (*magasin*) chemist's (*BRIT*), pharmacy; (*officine*) pharmacy; (*de salle de bain*) medicine cabinet; **pharmacien, ne** *nm/f* pharmacist, chemist (*BRIT*)

phénomène [fenɔmɛn] *nm* phenomenon; (*monstre*) freak

philanthrope [filɑ̃tRɔp] *nm/f* philanthropist

philatélie [filateli] *nf* philately, stamp collecting

philosophe [filɔzɔf] *nm/f* philosopher ◆ *adj* philosophical

philosophie [filɔzɔfi] *nf* philosophy

phobie [fɔbi] *nf* phobia

phonétique [fɔnetik] *nf* phonetics *sg*

phoque [fɔk] *nm* seal; (*fourrure*) sealskin

phosphorescent, e [fɔsfɔResɑ̃, -ɑ̃t] *adj* luminous

photo [fɔto] *nf* photo(graph); **en ~** in *ou* on a photograph; **prendre en ~** to take a photo of; **aimer la/faire de la ~** to like taking/take photos; **~ d'identité** passport photograph; **~copie** *nf* photocopying; photocopy; **~copier** *vt* to photocopy; **~copieuse** [fɔtɔkɔpjøz] *nf* photocopier; **~graphe** *nm/f* photographer; **~graphie** *nf* (*procédé, technique*) photography; (*cliché*) photograph; **~graphier** *vt* to photograph

phrase [fRaz] *nf* (*LING*) sentence; (*propos, MUS*) phrase

physicien, ne [fizisjɛ̃, -ɛn] *nm/f* physicist

physionomie [fizjɔnɔmi] *nf* face

physique [fizik] *adj* physical ◆ *nm* physique ◆ *nf* physics *sg*; **au ~** physically; **~ment** *adv* physically

piaffer [pjafe] *vi* to stamp

piailler [pjaje] *vi* to squawk

pianiste [pjanist(ə)] *nm/f* pianist

piano [pjano] *nm* piano

pianoter [pjanɔte] *vi* to tinkle away (at the piano); (*tapoter*): **~ sur** to drum one's fingers on

pic [pik] *nm* (*instrument*) pick(axe); (*montagne*) peak; (*ZOOL*) woodpecker; **à ~** vertically; (*fig*) just at the right time

pichet [piʃɛ] *nm* jug

picorer [pikɔRe] *vt* to peck

picoter [pikɔte] *vt* (*suj: oiseau*) to peck ◆ *vi* (*irriter*) to smart, prickle

pie [pi] *nf* magpie; (*fig*) chatterbox

pièce [pjɛs] *nf* (*d'un logement*) room; (*THÉÂTRE*) play; (*de mécanisme, machine*) part; (*de monnaie*) coin; (*COUTURE*) patch; (*document*) document; (*de drap, fragment, de collection*) piece; **dix francs ~** ten francs each; **vendre à la ~** to sell separately; **travailler/payer à la ~** to do piecework/pay piece rate; **un maillot une ~** a one-piece swimsuit; **un deux-pièces cuisine** a two-room(ed) flat (*BRIT*) *ou* apartment (*US*) with kitchen; **~ à conviction** exhibit; **~ d'eau** ornamental lake *ou* pond; **~ d'identité: avez-vous une ~ d'identité?** have you got any (means of) identification?; **~ montée** tiered cake; **~s détachées** spares, (spare) parts; **~s justificatives** supporting documents

pied [pje] *nm* foot; (*de verre*) stem; (*de table*) leg; (*de lampe*) base; (*plante*) plant; **à ~** on foot; **à ~ sec** without getting one's feet wet; **au ~ de la lettre** literally; **de ~ en cap** from head to foot; **en ~** (*portrait*) full-length; **avoir ~** to be able to touch the bottom, not to be out of one's depth; **avoir le ~ marin** to be a good sailor; **sur ~** (*debout, rétabli*) up and about; **mettre sur ~** (*entreprise*) to set up; **mettre à ~** to dismiss; to lay off; **~ de vigne** vine

piédestal, aux [pjedɛstal, -o] *nm* pedestal

pied-noir [pjenwaR] *nm Algerian-born Frenchman*

piège [pjɛʒ] *nm* trap; **prendre au ~** to trap; **piéger** *vt* (*avec une bombe*) to booby-trap; **lettre/voiture piégée** letter-/car-bomb

pierraille [pjɛRaj] *nf* loose stones *pl*

pierre [pjɛR] *nf* stone; **~ à briquet** flint; **~ fine** semiprecious stone; **~ tombale** tombstone; **pierreries** [pjɛRRi] *nfpl* gems, precious stones

piétiner [pjetine] *vi* (*trépigner*) to stamp (one's foot); (*marquer le pas*) to stand about; (*fig*) to be at a standstill ◆ *vt* to trample on

piéton, ne [pjetɔ̃, -ɔn] *nm/f* pedestrian; **piétonnier, ière** *adj*: **rue** *ou* **zone piétonnière** pedestrian precinct

pieu, x [pjø] *nm* post; (*pointu*) stake

pieuvre [pjœvR(ə)] *nf* octopus

pieux, euse [pjø, -øz] *adj* pious

piffer [pife] (*fam*) *vt*: **je ne peux pas le ~** I can't stand him

pigeon [piʒɔ̃] *nm* pigeon

piger [piʒe] (*fam*) *vi, vt* to understand

pigiste [piʒist(ə)] *nm/f* freelance(r)

pignon [piɲɔ̃] *nm* (*de mur*) gable; (*d'engrenage*) cog(wheel), gearwheel

pile [pil] *nf* (*tas*) pile; (*ÉLEC*) battery ◆ *adv* (*s'arrêter etc*) dead; **à deux heures ~** at two on the dot; **jouer à ~ ou face** to toss up (for it); **~ ou face?** heads or tails?

piler [pile] *vt* to crush, pound

pileux, euse [pilø, -øz] *adj*: **système ~** (body) hair

pilier [pilje] *nm* pillar

piller [pije] *vt* to pillage, plunder, loot

pilon [pilɔ̃] *nm* pestle

pilote [pilɔt] *nm* pilot; (*de char, voiture*) driver ◆ *adj* pilot *cpd*; **~ de course** racing driver; **~ de ligne/d'essai/de chasse** airline/test/fighter pilot; **~r** [pilɔte] *vt* to pilot, fly; to drive

pilule [pilyl] *nf* pill; **prendre la ~** to be on the pill

piment [pimɑ̃] *nm* (*BOT*) pepper, capsicum; (*fig*) spice, piquancy

pimpant, e [pɛ̃pɑ̃, -ɑ̃t] *adj* spruce

pin [pɛ̃] *nm* pine (tree); (*bois*) pine(wood)

pinard [pinaR] (*fam*) *nm* (cheap) wine, plonk (*BRIT*)

pince [pɛ̃s] *nf* (*outil*) pliers *pl*; (*de homard, crabe*) pincer, claw; (*COUTURE: pli*) dart; **~ à épiler** tweezers *pl*; **~ à linge** clothes peg (*BRIT*) *ou* pin (*US*); **~ à sucre** sugar tongs *pl*

pincé, e [pɛ̃se] *adj* (*air*) stiff

pinceau, x [pɛ̃so] *nm* (paint)brush

pincée [pɛ̃se] *nf*: **une ~ de** a pinch of

pincer [pɛ̃se] *vt* to pinch; (*MUS: cordes*) to pluck; (*fam*) to nab

pincettes [pɛ̃sɛt] *nfpl* (*pour le feu*) (fire) tongs

pinède [pinɛd] *nf* pinewood, pine forest

pingouin [pɛ̃gwɛ̃] *nm* penguin

ping-pong [piŋpɔ̃g] ® *nm* table tennis

pingre [pɛ̃gR(ə)] *adj* niggardly

pinson [pɛ̃sɔ̃] *nm* chaffinch

pintade [pɛ̃tad] *nf* guinea-fowl

pioche [pjɔʃ] *nf* pickaxe; **piocher** *vt* to dig up (with a pickaxe)

piolet [pjɔlɛ] *nm* ice axe

pion [pjɔ̃] *nm* (*ÉCHECS*) pawn; (*DAMES*) piece

pionnier [pjɔnje] *nm* pioneer

pipe [pip] *nf* pipe

pipeau, x [pipo] *nm* (reed-)pipe

piquant, e [pikɑ̃, -ɑ̃t] *adj* (*barbe, rosier etc*) prickly; (*saveur, sauce*) hot, pungent; (*fig*) racy; biting ◆ *nm* (*épine*) thorn, prickle; (*fig*) spiciness, spice

pique [pik] *nf* pike; (*fig*) cutting remark ◆ *nm* (*CARTES: couleur*) spades *pl*; (: *carte*) spade

pique-nique [piknik] *nm* picnic

piquer [pike] *vt* (*percer*) to prick; (*planter*): **~ qch dans** to stick sth into; (*MÉD*) to give a jab to; (: *animal blessé etc*) to put to sleep; (*suj: insecte, fumée, ortie*) to sting; (: *poivre*) to burn; (: *froid*) to bite; (*COUTURE*) to machine (stitch); (*intérêt etc*) to arouse; (*fam*) to pick up; (: *voler*) to pinch; (: *arrêter*) to nab ◆ *vi* (*avion*) to go into a dive; **se ~ de faire** to pride o.s. on doing; **~ un galop/un cent mètres** to break into a gallop/put on a sprint

piquet [pikɛ] *nm* (*pieu*) post, stake; (*de tente*) peg; **~ de grève** (strike-) picket; **~ d'incendie** fire-fighting squad

piqûre [pikyR] *nf* (*d'épingle*) prick; (*d'ortie*) sting; (*de moustique*) bite; (*MÉD*) injection, shot (*US*); (*COUTURE*) (straight) stitch; straight stitching; **faire une ~ à qn** to give sb an injection

pirate [piRat] *nm, adj* pirate; **~ de l'air** hijacker

pire [piR] *adj* worse; (*superlatif*): **le(la) ~ ...** the worst ... ◆ *nm*: **le ~ (de)** the worst (of)

pis [pi] *nm* (*de vache*) udder; (*pire*): **le ~** the worst ◆ *adj, adv* worse; **~-aller** *nm inv* stopgap

piscine [pisin] *nf* (swimming) pool; **~ couverte** indoor (swimming) pool

pissenlit [pisɑ̃li] *nm* dandelion

pistache [pistaʃ] *nf* pistachio (nut)

piste [pist(ə)] *nf* (*d'un animal, sentier*) track, trail; (*indice*) lead; (*de stade, de magnétophone*) track; (*de cirque*) ring; (*de danse*) floor; (*de patinage*) rink; (*de ski*) run; (*AVIAT*) runway; **~ cyclable** cycle track

pistolet [pistɔlɛ] *nm* (*arme*) pistol, gun; (*à peinture*) spray gun; **~ à air comprimé** airgun; **~-mitrailleur** *nm* submachine gun

piston [pistɔ̃] *nm* (*TECH*) piston; **pistonner** *vt* (*candidat*) to pull strings for

piteux, euse [pitø, -øz] *adj* pitiful (*avant le nom*), sorry (*avant le nom*)

pitié [pitje] *nf* pity; **faire ~** to inspire pity; **avoir ~ de** (*compassion*) to pity, feel sorry for; (*merci*) to have pity *ou* mercy on

piton [pitɔ̃] *nm* (*clou*) peg; **~ rocheux** rocky outcrop

pitoyable [pitwajabl(ə)] *adj* pitiful

pitre [pitR(ə)] *nm* clown; **pitrerie** *nf* tomfoolery *no pl*

pittoresque [pitɔRɛsk(ə)] *adj* picturesque

pivot [pivo] *nm* pivot; **pivoter** *vi* to swivel; to revolve

P.J. *sigle f* (= *police judiciaire*) ≈ CID (*BRIT*), ≈ FBI (*US*)

placard [plakaR] *nm* (*armoire*) cupboard; (*affiche*) poster, notice; **~er** *vt* (*affiche*) to put up

place [plas] *nf* (*emplacement, situation, classement*) place; (*de ville, village*) square; (*espace libre*) room, space; (*de parking*) space; (*siège: de train, cinéma, voiture*) seat; (*emploi*) job; **en ~** (*mettre*) in its place; **sur ~** on the spot; **faire ~ à** to give way to; **faire de la ~ à** to make room for; **ça prend de la ~** it takes up a lot of room *ou* space; **à la ~ de** in place of, instead of; **il y a 20 ~s assises/debout** there are 20 seats/there is standing room for 20

placement [plasmɑ̃] *nm* placing; (*FINANCE*) investment; **bureau de ~** employment agency

placer [plase] *vt* to place; (*convive, spectateur*) to seat; (*capital, argent*) to place, invest; (*dans la conversation*) to put *ou* get in; **se ~ au premier rang** to go and stand (*ou* sit) in the first row

plafond [plafɔ̃] *nm* ceiling

plafonner [plafɔne] *vi* to reach one's (*ou* a) ceiling

plage [plaʒ] *nf* beach; (*fig*) band, bracket; (*de disque*) track, band; **~ arrière** (*AUTO*) parcel *ou* back shelf

plagiat [plaʒja] *nm* plagiarism

plaider [plede] *vi* (*avocat*) to plead; (*plaignant*) to go to court, litigate ◆ *vt* to plead; **~ pour** (*fig*) to speak for; **plaidoyer** *nm* (*JUR*) speech for the defence; (*fig*) plea

plaie [plɛ] nf wound

plaignant, e [plɛɲɑ̃, -ɑ̃t] nm/f plaintiff

plaindre [plɛ̃dʀ(ə)] vt to pity, feel sorry for; se ~ vi (gémir) to moan; (protester, rouspéter): se ~ (à qn) (de) to complain (to sb) (about); se ~ vi; (souffrir): se ~ de to complain of

plaine [plɛn] nf plain

plain-pied [plɛ̃pje] adv: de ~ (avec) on the same level (as)

plainte [plɛ̃t] nf (gémissement) moan, groan; (doléance) complaint; porter ~ to lodge a complaint

plaire [plɛʀ] vi to be a success, be successful; to please; ~ à: cela me plaît I like it; se ~ quelque part to like being somewhere ou like it somewhere; s'il vous plaît please

plaisance [plɛzɑ̃s] nf (aussi: navigation de ~) (pleasure) sailing, yachting

plaisant, e [plɛzɑ̃, -ɑ̃t] adj pleasant; (histoire, anecdote) amusing

plaisanter [plɛzɑ̃te] vi to joke; **plaisanterie** nf joke; joking no pl

plaise etc vb voir plaire

plaisir [plɛziʀ] nm pleasure; faire ~ à qn (délibérément) to be nice to sb, please sb; (suj: cadeau, nouvelle etc): ceci me fait ~ I'm delighted ou very pleased with this; pour le ou par ~ for pleasure

plaît vb voir plaire

plan, e [plɑ̃, -an] adj flat ♦ nm plan; (GÉOM) plane; (fig) level, plane; (CINÉMA) shot; au premier/second ~ in the foreground/middle distance; à l'arrière ~ in the background; ~ d'eau lake; pond

planche [plɑ̃ʃ] nf (pièce de bois) plank, (wooden) board; (illustration) plate; les ~s nfpl (THÉÂTRE) the stage sg, the boards; ~ à repasser ironing board; ~ à roulettes skateboard; ~ de salut (fig) sheet anchor

plancher [plɑ̃ʃe] nm floor; floorboards pl; (fig) minimum level ♦ vi to work hard

planer [plane] vi to glide; ~ sur (fig) to hang over; to hover above

planète [planɛt] nf planet

planeur [planœʀ] nm glider

planification [planifikasjɔ̃] nf (economic) planning

planifier [planifje] vt to plan

planning [planiŋ] nm programme, schedule; ~ familial family planning

planque [plɑ̃k] (fam) nf (emploi peu fatigant) cushy (BRIT) ou easy number; (cachette) hiding place

plant [plɑ̃] nm seedling, young plant

plante [plɑ̃t] nf plant; ~ d'appartement house ou pot plant; ~ du pied sole (of the foot)

planter [plɑ̃te] vt (plante) to plant; (enfoncer) to hammer ou drive in; (tente) to put up, pitch; (fam) to dump; to ditch; se ~ (fam: se tromper) to get it wrong

plantureux, euse [plɑ̃tyʀø, -øz] adj copious, lavish; (femme) buxom

plaque [plak] nf plate; (de verglas, d'eczéma) patch; (avec inscription) plaque; ~ chauffante hotplate; ~ de chocolat bar of chocolate; ~ (minéralogique ou d'immatriculation) number (BRIT) ou license (US) plate; ~ tournante (fig) centre

plaqué, e [plake] adj: ~ or/argent gold-/silver-plated; ~ acajou veneered in mahogany

plaquer [plake] vt (aplatir): ~ qch sur ou contre to make sth stick ou cling to; (RUGBY) to bring down; (fam: laisser tomber) to drop

plaquette [plakɛt] nf (de chocolat) bar; (beurre) pack(et)

plastic [plastik] nm plastic explosive

plastique [plastik] adj, nm plastic

plastiquer [plastike] vt to blow up (with a plastic bomb)

plat, e [pla, -at] adj flat; (cheveux) straight; (personne, livre) dull ♦ nm (récipient, CULIN) dish; (d'un repas): le premier ~ the first course; à ~ ventre face down; à ~ (pneu, batterie) flat; (personne) dead beat; ~ cuisiné pre-cooked meal; ~ de résistance main course; ~ du jour dish of the day

platane [platan] nm plane tree

plateau, x [plato] nm (support) tray; (GÉO) plateau; (de tourne-disques) turntable; (CINÉMA) set; ~ à fromages cheeseboard

plate-bande [platbɑ̃d] nf flower bed

plate-forme [platfɔʀm(ə)] nf platform; ~ de forage/pétrolière drilling/oil rig

platine [platin] nm platinum ♦ nf (d'un tourne-disque) turntable

plâtras [plɑtʀa] nm rubble no pl

plâtre [plɑtʀ(ə)] nm (matériau) plaster; (statue) plaster statue; (MÉD) (plaster) cast; avoir un bras dans le ~ to have an arm in plaster

plein, e [plɛ̃, -ɛn] adj full; (porte, roue) solid; (chienne, jument) big (with young) ♦ nm: faire le ~ (d'essence) to fill up (with petrol); à ~es mains (ramasser) in handfuls; (empoigner) firmly; à ~ régime at maximum revs; (fig) full steam; à ~ temps full-time; en ~ air in the open air; en ~ soleil in direct sunlight; en ~e nuit/rue in the middle of the night/street; en ~ jour in broad daylight; en ~ sur right on; **plein-emploi** nm full employment

plénitude [plenityd] nf fullness

pleurer [plœʀe] vi to cry; (yeux) to water ♦ vt to mourn (for); ~ sur to lament (over), to bemoan

pleurnicher [plœʀniʃe] vi to snivel, whine

pleurs [plœʀ] nmpl: en ~ in tears

pleut vb voir pleuvoir

pleuvoir [pløvwaʀ] vb impers to rain ♦ vi (fig): ~ (sur) to shower down (upon); to be showered upon; il pleut it's raining

pli [pli] nm fold; (de jupe) pleat; (de pantalon) crease; (aussi: faux ~) crease; (enveloppe) envelope; (lettre) letter; (CARTES) trick

pliant, e [plijɑ̃, -ɑ̃t] adj folding ♦ nm folding stool, campstool

plier [plije] vt to fold; (pour ranger) to fold up; (table pliante) to fold down; (genou, bras) to bend ♦ vi to bend; (fig) to yield; se ~ à to submit to

plinthe [plɛ̃t] nf skirting board

plisser [plise] vt (rider, chiffonner) to crease; (jupe) to put pleats in

plomb [plɔ̃] nm (métal) lead; (d'une cartouche) (lead) shot; (PÊCHE) sinker; (sceau) (lead) seal; (ÉLEC) fuse; sans ~ (essence etc) unleaded

plombage [plɔ̃baʒ] nm (de dent) filling

plomber [plɔ̃be] vt (canne, ligne) to weight (with lead); (dent) to fill

plomberie [plɔ̃bʀi] nf plumbing

plombier [plɔ̃bje] nm plumber

plongeant, e [plɔ̃ʒɑ̃, -ɑ̃t] adj (vue) from above; (tir, décolleté) plunging

plongée [plɔ̃ʒe] nf (SPORT) diving no pl; (: sans scaphandre) skin diving

plongeoir [plɔ̃ʒwaʀ] nm diving board

plongeon [plɔ̃ʒɔ̃] nm dive

plonger [plɔ̃ʒe] vi to dive ♦ vt: ~ qch dans to plunge sth into

ployer [plwaje] vt to bend ♦ vi to sag; to bend

plu pp de plaire; pleuvoir

pluie [plɥi] nf rain; (fig): ~ de shower of

plume [plym] nf feather; (pour écrire) (pen) nib; (fig) pen; ~r [plyme] vt to pluck; **plumier** [plymje] nm pencil box

plupart [plypaʀ] : la ~ pron the majority, most (of them); la ~ des most, the majority of; la ~ du temps/d'entre nous most of the time/of us; pour la ~ for the most part, mostly

pluriel [plyʀjɛl] nm plural

plus¹ [ply] vb voir plaire

MOT-CLÉ

plus² [ply] adv 1 (forme négative): ne ... ~ no more, no longer; je n'ai ~ d'argent I've got no more money ou no money left; il ne travaille ~ he's no longer working, he doesn't work any more

2 [ply, plyz, + voyelle] (comparatif) more, ...+er; (superlatif): le ~ the most, the ...+est; ~ grand/intelligent (que) bigger/more intelligent (than); le ~ grand/intelligent the biggest/most intelligent; tout au ~ at the very most

3 [plys] (davantage) more; il travaille ~ (que) he works more (than); ~ il travaille, ~ il est heureux the more he works, the happier he is; ~ de pain more bread; ~ de 10 personnes more than 10 people, over 10 people; 3 heures de ~ que 3 hours more than; de ~ what's more, moreover; 3 kilos en ~ 3 kilos more; en ~ de in addition to; de ~ en ~ more and more; ~ ou moins more or less; ni ~ ni moins no more, no less

♦ prép [plys]: 4 ~ 2 4 plus 2

plusieurs [plyzjœʀ] dét, pron several; ils sont ~ there are several of them

plus-que-parfait [plyskəpaʀfɛ] nm pluperfect, past perfect

plus-value [plyvaly] nf appreciation; capital gain; surplus

plut vb voir plaire

plutôt [plyto] adv rather; je ferais ~ ceci I'd rather ou sooner do this; fais ~ comme ça try this way instead, you'd better try this way; ~ que (de) faire rather than ou instead of doing

pluvieux, euse [plyvjø, -øz] adj rainy, wet

PMU sigle m (= pari mutuel urbain) system of betting on horses; (café) betting agency

pneu [pnø] nm tyre (BRIT), tire (US)

pneumatique [pnømatik] nm tyre (BRIT), tire (US)

pneumonie [pnømɔni] nf pneumonia

poche [pɔʃ] nf pocket; (déformation): faire une ou des ~(s) to bag; (sous les yeux) bag, pouch; de ~ pocket cpd

pocher [pɔʃe] vt (CULIN) to poach

pochette [pɔʃɛt] nf (de timbres) wallet, envelope; (d'aiguilles etc) case; (mouchoir) breast pocket handkerchief; ~ de disque record sleeve

poêle [pwal] nm stove ♦ nf: ~ (à frire) frying pan

poêlon [pwalɔ̃] nm casserole

poème [pɔɛm] nm poem

poésie [pɔezi] nf (poème) poem; (art): la ~ poetry

poète [pɔɛt] nm poet

poids [pwa] nm weight; (SPORT) shot; vendre au ~ to sell by weight; prendre du ~ to put on weight; ~ lourd (camion) lorry (BRIT), truck (US)

poignard [pwaɲaʀ] nm dagger; ~er vt to stab, knife

poigne [pwaɲ] nf grip; (fig): à ~ firm-handed

poignée [pwaɲe] nf (de sel etc, fig) handful; (de couvercle, porte) handle; ~ de main handshake

poignet [pwaɲɛ] nm (ANAT) wrist; (de chemise) cuff

poil [pwal] nm (ANAT) hair; (de pinceau, brosse) bristle; (de tapis) strand; (pelage) coat; à ~ (fam) starkers; au ~ hunky-dory; **poilu, e** adj hairy

poinçon [pwɛ̃sɔ̃] nm awl; bodkin; (marque) hallmark; **poinçonner** vt to stamp; to hallmark; (billet) to punch

poing [pwɛ̃] nm fist

point [pwɛ̃] nm (marque, signe) dot; (: de ponctuation) full stop, period (US); (moment, de score etc, fig: question) point; (endroit) spot; (COUTURE, TRICOT) stitch ♦ adv = pas²; faire le ~ (NAVIG) to take a bearing; (fig) to take stock (of the situation); en tout ~ in every respect; sur le ~ de faire (just) about to do; à tel ~ que so much so that; mettre au ~ (mécanisme, procédé) to develop; (appareil-photo) to focus; (affaire) to settle; à ~ (CULIN) medium; just at the right time; à ~ (nommé) just at the right time; ~ (de côté) stitch (pain); ~ d'eau spring; water point; ~ d'exclamation exclamation mark; ~ d'interrogation question mark; ~ de repère landmark; (dans le temps) point of reference; ~ de vente retail outlet; ~ de vue viewpoint; (fig: opinion) point of view; ~ faible weak point; ~ final full stop, period; ~ mort (AUTO): au ~ mort in neutral; ~s de suspension suspension points

pointe [pwɛ̃t] nf point; (fig): une ~ de a hint of; être à la ~ de to be in the forefront of; sur la ~ des pieds on tiptoe; en ~ (tailler) into a point ♦ adj pointed, tapered; de ~ (technique etc) leading; heures/jours de ~ peak hours/days; ~ de vitesse burst of speed

pointer [pwɛ̃te] vt (cocher) to tick off; (employés etc) to check in; (diriger: canon, doigt): ~ vers qch to point at sth ♦ vi (employé) to clock in

pointillé [pwɛ̃tije] nm (trait) dotted line

pointilleux, euse [pwɛ̃tijø, -øz] adj particular, pernickety

pointu, e [pwɛ̃ty] adj pointed; (clou) sharp; (voix) shrill; (analyse) precise

pointure [pwɛ̃tyʀ] nf size

point-virgule [pwɛ̃viʀgyl] nm semi-colon

poire [pwaʀ] nf pear; (fam: péj) mug

poireau, x [pwaʀo] nm leek

poirier [pwaʀje] nm pear tree

pois [pwa] nm (BOT) pea; (sur une étoffe) dot, spot; à ~ (cravate etc) spotted, polka-dot cpd

poison [pwazɔ̃] nm poison

poisse [pwas] nf rotten luck

poisseux, euse [pwasø, -øz] adj sticky

poisson [pwasɔ̃] nm fish gén inv; les P~s (signe) Pisces; ~ d'avril April fool!; ~ rouge goldfish; **poissonnerie** nf fish-shop; **poissonnier, ière** nm/f fishmonger (BRIT), fish merchant (US)

poitrine [pwatʀin] nf chest; (seins) bust, bosom; (CULIN) breast; ~ de bœuf brisket

poivre [pwavʀ(ə)] nm pepper; **poivrier** nm (ustensile) pepperpot

poivron [pwavʀɔ̃] nm pepper, capsicum

pôle [pol] nm (GÉO, ÉLEC) pole

poli, e [pɔli] adj polite; (lisse) smooth; polished

police [pɔlis] nf police; peine de simple ~ sentence given by magistrates' or police court; ~ d'assurance insurance policy; ~ des mœurs ≈ vice squad; ~ judiciaire ≈ Criminal Investigation Department (BRIT), ≈ Federal Bureau of Investigation (US); ~ secours ≈ emergency services pl (BRIT), ≈ paramedics pl (US)

policier, ière [pɔlisje, -jɛʀ] adj police cpd ♦ nm policeman; (aussi: roman ~) detective novel

polio [pɔljo] nf polio

polir [pɔliʀ] vt to polish

polisson, ne [pɔlisɔ̃, -ɔn] adj naughty

politesse [pɔlitɛs] nf politeness

politicien, ne [pɔlitisjɛ̃, -ɛn] nm/f politician

politique [pɔlitik] adj political ♦ nf (science, pratique, activité) politics sg; (mesures, méthode) policies pl; **politiser** vt to politicize

pollen [pɔlɛn] nm pollen

pollution [pɔlysjɔ̃] nf pollution

polo [polo] nm polo shirt

Pologne [pɔlɔɲ] nf: la ~ Poland; **polonais, e** adj, nm (LING) Polish; **Polonais, e** nm/f Pole

poltron, ne [pɔltʀɔ̃, -ɔn] adj cowardly

polycopier [pɔlikɔpje] vt to duplicate

Polynésie [pɔlinezi] nf: la ~ Polynesia

polyvalent, e [pɔlivalɑ̃, -ɑ̃t] adj versatile; multi-purpose

pommade [pɔmad] nf ointment, cream

pomme [pɔm] nf (BOT) apple; tomber dans les ~s (fam) to pass out; ~ d'Adam Adam's apple; ~ d'arrosoir (sprinkler) rose; ~ de pin pine ou fir cone; ~ de terre potato

pommeau, x [pɔmo] nm (boule) knob; (de selle) pommel

pommette [pɔmɛt] nf cheekbone

pommier [pɔmje] nm apple tree

pompe [pɔ̃p] nf pump; (faste) pomp (and ceremony); ~ à essence petrol pump; ~s funèbres funeral parlour sg, undertaker's sg

pomper [pɔ̃pe] vt to pump; (évacuer) to pump out; (aspirer) to pump up; (absorber) to soak up

pompeux, euse [pɔ̃pø, -øz] adj pompous

pompier [pɔ̃pje] nm fireman

pompiste [pɔ̃pist(ə)] nm/f petrol (BRIT) ou gas (US) pump attendant

poncer [pɔ̃se] vt to sand (down)

ponctuation [pɔ̃ktɥasjɔ̃] nf punctuation

ponctuel, le [pɔ̃ktɥɛl] adj (à l'heure, aussi TECH) punctual; (fig: opération etc) one-off, single; (scrupuleux) punctilious, meticulous

ponctuer [pɔ̃ktɥe] vt to punctuate

pondéré, e [pɔ̃deʀe] adj level-headed, composed

pondre [pɔ̃dʀ(ə)] vt to lay; (fig) to produce

poney [pɔnɛ] nm pony

pont [pɔ̃] nm bridge; (AUTO) axle; (NAVIG) deck; faire le ~ to take the extra day off; ~ de graissage ramp (in garage); ~ suspendu suspension bridge; P~s et Chaussées highways department

pont-levis [pɔ̃lvi] nm drawbridge

pop [pɔp] adj inv pop

populace [pɔpylas] (péj) nf rabble

populaire [pɔpylɛʀ] adj popular; (manifestation) mass cpd; (milieux, clientèle) working-class

population [pɔpylasjɔ̃] nf population; ~ active nf working population

populeux, euse [pɔpylø, -øz] adj densely populated

porc [pɔʀ] nm (ZOOL) pig; (CULIN) pork; (peau) pigskin

porcelaine [pɔʀsəlɛn] nf porcelain, china; piece of china(ware)

porc-épic [pɔʀkepik] nm porcupine

porche [pɔʀʃ(ə)] nm porch

porcherie [pɔʀʃəʀi] nf pigsty

pore [pɔʀ] nm pore

porno [pɔʀno] adj abr pornographic, porno

port [pɔʀ] nm (NAVIG) harbour, port; (ville) port; (de l'uniforme etc) wearing; (pour lettre) postage; (pour colis, aussi: posture) carriage; ~ d'arme (JUR) carrying of a firearm

portable [pɔʀtabl(ə)] nm (COMPUT) laptop (computer)

portail [pɔʀtaj] nm gate; (de cathédrale) portal

portant, e [pɔʀtɑ̃, -ɑ̃t] adj: bien/mal ~ in good/poor health

portatif, ive [pɔʀtatif, -iv] adj portable

porte [pɔʀt(ə)] nf door; (de ville, forteresse, SKI) gate; mettre à la ~ to throw out; ~ à ~ nm inv door-to-door selling; ~ d'entrée front door; ~-à-faux nm: en ~-à-faux cantilevered; (fig) in an awkward position; ~-avions nm inv aircraft carrier; ~-bagages nm inv luggage rack; ~-clefs nm inv key ring; ~-documents nm inv attaché ou document case

portée [pɔʀte] nf (d'une arme) range; (fig) impact, import; scope, capability; (de chatte etc) litter; (MUS) stave, staff; à/hors de ~ (de) within/out of reach (of); à ~ de (la) main within (arm's) reach; à ~ de voix within earshot; à la ~ de qn (fig) at sb's level, within sb's capabilities

porte: ~-fenêtre nf French window; ~feuille nm wallet; (POL, BOURSE) portfolio; ~-jarretelles nm inv suspender belt; ~manteau, x nm coat hanger; coat rack; ~-mine nm propelling (BRIT) ou mechanical (US) pencil; ~-monnaie nm inv purse; ~-parole nm inv spokesman

porter [pɔʀte] vt to carry; (sur soi: vêtement, barbe, bague) to wear; (fig: responsabilité etc) to bear, carry; (inscription, marque, titre, patronyme: suj: arbre, fruits, fleurs) to bear; (apporter): ~

qch quelque part/à qn to take sth somewhere/to sb ◆ vi (voix, regard, canon) to carry; (coup, argument) to hit home; se ~ vi (se sentir): se ~ bien/mal to be well/unwell; ~ sur (peser) to rest on; (accent) to fall on; (conférence etc) to concern; (heurter) to strike; être porté à faire to be apt ou inclined to do; se faire ~ malade to report sick; ~ la main à son chapeau to raise one's hand to one's hat; ~ son effort sur to direct one's efforts towards; ~ à croire to lead one to believe

porte-serviettes [pɔʀtsɛʀvjɛt] nm inv towel rail

porteur [pɔʀtœʀ] nm (de bagages) porter; (de chèque) bearer

porte-voix [pɔʀtəvwa] nm inv megaphone

portier [pɔʀtje] nm doorman

portière [pɔʀtjɛʀ] nf door

portillon [pɔʀtijɔ̃] nm gate

portion [pɔʀsjɔ̃] nf (part) portion, share; (partie) portion, section

portique [pɔʀtik] nm (RAIL) gantry

porto [pɔʀto] nm port (wine)

portrait [pɔʀtʀɛ] nm portrait; photograph; portrait-robot nm Identikit (®) ou photo-fit (®) picture

portuaire [pɔʀtɥɛʀ] adj port cpd, harbour cpd

portugais, e [pɔʀtygɛ, -ɛz] adj, nm/f Portuguese

Portugal [pɔʀtygal] nm: le ~ Portugal

pose [poz] nf laying; hanging; (attitude, d'un modèle) pose; (PHOTO) exposure

posé, e [poze] adj serious

poser [poze] vt (déposer): ~ qch (sur)/qn à to put sth down (on)/drop sb at; (placer): ~ qch sur/quelque part to put sth on/somewhere; (installer: moquette, carrelage) to lay; (rideaux, papier peint) to hang; (question) to ask; (principe, conditions) to lay ou set down; (problème) to formulate; (difficulté) to pose ◆ vi (modèle) to pose; se ~ vi (oiseau, avion) to land; (question) to arise

positif, ive [pozitif, -iv] adj positive

position [pozisjɔ̃] nf position; prendre ~ (fig) to take a stand

posologie [pɔsɔlɔʒi] nf directions for use, dosage

posséder [pɔsede] vt to own, possess; (qualité, talent) to have, possess; (bien connaître: métier, langue) to have mastered, have a thorough knowledge of; (sexuellement, aussi: suj: colère etc) to possess; possession nf ownership no pl; possession

possibilité [pɔsibilite] nf possibility; ~s nfpl (moyens) means; (potentiel) potential sg

possible [pɔsibl(ə)] adj possible; (projet, entreprise) feasible ◆ nm: faire son ~ to do all one can, do one's utmost; le plus/moins de livres ~ as many/few books as possible; le plus/moins d'eau ~ as much/little water as possible; dès que ~ as soon as possible

postal, e, aux [pɔstal, -o] adj postal

poste [pɔst(ə)] nf (service) post, postal service; (administration, bureau) post office ◆ nm (fonction, MIL) post; (TÉL) extension; (de radio etc) set; mettre à la ~ to post; P~s, Télécommunications et Télédiffusion postal and telecommunications service; ~ d'essence nm petrol ou filling station; ~ d'incendie nm fire point; ~ de pilotage nm cockpit; ~ (de police) nm police station; ~ de secours nm first-aid post; ~ de travail nm work station; poste restante nf poste restante (BRIT), general delivery (US)

poster[1] [pɔste] vt to post

poster[2] [pɔstɛʀ] nm poster

postérieur, e [pɔsteʀjœʀ] adj (date) later; (partie) back ◆ nm (fam) behind

posthume [pɔstym] adj posthumous

postiche [pɔstiʃ] nm hairpiece

postuler [pɔstyle] vt (emploi) to apply for, put in for

posture [pɔstyʀ] nf posture; position

pot [po] nm jar, pot; (en plastique, carton) carton; (en métal) tin; boire ou prendre un ~ (fam) to have a drink; ~ (de chambre) (chamber)pot; ~ d'échappement exhaust pipe; ~ de fleurs plant pot, flowerpot; (plante) pot plant

potable [pɔtabl(ə)] adj: eau (non) ~ (non-)drinking water

potage [pɔtaʒ] nm soup; soup course

potager, ère [pɔtaʒe, -ɛʀ] adj (plante) edible, vegetable cpd; (jardin) ~ kitchen ou vegetable garden

pot-au-feu [pɔtofø] nm inv (beef) stew

pot-de-vin [podvɛ̃] nm bribe

pote [pɔt] (fam) nm pal

poteau, x [pɔto] nm post; ~ indicateur signpost

potelé, e [pɔtle] adj plump, chubby

potence [pɔtɑ̃s] nf gallows sg

potentiel, le [pɔtɑ̃sjɛl] adj, nm potential

poterie [pɔtʀi] nf pottery; piece of pottery

potier [pɔtje] nm potter

potins [pɔtɛ̃] nmpl gossip sg

potiron [pɔtiʀɔ̃] nm pumpkin

pou, x [pu] nm louse

poubelle [pubɛl] nf (dust)bin

pouce [pus] nm thumb

poudre [pudʀ(ə)] nf powder; (fard) (face) powder; (explosif) gunpowder; en ~: café en ~ instant coffee; lait en ~ dried ou powdered milk; poudrier nm (powder) compact

pouffer [pufe] vi: ~ (de rire) to snigger; to giggle

pouilleux, euse [pujø, -øz] adj flea-ridden; (fig) grubby; seedy

poulailler [pulaje] nm henhouse

poulain [pulɛ̃] nm foal; (fig) protégé

poule [pul] nf (ZOOL) hen; (CULIN) (boiling) fowl

poulet [pulɛ] nm chicken; (fam) cop

poulie [puli] nf pulley; block

pouls [pu] nm pulse; prendre le ~ de qn to feel sb's pulse

poumon [pumɔ̃] nm lung

poupe [pup] nf stern; en ~ astern

poupée [pupe] nf doll

poupon [pupɔ̃] nm babe-in-arms; pouponnière nf crèche, day nursery

pour [puʀ] prép for ◆ nm: le ~ et le contre the pros and cons; ~ faire (so as) to do, in order to do; ~ avoir fait for having done; ~ que so that, in order that; ~ 100 francs d'essence 100 francs' worth of petrol; ~ cent per cent; ~ ce qui est de as for

pourboire [puʀbwaʀ] nm tip

pourcentage [puʀsɑ̃taʒ] nm percentage

pourchasser [puʀʃase] vt to pursue

pourparlers [puʀpaʀle] nmpl talks, negotiations

pourpre [puʀpʀ(ə)] adj crimson

pourquoi [puʀkwa] adv, conj why ◆ nm inv: le ~ (de) the reason (for)

pourrai etc vb voir **pouvoir**

pourri, e [puʀi] adj rotten

pourrir [puʀiʀ] vi to rot; (fruit) to go rotten ou bad ◆ vt to rot; (fig) to spoil thoroughly; pourriture nf rot

pourrons etc vb voir **pouvoir**

poursuite [puʀsɥit] nf pursuit, chase; ~s nfpl (JUR) legal proceedings

poursuivre [puʀsɥivʀ(ə)] vt to pursue, chase (after); (relancer) to hound, harry; (obséder) to haunt; (JUR) to bring proceedings against, prosecute; (: au civil) to sue; (but) to strive towards; (voyage, études) to carry on with, continue ◆ vi to carry on, go on; se ~ vi to go on, continue

pourtant [puʀtɑ̃] adv yet; c'est ~ facile (and) yet it's easy

pourtour [puʀtuʀ] nm perimeter

pourvoir [puʀvwaʀ] vt: ~ qch/qn de to equip sth/sb with ◆ vi: ~ à to provide for; (emploi) to fill; se ~ vi (JUR): se ~ en cassation to take one's case to the Court of Appeal

pourvoyeur [puʀvwajœʀ] nm supplier

pourvu, e [puʀvy] adj: ~ de equipped with; ~ que (si) provided that, so long as; (espérons que) let's hope (that)

pousse [pus] nf growth; (bourgeon) shoot

poussé, e [puse] adj exhaustive

poussée [puse] nf thrust; (coup) push; (MÉD) eruption; (fig) upsurge

pousser [puse] vt to push; (inciter): ~ qn à to urge ou press sb to +infin; (acculer): ~ qn à to drive sb to; (émettre: cri etc) to give; (stimuler) to urge on; to drive hard; (poursuivre) to carry on (further) ◆ vi to push; (croître) to grow; se ~ vi to move over; faire ~ (plante) to grow

poussette [pusɛt] nf (voiture d'enfant) push chair (BRIT), stroller (US)

poussière [pusjɛʀ] nf dust; (grain) speck of dust; poussiéreux, euse adj dusty

poussin [pusɛ̃] nm chick

poutre [putʀ(ə)] nf beam; (en fer, ciment armé) girder

MOT-CLÉ

pouvoir [puvwaʀ] nm power; (POL: dirigeants): le ~ those in power; les ~s publics the authorities; ~ d'achat purchasing power

◆ vb semi-aux 1 (être en état de) can, be able to; je ne peux pas le réparer I can't ou I am not able to repair it; déçu de ne pas ~ le faire disappointed not to be able to do it

2 (avoir la permission) can, may, be allowed to; vous pouvez aller au cinéma you can ou may go to the pictures

3 (probabilité, hypothèse) may, might, could; il a pu avoir un accident he may ou might ou could have had an accident; il aurait pu le dire! he might ou could have said (so)!

◆ vb impers may, might, could; il peut arriver que it may ou might ou could happen that

◆ vt can, be able to; j'ai fait tout ce que j'ai pu I did all I could; je n'en peux plus (épuisé) I'm exhausted; (à bout) I can't take any more

se ~ vi: il se peut que it may ou might be that; cela se pourrait that's quite possible

prairie [pʀeʀi] nf meadow

praline [pʀalin] nf sugared almond

praticable [pʀatikabl(ə)] adj passable, practicable

praticien, ne [pʀatisjɛ̃, -jɛn] nm/f practitioner

pratique [pʀatik] nf practice ◆ adj practical

pratiquement [pʀatikmɑ̃] adv (pour ainsi dire) practically, virtually

pratiquer [pʀatike] vt to practise; (SPORT etc) to go in for; to play; (intervention, opération) to carry out; (ouverture, abri) to make

pré [pʀe] nm meadow

préalable [pʀealabl(ə)] adj preliminary; condition ~ (de) precondition (for), prerequisite (for); au ~ beforehand

préambule [pʀeɑ̃byl] nm preamble; (fig) prelude; sans ~ straight away

préavis [pʀeavi] nm notice; communication avec ~ (TÉL) personal ou person to person call

précaution [pʀekosjɔ̃] nf precaution; avec ~ cautiously; par ~ as a precaution

précédemment [pʀesedamɑ̃] adv before, previously

précédent, e [pʀesedɑ̃, -ɑ̃t] adj previous ◆ nm precedent; le jour ~ the day before, the previous day; sans ~ unprecedented

précéder [pʀesede] vt to precede; (marcher ou rouler devant) to be in front of

précepteur, trice [pʀesɛptœʀ, -tʀis] nm/f (private) tutor

prêcher [pʀeʃe] vt to preach

précieux, euse [pʀesjø, -øz] adj precious; invaluable; (style, écrivain) précieux, precious

précipice [pʀesipis] nm drop, chasm; (fig) abyss

précipitamment [pʀesipitamɑ̃] adv hurriedly, hastily

précipitation [pʀesipitasjɔ̃] nf (hâte) haste; ~s nfpl (pluie) rain sg

précipité, e [pʀesipite] adj hurried, hasty

précipiter [pʀesipite] vt (faire tomber): ~ qn/qch du haut de to throw ou hurl sb/sth off ou from; (hâter: marche) to quicken; (: départ) to hasten; se ~ vi to speed up; se ~ sur/vers to rush at/towards

précis, e [pʀesi, -iz] adj precise; (tir, mesures) accurate, precise ◆ nm handbook; précisément adv precisely; préciser vt (expliquer) to be more specific about, clarify; (spécifier) to state, specify; se ~er vi to become clear(er); précision nf precision; accuracy; point ou detail (being or to be clarified)

précoce [pʀekɔs] adj early; (enfant) precocious; (calvitie) premature

préconiser [pʀekɔnize] vt to advocate

prédécesseur [pʀedesesœʀ] nm predecessor

prédilection [pʀedilɛksjɔ̃] nf: avoir une ~ pour to be partial to; de ~ favourite

prédire [pʀediʀ] vt to predict

prédominer [pʀedɔmine] vi to predominate; (avis) to prevail

préface [pʀefas] nf preface

préfecture [pʀefɛktyʀ] nf prefecture; ~ de police police headquarters pl

préférable [pʀefeʀabl(ə)] adj preferable

préféré, e [pʀefeʀe] adj, nm/f favourite

préférence [pʀefeʀɑ̃s] nf preference; de ~ preferably

préférer [pʀefeʀe] vt: ~ qn/qch (à) to prefer sb/sth (to), like sb/sth better (than); ~ faire to prefer to do; je ~ais du thé I would rather have tea, I'd prefer tea

préfet [pʀefɛ] nm prefect

préfixe [pʀefiks(ə)] nm prefix

préhistorique [pʀeistɔʀik] adj prehistoric

préjudice [pʀeʒydis] nm (matériel) loss; (moral) harm no pl; porter ~ à to harm, be detrimental to; au ~ de at the expense of

préjugé [pʀeʒyʒe] nm prejudice; avoir un ~ contre to be prejudiced ou biased against

préjuger [pʀeʒyʒe]: ~ de vt to prejudge

prélasser [pʀelase]: se ~ vi to lounge

prélèvement [pʀelɛvmɑ̃] nm: faire un ~ de sang to take a blood sample

prélever [pʀelve] vt (échantillon) to take; (argent): ~ (sur) to deduct (from); (: sur son compte): ~ (sur) to withdraw (from)

prématuré, e [pʀematyʀe] adj premature; (retraite) early ◆ nm premature baby

premier, ière [pʀəmje, -jɛʀ] adj first; (branche, marche) bottom; (fig) basic; prime; initial; le ~ venu the first person to come along; P~ Ministre Prime Minister; première nf (THÉÂTRE) first night; (AUTO) first (gear); (AVIAT, RAIL etc) first class; (CINÉMA) première; (exploit) first; premièrement adv firstly

prémonition [pʀemɔnisjɔ̃] nf premonition

prémunir [pʀemyniʀ]: se ~ vi: se ~ contre to guard against

prenant, e [pʀənɑ̃, -ɑ̃t] adj absorbing, engrossing

prénatal, e [pʀenatal] adj (MÉD) antenatal

prendre [pʀɑ̃dʀ(ə)] vt to take; (ôter): ~ qch à to take sth from; (aller chercher) to get, fetch; (se procurer) to get; (malfaiteur, poisson) to catch; (passager) to pick up; (personnel, aussi: couleur, goût) to take on; (locataire) to take in; (élève etc: traiter) to handle; (voix, ton) to put on; (coincer): se ~ les doigts dans to get one's fingers caught in ◆ vi (liquide, ciment) to set; (greffe, vaccin) to take; (feu: foyer) to go; (: incendie) to start; (allumette) to light; (se diriger): ~ à gauche to turn (to the) left; à tout ~ on the whole, all in all; se ~ pour to think one is; s'en ~ à to attack; se ~ d'amitié/d'affection pour to befriend/become fond of; s'y ~ (procéder) to set about it

preneur [pʀənœʀ] nm: être/trouver ~ to be willing to buy/find a buyer

preniez vb voir **prendre**

prenne etc vb voir **prendre**

prénom [pʀenɔ̃] nm first ou Christian name

prénuptial, e, aux [pʀenypsjal, -o] adj premarital

préoccupation [pʀeɔkypasjɔ̃] nf (souci) concern; (idée fixe) preoccupation

préoccuper [pʀeɔkype] vt to concern; to preoccupy

préparatifs [pʀepaʀatif] nmpl preparations

préparation [pʀepaʀasjɔ̃] nf preparation; (SCOL) piece of homework

préparer [pʀepaʀe] vt to prepare; (café) to make; (examen) to prepare for; (voyage, entreprise) to plan; se ~ vi (orage, tragédie) to brew, be in the air; se ~ (à qch/faire) to prepare (o.s.) ou get ready (for sth/to do); ~ qch à qn (surprise etc) to have sth in store for sb

prépondérant, e [pʀepɔ̃deʀɑ̃, -ɑ̃t] adj major, dominating

préposé, e [pʀepoze] adj: ~ à in charge of ◆ nm/f employee; official; attendant

préposition [pʀepozisjɔ̃] nf preposition

près [pʀɛ] adv near, close; ~ de near (to), close to; (environ) nearly, almost; de ~ closely; à 5 kg ~ to within about 5 kg; à cela ~ que apart from the fact that

présage [pʀezaʒ] nm omen

présager [pʀezaʒe] vt to foresee

presbyte [pʀɛsbit] adj long-sighted

presbytère [pʀɛsbitɛʀ] nm presbytery

prescription [pʀɛskʀipsjɔ̃] nf (instruction) order, instruction; (MÉD, JUR) prescription

prescrire [pʀɛskʀiʀ] vt to prescribe

préséance [pʀeseɑ̃s] nf precedence no pl

présence [pʀezɑ̃s] nf presence; (au bureau etc) attendance; ~ d'esprit presence of mind

présent, e [pʀezɑ̃, -ɑ̃t] adj, nm present; à ~ (que) now (that)

présentation [pʀezɑ̃tasjɔ̃] nf introduction; presentation; (allure) appearance

présenter [pʀezɑ̃te] vt to present; (sympathie, condoléances) to offer; (soumettre) to submit; (invité, conférencier): ~ qn (à) to introduce sb (to) ◆ vi: ~ mal/bien to have an unattractive/a pleasing appearance; se ~ vi (sur convocation) to report, come; (à une élection) to stand; (occasion) to arise; se ~ bien/mal to look good/not too good; se ~ à (examen) to sit

préservatif [pʀezɛʀvatif] nm sheath, condom

préserver [pʀezɛʀve] vt: ~ de to protect from; to save from

président [pʀezidɑ̃] nm (POL) president; (d'une assemblée, COMM) chairman; ~ directeur général chairman and managing director

présider [pʀezide] vt to preside over; (dîner) to be the guest of honour at; ~ à to direct; to govern

présomptueux, euse [pʀezɔ̃ptɥø, -øz] adj presumptuous

presque [pʀɛsk(ə)] adv almost, nearly; ~ rien hardly anything; ~ pas hardly (at all); ~ pas de hardly any

presqu'île [pʀɛskil] nf peninsula

pressant, e [pʀɛsɑ̃, -ɑ̃t] adj urgent; se faire ~ to become insistent

presse [pʀɛs] nf press; (affluence): heures de ~ busy times

pressé, e [pʀese] adj in a hurry; (air) hurried; (besogne) urgent; orange ~e fresh orange juice

pressentiment [pʀesɑ̃timɑ̃] nm foreboding, premonition

pressentir [pʀesɑ̃tiʀ] *vt* to sense; (*prendre contact avec*) to approach

presse-papiers [pʀespapje] *nm inv* paperweight

presser [pʀese] *vt* (*fruit, éponge*) to squeeze; (*bouton*) to press; (*allure, affaire*) to speed up; (*inciter*): ~ **qn de faire** to urge *ou* press sb to do ◆ *vi* to be urgent; **se** ~ *vi* (*se hâter*) to hurry (up); **se** ~ **contre qn** to squeeze up against sb; **rien ne presse** there's no hurry

pressing [pʀesiŋ] *nm* steam-pressing; (*magasin*) dry-cleaner's

pression [pʀesjɔ̃] *nf* pressure; **faire** ~ **sur** to put pressure on; ~ **artérielle** blood pressure

pressoir [pʀeswaʀ] *nm* (wine *ou* oil *etc*) press

prestance [pʀestɑ̃s] *nf* presence, imposing bearing

prestataire [pʀestatɛʀ] *nm/f* supplier

prestation [pʀestasjɔ̃] *nf* (*allocation*) benefit; (*d'une entreprise*) service provided; (*d'un artiste*) performance

prestidigitateur, trice [pʀestidiʒitatœʀ, -tʀis] *nm/f* conjurer

prestigieux, euse [pʀestiʒjø, -øz] *adj* prestigious

présumer [pʀezyme] *vt*: ~ **que** to presume *ou* assume that; ~ **de** to overrate

présupposer [pʀesypoze] *vt* to presuppose

prêt, e [pʀɛ, pʀɛt] *adj* ready ◆ *nm* lending *no pl*; loan; **prêt-à-porter** *nm* ready-to-wear *ou* off-the-peg (*BRIT*) clothes *pl*

prétendant [pʀetɑ̃dɑ̃] *nm* pretender; (*d'une femme*) suitor

prétendre [pʀetɑ̃dʀ(ə)] *vt* (*affirmer*): ~ **que** to claim that; (*avoir l'intention de*): ~ **faire qch** to mean *ou* intend to do sth; ~ **à** (*droit, titre*) to lay claim to; **prétendu, e** *adj* (*supposé*) so-called

prête-nom [pʀɛtnɔ̃] (*péj*) *nm* figurehead

prétentieux, euse [pʀetɑ̃sjø, -øz] *adj* pretentious

prétention [pʀetɑ̃sjɔ̃] *nf* claim; pretentiousness

prêter [pʀete] *vt* (*livres, argent*): ~ **qch (à)** to lend sth (to); (*supposer*): ~ **à qn** (*caractère, propos*) to attribute to sb ◆ *vi* (*aussi: se* ~*: tissu, cuir*) to give; **se** ~ **à** to lend o.s. (*ou* itself) to; (*manigances etc*) to go along with; ~ **à** (*commentaires etc*) to be open to, give rise to; ~ **assistance à** to give help to; ~ **attention à** to pay attention to; ~ **serment** to take the oath; ~ **l'oreille** to listen

prétexte [pʀetɛkst(ə)] *nm* pretext, excuse; **sous aucun** ~ on no account; **prétexter** *vt* to give as a pretext *ou* an excuse

prêtre [pʀɛtʀ(ə)] *nm* priest

preuve [pʀœv] *nf* proof; (*indice*) proof, evidence *no pl*; **faire** ~ **de** to show; **faire ses** ~**s** to prove o.s. (*ou* itself)

prévaloir [pʀevalwaʀ] *vi* to prevail; **se** ~ **de** *vt* to take advantage of; to pride o.s. on

prévenant, e [pʀevnɑ̃, -ɑ̃t] *adj* thoughtful, kind

prévenir [pʀevniʀ] *vt* (*avertir*): ~ **qn (de)** to warn sb (about); (*informer*): ~ **qn (de)** to tell *ou* inform sb (about); (*éviter*) to avoid, prevent; (*anticiper*) to forestall; to anticipate

prévention [pʀevɑ̃sjɔ̃] *nf* prevention; ~ **routière** road safety

prévenu, e [pʀevny] *nm/f* (*JUR*) defendant, accused

prévision [pʀevizjɔ̃] *nf*: ~**s** predictions; forecast *sg*; **en** ~ **de** in anticipation of; ~**s météorologiques** weather forecast *sg*

prévoir [pʀevwaʀ] *vt* (*deviner*) to foresee; (*s'attendre à*) to expect, reckon on; (*prévenir*) to anticipate; (*organiser*) to plan; (*préparer, réserver*) to allow; **prévu pour 10h** scheduled for 10 o'clock

prévoyance [pʀevwajɑ̃s] *nf*: **caisse de** ~ contingency fund

prévoyant, e [pʀevwajɑ̃, -ɑ̃t] *adj* gifted with (*ou* showing) foresight

prévu, e [pʀevy] *pp de* **prévoir**

prier [pʀije] *vi* to pray ◆ *vt* (*Dieu*) to pray to; (*implorer*) to beg; (*demander*): ~ **qn de faire** to ask sb to do; **se faire** ~ to need coaxing *ou* persuading; **je vous en prie** (*allez-y*) please do; (*de rien*) don't mention it

prière [pʀijɛʀ] *nf* prayer; "~ **de faire** ..." "please do ..."

primaire [pʀimɛʀ] *adj* primary; (*péj*) simple-minded; simplistic ◆ *nm* (*SCOL*) primary education

prime [pʀim] *nf* (*bonification*) bonus; (*subside*) premium; allowance; (*COMM: cadeau*) free gift; (*ASSURANCES, BOURSE*) premium ◆ *adj*: **de** ~ **abord** at first glance

primer [pʀime] *vt* (*l'emporter sur*) to prevail over; (*récompenser*) to award a prize to ◆ *vi* to dominate; to prevail

primeurs [pʀimœʀ] *nfpl* early fruits and vegetables

primevère [pʀimvɛʀ] *nf* primrose

primitif, ive [pʀimitif, -iv] *adj* primitive; (*originel*) original

prince [pʀɛ̃s] *nm* prince; **princesse** *nf* princess

principal, e, aux [pʀɛ̃sipal, -o] *adj* principal, main ◆ *nm* (*SCOL*) principal, head(master); (*essentiel*) main thing

principe [pʀɛ̃sip] *nm* principle; **pour le** ~ on principle; **de** ~ (*accord, hostilité*) automatic; **par** ~ on principle; **en** ~ (*habituellement*) as a rule; (*théoriquement*) in principle

printemps [pʀɛ̃tɑ̃] *nm* spring

priorité [pʀijɔʀite] *nf* (*AUTO*): **avoir la** ~ **(sur)** to have right of way (over); ~ **à droite** right of way to vehicles coming from the right

pris, e [pʀi, pʀiz] *pp de* **prendre** ◆ *adj* (*place*) taken; (*journée, mains*) full; (*billets*) sold; (*personne*) busy; **avoir le nez/la gorge** ~**(e)** to have a stuffy nose/a hoarse throat; **être** ~ **de panique** to be panic-stricken

prise [pʀiz] *nf* (*d'une ville*) capture; (*PÊCHE, CHASSE*) catch; (*point d'appui ou pour empoigner*) hold; (*ÉLEC: fiche*) plug; (*: femelle*) socket; **être aux** ~**s avec** to be grappling with; ~ **de contact** *nf* (*rencontre*) initial meeting, first contact; ~ **de courant** power point; ~ **de sang** blood test; ~ **de terre** earth; ~ **de vue** (*photo*) shot; ~ **multiple** adaptor

priser [pʀize] *vt* (*tabac, héroïne*) to take; (*estimer*) to prize, value ◆ *vi* to take snuff

prison [pʀizɔ̃] *nf* prison; **aller/être en** ~ to go to/be in prison *ou* jail; **faire de la** ~ to serve time; **prisonnier, ière** *nm/f* prisoner ◆ *adj* captive

prit *vb voir* **prendre**

privé, e [pʀive] *adj* private; **en** ~ in private

priver [pʀive] *vt*: ~ **qn de** to deprive sb of; **se** ~ **de** to go *ou* do without

privilège [pʀivilɛʒ] *nm* privilege

prix [pʀi] *nm* (*valeur*) price; (*récompense, SCOL*) prize; **hors de** ~ exorbitantly priced; **à aucun** ~ not at any price; **à tout** ~ at all costs; ~ **d'achat/de vente/de revient** purchasing/selling/cost price

probable [pʀɔbabl(ə)] *adj* likely, probable; ~**ment** *adv* probably

probant, e [pʀɔbɑ̃, -ɑ̃t] *adj* convincing

problème [pʀɔblɛm] *nm* problem

procédé [pʀɔsede] *nm* (*méthode*) process; (*comportement*) behaviour *no pl*

procéder [pʀɔsede] *vi* to proceed; to behave; ~ **à** to carry out

procès [pʀɔsɛ] *nm* trial; (*poursuites*) proceedings *pl*; **être en** ~ **avec** to be involved in a lawsuit with

processus [pʀɔsesys] *nm* process

procès-verbal, aux [pʀɔsɛvɛʀbal, -o] *nm* (*constat*) statement; (*aussi: P.V.*): **avoir un** ~ to get a parking ticket; to be booked; (*de réunion*) minutes *pl*

prochain, e [pʀɔʃɛ̃, -ɛn] *adj* next; (*proche*) impending; near ◆ *nm* fellow man; **la** ~**e fois/semaine** ~**e** next time/week; **prochainement** *adv* soon, shortly

proche [pʀɔʃ] *adj* nearby; (*dans le temps*) imminent; (*parent, ami*) close; ~**s** *nmpl* (*parents*) close relatives; **être** ~ **(de)** to be near, be close (to); **de** ~ **en** ~ gradually; **le P**~ **Orient** the Middle East

proclamer [pʀɔklame] *vt* to proclaim

procuration [pʀɔkyʀasjɔ̃] *nf* proxy; power of attorney

procurer [pʀɔkyʀe] *vt*: ~ **qch à qn** (*fournir*) to obtain sth for sb; (*causer: plaisir etc*) to bring sb sth; **se** ~ *vt* to get

procureur [pʀɔkyʀœʀ] *nm* public prosecutor

prodige [pʀɔdiʒ] *nm* marvel, wonder; (*personne*) prodigy

prodigue [pʀɔdig] *adj* generous; extravagant; **fils** ~ prodigal son

prodiguer [pʀɔdige] *vt* (*argent, biens*) to be lavish with; (*soins, attentions*): ~ **qch à qn** to give sb sth

producteur, trice [pʀɔdyktœʀ, -tʀis] *nm/f* producer

production [pʀɔdyksjɔ̃] *nf* (*gén*) production; (*rendement*) output

produire [pʀɔdɥiʀ] *vt* to produce; **se** ~ *vi* (*acteur*) to perform, appear; (*événement*) to happen, occur

produit [pʀɔdɥi] *nm* (*gén*) product; ~ **d'entretien** cleaning product; ~ **national brut** gross national product; ~**s agricoles** farm produce *sg*; ~**s alimentaires** *nmpl* foodstuffs

prof [pʀɔf] (*fam*) *nm* teacher

profane [pʀɔfan] *adj* (*REL*) secular ◆ *nm/f* layman(woman)

proférer [pʀɔfeʀe] *vt* to utter

professeur [pʀɔfesœʀ] *nm* teacher; (*titulaire d'une chaire*) professor; ~ **(de faculté)** (university) lecturer

profession [pʀɔfesjɔ̃] *nf* profession; **sans** ~ unemployed; **professionnel, le** *adj, nm/f* professional

profil [pʀɔfil] *nm* profile; (*d'une voiture*) line, contour; **de** ~ in profile; **profiler** *vt* to streamline

profit [pʀɔfi] *nm* (*avantage*) benefit, advantage; (*COMM, FINANCE*) profit; **au** ~ **de** in aid of; **tirer** ~ **de** to profit from

profitable [pʀɔfitabl(ə)] *adj* beneficial; profitable

profiter [pʀɔfite] *vi*: ~ **de** to take advantage of; to make the most of; ~ **à** to benefit; to be profitable to

profond, e [pʀɔfɔ̃, -ɔ̃d] *adj* deep; (*méditation, mépris*) profound; **profondeur** *nf* depth

progéniture [pʀɔʒenityʀ] *nf* offspring *inv*

programme [pʀɔgʀam] *nm* programme; (*TV, RADIO*) programmes *pl*; (*SCOL*) syllabus, curriculum; (*INFORM*) program; **programmer** *vt* (*TV, RADIO*) to put on, show; (*INFORM*) to program; **programmeur, euse** *nm/f* programmer

progrès [pʀɔgʀɛ] *nm* progress *no pl*; **faire des** ~ to make progress

progresser [pʀɔgʀese] *vi* to progress; (*troupes etc*) to make headway *ou* progress; **progressif, ive** *adj* progressive

prohiber [pʀɔibe] *vt* to prohibit, ban

proie [pʀwa] *nf* prey *no pl*

projecteur [pʀɔʒɛktœʀ] *nm* projector; (*de théâtre, cirque*) spotlight

projectile [pʀɔʒɛktil] *nm* missile

projection [pʀɔʒɛksjɔ̃] *nf* projection; showing; **conférence avec** ~**s** lecture with slides (*ou* a film)

projet [pʀɔʒɛ] *nm* plan; (*ébauche*) draft; ~ **de loi** bill

projeter [pʀɔʒte] *vt* (*envisager*) to plan; (*film, photos*) to project; (*passer*) to show; (*ombre, lueur*) to throw, cast; (*jeter*) to throw up (*ou* off *ou* out)

prolixe [pʀɔliks(ə)] *adj* verbose

prolongement [pʀɔlɔ̃ʒmɑ̃] *nm* extension; ~**s** *nmpl* (*fig*) repercussions, effects; **dans le** ~ **de** running on from

prolonger [pʀɔlɔ̃ʒe] *vt* (*débat, séjour*) to prolong; (*délai, billet, rue*) to extend; (*suj: chose*) to be a continuation *ou* an extension of; **se** ~ *vi* to go on

promenade [pʀɔmnad] *nf* walk (*ou* drive *ou* ride); **faire une** ~ to go for a walk; **une** ~ **en voiture/à vélo** a drive/(bicycle) ride

promener [pʀɔmne] *vt* (*chien*) to take out for a walk; (*doigts, regard*): ~ **qch sur** to run sth over; **se** ~ *vi* to go for (*ou* be out for) a walk

promesse [pʀɔmɛs] *nf* promise

promettre [pʀɔmɛtʀ(ə)] *vt* to promise ◆ *vi* to be *ou* look promising; ~ **à qn de faire** to promise sb that one will do

promiscuité [pʀɔmiskɥite] *nf* crowding; lack of privacy

promontoire [pʀɔmɔ̃twaʀ] *nm* headland

promoteur, trice [pʀɔmɔtœʀ, -tʀis] *nm/f* (*instigateur*) instigator, promoter; ~ **(immobilier)** property developer (*BRIT*), real estate promoter (*US*)

promotion [pʀɔmosjɔ̃] *nf* promotion

promouvoir [pʀɔmuvwaʀ] *vt* to promote

prompt, e [pʀɔ̃, pʀɔ̃t] *adj* swift, rapid

prôner [pʀone] *vt* to advocate

pronom [pʀɔnɔ̃] *nm* pronoun

prononcer [pʀɔnɔ̃se] *vt* (*son, mot, jugement*) to pronounce; (*dire*) to utter; (*allocution*) to deliver; **se** ~ *vi* to reach a decision, give a verdict; **se** ~ **sur** to give an opinion on; **se** ~ **contre** to come down against; **prononciation** *nf* pronunciation

pronostic [pʀɔnɔstik] *nm* (*MÉD*) prognosis; (*fig: aussi:* ~*s*) forecast

propagande [pʀɔpagɑ̃d] *nf* propaganda

propager [pʀɔpaʒe] *vt* to spread; **se** ~ *vi* to spread

prophète [pʀɔfɛt] *nm* prophet

prophétie [pʀɔfesi] *nf* prophecy

propice [pʀɔpis] *adj* favourable

proportion [pʀɔpɔʀsjɔ̃] *nf* proportion; **toute(s)** ~**(s) gardée(s)** making due allowance(s)

propos [pʀɔpo] *nm* (*paroles*) talk *no pl*, remark; (*intention*) intention, aim; (*sujet*): **à quel** ~? what about?; **à** ~ **de** about, regarding; **à tout** ~ for no reason at all; **à** ~ by the way; (*opportunément*) at the right moment

proposer [pʀɔpoze] *vt* (*suggérer*): ~ **qch (à qn)/de faire** to suggest sth (to sb)/doing, propose sth (to sb)/to do; (*offrir*): ~ **qch à qn/de faire** to offer sb sth/to do; (*candidat*) to put forward; (*loi, motion*) to propose; **se** ~ to offer one's services; **se** ~ **de faire** to intend *ou* propose to do; **proposition** *nf* suggestion; proposal; offer; (*LING*) clause

propre [pʀɔpʀ(ə)] *adj* clean; (*net*) neat, tidy; (*possessif*) own; (*sens*) literal; (*particulier*): ~ **à** peculiar to; (*approprié*): ~ **à** suitable for; (*de nature à*): ~ **à faire** likely to do ◆ *nm*: **recopier au** ~ to make a fair copy of; **proprement** *adv* cleanly; neatly, tidily; **le village proprement dit** the village itself; **à proprement parler** strictly speaking; **propreté** *nf* cleanliness; neatness; tidiness

propriétaire [pʀɔpʀijetɛʀ] *nm/f* owner; (*pour le locataire*) landlord(lady)

propriété [pʀɔpʀijete] *nf* (*gén*) property; (*droit*) ownership; (*objet, immeuble, terres*) property *gén no pl*

propulser [pʀɔpylse] *vt* (*missile*) to propel; (*projeter*) to hurl, fling

proroger [pʀɔʀɔʒe] *vt* to put back, defer; (*prolonger*) to extend

proscrire [pʀɔskʀiʀ] *vt* (*bannir*) to banish; (*interdire*) to ban, prohibit

prose [pʀoz] *nf* (*style*) prose

prospecter [pʀɔspɛkte] *vt* to prospect; (*COMM*) to canvass

prospectus [pʀɔspɛktys] *nm* leaflet

prospère [pʀɔspɛʀ] *adj* prosperous

prosterner [pʀɔstɛʀne] : **se** ~ *vi* to bow low, prostrate o.s.

prostituée [pʀɔstitɥe] *nf* prostitute

protecteur, trice [pʀɔtɛktœʀ, -tʀis] *adj* protective; (*air, ton: péj*) patronizing ◆ *nm/f* protector

protection [pʀɔtɛksjɔ̃] *nf* protection; (*d'un personnage influent: aide*) patronage

protéger [pʀɔteʒe] *vt* to protect; **se** ~ **de** *ou* **contre** to protect o.s. from

protéine [pʀɔtein] *nf* protein

protestant, e [pʀɔtɛstɑ̃, -ɑ̃t] *adj, nm/f* Protestant

protestation [pʀɔtɛstasjɔ̃] *nf* (*plainte*) protest

protester [pʀɔtɛste] *vi*: ~ **(contre)** to protest (against *ou* about); ~ **de** (*son innocence, sa loyauté*) to protest

prothèse [pʀɔtɛz] *nf* artificial limb, prosthesis; ~ **dentaire** denture

protocole [pʀɔtɔkɔl] *nm* (*fig*) etiquette

proue [pʀu] *nf* bow(s *pl*), prow

prouesse [pʀuɛs] *nf* feat

prouver [pʀuve] *vt* to prove

provenance [pʀɔvnɑ̃s] *nf* origin; (*de mot, coutume*) source; **avion en** ~ **de** plane (arriving) from

provenir [pʀɔvniʀ] : ~ **de** *vt* to come from; (*résulter de*) to be the result of

proverbe [pʀɔvɛʀb(ə)] *nm* proverb

province [pʀɔvɛ̃s] *nf* province

proviseur [pʀɔvizœʀ] *nm* ≈ head(teacher) (*BRIT*), ≈ principal (*US*)

provision [pʀɔvizjɔ̃] *nf* (*réserve*) stock, supply; (*avance: à un avocat, avoué*) retainer, retaining fee; (*COMM*) funds *pl* (in account); reserve; ~**s** *nfpl* (*vivres*) provisions, food *no pl*

provisoire [pʀɔvizwaʀ] *adj* temporary; (*JUR*) provisional

provoquer [pʀɔvɔke] *vt* (*inciter*): ~ **qn à** to incite sb to; (*défier*) to provoke; (*causer*) to cause, bring about

proxénète [pʀɔksenɛt] *nm* procurer

proximité [pʀɔksimite] *nf* nearness, closeness; (*dans le temps*) imminence, closeness; **à** ~ near *ou* close by; **à** ~ **de** near (to), close to

prude [pʀyd] *adj* prudish

prudemment [pʀydamɑ̃] *adv* carefully, cautiously; wisely, sensibly

prudence [pʀydɑ̃s] *nf* carefulness; caution; **avec** ~ carefully; cautiously; **par (mesure de)** ~ as a precaution

prudent, e [pʀydɑ̃, -ɑ̃t] *adj* (*pas téméraire*) careful, cautious; (*: en général*) safety-conscious; (*sage, conseillé*) wise, sensible; (*réservé*) cautious

prune [pʀyn] *nf* plum

pruneau, x [pʀyno] *nm* prune

prunelle [pʀynɛl] *nf* pupil; eye

prunier [pʀynje] *nm* plum tree

psaume [psom] *nm* psalm

pseudonyme [psødɔnim] *nm* (*gén*) fictitious name; (*d'écrivain*) pseudonym, pen name; (*de comédien*) stage name

psychiatre [psikjatʀ(ə)] *nm/f* psychiatrist

psychiatrique [psikjatʀik] *adj* psychiatric

psychique [psiʃik] *adj* psychological

psychologie [psikɔlɔʒi] *nf* psychology; **psychologique** *adj* psychological; **psychologue** *nm/f* psychologist

P.T.T. *sigle fpl* = **Postes, Télécommunications et Télédiffusion**

pu *pp de* **pouvoir**

puanteur [pɥɑ̃tœʀ] *nf* stink, stench

pub [pyb] (*fam*) *abr f* (= *publicité*): **la** ~ advertising

public, ique [pyblik] *adj* public; (*école, instruction*) state *cpd* ◆ *nm* public; (*assistance*) audience; **en** ~ in public

publicitaire [pyblisitɛʀ] *adj* advertising *cpd*; (*film, voiture*) publicity *cpd*

publicité [pyblisite] *nf* (*méthode, profession*) advertising; (*annonce*) advertisement; (*révélations*) publicity

publier [pyblije] *vt* to publish

publique [pyblik] *adj voir* **public**

puce [pys] *nf* flea; (*INFORM*) chip; ~**s** *nfpl* (*marché*) flea market *sg*

pudeur [pydœʀ] *nf* modesty

pudique [pydik] *adj* (*chaste*) modest; (*discret*) discreet
puer [pɥe] (*péj*) *vi* to stink
puéricultrice [pɥeʀikyltʀis] *nf* p(a)ediatric nurse
puériculture [pɥeʀikyltyʀ] *nf* p(a)ediatric nursing; infant care
puéril, e [pɥeʀil] *adj* childish
puis [pɥi] *vb voir* **pouvoir** ◆ *adv* then
puiser [pɥize] *vt*: ~ **(dans)** to draw (from)
puisque [pɥisk(ə)] *conj* since
puissance [pɥisɑ̃s] *nf* power; **en ~** potential
puissant, e [pɥisɑ̃, -ɑ̃t] *adj* powerful
puisse *etc vb voir* **pouvoir**
puits [pɥi] *nm* well; ~ **de mine** mine shaft
pull(-over) [pul(ɔvœʀ)] *nm* sweater
pulluler [pylyle] *vi* to swarm
pulpe [pylp(ə)] *nf* pulp
pulvérisateur [pylveʀizatœʀ] *nm* spray
pulvériser [pylveʀize] *vt* to pulverize; (*liquide*) to spray
punaise [pynɛz] *nf* (*ZOOL*) bug; (*clou*) drawing pin (*BRIT*), thumbtack (*US*)
punch[1] [pɔ̃ʃ] *nm* (*boisson*) punch
punch[2] [pœnʃ] *nm* (*BOXE, fig*) punch
punir [pyniʀ] *vt* to punish; **punition** *nf* punishment
pupille [pypij] *nf* (*ANAT*) pupil ◆ *nm/f* (*enfant*) ward; ~ **de l'État** child in care
pupitre [pypitʀ(ə)] *nm* (*SCOL*) desk; (*REL*) lectern; (*de chef d'orchestre*) rostrum
pur, e [pyʀ] *adj* pure; (*vin*) undiluted; (*whisky*) neat; **en ~e perte** to no avail
purée [pyʀe] *nf*: ~ **(de pommes de terre)** mashed potatoes *pl*; ~ **de marrons** chestnut purée
purger [pyʀʒe] *vt* (*radiateur*) to drain; (*circuit hydraulique*) to bleed; (*MÉD, POL*) to purge; (*JUR: peine*) to serve
purin [pyʀɛ̃] *nm* liquid manure
pur-sang [pyʀsɑ̃] *nm inv* thoroughbred
pusillanime [pyzilanim] *adj* fainthearted
putain [pytɛ̃] (*fam!*) *nf* whore (*!*)
puzzle [pœzl(ə)] *nm* jigsaw (puzzle)
P.V. *sigle m* = **procès-verbal**
pyjama [piʒama] *nm* pyjamas *pl* (*BRIT*), pajamas *pl* (*US*)
pyramide [piʀamid] *nf* pyramid
Pyrénées [piʀene] *nfpl*: **les ~** the Pyrenees

Q

QG [kyʒe] *sigle m* (= *quartier général*) HQ
QI [kyi] *sigle m* (= *quotient intellectuel*) IQ
quadragénaire [kadʀaʒenɛʀ] *nm/f* man/woman in his/her forties
quadriller [kadʀije] *vt* (*papier*) to mark out in squares; (*POLICE*) to keep under tight control
quadruple [k(w)adʀypl(ə)] *nm*: **le ~ de** four times as much as; **quadruplés, ées** *nm/fpl* quadruplets, quads
quai [ke] *nm* (*de port*) quay; (*de gare*) platform; **être à ~** (*navire*) to be alongside; (*train*) to be in the station
qualifier [kalifje] *vt* to qualify; **se ~** *vi* to qualify; ~ **qch/qn de** to describe sth/sb as
qualité [kalite] *nf* quality; (*titre, fonction*) position
quand [kɑ̃] *conj, adv* when; ~ **je serai riche** when I'm rich; ~ **même** all the same; really; ~ **bien même** even though
quant [kɑ̃] : ~ **à** *prép* as for, as to; regarding
quant-à-soi [kɑ̃taswa] *nm*: **rester sur son ~** to remain aloof
quantité [kɑ̃tite] *nf* quantity, amount; (*SCIENCE*) quantity; (*grand nombre*): **une** *ou* **des ~(s) de** a great deal of
quarantaine [kaʀɑ̃tɛn] *nf* (*MÉD*) quarantine; **avoir la ~** (*âge*) to be around forty; **une ~ (de)** forty or so, about forty
quarante [kaʀɑ̃t] *num* forty
quart [kaʀ] *nm* (*fraction, partie*) quarter; (*surveillance*) watch; **un ~ de beurre** a quarter kilo of butter; **un ~ de vin** a quarter litre of wine; **une livre un ~** *ou* **et ~** one and a quarter pounds; **le ~ de** a quarter of; ~ **d'heure** quarter of an hour
quartier [kaʀtje] *nm* (*de ville*) district, area; (*de bœuf*) quarter; (*de fruit, fromage*) piece; **~s** *nmpl* (*MIL, BLASON*) quarters; **cinéma de ~** local cinema; **avoir ~ libre** (*fig*) to be free; ~ **général** headquarters *pl*
quartz [kwaʀts] *nm* quartz
quasi [kazi] *adv* almost, nearly; **quasiment** *adv* almost, nearly
quatorze [katɔʀz(ə)] *num* fourteen
quatre [katʀ(ə)] *num* four; **à ~ pattes** on all fours; **tiré à ~ épingles** dressed up to the nines; **faire les ~ cent coups** to get a bit wild; **se mettre en ~ pour qn** to go out of one's way for sb; **~ à ~** (*monter, descendre*) four at a time; **quatre-vingt-dix** *num* ninety; **quatre-vingts** *num* eighty; **quatrième** *num* fourth
quatuor [kwatɥɔʀ] *nm* quartet(te)

MOT-CLÉ

que [kə] *conj* [1] (*introduisant complétive*) that; **il sait ~ tu es là** he knows (that) you're here; **je veux ~ tu acceptes** I want you to accept; **il a dit ~ oui** he said he would (*ou* it was *etc*)
[2] (*reprise d'autres conjonctions*): **quand il rentrera et qu'il aura mangé** when he gets back and (when) he has eaten; **si vous y allez ou ~ vous ...** if you go there or if you ...
[3] (*en tête de phrase: hypothèse, souhait etc*): **qu'il le veuille ou non** whether he likes it or not; **qu'il fasse ce qu'il voudra!** let him do as he pleases!
[4] (*après comparatif*) than; as; *voir aussi* **plus; aussi; autant** *etc*
[5] (*seulement*): **ne ... ~** only; **il ne boit ~ de l'eau** he only drinks water
◆ *adv* (*exclamation*): **qu'il** *ou* **qu'est-ce qu'il est bête/court vite!** he's so silly!/he runs so fast!; ~ **de livres!** what a lot of books!
◆ *pron* [1] (*relatif: personne*) whom; (: *chose*) that, which; **l'homme ~ je vois** the man (whom) I see; **le livre ~ tu vois** the book (that *ou* which) you see; **un jour ~ j'étais ...** a day when I was ...
[2] (*interrogatif*) what; ~ **fais-tu?, qu'est-ce ~ tu fais?** what are you doing?; **qu'est-ce ~ c'est?** what is it?, what's that?; ~ **faire?** what can one do?

MOT-CLÉ

quel, quelle [kɛl] *adj* [1] (*interrogatif: personne*) who; (: *chose*) what; which; ~ **est cet homme?** who is this man?; ~ **est ce livre?** what is this book?; ~ **livre/homme?** what book/man?; (*parmi un certain choix*) which book/man?; **~s acteurs préférez-vous?** which actors do you prefer?; **dans ~s pays êtes-vous allé** which *ou* what countries did you go to?
[2] (*exclamatif*): **quelle surprise!** what a surprise!
[3]: **quel(le) que soit coupable** whoever is guilty; ~ **que soit votre avis** whatever your opinion

quelconque [kɛlkɔ̃k] *adj* (*médiocre*) indifferent, poor; (*sans attrait*) ordinary, plain; (*indéfini*): **un ami/prétexte ~** some friend/pretext or other

MOT-CLÉ

quelque [kɛlkə] *adj* [1] some; a few; (*tournure interrogative*) any; ~ **espoir** some hope; **il a ~s amis** he has a few *ou* some friends; **a-t-il ~s amis?** has he any friends?; **les ~s livres qui** the few books which; **20 kg et ~(s)** a bit over 20 kg
[2]: ~ **... que: ~ livre qu'il choisisse** whatever (*ou* whichever) book he chooses
[3]: ~ **chose** something; (*tournure interrogative*) anything; ~ **chose d'autre** something else; anything else; ~ **part** somewhere; anywhere; **en ~ sorte** as it were
◆ *adv* [1] (*environ*): ~ **100 mètres** some 100 metres
[2]: ~ **peu** rather, somewhat

quelquefois [kɛlkəfwa] *adv* sometimes
quelques-uns, -unes [kɛlkəzœ̃, -yn] *pron* a few, some
quelqu'un [kɛlkœ̃] *pron* someone, somebody; (*tournure interrogative*) +anyone *ou* anybody; ~ **d'autre** someone *ou* somebody else; anybody else
quémander [kemɑ̃de] *vt* to beg for
qu'en dira-t-on [kɑ̃diʀatɔ̃] *nm inv*: **le ~** gossip, what people say
querelle [kəʀɛl] *nf* quarrel
quereller [kəʀele]: **se ~** *vi* to quarrel
qu'est-ce que [kɛskə] *voir* **que**
qu'est-ce qui [kɛski] *voir* **qui**
question [kɛstjɔ̃] *nf* (*gén*) question; (*fig*) matter; issue; **il a été ~ de** we (*ou* they) spoke about; **de quoi est-il ~?** what is it about?; **il n'en est pas ~** there's no question of it; **hors de ~** out of the question; **remettre en ~** to question; **~naire** [kɛstjɔnɛʀ] *nm* questionnaire; **~ner** [kɛstjɔne] *vt* to question
quête [kɛt] *nf* collection; (*recherche*) quest, search; **faire la ~** (*à l'église*) to take the collection; (*artiste*) to pass the hat round; **quêter** *vi* (*à l'église*) to take the collection
quetsche [kwɛtʃ(ə)] *nf* damson
queue [kø] *nf* tail; (*fig: du classement*) bottom; (: *de poêle*) handle; (: *de fruit, feuille*) stalk; (: *de train, colonne, file*) rear; **faire la ~** to queue (up) (*BRIT*), line up (*US*); ~ **de cheval** ponytail; **queue-de-pie** *nf* (*habit*) tails *pl*, tail coat
qui [ki] *pron* (*personne*) who; (+*prép*) +whom; (*chose, animal*) which, that; **qu'est-ce ~ est sur la table?** what is on the table?; ~ **est-ce ~?** who?; ~ **est-ce que?** who?; whom?; **à ~ est ce sac?** whose bag is this?; **à ~ parlais-tu?** who were you talking to?, to whom were you talking?; **amenez ~ vous voulez** bring who you like; ~ **que ce soit** whoever it may be
quiconque [kikɔ̃k] *pron* (*celui qui*) whoever, anyone who; (*personne*) anyone, anybody
quiétude [kjetyd] *nf* (*d'un lieu*) quiet, tranquillity; **en toute ~** in complete peace
quille [kij] *nf*: **(jeu de) ~s** skittles *sg* (*BRIT*), bowling (*US*)
quincaillerie [kɛ̃kajʀi] *nf* (*ustensiles*) hardware; (*magasin*) hardware shop; **quincaillier, ière** *nm/f* hardware dealer
quinquagénaire [kɛ̃kaʒenɛʀ] *nm/f* man/woman in his/her fifties
quintal, aux [kɛ̃tal, -o] *nm* quintal (*100 kg*)
quinte [kɛ̃t] *nf*: ~ **(de toux)** coughing fit
quintuple [kɛ̃typl(ə)] *nm*: **le ~ de** five times as much as; **quintuplés, ées** *nm/fpl* quintuplets, quins
quinzaine [kɛ̃zɛn] *nf*: **une ~ (de)** about fifteen, fifteen or so; **une ~ (de jours)** a fortnight (*BRIT*), two weeks
quinze [kɛ̃z] *num* fifteen; **demain en ~** a fortnight *ou* two weeks tomorrow; **dans ~ jours** in a fortnight('s time), in two weeks (' time)
quiproquo [kipʀɔko] *nm* misunderstanding
quittance [kitɑ̃s] *nf* (*reçu*) receipt; (*facture*) bill
quitte [kit] *adj*: **être ~ envers qn** to be no longer in sb's debt; (*fig*) to be quits with sb; **être ~ de** (*obligation*) to be clear of; **en être ~ à bon compte** to have got off lightly; ~ **à faire** even if it means doing
quitter [kite] *vt* to leave; (*espoir, illusion*) to give up; (*vêtement*) to take off; **se ~** *vi* (*couples, interlocuteurs*) to part; **ne quittez pas** (*au téléphone*) hold the line
qui-vive [kiviv] *nm*: **être sur le ~** to be on the alert
quoi [kwa] *pron* (*interrogatif*) what; ~ **de neuf?** what's the news?; **as-tu de ~ écrire?** have you anything to write with?; **il n'a pas de ~ se l'acheter** he can't afford it; ~ **qu'il arrive** whatever happens; ~ **qu'il en soit** be that as it may; ~ **que ce soit** anything at all; **"il n'y a pas de ~"** "(please) don't mention it"; **à ~ bon?** what's the use?; **en ~ puis-je vous aider?** how can I help you?
quoique [kwak(ə)] *conj* (al)though
quolibet [kɔlibɛ] *nm* gibe, jeer
quote-part [kɔtpaʀ] *nf* share
quotidien, ne [kɔtidjɛ̃, -ɛn] *adj* daily; (*banal*) everyday ◆ *nm* (*journal*) daily (paper)

R

r. *abr* = **route; rue**
rab [ʀab] (*fam*) *abr m* = **rabiot**
rabâcher [ʀabɑʃe] *vt* to keep on repeating
rabais [ʀabɛ] *nm* reduction, discount
rabaisser [ʀabese] *vt* (*rabattre*) to reduce; (*dénigrer*) to belittle
rabattre [ʀabatʀ(ə)] *vt* (*couvercle, siège*) to pull down; (*gibier*) to drive; **se ~** *vi* (*bords, couvercle*) to fall shut; (*véhicule, coureur*) to cut in; **se ~ sur** to fall back on
rabbin [ʀabɛ̃] *nm* rabbi
rabiot [ʀabjo] (*fam*) *nm* extra, more
râblé, e [ʀɑble] *adj* stocky
rabot [ʀabo] *nm* plane
rabougri, e [ʀabugʀi] *adj* stunted
rabrouer [ʀabʀue] *vt* to snub
racaille [ʀakɑj] (*péj*) *nf* rabble, riffraff
raccommoder [ʀakɔmɔde] *vt* to mend, repair; (*chaussette etc*) to darn
raccompagner [ʀakɔ̃paɲe] *vt* to take *ou* see back
raccord [ʀakɔʀ] *nm* link
raccorder [ʀakɔʀde] *vt* to join (up), link up; (*suj: pont etc*) to connect, link
raccourci [ʀakuʀsi] *nm* short cut
raccourcir [ʀakuʀsiʀ] *vt* to shorten
raccrocher [ʀakʀɔʃe] *vt* (*tableau*) to hang back up; (*récepteur*) to put down ◆ *vi* (*TÉL*) to hang up, ring off; **se ~ à** *vt* to cling to
race [ʀas] *nf* race; (*d'animaux, fig*) breed; (*ascendance*) stock, race; **de ~** purebred, pedigree
rachat [ʀaʃa] *nm* buying; buying back
racheter [ʀaʃte] *vt* (*article perdu*) to buy another; (*davantage*): ~ **du lait/3 œufs** to buy more milk/another 3 eggs *ou* 3 more eggs; (*après avoir vendu*) to buy back; (*d'occasion*) to buy; (*COMM: part, firme*) to buy up; (: *pension, rente*) to redeem; **se ~** *vi* (*fig*) to make amends
racial, e, aux [ʀasjal, -o] *adj* racial
racine [ʀasin] *nf* root; ~ **carrée/cubique** square/cube root
raciste [ʀasist(ə)] *adj, nm/f* raci(al)ist
racket [ʀakɛt] *nm* racketeering *no pl*
racler [ʀɑkle] *vt* (*surface*) to scrape; (*tache, boue*) to scrape off
racoler [ʀakɔle] *vt* (*attirer: suj: prostituée*) to solicit; (: *parti, marchand*) to tout for
racontars [ʀakɔ̃taʀ] *nmpl* gossip *sg*
raconter [ʀakɔ̃te] *vt*: ~ **(à qn)** (*décrire*) to relate (to sb), tell (sb) about; (*dire*) to tell (sb)
racorni, e [ʀakɔʀni] *adj* hard(ened)
radar [ʀadaʀ] *nm* radar
rade [ʀad] *nf* (natural) harbour; **rester en ~** (*fig*) to be left stranded
radeau, x [ʀado] *nm* raft
radiateur [ʀadjatœʀ] *nm* radiator, heater; (*AUTO*) radiator; ~ **électrique/à gaz** electric/gas heater *ou* fire
radiation [ʀadjɑsjɔ̃] *nf* (*voir radier*) striking off *no pl*; (*PHYSIQUE*) radiation
radical, e, aux [ʀadikal, -o] *adj* radical
radier [ʀadje] *vt* to strike off
radieux, euse [ʀadjø, -øz] *adj* radiant; brilliant, glorious
radin, e [ʀadɛ̃, -in] (*fam*) *adj* stingy
radio [ʀadjo] *nf* radio; (*MÉD*) X-ray ◆ *nm* radio operator; **à la ~** on the radio; **radioactif, ive** *adj* radioactive; **radiodiffuser** *vt* to broadcast; **radiographie** *nf* radiography; (*photo*) X-ray photograph; **radiophonique** *adj* radio *cpd*; **radio-réveil** (*pl* **radios-réveils**) *nm* radio alarm clock; **radiotélévisé, e** *adj* broadcast on radio and television
radis [ʀadi] *nm* radish
radoter [ʀadɔte] *vi* to ramble on
radoucir [ʀadusiʀ] : **se ~** *vi* (*se réchauffer*) to become milder; (*se calmer*) to calm down; to soften
rafale [ʀafal] *nf* (*vent*) gust (of wind); (*tir*) burst of gunfire
raffermir [ʀafɛʀmiʀ] *vt* to firm up; (*fig*) to strengthen
raffiner [ʀafine] *vt* to refine; **raffinerie** *nf* refinery
raffoler [ʀafɔle]: ~ **de** *vt* to be very keen on
rafle [ʀɑfl(ə)] *nf* (*de police*) raid
rafler [ʀɑfle] (*fam*) *vt* to swipe, nick
rafraîchir [ʀafʀeʃiʀ] *vt* (*atmosphère, température*) to cool (down); (*aussi: mettre à ~*) to chill; (*fig: rénover*) to brighten up; **se ~** *vi* to grow cooler; to freshen up; to refresh o.s.; **rafraîchissant, e** *adj* refreshing; **rafraîchissement** *nm* cooling; (*boisson*) cool drink; **rafraîchissements** *nmpl* (*boissons, fruits etc*) refreshments
rage [ʀaʒ] *nf* (*MÉD*): **la ~** rabies; (*fureur*) rage, fury; **faire ~** to rage; ~ **de dents** (raging) toothache
ragot [ʀago] (*fam*) *nm* malicious gossip *no pl*
ragoût [ʀagu] *nm* (*plat*) stew
raide [ʀɛd] *adj* (*tendu*) taut, tight; (*escarpé*) steep; (*droit: cheveux*) straight; (*ankylosé, dur, guindé*) stiff; (*fam*) steep, stiff; flat broke ◆ *adv* (*en pente*) steeply; ~ **mort** stone dead; **raidir** *vt* (*muscles*) to stiffen; (*câble*) to pull taut; **se raidir** *vi* to stiffen; to become taut; (*personne*) to tense up; to brace o.s.
raie [ʀɛ] *nf* (*ZOOL*) skate, ray; (*rayure*) stripe; (*des cheveux*) parting
raifort [ʀɛfɔʀ] *nm* horseradish
rail [ʀɑj] *nm* rail; (*chemins de fer*) railways *pl*; **par ~** by rail
railler [ʀɑje] *vt* to scoff at, jeer at
rainure [ʀenyʀ] *nf* groove; slot
raisin [ʀɛzɛ̃] *nm* (*aussi*: **~s**) grapes *pl*; **~s secs** raisins
raison [ʀɛzɔ̃] *nf* reason; **avoir ~** to be right; **donner ~ à qn** to agree with sb; to prove sb right; **se faire une ~** to learn to live with it; **perdre la ~** to become insane; to take leave of one's senses; ~ **de plus** all the more reason; **à plus forte ~** all the more so; **en ~ de** because of; according to; in proportion to; **à ~ de** at the rate of; ~ **sociale** corporate name; **raisonnable** *adj* reasonable, sensible
raisonnement [ʀɛzɔnmɑ̃] *nm* reasoning; arguing; argument
raisonner [ʀɛzɔne] *vi* (*penser*) to reason; (*argumenter, discuter*) to argue ◆ *vt* (*personne*) to reason with
rajeunir [ʀaʒœniʀ] *vt* (*suj: coiffure, robe*): ~ **qn** to make sb look younger; (: *cure etc*) to rejuvenate; (*fig*) to give a new look to; to inject new blood into ◆ *vi* to become (*ou* look) younger
rajouter [ʀaʒute] *vt*: ~ **du sel/un œuf** to add some more salt/another egg
rajuster [ʀaʒyste] *vt* (*vêtement*) to straighten, tidy; (*salaires*) to adjust; (*machine*) to readjust
ralenti [ʀalɑ̃ti] *nm*: **au ~** (*AUTO*) to tick over (*AUTO*), idle; **au ~** (*CINÉMA*) in slow motion; (*fig*) at a slower pace
ralentir [ʀalɑ̃tiʀ] *vt* to slow down
râler [ʀɑle] *vi* to groan; (*fam*) to grouse, moan (and groan)
rallier [ʀalje] *vt* (*rassembler*) to rally; (*rejoindre*) to rejoin; (*gagner à sa cause*) to win over; **se ~ à** (*avis*) to come over *ou*

round to
rallonge [ʀalɔ̃ʒ] *nf* (*de table*) (extra) leaf; (*argent etc*) extra *no pl*
rallonger [ʀalɔ̃ʒe] *vt* to lengthen
rallye [ʀali] *nm* rally; (*POL*) march
ramassage [ʀamɑsaʒ] *nm*: **~ scolaire** school bus service
ramassé, e [ʀamɑse] *adj* (*trapu*) squat
ramasser [ʀamɑse] *vt* (*objet tombé ou par terre, fam*) to pick up; (*recueillir*) to collect; (*récolter*) to gather; **se ~** *vi* (*sur soi-même*) to huddle up; to crouch; **ramassis** (*péj*) *nm* bunch; jumble
rambarde [ʀɑ̃baʀd(ə)] *nf* guardrail
rame [ʀam] *nf* (*aviron*) oar; (*de métro*) train; (*de papier*) ream
rameau, x [ʀamo] *nm* (small) branch; **les R~x** (*REL*) Palm Sunday *sg*
ramener [ʀamne] *vt* to bring back; (*reconduire*) to take back; (*rabattre: couverture, visière*): **~ qch sur** to pull sth back over; **~ qch à** (*réduire à, aussi MATH*) to reduce sth to
ramer [ʀame] *vi* to row
ramollir [ʀamɔliʀ] *vt* to soften; **se ~** *vi* to go soft
ramoner [ʀamɔne] *vt* to sweep
rampe [ʀɑ̃p] *nf* (*d'escalier*) banister(s *pl*); (*dans un garage, d'un terrain*) ramp; (*THÉÂTRE*): **la ~** the footlights *pl*; **~ de lancement** launching pad
ramper [ʀɑ̃pe] *vi* to crawl
rancard [ʀɑ̃kaʀ] (*fam*) *nm* date; tip
rancart [ʀɑ̃kaʀ] *nm*: **mettre au ~** to scrap
rance [ʀɑ̃s] *adj* rancid
rancœur [ʀɑ̃kœʀ] *nf* rancour
rançon [ʀɑ̃sɔ̃] *nf* ransom; (*fig*) price
rancune [ʀɑ̃kyn] *nf* grudge, rancour; **garder ~ à qn (de qch)** to bear sb a grudge (for sth); **sans ~!** no hard feelings!; **rancunier, ière** *adj* vindictive, spiteful
randonnée [ʀɑ̃dɔne] *nf* ride; (*à pied*) walk, ramble; hike, hiking *no pl*
rang [ʀɑ̃] *nm* (*rangée*) row; (*grade, classement*) rank; **~s** *nmpl* (*MIL*) ranks; **se mettre en ~s/sur un ~** to get into *ou* form rows/a line; **au premier ~** in the first row; (*fig*) ranking first
rangé, e [ʀɑ̃ʒe] *adj* (*sérieux*) orderly, steady
rangée [ʀɑ̃ʒe] *nf* row
ranger [ʀɑ̃ʒe] *vt* (*classer, grouper*) to order, arrange; (*mettre à sa place*) to put away; (*voiture dans la rue*) to park; (*mettre de l'ordre dans*) to tidy up; (*arranger*) to arrange; (*fig: classer*): **~ qn/qch parmi** to rank sb/sth among; **se ~** *vi* (*véhicule, conducteur*) to pull over *ou* in; (*piéton*) to step aside; (*s'assagir*) to settle down; **se ~ à** (*avis*) to come round to
ranimer [ʀanime] *vt* (*personne*) to bring round; (*forces, courage*) to restore; (*troupes etc*) to kindle new life in; (*douleur, souvenir*) to revive; (*feu*) to rekindle
rap [ʀap] *nm* rap (music)
rapace [ʀapas] *nm* bird of prey
râpe [ʀɑp] *nf* (*CULIN*) grater
râpé, e [ʀɑpe] *adj* (*tissu*) threadbare
râper [ʀɑpe] *vt* (*CULIN*) to grate
rapetisser [ʀaptise] *vt* to shorten
rapide [ʀapid] *adj* fast; (*prompt*) quick ♦ *nm* express (train); (*de cours d'eau*) rapid; **rapidement** *adv* fast; quickly
rapiécer [ʀapjese] *vt* to patch
rappel [ʀapɛl] *nm* (*THÉÂTRE*) curtain call; (*MÉD: vaccination*) booster; (*ADMIN: de salaire*) back pay *no pl*; (*d'une aventure, d'un nom*) reminder
rappeler [ʀaple] *vt* to call back; (*ambassadeur, MIL*) to recall; (*faire se souvenir*): **~ qch à qn** to remind sb of sth; **se ~** *vt* (*se souvenir de*) to remember, recall
rapport [ʀapɔʀ] *nm* (*compte rendu*) report; (*profit*) yield, return; revenue; (*lien, analogie*) relationship; (*MATH, TECH*) ratio; **~s** *nmpl* (*entre personnes, pays*) relations; **avoir ~ à** to have something to do with; **être en ~ avec** (*idée de corrélation*) to be related to; **être/se mettre en ~ avec qn** to be/get in touch with sb; **par ~ à** in relation to; **~ qualité-prix** *nm* value (for money); **~s (sexuels)** (sexual) intercourse *sg*
rapporter [ʀapɔʀte] *vt* (*rendre, ramener*) to bring back; (*apporter davantage*) to bring more; (*suj: investissement*) to yield; (*: activité*) to bring in; (*relater*) to report ♦ *vi* (*investissement*) to give a good return *ou* yield; (*: activité*) to be very profitable; **se ~ à** (*correspondre à*) to relate to; **s'en ~ à** to rely on; **~ qch à** (*fig: rattacher*) to relate sth to; **rapporteur, euse** *nm/f* (*de procès, commission*) reporter; (*péj*) telltale ♦ *nm* (*GÉOM*) protractor
rapprochement [ʀapʀɔʃmɑ̃] *nm* (*de nations, familles*) reconciliation; (*analogie, rapport*) parallel
rapprocher [ʀapʀɔʃe] *vt* (*chaise d'une table*): **~ qch (de)** to bring sth closer (to); (*deux objets*) to bring closer together; (*réunir*) to bring together; (*comparer*) to establish a parallel between; **se ~** *vi* to draw closer *ou* nearer; **se ~ de** to come closer to; (*présenter une analogie avec*) to be close to
rapt [ʀapt] *nm* abduction
raquette [ʀakɛt] *nf* (*de tennis*) racket; (*de ping-pong*) bat; (*à neige*) snowshoe
rare [ʀaʀ] *adj* rare; (*main-d'œuvre, denrées*) scarce; (*cheveux, herbe*) sparse
rarement [ʀaʀmɑ̃] *adv* rarely, seldom
ras, e [ʀɑ, ʀɑz] *adj* (*tête, cheveux*) close-cropped; (*poil, herbe*) short ♦ *adv* short; **en ~e campagne** in open country; **à ~ bords** to the brim; **au ~ de** level with; **en avoir ~ le bol** (*fam*) to be fed up; **~ du cou** *adj* (*pull, robe*) crew-neck
rasade [ʀazad] *nf* glassful
raser [ʀɑze] *vt* (*barbe, cheveux*) to shave off; (*menton, personne*) to shave; (*fam: ennuyer*) to bore; (*démolir*) to raze (to the ground); (*frôler*) to graze, skim; **se ~** *vi* to shave; (*fam*) to be bored (to tears); **rasoir** *nm* razor
rassasier [ʀasazje] *vt* to satisfy
rassemblement [ʀasɑ̃bləmɑ̃] *nm* (*groupe*) gathering; (*POL*) union
rassembler [ʀasɑ̃ble] *vt* (*réunir*) to assemble, gather; (*regrouper, amasser*) to gather together, collect; **se ~** *vi* to gather
rassis, e [ʀasi, -iz] *adj* (*pain*) stale
rassurer [ʀasyʀe] *vt* to reassure; **se ~** *vi* to be reassured; **rassure-toi** don't worry
rat [ʀa] *nm* rat
rate [ʀat] *nf* spleen
raté, e [ʀate] *adj* (*tentative*) unsuccessful, failed ♦ *nm/f* failure ♦ *nm* misfiring *no pl*
râteau, x [ʀɑto] *nm* rake
râtelier [ʀɑtəlje] *nm* rack; (*fam*) false teeth *pl*
rater [ʀate] *vi* (*affaire, projet etc*) to go wrong, fail ♦ *vt* (*cible, train, occasion*) to miss; (*démonstration, plat*) to spoil; (*examen*) to fail
ration [ʀasjɔ̃] *nf* ration; (*fig*) share
ratisser [ʀatise] *vt* (*allée*) to rake; (*feuilles*) to rake up; (*suj: armée, police*) to comb
R.A.T.P. *sigle f* (*= Régie autonome des transports parisiens*) *Paris transport authority*
rattacher [ʀataʃe] *vt* (*animal, cheveux*) to tie up again; (*incorporer: ADMIN etc*): **~ qch à** to join sth to; (*fig: relier*): **~ qch à** to link sth with; (*: lier*): **~ qn à** to bind *ou* tie sb to
rattraper [ʀatʀape] *vt* (*fugitif*) to recapture; (*empêcher de tomber*) to catch (hold of); (*atteindre, rejoindre*) to catch up with; (*réparer: imprudence, erreur*) to make up for; **se ~** *vi* to make good one's losses; to make up for it; **se ~ (à)** (*se raccrocher*) to stop o.s. falling (by catching hold of)
rature [ʀatyʀ] *nf* deletion, erasure
rauque [ʀok] *adj* raucous; hoarse
ravages [ʀavaʒ] *nmpl*: **faire des ~** to wreak havoc
ravaler [ʀavale] *vt* (*mur, façade*) to restore; (*déprécier*) to lower
ravi, e [ʀavi] *adj*: **être ~ de/que** to be delighted with/that
ravin [ʀavɛ̃] *nm* gully, ravine
ravir [ʀaviʀ] *vt* (*enchanter*) to delight; (*enlever*): **~ qch à qn** to rob sb of sth; **à ~** beautifully
raviser [ʀavize]: **se ~** *vi* to change one's mind
ravissant, e [ʀavisɑ̃, -ɑ̃t] *adj* delightful
ravisseur, euse [ʀavisœʀ, -øz] *nm/f* abductor, kidnapper
ravitailler [ʀavitɑje] *vt* to resupply; (*véhicule*) to refuel; **se ~** *vi* to get fresh supplies
raviver [ʀavive] *vt* (*feu, douleur*) to revive; (*couleurs*) to brighten up
rayé, e [ʀeje] *adj* (*à rayures*) striped
rayer [ʀeje] *vt* (*érafler*) to scratch; (*barrer*) to cross out; (*d'une liste*) to cross off
rayon [ʀɛjɔ̃] *nm* (*de soleil etc*) ray; (*GÉOM*) radius; (*de roue*) spoke; (*étagère*) shelf; (*de grand magasin*) department; **dans un ~ de** within a radius of; **~ d'action** range; **~ de soleil** sunbeam; **~s X** X-rays
rayonnement [ʀɛjɔnmɑ̃] *nm* radiation; (*fig*) radiance; influence
rayonner [ʀɛjɔne] *vi* (*chaleur, énergie*) to radiate; (*fig*) to shine forth; to be radiant; (*touriste*) to go touring (*from one base*)
rayure [ʀɛjyʀ] *nf* (*motif*) stripe; (*éraflure*) scratch; (*rainure, d'un fusil*) groove
raz-de-marée [ʀɑdmaʀe] *nm inv* tidal wave
ré [ʀe] *nm* (*MUS*) D; (*en chantant la gamme*) re
réacteur [ʀeaktœʀ] *nm* jet engine
réaction [ʀeaksjɔ̃] *nf* reaction; **moteur à ~** jet engine
réadapter [ʀeadapte] *vt* to readjust; (*MÉD*) to rehabilitate; **se ~ (à)** to readjust (to)
réagir [ʀeaʒiʀ] *vi* to react
réalisateur, trice [ʀealizatœʀ, -tʀis] *nm/f* (*TV, CINÉMA*) director
réalisation [ʀealizɑsjɔ̃] *nf* carrying out; realization; fulfilment; achievement; production; (*œuvre*) production; creation; work
réaliser [ʀealize] *vt* (*projet, opération*) to carry out, realize; (*rêve, souhait*) to realize, fulfil; (*exploit*) to achieve; (*achat, vente*) to make; (*film*) to produce; (*se rendre compte de, COMM: bien, capital*) to realize; **se ~** *vi* to be realized
réaliste [ʀealist(ə)] *adj* realistic
réalité [ʀealite] *nf* reality; **en ~** in (actual) fact; **dans la ~** in reality; **~ virtuelle** (*COMPUT*) virtual reality
réanimation [ʀeanimɑsjɔ̃] *nf* resuscitation; **service de ~** intensive care unit
réarmer [ʀeaʀme] *vt* (*arme*) to reload ♦ *vi* (*état*) to rearm
rébarbatif, ive [ʀebaʀbatif, -iv] *adj* forbidding
rebattu, e [ʀəbaty] *adj* hackneyed
rebelle [ʀəbɛl] *nm/f* rebel ♦ *adj* (*troupes*) rebel; (*enfant*) rebellious; (*mèche etc*) unruly; **~ à** unamenable to
rebeller [ʀəbele]: **se ~** *vi* to rebel
rebondi, e [ʀəbɔ̃di] *adj* rounded; chubby
rebondir [ʀəbɔ̃diʀ] *vi* (*ballon: au sol*) to bounce; (*: contre un mur*) to rebound; (*fig*) to get moving again; **rebondissement** *nm* new development
rebord [ʀəbɔʀ] *nm* edge
rebours [ʀəbuʀ]: **à ~** *adv* the wrong way
rebrousse-poil [ʀəbʀuspwal]: **à ~** *adv* the wrong way
rebrousser [ʀəbʀuse] *vt*: **~ chemin** to turn back
rebut [ʀəby] *nm*: **mettre au ~** to scrap; **~er** [ʀəbyte] *vt* to put off
récalcitrant, e [ʀekalsitʀɑ̃, -ɑ̃t] *adj* refractory
recaler [ʀəkale] *vt* (*SCOL*) to fail
récapituler [ʀekapityle] *vt* to recapitulate; to sum up
receler [ʀəsəle] *vt* (*produit d'un vol*) to receive; (*malfaiteur*) to harbour; (*fig*) to conceal; **receleur, euse** *nm/f* receiver
récemment [ʀesamɑ̃] *adv* recently
recenser [ʀəsɑ̃se] *vt* (*population*) to take a census of; (*inventorier*) to list
récent, e [ʀesɑ̃, -ɑ̃t] *adj* recent
récépissé [ʀesepise] *nm* receipt
récepteur [ʀesɛptœʀ] *nm* receiver; **~ (de radio)** radio set *ou* receiver
réception [ʀesɛpsjɔ̃] *nf* receiving *no pl*; (*accueil*) reception, welcome; (*bureau*) reception desk; (*réunion mondaine*) reception, party; **réceptionniste** *nm/f* receptionist
recette [ʀəsɛt] *nf* (*CULIN*) recipe; (*fig*) formula, recipe; (*COMM*) takings *pl*; **~s** *nfpl* (*: rentrées*) receipts
receveur, euse [ʀəsvœʀ, -øz] *nm/f* (*des contributions*) tax collector; (*des postes*) postmaster(mistress); (*d'autobus*) conductor(tress)
recevoir [ʀəsvwaʀ] *vt* to receive; (*client, patient*) to see ♦ *vi* to receive visitors; to give parties; to see patients *etc*; **se ~** *vi* (*athlète*) to land; **être reçu** (*à un examen*) to pass
rechange [ʀəʃɑ̃ʒ]: **de ~** *adj* (*pièces, roue*) spare; (*fig: solution*) alternative; **des vêtements de ~** a change of clothes
rechaper [ʀəʃape] *vt* to remould, retread
réchapper [ʀeʃape]: **~ de** *ou* **à** *vt* (*accident, maladie*) to come through
recharge [ʀəʃaʀʒ(ə)] *nf* refill
recharger [ʀəʃaʀʒe] *vt* (*camion, fusil, appareil-photo*) to reload; (*briquet, stylo*) to refill; (*batterie*) to recharge
réchaud [ʀeʃo] *nm* (portable) stove; plate-warmer
réchauffer [ʀeʃofe] *vt* (*plat*) to reheat; (*mains, personne*) to warm; **se ~** *vi* (*température*) to get warmer
rêche [ʀɛʃ] *adj* rough
recherche [ʀəʃɛʀʃ(ə)] *nf* (*action*): **la ~ de** the search for; (*raffinement*) affectedness, studied elegance; (*scientifique etc*): **la ~** research; **~s** *nfpl* (*de la police*) investigations; (*scientifiques*) research *sg*; **se mettre à la ~ de** to go in search of
recherché, e [ʀəʃɛʀʃe] *adj* (*rare, demandé*) much sought-after; (*raffiné*) studied, affected
rechercher [ʀəʃɛʀʃe] *vt* (*objet égaré, personne*) to look for; (*causes, nouveau procédé*) to try to find; (*bonheur, amitié*) to seek
rechute [ʀəʃyt] *nf* (*MÉD*) relapse
récidiver [ʀesidive] *vi* to commit a subsequent offence; (*fig*) to do it again
récif [ʀesif] *nm* reef
récipient [ʀesipjɑ̃] *nm* container
réciproque [ʀesipʀɔk] *adj* reciprocal
récit [ʀesi] *nm* story
récital [ʀesital] *nm* recital
réciter [ʀesite] *vt* to recite
réclamation [ʀeklamɑsjɔ̃] *nf* complaint; **~s** *nfpl* (*bureau*) complaints department *sg*
réclame [ʀeklam] *nf* ad, advert(isement); **article en ~** special offer
réclamer [ʀeklame] *vt* (*aide, nourriture etc*) to ask for; (*revendiquer*) to claim, demand; (*nécessiter*) to demand, require ♦ *vi* to complain
réclusion [ʀeklyzjɔ̃] *nf* imprisonment
recoin [ʀəkwɛ̃] *nm* nook, corner; (*fig*) hidden recess
reçois *etc vb voir* **recevoir**
récolte [ʀekɔlt(ə)] *nf* harvesting; gathering; (*produits*) harvest, crop; (*fig*) crop, collection
récolter [ʀekɔlte] *vt* to harvest, gather (in); (*fig*) to collect; to get
recommandé [ʀəkɔmɑ̃de] *nm* (*POSTES*): **en ~** by registered mail
recommander [ʀəkɔmɑ̃de] *vt* to recommend; (*suj: qualités etc*) to commend; (*POSTES*) to register; **se ~ de qn** to give sb's name as a reference
recommencer [ʀəkɔmɑ̃se] *vt* (*reprendre: lutte, séance*) to resume, start again; (*refaire: travail, explications*) to start afresh, start (over) again; (*récidiver: erreur*) to make again ♦ *vi* to start again; (*récidiver*) to do it again
récompense [ʀekɔ̃pɑ̃s] *nf* reward; (*prix*) award; **récompenser** *vt*: **récompenser qn (de** *ou* **pour)** to reward sb (for)
réconcilier [ʀekɔ̃silje] *vt* to reconcile; **se ~ (avec)** to be reconciled (with)
reconduire [ʀəkɔ̃dɥiʀ] *vt* (*raccompagner*) to take *ou* see back; (*JUR, POL: renouveler*) to renew
réconfort [ʀekɔ̃fɔʀ] *nm* comfort
réconforter [ʀekɔ̃fɔʀte] *vt* (*consoler*) to comfort; (*revigorer*) to fortify
reconnaissance [ʀəkɔnɛsɑ̃s] *nf* recognition; acknowledgement; (*gratitude*) gratitude, gratefulness; (*MIL*) reconnaissance, recce; **reconnaissant, e** [ʀəkɔnɛsɑ̃, -ɑ̃t] *adj* grateful
reconnaître [ʀəkɔnɛtʀ(ə)] *vt* to recognize; (*MIL: lieu*) to reconnoitre; (*JUR: enfant, dette, droit*) to acknowledge; **~ que** to admit *ou* acknowledge that; **~ qn/qch à** to recognize sb/sth by
reconnu, e [ʀ(ə)kɔny] *adj* (*indiscuté, connu*) recognized
reconstituant, e [ʀəkɔ̃stitɥɑ̃, -ɑ̃t] *adj* (*aliment, régime*) strength-building
reconstituer [ʀəkɔ̃stitɥe] *vt* (*monument ancien*) to recreate; (*fresque, vase brisé*) to piece together, reconstitute; (*événement, accident*) to reconstruct; (*fortune, patrimoine*) to rebuild
reconstruire [ʀəkɔ̃stʀɥiʀ] *vt* to rebuild
reconvertir [ʀəkɔ̃vɛʀtiʀ]: **se ~** *vr* (*un métier, une branche*) to go into
record [ʀəkɔʀ] *nm, adj* record
recoupement [ʀəkupmɑ̃] *nm*: **par ~** by cross-checking
recouper [ʀəkupe]: **se ~** *vi* (*témoignages*) to tie *ou* match up
recourbé, e [ʀəkuʀbe] *adj* curved; hooked; bent
recourir [ʀəkuʀiʀ]: **~ à** *vt* (*ami, agence*) to turn *ou* appeal to; (*force, ruse, emprunt*) to resort to
recours [ʀəkuʀ] *nm* (*JUR*) appeal; **avoir ~ à** = **recourir à**; **en dernier ~** as a last resort; **~ en grâce** plea for clemency
recouvrer [ʀəkuvʀe] *vt* (*vue, santé etc*) to recover, regain; (*impôts*) to collect; (*créance*) to recover
recouvrir [ʀəkuvʀiʀ] *vt* (*couvrir à nouveau*) to re-cover; (*couvrir entièrement, aussi fig*) to cover; (*cacher, masquer*) to conceal, hide; **se ~** *vi* (*se superposer*) to overlap
récréation [ʀekʀeɑsjɔ̃] *nf* recreation, entertainment; (*SCOL*) break
récrier [ʀekʀije]: **se ~** *vi* to exclaim
récriminations [ʀekʀiminɑsjɔ̃] *nfpl* remonstrations, complaints
recroqueviller [ʀəkʀɔkvije]: **se ~** *vi* (*feuilles*) to curl *ou* shrivel up; (*personne*) to huddle up
recrudescence [ʀəkʀydesɑ̃s] *nf* fresh outbreak
recrue [ʀəkʀy] *nf* recruit
recruter [ʀəkʀyte] *vt* to recruit
rectangle [ʀɛktɑ̃gl(ə)] *nm* rectangle; **rectangulaire** *adj* rectangular
recteur [ʀɛktœʀ] *nm* ≈ (regional) director of education (*BRIT*), ≈ state superintendent of education (*US*)
rectificatif [ʀɛktifikatif, -iv] *nm* correction
rectifier [ʀɛktifje] *vt* (*tracé, virage*) to straighten; (*calcul, adresse*) to correct; (*erreur, faute*) to rectify
rectiligne [ʀɛktiliɲ] *adj* straight; (*GÉOM*) rectilinear
reçu, e [ʀəsy] *pp de* **recevoir** ♦ *adj* (*admis, consacré*) accepted ♦ *nm* (*COMM*) receipt
recueil [ʀəkœj] *nm* collection
recueillir [ʀəkœjiʀ] *vt* to collect; (*voix, suffrages*) to win; (*accueillir: réfugiés, chat*) to take in; **se ~** *vi* to gather one's thoughts; to meditate
recul [ʀəkyl] *nm* retreat; recession;

decline; (*d'arme à feu*) recoil, kick; **avoir un mouvement de ~** to recoil; **prendre du ~** to stand back

reculé, e [ʀəkyle] *adj* remote

reculer [ʀəkyle] *vi* to move back, back away; (AUTO) to reverse, back (up); (*fig*) to (be on the) decline; to be losing ground; (: *se dérober*) to shrink back ♦ *vt* to move back; to reverse, back (up); (*fig*: *possibilités, limites*) to extend; (: *date, décision*) to postpone

reculons [ʀəkylɔ̃]: **à ~** *adv* backwards

récupérer [ʀekypeʀe] *vt* to recover, get back; (*heures de travail*) to make up; (*déchets*) to salvage; (*délinquant etc*) to rehabilitate ♦ *vi* to recover

récurer [ʀekyʀe] *vt* to scour

récuser [ʀekyze] *vt* to challenge; **se ~** *vi* to decline to give an opinion

reçut *vb voir* **recevoir**

recycler [ʀəsikle] *vt* (SCOL) to reorientate; (*employés*) to retrain; (TECH) to recycle

rédacteur, trice [ʀedaktœʀ, -tʀis] *nm/f* (*journaliste*) writer; subeditor; (*d'ouvrage de référence*) editor, compiler; **~ en chef** chief editor; **~ publicitaire** copywriter

rédaction [ʀedaksjɔ̃] *nf* writing; (*rédacteurs*) editorial staff; (*bureau*) editorial office(s); (SCOL: *devoir*) essay, composition

reddition [ʀedisjɔ̃] *nf* surrender

redemander [ʀədmɑ̃de] *vt* to ask again for; to ask for more of

redescendre [ʀədesɑ̃dʀ(ə)] *vi* to go back down ♦ *vt* (*pente etc*) to go down

redevable [ʀədvabl(ə)] *adj*: **être ~ de qch à qn** (*somme*) to owe sb sth; (*fig*) to be indebted to sb for sth

redevance [ʀədvɑ̃s] *nf* (TÉL) rental charge; (TV) licence fee

rédiger [ʀediʒe] *vt* to write; (*contrat*) to draw up

redire [ʀədiʀ] *vt* to repeat; **trouver à ~ à** to find fault with

redoublé, e [ʀəduble] *adj*: **à coups ~s** even harder, twice as hard

redoubler [ʀəduble] *vi* (*tempête, violence*) to intensify; (SCOL) to repeat a year; **~ de** to be twice as *+adjectif*

redoutable [ʀədutabl(ə)] *adj* formidable, fearsome

redouter [ʀədute] *vt* to fear; (*appréhender*) to dread

redresser [ʀədʀese] *vt* (*arbre, mât*) to set upright; (*pièce tordue*) to straighten out; (*situation, économie*) to put right; **se ~** *vi* (*objet penché*) to right itself; (*personne*) to sit (*ou* stand) up (straight)

réduction [ʀedyksjɔ̃] *nf* reduction

réduire [ʀedɥiʀ] *vt* to reduce; (*prix, dépenses*) to cut, reduce; (MÉD: *fracture*) to set; **se ~ à** (*revenir à*) to boil down to; **se ~ en** (*se transformer en*) to be reduced to

réduit [ʀedɥi] *nm* tiny room; recess

rééducation [ʀeedykasjɔ̃] *nf* (*d'un membre*) re-education; (*de délinquants, d'un blessé*) rehabilitation

réel, le [ʀeɛl] *adj* real

réellement [ʀeɛlmɑ̃] *adv* really

réévaluer [ʀeevalɥe] *vt* to revalue

réexpédier [ʀeɛkspedje] *vt* (*à l'envoyeur*) to return, send back; (*au destinataire*) to send on, forward

refaire [ʀəfɛʀ] *vt* (*faire de nouveau, recommencer*) to do again; (*réparer, restaurer*) to do up

réfection [ʀefɛksjɔ̃] *nf* repair

réfectoire [ʀefɛktwaʀ] *nm* refectory

référence [ʀefeʀɑ̃s] *nf* reference; **~s** *nfpl* (*recommandations*) reference *sg*

référer [ʀefeʀe] : **se ~ à** *vt* to refer to; **en ~ à qn** to refer the matter to sb

réfléchi, e [ʀefleʃi] *adj* (*caractère*) thoughtful; (*action*) well-thought-out; (LING) reflexive

réfléchir [ʀefleʃiʀ] *vt* to reflect ♦ *vi* to think; **~ à** *ou* **sur** to think about

reflet [ʀəflɛ] *nm* reflection; (*sur l'eau etc*) sheen *no pl*, glint

refléter [ʀəflete] *vt* to reflect; **se ~** *vi* to be reflected

réflexe [ʀeflɛks(ə)] *nm, adj* reflex

réflexion [ʀeflɛksjɔ̃] *nf* (*de la lumière etc, pensée*) reflection; (*fait de penser*) thought; (*remarque*) remark; **~ faite, à la ~** on reflection

refluer [ʀəflye] *vi* to flow back; (*foule*) to surge back

reflux [ʀəfly] *nm* (*de la mer*) ebb

réforme [ʀefɔʀm(ə)] *nf* reform; (REL): **la R~** the Reformation

réformer [ʀefɔʀme] *vt* to reform; (MIL) to declare unfit for service

refouler [ʀəfule] *vt* (*envahisseurs*) to drive back; (*liquide*) to force back; (*fig*) to suppress; (PSYCH) to repress

réfractaire [ʀefʀaktɛʀ] *adj*: **être ~ à** to resist

refrain [ʀəfʀɛ̃] *nm* (MUS) refrain, chorus; (*air, fig*) tune

refréner [ʀəfʀene] *vt* to curb, check

réfréner [ʀefʀene] *vt* = **refréner**

réfrigérateur [ʀefʀiʒeʀatœʀ] *nm* refrigerator, fridge

refroidir [ʀəfʀwadiʀ] *vt* to cool ♦ *vi* to cool (down); **se ~** *vi* (*prendre froid*) to catch a chill; (*temps*) to get cooler *ou* colder; (*fig*) to cool (off); **refroidissement** *nm* (*grippe etc*) chill

refuge [ʀəfyʒ] *nm* refuge; (*pour piétons*) (traffic) island

réfugié, e [ʀefyʒje] *adj, nm/f* refugee

réfugier [ʀefyʒje]: **se ~** *vi* to take refuge

refus [ʀəfy] *nm* refusal; **ce n'est pas de ~** I won't say no, it's welcome

refuser [ʀəfyze] *vt* to refuse; (SCOL: *candidat*) to fail; **~ qch à qn** to refuse sb sth; **~ du monde** to have to turn people away; **se ~ à faire** to refuse to do

réfuter [ʀefyte] *vt* to refute

regagner [ʀəgaɲe] *vt* (*argent, faveur*) to win back; (*lieu*) to get back to; **~ le temps perdu** to make up (for) lost time

regain [ʀəgɛ̃] *nm* (*renouveau*): **un ~ de** renewed *+nom*

régal [ʀegal] *nm* treat

régaler [ʀegale] : **se ~** *vi* to have a delicious meal; (*fig*) to enjoy o.s.

regard [ʀəgaʀ] *nm* (*coup d'œil*) look, glance; (*expression*) look (in one's eye); **au ~ de** (*loi, morale*) from the point of view of; **en ~** (*vis à vis*) opposite; **en ~ de** in comparison with

regardant, e [ʀəgaʀdɑ̃, -ɑ̃t] *adj*: **très/peu ~ (sur)** quite fussy/very free (about); (*économe*) very tight-fisted/quite generous (with)

regarder [ʀəgaʀde] *vt* (*examiner, observer, lire*) to look at; (*film, télévision, match*) to watch; (*envisager*: *situation, avenir*) to view; (*considérer*: *son intérêt etc*) to be concerned with; (*être orienté vers*): **~ (vers)** to face; (*concerner*) to concern ♦ *vi* to look; **~ à** (*dépense*) to be fussy with *ou* over; **~ qn/qch comme** to regard sb/sth as

régie [ʀeʒi] *nf* (COMM, INDUSTRIE) state-owned company; (THÉÂTRE, CINÉMA) production; (RADIO, TV) control room

regimber [ʀəʒɛ̃be] *vi* to balk, jib

régime [ʀeʒim] *nm* (POL) régime; (ADMIN: *carcéral, fiscal etc*) system; (MÉD) diet; (TECH) (engine) speed; (*fig*) rate, pace; (*de bananes, dattes*) bunch; **se mettre au/suivre un ~** to go on/be on a diet

régiment [ʀeʒimɑ̃] *nm* regiment; (*fig*: *fam*): **un ~ de** an army of

région [ʀeʒjɔ̃] *nf* region; **régional, e, aux** *adj* regional

régir [ʀeʒiʀ] *vt* to govern

régisseur [ʀeʒisœʀ] *nm* (*d'un domaine*) steward; (CINÉMA, TV) assistant director; (THÉÂTRE) stage manager

registre [ʀəʒistʀ(ə)] *nm* (*livre*) register; logbook; ledger; (MUS, LING) register

réglage [ʀeglaʒ] *nm* adjustment; tuning

règle [ʀɛgl(ə)] *nf* (*instrument*) ruler; (*loi, prescription*) rule; **~s** *nfpl* (PHYSIOL) period *sg*; **en ~** (*papiers d'identité*) in order; **en ~ générale** as a (general) rule

réglé, e [ʀegle] *adj* well-ordered; steady; (*papier*) ruled; (*arrangé*) settled

règlement [ʀɛgləmɑ̃] *nm* (*paiement*) settlement; (*arrêté*) regulation; (*règles, statuts*) regulations *pl*, rules *pl*; **~ de compte(s)** *nm* settling of old scores; **réglementaire** *adj* conforming to the regulations; (*tenue*) regulation *cpd*; **réglementer** [ʀɛgləmɑ̃te] *vt* to regulate

régler [ʀegle] *vt* (*mécanisme, machine*) to regulate, adjust; (*moteur*) to tune; (*thermostat etc*) to set, adjust; (*conflit, facture*) to settle; (*fournisseur*) to settle up with

réglisse [ʀeglis] *nf* liquorice

règne [ʀɛɲ] *nm* (*d'un roi etc, fig*) reign; (BIO): **le ~ végétal/animal** the vegetable/animal kingdom

régner [ʀeɲe] *vi* (*roi*) to rule, reign; (*fig*) to reign

regorger [ʀəgɔʀʒe] *vi*: **~ de** to overflow with, be bursting with

regret [ʀəgʀɛ] *nm* regret; **à ~** with regret; **avec ~** regretfully; **être au ~ de devoir faire** to regret having to do

regrettable [ʀəgʀɛtabl(ə)] *adj* regrettable

regretter [ʀəgʀete] *vt* to regret; (*personne*) to miss; **je regrette** I'm sorry

regrouper [ʀəgʀupe] *vt* (*grouper*) to group together; (*contenir*) to include, comprise; **se ~** *vi* to gather (together)

régulier, ière [ʀegylje, -jɛʀ] *adj* (*gén*) regular; (*vitesse, qualité*) steady; (*répartition, pression, paysage*) even; (TRANSPORTS: *ligne, service*) scheduled, regular; (*légal, réglementaire*) lawful, in order; (*fam*: *correct*) straight, on the level; **régulièrement** *adv* regularly; steadily; evenly; normally

rehausser [ʀəose] *vt* to heighten, raise

rein [ʀɛ̃] *nm* kidney; **~s** *nmpl* (*dos*) back *sg*

reine [ʀɛn] *nf* queen

reine-claude [ʀɛnklod] *nf* greengage

réintégrer [ʀeɛ̃tegʀe] *vt* (*lieu*) to return to; (*fonctionnaire*) to reinstate

rejaillir [ʀəʒajiʀ] *vi* to splash up; **~ sur** to splash up onto; (*fig*) to rebound on; to fall upon

rejet [ʀəʒɛ] *nm* (*action, aussi MÉD*) rejection

rejeter [ʀəʒte] *vt* (*relancer*) to throw back; (*vomir*) to bring *ou* throw up; (*écarter*) to reject; (*déverser*) to throw out, discharge; **~ la responsabilité de qch sur qn** to lay the responsibility for sth at sb's door

rejoindre [ʀəʒwɛ̃dʀ(ə)] *vt* (*famille, régiment*) to rejoin, return to; (*lieu*) to get (back) to; (*suj*: *route etc*) to meet, join; (*rattraper*) to catch up (with); **se ~** *vi* to meet; **je te rejoins au café** I'll see *ou* meet you at the café

réjouir [ʀeʒwiʀ] *vt* to delight; **se ~** *vi* to be delighted; to rejoice; **réjouissances** *nfpl* (*joie*) rejoicing *sg*; (*fête*) festivities

relâche [ʀəlɑʃ]: **sans ~** without respite *ou* a break

relâché, e [ʀəlɑʃe] *adj* loose, lax

relâcher [ʀəlɑʃe] *vt* to release; (*étreinte*) to loosen; **se ~** *vi* to loosen; (*discipline*) to become slack *ou* lax; (*élève etc*) to slacken off

relais [ʀəlɛ] *nm* (SPORT): **(course de) ~** relay (race); **équipe de ~** shift team; (SPORT) relay team; **prendre le ~ (de)** to take over (from); **~ routier** ≈ transport café (BRIT), ≈ truck stop (US)

relancer [ʀəlɑ̃se] *vt* (*balle*) to throw back; (*moteur*) to restart; (*fig*) to boost, revive; (*personne*): **~ qn** to pester sb

relater [ʀəlate] *vt* to relate, recount

relatif, ive [ʀəlatif, -iv] *adj* relative

relation [ʀəlɑsjɔ̃] *nf* (*récit*) account, report; (*rapport*) relation(ship); **~s** *nfpl* (*rapports*) relations; relationship *sg*; (*connaissances*) connections; **être/entrer en ~(s) avec** to be/get in contact with

relaxer [ʀəlakse] *vt* to relax; (JUR) to discharge; **se ~** *vi* to relax

relayer [ʀəleje] *vt* (*collaborateur, coureur etc*) to relieve; **se ~** *vi* (*dans une activité*) to take it in turns

reléguer [ʀəlege] *vt* to relegate

relent(s) [ʀəlɑ̃] *nm(pl)* (foul) smell

relevé, e [ʀəlve] *adj* (*manches*) rolled-up; (*sauce*) highly-seasoned ♦ *nm* (*lecture*) reading; (*liste*) statement; list; (*facture*) account; **~ de compte** bank statement

relève [ʀəlɛv] *nf* relief; relief team (*ou* troops *pl*); **prendre la ~** to take over

relever [ʀəlve] *vt* (*statue, meuble*) to stand up again; (*personne tombée*) to help up; (*vitre, niveau de vie*) to raise; (*col*) to turn up; (*style, conversation*) to elevate; (*plat, sauce*) to season; (*sentinelle, équipe*) to relieve; (*fautes, points*) to pick out; (*constater*: *traces etc*) to find, pick up; (*répliquer à*: *remarque*) to react to, reply to; (: *défi*) to accept, take up; (*noter*: *adresse etc*) to take down, note; (: *plan*) to sketch; (: *cotes etc*) to plot; (*compteur*) to read; (*ramasser*: *cahiers*) to collect, take in; **se ~** *vi* (*se remettre debout*) to get up; **~ de** (*maladie*) to be recovering from; (*être du ressort de*) to be a matter for; (ADMIN: *dépendre de*) to come under; (*fig*) to pertain to; **~ qn de** (*fonctions*) to relieve sb of; **~ la tête** to look up; to hold up one's head

relief [ʀəljɛf] *nm* relief; **~s** *nmpl* (*restes*) remains; **mettre en ~** (*fig*) to bring out, highlight

relier [ʀəlje] *vt* to link up; (*livre*) to bind; **~ qch à** to link sth to

religieuse [ʀəliʒjøz] *nf* nun; (*gâteau*) cream bun

religieux, euse [ʀəliʒjø, -øz] *adj* religious ♦ *nm* monk

religion [ʀəliʒjɔ̃] *nf* religion; (*piété, dévotion*) faith

relire [ʀəliʀ] *vt* (*à nouveau*) to reread, read again; (*vérifier*) to read over

reliure [ʀəljyʀ] *nf* binding

reluire [ʀəlɥiʀ] *vi* to gleam

remanier [ʀəmanje] *vt* to reshape, recast; (POL) to reshuffle

remarquable [ʀəmaʀkabl(ə)] *adj* remarkable

remarque [ʀəmaʀk(ə)] *nf* remark; (*écrite*) note

remarquer [ʀəmaʀke] *vt* (*voir*) to notice; **se ~** *vi* to be noticeable; **faire ~ (à qn) que** to point out (to sb) that; **faire ~ qch (à qn)** to point sth out (to sb); **remarquez, ...** mind you ...

remblai [ʀɑ̃blɛ] *nm* embankment

rembourrer [ʀɑ̃buʀe] *vt* to stuff; (*dossier, vêtement, souliers*) to pad

remboursement [ʀɑ̃buʀsəmɑ̃] *nm* repayment; **envoi contre ~** cash on delivery; **rembourser** [ʀɑ̃buʀse] *vt* to pay back, repay

remède [ʀəmɛd] *nm* (*médicament*) medicine; (*traitement, fig*) remedy, cure

remémorer [ʀəmemɔʀe]: **se ~** *vt* to recall, recollect

remerciements [ʀəmɛʀsimɑ̃] *nmpl* thanks

remercier [ʀəmɛʀsje] *vt* to thank; (*congédier*) to dismiss; **~ qn de/d'avoir fait** to thank sb for/for having done

remettre [ʀəmɛtʀ(ə)] *vt* (*vêtement*): **~ qch** to put sth back on; (*replacer*): **~ qch quelque part** to put sth back somewhere; (*ajouter*): **~ du sel/un sucre** to add more salt/another lump of sugar; (*ajourner*): **~ qch (à)** to postpone sth (until); **se ~** *vi* to get better, recover; **se ~ de** to recover from, get over; **s'en ~ à** to leave it (up) to; **~ qch à qn** (*rendre, restituer*) to give sth back to sb; (*donner, confier*: *paquet, argent*) to hand over sth to sb, deliver sth to sb; (: *prix, décoration*) to present sb with sth

remise [ʀəmiz] *nf* delivery; presentation; (*rabais*) discount; (*local*) shed; **~ de peine** reduction of sentence; **~ en jeu** (FOOTBALL) throw-in

remontant [ʀəmɔ̃tɑ̃] *nm* tonic, pick-me-up

remonte-pente [ʀəmɔ̃tpɑ̃t] *nm* ski-lift

remonter [ʀəmɔ̃te] *vi* to go back up; (*jupe*) to ride up ♦ *vt* (*pente*) to go up; (*fleuve*) to sail (*ou* swim *etc*) up; (*manches, pantalon*) to roll up; (*col*) to turn up; (*niveau, limite*) to raise; (*fig*: *personne*) to buck up; (*moteur, meuble*) to put back together, reassemble; (*montre, mécanisme*) to wind up; **~ le moral à qn** to raise sb's spirits; **~ à** (*dater de*) to date *ou* go back to

remontrance [ʀəmɔ̃tʀɑ̃s] *nf* reproof, reprimand

remontrer [ʀəmɔ̃tʀe] *vt* (*fig*): **en ~ à** to prove one's superiority over

remords [ʀəmɔʀ] *nm* remorse *no pl*; **avoir des ~** to feel remorse

remorque [ʀəmɔʀk(ə)] *nf* trailer; **être en ~** to be on tow; **remorquer** *vt* to tow; **remorqueur** *nm* tug(boat)

remous [ʀəmu] *nm* (*d'un navire*) (back)wash *no pl*; (*de rivière*) swirl, eddy ♦ *nmpl* (*fig*) stir *sg*

remparts [ʀɑ̃paʀ] *nmpl* walls, ramparts

remplaçant, e [ʀɑ̃plasɑ̃, -ɑ̃t] *nm/f* replacement, stand-in; (THÉÂTRE) understudy; (SCOL) supply teacher

remplacement [ʀɑ̃plasmɑ̃] *nm* replacement; (*job*) replacement work *no pl*

remplacer [ʀɑ̃plase] *vt* to replace; (*tenir lieu de*) to take the place of; **~ qch/qn par** to replace sth/sb with

rempli, e [ʀɑ̃pli] *adj* (*emploi du temps*) full, busy; **~ de** full of, filled with

remplir [ʀɑ̃pliʀ] *vt* to fill (up); (*questionnaire*) to fill out *ou* up; (*obligations, fonction, condition*) to fulfil; **se ~** *vi* to fill up

remporter [ʀɑ̃pɔʀte] *vt* (*marchandise*) to take away; (*fig*) to win, achieve

remuant, e [ʀəmɥɑ̃, -ɑ̃t] *adj* restless

remue-ménage [ʀəmymenaʒ] *nm inv* commotion

remuer [ʀəmɥe] *vt* to move; (*café, sauce*) to stir ♦ *vi* to move; **se ~** *vi* to move

rémunérer [ʀemyneʀe] *vt* to remunerate

renard [ʀənaʀ] *nm* fox

renchérir [ʀɑ̃ʃeʀiʀ] *vi* (*fig*): **~ (sur)** to add something (to)

rencontre [ʀɑ̃kɔ̃tʀ(ə)] *nf* meeting; (*imprévue*) encounter; **aller à la ~ de qn** to go and meet sb

rencontrer [ʀɑ̃kɔ̃tʀe] *vt* to meet; (*mot, expression*) to come across; (*difficultés*) to meet with; **se ~** *vi* to meet; (*véhicules*) to collide

rendement [ʀɑ̃dmɑ̃] *nm* (*d'un travailleur, d'une machine*) output; (*d'une culture*) yield; (*d'un investissement*) return; **à plein ~** at full capacity

rendez-vous [ʀɑ̃devu] *nm* (*rencontre*) appointment; (: *d'amoureux*) date; (*lieu*) meeting place; **donner ~ à qn** to arrange to meet sb; **avoir/prendre ~ (avec)** to have/make an appointment (with)

rendre [ʀɑ̃dʀ(ə)] *vt* (*livre, argent etc*) to give back, return; (*otages, visite etc*) to return; (*sang, aliments*) to bring up; (*exprimer, traduire*) to render; (*faire devenir*): **~ qn célèbre/qch possible** to make sb famous/sth possible; **se ~** *vi* (*capituler*) to surrender, give o.s. up; (*aller*): **se ~ quelque part** to go somewhere; **se ~ compte de qch** to realize sth

rênes [ʀɛn] *nfpl* reins

renfermé, e [ʀɑ̃fɛʀme] *adj* (*fig*) withdrawn ♦ *nm*: **sentir le ~** to smell stuffy

renfermer [ʀɑ̃fɛʀme] *vt* to contain

renflement [ʀɑ̃fləmɑ̃] *nm* bulge

renflouer [ʀɑ̃flue] *vt* to refloat; (*fig*) to set back on its (*ou* his/her *etc*) feet

renfoncement [ʀɑ̃fɔ̃smɑ̃] *nm* recess

renforcer [ʀɑ̃fɔʀse] *vt* to reinforce

renfort [ʀɑ̃fɔʀ] : **~s** *nmpl* reinforcements; **à grand ~ de** with a great deal of

renfrogné, e [ʀɑ̃fʀɔɲe] *adj* sullen

rengaine [ʀɑ̃gɛn] (*péj*) *nf* old tune

renier [ʀənje] *vt* (*parents*) to disown, repudiate; (*foi*) to renounce

renifler [ʀənifle] *vi, vt* to sniff
renne [ʀɛn] *nm* reindeer *inv*
renom [ʀənɔ̃] *nm* reputation; (*célébrité*) renown; **renommé, e** *adj* celebrated, renowned; **renommée** *nf* fame
renoncer [ʀənɔ̃se]: ~ **à** *vt* to give up; ~ **à faire** to give up the idea of doing
renouer [ʀənwe] *vt*: ~ **avec** (*tradition*) to revive; (*habitude*) to take up again; ~ **avec qn** to take up with sb again
renouvelable [ʀ(ə)nuvlabl(ə)] *adj* (*énergie etc*) renewable
renouveler [ʀənuvle] *vt* to renew; (*exploit, méfait*) to repeat; **se** ~ *vi* (*incident*) to recur, happen again; **renouvellement** *nm* renewal; recurrence
rénover [ʀenɔve] *vt* (*immeuble*) to renovate, do up; (*enseignement*) to reform; (*quartier*) to redevelop
renseignement [ʀɑ̃sɛɲmɑ̃] *nm* information *no pl*, piece of information; **(guichet des)** ~**s** information desk
renseigner [ʀɑ̃seɲe] *vt*: ~ **qn (sur)** to give information to sb (about); **se** ~ *vi* to ask for information, make inquiries
rentabilité [ʀɑ̃tabilite] *nf* profitablity
rentable [ʀɑ̃tabl(ə)] *adj* profitable
rente [ʀɑ̃t] *nf* income; pension; government stock *ou* bond; **rentier, ière** *nm/f* person of private means
rentrée [ʀɑ̃tʀe] *nf*: ~ **(d'argent)** cash *no pl* coming in; **la** ~ **(des classes)** the start of the new school year
rentrer [ʀɑ̃tʀe] *vi* (*entrer de nouveau*) to go (*ou* come) back in; (*entrer*) to go (*ou* come) in; (*revenir chez soi*) to go (*ou* come) (back) home; (*air, clou: pénétrer*) to go in; (*revenu, argent*) to come in ◆ *vt* (*foins*) to bring in; (*véhicule*) to put away; (*chemise dans pantalon etc*) to tuck in; (*griffes*) to draw in; (*fig: larmes, colère etc*) to hold back; ~ **le ventre** to pull in one's stomach; ~ **dans** (*heurter*) to crash into; ~ **dans l'ordre** to be back to normal; ~ **dans ses frais** to recover one's expenses
renversant, e [ʀɑ̃vɛʀsɑ̃, -ɑ̃t] *adj* astounding
renverse [ʀɑ̃vɛʀs(ə)]: **à la** ~ *adv* backwards
renverser [ʀɑ̃vɛʀse] *vt* (*faire tomber: chaise, verre*) to knock over, overturn; (*piéton*) to knock down; (*liquide, contenu*) to spill, upset; (*retourner*) to turn upside down; (*: ordre des mots etc*) to reverse; (*fig: gouvernement etc*) to overthrow; (*stupéfier*) to bowl over; **se** ~ *vi* to fall over; to overturn; to spill
renvoi [ʀɑ̃vwa] *nm* (*référence*) cross-reference; (*éructation*) belch
renvoyer [ʀɑ̃vwaje] *vt* to send back; (*congédier*) to dismiss; (*lumière*) to reflect; (*son*) to echo; (*ajourner*): ~ **qch (à)** to put sth off *ou* postpone sth (until); ~ **qn à** (*fig*) to refer sb to
repaire [ʀəpɛʀ] *nm* den
répandre [ʀepɑ̃dʀ(ə)] *vt* (*renverser*) to spill; (*étaler, diffuser*) to spread; (*lumière*) to shed; (*chaleur, odeur*) to give off; **se** ~ *vi* to spill; to spread; **répandu, e** *adj* (*opinion, usage*) widespread
réparation [ʀepaʀasjɔ̃] *nf* repair
réparer [ʀepaʀe] *vt* to repair; (*fig: offense*) to make up for, atone for; (*: oubli, erreur*) to put right
repartie [ʀəpaʀti] *nf* retort; **avoir de la** ~ to be quick at repartee
repartir [ʀəpaʀtiʀ] *vi* to set off again; to leave again; (*fig*) to get going again; ~ **à zéro** to start from scratch (again)
répartir [ʀepaʀtiʀ] *vt* (*pour attribuer*) to share out; (*pour disperser, disposer*) to divide up; (*poids, chaleur*) to distribute; **se** ~ *vt* (*travail, rôles*) to share out between themselves; **répartition** *nf* sharing out; dividing up; distribution
repas [ʀəpɑ] *nm* meal
repasser [ʀəpɑse] *vi* to come (*ou* go) back ◆ *vt* (*vêtement, tissu*) to iron; (*examen*) to retake, resit; (*film*) to show again; (*leçon, rôle: revoir*) to go over (again)
repêcher [ʀəpeʃe] *vt* (*noyé*) to recover the body of; (*candidat*) to pass (*by inflating marks*)
repentir [ʀəpɑ̃tiʀ] *nm* repentance; **se** ~ *vi* to repent; **se** ~ **de** to repent of
répercussions [ʀepɛʀkysjɔ̃] *nfpl* (*fig*) repercussions
répercuter [ʀepɛʀkyte] *vt* (*information, hausse des prix*) to pass on; **se** ~ *vi* (*bruit*) to reverberate; (*fig*): **se** ~ **sur** to have repercussions on
repère [ʀəpɛʀ] *nm* mark; (*monument etc*) landmark
repérer [ʀəpeʀe] *vt* (*erreur, connaissance*) to spot; (*abri, ennemi*) to locate; **se** ~ *vi* to find one's way about
répertoire [ʀepɛʀtwaʀ] *nm* (*liste*) (alphabetical) list; (*carnet*) index notebook; (*d'un artiste*) repertoire
répéter [ʀepete] *vt* to repeat; (*préparer: leçon: aussi vi*) to learn, go over; (*THÉÂTRE*) to rehearse; **se** ~ *vi* (*redire*) to repeat o.s.; (*se reproduire*) to be repeated, recur
répétition [ʀepetisjɔ̃] *nf* repetition; (*THÉÂTRE*) rehearsal; ~ **générale** final dress rehearsal
répit [ʀepi] *nm* respite
replet, ète [ʀəplɛ, -ɛt] *adj* chubby
replier [ʀəplije] *vt* (*rabattre*) to fold down *ou* over; **se** ~ *vi* (*troupes, armée*) to withdraw, fall back
réplique [ʀeplik] *nf* (*repartie, fig*) reply; (*THÉÂTRE*) line; (*copie*) replica; ~**r** [ʀeplike] *vi* to reply; (*riposter*) to retaliate
répondeur *nm*: ~ **automatique** (*TÉL*) answering machine
répondre [ʀepɔ̃dʀ(ə)] *vi* to answer, reply; (*freins, mécanisme*) to respond; ~ **à** to reply to, answer; (*affection, salut*) to return; (*provocation, suj: mécanisme etc*) to respond to; (*correspondre à: besoin*) to answer; (*: conditions*) to meet; (*: description*) to match; (*avec impertinence*): ~ **à qn** to answer sb back; ~ **de** to answer for
réponse [ʀepɔ̃s] *nf* answer, reply; **en** ~ **à** in reply to
reportage [ʀəpɔʀtaʒ] *nm* (*bref*) report; (*écrit: documentaire*) story; article; (*en direct*) commentary; (*genre, activité*): **le** ~ reporting
reporter[1] [ʀəpɔʀtɛʀ] *nm* reporter
reporter[2] [ʀəpɔʀte] *vt* (*total*): ~ **qch sur** to carry sth forward *ou* over to; (*ajourner*): ~ **qch (à)** to postpone sth (until); (*transférer*): ~ **qch sur** to transfer sth to; **se** ~ **à** (*époque*) to think back to; (*document*) to refer to
repos [ʀəpo] *nm* rest; (*fig*) peace (and quiet); peace of mind; (*MIL*): ~! stand at ease!; **en** ~ at rest; **de tout** ~ safe
reposant, e [ʀəpozɑ̃, -ɑ̃t] *adj* restful
reposer [ʀəpoze] *vt* (*verre, livre*) to put down; (*délasser*) to rest; (*problème*) to reformulate ◆ *vi* (*liquide, pâte*) to settle, rest; **se** ~ *vi* to rest; **se** ~ **sur qn** to rely on sb; ~ **sur** to be built on; (*fig*) to rest on
repoussant, e [ʀəpusɑ̃, -ɑ̃t] *adj* repulsive
repousser [ʀəpuse] *vi* to grow again ◆ *vt* to repel, repulse; (*offre*) to turn down, reject; (*tiroir, personne*) to push back; (*différer*) to put back
reprendre [ʀəpʀɑ̃dʀ(ə)] *vt* (*prisonnier, ville*) to recapture; (*objet prêté, donné*) to take back; (*chercher*): **je viendrai te** ~ **à 4h** I'll come and fetch you at 4; (*se resservir de*): ~ **du pain/un œuf** to take (*ou* eat) more bread/another egg; (*firme, entreprise*) to take over; (*travail, promenade*) to resume; (*emprunter: argument, idée*) to take up, use; (*refaire: article etc*) to go over again; (*jupe etc*) to alter; (*émission, pièce*) to put on again; (*réprimander*) to tell off; (*corriger*) to correct ◆ *vi* (*classes, pluie*) to start (up) again; (*activités, travaux, combats*) to resume, start (up) again; (*affaires, industrie*) to pick up; (*dire*): **reprit-il** he went on; **se** ~ *vi* (*se ressaisir*) to recover; **s'y** ~ to make another attempt; ~ **des forces** to recover one's strength; ~ **courage** to take new heart; ~ **la route** to set off again; ~ **haleine** *ou* **son souffle** to get one's breath back
représailles [ʀəpʀezɑj] *nfpl* reprisals
représentant, e [ʀəpʀezɑ̃tɑ̃, -ɑ̃t] *nm/f* representative
représentation [ʀəpʀezɑ̃tɑsjɔ̃] *nf* (*symbole, image*) representation; (*spectacle*) performance
représenter [ʀəpʀezɑ̃te] *vt* to represent; (*donner: pièce, opéra*) to perform; **se** ~ *vt* (*se figurer*) to imagine; to visualize
répression [ʀepʀesjɔ̃] *nf* (*voir réprimer*) suppression; repression
réprimer [ʀepʀime] *vt* (*émotions*) to suppress; (*peuple etc*) to repress
repris [ʀəpʀi] *nm*: ~ **de justice** ex-prisoner, ex-convict
reprise [ʀəpʀiz] *nf* (*recommencement*) resumption; recovery; (*TV*) repeat; (*CINÉMA*) rerun; (*AUTO*) acceleration *no pl*; (*COMM*) trade-in, part exchange; **à plusieurs** ~**s** on several occasions
repriser [ʀəpʀize] *vt* to darn; to mend
reproche [ʀəpʀɔʃ] *nm* (*remontrance*) reproach; **faire des** ~**s à qn** to reproach sb; **sans** ~**(s)** beyond reproach
reprocher [ʀəpʀɔʃe] *vt*: ~ **qch à qn** to reproach *ou* blame sb for sth; ~ **qch à** (*machine, théorie*) to have sth against
reproduction [ʀəpʀɔdyksjɔ̃] *nf* reproduction
reproduire [ʀəpʀɔdɥiʀ] *vt* to reproduce; **se** ~ *vi* (*BIO*) to reproduce; (*recommencer*) to recur, re-occur
reptile [ʀɛptil] *nm* reptile
repu, e [ʀəpy] *adj* satisfied, sated
républicain, e [ʀepyblikɛ̃, -ɛn] *adj, nm/f* republican
république [ʀepyblik] *nf* republic
répugnant, e [ʀepyɲɑ̃, -ɑ̃t] *adj* repulsive; loathsome
répugner [ʀepyɲe]: ~ **à** *vt* to repel *ou* disgust sb; ~ **à faire** to be loath *ou* reluctant to do
réputation [ʀepytɑsjɔ̃] *nf* reputation; **réputé, e** *adj* renowned
requérir [ʀəkeʀiʀ] *vt* (*nécessiter*) to require, call for; (*JUR: peine*) to call for, demand
requête [ʀəkɛt] *nf* request; (*JUR*) petition
requin [ʀəkɛ̃] *nm* shark
requis, e [ʀəki, -iz] *adj* required
R.E.R. *sigle m* (= *réseau express régional*) *Greater Paris high-speed train service*
rescapé, e [ʀɛskape] *nm/f* survivor
rescousse [ʀɛskus] *nf*: **aller à la** ~ **de qn** to go to sb's aid *ou* rescue
réseau, x [ʀezo] *nm* network
réservation [ʀezɛʀvɑsjɔ̃] *nf* booking, reservation
réserve [ʀezɛʀv(ə)] *nf* (*retenue*) reserve; (*entrepôt*) storeroom; (*restriction, d'Indiens*) reservation; (*de pêche, chasse*) preserve; **sous** ~ **de** subject to; **sans** ~ unreservedly; **de** ~ (*provisions etc*) in reserve
réservé, e [ʀezɛʀve] *adj* (*discret*) reserved; (*chasse, pêche*) private
réserver [ʀezɛʀve] *vt* (*gén*) to reserve; (*chambre, billet etc*) to book, reserve; (*garder*): ~ **qch pour/à** to keep *ou* save sth for; ~ **qch à qn** to reserve (*ou* book) sth for sb
réservoir [ʀezɛʀvwaʀ] *nm* tank
résidence [ʀezidɑ̃s] *nf* residence; **(en)** ~ **surveillée** (under) house arrest; ~ **secondaire** second home
résidentiel, le [ʀezidɑ̃sjɛl] *adj* residential
résider [ʀezide] *vi*: ~ **à/dans/en** to reside in; ~ **dans** (*fig*) to lie in
résidu [ʀezidy] *nm* residue *no pl*
résigner [ʀeziɲe]: **se** ~ *vi*: **se** ~ **(à qch/à faire)** to resign o.s. (to sth/to doing)
résilier [ʀezilje] *vt* to terminate
résistance [ʀezistɑ̃s] *nf* resistance; (*de réchaud, bouilloire: fil*) element
résistant, e [ʀezistɑ̃, -ɑ̃t] *adj* (*personne*) robust, tough; (*matériau*) strong, hard-wearing
résister [ʀeziste] *vi* to resist; ~ **à** (*assaut, tentation*) to resist; (*effort, souffrance*) to withstand; (*désobéir à*) to stand up to, oppose
résolu, e [ʀezɔly] *pp de* **résoudre** ◆ *adj*: **être** ~ **à qch/faire** to be set upon sth/doing
résolution [ʀezɔlysjɔ̃] *nf* solving; (*fermeté, décision*) resolution
résolve *etc vb voir* **résoudre**
résonner [ʀezɔne] *vi* (*cloche, pas*) to reverberate, resound; (*salle*) to be resonant; ~ **de** to resound with
résorber [ʀezɔʀbe]: **se** ~ *vi* (*fig*) to be reduced; to be absorbed
résoudre [ʀezudʀ(ə)] *vt* to solve; **se** ~ **à faire** to bring o.s. to do
respect [ʀɛspɛ] *nm* respect; **tenir en** ~ to keep at bay
respecter [ʀɛspɛkte] *vt* to respect
respectueux, euse [ʀɛspɛktɥø, -øz] *adj* respectful; ~ **de** respectful of
respiration [ʀɛspiʀɑsjɔ̃] *nf* breathing *no pl*; ~ **artificielle** artificial respiration
respirer [ʀɛspiʀe] *vi* to breathe; (*fig*) to get one's breath; to breathe again ◆ *vt* to breathe (in), inhale; (*manifester: santé, calme etc*) to exude
resplendir [ʀɛsplɑ̃diʀ] *vi* to shine; (*fig*): ~ **(de)** to be radiant (with)
responsabilité [ʀɛspɔ̃sabilite] *nf* responsibility; (*légale*) liability
responsable [ʀɛspɔ̃sabl(ə)] *adj* responsible ◆ *nm/f* (*du ravitaillement etc*) person in charge; (*de parti, syndicat*) official; ~ **de** responsible for; (*chargé de*) in charge of, responsible for
ressaisir [ʀəseziʀ] : **se** ~ *vi* to regain one's self-control
ressasser [ʀəsase] *vt* to keep going over
ressemblance [ʀəsɑ̃blɑ̃s] *nf* resemblance, similarity, likeness
ressemblant, e [ʀəsɑ̃blɑ̃, -ɑ̃t] *adj* (*portrait*) lifelike, true to life
ressembler [ʀəsɑ̃ble] : ~ **à** *vt* to be like; to resemble; (*visuellement*) to look like; **se** ~ *vi* to be (*ou* look) alike
ressemeler [ʀəsəmle] *vt* to (re)sole
ressentiment [ʀəsɑ̃timɑ̃] *nm* resentment
ressentir [ʀəsɑ̃tiʀ] *vt* to feel; **se** ~ **de** to feel (*ou* show) the effects of
resserrer [ʀəseʀe] *vt* (*nœud, boulon*) to tighten (up); (*fig: liens*) to strengthen; **se** ~ *vi* (*vallée*) to narrow
resservir [ʀəsɛʀviʀ] *vi* to do *ou* serve again ◆ *vt*: ~ **qn (d'un plat)** to give sb a second helping (of a dish)
ressort [ʀəsɔʀ] *nm* (*pièce*) spring; (*force morale*) spirit; (*recours*): **en dernier** ~ as a last resort; (*compétence*): **être du** ~ **de** to fall within the competence of
ressortir [ʀəsɔʀtiʀ] *vi* to go (*ou* come) out (again); (*contraster*) to stand out; ~ **de** to emerge from; **faire** ~ (*fig: souligner*) to bring out
ressortissant, e [ʀəsɔʀtisɑ̃, -ɑ̃t] *nm/f* national
ressource [ʀəsuʀs(ə)] *nf*: **avoir la** ~ **de** to have the possibility of; ~**s** *nfpl* (*moyens*) resources; **leur seule** ~ **était de** the only course open to them was to
ressusciter [ʀesysite] *vt* (*fig*) to revive, bring back ◆ *vi* to rise (from the dead)
restant, e [ʀɛstɑ̃, -ɑ̃t] *adj* remaining ◆ *nm*: **le** ~ **(de)** the remainder (of); **un** ~ **de** (*de trop*) some left-over
restaurant [ʀɛstɔʀɑ̃] *nm* restaurant
restauration [ʀɛstɔʀɑsjɔ̃] *nf* restoration; (*hôtellerie*) catering; ~ **rapide** fast food
restaurer [ʀɛstɔʀe] *vt* to restore; **se** ~ *vi* to have something to eat
reste [ʀɛst(ə)] *nm* (*restant*): **le** ~ **(de)** the rest (of); (*de trop*): **un** ~ **(de)** some left-over; (*vestige*): **un** ~ **de** a remnant *ou* last trace of; (*MATH*) remainder; ~**s** *nmpl* (*nourriture*) left-overs; (*d'une cité etc, dépouille mortelle*) remains; **du** ~, **au** ~ besides, moreover
rester [ʀɛste] *vi* to stay, remain; (*subsister*) to remain, be left; (*durer*) to last, live on ◆ *vb impers*: **il reste du pain/2 œufs** there's some bread/there are 2 eggs left (over); **il me reste assez de temps** I have enough time left; **ce qui reste à faire** what remains to be done; **restons-en là** let's leave it at that
restituer [ʀɛstitɥe] *vt* (*objet, somme*): ~ **qch (à qn)** to return sth (to sb); (*TECH*) to release; (*: son*) to reproduce
restoroute [ʀɛstɔʀut] *nm* motorway (*BRIT*) *ou* highway (*US*) restaurant
restreindre [ʀɛstʀɛ̃dʀ(ə)] *vt* to restrict, limit
restriction [ʀɛstʀiksjɔ̃] *nf* restriction
résultat [ʀezylta] *nm* result; (*d'élection etc*) results *pl*
résulter [ʀezylte] : ~ **de** *vt* to result from, be the result of
résumé [ʀezyme] *nm* summary, résumé
résumer [ʀezyme] *vt* (*texte*) to summarize; (*récapituler*) to sum up; **se** ~ **à** to come down to
résurrection [ʀezyʀɛksjɔ̃] *nf* resurrection; (*fig*) revival
rétablir [ʀetabliʀ] *vt* to restore, re-establish; **se** ~ *vi* (*guérir*) to recover; (*silence, calme*) to return, be restored; **rétablissement** *nm* restoring; recovery; (*SPORT*) pull-up
retaper [ʀətape] *vt* (*maison, voiture etc*) to do up; (*fam: revigorer*) to buck up; (*redactylographier*) to retype
retard [ʀətaʀ] *nm* (*d'une personne attendue*) lateness *no pl*; (*sur l'horaire, un programme*) delay; (*fig: scolaire, mental etc*) backwardness; **en** ~ **(de 2 heures)** (2 hours) late; **avoir du** ~ to be late; (*sur un programme*) to be behind (schedule); **prendre du** ~ (*train, avion*) to be delayed; (*montre*) to lose (time); **sans** ~ without delay
retardement [ʀətaʀdəmɑ̃] : **à** ~ *adj* delayed action *cpd*; **bombe à** ~ time bomb
retarder [ʀətaʀde] *vt* (*sur un horaire*): ~ **qn (d'une heure)** to delay sb (an hour); (*départ, date*): ~ **qch (de 2 jours)** to put sth back (2 days), delay sth (for *ou* by 2 days); (*horloge*) to put back ◆ *vi* (*montre*) to be slow; to lose (time)
retenir [ʀətniʀ] *vt* (*garder, retarder*) to keep, detain; (*maintenir: objet qui glisse, fig: colère, larmes*) to hold back; (*: objet suspendu*) to hold; (*fig: empêcher d'agir*): ~ **qn (de faire)** to hold sb back (from doing); (*se rappeler*) to retain; (*réserver*) to reserve; (*accepter*) to accept; (*prélever*): ~ **qch (sur)** to deduct sth (from); **se** ~ *vi* (*se raccrocher*): **se** ~ **à** to hold onto; **se** ~ *vi*; (*se contenir*): **se** ~ **de faire** to restrain o.s. from doing; ~ **son souffle** to hold one's breath
retentir [ʀətɑ̃tiʀ] *vi* to ring out; (*salle*): ~ **de** to ring *ou* resound with
retentissant, e [ʀətɑ̃tisɑ̃, -ɑ̃t] *adj* resounding; (*fig*) impact-making
retentissement [ʀətɑ̃tismɑ̃] *nm* repercussion; effect, impact; stir
retenu, e [ʀətny] *adj* (*place*) reserved; (*personne: empêché*) held up
retenue [ʀətny] *nf* (*prélèvement*) deduction; (*SCOL*) detention; (*modération*) (self-)restraint; (*réserve*) reserve, reticence
réticence [ʀetisɑ̃s] *nf* hesitation, reluctance *no pl*
rétine [ʀetin] *nf* retina
retiré, e [ʀətiʀe] *adj* secluded; remote
retirer [ʀətiʀe] *vt* to withdraw; (*vêtement, lunettes*) to take off, remove; (*extraire*): ~ **qch de** to take sth out of, remove sth from; (*reprendre: bagages, billets*) to collect, pick up
retombées [ʀətɔ̃be] *nfpl* (*radioactives*) fallout *sg*; (*fig*) fallout; spin-offs
retomber [ʀətɔ̃be] *vi* (*à nouveau*) to fall again; (*atterrir: après un saut etc*) to land; (*tomber, redescendre*) to fall back; (*pendre*) to fall, hang (down); (*échoir*): ~ **sur qn** to

fall on sb
rétorquer [ʀetɔʀke] *vt:* ~ **(à qn) que** to retort (to sb) that
retors, e [ʀətɔʀ, -ɔʀs(ə)] *adj* wily
retoucher [ʀətuʃe] *vt (photographie)* to touch up; *(texte, vêtement)* to alter
retour [ʀətuʀ] *nm* return; **au** ~ when we *(ou* they *etc)* get *(ou* got) back; *(en route)* on the way back; **être de** ~ **(de)** to be back (from); **par** ~ **du courrier** by return of post
retourner [ʀətuʀne] *vt (dans l'autre sens: matelas, crêpe, foin, terre)* to turn (over); *(: caisse)* to turn upside down; *(: sac, vêtement)* to turn inside out; *(émouvoir: personne)* to shake; *(renvoyer, restituer):* ~ **qch à qn** to return sth to sb ◆ *vi (aller, revenir):* ~ **quelque part/à** to go back *ou* return somewhere/to; **se** ~ *vi* to turn over; *(tourner la tête)* to turn round; ~ **à** *(état, activité)* to return to, go back to; **se** ~ **contre** *(fig)* to turn against; **savoir de quoi il retourne** to know what it is all about
retracer [ʀətʀase] *vt* to relate, recount
retrait [ʀətʀɛ] *nm (voir retirer)* withdrawal; collection; **en** ~ set back; ~ **du permis (de conduire)** disqualification from driving *(BRIT)*, revocation of driver's license *(US)*
retraite [ʀətʀɛt] *nf (d'une armée, REL, refuge)* retreat; *(d'un employé)* retirement; *(revenu)* pension; **prendre sa** ~ to retire; ~ **anticipée** early retirement; **retraité, e** *adj* retired ◆ *nm/f* pensioner
retrancher [ʀətʀɑ̃ʃe] *vt (passage, détails)* to take out, remove; *(nombre, somme):* ~ **qch de** to take *ou* deduct sth from; *(couper)* to cut off; **se** ~ **derrière/dans** to take refuge behind/in
retransmettre [ʀətʀɑ̃smɛtʀ(ə)] *vt (RADIO)* to broadcast; *(TV)* to show
rétrécir [ʀetʀesiʀ] *vt (vêtement)* to take in ◆ *vi* to shrink; **se** ~ *vi* to narrow
rétribution [ʀetʀibysjɔ̃] *nf* payment
rétro [ʀetʀo] *adj inv:* **la mode** ~ the nostalgia vogue
rétrograde [ʀetʀɔgʀad] *adj* reactionary, backward-looking
rétrograder [ʀetʀɔgʀade] *vi (économie)* to regress; *(AUTO)* to change down
rétroprojecteur [ʀetʀɔpʀɔʒɛktœʀ] *nm* overhead projector
rétrospective [ʀetʀɔspɛktiv] *nf* retrospective exhibition/season; **rétrospectivement** *adv* in retrospect
retrousser [ʀətʀuse] *vt* to roll up
retrouvailles [ʀətʀuvɑj] *nfpl* reunion *sg*
retrouver [ʀətʀuve] *vt (fugitif, objet perdu)* to find; *(occasion)* to find again; *(calme, santé)* to regain; *(revoir)* to see again; *(rejoindre)* to meet (again), join; **se** ~ *vi* to meet; *(s'orienter)* to find one's way; **se** ~ **quelque part** to find o.s. somewhere; **s'y** ~ *(rentrer dans ses frais)* to break even
rétroviseur [ʀetʀɔvizœʀ] *nm* (rear-view) mirror
réunion [ʀeynjɔ̃] *nf* bringing together; joining; *(séance)* meeting
réunir [ʀeyniʀ] *vt (convoquer)* to call together; *(rassembler)* to gather together; *(cumuler)* to combine; *(rapprocher)* to bring together (again), reunite; *(rattacher)* to join (together); **se** ~ *vi (se rencontrer)* to meet
réussi, e [ʀeysi] *adj* successful
réussir [ʀeysiʀ] *vi* to succeed, be successful; *(à un examen)* to pass; *(plante, culture)* to thrive, do well ◆ *vt* to make a success of; ~ **à faire** to succeed in doing; ~ **à qn** to go right for sb; *(aliment)* to agree with sb
réussite [ʀeysit] *nf* success; *(CARTES)* patience
revaloir [ʀəvalwaʀ] *vt:* **je vous revaudrai cela** I'll repay you some day; *(en mal)* I'll pay you back for this
revaloriser [ʀəvalɔʀize] *vt (monnaie)* to revalue; *(salaires)* to raise the level of
revanche [ʀəvɑ̃ʃ] *nf* revenge; **en** ~ on the other hand
rêve [ʀɛv] *nm* dream; *(activité psychique):* **le** ~ dreaming
revêche [ʀəvɛʃ] *adj* surly, sour-tempered
réveil [ʀevɛj] *nm (d'un dormeur)* waking up *no pl*; *(fig)* awakening; *(pendule)* alarm (clock); *(MIL)* reveille; **au** ~ on waking (up)
réveille-matin [ʀevɛjmatɛ̃] *nm inv* alarm clock
réveiller [ʀeveje] *vt (personne)* to wake up; *(fig)* to awaken, revive; **se** ~ *vi* to wake up; *(fig)* to reawaken
réveillon [ʀevɛjɔ̃] *nm* Christmas Eve; *(de la Saint-Sylvestre)* New Year's Eve; **réveillonner** *vi* to celebrate Christmas Eve *(ou* New Year's Eve)
révélateur, trice [ʀevelatœʀ, -tʀis] *adj:* ~ **(de qch)** revealing (sth) ◆ *nm (PHOTO)* developer
révéler [ʀevele] *vt (gén)* to reveal; *(faire connaître au public):* ~ **qn/qch** to make sb/sth widely known, bring sb/sth to the public's notice; **se** ~ *vi* to be revealed, reveal itself ◆ *vb +attrib* to prove (to be), to be revealed, reveal itself
revenant, e [ʀəvnɑ̃, -ɑ̃t] *nm/f* ghost
revendeur, euse [ʀəvɑ̃dœʀ, -øz] *nm/f (détaillant)* retailer; *(d'occasions)* secondhand dealer
revendication [ʀəvɑ̃dikasjɔ̃] *nf* claim, demand; **journée de** ~ day of action
revendiquer [ʀəvɑ̃dike] *vt* to claim, demand; *(responsabilité)* to claim
revendre [ʀəvɑ̃dʀ(ə)] *vt (d'occasion)* to resell; *(détailler)* to sell; **à** ~ *(en abondance)* to spare
revenir [ʀəvniʀ] *vi* to come back; *(CULIN):* **faire** ~ to brown; *(coûter):* ~ **cher/à 100 F (à qn)** to cost (sb) a lot/100 F; ~ **à** *(études, projet)* to return to, go back to; *(équivaloir à)* to amount to; ~ **à qn** *(part, honneur)* to go to sb, be sb's; *(souvenir, nom)* to come back to sb; ~ **de** *(fig: maladie, étonnement)* to recover from; ~ **sur** *(question, sujet)* to go back over; *(engagement)* to go back on; ~ **à la charge** to return to the attack; ~ **à soi** to come round; **n'en pas** ~: **je n'en reviens pas** I can't get over it; ~ **sur ses pas** to retrace one's steps; **cela revient à dire que/au même** it amounts to saying that/the same thing
revenu [ʀəvny] *nm* income; *(de l'État)* revenue; *(d'un capital)* yield; ~**s** *nmpl* income *sg*
rêver [ʀeve] *vi, vt* to dream; ~ **de/à** to dream of
réverbère [ʀevɛʀbɛʀ] *nm* street lamp *ou* light
réverbérer [ʀevɛʀbeʀe] *vt* to reflect
révérence [ʀeveʀɑ̃s] *nf (salut)* bow; *(: de femme)* curtsey
rêverie [ʀɛvʀi] *nf* daydreaming *no pl*, daydream
revers [ʀəvɛʀ] *nm (de feuille, main)* back; *(d'étoffe)* wrong side; *(de pièce, médaille)* back, reverse; *(TENNIS, PING-PONG)* backhand; *(de veston)* lapel; *(de pantalon)* turn-up; *(fig: échec)* setback
revêtement [ʀəvɛtmɑ̃] *nm (de paroi)* facing; *(des sols)* flooring; *(de chaussée)* surface; *(de tuyau etc: enduit)* coating
revêtir [ʀəvetiʀ] *vt (habit)* to don, put on; *(fig)* to take on; ~ **qn de** to endow *ou* invest sb with; ~ **qch de** to cover sth with; *(fig)* to cloak sth in
rêveur, euse [ʀɛvœʀ, -øz] *adj* dreamy ◆ *nm/f* dreamer
revient [ʀəvjɛ̃] *vb voir* **revenir**
revigorer [ʀəvigɔʀe] *vt* to invigorate, brace up; to revive, buck up
revirement [ʀəviʀmɑ̃] *nm* change of mind; *(d'une situation)* reversal
réviser [ʀevize] *vt (texte, SCOL: matière)* to revise; *(machine, installation, moteur)* to overhaul, service; *(JUR: procès)* to review
révision [ʀevizjɔ̃] *nf* revision; auditing *no pl*; overhaul; servicing *no pl*; review; **la** ~ **des 10000 km** *(AUTO)* the 10,000 km service
revivre [ʀəvivʀ(ə)] *vi (reprendre des forces)* to come alive again; *(traditions)* to be revived ◆ *vt (épreuve, moment)* to relive
revoir [ʀəvwaʀ] *vt* to see again; *(réviser)* to revise ◆ *nm:* **au** ~ goodbye
révoltant, e [ʀevɔltɑ̃, -ɑ̃t] *adj* revolting; appalling
révolte [ʀevɔlt(ə)] *nf* rebellion, revolt
révolter [ʀevɔlte] *vt* to revolt; to outrage, appal; **se** ~ **(contre)** to rebel (against)
révolu, e [ʀevɔly] *adj* past; *(ADMIN):* **âgé de 18 ans** ~**s** over 18 years of age; **après 3 ans** ~**s** when 3 full years have passed
révolution [ʀevɔlysjɔ̃] *nf* revolution; **révolutionnaire** *adj, nm/f* revolutionary
revolver [ʀevɔlvɛʀ] *nm* gun; *(à barillet)* revolver
révoquer [ʀevɔke] *vt (fonctionnaire)* to dismiss; *(arrêt, contrat)* to revoke
revue [ʀəvy] *nf (inventaire, examen, MIL)* review; *(périodique)* review, magazine; *(de music-hall)* variety show; **passer en** ~ to review; to go through
rez-de-chaussée [ʀedʃose] *nm inv* ground floor
RF *sigle f* = **République Française**
Rhin [ʀɛ̃] *nm:* **le** ~ the Rhine
rhinocéros [ʀinɔseʀɔs] *nm* rhinoceros
Rhône [ʀon] *nm:* **le** ~ the Rhone
rhubarbe [ʀybaʀb(ə)] *nf* rhubarb
rhum [ʀɔm] *nm* rum
rhumatisme [ʀymatism(ə)] *nm* rheumatism *no pl*
rhume [ʀym] *nm* cold; ~ **de cerveau** head cold; **le** ~ **des foins** hay fever
ri [ʀi] *pp de* **rire**
riant, e [ʀjɑ̃, -ɑ̃t] *adj* smiling, cheerful
ricaner [ʀikane] *vi (avec méchanceté)* to snigger; *(bêtement)* to giggle
riche [ʀiʃ] *adj (gén)* rich; *(personne, pays)* rich, wealthy; ~ **en** rich in; ~ **de** full of; rich in; **richesse** *nf* wealth; *(fig)* richness; ~**sses** *nfpl (ressources, argent)* wealth *sg*; *(fig: trésors)* treasures
ricin [ʀisɛ̃] *nm:* **huile de** ~ castor oil
ricocher [ʀikɔʃe] *vi:* ~ **(sur)** to rebound (off); *(sur l'eau)* to bounce (on *ou* off)
ricochet [ʀikɔʃɛ] *nm:* **faire des** ~**s** to skip stones; **par** ~ on the rebound; *(fig)* as an indirect result
rictus [ʀiktys] *nm* grin; (snarling) grimace
ride [ʀid] *nf* wrinkle; *(fig)* ripple
rideau, x [ʀido] *nm* curtain; *(POL):* **le** ~ **de fer** the Iron Curtain
rider [ʀide] *vt* to wrinkle; *(eau)* to ripple; **se** ~ *vi* to become wrinkled
ridicule [ʀidikyl] *adj* ridiculous ◆ *nm:* **le** ~ ridicule: **se ridiculiser** *vi* to make a fool of o.s.

MOT-CLÉ

rien [ʀjɛ̃] *pron* **1**: **(ne)** ... ~ nothing; *tournure negative* + anything; **qu'est-ce que vous avez?** - ~ what have you got? - nothing; **il n'a** ~ **dit/fait** he said/did nothing; he hasn't said/done anything; **il n'a** ~ *(n'est pas blessé)* he's all right; **de** ~! not at all!
2 *(quelque chose):* **a-t-il jamais** ~ **fait pour nous?** has he ever done anything for us?
3: ~ **de** nothing interesting; ~ **d'autre** nothing else; ~ **du tout** nothing at all
4: ~ **que** just, only; nothing but; ~ **que pour lui faire plaisir** only *ou* just to please him; ~ **que la vérité** nothing but the truth; ~ **que cela** that alone
◆ *nm:* **un petit** ~ *(cadeau)* a little something; **des** ~**s** trivia *pl*; **un** ~ **de** a hint of; **en un** ~ **de temps** in no time at all

rieur, euse [ʀjœʀ, -øz] *adj* cheerful
rigide [ʀiʒid] *adj* stiff; *(fig)* rigid; strict
rigole [ʀigɔl] *nf (conduit)* channel; *(filet d'eau)* rivulet
rigoler [ʀigɔle] *vi (rire)* to laugh; *(s'amuser)* to have (some) fun; *(plaisanter)* to be joking *ou* kidding
rigolo, ote [ʀigɔlo, -ɔt] *(fam) adj* funny ◆ *nm/f* comic; *(péj)* fraud, phoney
rigoureux, euse [ʀiguʀø, -øz] *adj (morale)* rigorous, strict; *(personne)* stern, strict; *(climat, châtiment)* rigorous, harsh; *(interdiction, neutralité)* strict
rigueur [ʀigœʀ] *nf* rigour; strictness; harshness; **être de** ~ to be the rule; **à la** ~ at a pinch; possibly; **tenir** ~ **à qn de qch** to hold sth against sb
rime [ʀim] *nf* rhyme
rinçage [ʀɛ̃saʒ] *nm* rinsing (out); *(opération)* rinse
rincer [ʀɛ̃se] *vt* to rinse; *(récipient)* to rinse out
ring [ʀiŋ] *nm* (boxing) ring
ringard, e [ʀɛ̃gaʀ, -aʀd(ə)] *adj* old-fashioned
rions *vb voir* **rire**
riposter [ʀipɔste] *vi* to retaliate ◆ *vt:* ~ **que** to retort that; ~ **à** to counter; to reply to
rire [ʀiʀ] *vi* to laugh; *(se divertir)* to have fun ◆ *nm* laugh; **le** ~ laughter; ~ **de** to laugh at; **pour** ~ *(pas sérieusement)* for a joke *ou* a laugh
risée [ʀize] *nf:* **être la** ~ **de** to be the laughing stock of
risible [ʀizibl(ə)] *adj* laughable
risque [ʀisk(ə)] *nm* risk; **le** ~ danger; **à ses** ~**s et périls** at his own risk
risqué, e [ʀiske] *adj* risky; *(plaisanterie)* risqué, daring
risquer [ʀiske] *vt* to risk; *(allusion, question)* to venture, hazard; **ça ne risque rien** it's quite safe; ~ **de**: **il risque de se tuer** he could get himself killed; **ce qui risque de se produire** what might *ou* could well happen; **il ne risque pas de recommencer** there's no chance of him doing that again; **se** ~ **à faire** *(tenter)* to venture *ou* dare to do
rissoler [ʀisɔle] *vi, vt:* **(faire)** ~ to brown
ristourne [ʀistuʀn(ə)] *nf* rebate
rite [ʀit] *nm* rite; *(fig)* ritual
rivage [ʀivaʒ] *nm* shore
rival, e, aux [ʀival, -o] *adj, nm/f* rival
rivaliser [ʀivalize] *vi:* ~ **avec** to rival, vie with; *(être comparable)* to hold its own against, compare with
rivalité [ʀivalite] *nf* rivalry
rive [ʀiv] *nf* shore; *(de fleuve)* bank
river [ʀive] *vt (clou, pointe)* to clinch; *(plaques)* to rivet together
riverain, e [ʀivʀɛ̃, -ɛn] *nm/f* riverside *(ou* lakeside) resident; local resident
rivet [ʀivɛ] *nm* rivet
rivière [ʀivjɛʀ] *nf* river
rixe [ʀiks(ə)] *nf* brawl, scuffle
riz [ʀi] *nm* rice
R.N. *sigle f* = **route nationale**
robe [ʀɔb] *nf* dress; *(de juge, d'ecclésiastique)* robe; *(de professeur)* gown; *(pelage)* coat; ~ **de chambre** dressing gown; ~ **de grossesse** maternity dress; ~ **de soirée/de mariée** evening/wedding dress
robinet [ʀɔbinɛ] *nm* tap
robot [ʀɔbo] *nm* robot
robuste [ʀɔbyst(ə)] *adj* robust, sturdy
roc [ʀɔk] *nm* rock
rocaille [ʀɔkɑj] *nf* loose stones *pl*; rocky *ou* stony ground; *(jardin)* rockery, rock garden
roche [ʀɔʃ] *nf* rock
rocher [ʀɔʃe] *nm* rock
rocheux, euse [ʀɔʃø, -øz] *adj* rocky
rodage [ʀɔdaʒ] *nm:* **en** ~ running in
roder [ʀɔde] *vt (AUTO)* to run in
rôder [ʀode] *vi* to roam about; *(de façon suspecte)* to lurk (about *ou* around); **rôdeur, euse** *nm/f* prowler
rogne [ʀɔɲ] *nf:* **être en** ~ to be in a temper
rogner [ʀɔɲe] *vt* to clip; ~ **sur** *(fig)* to cut down *ou* back on
rognons [ʀɔɲɔ̃] *nmpl* kidneys
roi [ʀwa] *nm* king; **le jour** *ou* **la fête des R~s, les R~s** Twelfth Night
roitelet [ʀwatlɛ] *nm* wren
rôle [ʀol] *nm* role; *(contribution)* part
romain, e [ʀɔmɛ̃, -ɛn] *adj, nm/f* Roman
roman, e [ʀɔmɑ̃, -an] *adj (ARCHIT)* Romanesque ◆ *nm* novel; ~ **d'espionnage** spy novel *ou* story; ~ **photo** romantic picture story
romance [ʀɔmɑ̃s] *nf* ballad
romancer [ʀɔmɑ̃se] *vt* to make into a novel; to romanticize
romancier, ière [ʀɔmɑ̃sje, -jɛʀ] *nm/f* novelist
romanesque [ʀɔmanɛsk(ə)] *adj (fantastique)* fantastic; storybook *cpd*; *(sentimental)* romantic
roman-feuilleton [ʀɔmɑ̃fœjtɔ̃] *nm* serialized novel
romanichel, le [ʀɔmaniʃɛl] *nm/f* gipsy
romantique [ʀɔmɑ̃tik] *adj* romantic
romarin [ʀɔmaʀɛ̃] *nm* rosemary
rompre [ʀɔ̃pʀ(ə)] *vt* to break; *(entretien, fiançailles)* to break off ◆ *vi (fiancés)* to break it off; **se** ~ *vi* to break; *(MÉD)* to burst, rupture
rompu, e [ʀɔ̃py] *adj:* ~ **à** with wide experience of; inured to
ronces [ʀɔ̃s] *nfpl* brambles
ronchonner [ʀɔ̃ʃɔne] *(fam) vi* to grouse, grouch
rond, e [ʀɔ̃, ʀɔ̃d] *adj* round; *(joues, mollets)* well-rounded; *(fam: ivre)* tight ◆ *nm (cercle)* ring; *(fam: sou):* **je n'ai plus un** ~ I haven't a penny left; **en** ~ *(s'asseoir, danser)* in a ring; **ronde** *nf (gén: de surveillance)* rounds *pl*, patrol; *(danse)* round (dance); *(MUS)* semibreve *(BRIT)*, whole note *(US)*; **à la ronde** *(alentour)*: **à la ronde à 10 km** for 10 km round; **rondelet, te** *adj* plump
rondelle [ʀɔ̃dɛl] *nf (TECH)* washer; *(tranche)* slice, round
rondement [ʀɔ̃dmɑ̃] *adv* briskly; frankly
rondin [ʀɔ̃dɛ̃] *nm* log
rond-point [ʀɔ̃pwɛ̃] *nm* roundabout
ronflant, e [ʀɔ̃flɑ̃, -ɑ̃t] *(péj) adj* high-flown, grand
ronfler [ʀɔ̃fle] *vi* to snore; *(moteur, poêle)* to hum; to roar
ronger [ʀɔ̃ʒe] *vt* to gnaw (at); *(suj: vers, rouille)* to eat into; **se** ~ **les sangs** to worry o.s. sick; **se** ~ **les ongles** to bite one's nails; **rongeur** *nm* rodent
ronronner [ʀɔ̃ʀɔne] *vi* to purr
roquet [ʀɔkɛ] *nm* nasty little lap-dog
rosace [ʀozas] *nf (vitrail)* rose window
rosbif [ʀɔsbif] *nm:* **du** ~ roasting beef; *(cuit)* roast beef; **un** ~ a joint of beef
rose [ʀoz] *nf* rose ◆ *adj* pink
rosé, e [ʀoze] *adj* pinkish; **(vin)** ~ rosé
roseau, x [ʀozo] *nm* reed
rosée [ʀoze] *nf* dew
roseraie [ʀozʀɛ] *nf* rose garden
rosier [ʀozje] *nm* rosebush, rose tree
rosse [ʀɔs] *nf (péj: cheval)* nag ◆ *adj* nasty, vicious
rossignol [ʀɔsiɲɔl] *nm (ZOOL)* nightingale
rot [ʀo] *nm* belch; *(de bébé)* burp
rotatif, ive [ʀɔtatif, -iv] *adj* rotary
rotation [ʀɔtasjɔ̃] *nf* rotation; *(fig)* rotation, swap-around; turnover
roter [ʀɔte] *(fam) vi* to burp, belch
rôti [ʀoti] *nm:* **du** ~ roasting meat; *(cuit)* roast meat; ~ **de bœuf/porc** joint of beef/pork
rotin [ʀɔtɛ̃] *nm* rattan (cane); **fauteuil en** ~ cane (arm)chair
rôtir [ʀotiʀ] *vi, vt (aussi: faire* ~*)* to roast; **rôtisserie** *nf* steakhouse; roast meat counter *(ou* shop); **rôtissoire** *nf* (roasting) spit
rotule [ʀɔtyl] *nf* kneecap, patella
roturier, ière [ʀɔtyʀje, -jɛʀ] *nm/f* commoner
rouage [ʀwaʒ] *nm* cog(wheel), gearwheel; *(de montre)* part; *(fig)* cog
roucouler [ʀukule] *vi* to coo
roue [ʀu] *nf* wheel; ~ **dentée** cogwheel; ~ **de secours** spare wheel
roué, e [ʀwe] *adj* wily
rouer [ʀwe] *vt:* ~ **qn de coups** to give sb a thrashing

rouet [rwɛ] *nm* spinning wheel
rouge [ʀuʒ] *adj, nm/f* red ◆ *nm* red; (*fard*) rouge; (**vin**) ~ red wine; **sur la liste** ~ ex-directory (*BRIT*), unlisted (*US*); **passer au** ~ (*signal*) to go red; (*automobiliste*) to go through a red light; ~ **(à lèvres)** lipstick; **rouge-gorge** *nm* robin (redbreast)
rougeole [ʀuʒɔl] *nf* measles *sg*
rougeoyer [ʀuʒwaje] *vi* to glow red
rouget [ʀuʒɛ] *nm* mullet
rougeur [ʀuʒœʀ] *nf* redness
rougir [ʀuʒiʀ] *vi* (*de honte, timidité*) to blush, flush; (*de plaisir, colère*) to flush; (*fraise, tomate*) to go *ou* turn red; (*ciel*) to redden
rouille [ʀuj] *nf* rust
rouillé, e [ʀuje] *adj* rusty
rouiller [ʀuje] *vt* to rust ◆ *vi* to rust, go rusty; **se** ~ *vi* to rust
roulant, e [ʀulɑ̃, -ɑ̃t] *adj* (*meuble*) on wheels; (*surface, trottoir*) moving
rouleau, x [ʀulo] *nm* (*de papier, tissu, SPORT*) roll; (*de machine à écrire*) roller, platen; (*à mise en plis, à peinture, vague*) roller; ~ **compresseur** steamroller; ~ **à pâtisserie** rolling pin
roulement [ʀulmɑ̃] *nm* (*bruit*) rumbling *no pl*, rumble; (*rotation*) rotation; turnover; **par** ~ on a rota (*BRIT*) *ou* rotation (*US*) basis; ~ **(à billes)** ball bearings *pl*; ~ **de tambour** drum roll
rouler [ʀule] *vt* to roll; (*papier, tapis*) to roll up; (*CULIN: pâte*) to roll out; (*fam*) to do, con ◆ *vi* (*bille, boule*) to roll; (*voiture, train*) to go, run; (*automobiliste*) to drive; (*cycliste*) to ride; (*bateau*) to roll; (*tonnerre*) to rumble, roll; **se** ~ **dans** (*boue*) to roll in; (*couverture*) to roll o.s. (up) in
roulette [ʀulɛt] *nf* (*de table, fauteuil*) castor; (*de pâtissier*) pastry wheel; (*jeu*): **la** ~ roulette; **à** ~**s** on castors
roulis [ʀuli] *nm* roll(ing)
roulotte [ʀulɔt] *nf* caravan
Roumanie [ʀumani] *nf* Rumania
rouquin, e [ʀukɛ̃, -in] (*péj*) *nm/f* redhead
rouspéter [ʀuspete] (*fam*) *vi* to moan
rousse [ʀus] *adj voir* **roux**
roussi [ʀusi] *nm*: **ça sent le** ~ there's a smell of burning; (*fig*) I can smell trouble
roussir [ʀusiʀ] *vt* to scorch ◆ *vi* (*feuilles*) to go *ou* turn brown; (*CULIN*): **faire** ~ to brown
route [ʀut] *nf* road; (*fig: chemin*) way; (*itinéraire, parcours*) route; (*fig: voie*) road, path; **par (la)** ~ by road; **il y a 3h de** ~ it's a 3-hour ride *ou* journey; **en** ~ on the way; **mettre en** ~ to start up; **se mettre en** ~ to set off; **faire** ~ **vers** to head towards; ~ **nationale** ≈ A road (*BRIT*), ≈ state highway (*US*); **routier, ière** *adj* road *cpd* ◆ *nm* (*camionneur*) (long-distance) lorry (*BRIT*) *ou* truck (*US*) driver; (*restaurant*) ≈ transport café (*BRIT*), ≈ truck stop (*US*); **routière** *nf* (*voiture*) touring car
routine [ʀutin] *nf* routine; **routinier, ière** (*péj*) *adj* humdrum; addicted to routine
rouvrir [ʀuvʀiʀ] *vt, vi* to reopen, open again; **se** ~ *vi* to reopen, open again
roux, rousse [ʀu, ʀus] *adj* red; (*personne*) red-haired ◆ *nm/f* redhead
royal, e, aux [ʀwajal, -o] *adj* royal; (*fig*) princely
royaume [ʀwajom] *nm* kingdom; (*fig*) realm; **le R~-Uni** the United Kingdom
royauté [ʀwajote] *nf* (*dignité*) kingship; (*régime*) monarchy
ruban [ʀybɑ̃] *nm* (*gén*) ribbon; (*d'acier*) strip; ~ **adhésif** adhesive tape
rubéole [ʀybeɔl] *nf* German measles *sg*, rubella
rubis [ʀybi] *nm* ruby
rubrique [ʀybʀik] *nf* (*titre, catégorie*) heading; (*PRESSE: article*) column
ruche [ʀyʃ] *nf* hive
rude [ʀyd] *adj* (*barbe, toile*) rough; (*métier, tâche*) hard, tough; (*climat*) severe, harsh; (*bourru*) harsh, rough; (*fruste*) rugged, tough; (*fam*) jolly good
rudement [ʀydmɑ̃] (*fam*) *adv* (*très*) terribly; (*beaucoup*) terribly hard
rudimentaire [ʀydimɑ̃tɛʀ] *adj* rudimentary, basic
rudoyer [ʀydwaje] *vt* to treat harshly
rue [ʀy] *nf* street
ruée [ʀɥe] *nf* rush
ruelle [ʀɥɛl] *nf* alley(-way)
ruer [ʀɥe] *vi* (*cheval*) to kick out; **se** ~ *vi*: **se** ~ **sur** to pounce on; **se** ~ **vers/dans/hors de** to rush *ou* dash towards/into/out of
rugby [ʀygbi] *nm* rugby (football)
rugir [ʀyʒiʀ] *vi* to roar
rugueux, euse [ʀygø, -øz] *adj* rough
ruine [ʀɥin] *nf* ruin; ~**s** *nfpl* (*de château etc*) ruins
ruiner [ʀɥine] *vt* to ruin
ruineux, euse [ʀɥinø, øz] *adj* ruinous
ruisseau, x [ʀɥiso] *nm* stream, brook
ruisseler [ʀɥisle] *vi* to stream
rumeur [ʀymœʀ] *nf* (*bruit confus*) rumbling; hubbub *no pl*; murmur(ing); (*nouvelle*) rumour
ruminer [ʀymine] *vt* (*herbe*) to ruminate; (*fig*) to ruminate on *ou* over, chew over
rupture [ʀyptyʀ] *nf* (*de câble, digue*) breaking; (*de tendon*) rupture, tearing; (*de négociations etc*) breakdown; (*de contrat*) breach; (*séparation, désunion*) break-up, split
rural, e, aux [ʀyʀal, -o] *adj* rural, country *cpd*
ruse [ʀyz] *nf*: **la** ~ cunning, craftiness; trickery; **une** ~ a trick, a ruse; **rusé, e** *adj* cunning, crafty
russe [ʀys] *adj, nm/f* Russian ◆ *nm* (*LING*) Russian
Russie [ʀysi] *nf*: **la** ~ Russia
rustique [ʀystik] *adj* rustic
rustre [ʀystʀ(ə)] *nm* boor
rutilant, e [ʀytilɑ̃, -ɑ̃t] *adj* gleaming
rythme [ʀitm(ə)] *nm* rhythm; (*vitesse*) rate; (: *de la vie*) pace, tempo

S

s' [s] *pron voir* **se**
sa [sa] *dét voir* **son**[1]
S.A. *sigle* (= *société anonyme*) ≈ Ltd (*BRIT*), ≈ Inc. (*US*)
sable [sabl(ə)] *nm* sand; ~**s mouvants** quicksand(s)
sablé [sable] *nm* shortbread biscuit
sabler [sable] *vt* to sand; (*contre le verglas*) to grit; ~ **le champagne** to drink champagne
sablier [sablije] *nm* hourglass; (*de cuisine*) egg timer
sablonneux, euse [sablɔnø, -øz] *adj* sandy
saborder [sabɔʀde] *vt* (*navire*) to scuttle; (*fig*) to wind up, shut down
sabot [sabo] *nm* clog; (*de cheval, bœuf*) hoof; ~ **de frein** brake shoe
saboter [sabɔte] *vt* to sabotage
sac [sak] *nm* bag; (*à charbon etc*) sack; **mettre à** ~ to sack; ~ **à dos** rucksack; ~ **à main** handbag; ~ **à provisions/de voyage** shopping/travelling bag; ~ **de couchage** sleeping bag
saccade [sakad] *nf* jerk
saccager [sakaʒe] *vt* (*piller*) to sack; (*dévaster*) to create havoc in
saccharine [sakaʀin] *nf* saccharin
sacerdoce [sasɛʀdɔs] *nm* priesthood; (*fig*) calling, vocation
sache *etc vb voir* **savoir**
sachet [saʃɛ] *nm* (small) bag; (*de lavande, poudre, shampooing*) sachet; ~ **de thé** tea bag
sacoche [sakɔʃ] *nf* (*gén*) bag; (*de bicyclette*) saddlebag
sacre [sakʀ(ə)] *nm* coronation; consecration
sacré, e [sakʀe] *adj* sacred; (*fam: satané*) blasted; (: *fameux*): **un** ~ ... a heck of a ...
sacrement [sakʀəmɑ̃] *nm* sacrament
sacrifice [sakʀifis] *nm* sacrifice
sacrifier [sakʀifje] *vt* to sacrifice; ~ **à** to conform to
sacristie [sakʀisti] *nf* sacristy; (*culte protestant*) vestry
sadique [sadik] *adj* sadistic
sage [saʒ] *adj* wise; (*enfant*) good ◆ *nm* wise man; sage
sage-femme [saʒfam] *nf* midwife
sagesse [saʒɛs] *nf* wisdom
Sagittaire [saʒitɛʀ] *nm*: **le** ~ Sagittarius
Sahara [saaʀa] *nm*: **le** ~ the Sahara (desert)
saignant, e [sɛɲɑ̃, -ɑ̃t] *adj* (*viande*) rare
saignée [seɲe] *nf* (*fig*) heavy losses *pl*
saigner [seɲe] *vi* to bleed ◆ *vt* to bleed; (*animal*) to kill (by bleeding); ~ **du nez** to have a nosebleed
saillie [saji] *nf* (*sur un mur etc*) projection; (*trait d'esprit*) witticism
saillir [sajiʀ] *vi* to project, stick out; (*veine, muscle*) to bulge
sain, e [sɛ̃, sɛn] *adj* healthy; (*lectures*) wholesome; ~ **d'esprit** sound in mind, sane; ~ **et sauf** safe and sound, unharmed
saindoux [sɛ̃du] *nm* lard
saint, e [sɛ̃, sɛ̃t] *adj* holy; (*fig*) saintly ◆ *nm/f* saint; **S~-Esprit** the Holy Spirit *ou* Ghost; **la S~e Vierge** the Blessed Virgin; **la S~-Sylvestre** New Year's Eve; **sainteté** *nf* holiness
sais *etc vb voir* **savoir**
saisie [sezi] *nf* seizure; ~ **(de données)** (data) capture
saisir [seziʀ] *vt* to take hold of, grab; (*fig: occasion*) to seize; (*comprendre*) to grasp; (*entendre*) to get, catch; (*données*) to capture; (*suj: émotions*) to take hold of, come over; (*CULIN*) to fry quickly; (*JUR: biens, publication*) to seize; (: *juridiction*): ~ **un tribunal d'une affaire** to submit *ou* refer a case to a court; **se** ~ **de** *vt* to seize; **saisissant, e** *adj* startling, striking
saison [sɛzɔ̃] *nf* season; **morte** ~ slack season; **saisonnier, ière** *adj* seasonal
sait *vb voir* **savoir**
salade [salad] *nf* (*BOT*) lettuce *etc*; (*CULIN*) (green) salad; (*fam*) tangle, muddle; ~ **de fruits** fruit salad; **saladier** *nm* (salad) bowl
salaire [salɛʀ] *nm* (*annuel, mensuel*) salary; (*hebdomadaire, journalier*) pay, wages *pl*; (*fig*) reward; ~ **de base** basic salary (*ou* wage); ~ **minimum interprofessionnel de croissance** *index-linked guaranteed minimum wage*
salarié, e [salaʀje] *nm/f* salaried employee; wage-earner
salaud [salo] (*fam!*) *nm* sod (*!*), bastard (*!*)
sale [sal] *adj* dirty, filthy
salé, e [sale] *adj* (*liquide, saveur*) salty; (*CULIN*) salted; (*fig*) spicy; steep
saler [sale] *vt* to salt
saleté [salte] *nf* (*état*) dirtiness; (*crasse*) dirt, filth; (*tache etc*) dirt *no pl*; (*fig*) dirty trick; rubbish *no pl*; filth *no pl*
salière [saljɛʀ] *nf* saltcellar
salin, e [salɛ̃, -in] *adj* saline; **saline** *nf* saltworks *sg*; salt marsh
salir [saliʀ] *vt* to (make) dirty; (*fig*) to soil the reputation of; **se** ~ *vi* to get dirty; **salissant, e** *adj* (*tissu*) which shows the dirt; (*métier*) dirty, messy
salle [sal] *nf* room; (*d'hôpital*) ward; (*de restaurant*) dining room; (*d'un cinéma*) auditorium; (: *public*) audience; **faire** ~ **comble** to have a full house; ~ **à manger** dining room; ~ **commune** (*d'hôpital*) ward; ~ **d'attente** waiting room; ~ **de bain(s)** bathroom; ~ **de classe** classroom; ~ **de concert** concert hall; ~ **de consultation** consulting room; ~ **d'eau** shower-room; ~ **d'embarquement** (*à l'aéroport*) departure lounge; ~ **de jeux** games room; playroom; ~ **d'opération** (*d'hôpital*) operating theatre; ~ **de séjour** living room; ~ **de spectacle** theatre; cinema; ~ **des ventes** saleroom
salon [salɔ̃] *nm* lounge, sitting room; (*mobilier*) lounge suite; (*exposition*) exhibition, show; ~ **de thé** tearoom
salopard [salɔpaʀ] (*fam!*) *nm* bastard (*!*)
salope [salɔp] (*fam!*) *nf* bitch (*!*)
saloperie [salɔpʀi] (*fam!*) *nf* filth *no pl*; dirty trick; rubbish *no pl*
salopette [salɔpɛt] *nf* dungarees *pl*; (*d'ouvrier*) overall(s)
salsifis [salsifi] *nm* salsify
salubre [salybʀ(ə)] *adj* healthy, salubrious
saluer [salɥe] *vt* (*pour dire bonjour, fig*) to greet; (*pour dire au revoir*) to take one's leave; (*MIL*) to salute
salut [saly] *nm* (*sauvegarde*) safety; (*REL*) salvation; (*geste*) wave; (*parole*) greeting; (*MIL*) salute ◆ *excl* (*fam*) hi (there)
salutations [salytasjɔ̃] *nfpl* greetings; **recevez mes** ~ **distinguées** *ou* **respectueuses** yours faithfully
samedi [samdi] *nm* Saturday
SAMU [samy] *sigle m* (= *service d'assistance médicale d'urgence*) ≈ ambulance (service) (*BRIT*), ≈ paramedics *pl* (*US*)
sanction [sɑ̃ksjɔ̃] *nf* sanction; (*fig*) penalty; **sanctionner** *vt* (*loi, usage*) to sanction; (*punir*) to punish
sandale [sɑ̃dal] *nf* sandal
sandwich [sɑ̃dwitʃ] *nm* sandwich
sang [sɑ̃] *nm* blood; **en** ~ covered in blood; **se faire du mauvais** ~ to fret, get in a state
sang-froid [sɑ̃fʀwa] *nm* calm, sangfroid; **de** ~ in cold blood
sanglant, e [sɑ̃glɑ̃, -ɑ̃t] *adj* bloody, covered in blood; (*combat*) bloody
sangle [sɑ̃gl(ə)] *nf* strap
sanglier [sɑ̃glije] *nm* (wild) boar
sanglot [sɑ̃glo] *nm* sob
sangsue [sɑ̃sy] *nf* leech
sanguin, e [sɑ̃gɛ̃, -in] *adj* blood *cpd*; (*fig*) fiery; **sanguinaire** [sɑ̃ginɛʀ] *adj* bloodthirsty; bloody
Sanisette [sanizɛt] ® *nf* (automatic) public toilet
sanitaire [sanitɛʀ] *adj* health *cpd*; ~**s** *nmpl* (*lieu*) bathroom *sg*
sans [sɑ̃] *prép* without; ~ **qu'il s'en aperçoive** without him *ou* his noticing; ~**-abri** *nmpl* homeless; ~**-emploi** [sɑ̃zɑ̃plwa] *n inv* unemployed person; **les** ~**-emploi** the unemployed; ~**-façon** *adj inv* fuss-free; free and easy; ~**-gêne** *adj inv* inconsiderate; ~**-logis** *nmpl* homeless
santé [sɑ̃te] *nf* health; **en bonne** ~ in good health; **boire à la** ~ **de qn** to drink (to) sb's health; **"à la** ~ **de"** "here's to"; **à ta/votre** ~**!** cheers!
saoudien, ne [saudjɛ̃, -jɛn] *adj* Saudi Arabian ◆ *nm/f*: **S~(ne)** Saudi Arabian
saoul, e [su, sul] *adj* = **soûl**
saper [sape] *vt* to undermine, sap
sapeur-pompier [sapœʀpɔ̃pje] *nm* fireman
saphir [safiʀ] *nm* sapphire
sapin [sapɛ̃] *nm* fir (tree); (*bois*) fir; ~ **de Noël** Christmas tree
sarcastique [saʀkastik] *adj* sarcastic
sarcler [saʀkle] *vt* to weed
Sardaigne [saʀdɛɲ] *nf*: **la** ~ Sardinia
sardine [saʀdin] *nf* sardine
SARL *sigle* (= *société à responsabilité limitée*) ≈ plc (*BRIT*), ≈ Inc. (*US*)
sas [sas] *nm* (*de sous-marin, d'engin spatial*) airlock; (*d'écluse*) lock
satané, e [satane] *adj* confounded
satellite [satelit] *nm* satellite
satin [satɛ̃] *nm* satin
satire [satiʀ] *nf* satire; **satirique** *adj* satirical
satisfaction [satisfaksjɔ̃] *nf* satisfaction
satisfaire [satisfɛʀ] *vt* to satisfy; ~ **à** (*engagement*) to fulfil; (*revendications, conditions*) to satisfy, meet; to comply with; **satisfaisant, e** *adj* satisfactory; (*qui fait plaisir*) satisfying; **satisfait, e** *adj* satisfied; **satisfait de** happy *ou* satisfied with
saturer [satyʀe] *vt* to saturate
sauce [sos] *nf* sauce; (*avec un rôti*) gravy; **saucière** *nf* sauceboat
saucisse [sosis] *nf* sausage
saucisson [sosisɔ̃] *nm* (slicing) sausage
sauf, sauve [sof, sov] *adj* unharmed, unhurt; (*fig: honneur*) intact, saved ◆ *prép* except; **laisser la vie sauve à qn** to spare sb's life; ~ **si** (*à moins que*) unless; ~ **erreur** if I'm not mistaken; ~ **avis contraire** unless you hear to the contrary
sauge [soʒ] *nf* sage
saugrenu, e [sogʀəny] *adj* preposterous
saule [sol] *nm* willow (tree)
saumon [somɔ̃] *nm* salmon *inv*
saumure [somyʀ] *nf* brine
saupoudrer [sopudʀe] *vt*: ~ **qch de** to sprinkle sth with
saur [sɔʀ] *adj m*: **hareng** ~ smoked *ou* red herring, kipper
saurai *etc vb voir* **savoir**
saut [so] *nm* jump; (*discipline sportive*) jumping; **faire un** ~ **chez qn** to pop over to sb's (place); **au** ~ **du lit** on getting out of bed; ~ **à la corde** skipping; ~ **à la perche** pole vaulting; ~ **en hauteur/longueur** high/long jump; ~ **périlleux** somersault
saute [sot] *nf* sudden change
saute-mouton [sotmutɔ̃] *nm*: **jouer à** ~ to play leapfrog
sauter [sote] *vi* to jump, leap; (*exploser*) to blow up, explode; (: *fusibles*) to blow; (*se rompre*) to snap, burst; (*se détacher*) to pop out (*ou* off) ◆ *vt* to jump (over), leap (over); (*fig: omettre*) to skip, miss (out); **faire** ~ to blow up; to burst open; (*CULIN*) to sauté; ~ **au cou de qn** to fly into sb's arms
sauterelle [sotʀɛl] *nf* grasshopper
sautiller [sotije] *vi* to hop; to skip
sautoir [sotwaʀ] *nm*: ~ **(de perles)** string of pearls
sauvage [sovaʒ] *adj* (*gén*) wild; (*peuplade*) savage; (*farouche*) unsociable; (*barbare*) wild, savage; (*non officiel*) unauthorized, unofficial ◆ *nm/f* savage; (*timide*) unsociable type
sauve [sov] *adj f voir* **sauf**
sauvegarde [sovgaʀd(ə)] *nf* safeguard; **sauvegarder** *vt* to safeguard; (*INFORM: enregistrer*) to save; (: *copier*) to back up
sauve-qui-peut [sovkipø] *excl* run for your life!
sauver [sove] *vt* to save; (*porter secours à*) to rescue; (*récupérer*) to salvage, rescue; **se** ~ *vi* (*s'enfuir*) to run away; (*fam: partir*) to be off; **sauvetage** *nm* rescue; **sauveteur** *nm* rescuer; **sauvette**: **à la sauvette** *adv* (*vendre*) without authorization; (*se marier etc*) hastily, hurriedly; **sauveur** *nm* saviour (*BRIT*), savior (*US*)
savais *etc vb voir* **savoir**
savamment [savamɑ̃] *adv* (*avec érudition*) learnedly; (*habilement*) skilfully, cleverly
savant, e [savɑ̃, -ɑ̃t] *adj* scholarly, learned; (*calé*) clever ◆ *nm* scientist
saveur [savœʀ] *nf* flavour; (*fig*) savour
savoir [savwaʀ] *vt* to know; (*être capable de*): **il sait nager** he can swim ◆ *nm* knowledge; **se** ~ *vi* (*être connu*) to be known; **à** ~ that is, namely; **faire** ~ **qch à qn** to let sb know sth; **pas que je sache** not as far as I know
savon [savɔ̃] *nm* (*produit*) soap; (*morceau*) bar of soap; (*fam*): **passer un** ~ **à qn** to give sb a good dressing-down; **savonnette** *nf* bar of soap; **savonneux, euse** *adj* soapy
savons *vb voir* **savoir**
savourer [savuʀe] *vt* to savour
savoureux, euse [savuʀø, -øz] *adj* tasty; (*fig*) spicy, juicy
saxo(phone) [saksɔ(fɔn)] *nm* sax(ophone)
scabreux, euse [skabʀø, -øz] *adj* risky; (*indécent*) improper, shocking
scandale [skɑ̃dal] *nm* scandal; (*tapage*): **faire du** ~ to make a scene, create a disturbance; **faire** ~ to scandalize people; **scandaleux, euse** *adj* scandalous,

outrageous
scandinave [skɑ̃dinav] *adj, nm/f* Scandinavian
Scandinavie [skɑ̃dinavi] *nf* Scandinavia
scaphandre [skafɑ̃dʀ(ə)] *nm* (*de plongeur*) diving suit; (*de cosmonaute*) space-suit
scarabée [skaʀabe] *nm* beetle
sceau, x [so] *nm* seal; (*fig*) stamp, mark
scélérat, e [seleʀa, -at] *nm/f* villain
sceller [sele] *vt* to seal
scénario [senaʀjo] *nm* (CINÉMA) scenario; script; (*fig*) scenario
scène [sɛn] *nf* (*gén*) scene; (*estrade, fig: théâtre*) stage; **entrer en** ~ to come on stage; **mettre en** ~ (THÉÂTRE) to stage; (CINÉMA) to direct; (*fig*) to present, introduce; ~ **de ménage** *nf* domestic scene
sceptique [sɛptik] *adj* sceptical
schéma [ʃema] *nm* (*diagramme*) diagram, sketch; (*fig*) outline; pattern; **~tique** *adj* diagrammatic(al), schematic; (*fig*) oversimplified
sciatique [sjatik] *nf* sciatica
scie [si] *nf* saw; ~ **à découper** fretsaw; ~ **à métaux** hacksaw
sciemment [sjamɑ̃] *adv* knowingly
science [sjɑ̃s] *nf* science; (*savoir*) knowledge; (*savoir-faire*) art, skill; **~s naturelles** (SCOL) natural science *sg*, biology *sg*; **~s po** *nfpl* political science *ou* studies *pl*; **scientifique** *adj* scientific ◆ *nm/f* scientist; science student
scier [sje] *vt* to saw; (*retrancher*) to saw off; **scierie** *nf* sawmill
scinder [sɛ̃de] *vt* to split up; **se** ~ *vi* to split up
scintiller [sɛ̃tije] *vi* to sparkle
scission [sisjɔ̃] *nf* split
sciure [sjyʀ] *nf*: ~ **(de bois)** sawdust
sclérose [skleʀoz] *nf*: ~ **en plaques** multiple sclerosis
scolaire [skɔlɛʀ] *adj* school *cpd*; (*péj*) schoolish; **scolariser** *vt* to provide with schooling (*ou* schools); **scolarité** *nf* schooling
scooter [skutœʀ] *nm* (motor) scooter
score [skɔʀ] *nm* score
scorpion [skɔʀpjɔ̃] *nm* (*signe*): **le S~** Scorpio
Scotch [skɔtʃ] (®) *nm* adhesive tape
scout, e [skut] *adj, nm* scout
script [skʀipt] *nm* printing; (CINÉMA) (shooting) script
script-girl [skʀiptgœʀl] *nf* continuity girl
scrupule [skʀypyl] *nm* scruple
scruter [skʀyte] *vt* to scrutinize; (*l'obscurité*) to peer into
scrutin [skʀytɛ̃] *nm* (*vote*) ballot; (*ensemble des opérations*) poll
sculpter [skylte] *vt* to sculpt; (*suj: érosion*) to carve; **sculpteur** *nm* sculptor
sculpture [skyltyʀ] *nf* sculpture; ~ **sur bois** wood carving

MOT-CLÉ

se(s') [s(ə)] *pron* 1 (*emploi réfléchi*) oneself; (*: masc*) himself; (*: fém*) herself; (*: sujet non humain*) itself; (*: pl*) themselves; **se voir comme l'on est** to see o.s. as one is
2 (*réciproque*) one another, each other; **ils s'aiment** they love one another *ou* each other
3 (*passif*): **cela se répare facilement** it is easily repaired
4 (*possessif*): **se casser la jambe/laver les mains** to break one's leg/wash one's hands

séance [seɑ̃s] *nf* (*d'assemblée, récréative*) meeting, session; (*de tribunal*) sitting, session; (*musicale, CINÉMA, THÉÂTRE*) performance; ~ **tenante** forthwith
seau, x [so] *nm* bucket, pail
sec, sèche [sɛk, sɛʃ] *adj* dry; (*raisins, figues*) dried; (*cœur, personne: insensible*) hard, cold ◆ *nm*: **tenir au** ~ to keep in a dry place ◆ *adv* hard; **je le bois** ~ I drink it straight *ou* neat; **à** ~ dried up
sécateur [sekatœʀ] *nm* secateurs *pl* (BRIT), shears *pl*
sèche [sɛʃ] *adj f voir* **sec**
sèche-cheveux [sɛʃʃəvø] *nm inv* hair-drier
sèche-linge [sɛʃlɛ̃ʒ] *nm inv* tumble dryer
sécher [seʃe] *vt* to dry; (*dessécher: peau, blé*) to dry (out); (*: étang*) to dry up ◆ *vi* to dry; to dry out; to dry up; (*fam: candidat*) to be stumped; **se** ~ (*après le bain*) to dry o.s.
sécheresse [sɛʃʀɛs] *nf* dryness; (*absence de pluie*) drought
séchoir [seʃwaʀ] *nm* drier
second, e [səgɔ̃, -ɔ̃d] *adj* second ◆ *nm* (*assistant*) second in command; (NAVIG) first mate; **voyager en ~e** to travel second-class; **de ~e main** second-hand; **secondaire** *adj* secondary; **seconde** *nf* second; **seconder** *vt* to assist
secouer [səkwe] *vt* to shake; (*passagers*) to rock; (*traumatiser*) to shake (up)
secourir [səkuʀiʀ] *vt* (*aller sauver*) to (go and) rescue; (*prodiguer des soins à*) to help, assist; (*venir en aide à*) to assist, aid; **secourisme** *nm* first aid; life saving
secours [səkuʀ] *nm* help, aid, assistance ◆ *nmpl* aid *sg*; **au ~!** help!; **appeler au** ~ to shout *ou* call for help; **porter** ~ **à qn** to give sb assistance, help sb; **les premiers** ~ first aid *sg*
secousse [səkus] *nf* jolt, bump; (*électrique*) shock; (*fig: psychologique*) jolt, shock; ~ **sismique** *ou* **tellurique** earth tremor
secret, ète [səkʀɛ, -ɛt] *adj* secret; (*fig: renfermé*) reticent, reserved ◆ *nm* secret; (*discrétion absolue*): **le** ~ secrecy; **au** ~ in solitary confinement
secrétaire [səkʀetɛʀ] *nm/f* secretary ◆ *nm* (*meuble*) writing desk; ~ **de direction** private *ou* personal secretary; ~ **d'État** junior minister; ~ **général** *nm* (COMM) company secretary; **secrétariat** *nm* (*profession*) secretarial work; (*bureau*) office; (*: d'organisation internationale*) secretariat
secteur [sɛktœʀ] *nm* sector; (ADMIN) district; (ÉLEC): **branché sur le** ~ plugged into the mains (supply)
section [sɛksjɔ̃] *nf* section; (*de parcours d'autobus*) fare stage; (MIL: *unité*) platoon; **sectionner** *vt* to sever
Sécu [seky] *abr f* = **sécurité sociale**
séculaire [sekylɛʀ] *adj* secular; (*très vieux*) age-old
sécuriser [sekyʀize] *vt* to give (a feeling of) security to
sécurité [sekyʀite] *nf* safety; security; **système de** ~ safety system; **être en** ~ to be safe; **la** ~ **routière** road safety; **la** ~ **sociale** ≈ (the) Social Security (BRIT), ≈ Welfare (US)
sédition [sedisjɔ̃] *nf* insurrection; sedition
séduction [sedyksjɔ̃] *nf* seduction; (*charme, attrait*) appeal, charm
séduire [sedɥiʀ] *vt* to charm; (*femme: abuser de*) to seduce; **séduisant, e** *adj* (*femme*) seductive; (*homme, offre*) very attractive
ségrégation [segʀegasjɔ̃] *nf* segregation
seigle [sɛgl(ə)] *nm* rye
seigneur [sɛɲœʀ] *nm* lord
sein [sɛ̃] *nm* breast; (*entrailles*) womb; **au** ~ **de** (*équipe, institution*) within; (*flots, bonheur*) in the midst of
séisme [seism(ə)] *nm* earthquake
seize [sɛz] *num* sixteen; **seizième** *num* sixteenth
séjour [seʒuʀ] *nm* stay; (*pièce*) living room; **séjourner** *vi* to stay
sel [sɛl] *nm* salt; (*fig*) wit; spice; ~ **de cuisine/de table** cooking/table salt
sélection [selɛksjɔ̃] *nf* selection; **sélectionner** *vt* to select
self-service [sɛlfsɛʀvis] *adj, nm* self-service
selle [sɛl] *nf* saddle; **~s** *nfpl* (MÉD) stools; **seller** *vt* to saddle
sellette [sɛlɛt] *nf*: **être sur la** ~ to be on the carpet
selon [səlɔ̃] *prép* according to; (*en se conformant à*) in accordance with; ~ **que** according to whether; ~ **moi** as I see it
semaine [səmɛn] *nf* week; **en** ~ during the week, on weekdays
semblable [sɑ̃blabl(ə)] *adj* similar; (*de ce genre*): **de ~s mésaventures** such mishaps ◆ *nm* fellow creature *ou* man; ~ **à** similar to, like
semblant [sɑ̃blɑ̃] *nm*: **un** ~ **de vérité** a semblance of truth; **faire** ~ **(de faire)** to pretend (to do)
sembler [sɑ̃ble] *vb +attrib* to seem ◆ *vb impers*: **il semble (bien) que/inutile de** it (really) seems *ou* appears that/useless to; **il me semble que** it seems to me that; I think (that); **comme bon lui semble** as he sees fit
semelle [səmɛl] *nf* sole; (*intérieure*) insole, inner sole
semence [səmɑ̃s] *nf* (*graine*) seed
semer [səme] *vt* to sow; (*fig: éparpiller*) to scatter; (*: confusion*) to spread; (*: poursuivants*) to lose, shake off; **semé de** (*difficultés*) riddled with
semestre [səmɛstʀ(ə)] *nm* half-year; (SCOL) semester
séminaire [seminɛʀ] *nm* seminar
semi-remorque [səmiʀəmɔʀk(ə)] *nm* articulated lorry (BRIT), semi(trailer) (US)
semonce [səmɔ̃s] *nf*: **un coup de** ~ a shot across the bows
semoule [səmul] *nf* semolina
sempiternel, le [sɛ̃pitɛʀnɛl] *adj* eternal, never-ending
sénat [sena] *nm* Senate; **sénateur** *nm* Senator
sens [sɑ̃s] *nm* (PHYSIOL, *instinct*) sense; (*signification*) meaning, sense; (*direction*) direction; **à mon** ~ to my mind; **reprendre ses** ~ to regain consciousness; **dans le** ~ **des aiguilles d'une montre** clockwise; ~ **commun** common sense; ~ **dessus dessous** upside down; ~ **interdit** one-way street; ~ **unique** one-way street
sensass [sɑ̃sas] (*fam*) *adj* fantastic
sensation [sɑ̃sasjɔ̃] *nf* sensation; **à** ~ (*péj*) sensational
sensé, e [sɑ̃se] *adj* sensible
sensibiliser [sɑ̃sibilize] *vt*: ~ **qn à** to make sb sensitive to
sensibilité [sɑ̃sibilite] *nf* sensitivity
sensible [sɑ̃sibl(ə)] *adj* sensitive; (*aux sens*) perceptible; (*appréciable: différence, progrès*) appreciable, noticeable; **sensiblement** *adv* (*notablement*) appreciably, noticeably; (*à peu près*): **ils ont sensiblement le même poids** they weigh approximately the same; **sensiblerie** *nf* sentimentality; squeamishness
sensuel, le [sɑ̃sɥɛl] *adj* sensual; sensuous
sentence [sɑ̃tɑ̃s] *nf* (*jugement*) sentence; (*adage*) maxim
sentier [sɑ̃tje] *nm* path
sentiment [sɑ̃timɑ̃] *nm* feeling; **recevez mes ~s respectueux** yours faithfully; **sentimental, e, aux** *adj* sentimental; (*vie, aventure*) love *cpd*
sentinelle [sɑ̃tinɛl] *nf* sentry
sentir [sɑ̃tiʀ] *vt* (*par l'odorat*) to smell; (*par le goût*) to taste; (*au toucher, fig*) to feel; (*répandre une odeur de*) to smell of; (*: ressemblance*) to smell like; (*avoir la saveur de*) to taste of; to taste like ◆ *vi* to smell; ~ **mauvais** to smell bad; **se** ~ **bien** to feel good; **se** ~ **mal** (*être indisposé*) to feel unwell *ou* ill; **se** ~ **le courage/la force de faire** to feel brave/strong enough to do; **il ne peut pas le** ~ (*fam*) he can't stand him
séparation [sepaʀasjɔ̃] *nf* separation; (*cloison*) division, partition; ~ **de corps** legal separation
séparé, e [sepaʀe] *adj* (*appartements, pouvoirs*) separate; (*époux*) separated; **~ment** *adv* separately
séparer [sepaʀe] *vt* (*gén*) to separate; (*suj: divergences etc*) to divide; to drive apart; (*suj: différences, obstacles*) to stand between; (*détacher*): ~ **qch de** to pull sth (off) from; (*diviser*): ~ **qch par** to divide sth (up) with; **se** ~ *vi* (*époux, amis, adversaires*) to separate, part; (*se diviser: route, tige etc*) to divide; (*se détacher*): **se** ~ **(de)** to split off (from); to come off; **se** ~ **de** (*époux*) to separate *ou* part from; (*employé, objet personnel*) to part with; ~ **une pièce en deux** to divide a room into two
sept [sɛt] *num* seven
septembre [sɛptɑ̃bʀ(ə)] *nm* September
septennat [sɛpetena] *nm seven year term of office* (*of French President*)
septentrional, e, aux [sɛptɑ̃tʀijɔnal, -o] *adj* northern
septicémie [sɛptisemi] *nf* blood poisoning, septicaemia
septième [sɛtjɛm] *num* seventh
septique [sɛptik] *adj*: **fosse** ~ septic tank
sépulture [sepyltyʀ] *nf* burial; burial place, grave
séquelles [sekɛl] *nfpl* after-effects; (*fig*) aftermath *sg*; consequences
séquestrer [sekɛstʀe] *vt* (*personne*) to confine illegally; (*biens*) to impound
serai *etc vb voir* **être**
serein, e [səʀɛ̃, -ɛn] *adj* serene; (*jugement*) dispassionate
serez *vb voir* **être**
sergent [sɛʀʒɑ̃] *nm* sergeant
série [seʀi] *nf* (*de questions, d'accidents*) series *inv*; (*de clés, casseroles, outils*) set; (*catégorie: SPORT*) rank; class; **en** ~ in quick succession; (COMM) mass *cpd*; **de** ~ standard; **hors** ~ (COMM) custom-built; (*fig*) outstanding
sérieusement [seʀjøzmɑ̃] *adv* seriously; reliably; responsibly
sérieux, euse [seʀjø, -øz] *adj* serious; (*élève, employé*) reliable, responsible; (*client, maison*) reliable, dependable ◆ *nm* seriousness; reliability; **garder son** ~ to keep a straight face; **prendre qch/qn au** ~ to take sth/sb seriously
serin [səʀɛ̃] *nm* canary
seringue [səʀɛ̃g] *nf* syringe
serions *vb voir* **être**
serment [sɛʀmɑ̃] *nm* (*juré*) oath; (*promesse*) pledge, vow
sermon [sɛʀmɔ̃] *nm* sermon
séropositif, ive [sero-] *adj* (MED) HIV positive
serpent [sɛʀpɑ̃] *nm* snake
serpenter [sɛʀpɑ̃te] *vi* to wind
serpentin [sɛʀpɑ̃tɛ̃] *nm* (*tube*) coil; (*ruban*) streamer
serpillière [sɛʀpijɛʀ] *nf* floorcloth
serre [sɛʀ] *nf* (AGR) greenhouse; **~s** *nfpl* (*griffes*) claws, talons
serré, e [seʀe] *adj* (*réseau*) dense; (*écriture*) close; (*habits*) tight; (*fig: lutte, match*) tight, close-fought; (*passagers etc*) (tightly) packed
serrer [seʀe] *vt* (*tenir*) to grip *ou* hold tight; (*comprimer, coincer*) to squeeze; (*poings, mâchoires*) to clench; (*suj: vêtement*) to be too tight for; to fit tightly; (*rapprocher*) to close up, move closer together; (*ceinture, nœud, frein, vis*) to tighten ◆ *vi*: ~ **à droite** to keep *ou* get over to the right; **se** ~ *vi* (*se rapprocher*) to squeeze up; **se** ~ **contre qn** to huddle up to sb; ~ **la main à qn** to shake sb's hand; ~ **qn dans ses bras** to hug sb, clasp sb in one's arms
serrure [seʀyʀ] *nf* lock
serrurier [seʀyʀje] *nm* locksmith
sert *etc vb voir* **servir**
sertir [sɛʀtiʀ] *vt* (*pierre*) to set
servante [sɛʀvɑ̃t] *nf* (maid)servant
serveur, euse [sɛʀvœʀ, -øz] *nm/f* waiter(waitress)
serviable [sɛʀvjabl(ə)] *adj* obliging, willing to help
service [sɛʀvis] *nm* (*gén*) service; (*série de repas*): **premier** ~ first sitting; (*assortiment de vaisselle*) set, service; (*bureau: de la vente etc*) department, section; (*travail*): **pendant le** ~ on duty; **~s** *nmpl* (*travail, ÉCON*) services; **faire le** ~ to serve; **rendre** ~ **à** to help; **rendre un** ~ **à qn** to do sb a favour; **mettre en** ~ to put into service *ou* operation; **hors** ~ out of order; ~ **après vente** after-sales service; ~ **d'ordre** police (*ou* stewards) in charge of maintaining order; ~ **militaire** military service; **~s secrets** secret service *sg*
serviette [sɛʀvjɛt] *nf* (*de table*) (table) napkin, serviette; (*de toilette*) towel; (*porte-documents*) briefcase; ~ **hygiénique** sanitary towel
servir [sɛʀviʀ] *vt* (*gén*) to serve; (*au restaurant*) to wait on; (*au magasin*) to serve, attend to; (*fig: aider*): ~ **qn** to aid sb; to serve sb's interests; (COMM: *rente*) to pay (TENNIS) to serve; (CARTES) to deal; **se** ~ *vi* (*prendre d'un plat*) to help o.s.; **se** ~ **de** (*plat*) to help o.s. to; (*voiture, outil, relations*) to use; **vous êtes servi?** are you being served?; ~ **à qn** (*diplôme, livre*) to be of use to sb; ~ **à qch/faire** (*outil etc*) to be used for sth/doing; **à quoi cela sert-il (de faire)?** what's the use (of doing)?; **cela ne sert à rien** it's no use; ~ **(à qn) de** to serve as (for sb); ~ **à dîner (à qn)** to serve dinner (to sb)
serviteur [sɛʀvitœʀ] *nm* servant
servitude [sɛʀvityd] *nf* servitude; (*fig*) constraint
ses [se] *dét voir* **son**[1]
seuil [sœj] *nm* doorstep; (*fig*) threshold
seul, e [sœl] *adj* (*sans compagnie*) alone; (*avec nuance affective: isolé*) lonely; (*unique*): **un** ~ **livre** only one book, a single book ◆ *adv* (*vivre*) alone, on one's own ◆ *nm, nf*: **il en reste un(e) ~(e)** there's only one left; **le** ~ **livre** the only book; ~ **ce livre, ce livre** ~ this book alone, only this book; **parler tout** ~ to talk to oneself; **faire qch (tout)** ~ to do sth (all) on one's own *ou* (all) by oneself; **à lui (tout)** ~ single-handed, on his own
seulement [sœlmɑ̃] *adv* only; **non** ~ ... **mais aussi** *ou* **encore** not only ... but also
sève [sɛv] *nf* sap
sévère [sevɛʀ] *adj* severe
sévices [sevis] *nmpl* (physical) cruelty *sg*, ill treatment *sg*
sévir [seviʀ] *vi* (*punir*) to use harsh measures, crack down; (*suj: fléau*) to rage, be rampant
sevrer [səvʀe] *vt* (*enfant etc*) to wean
sexe [sɛks(ə)] *nm* sex; (*organe mâle*) member
sexuel, le [sɛksɥɛl] *adj* sexual
seyant, e [sɛjɑ̃, -ɑ̃t] *adj* becoming
shampooing [ʃɑ̃pwɛ̃] *nm* shampoo; **se faire un** ~ to shampoo one's hair
short [ʃɔʀt] *nm* (pair of) shorts *pl*

MOT-CLÉ

si [si] *nm* (MUS) B; (*en chantant la gamme*) ti ◆ *adv* 1 (*oui*) yes
2 (*tellement*) so; ~ **gentil/rapidement** so kind/fast; **(tant et)** ~ **bien que** so much so that; ~ **rapide qu'il soit** however fast he may be
◆ *conj* if; ~ **tu veux** if you want; **je me demande** ~ I wonder if *ou* whether; ~ **seulement** if only

Sicile [sisil] *nf*: **la** ~ Sicily
SIDA [sida] *sigle m* (= *syndrome immuno-déficitaire acquis*) AIDS *sg*
sidéré, e [sideʀe] *adj* staggered
sidérurgie [sideʀyʀʒi] *nf* steel industry
siècle [sjɛkl(ə)] *nm* century; (*époque*) age
siège [sjɛʒ] *nm* seat; (*d'entreprise*) head office; (*d'organisation*) headquarters *pl*; (MIL) siege; ~ **social** registered office
siéger [sjeʒe] *vi* to sit
sien, ne [sjɛ̃, sjɛn] *pron*: **le(la) ~(ne), les ~(ne)s** his; hers; its; **les ~s** (*sa famille*) one's family; **faire des ~nes** (*fam*) to be up to one's (usual) tricks
sieste [sjɛst(ə)] *nf* (afternoon) snooze *ou* nap, siesta; **faire la** ~ to have a snooze *ou* nap

sifflement [sifləmɑ̃] *nm* whistle, whistling *no pl*; wheezing *no pl*; hissing *no pl*

siffler [sifle] *vi* (*gén*) to whistle; (*en respirant*) to wheeze; (*serpent, vapeur*) to hiss ◆ *vt* (*chanson*) to whistle; (*chien etc*) to whistle for; (*fille*) to whistle at; (*pièce, orateur*) to hiss, boo; (*faute*) to blow one's whistle at; (*fin du match, départ*) to blow one's whistle for; (*fam*: *verre*) to guzzle

sifflet [siflɛ] *nm* whistle; **coup de ~** whistle

siffloter [siflɔte] *vi, vt* to whistle

sigle [sigl(ə)] *nm* acronym

signal, aux [siɲal, -o] *nm* (*signe convenu, appareil*) signal; (*indice, écriteau*) sign; **donner le ~ de** to give the signal for; **~ d'alarme** alarm signal; **signaux (lumineux)** (*AUTO*) traffic signals

signalement [siɲalmɑ̃] *nm* description, particulars *pl*

signaler [siɲale] *vt* to indicate; to announce; to report; (*faire remarquer*): **~ qch à qn/(à qn) que** to point out sth to sb/(to sb) that; **se ~ (par)** to distinguish o.s. (by)

signature [siɲatyʀ] *nf* signature (*action*), signing

signe [siɲ] *nm* sign; (*TYPO*) mark; **faire un ~ de la main** to give a sign with one's hand; **faire ~ à qn** (*fig*) to get in touch with sb; **faire ~ à qn d'entrer** to motion (to) sb to come in; **~s particuliers** *nmpl* distinguishing marks

signer [siɲe] *vt* to sign; **se ~** *vi* to cross o.s.

signet [siɲɛ] *nm* bookmark

significatif, ive [siɲifikatif, -iv] *adj* significant

signification [siɲifikɑsjɔ̃] *nf* meaning

signifier [siɲifje] *vt* (*vouloir dire*) to mean; (*faire connaître*): **~ qch (à qn)** to make sth known (to sb); (*JUR*): **~ qch à qn** to serve notice of sth on sb

silence [silɑ̃s] *nm* silence; (*MUS*) rest; **garder le ~** to keep silent, say nothing; **passer sous ~** to pass over (in silence); **silencieux, euse** *adj* quiet, silent ◆ *nm* silencer

silex [silɛks] *nm* flint

silhouette [silwɛt] *nf* outline, silhouette; (*lignes, contour*) outline; (*figure*) figure

silicium [silisjɔm] *nm* silicon; **plaquette de ~** silicon chip

sillage [sijaʒ] *nm* wake; (*fig*) trail

sillon [sijɔ̃] *nm* furrow; (*de disque*) groove; **sillonner** *vt* to criss-cross

simagrées [simagʀe] *nfpl* fuss *sg*; airs and graces

similaire [similɛʀ] *adj* similar; **similicuir** *nm* imitation leather; **similitude** *nf* similarity

simple [sɛ̃pl(ə)] *adj* (*gén*) simple; (*non multiple*) single; **~s** *nmpl* (*MÉD*) medicinal plants; **~ d'esprit** *nm/f* simpleton; **~ messieurs** *nm* (*TENNIS*) men's singles *sg*; **un ~ particulier** an ordinary citizen; **~ soldat** private

simulacre [simylakʀ(ə)] *nm* (*péj*): **un ~ de** a pretence of

simuler [simyle] *vt* to sham, simulate

simultané, e [simyltane] *adj* simultaneous

sincère [sɛ̃sɛʀ] *adj* sincere; genuine; **sincérité** *nf* sincerity

sine qua non [sinekwanɔn] *adj*: **condition ~** indispensable condition

singe [sɛ̃ʒ] *nm* monkey; (*de grande taille*) ape; **~r** [sɛ̃ʒe] *vt* to ape, mimic

singeries [sɛ̃ʒʀi] *nfpl* antics; (*simagrées*) airs and graces

singulariser [sɛ̃gylaʀize] *vt* to mark out; **se ~** *vi* to call attention to o.s.

singularité [sɛ̃gylaʀite] *nf* peculiarity

singulier, ière [sɛ̃gylje, -jɛʀ] *adj* remarkable, singular ◆ *nm* singular

sinistre [sinistʀ(ə)] *adj* sinister ◆ *nm* (*incendie*) blaze; (*catastrophe*) disaster; (*ASSURANCES*) damage (*giving rise to a claim*); **sinistré, e** *adj* disaster-stricken ◆ *nm/f* disaster victim

sinon [sinɔ̃] *conj* (*autrement, sans quoi*) otherwise, or else; (*sauf*) except, other than; (*si ce n'est*) if not

sinueux, euse [sinɥø, -øz] *adj* winding; (*fig*) tortuous

sinus [sinys] *nm* (*ANAT*) sinus; (*GÉOM*) sine; **sinusite** *nf* sinusitis

siphon [sifɔ̃] *nm* (*tube, d'eau gazeuse*) siphon; (*d'évier etc*) U-bend

sirène [siʀɛn] *nf* siren; **~ d'alarme** air-raid siren; fire alarm

sirop [siʀo] *nm* (*à diluer*: *de fruit etc*) syrup; (*boisson*) fruit drink; (*pharmaceutique*) syrup, mixture

siroter [siʀɔte] *vt* to sip

sismique [sismik] *adj* seismic

site [sit] *nm* (*paysage, environnement*) setting; (*d'une ville etc*: *emplacement*) site; **~ (pittoresque)** beauty spot; **~s touristiques** places of interest

sitôt [sito] *adv*: **~ parti** as soon as he *etc* had left; **~ après** straight after; **pas de ~** not for a long time

situation [sitɥɑsjɔ̃] *nf* (*gén*) situation; (*d'un édifice, d'une ville*) situation, position; location; **~ de famille** *nf* marital status

situé, e [sitɥe] *adj*: **bien ~** well situated; **~ à** situated at

situer [sitɥe] *vt* to site, situate; (*en pensée*) to set, place; **se ~** *vi*: **se ~ à/près de** to be situated at/near

six [sis] *num* six; **sixième** *num* sixth

ski [ski] *nm* (*objet*) ski; (*sport*) skiing; **faire du ~** to ski; **~ de fond** cross-country skiing; **~ nautique** water-skiing; **~ de piste** downhill skiing; **~ de randonnée** cross-country skiing; **skier** *vi* to ski; **skieur, euse** *nm/f* skier

slip [slip] *nm* (*sous-vêtement*) pants *pl*, briefs *pl*; (*de bain*: *d'homme*) trunks *pl*; (: *du bikini*) (bikini) briefs *pl*

slogan [slɔgɑ̃] *nm* slogan

S.M.I.C. [smik] *sigle m* = **salaire minimum interprofessionnel de croissance**

smicard, e [smikaʀ, -aʀd(ə)] (*fam*) *nm/f* minimum wage earner

smoking [smɔkiŋ] *nm* dinner *ou* evening suit

S.N.C.F. *sigle f* (= *société nationale des chemins de fer français*) *French railways*

snob [snɔb] *adj* snobbish ◆ *nm/f* snob

sobre [sɔbʀ(ə)] *adj* temperate, abstemious; (*élégance, style*) sober; **~ de** (*gestes, compliments*) sparing of

sobriquet [sɔbʀikɛ] *nm* nickname

social, e, aux [sɔsjal, -o] *adj* social

socialisme [sɔsjalism(ə)] *nm* socialism; **socialiste** *nm/f* socialist

société [sɔsjete] *nf* society; (*sportive*) club; (*COMM*) company; **la ~ d'abondance/de consommation** the affluent/consumer society; **~ à responsabilité limitée** *type of limited liability company*; **~ anonyme** ≈ limited (*BRIT*) *ou* incorporated (*US*) company

sociologie [sɔsjɔlɔʒi] *nf* sociology

socle [sɔkl(ə)] *nm* (*de colonne, statue*) plinth, pedestal; (*de lampe*) base

socquette [sɔkɛt] *nf* ankle sock

sœur [sœʀ] *nf* sister; (*religieuse*) nun, sister

soi [swa] *pron* oneself; **cela va de ~** that *ou* it goes without saying; **soi-disant** *adj inv* so-called ◆ *adv* supposedly

soie [swa] *nf* silk; (*de porc, sanglier*: *poil*) bristle; **soierie** *nf* (*tissu*) silk

soif [swaf] *nf* thirst; **avoir ~** to be thirsty; **donner ~ à qn** to make sb thirsty

soigné, e [swaɲe] *adj* (*tenue*) well-groomed, neat; (*travail*) careful, meticulous; (*fam*) whopping; stiff

soigner [swaɲe] *vt* (*malade, maladie*: *suj*: *docteur*) to treat; (*suj*: *infirmière, mère*) to nurse, look after; (*blessé*) to tend; (*travail, détails*) to take care over; (*jardin, chevelure, invités*) to look after

soigneux, euse [swaɲø, -øz] *adj* (*propre*) tidy, neat; (*méticuleux*) painstaking, careful; **~ de** careful with

soi-même [swamem] *pron* oneself

soin [swɛ̃] *nm* (*application*) care; (*propreté, ordre*) tidiness, neatness; **~s** *nmpl* (*à un malade, blessé*) treatment *sg*, medical attention *sg*; (*attentions, prévenance*) care and attention *sg*; (*hygiène*) care *sg*; **prendre ~ de** to take care of, look after; **prendre ~ de faire** to take care to do; **les premiers ~s** first aid *sg*; **aux bons ~s de** c/o, care of

soir [swaʀ] *nm* evening; **ce ~** this evening, tonight; **demain ~** tomorrow evening, tomorrow night

soirée [swaʀe] *nf* evening; (*réception*) party

soit [swa] *vb voir* **être** ◆ *conj* (*à savoir*) namely; (*ou*): **~ ... ~** either ... or ◆ *adv* so be it, very well; **~ que ... ~ que** *ou* **ou que** whether ... or whether

soixantaine [swasɑ̃tɛn] *nf*: **une ~ (de)** sixty or so, about sixty; **avoir la ~** (*âge*) to be around sixty

soixante [swasɑ̃t] *num* sixty; **soixante-dix** *num* seventy

soja [sɔʒa] *nm* soya; (*graines*) soya beans *pl*

sol [sɔl] *nm* ground; (*de logement*) floor; (*revêtement*) flooring *no pl*; (*territoire, AGR, GÉO*) soil; (*MUS*) G; (: *en chantant la gamme*) so(h)

solaire [sɔlɛʀ] *adj* solar, sun *cpd*

soldat [sɔlda] *nm* soldier

solde [sɔld(ə)] *nf* pay ◆ *nm* (*COMM*) balance; **~s** *nm ou f pl* sale goods; sales; **en ~** at sale price

solder [sɔlde] *vt* (*compte*) to settle; (*marchandise*) to sell at sale price, sell off; **se ~ par** (*fig*) to end in; **article soldé (à) 10 F** item reduced to 10 F

sole [sɔl] *nf* sole *inv* (*fish*)

soleil [sɔlɛj] *nm* sun; (*lumière*) sun(light); (*temps ensoleillé*) sun(shine); (*BOT*) sunflower; **il fait du ~** it's sunny; **au ~** in the sun

solennel, le [sɔlanɛl] *adj* solemn; ceremonial; **solennité** *nf* (*d'une fête*) solemnity

solfège [sɔlfɛʒ] *nm* rudiments *pl* of music; (*exercices*) ear training *no pl*

solidaire [sɔlidɛʀ] *adj* (*personnes*) who stand together, who show solidarity; (*pièces mécaniques*) interdependent; **être ~ de** (*collègues*) to stand by; **solidarité** *nf* solidarity; interdependence; **par solidarité (avec)** in sympathy (with)

solide [sɔlid] *adj* solid; (*mur, maison, meuble*) solid, sturdy; (*connaissances, argument*) sound; (*personne, estomac*) robust, sturdy ◆ *nm* solid

soliste [sɔlist(ə)] *nm/f* soloist

solitaire [sɔlitɛʀ] *adj* (*sans compagnie*) solitary, lonely; (*lieu*) lonely ◆ *nm/f* recluse; loner

solitude [sɔlityd] *nf* loneliness; (*paix*) solitude

solive [sɔliv] *nf* joist

sollicitations [sɔlisitɑsjɔ̃] *nfpl* entreaties, appeals; enticements; (*TECH*) stress *sg*

solliciter [sɔlisite] *vt* (*personne*) to appeal to; (*emploi, faveur*) to seek; (*suj*: *occupations, attractions etc*): **~ qn** to appeal to sb's curiosity *etc*; to entice sb; to make demands on sb's time

sollicitude [sɔlisityd] *nf* concern

soluble [sɔlybl(ə)] *adj* soluble

solution [sɔlysjɔ̃] *nf* solution; **~ de facilité** easy way out

solvable [sɔlvabl(ə)] *adj* solvent

sombre [sɔ̃bʀ(ə)] *adj* dark; (*fig*) gloomy

sombrer [sɔ̃bʀe] *vi* (*bateau*) to sink; **~ dans** (*misère, désespoir*) to sink into

sommaire [sɔmɛʀ] *adj* (*simple*) basic; (*expéditif*) summary ◆ *nm* summary

sommation [sɔmɑsjɔ̃] *nf* (*JUR*) summons *sg*; (*avant de faire feu*) warning

somme [sɔm] *nf* (*MATH*) sum; (*fig*) amount; (*argent*) sum, amount ◆ *nm*: **faire un ~** to have a (short) nap; **en ~** all in all; **~ toute** all in all

sommeil [sɔmɛj] *nm* sleep; **avoir ~** to be sleepy; **sommeiller** *vi* to doze; (*fig*) to lie dormant

sommelier [sɔməlje] *nm* wine waiter

sommer [sɔme] *vt*: **~ qn de faire** to command *ou* order sb to do; (*JUR*) to summon sb to do

sommes *vb voir* **être**

sommet [sɔmɛ] *nm* top; (*d'une montagne*) summit, top; (*fig*: *de la perfection, gloire*) height

sommier [sɔmje] *nm* (bed) base

sommité [sɔmite] *nf* prominent person, leading light

somnambule [sɔmnɑ̃byl] *nm/f* sleepwalker

somnifère [sɔmnifɛʀ] *nm* sleeping drug *no pl* (*ou* pill)

somnoler [sɔmnɔle] *vi* to doze

somptueux, euse [sɔ̃ptɥø, -øz] *adj* sumptuous; lavish

son[1], sa [sɔ̃, sa] (*pl* **ses**) *dét* (*antécédent humain*: *mâle*) his; (: *femelle*) her; (: *valeur indéfinie*) one's, his/her; (*antécédent non humain*) its

son[2] [sɔ̃] *nm* sound; (*de blé*) bran

sondage [sɔ̃daʒ] *nm*: **~ (d'opinion)** (opinion) poll

sonde [sɔ̃d] *nf* (*NAVIG*) lead *ou* sounding line; (*MÉD*) probe; catheter; feeding tube; (*TECH*) borer, driller; (*pour fouiller etc*) probe

sonder [sɔ̃de] *vt* (*NAVIG*) to sound; (*atmosphère, plaie, bagages etc*) to probe; (*TECH*) to bore, drill; (*fig*) to sound out; to probe

songe [sɔ̃ʒ] *nm* dream

songer [sɔ̃ʒe] *vi*: **~ à** (*penser à*) to think of; **~ que** to consider that; to think that; **songeur, euse** *adj* pensive

sonnant, e [sɔnɑ̃, -ɑ̃t] *adj*: **à 8 heures ~es** on the stroke of 8

sonné, e [sɔne] *adj* (*fam*) cracked; **il est midi ~** it's gone twelve

sonner [sɔne] *vi* to ring ◆ *vt* (*cloche*) to ring; (*glas, tocsin*) to sound; (*portier, infirmière*) to ring for; (*messe*) to ring the bell for; **~ faux** (*instrument*) to sound out of tune; (*rire*) to ring false; **~ les heures** to strike the hours

sonnerie [sɔnʀi] *nf* (*son*) ringing; (*sonnette*) bell; (*mécanisme d'horloge*) striking mechanism; **~ d'alarme** alarm bell

sonnette [sɔnɛt] *nf* bell; **~ d'alarme** alarm bell

sono [sɔno] *abr f* = **sonorisation**

sonore [sɔnɔʀ] *adj* (*voix*) sonorous, ringing; (*salle, métal*) resonant; (*ondes, film, signal*) sound *cpd*

sonorisation [sɔnɔʀizɑsjɔ̃] *nf* (*installations*) public address system, P.A. system

sonorité [sɔnɔʀite] *nf* (*de piano, violon*) tone; (*de voix, mot*) sonority; (*d'une salle*) resonance; acoustics *pl*

sont *vb voir* **être**

sophistiqué, e [sɔfistike] *adj* sophisticated

sorbet [sɔʀbɛ] *nm* water ice, sorbet

sorcellerie [sɔʀsɛlʀi] *nf* witchcraft *no pl*

sorcier [sɔʀsje] *nm* sorcerer; **sorcière** *nf* witch *ou* sorceress

sordide [sɔʀdid] *adj* sordid; squalid

sornettes [sɔʀnɛt] *nfpl* twaddle *sg*

sort [sɔʀ] *nm* (*fortune, destinée*) fate; (*condition, situation*) lot; (*magique*) curse, spell; **tirer au ~** to draw lots

sorte [sɔʀt(ə)] *nf* sort, kind; **de la ~** in that way; **de (telle) ~ que, en ~ que** so that; so much so that; **faire en ~ que** to see to it that

sortie [sɔʀti] *nf* (*issue*) way out, exit; (*MIL*) sortie; (*fig*: *verbale*) outburst; sally; (*promenade*) outing; (*le soir*: *au restaurant etc*) night out; (*COMM*: *somme*): **~s** items of expenditure; outgoings *sans sg*; **~ de bain** (*vêtement*) bathrobe; **~ de secours** emergency exit

sortilège [sɔʀtilɛʒ] *nm* (magic) spell

sortir [sɔʀtiʀ] *vi* (*gén*) to come out; (*partir, se promener, aller au spectacle*) to go out; (*numéro gagnant*) to come up ◆ *vt* (*gén*) to take out; (*produit, ouvrage, modèle*) to bring out; (*INFORM*) to output; (: *sur papier*) to print out; (*fam*: *expulser*) to throw out; **se ~ de** (*affaire, situation*) to get out of; **s'en ~** (*malade*) to pull through; (*d'une difficulté etc*) to get through; **~ de** (*gén*) to leave; (*endroit*) to go (*ou* come) out of, leave; (*rainure etc*) to come out of; (*cadre, compétence*) to be outside

sosie [sozi] *nm* double

sot, sotte [so, sɔt] *adj* silly, foolish ◆ *nm/f* fool; **sottise** *nf* silliness, foolishness; silly *ou* foolish thing

sou [su] *nm*: **près de ses ~s** tight-fisted; **sans le ~** penniless

soubresaut [subʀəso] *nm* start; jolt

souche [suʃ] *nf* (*d'arbre*) stump; (*de carnet*) counterfoil (*BRIT*), stub; **de vieille ~** of old stock

souci [susi] *nm* (*inquiétude*) worry; (*préoccupation*) concern; (*BOT*) marigold; **se faire du ~** to worry

soucier [susje] : **se ~ de** *vt* to care about

soucieux, euse [susjø, -øz] *adj* concerned, worried

soucoupe [sukup] *nf* saucer; **~ volante** flying saucer

soudain, e [sudɛ̃, -ɛn] *adj* (*douleur, mort*) sudden ◆ *adv* suddenly, all of a sudden

soude [sud] *nf* soda

souder [sude] *vt* (*avec fil à souder*) to solder; (*par soudure autogène*) to weld; (*fig*) to bind together

soudoyer [sudwaje] (*péj*) *vt* to bribe

soudure [sudyʀ] *nf* soldering; welding; (*joint*) soldered joint; weld

souffert, e [sufɛʀ, -ɛʀt(ə)] *pp de* **souffrir**

souffle [sufl(ə)] *nm* (*en expirant*) breath; (*en soufflant*) puff, blow; (*respiration*) breathing; (*d'explosion, de ventilateur*) blast; (*du vent*) blowing; **être à bout de ~** to be out of breath; **un ~ d'air** *ou* **de vent** a breath of air, a puff of wind

soufflé, e [sufle] *adj* (*fam*: *stupéfié*) staggered ◆ *nm* (*CULIN*) soufflé

souffler [sufle] *vi* (*gén*) to blow; (*haleter*) to puff (and blow) ◆ *vt* (*feu, bougie*) to blow out; (*chasser*: *poussière etc*) to blow away; (*TECH*: *verre*) to blow; (*suj*: *explosion*) to destroy (with its blast); (*dire*): **~ qch à qn** to whisper sth to sb; (*fam*: *voler*) to pinch sth from sb

soufflet [suflɛ] *nm* (*instrument*) bellows *pl*; (*gifle*) slap (in the face)

souffleur [suflœʀ] *nm* (*THÉÂTRE*) prompter

souffrance [sufʀɑ̃s] *nf* suffering; **en ~** (*marchandise*) awaiting delivery; (*affaire*) pending

souffrant, e [sufʀɑ̃, -ɑ̃t] *adj* unwell

souffre-douleur [sufʀədulœʀ] *nm inv* butt, underdog

souffrir [sufʀiʀ] *vi* to suffer; to be in pain ◆ *vt* to suffer, endure; (*supporter*) to bear, stand; (*admettre*: *exception etc*) to allow *ou* admit of; **~ de** (*maladie, froid*) to suffer from

soufre [sufʀ(ə)] *nm* sulphur

souhait [swɛ] *nm* wish; **tous nos ~s de** good wishes *ou* our best wishes for; **riche** *etc* **à ~** as rich *etc* as one could wish; **à vos ~s!** bless you!; **~able** [swɛtabl(ə)] *adj* desirable

souhaiter [swete] *vt* to wish for; **~ la bonne année à qn** to wish sb a happy New Year

souiller [suje] *vt* to dirty, soil; (*fig*) to sully, tarnish

soûl, e [su, sul] *adj* drunk ◆ *nm*: **tout son ~** to one's heart's content

soulagement [sulaʒmɑ̃] *nm* relief

soulager [sulaʒe] *vt* to relieve

soûler [sule] *vt*: **~ qn** to get sb drunk; (*suj*: *boisson*) to make sb drunk; (*fig*) to make sb's head spin *ou* reel; **se ~** *vi* to get drunk

soulever [sulve] *vt* to lift; (*vagues, poussière*) to send up; (*peuple*) to stir up (to revolt); (*enthousiasme*) to arouse;

(*question, débat*) to raise; **se ~** *vi* (*peuple*) to rise up; (*personne couchée*) to lift o.s. up; **cela me soulève le cœur** it makes me feel sick
soulier [sulje] *nm* shoe
souligner [suliɲe] *vt* to underline; (*fig*) to emphasize; to stress
soumettre [sumɛtʀ(ə)] *vt* (*pays*) to subject, subjugate; (*rebelle*) to put down, subdue; **se ~ (à)** to submit (to); **~ qn/qch à** to subject sb/sth to; **~ qch à qn** (*projet etc*) to submit sth to sb
soumis, e [sumi, -iz] *adj* submissive; **revenus ~ à l'impôt** taxable income; **soumission** [sumisjɔ̃] *nf* submission; (*docilité*) submissiveness; (*COMM*) tender
soupape [supap] *nf* valve
soupçon [supsɔ̃] *nm* suspicion; (*petite quantité*): **un ~ de** a hint *ou* touch of; **soupçonner** *vt* to suspect; **soupçonneux, euse** *adj* suspicious
soupe [sup] *nf* soup; **~ au lait** *adj inv* quick-tempered
souper [supe] *vi* to have supper ♦ *nm* supper
soupeser [supəze] *vt* to weigh in one's hand(s); (*fig*) to weigh up
soupière [supjɛʀ] *nf* (soup) tureen
soupir [supiʀ] *nm* sigh; (*MUS*) crotchet rest
soupirail, aux [supiʀaj, -o] *nm* (small) basement window
soupirer [supiʀe] *vi* to sigh; **~ après qch** to yearn for sth
souple [supl(ə)] *adj* supple; (*fig: règlement, caractère*) flexible; (*: démarche, taille*) lithe, supple
source [suʀs(ə)] *nf* (*point d'eau*) spring; (*d'un cours d'eau, fig*) source; **de bonne ~** on good authority
sourcil [suʀsij] *nm* (eye)brow
sourciller [suʀsije] *vi*: **sans ~** without turning a hair *ou* batting an eyelid
sourcilleux, euse [suʀsijø, -øz] *adj* pernickety
sourd, e [suʀ, suʀd(ə)] *adj* deaf; (*bruit, voix*) muffled; (*douleur*) dull; (*lutte*) silent, hidden ♦ *nm/f* deaf person
sourdine [suʀdin] *nf* (*MUS*) mute; **en ~** softly, quietly
sourd-muet, sourde-muette [suʀmɥɛ, suʀdmɥɛt] *adj* deaf-and-dumb ♦ *nm/f* deaf-mute
souriant, e [suʀjɑ̃, -ɑ̃t] *adj* cheerful
souricière [suʀisjɛʀ] *nf* mousetrap; (*fig*) trap
sourire [suʀiʀ] *nm* smile ♦ *vi* to smile; **~ à qn** to smile at sb; (*fig*) to appeal to sb; to smile on sb; **garder le ~** to keep smiling
souris [suʀi] *nf* mouse
sournois, e [suʀnwa, -waz] *adj* deceitful, underhand
sous [su] *prép* (*gén*) under; **~ la pluie/le soleil** in the rain/sunshine; **~ terre** underground; **~ peu** shortly, before long
sous-bois [subwa] *nm inv* undergrowth
souscrire [suskʀiʀ]: **~ à** *vt* to subscribe to
sous: ~-directeur, trice *nm/f* assistant manager(manageress); **~-entendre** *vt* to imply, infer; **~-entendu, e** *adj* implied; (*LING*) understood ♦ *nm* innuendo, insinuation; **~-estimer** *vt* to under-estimate; **~-jacent, e** *adj* underlying; **~-louer** *vt* to sublet; **~-main** *nm inv* desk blotter; **en ~-main** secretly; **~-marin, e** *adj* (*flore, volcan*) submarine; (*navigation, pêche, explosif*) underwater ♦ *nm* submarine; **~-officier** *nm* ≈ non-commissioned officer (N.C.O.); **~-produit** *nm* by-product; (*fig: péj*) pale imitation; **~signé, e** *adj*: **je ~signé** I the undersigned; **~-sol** *nm* basement; **~-titre** *nm* subtitle
soustraction [sustʀaksjɔ̃] *nf* subtraction
soustraire [sustʀɛʀ] *vt* to subtract, take away; (*dérober*): **~ qch à qn** to remove sth from sb; **se ~ à** (*autorité etc*) to elude, escape from; **~ qn à** (*danger*) to shield sb from
sous-traitant [sutʀɛtɑ̃] *nm* sub-contractor
sous-vêtements [suvɛtmɑ̃] *nmpl* underwear *sg*
soutane [sutan] *nf* cassock, soutane
soute [sut] *nf* hold
soutènement [sutɛnmɑ̃] *nm*: **mur de ~** retaining wall
souteneur [sutnœʀ] *nm* procurer
soutenir [sutniʀ] *vt* to support; (*assaut, choc*) to stand up to, withstand; (*intérêt, effort*) to keep up; (*assurer*): **~ que** to maintain that; **~ la comparaison avec** to bear *ou* stand comparison with; **soutenu, e** *adj* (*efforts*) sustained, unflagging; (*style*) elevated
souterrain, e [sutɛʀɛ̃, -ɛn] *adj* underground ♦ *nm* underground passage
soutien [sutjɛ̃] *nm* support; **~ de famille** breadwinner; **~-gorge** [sutjɛ̃gɔʀʒ(ə)] *nm* bra
soutirer [sutiʀe] *vt*: **~ qch à qn** to squeeze *ou* get sth out of sb
souvenir [suvniʀ] *nm* (*réminiscence*) memory; (*objet*) souvenir ♦ *vb*: **se ~ de** *vt* to remember; **se ~ que** to remember that; **en ~ de** in memory *ou* remembrance of
souvent [suvɑ̃] *adv* often; **peu ~** seldom, infrequently
souverain, e [suvʀɛ̃, -ɛn] *adj* sovereign; (*fig: mépris*) supreme ♦ *nm/f* sovereign, monarch
soviétique [sɔvjetik] *nm/f*: **Soviétique** Soviet citizen
soyeux, euse [swajø, øz] *adj* silky
soyons *etc vb voir* **être**
spacieux, euse [spasjø, -øz] *adj* spacious; roomy
spaghettis [spageti] *nmpl* spaghetti *sg*
sparadrap [spaʀadʀa] *nm* sticking plaster (*BRIT*), bandaid (®)
spatial, e, aux [spasjal, -o] *adj* (*AVIAT*) space *cpd*
speaker, ine [spikœʀ, -kʀin] *nm/f* announcer
spécial, e, aux [spesjal, -o] *adj* special; (*bizarre*) peculiar; **spécialement** *adv* especially, particularly; (*tout exprès*) specially
spécialiser [spesjalize] : **se ~** *vi* to specialize
spécialiste [spesjalist(ə)] *nm/f* specialist
spécialité [spesjalite] *nf* speciality; (*SCOL*) special field
spécifier [spesifje] *vt* to specify, state
spécimen [spesimɛn] *nm* specimen; (*revue etc*) specimen *ou* sample copy
spectacle [spɛktakl(ə)] *nm* (*tableau, scène*) sight; (*représentation*) show; (*industrie*) show business; **spectaculaire** *adj* spectacular
spectateur, trice [spɛktatœʀ, -tʀis] *nm/f* (*CINÉMA etc*) member of the audience; (*SPORT*) spectator; (*d'un événement*) onlooker, witness
spéculer [spekyle] *vi* to speculate; **~ sur** (*COMM*) to speculate in; (*réfléchir*) to speculate on
spéléologie [speleɔlɔʒi] *nf* potholing
sperme [spɛʀm(ə)] *nm* semen, sperm
sphère [sfɛʀ] *nf* sphere
spirale [spiʀal] *nf* spiral
spirituel, le [spiʀitɥɛl] *adj* spiritual; (*fin, piquant*) witty
spiritueux [spiʀitɥø] *nm* spirit
splendide [splɑ̃did] *adj* splendid; magnificent
spontané, e [spɔ̃tane] *adj* spontaneous
sport [spɔʀ] *nm* sport ♦ *adj inv* (*vêtement*) casual; **faire du ~** to do sport; **~s d'hiver** winter sports; **sportif, ive** *adj* (*journal, association, épreuve*) sports *cpd*; (*allure, démarche*) athletic; (*attitude, esprit*) sporting
spot [spɔt] *nm* (*lampe*) spot(light); (*annonce*): **~ (publicitaire)** commercial (break)
square [skwaʀ] *nm* public garden(s)
squelette [skəlɛt] *nm* skeleton; **squelettique** *adj* scrawny; (*fig*) skimpy
stabiliser [stabilize] *vt* to stabilize; (*terrain*) to consolidate
stable [stabl(ə)] *adj* stable, steady
stade [stad] *nm* (*SPORT*) stadium; (*phase, niveau*) stage
stage [staʒ] *nm* training period; training course; **stagiaire** *nm/f, adj* trainee
stalle [stal] *nf* stall, box
stand [stɑ̃d] *nm* (*d'exposition*) stand; (*de foire*) stall; **~ de tir** (*à la foire, SPORT*) shooting range
standard [stɑ̃daʀ] *adj inv* standard ♦ *nm* switchboard; **standardiste** *nm/f* switchboard operator
standing [stɑ̃diŋ] *nm* standing; **immeuble de grand ~** block of luxury flats (*BRIT*), condo(minium) (*US*)
starter [staʀtɛʀ] *nm* (*AUTO*) choke
station [stasjɔ̃] *nf* station; (*de bus*) stop; (*de villégiature*) resort; (*posture*): **la ~ debout** standing, an upright posture; **~ de ski** ski resort; **~ de taxis** taxi rank (*BRIT*) *ou* stand (*US*)
stationnement [stasjɔnmɑ̃] *nm* parking; **stationner** [stasjɔne] *vi* to park
station-service [stasjɔ̃sɛʀvis] *nf* service station
statistique [statistik] *nf* (*science*) statistics *sg*; (*rapport, étude*) statistic ♦ *adj* statistical
statue [staty] *nf* statue
statuer [statɥe] *vi*: **~ sur** to rule on, give a ruling on
statut [staty] *nm* status; **~s** *nmpl* (*JUR, ADMIN*) statutes; **statutaire** *adj* statutory
Sté *abr* = **société**
steak [stɛk] *nm* steak
sténo(dactylo) [stenɔ(daktilo)] *nf* shorthand typist (*BRIT*), stenographer (*US*)
sténo(graphie) [stenɔ(gʀafi)] *nf* shorthand
stéréo(phonique) [steʀeɔ(fɔnik)] *adj* stereo(phonic)
stérile [steʀil] *adj* sterile; (*terre*) barren; (*fig*) fruitless, futile
stérilet [steʀilɛ] *nm* coil, loop
stériliser [steʀilize] *vt* to sterilize
stigmates [stigmat] *nmpl* scars, marks
stimulant [stimylɑ̃] *nm* (*fig*) stimulus, incentive
stimuler [stimyle] *vt* to stimulate
stipuler [stipyle] *vt* to stipulate
stock [stɔk] *nm* stock; **~ d'or** (*FINANCE*) gold reserves *pl*; **stocker** *vt* to stock
stop [stɔp] *nm* (*AUTO: écriteau*) stop sign; (*: signal*) brake-light; **~per** [stɔpe] *vt* to stop, halt; (*COUTURE*) to mend ♦ *vi* to stop, halt
store [stɔʀ] *nm* blind; (*de magasin*) shade, awning
strabisme [stʀabism(ə)] *nm* squinting
strapontin [stʀapɔ̃tɛ̃] *nm* jump *ou* foldaway seat
stratégie [stʀateʒi] *nf* strategy; **stratégique** *adj* strategic
stressant, e [stʀɛsɑ̃, -ɑ̃t] *adj* stressful
strict, e [stʀikt(ə)] *adj* strict; (*tenue, décor*) severe, plain; **son droit le plus ~** his most basic right; **le ~ nécessaire/minimum** the bare essentials/minimum
strie [stʀi] *nf* streak
strophe [stʀɔf] *nf* verse, stanza
structure [stʀyktyʀ] *nf* structure; **~s d'accueil** reception facilities
studieux, euse [stydjø, -øz] *adj* studious; devoted to study
studio [stydjo] *nm* (*logement*) (one-roomed) flatlet (*BRIT*) *ou* apartment (*US*); (*d'artiste, TV etc*) studio
stupéfait, e [stypefɛ, -ɛt] *adj* astonished
stupéfiant [stypefjɑ̃] *nm* (*MÉD*) drug, narcotic
stupéfier [stypefje] *vt* to stupefy; (*étonner*) to stun, astonish
stupeur [stypœʀ] *nf* astonishment
stupide [stypid] *adj* stupid; **stupidité** *nf* stupidity; stupid thing (to do *ou* say)
style [stil] *nm* style; **meuble de ~** piece of period furniture
stylé, e [stile] *adj* well-trained
styliste [stilist(ə)] *nm/f* designer
stylo [stilo] *nm*: **~ (à encre)** (fountain) pen; **~ (à) bille** ball-point pen
su, e [sy] *pp de* **savoir** ♦ *nm*: **au ~ de** with the knowledge of
suave [sɥav] *adj* sweet; (*goût*) mellow
subalterne [sybaltɛʀn(ə)] *adj* (*employé, officier*) junior; (*rôle*) subordinate, subsidiary ♦ *nm/f* subordinate
subconscient [sypkɔ̃sjɑ̃] *nm* subconscious
subir [sybiʀ] *vt* (*affront, dégâts*) to suffer; (*influence, charme*) to be under; (*opération, châtiment*) to undergo
subit, e [sybi, -it] *adj* sudden; **subitement** *adv* suddenly, all of a sudden
subjectif, ive [sybʒɛktif, -iv] *adj* subjective
subjonctif [sybʒɔ̃ktif] *nm* subjunctive
submerger [sybmɛʀʒe] *vt* to submerge; (*fig*) to overwhelm
subordonné, e [sybɔʀdɔne] *adj, nm/f* subordinate; **~ à** subordinate to; subject to, depending on
subornation [sybɔʀnasjɔ̃] *nf* bribing
subrepticement [sybʀɛptismɑ̃] *adv* surreptitiously
subside [sypsid] *nm* grant
subsidiaire [sypsidjɛʀ] *adj*: **question ~** deciding question
subsister [sybziste] *vi* (*rester*) to remain, subsist; (*vivre*) to live; (*survivre*) to live on
substance [sypstɑ̃s] *nf* substance
substituer [sypstitɥe] *vt*: **~ qn/qch à** to substitute sb/sth for; **se ~ à qn** (*évincer*) to substitute o.s. for sb
substitut [sypstity] *nm* (*JUR*) deputy public prosecutor; (*succédané*) substitute
subterfuge [syptɛʀfyʒ] *nm* subterfuge
subtil, e [syptil] *adj* subtle
subtiliser [syptilize] *vt*: **~ qch (à qn)** to spirit sth away (from sb)
subvenir [sybvəniʀ]: **~ à** *vt* to meet
subvention [sybvɑ̃sjɔ̃] *nf* subsidy, grant; **subventionner** *vt* to subsidize
suc [syk] *nm* (*BOT*) sap; (*de viande, fruit*) juice
succédané [syksedane] *nm* substitute
succéder [syksede]: **~ à** *vt* (*directeur, roi etc*) to succeed; (*venir après: dans une série*) to follow, succeed; **se ~** *vi* (*accidents, années*) to follow one another
succès [syksɛ] *nm* success; **avoir du ~** to be a success, be successful; **à ~** successful; **~ de librairie** bestseller; **~ (féminins)** conquests
succession [syksesjɔ̃] *nf* (*série, POL*) succession; (*JUR: patrimoine*) estate, inheritance
succomber [sykɔ̃be] *vi* to die, succumb; (*fig*): **~ à** to give way to, succumb to
succursale [sykyʀsal] *nf* branch
sucer [syse] *vt* to suck
sucette [sysɛt] *nf* (*bonbon*) lollipop; (*de bébé*) dummy (*BRIT*), pacifier (*US*)
sucre [sykʀ(ə)] *nm* (*substance*) sugar; (*morceau*) lump of sugar, sugar lump *ou* cube; **~ d'orge** barley sugar; **~ en morceaux/cristallisé/en poudre** lump/granulated/caster sugar; **sucré, e** *adj* (*produit alimentaire*) sweetened; (*au goût*) sweet; (*péj*) sugary, honeyed; **sucrer** *vt* (*thé, café*) to sweeten, put sugar in; **sucreries** *nfpl* (*bonbons*) sweets, sweet things; **sucrier** *nm* (*récipient*) sugar bowl
sud [syd] *nm*: **le ~** the south ♦ *adj inv* south; (*côte*) south, southern; **au ~** (*situation*) in the south; (*direction*) to the south; **au ~ de** (to the) south of; **sud-africain, e** *adj, nm/f* South African; **sud-américain, e** *adj, nm/f* South American; **sud-est** [sydɛst] *nm* south-east ♦ *adj inv* south-east; **sud-ouest** [sydwɛst] *nm* south-west ♦ *adj inv* south-west
Suède [sɥɛd] *nf*: **la ~** Sweden; **suédois, e** *adj* Swedish ♦ *nm/f*: **Suédois, e** Swede ♦ *nm* (*LING*) Swedish
suer [sɥe] *vi* to sweat; (*suinter*) to ooze
sueur [sɥœʀ] *nf* sweat; **en ~** sweating, in a sweat
suffire [syfiʀ] *vi* (*être assez*): **~ (à qn/pour qch/pour faire)** to be enough *ou* sufficient (for sb/for sth/to do); **cela suffit pour les irriter/qu'ils se fâchent** it's enough to annoy them/for them to get angry; **il suffit d'une négligence ...** it only takes one act of carelessness ...; **il suffit qu'on oublie pour que ...** one only needs to forget for ...
suffisamment [syfizamɑ̃] *adv* sufficiently, enough; **~ de** sufficient, enough
suffisant, e [syfizɑ̃, -ɑ̃t] *adj* (*temps, ressources*) sufficient; (*résultats*) satisfactory; (*vaniteux*) self-important, bumptious
suffixe [syfiks(ə)] *nm* suffix
suffoquer [syfɔke] *vt* to choke, suffocate; (*stupéfier*) to stagger, astound ♦ *vi* to choke, suffocate
suffrage [syfʀaʒ] *nm* (*POL: voix*) vote; (*du public etc*) approval *no pl*
suggérer [sygʒeʀe] *vt* to suggest; **suggestion** *nf* suggestion
suicide [sɥisid] *nm* suicide
suicider [sɥiside]: **se ~** *vi* to commit suicide
suie [sɥi] *nf* soot
suinter [sɥɛ̃te] *vi* to ooze
suis *vb voir* **être; suivre**
suisse [sɥis] *adj* Swiss ♦ *nm*: **S~** Swiss *pl inv* ♦ *nf*: **la S~** Switzerland; **la S~ romande/allemande** French-speaking/German-speaking Switzerland; **Suissesse** *nf* Swiss (woman *ou* girl)
suite [sɥit] *nf* (*continuation: d'énumération etc*) rest, remainder; (*: de feuilleton*) continuation; (*: film etc sur le même thème*) sequel; (*série: de maisons, succès*): **une ~ de** a series *ou* succession of; (*MATH*) series *sg*; (*conséquence*) result; (*ordre, liaison logique*) coherence; (*appartement, MUS*) suite; (*escorte*) retinue, suite; **~s** *nfpl* (*d'une maladie etc*) effects; **prendre la ~ de** (*directeur etc*) to succeed, take over from; **donner ~ à** (*requête, projet*) to follow up; **faire ~ à** to follow; **(faisant) ~ à votre lettre du** further to your letter of the; **de ~** (*d'affilée*) in succession; (*immédiatement*) at once; **par la ~** afterwards, subsequently; **à la ~** one after the other; **à la ~ de** (*derrière*) behind; (*en conséquence de*) following; **par ~ de** owing to, as a result of
suivant, e [sɥivɑ̃, -ɑ̃t] *adj* next, following; (*ci-après*): **l'exercice ~** the following exercise ♦ *prép* (*selon*) according to; **au ~!** next!
suivi, e [sɥivi] *adj* (*régulier*) regular; (*cohérent*) consistent; coherent; **très/peu ~** (*cours*) well-/poorly-attended
suivre [sɥivʀ(ə)] *vt* (*gén*) to follow; (*SCOL: cours*) to attend; (*: programme*) to keep up with; (*COMM: article*) to continue to stock ♦ *vi* to follow; (*élève*) to attend; to keep up; **se ~** *vi* (*accidents etc*) to follow one after the other; (*raisonnement*) to be coherent; **faire ~** (*lettre*) to forward; **~ son cours** (*suj: enquête etc*) to run *ou* take its course; "**à ~**" "to be continued"
sujet, te [syʒɛ, -ɛt] *adj*: **être ~ à** (*vertige etc*) to be liable *ou* subject to ♦ *nm/f* (*d'un souverain*) subject ♦ *nm* subject; **au ~ de** about; **~ à caution** questionable; **~ de conversation** topic *ou* subject of conversation; **~ d'examen** (*SCOL*) examination question; examination paper
summum [sɔmɔm] *nm*: **le ~ de** the height of
superbe [sypɛʀb(ə)] *adj* magnificent, superb
super(carburant) [sypɛʀ(kaʀbyʀɑ̃)] *nm* ≈ 4-star petrol (*BRIT*), ≈ high-octane gasoline (*US*)
supercherie [sypɛʀʃəʀi] *nf* trick
supérette [sypeʀɛt] *nf* (*COMM*) minimarket, superette (*US*)
superficie [sypɛʀfisi] *nf* (surface) area; (*fig*) surface
superficiel, le [sypɛʀfisjɛl] *adj* superficial
superflu, e [sypɛʀfly] *adj* superfluous

supérieur, e [sypeʀjœʀ] *adj (lèvre, étages, classes)* upper; *(plus élevé: température, niveau)*: ~ **(à)** higher (than); *(meilleur: qualité, produit)*: ~ **(à)** superior (to); *(excellent, hautain)* superior ◆ *nm, nf* superior; **à l'étage** ~ on the next floor up; **supériorité** *nf* superiority

superlatif [sypeʀlatif] *nm* superlative

supermarché [sypeʀmaʀʃe] *nm* supermarket

superposer [sypeʀpoze] *vt (faire chevaucher)* to superimpose; **lits superposés** bunk beds

superproduction [sypeʀpʀɔdyksjɔ̃] *nf (film)* spectacular

superpuissance [sypeʀpɥisɑ̃s] *nf* superpower

superstitieux, euse [sypeʀstisjø, -øz] *adj* superstitious

superviser [sypeʀvize] *vt* to supervise

suppléant, e [sypleɑ̃, -ɑ̃t] *adj (juge, fonctionnaire)* deputy *cpd*; *(professeur)* supply *cpd* ◆ *nm/f* deputy; supply teacher

suppléer [syplee] *vt (ajouter: mot manquant etc)* to supply, provide; *(compenser: lacune)* to fill in; (: *défaut*) to make up for; *(remplacer)* to stand in for; ~ **à** to make up for; to substitute for

supplément [syplemɑ̃] *nm* supplement; *(de frites etc)* extra portion; **un** ~ **de travail** extra *ou* additional work; **ceci est en** ~ *(au menu etc)* this is extra, there is an extra charge for this; **~aire** *adj* additional, further; *(train, bus)* relief *cpd*, extra

supplications [syplikɑsjɔ̃] *nfpl* pleas, entreaties

supplice [syplis] *nm (peine corporelle)* torture *no pl*; form of torture; *(douleur physique, morale)* torture, agony

supplier [syplije] *vt* to implore, beseech

supplique [syplik] *nf* petition

support [sypɔʀ] *nm* support; *(pour livre, outils)* stand

supportable [sypɔʀtabl(ə)] *adj (douleur)* bearable

supporter[1] [sypɔʀtɛʀ] *nm* supporter, fan

supporter[2] [sypɔʀte] *vt (poids, poussée)* to support; *(conséquences, épreuve)* to bear, endure; *(défauts, personne)* to put up with; *(suj: chose: chaleur etc)* to withstand; (: *personne: chaleur, vin*) to be able to take

supposé, e [sypoze] *adj (nombre)* estimated; *(auteur)* supposed

supposer [sypoze] *vt* to suppose; *(impliquer)* to presuppose; **à** ~ **que** supposing (that)

suppositoire [sypozitwaʀ] *nm* suppository

suppression [sypʀesjɔ̃] *nf (voir supprimer)* removal; deletion; cancellation; suppression

supprimer [sypʀime] *vt (cloison, cause, anxiété)* to remove; *(clause, mot)* to delete; *(congés, service d'autobus etc)* to cancel; *(emplois, privilèges, témoin gênant)* to do away with

supputer [sypyte] *vt* to calculate

suprême [sypʀɛm] *adj* supreme

MOT-CLÉ

sur *prép* 1 *(position)* on; *(pardessus)* over; *(au-dessus)* above; **pose-le** ~ **la table** put it on the table; **je n'ai pas d'argent** ~ **moi** I haven't any money on me

2 *(direction)* towards; **en allant** ~ **Paris** going towards Paris; ~ **votre droite** on *ou* to your right

3 *(à propos de)* on, about; **un livre/une conférence** ~ **Balzac** a book/lecture on *ou* about Balzac

4 *(proportion, mesures)* out of; by; **un** ~ **10** one in 10; *(SCOL)* one out of 10; **4 m** ~ **2** 4 m by 2

sur ce *adv* hereupon

sûr, e [syʀ] *adj* sure, certain; *(digne de confiance)* reliable; *(sans danger)* safe; **le plus** ~ **est de** the safest thing is to; ~ **de soi** self-confident; ~ **et certain** absolutely certain

suranné, e [syʀane] *adj* outdated, outmoded

surcharge [syʀʃaʀʒ(ə)] *nf (de passagers, marchandises)* excess load; *(correction)* alteration

surcharger [syʀʃaʀʒe] *vt* to overload

surchoix [syʀʃwa] *adj inv* top-quality

surclasser [syʀklɑse] *vt* to outclass

surcroît [syʀkʀwa] *nm*: **un** ~ **de** additional *+nom*; **par** *ou* **de** ~ moreover; **en** ~ in addition

surdité [syʀdite] *nf* deafness

surélever [syʀelve] *vt* to raise, heighten

sûrement [syʀmɑ̃] *adv* reliably; safely, securely; *(certainement)* certainly

surenchère [syʀɑ̃ʃɛʀ] *nf (aux enchères)* higher bid; *(sur prix fixe)* overbid; *(fig)* overstatement; outbidding tactics *pl*; **surenchérir** *vi* to bid higher; *(fig)* to try and outbid each other

surent *vb voir* **savoir**

surestimer [syʀɛstime] *vt* to overestimate

sûreté [syʀte] *nf (voir sûr)* reliability; safety; *(JUR)* guaranty; surety; **mettre en** ~ to put in a safe place; **pour plus de** ~ as an extra precaution; to be on the safe side

surf [syʀf] *nm* surfing

surface [syʀfas] *nf* surface; *(superficie)* surface area; **faire** ~ to surface; **en** ~ near the surface; *(fig)* superficially

surfait, e [syʀfɛ, -ɛt] *adj* overrated

surfin, e [syʀfɛ̃, -in] *adj* superfine

surgelé, e [syʀʒəle] *adj* (deep-) frozen

surgir [syʀʒiʀ] *vi* to appear suddenly; *(jaillir)* to shoot up; *(fig: problème, conflit)* to arise

sur: **~humain, e** *adj* superhuman; **~impression** *nf (PHOTO)* double exposure; **en ~impression** superimposed; **~-le-champ** *adv* immediately; **~lendemain** *nm*: **le ~lendemain (soir)** two days later (in the evening); **le ~lendemain de** two days after; **~mener** *vt* to overwork; **se ~mener** *vi* to overwork

surmonter [syʀmɔ̃te] *vt (suj: coupole etc)* to top; *(vaincre)* to overcome

surnager [syʀnaʒe] *vi* to float

surnaturel, le [syʀnatyʀɛl] *adj, nm* supernatural

surnom [syʀnɔ̃] *nm* nickname

surnombre [syʀnɔ̃bʀ(ə)] *nm*: **être en** ~ to be too many (*ou* one too many)

surpeuplé, e [syʀpœple] *adj* overpopulated

sur-place [syʀplas] *nm*: **faire du** ~ to mark time

surplomber [syʀplɔ̃be] *vi* to be overhanging ◆ *vt* to overhang; to tower above

surplus [syʀply] *nm (COMM)* surplus; *(reste)*: ~ **de bois** wood left over

surprenant, e [syʀpʀənɑ̃, -ɑ̃t] *adj* amazing

surprendre [syʀpʀɑ̃dʀ(ə)] *vt (étonner, prendre à l'improviste)* to surprise; *(tomber sur: intrus etc)* to catch; *(fig)* to detect; to chance upon; to overhear

surpris, e [syʀpʀi, -iz] *adj*: ~ **(de/que)** surprised (at/that)

surprise [syʀpʀiz] *nf* surprise; **faire une** ~ **à qn** to give sb a surprise; **~-partie** [syʀpʀizpaʀti] *nf* party

sursaut [syʀso] *nm* start, jump; ~ **de** *(énergie, indignation)* sudden fit *ou* burst of; **en** ~ with a start; **sursauter** *vi* to (give a) start, jump

surseoir [syʀswaʀ] : ~ **à** *vt* to defer

sursis [syʀsi] *nm (JUR: gén)* suspended sentence; *(à l'exécution capitale, aussi fig)* reprieve; *(MIL)* deferment

surtaxe [syʀtaks(ə)] *nf* surcharge

surtout [syʀtu] *adv (avant tout, d'abord)* above all; *(spécialement, particulièrement)* especially; ~, **ne dites rien!** whatever you do don't say anything!; ~ **pas!** certainly not!; ~ **que ...** especially as ...

surveillance [syʀvɛjɑ̃s] *nf* watch; *(POLICE, MIL)* surveillance; **sous** ~ **médicale** under medical supervision

surveillant, e [syʀvɛjɑ̃, -ɑ̃t] *nm/f (de prison)* warder; *(SCOL)* monitor; *(de travaux)* supervisor, overseer

surveiller [syʀveje] *vt (enfant, élèves, bagages)* to watch, keep an eye on; *(malade)* to watch over; *(prisonnier, suspect)* to keep (a) watch on; *(territoire, bâtiment)* to (keep) watch over; *(travaux, cuisson)* to supervise; *(SCOL: examen)* to invigilate; **se** ~ *vi* to keep a check *ou* watch on o.s.; ~ **son langage/sa ligne** to watch one's language/figure

survenir [syʀvəniʀ] *vi (incident, retards)* to occur, arise; *(événement)* to take place; *(personne)* to appear, arrive

survêt(ement) [syʀvɛt(mɑ̃)] *nm* tracksuit

survie [syʀvi] *nf* survival; *(REL)* afterlife

survivant, e [syʀvivɑ̃, -ɑ̃t] *nm/f* survivor

survivre [syʀvivʀ(ə)] *vi* to survive; ~ **à** *(accident etc)* to survive; *(personne)* to outlive

survoler [syʀvɔle] *vt* to fly over; *(fig: livre)* to skim through

survolté, e [syʀvɔlte] *adj (fig)* worked up

sus [sy(s)]: **en** ~ **de** *prép* in addition to, over and above; **en** ~ in addition; ~ **à:** ~ **au tyran!** at the tyrant!

susceptible [sysɛptibl(ə)] *adj* touchy, sensitive; ~ **d'amélioration** that can be improved, open to improvement; ~ **de faire** able to do; liable to do

susciter [sysite] *vt (admiration)* to arouse; *(obstacles, ennuis)*: ~ **(à qn)** to create (for sb)

suspect, e [syspɛ(kt), -ɛkt(ə)] *adj* suspicious; *(témoignage, opinions)* suspect ◆ *nm/f* suspect

suspecter [syspɛkte] *vt* to suspect; *(honnêteté de qn)* to question, have one's suspicions about

suspendre [syspɑ̃dʀ(ə)] *vt (accrocher: vêtement)*: ~ **qch (à)** to hang sth up (on); *(fixer: lustre etc)*: ~ **qch à** to hang sth from; *(interrompre, démettre)* to suspend; *(remettre)* to defer; **se** ~ **à** to hang from

suspendu, e [syspɑ̃dy] *adj (accroché)*: ~ **à** hanging on (*ou* from); *(perché)*: ~ **au-dessus de** suspended over

suspens [syspɑ̃]: **en** ~ *adv (affaire)* in abeyance; **tenir en** ~ to keep in suspense

suspense [syspɑ̃s] *nm* suspense

suspension [syspɑ̃sjɔ̃] *nf* suspension; ~ **d'audience** adjournment

sut *vb voir* **savoir**

suture [sytyʀ] *nf (MÉD)*: **point de** ~ stitch

svelte [svɛlt(ə)] *adj* slender, svelte

S.V.P. *sigle* (= *s'il vous plaît*) please

syllabe [silab] *nf* syllable

sylviculture [silvikyltyʀ] *nf* forestry

symbole [sɛ̃bɔl] *nm* symbol; **symbolique** *adj* symbolic(al); *(geste, offrande)* token *cpd*; *(salaire, dommage-intérêts)* nominal; **symboliser** *vt* to symbolize

symétrique [simetʀik] *adj* symmetrical

sympa [sɛ̃pa] *adj abr* = **sympathique**

sympathie [sɛ̃pati] *nf (inclination)* liking; *(affinité)* fellow feeling; *(condoléances)* sympathy; **accueillir avec** ~ *(projet)* to receive favourably; **croyez à toute ma** ~ you have my deepest sympathy

sympathique [sɛ̃patik] *adj* nice, friendly; likeable; pleasant

sympathisant, e [sɛ̃patizɑ̃, -ɑ̃t] *nm/f* sympathizer

sympathiser [sɛ̃patize] *vi (voisins etc: s'entendre)* to get on *(BRIT)* *ou* along *(US)* (well)

symphonie [sɛ̃fɔni] *nf* symphony

symptôme [sɛ̃ptom] *nm* symptom

synagogue [sinagɔg] *nf* synagogue

syncope [sɛ̃kɔp] *nf (MÉD)* blackout; **tomber en** ~ to faint, pass out

syndic [sɛ̃dik] *nm* managing agent

syndical, e, aux [sɛ̃dikal, -o] *adj* (trade) union *cpd*; **syndicaliste** *nm/f* trade unionist

syndicat [sɛ̃dika] *nm (d'ouvriers, employés)* (trade) union; *(autre association d'intérêts)* union, association; ~ **d'initiative** tourist office

syndiqué, e [sɛ̃dike] *adj* belonging to a (trade) union; **non** ~ non-union

syndiquer [sɛ̃dike]: **se** ~ *vi* to form a trade union; *(adhérer)* to join a trade union

synonyme [sinɔnim] *adj* synonymous ◆ *nm* synonym; ~ **de** synonymous with

syntaxe [sɛ̃taks(ə)] *nf* syntax

synthèse [sɛ̃tɛz] *nf* synthesis

synthétique [sɛ̃tetik] *adj* synthetic

Syrie [siʀi] *nf*: **la** ~ Syria

systématique [sistematik] *adj* systematic

système [sistɛm] *nm* system; ~ **D** resourcefulness

T

t' [t(ə)] *pron voir* **te**

ta [ta] *dét voir* **ton**[1]

tabac [taba] *nm* tobacco; tobacconist's (shop); ~ **blond/brun** light/dark tobacco

tabagisme [tabaʒism] *nm*: ~ **passif** passive smoking

table [tabl(ə)] *nf* table; **à** ~! dinner *etc* is ready!; **se mettre à** ~ to sit down to eat; *(fig: fam)* to come clean; **mettre la** ~ to lay the table; **faire** ~ **rase de** to make a clean sweep of; ~ **de cuisson** *nf (à l'électricité)* hotplate; *(au gaz)* gas ring; ~ **de nuit** *ou* **de chevet** bedside table; ~ **des matières** (table of) contents *pl*

tableau, x [tablo] *nm* painting; *(reproduction, fig)* picture; *(panneau)* board; *(schéma)* table, chart; ~ **d'affichage** notice board; ~ **de bord** dashboard; *(AVIAT)* instrument panel; ~ **noir** blackboard

tabler [table] *vi*: ~ **sur** to bank on

tablette [tablɛt] *nf (planche)* shelf; ~ **de chocolat** bar of chocolate

tableur [tablœʀ] *nm* spreadsheet

tablier [tablije] *nm* apron

tabouret [tabuʀɛ] *nm* stool

tac [tak] *nm*: **du** ~ **au** ~ tit for tat

tache [taʃ] *nf (saleté)* stain, mark; *(ART, de couleur, lumière)* spot; splash, patch; ~ **de rousseur** *nf* freckle

tâche [tɑʃ] *nf* task; **travailler à la** ~ to do piecework

tacher [taʃe] *vt* to stain, mark; *(fig)* to sully, stain

tâcher [tɑʃe] *vi*: ~ **de faire** to try *ou* endeavour to do

tacot [tako] *(péj) nm* banger *(BRIT)*, (old) heap

tact [takt] *nm* tact; **avoir du** ~ to be tactful

tactique [taktik] *adj* tactical ◆ *nf (technique)* tactics *sg*; *(plan)* tactic

taie [tɛ] *nf*: ~ **(d'oreiller)** pillowslip, pillowcase

taille [tɑj] *nf* cutting; pruning; *(milieu du corps)* waist; *(hauteur)* height; *(grandeur)* size; **de** ~ **à faire** capable of doing; **de** ~ sizeable

taille-crayon(s) [tɑjkʀɛjɔ̃] *nm* pencil sharpener

tailler [tɑje] *vt (pierre, diamant)* to cut; *(arbre, plante)* to prune; *(vêtement)* to cut out; *(crayon)* to sharpen

tailleur [tɑjœʀ] *nm (couturier)* tailor; *(vêtement)* suit; **en** ~ *(assis)* cross-legged

taillis [taji] *nm* copse

taire [tɛʀ] *vt* to keep to o.s., conceal ◆ *vi*: **faire** ~ **qn** to make sb be quiet; *(fig)* to silence sb; **se** ~ *vi* to be silent *ou* quiet

talc [talk] *nm* talc, talcum powder

talent [talɑ̃] *nm* talent

talon [talɔ̃] *nm* heel; *(de chèque, billet)* stub, counterfoil *(BRIT)*; **~s plats/aiguilles** flat/stiletto heels

talonner [talɔne] *vt* to follow hard behind; *(fig)* to hound

talus [taly] *nm* embankment

tambour [tɑ̃buʀ] *nm (MUS, aussi TECH)* drum; *(musicien)* drummer; *(porte)* revolving door(s *pl*)

tamis [tami] *nm* sieve

Tamise [tamiz] *nf*: **la** ~ the Thames

tamisé, e [tamize] *adj (fig)* subdued, soft

tamiser [tamize] *vt* to sieve, sift

tampon [tɑ̃pɔ̃] *nm (de coton, d'ouate)* wad, pad; *(amortisseur)* buffer; *(bouchon)* plug, stopper; *(cachet, timbre)* stamp; **(mémoire)** ~ *(INFORM)* buffer; ~ **(hygiénique)** tampon; **tamponner** *vt (timbres)* to stamp; *(heurter)* to crash *ou* ram into; **tamponneuse** *adj*: **autos tamponneuses** dodgems

tandis [tɑ̃di] : ~ **que** *conj* while

tanguer [tɑ̃ge] *vi* to pitch (and toss)

tanière [tanjɛʀ] *nf* lair, den

tanné, e [tane] *adj* weather-beaten

tanner [tane] *vt* to tan

tant [tɑ̃] *adv* so much; ~ **de** *(sable, eau)* so much; *(gens, livres)* so many; ~ **que** as long as; *(comparatif)* as much as; ~ **mieux** that's great; so much the better; ~ **pis** never mind; too bad

tante [tɑ̃t] *nf* aunt

tantôt [tɑ̃to] *adv (parfois)*: ~ ... ~ now ... now; *(cet après-midi)* this afternoon

tapage [tapaʒ] *nm* uproar, din

tapageur, euse [tapaʒœʀ, -øz] *adj* loud, flashy; noisy

tape [tap] *nf* slap

tape-à-l'œil [tapalœj] *adj inv* flashy, showy

taper [tape] *vt (porte)* to bang, slam; *(dactylographier)* to type (out); *(fam: emprunter)*: ~ **qn de 10 F** to touch sb for 10 F ◆ *vi (soleil)* to beat down; ~ **sur qn** to thump sb; *(fig)* to run sb down; ~ **sur qch** to hit sth; to bang on sth; ~ **à** *(porte etc)* to knock on; ~ **dans** *(se servir)* to dig into; ~ **des mains/pieds** to clap one's hands/stamp one's feet; ~ **(à la machine)** to type; **se** ~ **un travail** to land o.s. with a job

tapi, e [tapi] *adj* crouching, cowering; hidden away

tapis [tapi] *nm* carpet; *(de table)* cloth; **mettre sur le** ~ *(fig)* to bring up for discussion; ~ **de sol** *(de tente)* groundsheet; ~ **roulant** conveyor belt

tapisser [tapise] *vt (avec du papier peint)* to paper; *(recouvrir)*: ~ **qch (de)** to cover sth (with)

tapisserie [tapisʀi] *nf (tenture, broderie)* tapestry; *(papier peint)* wallpaper

tapissier, ière [tapisje, -jɛʀ] *nm/f*: **~(-décorateur)** upholsterer (and decorator)

tapoter [tapɔte] *vt* to pat, tap

taquiner [takine] *vt* to tease

tarabiscoté, e [taʀabiskɔte] *adj* over-ornate, fussy

tard [taʀ] *adv* late; **plus** ~ later (on); **au plus** ~ at the latest; **sur le** ~ late in life

tarder [taʀde] *vi (chose)* to be a long time coming; *(personne)*: ~ **à faire** to delay doing; **il me tarde d'être** I am longing to be; **sans (plus)** ~ without (further) delay

tardif, ive [taʀdif, -iv] *adj* late

targuer [taʀge] : **se** ~ **de** *vt* to boast about

tarif [taʀif] *nm (liste)* price list; tariff; *(barème)* rates *pl*; fares *pl*; tariff; *(prix)* rate; fare

tarir [taʀiʀ] *vi* to dry up, run dry

tarte [taʀt(ə)] *nf* tart

tartine [taʀtin] *nf* slice of bread; ~ **de miel** slice of bread and honey; **tartiner** *vt* to spread; **fromage à tartiner** cheese spread

tartre [taʀtʀ(ə)] *nm (des dents)* tartar; *(de chaudière)* fur, scale

tas [tɑ] *nm* heap, pile; *(fig)*: **un** ~ **de** heaps of, lots of; **en** ~ in a heap *ou* pile; **formé sur le** ~ trained on the job

tasse [tɑs] *nf* cup; ~ **à café** coffee cup

tassé, e [tɑse] *adj*: **bien** ~ *(café etc)* strong

tasser [tɑse] *vt (terre, neige)* to pack down; *(entasser)*: ~ **qch dans** to cram sth into; **se** ~ *vi (terrain)* to settle; *(fig)* to sort itself out, settle down

tâter [tɑte] *vt* to feel; (*fig*) to try out; **se ~** (*hésiter*) to be in two minds; **~ de** (*prison etc*) to have a taste of

tatillon, ne [tatijɔ̃, -ɔn] *adj* pernickety

tâtonnement [tɑtɔnmɑ̃] *nm*: **par ~s** (*fig*) by trial and error

tâtonner [tɑtɔne] *vi* to grope one's way along

tâtons [tɑtɔ̃] : **à ~** *adv*: **chercher/avancer à ~** to grope around for/grope one's way forward

tatouer [tatwe] *vt* to tattoo

taudis [todi] *nm* hovel, slum

taule [tol] (*fam*) *nf* nick (*fam*), prison

taupe [top] *nf* mole

taureau, x [tɔʀo] *nm* bull; (*signe*): **le T~** Taurus

tauromachie [tɔʀɔmaʃi] *nf* bullfighting

taux [to] *nm* rate; (*d'alcool*) level; **~ d'intérêt** interest rate

taxe [taks] *nf* tax; (*douanière*) duty; **~ à la valeur ajoutée** value added tax; **~ de séjour** tourist tax

taxer [takse] *vt* (*personne*) to tax; (*produit*) to put a tax on, tax; (*fig*): **~ qn de** to call sb +*attrib*; to accuse sb of, tax sb with

taxi [taksi] *nm* taxi

Tchécoslovaquie [tʃekɔslɔvaki] *nf* Czechoslovakia; **tchèque** *adj, nm/f* Czech ◆ *nm* (LING) Czech

te(t') [t(ə)] *pron* you; (*réfléchi*) yourself

technicien, ne [tɛknisjɛ̃, -jɛn] *nm/f* technician

technique [tɛknik] *adj* technical ◆ *nf* technique; **techniquement** *adv* technically

technologie [tɛknɔlɔʒi] *nf* technology; **technologique** *adj* technological

teck [tɛk] *nm* teak

teignais *etc vb voir* **teindre**

teindre [tɛ̃dʀ(ə)] *vt* to dye

teint, e [tɛ̃, tɛ̃t] *adj* dyed ◆ *nm* (*du visage*) complexion; colour ◆ *nf* shade; **grand ~** colourfast

teinté, e [tɛ̃te] *adj*: **~ de** (*fig*) tinged with

teinter [tɛ̃te] *vt* to tint; (*bois*) to stain; **teinture** *nf* dyeing; (*substance*) dye; (MÉD) tincture

teinturerie [tɛ̃tyʀʀi] *nf* dry cleaner's

teinturier [tɛ̃tyʀje] *nm* dry cleaner

tel, telle [tɛl] *adj* (*pareil*) such; (*comme*): **~ un/des ...** like a/like ...; (*indéfini*) such-and-such a, a given; (*intensif*): **un ~/de ~s ...** such (a)/such ...; **rien de ~** nothing like it, no such thing; **~ que** like, such as; **~ quel** as it is *ou* stands (*ou* was *etc*)

télé [tele] *abr f* (= *télévision*) TV, telly (BRIT); (*poste*) TV (set), telly; **à la ~** on TV, on telly

télécabine [telekabin] *nf* (*benne*) cable car

télécarte [telekaʀt(ə)] *nf* phonecard

télé: ~commande *nf* remote control; **~copie** *nf* fax; **envoyer qch par ~copie** to fax sth; **~distribution** *nf* cable TV; **~férique** *nm* = **téléphérique**; **~gramme** *nm* telegram; **~graphier** *vt* to telegraph, cable; **~guider** *vt* to operate by remote control, radio-control; **~journal** *nm* TV news magazine programme; **~matique** *nf* telematics *sg*; **~objectif** *nm* telephoto lens *sg*

téléphérique [telefeʀik] *nm* cable car

téléphone [telefɔn] *nm* telephone; **avoir le ~** to be on the (tele)phone; **au ~** on the phone; **~ de voiture** car phone; **téléphoner** *vi* to telephone, ring; to make a phone call; **téléphoner à** to phone, call up; **téléphonique** *adj* (tele)phone *cpd*

télescope [telɛskɔp] *nm* telescope

télescoper [telɛskɔpe] *vt* to smash up; **se ~** (*véhicules*) to concertina

télé: ~scripteur *nm* teleprinter; **~siège** *nm* chairlift; **~ski** *nm* ski-tow; **~spectateur, trice** *nm/f* (television) viewer; **~viseur** *nm* television set; **~vision** *nf* television; **à la ~vision** on television

télex [telɛks] *nm* telex

telle [tɛl] *adj voir* **tel**

tellement [tɛlmɑ̃] *adv* (*tant*) so much; (*si*) so; **~ de** (*sable, eau*) so much; (*gens, livres*) so many; **il s'est endormi ~ il était fatigué** he was so tired (that) he fell asleep; **pas ~** not (all) that much; not (all) that +*adjectif*

téméraire [temeʀɛʀ] *adj* reckless, rash; **témérité** *nf* recklessness, rashness

témoignage [temwaɲaʒ] *nm* (JUR: *déclaration*) testimony *no pl*, evidence *no pl*; (: *faits*) evidence *no pl*; (*rapport, récit*) account; (*fig*: *d'affection etc*) token, mark; expression

témoigner [temwaɲe] *vt* (*intérêt, gratitude*) to show ◆ *vi* (JUR) to testify, give evidence; **~de** to bear witness to, testify to

témoin [temwɛ̃] *nm* witness; (*fig*) testimony ◆ *adj* control *cpd*, test *cpd*; **appartement ~** show flat (BRIT); **être ~ de** to witness; **~ oculaire** eyewitness

tempe [tɑ̃p] *nf* temple

tempérament [tɑ̃peʀamɑ̃] *nm* temperament, disposition; **à ~** (*vente*) on deferred (payment) terms; (*achat*) by instalments, hire purchase *cpd*

température [tɑ̃peʀatyʀ] *nf* temperature; **avoir** *ou* **faire de la ~** to be running *ou* have a temperature

tempéré, e [tɑ̃peʀe] *adj* temperate

tempête [tɑ̃pɛt] *nf* storm; **~ de sable/neige** sand/snowstorm

temple [tɑ̃pl(ə)] *nm* temple; (*protestant*) church

temporaire [tɑ̃pɔʀɛʀ] *adj* temporary

temps [tɑ̃] *nm* (*atmosphérique*) weather; (*durée*) time; (*époque*) time, times *pl*; (LING) tense; (MUS) beat; (TECH) stroke; **il fait beau/mauvais ~** the weather is fine/bad; **avoir le ~/tout le ~** to have time/plenty of time; **en ~ de paix/guerre** in peacetime/wartime; **en ~ utile** *ou* **voulu** in due time *ou* course; **de ~ en ~, de ~ à autre** from time to time; **à ~** (*partir, arriver*) in time; **à ~ partiel** part-time; **dans le ~** at one time; **de tout ~** always; **~ d'arrêt** pause, halt; **~ mort** (COMM) slack period

tenable [t(ə)nabl(ə)] *adj* bearable

tenace [tənas] *adj* tenacious, persistent

tenailler [tənaje] *vt* (*fig*) to torment

tenailles [tənaj] *nfpl* pincers

tenais *etc vb voir* **tenir**

tenancier, ière [tənɑ̃sje, -jɛʀ] *nm/f* manager/manageress

tenant, e [tənɑ̃, -ɑ̃t] *nm/f* (SPORT): **~ du titre** title-holder

tendance [tɑ̃dɑ̃s] *nf* (*opinions*) leanings *pl*, sympathies *pl*; (*inclination*) tendency; (*évolution*) trend; **avoir ~ à** to have a tendency to, tend to

tendeur [tɑ̃dœʀ] *nm* (*attache*) elastic strap

tendre [tɑ̃dʀ(ə)] *adj* tender; (*bois, roche, couleur*) soft ◆ *vt* (*élastique, peau*) to stretch, draw tight; (*muscle*) to tense; (*donner*): **~ qch à qn** to hold sth out to sb; to offer sb sth; (*fig*: *piège*) to set, lay; **se ~** *vi* (*corde*) to tighten; (*relations*) to become strained; **~ à qch/à faire** to tend towards sth/to do; **~ l'oreille** to prick up one's ears; **~ la main/le bras** to hold out one's hand/stretch out one's arm; **tendrement** *adv* tenderly; **tendresse** *nf* tenderness

tendu, e [tɑ̃dy] *pp de* **tendre** ◆ *adj* tight; tensed; strained

ténèbres [tenɛbʀ(ə)] *nfpl* darkness *sg*

teneur [tənœʀ] *nf* content; (*d'une lettre*) terms *pl*, content

tenir [təniʀ] *vt* to hold; (*magasin, hôtel*) to run; (*promesse*) to keep ◆ *vi* to hold; (*neige, gel*) to last; **se ~** *vi* (*avoir lieu*) to be held, take place; (*être*: *personne*) to stand; **se ~ droit** to stand (*ou* sit) up straight; **bien se ~** to behave well; **se ~ à qch** to hold on to sth; **s'en ~ à qch** to confine o.s. to sth; to stick to sth; **~ à** to be attached to; to care about; to depend on; to stem from; **~ à faire** to want to do; **~ de** to partake of; to take after; **ça ne tient qu'à lui** it is entirely up to him; **~ qn pour** to take sb for; **~ qch de qn** (*histoire*) to have heard *ou* learnt sth from sb; (*qualité, défaut*) to have inherited *ou* got sth from sb; **~ les comptes** to keep the books; **~ le coup** to hold out; **~ au chaud** to keep hot; **tiens/tenez, voilà le stylo** there's the pen!; **tiens, Alain!** look, here's Alain!; **tiens?** (*surprise*) really?

tennis [tenis] *nm* tennis; (*court*) tennis court ◆ *nm ou f pl* (*aussi*: *chaussures de ~*) tennis *ou* gym shoes; **~ de table** table tennis; **tennisman** *nm* tennis player

tension [tɑ̃sjɔ̃] *nf* tension; (*fig*) tension; strain; (MÉD) blood pressure; **faire** *ou* **avoir de la ~** to have high blood pressure

tentation [tɑ̃tasjɔ̃] *nf* temptation

tentative [tɑ̃tativ] *nf* attempt, bid

tente [tɑ̃t] *nf* tent

tenter [tɑ̃te] *vt* (*éprouver, attirer*) to tempt; (*essayer*): **~ qch/de faire** to attempt *ou* try sth/to do; **~ sa chance** to try one's luck

tenture [tɑ̃tyʀ] *nf* hanging

tenu, e [təny] *pp de* **tenir** ◆ *adj* (*maison, comptes*): **bien ~** well-kept; (*obligé*): **~ de faire** under an obligation to do ◆ *nf* (*action de tenir*) running; keeping; holding; (*vêtements*) clothes *pl*, gear; (*allure*) dress *no pl*, appearance; (*comportement*) manners *pl*, behaviour; **en petite tenue** scantily dressed *ou* clad; **~e de route** (AUTO) road-holding; **~e de soirée** evening dress

ter [tɛʀ] *adj*: **16 ~** 16b *ou* B

térébenthine [teʀebɑ̃tin] *nf*: **(essence de) ~** (oil of) turpentine

terme [tɛʀm(ə)] *nm* term; (*fin*) end; **à court/long ~** short-/long-term *ou* -range ◆ *adv* in the short/long term; **avant ~** (MÉD) prematurely; **mettre un ~ à** to put an end *ou* a stop to

terminaison [tɛʀminɛzɔ̃] *nf* (LING) ending

terminal, e, aux [tɛʀminal, -o] *adj* final ◆ *nm* terminal; **terminale** *nf* (SCOL) ≈ sixth form *ou* year (BRIT), ≈ twelfth grade (US)

terminer [tɛʀmine] *vt* to end; (*travail, repas*) to finish; **se ~** *vi* to end

terne [tɛʀn(ə)] *adj* dull

ternir [tɛʀniʀ] *vt* to dull; (*fig*) to sully, tarnish; **se ~** *vi* to become dull

terrain [tɛʀɛ̃] *nm* (*sol, fig*) ground; (COMM) land *no pl*, plot (of land); site; **sur le ~** (*fig*) on the field; **~ d'aviation** airfield; **~ de camping** campsite; **~ de football/rugby** football/rugby pitch (BRIT) *ou* field (US); **~ de golf** golf course; **~ de jeu** games field; playground; **~ de sport** sports ground; **~ vague** waste ground *no pl*

terrasse [tɛʀas] *nf* terrace; **à la ~** (*café*) outside; **~ment** [tɛʀasmɑ̃] *nm* earth-moving, earthworks *pl*; embankment; **~r** [tɛʀase] *vt* (*adversaire*) to floor; (*suj*: *maladie etc*) to lay low

terre [tɛʀ] *nf* (*gén, aussi ÉLEC*) earth; (*substance*) soil, earth; (*opposé à mer*) land *no pl*; (*contrée*) land; **~s** *nfpl* (*terrains*) lands, land *sg*; **en ~** (*pipe, poterie*) clay *cpd*; **à ~** *ou* **par ~** (*mettre, être*) on the ground (*ou* floor); (*jeter, tomber*) to the ground, down; **~ à ~** *adj inv* down-to-earth; **~ cuite** earthenware; terracotta; **la ~ ferme** dry land; **~ glaise** clay

terreau [tɛʀo] *nm* compost

terre-plein [tɛʀplɛ̃] *nm* platform

terrer [tɛʀe] : **se ~** *vi* to hide away; to go to ground

terrestre [tɛʀɛstʀ(ə)] *adj* (*surface*) earth's, of the earth; (BOT, ZOOL, MIL) land *cpd*; (REL) earthly, worldly

terreur [tɛʀœʀ] *nf* terror *no pl*

terrible [tɛʀibl(ə)] *adj* terrible, dreadful; (*fam*) terrific

terrien, ne [tɛʀjɛ̃, -jɛn] *adj*: **propriétaire ~** landowner ◆ *nm/f* (*non martien etc*) earthling

terrier [tɛʀje] *nm* burrow, hole; (*chien*) terrier

terril [tɛʀil] *nm* slag heap

terrine [tɛʀin] *nf* (*récipient*) terrine; (CULIN) pâté

territoire [tɛʀitwaʀ] *nm* territory

terroir [tɛʀwaʀ] *nm* (AGR) soil; region

terrorisme [tɛʀɔʀism(ə)] *nm* terrorism; **terroriste** *nm/f* terrorist

tertiaire [tɛʀsjɛʀ] *adj* tertiary ◆ *nm* (ÉCON) service industries *pl*

tertre [tɛʀtʀ(ə)] *nm* hillock, mound

tes [te] *dét voir* **ton**[1]

tesson [tesɔ̃] *nm*: **~ de bouteille** piece of broken bottle

test [tɛst] *nm* test

testament [tɛstamɑ̃] *nm* (JUR) will; (REL) Testament; (*fig*) legacy

tester [tɛste] *vt* to test

testicule [tɛstikyl] *nm* testicle

tétanos [tetanos] *nm* tetanus

têtard [tɛtaʀ] *nm* tadpole

tête [tɛt] *nf* head; (*cheveux*) hair *no pl*; (*visage*) face; **de ~** (*wagon etc*) front *cpd* ◆ *adv* (*calculer*) in one's head, mentally; **tenir ~ à qn** to stand up to sb; **la ~ en bas** with one's head down; **la ~ la première** (*tomber*) headfirst; **faire une ~** (FOOTBALL) to head the ball; **faire la ~** (*fig*) to sulk; **en ~** (SPORT) in the lead; at the front; **en ~ à ~** in private, alone together; **de la ~ aux pieds** from head to toe; **~ de lecture** (playback) head; **~ de liste** (POL) chief candidate; **~ de série** (TENNIS) seeded player, seed

tête-à-queue [tɛtakø] *nm inv*: **faire un ~** to spin round

téter [tete] *vt*: **~ (sa mère)** to suck at one's mother's breast, feed

tétine [tetin] *nf* teat; (*sucette*) dummy (BRIT), pacifier (US)

têtu, e [tety] *adj* stubborn, pigheaded

texte [tɛkst(ə)] *nm* text

textile [tɛkstil] *adj* textile *cpd* ◆ *nm* textile; textile industry

texture [tɛkstyʀ] *nf* texture

TGV *sigle m* (= *train à grande vitesse*) high-speed train

thé [te] *nm* tea; **prendre le ~** to have tea; **faire le ~** to make the tea

théâtral, e, aux [teɑtʀal, -o] *adj* theatrical

théâtre [teɑtʀ(ə)] *nm* theatre; (*œuvres*) plays *pl*, dramatic works *pl*; (*fig*: *lieu*): **le ~ de** the scene of; (*péj*) histrionics *pl*, playacting; **faire du ~** to be on the stage; to do some acting

théière [tejɛʀ] *nf* teapot

thème [tɛm] *nm* theme; (SCOL: *traduction*) prose (composition)

théologie [teɔlɔʒi] *nf* theology

théorie [teɔʀi] *nf* theory; **théorique** *adj* theoretical

thérapie [teʀapi] *nf* therapy

thermal, e, aux [tɛʀmal, -o] *adj*: **station ~e** spa; **cure ~e** water cure

thermes [tɛʀm(ə)] *nmpl* thermal baths

thermomètre [tɛʀmɔmɛtʀ(ə)] *nm* thermometer

thermos [tɛʀmos] (®) *nm ou nf*: **(bouteille) ~** vacuum *ou* Thermos (®) flask

thermostat [tɛʀmɔsta] *nm* thermostat

thèse [tɛz] *nf* thesis

thon [tɔ̃] *nm* tuna (fish)

thym [tɛ̃] *nm* thyme

tibia [tibja] *nm* shinbone, tibia; shin

tic [tik] *nm* tic, (nervous) twitch; (*de langage etc*) mannerism

ticket [tikɛ] *nm* ticket; **~ de caisse** *nm* receipt; **~ de quai** platform ticket

tiède [tjɛd] *adj* lukewarm; tepid; (*vent, air*) mild, warm; **tiédir** *vi* to cool; to grow warmer

tien, ne [tjɛ̃, tjɛn] *pron*: **le(la) ~(ne), les ~(ne)s** yours; **à la ~ne!** cheers!

tiens [tjɛ̃] *vb, excl voir* **tenir**

tierce [tjɛʀs(ə)] *adj voir* **tiers**

tiercé [tjɛʀse] *nm system of forecast betting giving first 3 horses*

tiers, tierce [tjɛʀ, tjɛʀs(ə)] *adj* third ◆ *nm* (JUR) third party; (*fraction*) third; **le ~ monde** the Third World

tige [tiʒ] *nf* stem; (*baguette*) rod

tignasse [tiɲas] (*péj*) *nf* mop of hair

tigre [tigʀ(ə)] *nm* tiger

tigré, e [tigʀe] *adj* striped; spotted

tilleul [tijœl] *nm* lime (tree), linden (tree); (*boisson*) lime(-blossom) tea

timbale [tɛ̃bal] *nf* (metal) tumbler; **~s** *nfpl* (MUS) timpani, kettledrums

timbre [tɛ̃bʀ(ə)] *nm* (*tampon*) stamp; (*aussi*: **~-poste**) (postage) stamp; (MUS: *de voix, instrument*) timbre, tone

timbré, e [tɛ̃bʀe] (*fam*) *adj* daft

timide [timid] *adj* shy; timid; (*timoré*) timid, timorous; **timidement** *adv* shyly; timidly; **timidité** *nf* shyness; timidity

tins *etc vb voir* **tenir**

tintamarre [tɛ̃tamaʀ] *nm* din, uproar

tinter [tɛ̃te] *vi* to ring, chime; (*argent, clefs*) to jingle

tir [tiʀ] *nm* (*sport*) shooting; (*fait ou manière de tirer*) firing *no pl*; (*stand*) shooting gallery; **~ à l'arc** archery; **~ au pigeon** clay pigeon shooting

tirage [tiʀaʒ] *nm* (*action*) printing; (PHOTO) print; (*de journal*) circulation; (*de livre*) (print-)run; edition; (*de loterie*) draw; **~ au sort** drawing lots

tirailler [tiʀɑje] *vt* to pull at, tug at ◆ *vi* to fire at random

tirant [tiʀɑ̃] *nm*: **~ d'eau** draught

tire [tiʀ] *nf*: **vol à la ~** pickpocketing

tiré, e [tiʀe] *adj* (*traits*) drawn ◆ *nm* (COMM) drawee; **~ par les cheveux** far-fetched

tire-au-flanc [tiʀoflɑ̃] (*péj*) *nm inv* skiver

tire-bouchon [tiʀbuʃɔ̃] *nm* corkscrew

tirelire [tiʀliʀ] *nf* moneybox

tirer [tiʀe] *vt* (*gén*) to pull; (*extraire*): **~ qch de** to take *ou* pull sth out of; to get sth out of; to extract sth from; (*tracer*: *ligne, trait*) to draw, trace; (*fermer*: *rideau*) to draw, close; (*choisir*: *carte, conclusion, aussi COMM*: *chèque*) to draw; (*en faisant feu*: *balle, coup*) to fire; (: *animal*) to shoot; (*journal, livre, photo*) to print; (FOOTBALL: *corner etc*) to take ◆ *vi* (*faire feu*) to fire; (*faire du tir, FOOTBALL*) to shoot; (*cheminée*) to draw; **se ~** *vi* (*fam*) to push off; **s'en ~** to pull through, get off; **~ sur** to pull on *ou* at; to shoot *ou* fire at; (*pipe*) to draw on; (*fig*: *avoisiner*) to verge *ou* border on; **~ qn de** (*embarras etc*) to help *ou* get sb out of; **~ à l'arc/la carabine** to shoot with a bow and arrow/with a rifle

tiret [tiʀɛ] *nm* dash

tireur, euse [tiʀœʀ, -øz] *nm/f* (COMM) drawer ◆ *nm* gunman; **~ d'élite** marksman

tiroir [tiʀwaʀ] *nm* drawer; **tiroir-caisse** *nm* till

tisane [tizan] *nf* herb tea

tisonnier [tizɔnje] *nm* poker

tisser [tise] *vt* to weave; **tisserand** *nm* weaver

tissu [tisy] *nm* fabric, material, cloth *no pl*; (ANAT, BIO) tissue

tissu-éponge [tisyepɔ̃ʒ] *nm* (terry) towelling *no pl*

titre [titʀ(ə)] *nm* (*gén*) title; (*de journal*) headline; (*diplôme*) qualification; (COMM) security; **en ~** (*champion*) official; **à juste ~** with just cause, rightly; **à quel ~?** on what grounds?; **à aucun ~** on no account; **au même ~ (que)** in the same way (as); **à ~ d'information** for (your) information; **à ~ gracieux** free of charge; **à ~ d'essai** on a trial basis; **à ~ privé** in a private capacity; **~ de propriété** title deed; **~ de transport** ticket

tituber [titybe] *vi* to stagger (along)

titulaire [titylɛʀ] *adj* (ADMIN) appointed, with tenure ◆ *nm/f* incumbent; **être ~ de** (*poste*) to hold; (*permis*) to be the holder of

toast [tost] *nm* slice *ou* piece of toast; (*de bienvenue*) (welcoming) toast; **porter un ~ à qn** to propose *ou* drink a toast to sb

toboggan [tɔbɔgɑ̃] *nm* toboggan; (*jeu*) slide

tocsin [tɔksɛ̃] *nm* alarm (bell)
toge [tɔʒ] *nf* toga; (*de juge*) gown
toi [twa] *pron* you
toile [twal] *nf* (*matériau*) cloth *no pl*; (*bâche*) piece of canvas; (*tableau*) canvas; **~ cirée** oilcloth; **~ d'araignée** cobweb; **~ de fond** (*fig*) backdrop
toilette [twalɛt] *nf* wash; (*habits*) outfit; dress *no pl*; **~s** *nfpl* (*w.-c.*) toilet *sg*; **faire sa ~** to have a wash, get washed; **articles de ~** toiletries
toi-même [twamɛm] *pron* yourself
toiser [twaze] *vt* to eye up and down
toison [twazɔ̃] *nf* (*de mouton*) fleece; (*cheveux*) mane
toit [twa] *nm* roof; **~ ouvrant** sunroof
toiture [twatyʀ] *nf* roof
tôle [tol] *nf* (*plaque*) steel *ou* iron sheet; **~ ondulée** corrugated iron
tolérable [tɔleʀabl(ə)] *adj* tolerable, bearable
tolérant, e [tɔleʀɑ̃, -ɑ̃t] *adj* tolerant
tolérer [tɔleʀe] *vt* to tolerate; (ADMIN: *hors taxe etc*) to allow
tollé [tɔle] *nm* outcry
tomate [tɔmat] *nf* tomato
tombe [tɔ̃b] *nf* (*sépulture*) grave; (*avec monument*) tomb
tombeau, x [tɔ̃bo] *nm* tomb
tombée [tɔ̃be] *nf*: **à la ~ de la nuit** at the close of day, at nightfall
tomber [tɔ̃be] *vi* to fall; **laisser ~** to drop; **~ sur** (*rencontrer*) to come across; (*attaquer*) to set about; **~ de fatigue/sommeil** to drop from exhaustion/be falling asleep on one's feet; **ça tombe bien** that's come at the right time; **il est bien tombé** he's been lucky
tome [tɔm] *nm* volume
ton¹, ta [tɔ̃, ta] (*pl* **tes**) *dét* your
ton² [tɔ̃] *nm* (*gén*) tone; (MUS) key; (*couleur*) shade, tone; **de bon ton** in good taste
tonalité [tɔnalite] *nf* (*au téléphone*) dialling tone; (MUS) key; (*fig*) tone
tondeuse [tɔ̃døz] *nf* (*à gazon*) (lawn)mower; (*du coiffeur*) clippers *pl*; (*pour la tonte*) shears *pl*
tondre [tɔ̃dʀ(ə)] *vt* (*pelouse, herbe*) to mow; (*haie*) to cut, clip; (*mouton, toison*) to shear; (*cheveux*) to crop
tonifier [tɔnifje] *vt* (*peau, organisme*) to tone up
tonique [tɔnik] *adj* fortifying ◆ *nm* tonic
tonne [tɔn] *nf* metric ton, tonne
tonneau, x [tɔno] *nm* (*à vin, cidre*) barrel; (NAVIG) ton; **faire des ~x** (*voiture, avion*) to roll over
tonnelle [tɔnɛl] *nf* bower, arbour
tonner [tɔne] *vi* to thunder; **il tonne** it is thundering, there's some thunder
tonnerre [tɔnɛʀ] *nm* thunder
tonus [tɔnys] *nm* dynamism
top [tɔp] *nm*: **au 3ème ~** at the 3rd stroke
topinambour [tɔpinɑ̃buʀ] *nm* Jerusalem artichoke
toque [tɔk] *nf* (*de fourrure*) fur hat; **~ de cuisinier** chef's hat; **~ de jockey/juge** jockey's/judge's cap
toqué, e [tɔke] (*fam*) *adj* cracked
torche [tɔʀʃ(ə)] *nf* torch
torchon [tɔʀʃɔ̃] *nm* cloth, duster; (*à vaisselle*) tea towel *ou* cloth
tordre [tɔʀdʀ(ə)] *vt* (*chiffon*) to wring; (*barre, fig: visage*) to twist; **se ~** *vi* (*barre*) to bend; (*roue*) to twist, buckle; (*ver, serpent*) to writhe; **se ~ le pied/bras** to twist one's foot/arm; **tordu, e** [tɔʀdy] *adj* (*fig*) warped, twisted
tornade [tɔʀnad] *nf* tornado
torpille [tɔʀpij] *nf* torpedo
torréfier [tɔʀefje] *vt* to roast
torrent [tɔʀɑ̃] *nm* torrent
torse [tɔʀs(ə)] *nm* (ANAT) torso; chest
torsion [tɔʀsjɔ̃] *nf* twisting; torsion
tort [tɔʀ] *nm* (*défaut*) fault; (*préjudice*) wrong *no pl*; **~s** *nmpl* (JUR) fault *sg*; **avoir ~** to be wrong; **être dans son ~** to be in the wrong; **donner ~ à qn** to lay the blame on sb; (*fig*) to prove sb wrong; **causer du ~ à** to harm; to be harmful *ou* detrimental to; **à ~** wrongly; **à ~ et à travers** wildly
torticolis [tɔʀtikɔli] *nm* stiff neck
tortiller [tɔʀtije] *vt* to twist; to twiddle; **se ~** *vi* to wriggle, squirm
tortionnaire [tɔʀsjɔnɛʀ] *nm* torturer
tortue [tɔʀty] *nf* tortoise
tortueux, euse [tɔʀtɥø, -øz] *adj* (*rue*) twisting; (*fig*) tortuous
torture [tɔʀtyʀ] *nf* torture; **torturer** *vt* to torture; (*fig*) to torment
tôt [to] *adv* early; **~ ou tard** sooner or later; **si ~** so early; (*déjà*) so soon; **au plus ~** at the earliest; **il eut ~ fait de faire** he soon did
total, e, aux [tɔtal, -o] *adj, nm* total; **au ~** in total *ou* all; **faire le ~** to work out the total, add up; **totalement** *adv* totally, completely; **totaliser** *vt* to total (up)
totalité [tɔtalite] *nf*: **la ~ de** all of, the total amount (*ou* number) of; the whole +*sg*; **en ~** entirely
toubib [tubib] (*fam*) *nm* doctor
touchant, e [tuʃɑ̃, -ɑ̃t] *adj* touching
touche [tuʃ] *nf* (*de piano, de machine à écrire*) key; (PEINTURE *etc*) stroke, touch; (*fig: de nostalgie*) touch, hint; (FOOTBALL: *aussi: remise en ~*) throw-in; (*aussi: ligne de ~*) touch-line
toucher [tuʃe] *nm* touch ◆ *vt* to touch; (*palper*) to feel; (*atteindre: d'un coup de feu etc*) to hit; (*concerner*) to concern, affect; (*contacter*) to reach, contact; (*recevoir: récompense*) to receive, get; (*: salaire*) to draw, get; (*: chèque*) to cash; **se ~** (*être en contact*) to touch; **au ~** to the touch; **~ à** to touch; (*concerner*) to have to do with, concern; **je vais lui en ~ un mot** I'll have a word with him about it; **~ à sa fin** to be drawing to a close
touffe [tuf] *nf* tuft
touffu, e [tufy] *adj* thick, dense
toujours [tuʒuʀ] *adv* always; (*encore*) still; (*constamment*) forever; **~ plus** more and more; **pour ~** forever; **~ est-il que** the fact remains that; **essaie ~** (you can) try anyway
toupet [tupɛ] (*fam*) *nm* cheek
toupie [tupi] *nf* (spinning) top
tour [tuʀ] *nf* tower; (*immeuble*) high-rise block (BRIT) *ou* building (US); (ÉCHECS) castle, rook ◆ *nm* (*excursion*) stroll, walk; run, ride; trip; (SPORT: *aussi: ~ de piste*) lap; (*d'être servi ou de jouer etc*) turn; (*de roue etc*) revolution; (*circonférence*): **de 3 m de ~** 3 m round, with a circumference *ou* girth of 3 m; (POL: *aussi: ~ de scrutin*) ballot; (*ruse, de prestidigitation*) trick; (*de potier*) wheel; (*à bois, métaux*) lathe; **faire le ~ de** to go round; (*à pied*) to walk round; **c'est au ~ de Renée** it's Renée's turn; **à ~ de rôle, ~ à ~** in turn; **~ de chant** song recital; **~ de contrôle** *nf* control tower; **~ de garde** spell of duty; **~ d'horizon** (*fig*) general survey; **~ de taille/tête** waist/head measurement
tourbe [tuʀb(ə)] *nf* peat
tourbillon [tuʀbijɔ̃] *nm* whirlwind; (*d'eau*) whirlpool; (*fig*) whirl, swirl; **tourbillonner** *vi* to whirl (round)
tourelle [tuʀɛl] *nf* turret
tourisme [tuʀism(ə)] *nm* tourism; **agence de ~** tourist agency; **faire du ~** to go sightseeing; to go touring; **touriste** *nm/f* tourist; **touristique** *adj* tourist *cpd*; (*région*) touristic
tourment [tuʀmɑ̃] *nm* torment
tourmenter [tuʀmɑ̃te] *vt* to torment; **se ~** *vi* to fret, worry o.s.
tournant [tuʀnɑ̃] *nm* (*de route*) bend; (*fig*) turning point
tournebroche [tuʀnəbʀɔʃ] *nm* roasting spit
tourne-disque [tuʀnədisk(ə)] *nm* record player
tournée [tuʀne] *nf* (*du facteur etc*) round; (*d'artiste, politicien*) tour; (*au café*) round (of drinks)
tournemain [tuʀnəmɛ̃] : **en un ~** *adv* (as) quick as a flash
tourner [tuʀne] *vt* to turn; (*sauce, mélange*) to stir; (*contourner*) to get round; (CINÉMA) to shoot; to make ◆ *vi* to turn; (*moteur*) to run; (*compteur*) to tick away; (*lait etc*) to turn (sour); **se ~** *vi* to turn round; **se ~ vers** to turn to; to turn towards; **bien ~** to turn out well; **~ autour de** to go round; (*péj*) to hang round; **~ à/en** to turn into; **~ le dos à** to turn one's back on; to have one's back to; **~ de l'œil** to pass out
tournesol [tuʀnəsɔl] *nm* sunflower
tournevis [tuʀnəvis] *nm* screwdriver
tourniquet [tuʀnikɛ] *nm* (*pour arroser*) sprinkler; (*portillon*) turnstile; (*présentoir*) revolving stand, spinner
tournoi [tuʀnwa] *nm* tournament
tournoyer [tuʀnwaje] *vi* to whirl round; to swirl round
tournure [tuʀnyʀ] *nf* (LING) turn of phrase; form; phrasing; (*évolution*): **la ~ de qch** the way sth is developing; (*aspect*): **la ~ de** the look of; **~ d'esprit** turn *ou* cast of mind; **la ~ des événements** the turn of events
tourte [tuʀt(ə)] *nf* pie
tous [*adj* tu, *pron* tus] *adj, pron voir* **tout**
Toussaint [tusɛ̃] *nf*: **la ~** All Saints' Day
tousser [tuse] *vi* to cough

MOT-CLÉ

tout, e [tu, tut] (*mpl* **tous**, *fpl* **toutes**) *adj*
1 (*avec article singulier*) all; **~ le lait** all the milk; **~e la nuit** all night, the whole night; **~ le livre** the whole book; **~ un pain** a whole loaf; **~ le temps** all the time; the whole time; **c'est ~ le contraire** it's quite the opposite
2 (*avec article pluriel*) every; all; **tous les livres** all the books; **~es les nuits** every night; **~es les fois** every time; **~es les trois/deux semaines** every third/other *ou* second week, every three/two weeks; **tous les deux** both *ou* each of us (*ou* them *ou* you); **~es les trois** all three of us (*ou* them *ou* you)
3 (*sans article*): **à ~ âge** at any age; **pour ~e nourriture, il avait ...** his only food was ...
◆ *pron* everything, all; **il a ~ fait** he's done everything; **je les vois tous** I can see them all *ou* all of them; **nous y sommes tous allés** all of us went, we all went; **en ~** in all; **~ ce qu'il sait** all he knows
◆ *nm* whole; **le ~** all of it (*ou* them); **le ~ est de ...** the main thing is to ...; **pas du ~** not at all
◆ *adv* 1 (*très, complètement*) very; **~ près** very near; **le ~ premier** the very first; **~ seul** all alone; **le livre ~ entier** the whole book; **~ en haut** right at the top; **~ droit** straight ahead
2: **~ en** while; **~ en travaillant** while working, as he *etc* works
3 **~ d'abord** first of all; **~ à coup** suddenly; **~ à fait** absolutely; **~ à l'heure** a short while ago; (*futur*) in a short while, shortly; **à ~ à l'heure!** see you later!; **~ de même** all the same; **~ le monde** everybody; **~ de suite** immediately, straight away; **~ terrain** *ou* **tous terrains** all-terrain

toutefois [tutfwa] *adv* however
toutes [tut] *adj, pron voir* **tout**
toux [tu] *nf* cough
toxicomane [tɔksikɔman] *nm/f* drug addict
trac [tʀak] *nm* nerves *pl*
tracasser [tʀakase] *vt* to worry, bother; to harass; **tracasseries** [tʀakasʀi] *nfpl* (*chicanes*) annoyances
trace [tʀas] *nf* (*empreintes*) tracks *pl*; (*marques, aussi fig*) mark; (*restes, vestige*) trace; (*indice*) sign; **~s de pas** footprints
tracé [tʀase] *nm* line; layout
tracer [tʀase] *vt* to draw; (*mot*) to trace; (*piste*) to open up
tract [tʀakt] *nm* tract, pamphlet
tractations [tʀaktasjɔ̃] *nfpl* dealings, bargaining *sg*
tracteur [tʀaktœʀ] *nm* tractor
traction [tʀaksjɔ̃] *nf*: **~ avant/arrière** front-wheel/rear-wheel drive
tradition [tʀadisjɔ̃] *nf* tradition; **traditionnel, le** *adj* traditional
traducteur, trice [tʀadyktœʀ, -tʀis] *nm/f* translator
traduction [tʀadyksjɔ̃] *nf* translation
traduire [tʀadɥiʀ] *vt* to translate; (*exprimer*) to render, convey
trafic [tʀafik] *nm* traffic; **~ d'armes** arms dealing; **trafiquant, e** *nm/f* trafficker; dealer; **trafiquer** (*péj*) *vt* to doctor, tamper with
tragédie [tʀaʒedi] *nf* tragedy
tragique [tʀaʒik] *adj* tragic
trahir [tʀaiʀ] *vt* to betray; (*fig*) to give away, reveal; **trahison** *nf* betrayal; (JUR) treason
train [tʀɛ̃] *nm* (RAIL) train; (*allure*) pace; (*fig: ensemble*) set; **mettre qch en ~** to get sth under way; **mettre qn en ~** to put sb in good spirits; **se mettre en ~** to get started; to warm up; **se sentir en ~** to feel in good form; **~ d'atterrissage** undercarriage; **~ de vie** style of living; **~ électrique** (*jouet*) (electric) train set; **~-autos-couchettes** car-sleeper train
traîne [tʀɛn] *nf* (*de robe*) train; **être à la ~** to be in tow; to lag behind
traîneau, x [tʀɛno] *nm* sleigh, sledge
traînée [tʀene] *nf* streak, trail; (*péj*) slut
traîner [tʀene] *vt* (*remorque*) to pull; (*enfant, chien*) to drag *ou* trail along ◆ *vi* (*être en désordre*) to lie around; (*marcher*) to dawdle (along); (*vagabonder*) to hang about; (*agir lentement*) to idle about; (*durer*) to drag on; **se ~** *vi* to drag o.s. along; **~ les pieds** to drag one's feet
train-train [tʀɛ̃tʀɛ̃] *nm* humdrum routine
traire [tʀɛʀ] *vt* to milk
trait [tʀɛ] *nm* (*ligne*) line; (*de dessin*) stroke; (*caractéristique*) feature, trait; **~s** *nmpl* (*du visage*) features; **d'un ~** (*boire*) in one gulp; **de ~** (*animal*) draught; **avoir ~ à** to concern; **~ d'union** hyphen; (*fig*) link
traitant, e [tʀɛtɑ̃, -ɑ̃t] *adj*: **votre médecin ~** your usual *ou* family doctor; **crème ~e** conditioning cream
traite [tʀɛt] *nf* (COMM) draft; (AGR) milking; **d'une ~** without stopping; **la ~ des noirs** the slave trade
traité [tʀete] *nm* treaty
traitement [tʀɛtmɑ̃] *nm* treatment; processing; (*salaire*) salary; **~ de données/texte** data/word processing
traiter [tʀete] *vt* (*gén*) to treat; (TECH, INFORM) to process; (*affaire*) to deal with, handle; (*qualifier*): **~ qn d'idiot** to call sb a fool ◆ *vi* to deal; **~ de** to deal with
traiteur [tʀɛtœʀ] *nm* caterer
traître, esse [tʀɛtʀ(ə), -tʀɛs] *adj* (*dangereux*) treacherous ◆ *nm* traitor
trajectoire [tʀaʒɛktwaʀ] *nf* path
trajet [tʀaʒɛ] *nm* journey; (*itinéraire*) route; (*fig*) path, course
trame [tʀam] *nf* (*de tissu*) weft; (*fig*) framework; texture
tramer [tʀame] *vt* to plot, hatch
tramway [tʀamwɛ] *nm* tram(way); tram(car) (BRIT), streetcar (US)
tranchant, e [tʀɑ̃ʃɑ̃, -ɑ̃t] *adj* sharp; (*fig*) peremptory ◆ *nm* (*d'un couteau*) cutting edge; (*de la main*) edge
tranche [tʀɑ̃ʃ] *nf* (*morceau*) slice; (*arête*) edge; (*partie*) section; (*série*) block; issue; bracket
tranché, e [tʀɑ̃ʃe] *adj* (*couleurs*) distinct, sharply contrasted; (*opinions*) clear-cut, definite; **tranchée** *nf* trench
trancher [tʀɑ̃ʃe] *vt* to cut, sever; (*fig: résoudre*) to settle ◆ *vi* to take a decision; **~ avec** to contrast sharply with
tranquille [tʀɑ̃kil] *adj* calm, quiet; (*enfant, élève*) quiet; (*rassuré*) easy in one's mind, with one's mind at rest; **se tenir ~** (*enfant*) to be quiet; **laisse-moi/laisse-ça ~** leave me/it alone; **tranquillité** *nf* quietness; peace (and quiet)
transat [tʀɑ̃zat] *nm* deckchair
transborder [tʀɑ̃sbɔʀde] *vt* to tran(s)ship
trans: ~férer *vt* to transfer; **~fert** *nm* transfer; **~figurer** *vt* to transform; **~formation** *nf* transformation; (RUGBY) conversion
transformer [tʀɑ̃sfɔʀme] *vt* to transform, alter; (*matière première, appartement,* RUGBY) to convert; **~ en** to transform into; to turn into; to convert into
transfusion [tʀɑ̃sfyzjɔ̃] *nf*: **~ sanguine** blood transfusion
transgresser [tʀɑ̃sgʀese] *vt* to contravene, disobey
transi, e [tʀɑ̃zi] *adj* numb (with cold), chilled to the bone
transiger [tʀɑ̃ziʒe] *vi* to compromise
transit [tʀɑ̃zit] *nm* transit; **transiter** *vi* to pass in transit
transitif, ive [tʀɑ̃zitif, -iv] *adj* transitive
transition [tʀɑ̃zisjɔ̃] *nf* transition; **transitoire** *adj* transitional; transient
translucide [tʀɑ̃slysid] *adj* translucent
transmetteur [tʀɑ̃smɛtœʀ] *nm* transmitter
transmettre [tʀɑ̃smɛtʀ(ə)] *vt* (*passer*): **~ qch à qn** to pass sth on to sb; (TECH, TÉL, MÉD) to transmit; (TV, RADIO: *re~*) to broadcast
trans: ~mission *nf* transmission; **~paraître** *vi* to show (through); **~parence** *nf* transparence; **par ~parence** (*regarder*) against the light; (*voir*) showing through; **~parent, e** *adj* transparent; **~percer** *vt* to go through, pierce; **~piration** *nf* perspiration; **~pirer** *vi* to perspire; **~planter** *vt* (MÉD, BOT) to transplant; (*personne*) to uproot; **~port** *nm* transport; **~ports en commun** public transport *sg*
transporter [tʀɑ̃spɔʀte] *vt* to carry, move; (COMM) to transport, convey; **transporteur** *nm* haulage contractor (BRIT), trucker (US)
transversal, e, aux [tʀɑ̃svɛʀsal, -o] *adj* transverse, cross(-); cross-country; running at right angles
trapèze [tʀapɛz] *nm* (*au cirque*) trapeze
trappe [tʀap] *nf* trap door
trapu, e [tʀapy] *adj* squat, stocky
traquenard [tʀaknaʀ] *nm* trap
traquer [tʀake] *vt* to track down; (*harceler*) to hound
traumatiser [tʀomatize] *vt* to traumatize
travail, aux [tʀavaj, -o] *nm* (*gén*) work; (*tâche, métier*) work *no pl*, job; (ÉCON, MÉD) labour; **être sans ~** (*employé*) to be out of work *ou* unemployed; *voir aussi* **travaux**; **~ (au) noir** moonlighting
travailler [tʀavaje] *vi* to work; (*bois*) to warp ◆ *vt* (*bois, métal*) to work; (*objet d'art, discipline, fig: influencer*) to work on; **cela le travaille** it is on his mind; **~ à** to work on; (*fig: contribuer à*) to work towards; **travailleur, euse** *adj* hard-working ◆ *nm/f* worker; **travailliste** *adj* ≈ Labour *cpd*
travaux [tʀavo] *nmpl* (*de réparation, agricoles etc*) work *sg*; (*sur route*) roadworks *pl*; (*de construction*) building (work); **~ des champs** farmwork *sg*; **~ dirigés** (SCOL) supervised practical work *sg*; **~ forcés** hard labour *sg*; **~ manuels** (SCOL) handicrafts; **~ ménagers** housework *sg*
travée [tʀave] *nf* row; (ARCHIT) bay; span
travers [tʀavɛʀ] *nm* fault, failing; **en ~ (de)** across; **au ~ (de)** through; **de ~** askew ◆ *adv* sideways; (*fig*) the wrong way; **à ~** through; **regarder de ~** (*fig*) to look askance at
traverse [tʀavɛʀs(ə)] *nf* (*de voie ferrée*) sleeper; **chemin de ~** shortcut
traversée [tʀavɛʀse] *nf* crossing
traverser [tʀavɛʀse] *vt* (*gén*) to cross; (*ville, tunnel, aussi: percer, fig*) to go through; (*suj: ligne, trait*) to run across

traversin [tʀavɛʀsɛ̃] *nm* bolster
travestir [tʀavɛstiʀ] *vt* (*vérité*) to misrepresent; **se ~** *vi* to dress up; to dress as a woman
trébucher [tʀebyʃe] *vi*: **~ (sur)** to stumble (over), trip (against)
trèfle [tʀɛfl(ə)] *nm* (BOT) clover; (CARTES: *couleur*) clubs *pl*; (: *carte*) club
treille [tʀɛj] *nf* vine arbour; climbing vine
treillis [tʀeji] *nm* (*métallique*) wire-mesh
treize [tʀɛz] *num* thirteen; **treizième** *num* thirteenth
tréma [tʀema] *nm* diaeresis
tremblement [tʀɑ̃bləmɑ̃] *nm*: **~ de terre** earthquake
trembler [tʀɑ̃ble] *vi* to tremble, shake; **~ de** (*froid, fièvre*) to shiver *ou* tremble with; (*peur*) to shake *ou* tremble with; **~ pour qn** to fear for sb
trémousser [tʀemuse] : **se ~** *vi* to jig about, wriggle about
trempe [tʀɑ̃p] *nf* (*fig*): **de cette/sa ~** of this/his calibre
trempé, e [tʀɑ̃pe] *adj* soaking (wet), drenched; (TECH) tempered
tremper [tʀɑ̃pe] *vt* to soak, drench; (*aussi: faire ~, mettre à ~*) to soak; (*plonger*): **~ qch dans** to dip sth in(to) ◆ *vi* to soak; (*fig*): **~ dans** to be involved *ou* have a hand in; **se ~** *vi* to have a quick dip; **trempette** *nf*: **faire trempette** to go paddling
tremplin [tʀɑ̃plɛ̃] *nm* springboard; (SKI) ski-jump
trentaine [tʀɑ̃tɛn] *nf*: **une ~ (de)** thirty or so, about thirty; **avoir la ~** (*âge*) to be around thirty
trente [tʀɑ̃t] *num* thirty; **trentième** *num* thirtieth
trépidant, e [tʀepidɑ̃, -ɑ̃t] *adj* (*fig: rythme*) pulsating; (: *vie*) hectic
trépied [tʀepje] *nm* tripod
trépigner [tʀepiɲe] *vi* to stamp (one's feet)
très [tʀɛ] *adv* very; much *+pp*, highly *+pp*
trésor [tʀezɔʀ] *nm* treasure; (ADMIN) finances *pl*; funds *pl*; **T~ (public)** public revenue
trésorerie [tʀezɔʀʀi] *nf* (*gestion*) accounts *pl*; (*bureaux*) accounts department; **difficultés de ~** cash problems, shortage of cash *ou* funds
trésorier, ière [tʀezɔʀje, -jɛʀ] *nm/f* treasurer
tressaillir [tʀesajiʀ] *vi* to shiver, shudder; to quiver
tressauter [tʀesote] *vi* to start, jump
tresse [tʀɛs] *nf* braid, plait
tresser [tʀese] *vt* (*cheveux*) to braid, plait; (*fil, jonc*) to plait; (*corbeille*) to weave; (*corde*) to twist
tréteau, x [tʀeto] *nm* trestle
treuil [tʀœj] *nm* winch
trêve [tʀɛv] *nf* (MIL, POL) truce; (*fig*) respite; **~ de ...** enough of this ...
tri [tʀi] *nm* sorting out *no pl*; selection; (POSTES) sorting; sorting office
triangle [tʀijɑ̃gl(ə)] *nm* triangle
tribord [tʀibɔʀ] *nm*: **à ~** to starboard, on the starboard side
tribu [tʀiby] *nf* tribe
tribunal, aux [tʀibynal, -o] *nm* (JUR) court; (MIL) tribunal
tribune [tʀibyn] *nf* (*estrade*) platform, rostrum; (*débat*) forum; (*d'église, de tribunal*) gallery; (*de stade*) stand
tribut [tʀiby] *nm* tribute
tributaire [tʀibytɛʀ] *adj*: **être ~ de** to be dependent on
tricher [tʀiʃe] *vi* to cheat
tricolore [tʀikɔlɔʀ] *adj* three-coloured; (*français*) red, white and blue
tricot [tʀiko] *nm* (*technique, ouvrage*) knitting *no pl*; (*tissu*) knitted fabric; (*vêtement*) jersey, sweater
tricoter [tʀikɔte] *vt* to knit
trictrac [tʀiktʀak] *nm* backgammon
tricycle [tʀisikl(ə)] *nm* tricycle
triennal, e, aux [tʀiɛnal, -o] *adj* three-yearly; three-year
trier [tʀije] *vt* to sort out; (POSTES, *fruits*) to sort
trimestre [tʀimɛstʀ(ə)] *nm* (SCOL) term; (COMM) quarter; **trimestriel, le** *adj* quarterly; (SCOL) end-of-term
tringle [tʀɛ̃gl(ə)] *nf* rod
trinquer [tʀɛ̃ke] *vi* to clink glasses
triomphe [tʀijɔ̃f] *nm* triumph
triompher [tʀijɔ̃fe] *vi* to triumph, win; **~ de** to triumph over, overcome
tripes [tʀip] *nfpl* (CULIN) tripe *sg*
triple [tʀipl(ə)] *adj* triple; treble ◆ *nm*: **le ~ (de)** (*comparaison*) three times as much (as); **en ~ exemplaire** in triplicate; **tripler** *vi, vt* to triple, treble
triplés, ées [tʀiple] *nm/fpl* triplets
tripoter [tʀipɔte] *vt* to fiddle with
trique [tʀik] *nf* cudgel
triste [tʀist(ə)] *adj* sad; (*péj*): **~ personnage/affaire** sorry individual/affair; **tristesse** *nf* sadness
trivial, e, aux [tʀivjal, -o] *adj* coarse, crude; (*commun*) mundane
troc [tʀɔk] *nm* barter
trognon [tʀɔɲɔ̃] *nm* (*de fruit*) core; (*de légume*) stalk
trois [tʀwɑ] *num* three; **troisième** *num* third; **trois-quarts** *nmpl*: **les trois-quarts de** the three-quarters of
trombe [tʀɔ̃b] *nf*: **des ~s d'eau** a downpour; **en ~** like a whirlwind
trombone [tʀɔ̃bɔn] *nm* (MUS) trombone; (*de bureau*) paper clip
trompe [tʀɔ̃p] *nf* (*d'éléphant*) trunk; (MUS) trumpet, horn
tromper [tʀɔ̃pe] *vt* to deceive; (*vigilance, poursuivants*) to elude; **se ~** *vi* to make a mistake, be mistaken; **se ~ de voiture/jour** to take the wrong car/get the day wrong; **se ~ de 3 cm/20 F** to be out by 3 cm/20 F; **~ie** *nf* deception, trickery *no pl*
trompette [tʀɔ̃pɛt] *nf* trumpet; **en ~** (*nez*) turned-up
tronc [tʀɔ̃] *nm* (BOT, ANAT) trunk; (*d'église*) collection box
tronçon [tʀɔ̃sɔ̃] *nm* section
tronçonner [tʀɔ̃sɔne] *vt* to saw up
trône [tʀon] *nm* throne
trop [tʀo] *adv* (*+vb*) too much; (*+adjectif, adverbe*) too; **~ (nombreux)** too many; **~ peu (nombreux)** too few; **~ (souvent)** too often; **~ (longtemps)** (for) too long; **~ de** (*nombre*) too many; (*quantité*) too much; **de ~, en ~**: **des livres en ~** a few books too many; **du lait en ~** too much milk; **3 livres/3 F de ~** 3 books too many/3 F too much
tropical, e, aux [tʀɔpikal, -o] *adj* tropical
tropique [tʀɔpik] *nm* tropic
trop-plein [tʀoplɛ̃] *nm* (*tuyau*) overflow *ou* outlet (pipe); (*liquide*) overflow
troquer [tʀɔke] *vt*: **~ qch contre** to barter *ou* trade sth for; (*fig*) to swap sth for
trot [tʀo] *nm* trot; **~ter** [tʀɔte] *vi* to trot; (*fig*) to scamper along (*ou* about)
trottiner [tʀɔtine] *vi* (*fig*) to scamper along (*ou* about); **trottinette** [tʀɔtinɛt] *nf* (child's) scooter
trottoir [tʀɔtwaʀ] *nm* pavement; **faire le ~** (*péj*) to walk the streets; **~ roulant** moving walkway, travellator
trou [tʀu] *nm* hole; (*fig*) gap; (COMM) deficit; **~ d'air** air pocket; **~ d'ozone** ozone hole; **le ~ de la serrure** the keyhole; **~ de mémoire** blank, lapse of memory
trouble [tʀubl(ə)] *adj* (*liquide*) cloudy; (*image, mémoire*) indistinct, hazy; (*affaire*) shady, murky ◆ *nm* (*désarroi*) agitation; (*embarras*) confusion; (*zizanie*) unrest, discord; **~s** *nmpl* (POL) disturbances, troubles, unrest *sg*; (MÉD) trouble *sg*, disorders
troubler [tʀuble] *vt* (*embarrasser*) to confuse, disconcert; (*émouvoir*) to agitate; to disturb; (*perturber: ordre etc*) to disrupt; (*liquide*) to make cloudy; **se ~** *vi* (*personne*) to become flustered *ou* confused
trouée [tʀue] *nf* gap; (MIL) breach
trouer [tʀue] *vt* to make a hole (*ou* holes) in; (*fig*) to pierce
trouille [tʀuj] (*fam*) *nf*: **avoir la ~** to be scared to death
troupe [tʀup] *nf* troop; **~ (de théâtre)** (theatrical) company
troupeau, x [tʀupo] *nm* (*de moutons*) flock; (*de vaches*) herd
trousse [tʀus] *nf* case, kit; (*d'écolier*) pencil case; (*de docteur*) instrument case; **aux ~s de** (*fig*) on the heels *ou* tail of; **~ à outils** toolkit; **~ de toilette** toilet bag
trousseau, x [tʀuso] *nm* (*de mariée*) trousseau; **~ de clefs** bunch of keys
trouvaille [tʀuvaj] *nf* find
trouver [tʀuve] *vt* to find; (*rendre visite*): **aller/venir ~ qn** to go/come and see sb; **se ~** *vi* (*être*) to be; (*être soudain*) to find o.s.; **il se trouve que** it happens that, it turns out that; **se ~ bien** to feel well; **se ~ mal** to pass out; **je trouve que** I find *ou* think that; **~ à boire/critiquer** to find something to drink/criticize
truand [tʀyɑ̃] *nm* villain, crook
truander [tʀyɑ̃de] *vt* to cheat
truc [tʀyk] *nm* (*astuce*) way, device; (*de cinéma, prestidigitateur*) trick effect; (*chose*) thing, thingumajig; **avoir le ~** to have the knack
truchement [tʀyʃmɑ̃] *nm*: **par le ~ de qn** through (the intervention of) sb
truelle [tʀyɛl] *nf* trowel
truffe [tʀyf] *nf* truffle; (*nez*) nose
truffé, e [tʀyfe] *adj*: **~ de** (*fig*) peppered with; bristling with
truie [tʀɥi] *nf* sow
truite [tʀɥit] *nf* trout *inv*
truquer [tʀyke] *vt* (*élections, serrure, dés*) to fix; (CINÉMA) to use special effects in
T.S.V.P. *sigle* (= *tournez s.v.p.*) P.T.O.
T.T.C. *sigle* = **toutes taxes comprises**
tu[1] [ty] *pron* you
tu[2], **e** [ty] *pp de* **taire**
tuba [tyba] *nm* (MUS) tuba; (SPORT) snorkel
tube [tyb] *nm* tube; pipe; (*chanson, disque*) hit song *ou* record
tuer [tɥe] *vt* to kill; **se ~** *vi* to be killed; (*suicide*) to kill o.s.; **tuerie** *nf* slaughter *no pl*
tue-tête [tytɛt] : **à ~** *adv* at the top of one's voice
tueur [tɥœʀ] *nm* killer; **~ à gages** hired killer
tuile [tɥil] *nf* tile; (*fam*) spot of bad luck, blow
tulipe [tylip] *nf* tulip
tuméfié, e [tymefje] *adj* puffy, swollen
tumeur [tymœʀ] *nf* growth, tumour
tumulte [tymylt(ə)] *nm* commotion
tumultueux, euse [tymyltɥø, -øz] *adj* stormy, turbulent
tunique [tynik] *nf* tunic
Tunisie [tynizi] *nf*: **la ~** Tunisia; **tunisien, ne** *adj, nm/f* Tunisian
tunnel [tynɛl] *nm* tunnel
turbulences [tyʀbylɑ̃s] *nfpl* (AVIAT) turbulence *sg*
turbulent, e [tyʀbylɑ̃, -ɑ̃t] *adj* boisterous, unruly
turc, turque [tyʀk(ə)] *adj* Turkish ◆ *nm/f*: **T~, Turque** Turk/Turkish woman ◆ *nm* (LING) Turkish
turf [tyʀf] *nm* racing; **turfiste** *nm/f* racegoer
Turquie [tyʀki] *nf*: **la ~** Turkey
turquoise [tyʀkwaz] *nf* turquoise ◆ *adj inv* turquoise
tus *etc vb voir* **taire**
tutelle [tytɛl] *nf* (JUR) guardianship; (POL) trusteeship; **sous la ~ de** (*fig*) under the supervision of
tuteur [tytœʀ] *nm* (JUR) guardian; (*de plante*) stake, support
tutoyer [tytwaje] *vt*: **~ qn** to address sb as "tu"
tuyau, x [tɥijo] *nm* pipe; (*flexible*) tube; (*fam*) tip; gen *no pl*; **~ d'arrosage** hosepipe; **~ d'échappement** exhaust pipe; **~terie** *nf* piping *no pl*
T.V.A. *sigle f* (= *taxe à la valeur ajoutée*) VAT
tympan [tɛ̃pɑ̃] *nm* (ANAT) eardrum
type [tip] *nm* type; (*fam*) chap, guy ◆ *adj* typical, standard
typé, e [tipe] *adj* ethnic
typhoïde [tifɔid] *nf* typhoid
typique [tipik] *adj* typical
tyran [tiʀɑ̃] *nm* tyrant
tzigane [dzigan] *adj* gipsy, tzigane

U

ulcère [ylsɛʀ] *nm* ulcer; **ulcérer** [ylseʀe] *vt* (*fig*) to sicken, appal
ultérieur, e [ylteʀjœʀ] *adj* later, subsequent; **remis à une date ~e** postponed to a later date
ultime [yltim] *adj* final
ultra... [yltʀa] *préfixe*: **ultramoderne/-rapide** ultra-modern/-fast

MOT-CLÉ

un, une [œ̃, yn] *art indéf* a; (*devant voyelle*) an; **~ garçon/vieillard** a boy/an old man; **une fille** a girl
◆ *pron* one; **l'~ des meilleurs** one of the best; **l'~ ..., l'autre** (the) one ..., the other; **les ~s ..., les autres** some ..., others; **l'~ et l'autre** both (of them); **l'~ ou l'autre** either (of them); **l'~ l'autre, les ~s les autres** each other, one another; **pas ~ seul** not a single one; **~ par ~** one by one
◆ *num* one; **une pomme seulement** one apple only

unanime [ynanim] *adj* unanimous; **unanimité** *nf*: **à l'unanimité** unanimously
uni, e [yni] *adj* (*ton, tissu*) plain; (*surface*) smooth, even; (*famille*) close(-knit); (*pays*) united
unifier [ynifje] *vt* to unite, unify
uniforme [ynifɔʀm(ə)] *adj* (*mouvement*) regular, uniform; (*surface, ton*) even; (*objets, maisons*) uniform ◆ *nm* uniform; **uniformiser** *vt* to make uniform; (*systèmes*) to standardize
union [ynjɔ̃] *nf* union; **~ de consommateurs** consumers' association; **l'U~ soviétique** the Soviet Union
unique [ynik] *adj* (*seul*) only; (*le même*): **un prix/système ~** a single price/system; (*exceptionnel*) unique; **fils/fille ~** only son/daughter, only child; **uniquement** *adv* only, solely; (*juste*) only, merely
unir [yniʀ] *vt* (*nations*) to unite; (*éléments, couleurs*) to combine; (*en mariage*) to unite, join together; **s'~** to unite; (*en mariage*) to be joined together; **~ qch à** to unite sth with; to combine sth with
unité [ynite] *nf* (*harmonie, cohésion*) unity; (COMM, MIL, *de mesure*, MATH) unit
univers [ynivɛʀ] *nm* universe
universel, le [ynivɛʀsɛl] *adj* universal; (*esprit*) all-embracing
universitaire [ynivɛʀsitɛʀ] *adj* university *cpd*; (*diplôme, études*) academic, university *cpd* ◆ *nm/f* academic
université [ynivɛʀsite] *nf* university
urbain, e [yʀbɛ̃, -ɛn] *adj* urban, city *cpd*, town *cpd*; (*poli*) urbane; **urbanisme** *nm* town planning
urgence [yʀʒɑ̃s] *nf* urgency; (MÉD *etc*) emergency; **d'~** emergency *cpd* ◆ *adv* as a matter of urgency
urgent, e [yʀʒɑ̃, -ɑ̃t] *adj* urgent
urine [yʀin] *nf* urine; **urinoir** *nm* (public) urinal
urne [yʀn(ə)] *nf* (*électorale*) ballot box; (*vase*) urn
urticaire [yʀtikɛʀ] *nf* nettle rash
us [ys] *nmpl*: **~ et coutumes** (habits and) customs
USA *sigle mpl*: **les ~** the USA
usage [yzaʒ] *nm* (*emploi, utilisation*) use; (*coutume*) custom; (LING): **l'~** usage; **à l'~ de** (*pour*) for (use of); **en ~** in use; **hors d'~** out of service; wrecked; **à ~ interne** to be taken; **à ~ externe** for external use only; **usagé, e** [yzaʒe] *adj* (*usé*) worn; (*d'occasion*) used; **usager, ère** [yzaʒe, -ɛʀ] *nm/f* user
usé, e [yze] *adj* worn; (*banal*) hackneyed
user [yze] *vt* (*outil*) to wear down; (*vêtement*) to wear out; (*matière*) to wear away; (*consommer: charbon etc*) to use; **s'~** *vi* to wear; to wear out; (*fig*) to decline; **~ de** (*moyen, procédé*) to use, employ; (*droit*) to exercise
usine [yzin] *nf* factory; **~ marémotrice** tidal power station
usité, e [yzite] *adj* common
ustensile [ystɑ̃sil] *nm* implement; **~ de cuisine** kitchen utensil
usuel, le [yzɥɛl] *adj* everyday, common
usure [yzyʀ] *nf* wear; worn state
ut [yt] *nm* (MUS) C
utérus [yteʀys] *nm* uterus, womb
utile [ytil] *adj* useful
utilisation [ytilizɑsjɔ̃] *nf* use
utiliser [ytilize] *vt* to use
utilitaire [ytilitɛʀ] *adj* utilitarian; (*objets*) practical
utilité [ytilite] *nf* usefulness *no pl*; use; **reconnu d'~ publique** state-approved

V

va *vb voir* **aller**
vacance [vakɑ̃s] *nf* (ADMIN) vacancy; **~s** *nfpl* holiday(s *pl*), vacation *sg*; **prendre des/ses ~s** to take a holiday/one's holiday(s); **aller en ~s** to go on holiday; **vacancier, ière** *nm/f* holiday-maker
vacant, e [vakɑ̃, -ɑ̃t] *adj* vacant
vacarme [vakaʀm(ə)] *nm* row, din
vaccin [vaksɛ̃] *nm* vaccine; (*opération*) vaccination; **vaccination** *nf* vaccination; **vacciner** *vt* to vaccinate; (*fig*) to make immune
vache [vaʃ] *nf* (ZOOL) cow; (*cuir*) cowhide ◆ *adj* (*fam*) rotten, mean; **~ment** (*fam*) *adv* damned, hellish
vaciller [vasije] *vi* to sway, wobble; (*bougie, lumière*) to flicker; (*fig*) to be failing, falter
va-et-vient [vaevjɛ̃] *nm inv* (*de personnes, véhicules*) comings and goings *pl*, to-ings and fro-ings *pl*
vagabond [vagabɔ̃] *nm* (*rôdeur*) tramp, vagrant; (*voyageur*) wanderer; **~er** [vagabɔ̃de] *vi* to roam, wander
vagin [vaʒɛ̃] *nm* vagina
vague [vag] *nf* wave ◆ *adj* vague; (*regard*) faraway; (*manteau, robe*) loose(-fitting); (*quelconque*): **un ~ bureau/cousin** some office/cousin or other; **~ de fond** ground swell
vaillant, e [vajɑ̃, -ɑ̃t] *adj* (*courageux*) gallant; (*robuste*) hale and hearty
vaille *vb voir* **valoir**
vain, e [vɛ̃, vɛn] *adj* vain; **en ~** in vain
vaincre [vɛ̃kʀ(ə)] *vt* to defeat; (*fig*) to conquer, overcome; **vaincu, e** *nm/f* defeated party; **vainqueur** *nm* victor; (SPORT) winner
vais *vb voir* **aller**
vaisseau, x [vɛso] *nm* (ANAT) vessel; (NAVIG) ship, vessel; **~ spatial** spaceship
vaisselier [vɛsəlje] *nm* dresser
vaisselle [vɛsɛl] *nf* (*service*) crockery; (*plats etc à laver*) (dirty) dishes *pl*; (*lavage*) washing-up (BRIT), dishes *pl*
val [val] (*pl* **vaux** *ou* **~s**) *nm* valley
valable [valabl(ə)] *adj* valid; (*acceptable*) decent, worthwhile
valent *etc vb voir* **valoir**
valet [valɛ] *nm* valet; (CARTES) jack
valeur [valœʀ] *nf* (*gén*) value; (*mérite*) worth, merit; (COMM: *titre*) security; **mettre en ~** (*terrain, région*) to develop;

(*fig*) to highlight; to show off to advantage; **avoir de la ~** to be valuable; **sans ~** worthless; **prendre de la ~** to go up *ou* gain in value

valide [valid] *adj* (*en bonne santé*) fit; (*valable*) valid; **valider** *vt* to validate

valions *vb voir* **valoir**

valise [valiz] *nf* (suit)case

vallée [vale] *nf* valley

vallon [valɔ̃] *nm* small valley

valoir [valwaʀ] *vi* (*être valable*) to hold, apply ◆ *vt* (*prix, valeur, effort*) to be worth; (*causer*): **~ qch à qn** to earn sb sth; **se ~** *vi* to be of equal merit; (*péj*) to be two of a kind; **faire ~** (*droits, prérogatives*) to assert; **faire ~ que** to point out that; **à ~ sur** to be deducted from; **vaille que vaille** somehow or other; **cela ne me dit rien qui vaille** I don't like the look of it at all; **ce climat ne me vaut rien** this climate doesn't suit me; **~ la peine** to be worth the trouble *ou* worth it; **~ mieux: il vaut mieux se taire** it's better to say nothing; **ça ne vaut rien** it's worthless; **que vaut ce candidat?** how good is this applicant?

valoriser [valɔʀize] *vt* (*ÉCON*) to develop (the economy of); (*PSYCH*) to increase the standing of

valse [vals(ə)] *nf* waltz

valu, e [valy] *pp de* **valoir**

vandalisme [vɑ̃dalism(ə)] *nm* vandalism

vanille [vanij] *nf* vanilla

vanité [vanite] *nf* vanity; **vaniteux, euse** *adj* vain, conceited

vanne [van] *nf* gate; (*fig*) joke

vannerie [vanʀi] *nf* basketwork

vantard, e [vɑ̃taʀ, -aʀd(ə)] *adj* boastful

vanter [vɑ̃te] *vt* to speak highly of, vaunt; **se ~** *vi* to boast, brag; **se ~ de** to pride o.s. on; (*péj*) to boast of

vapeur [vapœʀ] *nf* steam; (*émanation*) vapour, fumes *pl*; **~s** *nfpl* (*bouffées*) vapours; **à ~** steam-powered, steam *cpd*; **cuit à la ~** steamed

vaporeux, euse [vapɔʀø, -øz] *adj* (*flou*) hazy, misty; (*léger*) filmy

vaporisateur [vapɔʀizatœʀ] *nm* spray; **vaporiser** [vapɔʀize] *vt* (*parfum etc*) to spray

varappe [vaʀap] *nf* rock climbing

vareuse [vaʀøz] *nf* (*blouson*) pea jacket; (*d'uniforme*) tunic

variable [vaʀjabl(ə)] *adj* variable; (*temps, humeur*) changeable; (*divers: résultats*) varied, various

varice [vaʀis] *nf* varicose vein

varicelle [vaʀisɛl] *nf* chickenpox

varié, e [vaʀje] *adj* varied; (*divers*) various

varier [vaʀje] *vi* to vary; (*temps, humeur*) to change ◆ *vt* to vary

variété [vaʀjete] *nf* variety; **~s** *nfpl*: **spectacle/émission de ~s** variety show

variole [vaʀjɔl] *nf* smallpox

vas *vb voir* **aller**

vase [vɑz] *nm* vase ◆ *nf* silt, mud

vaseux, euse [vɑzø, -øz] *adj* silty, muddy; (*fig: confus*) woolly, hazy; (: *fatigué*) peaky; woozy

vasistas [vazistɑs] *nm* fanlight

vaste [vast(ə)] *adj* vast, immense

vaudrai *etc vb voir* **valoir**

vaurien, ne [voʀjɛ̃, -ɛn] *nm/f* good-for-nothing, guttersnipe

vaut *vb voir* **valoir**

vautour [votuʀ] *nm* vulture

vautrer [votʀe]: **se ~** *vi* to wallow in/ sprawl on

vaux [vo] *nmpl de* **val** ◆ *vb voir* **valoir**

va-vite [vavit]: **à la ~** *adv* in a rush *ou* hurry

veau, x [vo] *nm* (*ZOOL*) calf; (*CULIN*) veal; (*peau*) calfskin

vécu, e [veky] *pp de* **vivre**

vedette [vədɛt] *nf* (*artiste etc*) star; (*canot*) patrol boat; launch

végétal, e, aux [veʒetal, -o] *adj* vegetable ◆ *nm* vegetable, plant

végétarien, ne [veʒetaʀjɛ̃, -ɛn] *adj, nm/f* vegetarian

végétation [veʒetɑsjɔ̃] *nf* vegetation; **~s** *nfpl* (*MÉD*) adenoids

véhicule [veikyl] *nm* vehicle; **~ utilitaire** commercial vehicle

veille [vɛj] *nf* (*garde*) watch; (*PSYCH*) wakefulness; (*jour*): **la ~ (de)** the day before; **la ~ au soir** the previous evening; **à la ~ de** on the eve of

veillée [veje] *nf* (*soirée*) evening; (*réunion*) evening gathering; **~ (mortuaire)** watch

veiller [veje] *vi* to stay up; to be awake; to be on watch ◆ *vt* (*malade, mort*) to watch over, sit up with; **~ à** to attend to, see to; **~ à ce que** to make sure that; **~ sur** to keep a watch on; **veilleur de nuit** *nm* night watchman

veilleuse [vɛjøz] *nf* (*lampe*) night light; (*AUTO*) sidelight; (*flamme*) pilot light; **en ~** (*lampe*) dimmed

veine [vɛn] *nf* (*ANAT, du bois etc*) vein; (*filon*) vein, seam; (*fam: chance*): **avoir de la ~** to be lucky

véliplanchiste [veliplɑ̃ʃist(ə)] *nm/f* windsurfer

velléités [veleite] *nfpl* vague impulses

vélo [velo] *nm* bike, cycle; **faire du ~** to go cycling; **~ tout-terrain** mountain bike

vélomoteur [velɔmɔtœʀ] *nm* moped

velours [vəluʀ] *nm* velvet; **~ côtelé** corduroy

velouté, e [vəlute] *adj* (*au toucher*) velvety; (*à la vue*) soft, mellow; (*au goût*) smooth, mellow

velu, e [vəly] *adj* hairy

venais *etc vb voir* **venir**

venaison [vənɛzɔ̃] *nf* venison

vendange [vɑ̃dɑ̃ʒ] *nf* (*opération, période: aussi:* **~s**) grape harvest; (*raisins*) grape crop, grapes *pl*; **~r** [vɑ̃dɑ̃ʒe] *vi* to harvest the grapes

vendeur, euse [vɑ̃dœʀ, -øz] *nm/f* (*de magasin*) shop assistant; (*COMM*) salesman(woman) ◆ *nm* (*JUR*) vendor, seller; **~ de journaux** newspaper seller

vendre [vɑ̃dʀ(ə)] *vt* to sell; **~ qch à qn** to sell sb sth; **"à ~"** "for sale"

vendredi [vɑ̃dʀədi] *nm* Friday; **V~ saint** Good Friday

vendu, e [vɑ̃dy] *adj* (*péj: corrompu*) corrupt

vénéneux, euse [venenø, -øz] *adj* poisonous

vénérien, ne [veneʀjɛ̃, -ɛn] *adj* venereal

vengeance [vɑ̃ʒɑ̃s] *nf* vengeance *no pl*, revenge *no pl*

venger [vɑ̃ʒe] *vt* to avenge; **se ~** *vi* to avenge o.s.; **se ~ de qch** to avenge o.s. for sth; to take one's revenge for sth; **se ~ de qn** to take revenge on sb; **se ~ sur** to take revenge on; to take it out on

venimeux, euse [vənimø, -øz] *adj* poisonous, venomous; (*fig: haineux*) venomous, vicious

venin [vənɛ̃] *nm* venom, poison

venir [vəniʀ] *vi* to come; **~ de** to come from; **~ de faire: je viens d'y aller/de le voir** I've just been there/seen him; **s'il vient à pleuvoir** if it should rain; **j'en viens à croire que** I have come to believe that; **faire ~** (*docteur, plombier*) to call (out)

vent [vɑ̃] *nm* wind; **il y a du ~** it's windy; **c'est du ~** it's all hot air; **au ~** to windward; **sous le ~** to leeward; **avoir le ~ debout/arrière** to head into the wind/ have the wind astern; **dans le ~** (*fam*) trendy

vente [vɑ̃t] *nf* sale; **la ~** (*activité*) selling; (*secteur*) sales *pl*; **mettre en ~** to put on sale; (*objets personnels*) to put up for sale; **~ aux enchères** auction sale; **~ de charité** jumble sale

venteux, euse [vɑ̃tø, -øz] *adj* windy

ventilateur [vɑ̃tilatœʀ] *nm* fan

ventiler [vɑ̃tile] *vt* to ventilate; (*total, statistiques*) to break down

ventouse [vɑ̃tuz] *nf* (*de caoutchouc*) suction pad; (*ZOOL*) sucker

ventre [vɑ̃tʀ(ə)] *nm* (*ANAT*) stomach; (*fig*) belly; **avoir mal au ~** to have stomach ache (*BRIT*) *ou* a stomach ache (*US*)

ventriloque [vɑ̃tʀilɔk] *nm/f* ventriloquist

venu, e [vəny] *pp de* **venir** ◆ *adj*: **être mal ~ à** *ou* **de faire** to have no grounds for doing, be in no position to do coming

ver [vɛʀ] *nm* worm; (*des fruits etc*) maggot; (*du bois*) woodworm *no pl*; *voir aussi* **vers**; **~ à soie** silkworm; **~ de terre** earthworm; **~ luisant** glow-worm; **~ solitaire** tapeworm

verbaliser [vɛʀbalize] *vi* (*POLICE*) to book *ou* report an offender

verbe [vɛʀb(ə)] *nm* verb

verdeur [vɛʀdœʀ] *nf* (*vigueur*) vigour, vitality; (*crudité*) forthrightness

verdict [vɛʀdik(t)] *nm* verdict

verdir [vɛʀdiʀ] *vi, vt* to turn green

verdure [vɛʀdyʀ] *nf* greenery

véreux, euse [veʀø, -øz] *adj* worm-eaten; (*malhonnête*) shady, corrupt

verge [vɛʀʒ(ə)] *nf* (*ANAT*) penis; (*baguette*) stick, cane

verger [vɛʀʒe] *nm* orchard

verglacé, e [vɛʀglase] *adj* icy, iced-over

verglas [vɛʀglɑ] *nm* (black) ice

vergogne [vɛʀgɔɲ]: **sans ~** *adv* shamelessly

véridique [veʀidik] *adj* truthful

vérification [veʀifikɑsjɔ̃] *nf* checking *no pl*, check

vérifier [veʀifje] *vt* to check; (*corroborer*) to confirm, bear out

véritable [veʀitabl(ə)] *adj* real; (*ami, amour*) true

vérité [veʀite] *nf* truth; (*d'un portrait romanesque*) lifelikeness; (*sincérité*) truthfulness, sincerity

vermeil, le [vɛʀmɛj] *adj* ruby red

vermine [vɛʀmin] *nf* vermin *pl*

vermoulu, e [vɛʀmuly] *adj* worm-eaten, with woodworm

verni, e [vɛʀni] *adj* (*fam*) lucky; **cuir ~** patent leather

vernir [vɛʀniʀ] *vt* (*bois, tableau, ongles*) to varnish; (*poterie*) to glaze

vernis [vɛʀni] *nm* (*enduit*) varnish; glaze; (*fig*) veneer; **~ à ongles** nail polish *ou* varnish; **~sage** [vɛʀnisaʒ] *nm* varnishing; glazing; (*d'une exposition*) preview

vérole [veʀɔl] *nf* (*variole*) smallpox

verrai *etc vb voir* **voir**

verre [vɛʀ] *nm* glass; (*de lunettes*) lens *sg*; **boire** *ou* **prendre un ~** to have a drink; **~s de contact** contact lenses; **verrerie** [vɛʀʀi] *nf* (*fabrique*) glassworks *sg*; (*activité*) glass-making; (*objets*) glassware; **verrière** [vɛʀjɛʀ] *nf* (*grand vitrage*) window; (*toit vitré*) glass roof

verrons *etc vb voir* **voir**

verrou [vɛʀu] *nm* (*targette*) bolt; (*fig*) constriction; **mettre qn sous les ~s** to put sb behind bars; **verrouillage** *nm* locking; **verrouiller** *vt* to bolt; to lock

verrue [vɛʀy] *nf* wart

vers [vɛʀ] *nm* line ◆ *nmpl* (*poésie*) verse *sg* ◆ *prép* (*en direction de*) toward(s); (*près de*) around (about); (*temporel*) about, around

versant [vɛʀsɑ̃] *nm* slopes *pl*, side

versatile [vɛʀsatil] *adj* fickle, changeable

verse [vɛʀs(ə)]: **à ~** *adv* it's pouring (with rain)

Verseau [vɛʀso] *nm*: **le ~** Aquarius

versement [vɛʀsəmɑ̃] *nm* payment; **en 3 ~s** in 3 instalments

verser [vɛʀse] *vt* (*liquide, grains*) to pour; (*larmes, sang*) to shed; (*argent*) to pay ◆ *vi* (*véhicule*) to overturn; (*fig*): **~ dans** to lapse into

verset [vɛʀsɛ] *nm* verse

version [vɛʀsjɔ̃] *nf* version; (*SCOL*) translation (*into the mother tongue*)

verso [vɛʀso] *nm* back; **voir au ~** see over(leaf)

vert, e [vɛʀ, vɛʀt(ə)] *adj* green; (*vin*) young; (*vigoureux*) sprightly; (*cru*) forthright ◆ *nm* green

vertèbre [vɛʀtɛbʀ(ə)] *nf* vertebra

vertement [vɛʀtəmɑ̃] *adv* (*réprimander*) sharply

vertical, e, aux [vɛʀtikal, -o] *adj* vertical; **~e** *nf* vertical; **à la ~e** vertically; **~ement** *adv* vertically

vertige [vɛʀtiʒ] *nm* (*peur du vide*) vertigo; (*étourdissement*) dizzy spell; (*fig*) fever; **vertigineux, euse** *adj* breathtaking

vertu [vɛʀty] *nf* virtue; **en ~ de** in accordance with; **vertueux, euse** *adj* virtuous

verve [vɛʀv(ə)] *nf* witty eloquence; **être en ~** to be in brilliant form

verveine [vɛʀvɛn] *nf* (*BOT*) verbena, vervain; (*infusion*) verbena tea

vésicule [vezikyl] *nf* vesicle; **~ biliaire** gall-bladder

vessie [vesi] *nf* bladder

veste [vɛst(ə)] *nf* jacket; **~ droite/croisée** single-/double-breasted jacket

vestiaire [vɛstjɛʀ] *nm* (*au théâtre etc*) cloakroom; (*de stade etc*) changing-room (*BRIT*), locker-room (*US*)

vestibule [vɛstibyl] *nm* hall

vestige [vɛstiʒ] *nm* relic; (*fig*) vestige; **~s** *nmpl* remains

vestimentaire [vɛstimɑ̃tɛʀ] *adj* (*détail*) of dress; (*élégance*) sartorial; **dépenses ~s** spending on clothes

veston [vɛstɔ̃] *nm* jacket

vêtement [vɛtmɑ̃] *nm* garment, item of clothing; **~s** *nmpl* clothes

vétérinaire [veteʀinɛʀ] *nm/f* vet, veterinary surgeon

vêtir [vetiʀ] *vt* to clothe, dress

veto [veto] *nm* veto; **opposer un ~ à** to veto

vêtu, e [vety] *pp de* **vêtir**

vétuste [vetyst(ə)] *adj* ancient, timeworn

veuf, veuve [vœf, vœv] *adj* widowed ◆ *nm* widower

veuille *vb voir* **vouloir**

veuillez *vb voir* **vouloir**

veule [vøl] *adj* spineless

veuve [vœv] *nf* widow

veux *vb voir* **vouloir**

vexations [vɛksɑsjɔ̃] *nfpl* humiliations

vexer [vɛkse] *vt* to hurt, upset; **se ~** *vi* to be hurt, get upset

viabiliser [vjabilize] *vt* to provide with services (*water etc*)

viable [vjabl(ə)] *adj* viable; (*économie, industrie etc*) sustainable

viager, ère [vjaʒe, -ɛʀ] *adj*: **rente viagère** life annuity

viande [vjɑ̃d] *nf* meat

vibrer [vibʀe] *vi* to vibrate; (*son, voix*) to be vibrant; (*fig*) to be stirred; **faire ~** to (cause to) vibrate; to stir, thrill

vice [vis] *nm* vice; (*défaut*) fault ◆ *préfixe*: **~ ...** vice-; **~ de forme** legal flaw *ou* irregularity

vichy [viʃi] *nm* (*toile*) gingham

vicié, e [visje] *adj* (*air*) polluted, tainted; (*JUR*) invalidated

vicieux, euse [visjø, -øz] *adj* (*pervers*) dirty(-minded); nasty; (*fautif*) incorrect, wrong

vicinal, e, aux [visinal, -o] *adj*: **chemin ~** by-road, byway

victime [viktim] *nf* victim; (*d'accident*) casualty

victoire [viktwaʀ] *nf* victory

victuailles [viktɥaj] *nfpl* provisions

vidange [vidɑ̃ʒ] *nf* (*d'un fossé, réservoir*) emptying; (*AUTO*) oil change; (*de lavabo: bonde*) waste outlet; **~s** *nfpl* (*matières*) sewage *sg*; **vidanger** *vt* to empty

vide [vid] *adj* empty ◆ *nm* (*PHYSIQUE*) vacuum; (*espace*) (empty) space, gap; (*futilité, néant*) void; **avoir peur du ~** to be afraid of heights; **emballé sous ~** vacuum packed; **à ~** (*sans occupants*) empty; (*sans charge*) unladen

vidéo [video] *nf* video ◆ *adj*: **cassette ~** video cassette

vide-ordures [vidɔʀdyʀ] *nm inv* (rubbish) chute

vide-poches [vidpɔʃ] *nm inv* tidy; (*AUTO*) glove compartment

vider [vide] *vt* to empty; (*CULIN: volaille, poisson*) to gut, clean out; **se ~** *vi* to empty; **~ les lieux** to quit *ou* vacate the premises; **videur** *nm* (*de boîte de nuit*) bouncer

vie [vi] *nf* life; **être en ~** to be alive; **sans ~** lifeless; **à ~** for life

vieil [vjɛj] *adj m voir* **vieux**

vieillard [vjɛjaʀ] *nm* old man; **les ~s** old people, the elderly

vieille [vjɛj] *adj, nf voir* **vieux**

vieilleries [vjɛjʀi] *nfpl* old things

vieillesse [vjɛjɛs] *nf* old age

vieillir [vjejiʀ] *vi* (*prendre de l'âge*) to grow old; (*population, vin*) to age; (*doctrine, auteur*) to become dated ◆ *vt* to age; **vieillissement** *nm* growing old; ageing

Vienne [vjɛn] *nf* Vienna

viens *vb voir* **venir**

vierge [vjɛʀʒ(ə)] *adj* virgin; (*page*) clean, blank ◆ *nf* virgin; (*signe*): **la V~** Virgo; **~ de** (*sans*) free from, unsullied by

Vietnam [vjɛtnam] *nm* = **Viêt-nam**

Viêt-nam [vjɛtnam] *nm* Vietnam

vietnamien, ne [vjɛtnamjɛ̃, -jɛn] *adj, nm/f* Vietnamese

vieux(vieil), vieille [vjø, vjɛj] *adj* old ◆ *nm/f* old man(woman) ◆ *nmpl* old people; **mon vieux/ma vieille** (*fam*) old man/girl; **prendre un coup de vieux** to put years on; **vieux garçon** bachelor; **vieux jeu** *adj inv* old-fashioned

vif, vive [vif, viv] *adj* (*animé*) lively; (*alerte, brusque, aigu*) sharp; (*lumière, couleur*) brilliant; (*air*) crisp; (*vent, émotion*) keen; (*fort: regret, déception*) great, deep; (*vivant*): **brûlé ~** burnt alive; **de vive voix** personally; **piquer qn au ~** to cut sb to the quick; **à ~** (*plaie*) open; **avoir les nerfs à ~** to be on edge

vigie [viʒi] *nf* look-out; look-out post

vigne [viɲ] *nf* (*plante*) vine; (*plantation*) vineyard

vigneron [viɲʀɔ̃] *nm* wine grower

vignette [viɲɛt] *nf* (*motif*) vignette; (*de marque*) manufacturer's label *ou* seal; (*ADMIN*) ≈ (road) tax disc (*BRIT*), ≈ license plate sticker (*US*); price label (*used for reimbursement*)

vignoble [viɲɔbl(ə)] *nm* (*plantation*) vineyard; (*vignes d'une région*) vineyards *pl*

vigoureux, euse [viguʀø, -øz] *adj* vigorous, robust

vigueur [vigœʀ] *nf* vigour; **entrer en ~** to come into force; **en ~** current

vil, e [vil] *adj* vile, base; **à ~ prix** at a very low price

vilain, e [vilɛ̃, -ɛn] *adj* (*laid*) ugly; (*affaire, blessure*) nasty; (*pas sage: enfant*) naughty

villa [vila] *nf* (detached) house; **~ en multipropriété** time-share villa

village [vilaʒ] *nm* village; **villageois, e** *adj* village *cpd* ◆ *nm/f* villager

ville [vil] *nf* town; (*importante*) city; (*administration*): **la ~** ≈ the Corporation; ≈ the (town) council

villégiature [vileʒjatyʀ] *nf* holiday; (holiday) resort

vin [vɛ̃] *nm* wine; **avoir le ~ gai** to get happy after a few drinks; **~ d'honneur** reception (*with wine and snacks*); **~ de pays** local wine; **~ ordinaire** table wine

vinaigre [vinɛgʀ(ə)] *nm* vinegar; **vinaigrette** *nf* vinaigrette, French dressing

vindicatif, ive [vɛ̃dikatif, -iv] *adj* vindictive

vineux, euse [vinø, -øz] *adj* win(e)y

vingt [vɛ̃, vɛ̃t] *num* twenty; **~aine** *nf*: **une ~aine (de)** about twenty, twenty or so; **~ième** *num* twentieth

vinicole [vinikɔl] *adj* wine *cpd*, wine-growing

vins *etc vb voir* **venir**

vinyle [vinil] *nm* vinyl

viol [vjɔl] *nm* (*d'une femme*) rape; (*d'un lieu sacré*) violation

violacé, e [vjɔlase] *adj* purplish, mauvish

violemment [vjɔlamɑ̃] *adv* violently

violence [vjɔlɑ̃s] *nf* violence

violent, e [vjɔlɑ̃, -ɑ̃t] *adj* violent; (*remède*) drastic

violer [vjɔle] *vt* (*femme*) to rape; (*sépulture, loi, traité*) to violate
violet, te [vjɔlɛ, -ɛt] *adj, nm* purple, mauve; **violette** *nf* (*fleur*) violet
violon [vjɔlɔ̃] *nm* violin; (*fam: prison*) lock-up
violoncelle [vjɔlɔ̃sɛl] *nm* cello
violoniste [vjɔlɔnist(ə)] *nm/f* violinist
vipère [vipɛʀ] *nf* viper, adder
virage [viʀaʒ] *nm* (*d'un véhicule*) turn; (*d'une route, piste*) bend; (*fig: POL*) about-turn
virée [viʀe] *nf* (*courte*) run; (: *à pied*) walk; (*longue*) trip; hike, walking tour
virement [viʀmɑ̃] *nm* (*COMM*) transfer
virent *vb voir* **voir**
virer [viʀe] *vt* (*COMM*): ~ **qch (sur)** to transfer sth (into) ♦ *vi* to turn; (*CHIMIE*) to change colour; ~ **de bord** to tack
virevolter [viʀvɔlte] *vi* to twirl around
virgule [viʀgyl] *nf* comma; (*MATH*) point
viril, e [viʀil] *adj* (*propre à l'homme*) masculine; (*énergique, courageux*) manly, virile
virtuel, le [viʀtɥɛl] *adj* potential; (*théorique*) virtual
virtuose [viʀtɥoz] *nm/f* (*MUS*) virtuoso; (*gén*) master
virus [viʀys] *nm* (*aussi: COMPUT*) virus
vis[1] [vi] *vb voir* **voir; vivre**
vis[2] [vis] *nf* screw
visa [viza] *nm* (*sceau*) stamp; (*validation de passeport*) visa
visage [vizaʒ] *nm* face
vis-à-vis [vizavi] *adv* face to face ♦ *nm* person opposite; house *etc* opposite; ~ **de** opposite; (*fig*) vis-à-vis; **en** ~ facing each other
viscéral, e, aux [viseʀal, -o] *adj* (*fig*) deep-seated, deep-rooted
visée [vize] : **~s** *nfpl* (*intentions*) designs
viser [vize] *vi* to aim ♦ *vt* to aim at; (*concerner*) to be aimed *ou* directed at; (*apposer un visa sur*) to stamp, visa; ~ **à qch/faire** to aim at sth/at doing *ou* to do; **viseur** [vizœʀ] *nm* (*d'arme*) sights *pl*; (*PHOTO*) viewfinder
visibilité [vizibilite] *nf* visibility
visible [vizibl(ə)] *adj* visible; (*disponible*): **est-il ~?** can he see me?, will he see visitors?
visière [vizjɛʀ] *nf* (*de casquette*) peak; (*qui s'attache*) eyeshade
vision [vizjɔ̃] *nf* vision; (*sens*) (eye)sight, vision; (*fait de voir*): **la ~ de** the sight of
visionneuse [vizjɔnøz] *nf* viewer
visite [vizit] *nf* visit; (*visiteur*) visitor; (*médicale, à domicile*) visit, call; **la ~** (*MÉD*) medical examination; **faire une ~ à qn** to call on sb, pay sb a visit; **rendre ~ à qn** to visit sb, pay sb a visit; **être en ~ (chez qn)** to be visiting (sb); **heures de ~** (*hôpital, prison*) visiting hours
visiter [vizite] *vt* to visit; (*musée, ville*) to visit, go round; **visiteur, euse** *nm/f* visitor
vison [vizɔ̃] *nm* mink
visser [vise] *vt*: ~ **qch** (*fixer, serrer*) to screw sth on
visuel, le [vizɥɛl] *adj* visual
vit *vb voir* **voir; vivre**
vital, e, aux [vital, -o] *adj* vital
vitamine [vitamin] *nf* vitamin
vite [vit] *adv* (*rapidement*) quickly, fast; (*sans délai*) quickly; soon; **faire ~** to act quickly; to be quick
vitesse [vitɛs] *nf* speed; (*AUTO: dispositif*) gear; **prendre qn de ~** to outstrip sb; get ahead of sb; **prendre de la ~** to pick up *ou* gather speed; **à toute ~** at full *ou* top speed
viticole [vitikɔl] *adj* wine *cpd*, wine-growing
viticulteur [vitikyltœʀ] *nm* wine grower
vitrage [vitʀaʒ] *nm* glass *no pl*; (*rideau*) net curtain
vitrail, aux [vitʀaj, -o] *nm* stained-glass window
vitre [vitʀ(ə)] *nf* (window) pane; (*de portière, voiture*) window
vitré, e [vitʀe] *adj* glass *cpd*
vitrer [vitʀe] *vt* to glaze
vitreux, euse [vitʀø, -øz] *adj* (*terne*) glassy
vitrine [vitʀin] *nf* (*devanture*) (shop) window; (*étalage*) display; (*petite armoire*) display cabinet; ~ **publicitaire** display case, showcase
vitupérer [vitypeʀe] *vi* to rant and rave
vivace [vivas] *adj* (*arbre, plante*) hardy; (*fig*) indestructible, inveterate
vivacité [vivasite] *nf* liveliness, vivacity; sharpness; brilliance
vivant, e [vivɑ̃, -ɑ̃t] *adj* (*qui vit*) living, alive; (*animé*) lively; (*preuve, exemple*) living ♦ *nm*: **du ~ de qn** in sb's lifetime
vivats [viva] *nmpl* cheers
vive [viv] *adj voir* **vif** ♦ *vb voir* **vivre** ♦ *excl*: ~ **le roi!** long live the king!; **vivement** *adv* vivaciously; sharply ♦ *excl*: **vivement les vacances!** roll on the holidays!
viveur [vivœʀ] (*péj*) *nm* high liver, pleasure-seeker
vivier [vivje] *nm* fish tank; fishpond
vivifiant, e [vivifjɑ̃, -ɑ̃t] *adj* invigorating
vivions *vb voir* **vivre**
vivoter [vivɔte] *vi* (*personne*) to scrape a living, get by; (*fig: affaire etc*) to struggle along
vivre [vivʀ(ə)] *vi, vt* to live; **il vit encore** he is still alive; **se laisser ~** to take life as it comes; **ne plus ~** (*être anxieux*) to live on one's nerves; **il a vécu** (*eu une vie aventureuse*) he has seen life; **être facile à ~** to be easy to get on with; **faire ~ qn** (*pourvoir à sa subsistance*) to provide (a living) for sb; **vivres** *nmpl* provisions, food supplies
vlan [vlɑ̃] *excl* wham!, bang!
vocable [vɔkabl(ə)] *nm* term
vocabulaire [vɔkabylɛʀ] *nm* vocabulary
vocation [vɔkasjɔ̃] *nf* vocation, calling
vociférer [vɔsifeʀe] *vi, vt* to scream
vœu, x [vø] *nm* wish; (*à Dieu*) vow; **faire ~ de** to take a vow of; **~x de bonne année** best wishes for the New Year
vogue [vɔg] *nf* fashion, vogue
voguer [vɔge] *vi* to sail
voici [vwasi] *prép* (*pour introduire, désigner*) here is *+sg*, here are *+pl*; **et ~ que ...** and now it (*ou* he) ...; *voir aussi* **voilà**
voie [vwa] *nf* way; (*RAIL*) track, line; (*AUTO*) lane; **être en bonne ~** to be going well; **mettre qn sur la ~** to put sb on the right track; **être en ~ d'achèvement/de renovation** to be nearing completion/in the process of renovation; **par ~ buccale** *ou* **orale** orally; **à ~ étroite** narrow-gauge; ~ **d'eau** (*NAVIG*) leak; ~ **de garage** (*RAIL*) siding; ~ **ferrée** track; railway line
voilà [vwala] *prép* (*en désignant*) there is *+sg*, there are *+pl*; **les ~** *ou* **voici** here *ou* there they are; **en ~** *ou* **voici un** here's one, there's one; ~ *ou* **voici deux ans** two years ago; ~ *ou* **voici deux ans que** it's two years since; **et ~!** there we are!; ~ **tout** that's all; "~ *ou* **voici**" (*en offrant etc*) "there *ou* here you are"
voile [vwal] *nm* veil; (*tissu léger*) net ♦ *nf* sail; (*sport*) sailing
voiler [vwale] *vt* to veil; (*fausser: roue*) to buckle; (: *bois*) to warp; **se ~** *vi* (*lune, regard*) to mist over; (*voix*) to become husky; (*roue, disque*) to buckle; (*planche*) to warp
voilier [vwalje] *nm* sailing ship; (*de plaisance*) sailing boat
voilure [vwalyʀ] *nf* (*de voilier*) sails *pl*
voir [vwaʀ] *vi, vt* to see; **se ~** *vt*: **se ~ critiquer/transformer** to be criticized/transformed; **cela se voit** (*cela arrive*) it happens; (*c'est visible*) that's obvious, it shows; ~ **venir** (*fig*) to wait and see; **faire ~ qch à qn** to show sb sth; **en faire ~ à qn** (*fig*) to give sb a hard time; **ne pas pouvoir voir qn** not to be able to stand sb; **voyons!** let's see now; (*indignation etc*) come (along) now!; **avoir quelque chose à voir avec** to have something to do with
voire [vwaʀ] *adv* indeed; nay; or even
voisin, e [vwazɛ̃, -in] *adj* (*proche*) neighbouring; (*contigu*) next; (*ressemblant*) connected ♦ *nm/f* neighbour; **voisinage** *nm* (*proximité*) proximity; (*environs*) vicinity; (*quartier, voisins*) neighbourhood
voiture [vwatyʀ] *nf* car; (*wagon*) coach, carriage; ~ **d'enfant** pram (*BRIT*), baby carriage (*US*); ~ **de sport** sports car; **~-lit** *nf* sleeper
voix [vwa] *nf* voice; (*POL*) vote; **à haute ~** aloud; **à ~ basse** in a low voice; **à 2/4 ~** (*MUS*) in 2/4 parts; **avoir ~ au chapitre** to have a say in the matter
vol [vɔl] *nm* (*mode de locomotion*) flying; (*trajet, voyage, groupe d'oiseaux*) flight; (*larcin*) theft; **à ~ d'oiseau** as the crow flies; **au ~: attraper qch au ~** to catch sth as it flies past; **en ~** in flight; ~ **à main armée** armed robbery; ~ **à voile** gliding; ~ **libre** hang-gliding
volage [vɔlaʒ] *adj* fickle
volaille [vɔlaj] *nf* (*oiseaux*) poultry *pl*; (*viande*) poultry *no pl*; (*oiseau*) fowl
volant, e [vɔlɑ̃, -ɑ̃t] *adj voir* **feuille** *etc* ♦ *nm* (*d'automobile*) (steering) wheel; (*de commande*) wheel; (*objet lancé*) shuttlecock; (*bande de tissu*) flounce
volcan [vɔlkɑ̃] *nm* volcano
volée [vɔle] *nf* (*TENNIS*) volley; **à la ~: rattraper à la ~** to catch in mid-air; **à toute ~** (*sonner les cloches*) vigorously; (*lancer un projectile*) with full force; ~ **de coups/de flèches** volley of blows/arrows
voler [vɔle] *vi* (*avion, oiseau, fig*) to fly; (*voleur*) to steal ♦ *vt* (*objet*) to steal; (*personne*) to rob; ~ **qch à qn** to steal sth from sb
volet [vɔlɛ] *nm* (*de fenêtre*) shutter; (*de feuillet, document*) section
voleur, euse [vɔlœʀ, -øz] *nm/f* thief ♦ *adj* thieving
volontaire [vɔlɔ̃tɛʀ] *adj* voluntary; (*caractère, personne: décidé*) self-willed ♦ *nm/f* volunteer
volonté [vɔlɔ̃te] *nf* (*faculté de vouloir*) will; (*énergie, fermeté*) will(power); (*souhait, désir*) wish; **à ~** as much as one likes; **bonne ~** goodwill, willingness; **mauvaise ~** lack of goodwill, unwillingness
volontiers [vɔlɔ̃tje] *adv* (*de bonne grâce*) willingly; (*avec plaisir*) willingly, gladly; (*habituellement, souvent*) readily, willingly
volt [vɔlt] *nm* volt
volte-face [vɔltəfas] *nf inv* about-turn
voltige [vɔltiʒ] *nf* (*ÉQUITATION*) trick riding; (*au cirque*) acrobatics *sg*; **~r** [vɔltiʒe] *vi* to flutter (about)
volume [vɔlym] *nm* volume; (*GÉOM: solide*) solid; **volumineux, euse** *adj* voluminous, bulky
volupté [vɔlypte] *nf* sensual delight *ou* pleasure
vomir [vɔmiʀ] *vi* to vomit, be sick ♦ *vt* to vomit, bring up; (*fig*) to belch out, spew out; (*exécrer*) to loathe, abhor
vont [vɔ̃] *vb voir* **aller**
vos [vo] *dét voir* **votre**
vote [vɔt] *nm* vote; ~ **par correspondance/procuration** postal/proxy vote
voter [vɔte] *vi* to vote ♦ *vt* (*loi, décision*) to vote for
votre [vɔtʀ(ə)] (*pl* **vos**) *dét* your
vôtre [votʀ(ə)] *pron*: **le ~, la ~, les ~s** yours; **les ~s** (*fig*) your family *ou* folks; **à la ~** (*toast*) your (good) health!
voudrai *etc vb voir* **vouloir**
voué, e [vwe] *adj*: ~ **à** doomed to
vouer [vwe] *vt*: ~ **qch à** (*Dieu/un saint*) to dedicate sth to; ~ **sa vie à** (*étude, cause etc*) to devote one's life to; ~ **une amitié éternelle à qn** to vow undying friendship to sb

MOT-CLÉ

vouloir [vulwaʀ] *nm*: **le bon ~ de qn** sb's goodwill; sb's pleasure
♦ *vt* 1 (*exiger, désirer*) to want; ~ **faire/que qn fasse** to want to do/sb to do; **voulez-vous du thé** would you like *ou* do you want some tea?; **que me veut-il?** what does he want with me?; **sans le ~** (*involontairement*) without meaning to, unintentionally; **je voudrais ceci/faire** I would *ou* I'd like this/to do
2 (*consentir*): **je veux bien** (*bonne volonté*) I'll be happy to; (*concession*) fair enough, that's fine; **oui, si on veut** (*en quelque sorte*) yes, if you like; **veuillez attendre** please wait; **veuillez agréer ...** (*formule épistolaire*) yours faithfully
3: **en ~ à qn** to bear sb a grudge; **s'en ~ (de)** to be annoyed with o.s. (for); **il en veut à mon argent** he's after my money
4: ~ **de: l'entreprise ne veut plus de lui** the firm doesn't want him any more; **elle ne veut pas de son aide** she doesn't want his help
5: ~ **dire** to mean

voulu, e [vuly] *adj* (*requis*) required, requisite; (*délibéré*) deliberate, intentional; *voir aussi* **vouloir**
vous [vu] *pron* you; (*objet indirect*) (to) you; (*réfléchi: sg*) yourself; (: *pl*) yourselves; (*réciproque*) each other; **~-même** yourself; **~-mêmes** yourselves
voûte [vut] *nf* vault
voûter [vute] *vt*: **se ~** *vi* (*dos, personne*) to become stooped
vouvoyer [vuvwaje] *vt*: ~ **qn** to address sb as "vous"
voyage [vwajaʒ] *nm* journey, trip; (*fait de voyager*): **le ~** travel(ling); **partir/être en ~** to go off/be away on a journey *ou* trip; **faire bon ~** to have a good journey; ~ **d'agrément/d'affaires** pleasure/business trip; ~ **de noces** honeymoon; ~ **organisé** package tour
voyager [vwajaʒe] *vi* to travel; **voyageur, euse** *nm/f* traveller; (*passager*) passenger
voyant, e [vwajɑ̃, -ɑ̃t] *adj* (*couleur*) loud, gaudy ♦ *nm* (*signal*) (warning) light; **voyante** *nf* clairvoyant
voyelle [vwajɛl] *nf* vowel
voyons *etc vb voir* **voir**
voyou [vwaju] *nm* lout, hoodlum; (*enfant*) guttersnipe
vrac [vʀak] : **en ~** *adv* higgledy-piggledy; (*COMM*) in bulk
vrai, e [vʀɛ] *adj* (*véridique: récit, faits*) true; (*non factice, authentique*) real; **à ~ dire** to tell the truth
vraiment [vʀɛmɑ̃] *adv* really
vraisemblable [vʀɛsɑ̃blabl(ə)] *adj* likely, probable
vraisemblance [vʀɛsɑ̃blɑ̃s] *nf* likelihood; (*romanesque*) verisimilitude
vrille [vʀij] *nf* (*de plante*) tendril; (*outil*) gimlet; (*spirale*) spiral; (*AVIAT*) spin
vrombir [vʀɔ̃biʀ] *vi* to hum
vu, e [vy] *pp de* **voir** ♦ *adj*: **bien/mal ~** (*fig*) well/poorly thought of; good/bad form ♦ *prép* (*en raison de*) in view of; ~ **que** in view of the fact that
vue [vy] *nf* (*fait de voir*): **la ~ de** the sight of; (*sens, faculté*) (eye)sight; (*panorama, image, photo*) view; **~s** *nfpl* (*idées*) views; (*dessein*) designs; **hors de ~** out of sight; **tirer à ~** to shoot on sight; **à ~ d'œil** visibly; at a quick glance; **en ~** (*visible*) in sight; (*COMM*) in the public eye; **en ~ de faire** with a view to doing
vulgaire [vylgɛʀ] *adj* (*grossier*) vulgar, coarse; (*trivial*) commonplace, mundane; (*péj: quelconque*): **de ~s touristes** common tourists; (*BOT, ZOOL: non latin*) common; **vulgariser** *vt* to popularize
vulnérable [vylneʀabl(ə)] *adj* vulnerable

W, X, Y, Z

wagon [vagɔ̃] *nm* (*de voyageurs*) carriage; (*de marchandises*) truck, wagon; **wagon-lit** *nm* sleeper, sleeping car; **wagon-restaurant** *nm* restaurant *ou* dining car
wallon, ne [walɔ̃, -ɔn] *adj* Walloon
waters [watɛʀ] *nmpl* toilet *sg*
watt [wat] *nm* watt
w.-c. [vese] *nmpl* toilet *sg*, lavatory *sg*
week-end [wikɛnd] *nm* weekend
western [wɛstɛʀn] *nm* western
whisky [wiski] (*pl* **whiskies**) *nm* whisky
xérès [gzeʀɛs] *nm* sherry
xylophone [ksilɔfɔn] *nm* xylophone
y [i] *adv* (*à cet endroit*) there; (*dessus*) on it (*ou* them); (*dedans*) in it (*ou* them) ♦ *pron* (about *ou* on *ou* of) it (*d'après le verbe employé*); **j'~ pense** I'm thinking about it; *voir aussi* **aller; avoir**
yacht [jɔt] *nm* yacht
yaourt [jauʀt] *nm* yoghourt
yeux [jø] *nmpl de* **œil**
yoghourt [jɔguʀt] *nm* = **yaourt**
yougoslave [jugɔslav] *nm/f* Yugo slav(ian)
Yougoslavie [jugɔslavi] *nf* Yugoslavia
zèbre [zɛbʀ(ə)] *nm* (*ZOOL*) zebra
zébré, e [zebʀe] *adj* striped, streaked
zèle [zɛl] *nm* zeal; **faire du ~** (*péj*) to be over-zealous
zéro [zeʀo] *nm* zero, nought (*BRIT*); **au-dessous de ~** below zero (Centigrade) *ou* freezing; **partir de ~** to start from scratch; **trois (buts) à ~** 3 (goals to) nil
zeste [zɛst(ə)] *nm* peel, zest
zézayer [zezeje] *vi* to have a lisp
zigzag [zigzag] *nm* zigzag
zinc [zɛ̃g] *nm* (*CHIMIE*) zinc; (*comptoir*) bar, counter
zizanie [zizani] *nf*: **semer la ~** to stir up ill-feeling
zodiaque [zɔdjak] *nm* zodiac
zona [zona] *nm* shingles *sg*
zone [zon] *nf* zone, area; (*quartiers*): **la ~** the slum belt; ~ **bleue** ≈ restricted parking area; ~ **industrielle** *nf* industrial estate
zoo [zoo] *nm* zoo
zoologie [zɔɔlɔʒi] *nf* zoology; **zoologique** *adj* zoological
zut [zyt] *excl* dash (it)! (*BRIT*), nuts! (*US*)

VERB TABLES

1 Participe présent *2* Participe passé *3* Présent *4* Imparfait *5* Futur *6* Conditionnel *7* Subjonctif présent

acquérir *1* acquérant *2* acquis *3* acquiers, acquérons, acquièrent *4* acquérais *5* acquerrai *7* acquière

ALLER *1* allant *2* allé *3* vais, vas, va, allons, allez, vont *4* allais *5* irai *6* irais *7* aille

asseoir *1* asseyant *2* assis *3* assieds, asseyons, asseyez, asseyent *4* asseyais *5* assiérai *7* asseye

atteindre *1* atteignant *2* atteint *3* atteins, atteignons *4* atteignais *7* atteigne

AVOIR *1* ayant *2* eu *3* ai, as, a, avons, avez, ont *4* avais *5* aurai *6* aurais *7* aie, aies, ait, ayons, ayez, aient

battre *1* battant *2* battu *3* bats, bat, battons *4* battais *7* batte

boire *1* buvant *2* bu *3* bois, buvons, boivent *4* buvais *7* boive

bouillir *1* bouillant *2* bouilli *3* bous, bouillons *4* bouillais *7* bouille

conclure *1* concluant *2* conclu *3* conclus, concluons *4* concluais *7* conclue

conduire *1* conduisant *2* conduit *3* conduis, conduisons *4* conduisais *7* conduise

connaître *1* connaissant *2* connu *3* connais, connaît, connaissons *4* connaissais *7* connaisse

coudre *1* cousant *2* cousu *3* couds, cousons, cousez, cousent *4* cousais *7* couse

courir *1* courant *2* couru *3* cours, courons *4* courais *5* courrai *7* coure

couvrir *1* couvrant *2* couvert *3* couvre, couvrons *4* couvrais *7* couvre

craindre *1* craignant *2* craint *3* crains, craignons *4* craignais *7* craigne

croire *1* croyant *2* cru *3* crois, croyons, croient *4* croyais *7* croie

croître *1* croissant *2* crû, crue, crus, crues *3* croîs, croissons *4* croissais *7* croisse

cueillir *1* cueillant *2* cueilli *3* cueille, cueillons *4* cueillais *5* cueillerai *7* cueille

devoir *1* devant *2* dû, due, dus, dues *3* dois, devons, doivent *4* devais *5* devrai *7* doive

dire *1* disant *2* dit *3* dis, disons, dites, disent *4* disais *7* dise

dormir *1* dormant *2* dormi *3* dors, dormons *4* dormais *7* dorme

écrire *1* écrivant *2* écrit *3* écris, écrivons *4* écrivais *7* écrive

ÊTRE *1* étant *2* été *3* suis, es, est, sommes, êtes, sont *4* étais *5* serai *6* serais *7* sois, sois, soit, soyons, soyez, soient

FAIRE *1* faisant *2* fait *3* fais, fais, fait, faisons, faites, font *4* faisais *5* ferai *6* ferais *7* fasse

falloir *2* fallu *3* faut *4* fallait *5* faudra *7* faille

FINIR *1* finissant *2* fini *3* finis, finis, finit, finissons, finissez, finissent *4* finissais *5* finirai *6* finirais *7* finisse

fuir *1* fuyant *2* fui *3* fuis, fuyons, fuient *4* fuyais *7* fuie

joindre *1* joignant *2* joint *3* joins, joignons *4* joignais *7* joigne

lire *1* lisant *2* lu *3* lis, lisons *4* lisais *7* lise

luire *1* luisant *2* lui *3* luis, luisons *4* luisais *7* luise

maudire *1* maudissant *2* maudit *3* maudis, maudissons *4* maudissait *7* maudisse

mentir *1* mentant *2* menti *3* mens, mentons *4* mentais *7* mente

mettre *1* mettant *2* mis *3* mets, mettons *4* mettais *7* mette

mourir *1* mourant *2* mort *3* meurs, mourons, meurent *4* mourais *5* mourrai *7* meure

naître *1* naissant *2* né *3* nais, naît, naissons *4* naissais *7* naisse

offrir *1* offrant *2* offert *3* offre, offrons *4* offrais *7* offre

PARLER *1* parlant *2* parlé *3* parle, parles, parle, parlons, parlez, parlent *4* parlais, parlais, parlait, parlions, parliez, parlaient *5* parlerai, parleras, parlera, parlerons, parlerez, parleront *6* parlerais, parlerais, parlerait, parlerions, parleriez, parleraient *7* parle, parles, parle, parlions, parliez, parlent *impératif* parle! parlez!

partir *1* partant *2* parti *3* pars, partons *4* partais *7* parte

plaire *1* plaisant *2* plu *3* plais, plaît, plaisons *4* plaisais *7* plaise

pleuvoir *1* pleuvant *2* plu *3* pleut, pleuvent *4* pleuvait *5* pleuvra *7* pleuve

pourvoir *1* pourvoyant *2* pourvu *3* pourvois, pourvoyons, pourvoient *4* pourvoyais *7* pourvoie

pouvoir *1* pouvant *2* pu *3* peux, peut, pouvons, peuvent *4* pouvais *5* pourrai *7* puisse

prendre *1* prenant *2* pris *3* prends, prenons, prennent *4* prenais *7* prenne

prévoir *like voir 5* prévoirai

RECEVOIR *1* recevant *2* reçu *3* reçois, reçois, reçoit, recevons, recevez, reçoivent *4* recevais *5* recevrai *6* recevrais *7* reçoive

RENDRE *1* rendant *2* rendu *3* rends, rends, rend, rendons, rendez, rendent *4* rendais *5* rendrai *6* rendrais *7* rende

résoudre *1* résolvant *2* résolu *3* résous, résolvons *4* résolvais *7* résolve

rire *1* riant *2* ri *3* ris, rions *4* riais *7* rie

savoir *1* sachant *2* su *3* sais, savons, savent *4* savais *5* saurai *7* sache *impératif* sache, sachons, sachez

servir *1* servant *2* servi *3* sers, servons *4* servais *7* serve

sortir *1* sortant *2* sorti *3* sors, sortons *4* sortais *7* sorte

souffrir *1* souffrant *2* souffert *3* souffre, souffrons *4* souffrais *7* souffre

suffire *1* suffisant *2* suffi *3* suffis, suffisons *4* suffisais *7* suffise

suivre *1* suivant *2* suivi *3* suis, suivons *4* suivais *7* suive

taire *1* taisant *2* tu *3* tais, taisons *4* taisais *7* taise

tenir *1* tenant *2* tenu *3* tiens, tenons, tiennent *4* tenais *5* tiendrai *7* tienne

vaincre *1* vainquant *2* vaincu *3* vaincs, vainc, vainquons *4* vainquais *7* vainque

valoir *1* valant *2* valu *3* vaux, vaut, valons *4* valais *5* vaudrai *7* vaille

venir *1* venant *2* venu *3* viens, venons, viennent *4* venais *5* viendrai *7* vienne

vivre *1* vivant *2* vécu *3* vis, vivons *4* vivais *7* vive

voir *1* voyant *2* vu *3* vois, voyons, voient *4* voyais *5* verrai *7* voie

vouloir *1* voulant *2* voulu *3* veux, veut, voulons, veulent *4* voulais *5* voudrai *7* veuille *impératif* veuillez